LA GESTION DES OPÉRATIONS

PRODUITS ET SERVICES

WILLIAM J. STEVENSON
Rochester Institute of Technology

CLAUDIO BENEDETTI
École de Technologie Supérieure

avec la collaboration
de Hocine Bourenane

Chenelière/McGraw-Hill
MONTRÉAL • TORONTO

La gestion des opérations
Produits et services

Traduction de : *Production/Operations Management sixth edition*
de William J. Stevenson © 1999 McGraw-Hill Companies, Inc.
0-256-24866-4

© 2001 Les Éditions de la Chenelière inc.

Éditeur : Sylvain Ménard
Coordination : Sylvie Archambault
Révision linguistique : Annick Loupias, André Duchemin
Correction d'épreuves : Lucie Lefebvre
Infographie : Claude Bergeron
Conception graphique : Norman Lavoie
Couverture : Norman Lavoie

Données de catalogage avant publication (Canada)

Benedetti, Claudio, 1949-

    La gestion des opérations : produits et services

    Traduction de : Production/Operations Management
    Comprend des réf. bibliogr. et un index.

    ISBN 2-89461-510-8

    1. Production – Gestion. 2. Produits commerciaux – Gestion.
3. Services (Industrie) – Gestion. 4. Gestion d'entreprise.I. Titre.

TS155.B48214 2001	658.5	C2001-940515-4

Chenelière/McGraw-Hill
7001, boul. Saint-Laurent
Montréal (Québec)
Canada H2S 3E3
Téléphone : (514) 273-1066
Télécopieur : (514) 276-0324
chene@dlcmcgrawhill.ca

ISBN 2-89461-510-8

Dépôt légal : 2e trimestre 2001
Bibliothèque nationale du Québec
Bibliothèque nationale du Canada

Imprimé au Canada
2 3 4 5   IQE   05 04 03

Dans ce livre, le masculin a été utilisé dans le but d'alléger le texte.
La lectrice et le lecteur verront à interpréter selon le contexte.

Nous reconnaissons l'aide financière du gouvernement du Canada
par l'entremise du Programme d'aide au développement de l'industrie de l'édition (PADIÉ) pour nos activités d'édition.

L'Éditeur a fait tout ce qui était en son pouvoir pour retrouver les
copyrights. On peut lui signaler tout renseignement menant à la
correction d'erreurs ou d'omissions.

DANGER
LE
PHOTOCOPILLAGE
TUE LE LIVRE

REMERCIEMENTS

Je désire souligner l'apport des personnes suivantes qui m'ont appuyé dans le choix du projet initial et qui m'ont fourni leurs précieux commentaires au début de la démarche :

René Gélinas de l'UQTR ;

Daoud Ait-Kadi, Ossama Kettani et Joëlle Bouchard de l'Université Laval ;

François Julien de l'Université d'Ottawa ;

Sébastien Azondékon de l'UQAH ;

Claude Olivier et Youssef A. Youssef de l'ÉTS.

Des remerciements particuliers pour leurs conseils sont offerts à mes amis MM. René Rochette de l'UQTR, Jean Harvey de l'UQAM et Mme Suzanne Tassé Brown du collège Ahuntsic ainsi qu'à mes guides MM. Laurent Villeneuve et Mario Godard de l'École Polytechnique de Montréal.

La réalisation de cet ouvrage aurait été difficile à réaliser sans le *Dictionnaire de la Gestion de la production et des stocks* (Québec/Amérique) dont le travail de la rédactrice, Mme Marie-Éva de Villers (HEC-Montréal), nous fut d'un grand secours.

Je remercie également le personnel de la maison d'édition Chenelière/McGraw-Hill, plus particulièrement Sylvain Ménard et Sylvie Archambault.

Je ne pourrai jamais assez remercier mon ami Hocine Bourenane pour sa contribution.

Aux membres de ma famille, ma femme Pierrette, mes fils Carlo, Bruno et ma mère Maria, je tiens à vous remercier pour la patience dont vous avez fait preuve durant ces deux dernières années.

Claudio Benedetti

Depuis plusieurs années, les spécialistes du domaine de la gestion des opérations réclament un livre d'envergure traitant de cette discipline en français. L'ouvrage de M. Stevenson, adapté par M. Benedetti, répond précisément à cette demande. Il aborde avec rigueur les principales applications de la gestion des opérations à l'aide d'exemples concrets et actuels empruntés au domaine manufacturier et au domaine des services.

De plus, la notion de « Lean Manufacturing » est bien rendue par M. Benedetti par la justesse de l'adaptation française : production épurée.

En tant que responsables du programme de MBA à l'UQAM, nous sommes heureux de promouvoir le domaine de la gestion des opérations et sommes convaincus que ce livre fera école dans un proche avenir.

Léon-Michel Serruya
Directeur PRGR, MBA
École des sciences de la gestion, UQAM

L'ouvrage de M. Benedetti arrive au moment opportun. Son originalité réside principalement en sa capacité d'intégrer le système d'exploitation et le système de conception des activités opérationnelles des organisations. Rarement avons-nous été témoins d'une telle intégration. Félicitations !

Louis Lefebvre
Directeur du Département de mathématiques et de génie industriel
École Polytechnique de Montréal

C'est avec grand plaisir que je tiens à souligner l'immense apport de Claudio Benedetti à l'enseignement et au développement du secteur de la gestion des opérations.

Son adaptation d'un classique américain de la gestion des opérations ajoute un autre élément majeur à ses nombreuses contributions à ce secteur en permettant à un nombre encore plus grand de francophones d'approfondir le sujet.

Bravo Claudio !

Robert L. Papineau, Ph.D., ing.
Directeur de l'École de Technologie Supérieure
Membre senior, IIE
Membre, Académie canadienne du génie
Fellow, World Association for Productivity Science

Ce volume constitue une excellente contribution au domaine de la gestion des opérations dans les systèmes de production de produits et services. Cette version française de *Production Operations Management* sera bien reçue en tant qu'ouvrage de référence traitant de la gestion des opérations selon l'approche nord-américaine. Le lexique constituera également une bonne source d'information pour quiconque travaille dans le domaine.

Bravo Claudio!

René Rochette
Directeur
École d'ingénierie, UQTR

AVANT-PROPOS

GESTION DE LA PRODUCTION ET DES OPÉRATIONS
PREMIÈRE ÉDITION
WILLIAM J. STEVENSON
Rochester Institute of Technology

Le présent ouvrage a pour but d'informer et de sensibiliser les étudiants de premier et de deuxième cycles à la gestion de la production et des opérations, un domaine très dynamique qui contribue à l'évolution de toute organisation.

Les notions étudiées ici ont toutes des applications pratiques et concernent l'ingénierie des méthodes, la comptabilité analytique, la gestion générale, les méthodes quantitatives et les statistiques. De plus, les activités de la production et des opérations (la prévision, la localisation d'un bureau ou d'une usine, la répartition des ressources, la conception des produits et services, les activités d'ordonnancement, l'assurance et l'amélioration de la qualité) sont des activités centrales et souvent stratégiques dans les organisations commerciales.

Certains parmi vous travaillent déjà dans le domaine de la gestion des opérations ou y travailleront, d'autres occuperont des emplois qui y seront directement reliés. Par conséquent, qu'il s'agisse ou non de votre champ d'étude, vous et votre entreprise profiterez de ces nouvelles connaissances.

Ce manuel contient beaucoup de matériel. Les professeurs qui préfèrent une approche quantitative apprécieront particulièrement les nombreux exemples et les problèmes et ceux qui privilégient une approche plus qualitative apprécieront les cas présentés en fin de chapitre. De toute évidence, élèves et professeurs y puiseront des informations essentielles sur la gestion des opérations.

NOTE À L'ÉTUDIANT

Le contenu de ce manuel doit faire partie de vos connaissances de base. Par conséquent, vous tirerez profit de votre étude de la gestion de la production et des opérations, *peu importe votre spécialisation*. Sur le plan pratique, il s'agit d'un cours de *gestion*. On y décrit des principes et des concepts dont un bon nombre est applicable à d'autres aspects de votre vie professionnelle et personnelle. Certains étudiants abordent ce cours de façon négative et avec appréhension parce qu'ils ne sont pas à l'aise avec le contenu, parce que le sujet est monotone ou encore parce qu'il concerne la «gestion de l'usine». Or, il n'en est rien: le sujet de cet ouvrage est essentiel pour tous les étudiants en administration. On y traite de la fabrication et des services, des secteurs importants pour bon nombre de raisons. En effet, la plupart des objets qui vous entourent ont été fabriqués: voitures, camions, avions, vêtements, chaussures, ordinateurs, livres, stylos, chaînes stéréo, téléphones cellulaires, etc. Il est donc logique de savoir comment on fabrique ces objets. Mais n'oubliez surtout pas que la fabrication est largement responsable du niveau de vie élevé des habitants des pays industrialisés.

Après avoir étudié terminé l'étude de cet ouvrage, vous pourrez:

1. Dégager les points importants concernant la gestion des opérations.

2. Maîtriser la terminologie et l'utiliser.

3. Résoudre des problèmes concrets.

4. Appliquer les notions et les techniques abordées.

5. Discuter de la gestion, de ses avantages et de ses limites, et ce, de manière pertinente.

Dans ce manuel, nous mettons l'accent sur la résolution de problèmes, car ils illustrent les concepts et les techniques étudiés. En outre, à la fin de la plupart des chapitres, vous trouverez une panoplie de problèmes résolus. Vous constaterez que la majorité contiennent très souvent un grand nombre de détails.

Pour étudier et résoudre les problèmes, nous vous suggérons de:

1. Lire le sommaire du chapitre et ses objectifs d'apprentissage.

2. Lire le résumé du chapitre, puis lire le chapitre en profondeur.

3. Passer en revue et tenter de répondre aux questions de discussion et de révision.

4. Résoudre les problèmes à l'aide des problèmes résolus et des exemples des chapitres au besoin.

TABLE DES MATIÈRES

Partie I

INTRODUCTION

L'introduction à la gestion de la production et des opérations comprend deux chapitres :

CHAPITRE 1 La gestion de la production et des opérations

CHAPITRE 2 La productivité, la compétitivité et la stratégie

Dans le chapitre 1, nous décrivons la nature et l'envergure de la gestion des opérations ainsi que sa relation avec d'autres parties de l'entreprise. Après avoir examiné différents types de systèmes de production, nous comparons des activités de fabrication et des activités de services et nous présentons un bref historique de la gestion des opérations ainsi qu'une liste des tendances récentes concernant les opérations. Après avoir lu ce chapitre, vous aurez une vision globale de la fonction des opérations au sein de l'entreprise.

Dans le chapitre 2, nous présentons la gestion des opérations dans un contexte plus vaste et nous discutons des questions relatives à la productivité, à la concurrence et à la stratégie. Après avoir lu le chapitre 2, vous comprendrez l'importance de la fonction des opérations du point de vue des objectifs d'une organisation commerciale. Dans ce chapitre, nous décrivons également les stratégies axées sur le temps que bon nombre d'entreprises adoptent dans le but de devenir plus concurrentielles et de mieux servir leurs clients.

OBJECTIFS D'APPRENTISSAGE

Après avoir terminé l'étude de ce chapitre, vous pourrez :

1. Définir la notion de «gestion de la production et des opérations» (GOP).

2. Déterminer les quatre principaux secteurs fonctionnels de l'entreprise et décrire leur relation.

3. Décrire la fonction des opérations et la nature du travail du directeur des opérations.

4. Faire la distinction entre la conception et l'exploitation des systèmes de production.

5. Décrire de façon générale les différents types d'activités.

6. Comparer le secteur des services et le secteur de la fabrication et faire la distinction entre eux.

7. Décrire l'évolution dans le temps de la GOP.

8. Décrire les principaux aspects de la prise de décisions en matière de gestion des opérations.

9. Distinguer les tendances les plus récentes sur le plan de la gestion des opérations.

10. Décrire la Loi de Pareto et déterminer son importance dans le cadre de la résolution de problèmes.

Chapitre 1
LA GESTION DES OPÉRATIONS ET DE LA PRODUCTION

Plan du chapitre

Dans ce manuel, nous étudions la gestion de la production et des opérations (GOP), laquelle comporte la planification, la coordination et l'exécution de toutes les activités qui permettent de créer des biens ou de fournir des services utiles. Il s'agit d'un thème fascinant et d'actualité: la productivité, la qualité, la concurrence étrangère et le service à la clientèle sont des activités qui font régulièrement la une des journaux. Elles s'inscrivent toutes dans le cadre de la gestion de la production et des opérations. Dans le premier chapitre, nous vous présentons un aperçu de la gestion des opérations. Nous répondons notamment aux questions suivantes: qu'est-ce que la gestion des opérations? Quelle est son importance? Quel est le travail du directeur des opérations?

Puis, nous décrivons brièvement l'évolution dans le temps de la gestion des opérations et nous discutons des tendances actuelles qui l'influencent.

1.1 INTRODUCTION

Pour plusieurs personnes, le mot production évoque des images d'usines, de machines et de chaînes de montage. Fait intéressant, dans le passé, la gestion des opérations concernait presque exclusivement la gestion de la fabrication et mettait l'accent sur les méthodes et les techniques utilisées pour exploiter une usine. Cependant, au cours des dernières années, la gestion des opérations a considérablement pris de l'envergure. Les notions et les techniques de production sont dorénavant appliquées à une grande variété d'activités et de situations à l'extérieur du secteur de la fabrication, c'est-à-dire dans le secteur des services: la santé, les services alimentaires, les loisirs, les services bancaires, la gestion hôtelière, la vente au détail, l'éducation, le transport et le gouvernement. Par conséquent, il existe maintenant ce que l'on appelle le domaine de la gestion de la production et des opérations ou, tout simplement, la **gestion des opérations**, expression qui reflète plus précisément la nature diversifiée des activités auxquelles ces notions et ces techniques s'appliquent.

gestion des opérations
Gestion des systèmes ou des processus qui créent des biens et des services utiles. Ces ressources comprennent: matières premières, main-d'œuvre, machines et équipements, capitaux.

Prenons l'exemple d'une compagnie aérienne pour illustrer un système de gestion de la production et des opérations. Le système comprend des avions, des installations aéroportuaires et des installations d'entretien, infrastructures qui s'étendent parfois sur un vaste territoire. La plupart des activités effectuées par la direction et les employés se classent dans le domaine de la gestion des opérations:

La *prévision* de facteurs comme la température et les conditions d'atterrissage, la demande de sièges lors d'un vol et l'accroissement du nombre de voyages en avion.

La *planification de la capacité,* qui est essentielle pour que la compagnie aérienne puisse maintenir une rentrée de fonds et faire des profits raisonnables. (Le fait de prévoir un trop petit ou un trop grand nombre d'avions ou même le nombre juste d'avions, mais au mauvais moment, peut réduire les profits de la compagnie).

L'*établissement des horaires* des vols et de l'entretien routinier des avions, des horaires, des pilotes et des agents de bord, du personnel de piste, des commis au service à la clientèle et des bagagistes.

La *gestion des stocks*: nourriture, boissons, trousses de premiers soins, magazines, oreillers, couvertures et articles de sauvetage.

L'*assurance qualité,* qui est essentielle pour les activités liées aux vols et à l'entretien: l'accent est mis sur la sécurité. Elle est également importante pour traiter avec les clients à la billetterie, à l'entrée des passagers, lors des réservations téléphoniques et au service de stationnement: on met l'accent sur l'efficacité et la courtoisie.

La *motivation et la formation* des employés à toutes les étapes des opérations.

La *localisation des installations* conformément aux décisions prises par les gestionnaires quant aux villes à servir, à la localisation des installations d'entretien et des aéroports majeurs et mineurs.

Maintenant, considérons l'exemple d'une usine de fabrication de bicyclettes. Il peut s'agir au départ d'une activité de montage ; elle comprend l'achat des composantes comme les cadres, les pneus, les roues, les engrenages et d'autres articles auprès des fournisseurs ainsi que le montage des bicyclettes. L'usine pourrait également accomplir certaines des tâches de fabrication elle-même, comme la fabrication des cadres, des engrenages et des chaînes, et acheter surtout des matières premières et quelques pièces et matériaux comme la peinture, les écrous, les boulons et les pneus. Dans un cas comme dans l'autre, les tâches de gestion comprennent l'ordonnancement de la production, la prise de décisions liées à la fabrication et à l'achat des composantes, aux commandes de pièces et de matériaux, au style et au nombre de bicyclettes à produire, ainsi que l'achat de nouveau matériel pour remplacer l'ancien ou l'usé, l'entretien du matériel, la stimulation des employés et le respect des normes de qualité.

De toute évidence, une compagnie aérienne et une usine de fabrication de bicyclettes ont des activités complètement différentes. L'une est surtout fournisseur de services, tandis que l'autre est un producteur de biens. Néanmoins, ces deux exploitations ont plusieurs points communs : l'ordonnancement des activités, la motivation des employés, les commandes et la gestion des fournitures, la sélection et l'entretien du matériel, la conformité aux normes de qualité et, surtout, la satisfaction des clients. Dans les deux systèmes, le succès de l'entreprise est fonction de la planification à court et à long terme.

1.2 POURQUOI ÉTUDIER LA GESTION DES OPÉRATIONS ?

Vous vous demandez sans doute pourquoi il est nécessaire d'étudier la gestion des opérations. En fait, bon nombre de raisons justifient cette étude. La première, c'est que les activités de gestion des opérations sont au cœur de toutes les organisations commerciales, peu importe leur nature. La deuxième raison, c'est qu'environ 35 % des emplois se trouvent dans des domaines connexes à la gestion des opérations – comme le service à la clientèle, l'assurance qualité, la planification et le contôle de la production, l'ordonnancement, la conception des tâches, la gestion des stocks et autres. La troisième raison, c'est que les activités de tous les autres secteurs des organisations commerciales, comme les finances, la comptabilité, les ressources humaines, la logistique, le marketing, les achats et autres sont reliées aux activités de gestion des opérations. Par conséquent, tous les employés de ces services doivent comprendre le fondement de la gestion des opérations. Mais la principale raison pour laquelle on doit étudier la gestion des opérations, c'est qu'elle concerne la gestion, et tous les gestionnaires doivent posséder des connaissances et des compétences dans les secteurs qui vous seront présentés, notamment la productivité, la stratégie, les prévisions, la qualité, le contrôle des stocks et l'ordonnancement. De plus, vous apprendrez comment utiliser des outils quantitatifs qui améliorent la prise de décisions.

Si vous songez à faire carrière dans la gestion de la production et des opérations, il serait bon d'adhérer à une société professionnelle.

www.scgi-csie.org

Au Canada, la Société canadienne de génie industriel ou Canadian Society for Industrial Engineering (CSIE-SCGI), B.P. 92016, Brossard (Québec), J4W 3K8

www.apics.org

American Production and Inventory Control Society (APICS)
5301 Shawnee Road, Alexandria, VA 22312-2317
Au Canada, son équivalent est la Canadian Association For Production & Inventory Control l'Association canadienne de la gestion de la production et des stocks (ACGPS).

www.asq.org

American Society for Quality (ASQ)
230 West, Wells Street, Milwaukee, Wisconsin 53203

Purchasing Management Association of Canada (PMAC)
(Association canadienne de gestion des achats ACGA)
2 Carlton, suite 1414, Toronto, Ontario M5B 1J3

www.pmac.ca

Canadian Association of Supply Chain & Logistics Management
590 Alden, suite 211, Markham, Ontario L3R 8M2

www.infochain.org

L'organisme qui intègre l'ensemble des fonctions de la gestion des opérations est l'Institute of Industrial Engineers (IIE) 25 Technology Park, Norcross, GA.30092-2988 USA.

www.iienet.org *pendant Américain*

ASQ, APICS et PMAC offrent des examens de certification pour praticiens afin d'améliorer vos qualifications, par exemple le certified production inventory manager (CPIM). Vous pouvez obtenir de l'information sur les offres d'emplois existantes auprès de toutes ces sociétés.

logiciel MRP

www.apics.org
www.apicsottawa.on.ca

1.3 LES FONCTIONS AU SEIN DES ENTREPRISES

L'humain met sur pied des entreprises pour poursuivre et atteindre des objectifs plus efficacement grâce aux efforts concertés d'un groupe plutôt que de personnes travaillant seules. Ces entreprises, qu'elles soient à but lucratif ou non lucratif, se consacrent à la production de biens et à la fourniture de services. Même si parfois les produits ou services peuvent être très différents, leurs fonctions, leurs objectifs et leurs modes d'opération se ressemblent grandement.

En général, toute entreprise comporte quatre fonctions principales : les finances, le marketing, les opérations et les ressources humaines (voir la figure 1.1). Ces fonctions, et d'autres fonctions de soutien, effectuent des activités différentes mais connexes qui sont nécessaires à l'exploitation de l'entreprise.

La figure 1.2 illustre l'interdépendance des principales fonctions par des cercles qui se chevauchent. Les fonctions doivent interagir pour atteindre des buts et des objectifs intégrés à l'entreprise, et chacune y apporte une importante contribution. Souvent, le succès d'une entreprise dépend non seulement de la performance de chaque secteur, mais aussi de l'efficacité de la relation entre tous les secteurs. Par exemple, si la production et le marketing ne travaillent pas de pair, on pourrait se retrouver dans une situation où le marketing assure la promotion de biens ou de services que la production ne peut livrer de manière rentable ou encore, la production fabriquera des produits ou des services pour lesquels il n'y a pas de demande. De même, à moins que le personnel des finances et de la production ne travaillent en étroite collaboration, les fonds réservés à l'expansion et à l'achat de nouveau matériel peuvent ne pas être disponibles au moment opportun.

Examinons ces fonctions plus en détail.

1.3.1 La fonction opération

La fonction opération est constituée de toutes les activités directement reliées à la production de biens ou à la fourniture de services. Cette fonction existe non seulement dans les secteurs de la fabrication, qui sont axés sur les biens, mais aussi dans les secteurs de la santé, du transport, de la manutention de la nourriture et de la vente au détail, soit le secteur des services. Le tableau 1.1 montre des exemples de la diversité des installations de gestion des opérations.

Nous définissons la **production** comme l'ensemble des **opérations** qui transforment des valeurs (ressources) en biens et en services utiles.

Nous n'insisterons jamais assez sur la notion d'utilité des biens et des services créées.

Nous résumons ces ressources par l'**approche des 5 M**, soit :

1er M : les matières premières ;

2e M : la main-d'œuvre ;

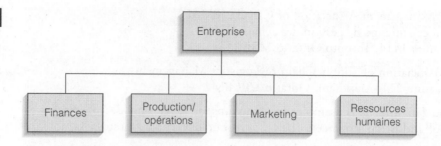

3ᵉ M : les machines et l'équipement, choisis parfois en fonction des ressources financières ;

4ᵉ M : méthodes d'opération : les opérations définissent les procédures utilisées par l'entreprise ou l'organisme concerné, chacun ayant ses méthodes propres ;

5ᵉ M : milieu : le milieu environnant, aussi bien physique (ventilation, éclairage, propreté, circulation, mobilier, etc.) qu'humain (relations de travail avec les supérieurs et les collègues et autres), dans lequel baigne tout le système décrit précédemment.

Par notre définition, nous tenons à souligner la nuance entre production et opération.

La fonction opération est au centre de la plupart des entreprises ; elle est responsable de la création des biens ou des services de l'entreprise. Les intrants sont utilisés pour obtenir les biens finis ou les services utiles à l'aide d'un ou de plusieurs processus de transformation (exemples : le stockage, le transport, la coupe). Pour obtenir la production souhaitée, il faut prendre des mesures à divers moments au cours du processus de transformation (rétroaction) et ensuite les comparer à des normes établies antérieurement afin de déterminer s'il faut prendre des mesures de correction (contrôle). La figure 1.3 montre le processus de conversion sous forme de système.

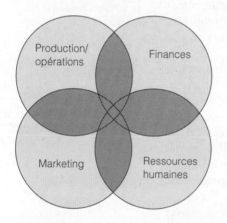

Le tableau 1.2 présente certains exemples d'intrants, de processus de transformation et d'extrants.

valeur ajoutée

La différence entre la valeur de la production créée et la valeur des biens et services utilisés pour la créer.

La fonction opération a pour objectif essentiel d'ajouter de la valeur au processus de transformation : on utilise l'expression **valeur ajoutée** pour décrire la différence qui existe entre le coût des intrants et la valeur ou le prix de la production, d'où la notion de production à valeur ajoutée (PVA). Dans les entreprises sans but lucratif, la valeur de la production (c'est-à-dire la construction d'autoroutes, la police et la protection contre les incendies) est une valeur pour la société ; plus la valeur ajoutée est grande, plus l'efficacité de ces activités l'est aussi. Dans les entreprises à but lucratif, la valeur des intrants se mesure au prix que les clients sont prêts à payer pour se procurer leurs extrants. Les entreprises utilisent les bénéfices provenant de la valeur ajoutée pour la recherche et le développement, pour investir dans de nouvelles installations et dans du matériel et pour faire des profits. Par conséquent, plus la valeur ajoutée est élevée, plus la quantité de fonds disponibles à ces fins est grande.

Les entreprises tentent de devenir plus productives en vérifiant si les activités effectuées par leurs travailleurs ajoutent de la valeur à l'entreprise. Elles considèrent que celles qui ne font pas croître sa valeur sont des pertes. L'élimination ou l'amélioration de ces activités entraîne une diminution du coût des intrants ou du traitement et fait donc augmenter la valeur ajoutée. Par exemple, une entreprise peut se rendre compte qu'elle produit un article longtemps avant la date de livraison prévue pour le client, ce qui exige un entreposage des articles jusqu'à la livraison. Elle a donc des frais supplémentaires sans pour autant que soit accrue la valeur de l'article en question. En réduisant la durée d'entreposage, elle diminue ses coûts de transformation et améliore sa valeur ajoutée.

Types d'exploitation	Exemples
Production de biens	Agriculture, mines, construction, fabrication, énergie
Stockage/transport	Entreposage, camionnage, services de courrier, déménagement, taxis, autobus, hôtels, compagnies aériennes
Échange	Vente au détail, vente en gros, services bancaires, location ou location par crédit-bail, prêts de bibliothèque
Divertissements	Films, radio et télévision, pièces de théâtre, concerts, enregistrements
Communications	Journaux, émissions de radio et de télévision, téléphone, satellites

TABLEAU 1.1

Exemples de divers types d'exploitation

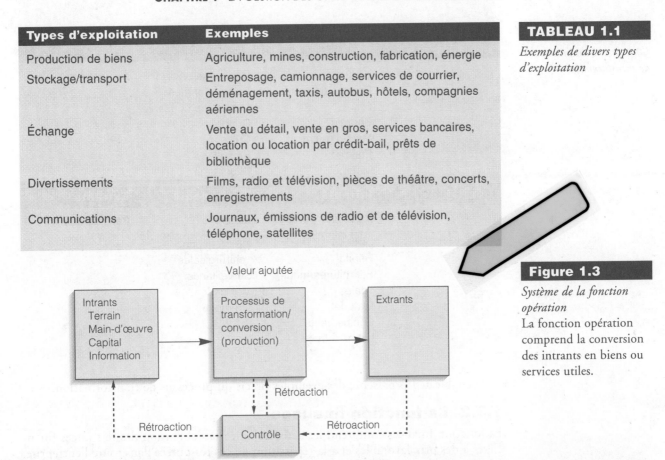

Figure 1.3

Système de la fonction opération
La fonction opération comprend la conversion des intrants en biens ou services utiles.

Intrants	Transformations	Extrants
Terrain	Processus	Biens
Main-d'œuvre	Coupe, forage	Maisons
Physique	Transport	Automobiles
Intellectuelle	Enseignement	Vêtements
Matières premières	Agriculture	Ordinateurs
Énergie	Mélange	Machines
Eau	Emballage	Télévisions
Produits chimiques	Mise en conserve	Produits alimentaires
Métaux	Consultation	Manuels scolaires
Bois	Copie, télécopie	Revues
Matériel		Chaussures
Machines		Lecteurs de CD
Ordinateurs		Services
Camions		Soins de santé
Outils		Divertissements
Installations		Réparation de voitures
Hôpitaux		Livraisons
Usines		Emballage de cadeaux
Bureaux		Services juridiques
Magasins de vente au détail		Services bancaires
Autres		Communications
Information		
Temps		

TABLEAU 1.2

Exemples d'intrants de transformations et d'extrants

TABLEAU 1.3

Illustrations du processus de transformation

Transformation des aliments	Intrants	Traitements	Extrants
	Légumes crus	Nettoyage	Légumes en boîte
	Feuilles de métal	Fabrication des	
	Eau	boîtes de conserve	
	Énergie	Coupe	
	Main-d'œuvre	Cuisson	
	Édifice	Emballage	
	Matériel	Étiquetage	

Hôpital	Intrants	Traitements	Extrants
	Médecins, personnel infirmier	Examens	Patients en santé
	Hôpital	Interventions chirurgicales	
	Fournitures médicales	Surveillance	
	Matériel	Médication	
	Équipements	Thérapie	
	Laboratoires		

Le tableau 1.3 présente des exemples précis du processus de transformation.

1.3.2 La fonction finances

La fonction finances comprend les activités reliées à l'obtention des ressources financières à des prix favorables et à la répartition de ces ressources dans toute l'entreprise. Le personnel des finances et celui de la gestion des opérations collaborent en échangeant leurs informations et leurs expertises dans des activités telles que :

1. *L'établissement du budget.* Il faut périodiquement préparer les budgets pour planifier les besoins financiers de l'entreprise. Au besoin, les budgets seront réajustés et on verra à évaluer la performance de l'entreprise en regard de ces budgets.

2. *L'analyse financière des propositions d'investissements.* L'évaluation des différents investissements dans l'usine et dans le matériel exige l'apport du personnel des opérations et des finances.

3. *Les provisions de fonds.* Le financement nécessaire aux opérations et la quantité ainsi que le montant et le moment du financement peuvent avoir beaucoup d'importance lorsque les fonds sont peu élevés. Une planification attentive peut aider à éviter les problèmes d'encaisse. La plupart des entreprises à but lucratif obtiennent la majorité de leurs fonds grâce à la vente de produits et services.

1.3.3 La fonction marketing

Anciennement, le marketing consistait uniquement à vendre et à promouvoir les biens ou services d'une entreprise. Le personnel du marketing se chargeait de la publicité et de la fixation du prix de vente. Aujourd'hui, grâce aux études de marché, le marketing consiste également à identifier et à évaluer les besoins et les demandes des clients et à les communiquer au personnel des opérations (à court terme) et au personnel de la conception (à long terme). Le service des opérations est informé des demandes à court ou à moyen terme pour pouvoir faire une planification appropriée (c'est-à-dire l'achat de matériaux ou l'ordonnancement des travaux), tandis que le personnel de la conception a besoin d'information relative à l'amélioration des produits et des services actuels et à la conception de nouveaux produits et services. Les services du marketing, de la conception et de la production doivent travailler en étroite collaboration pour mettre efficacement en œuvre les changements concernant la conception et pour mettre au point et produire de nouveaux biens et services. Le service du marketing peut fournir de l'information précieuse sur les activités de la concurrence. Il peut également obtenir des données sur les préférences des consommateurs et les transmettre au service de la conception afin que celui-ci connaisse les types de produits et les caractéristiques recherchés. Le service des opérations peut fournir de l'information sur les capacités de production et juger de la possibilité de produire les biens et services conçus. Le service des opérations doit informer le service du marketing du **délai de livraison** de la fabrication ou du service afin de donner aux clients des devis réalistes quant aux dates de livraison de leurs commandes.

Par conséquent, le marketing, les opérations et les finances doivent entretenir des relations étroites pour échanger des données sur la conception des produits et des processus, les prévisions, l'établissement d'ordonnancements réalistes, les décisions relatives à la qualité et à la quantité. Ces services doivent communiquer entre eux pour connaître leurs forces et leurs faiblesses.

délai de livraison
Temps nécessaire pour livrer une commande ou fournir un service.

1.3.4 La fonction ressources humaines

Toute activité humaine n'existe que par et pour les humains. Que l'entreprise possède ou non un service formel de ressources humaines, parfois appelé service du personnel, le gestionnaire des opérations aura à gérer un des intrants principaux du système de production, soit la main-d'œuvre (2e M). Cette fonction s'occupe de l'embauche, de la formation du personnel et du suivi des employés, des relations de travail, des négociations des conventions collectives, de l'administration des conflits de travail patron-employé et employé-employé et des prévisions des besoins en main-d'œuvre. Dans certaines entreprises, elle s'occupe aussi des relations publiques avec le milieu.

1.3.5 Les autres fonctions

Une multitude de fonctions de soutien entretiennent des relations avec les services des opérations, des finances et du marketing, notamment la comptabilité et les achats. De plus, selon la nature de l'entreprise, elles peuvent comprendre le service du personnel ou des ressources humaines, de la conception et de la mise au point des produits, de l'ingénierie des méthodes et de l'entretien (voir la figure 1.4).

La *comptabilité* est responsable de la préparation des états financiers, notamment l'état des bénéfices et le bilan. Elle fournit également de l'information à la direction sur les coûts de la main-d'œuvre, des matériaux et des frais généraux et peut fournir des rapports sur des éléments comme les pertes, les temps de pannes et les stocks. Elle doit tenir compte des créanciers, des débiteurs et des coûts des assurances et préparer les déclarations de revenus pour l'entreprise.

Le service des *achats* est chargé de l'approvisionnement en matériaux, en fournitures et en équipement. Il doit être en relation étroite avec le service des opérations pour s'assurer que les quantités ainsi que les moments des achats sont appropriés. On consulte souvent le service des achats pour qu'il en évalue la qualité, la fiabilité, le service, les prix et la capacité de l'entreprise à s'ajuster à la demande changeante des fournisseurs. Il doit aussi participer à la réception et à l'inspection des biens achetés.

Les *relations publiques* sont responsables de la création et de l'entretien de l'image publique de l'organisation. Ce service est chargé de la promotion des nouveaux produits ou services ainsi que de toute la publicité. Il peut organiser des activités de parrainage pour une équipe sportive, commanditer des événements culturels, offrir des visites des installations de l'entreprise et parrainer des événements communautaires De bonnes relations publiques comportent plusieurs avantages potentiels, notamment en ce qui concerne le marché. Il a la charge de promouvoir auprès du public une image de qualité de l'entreprise comme lieu de travail (auprès du bassin d'employés potentiels), il améliore les possibilités que la ville dans laquelle l'entreprise est localisée approuve ses demandes de

Figure 1.4

Le service des opérations entretient des relations étroites avec plusieurs fonctions de soutien.

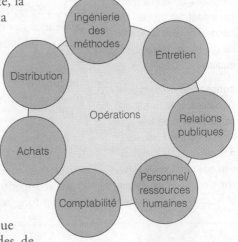

changement de zonage, il aide à faire accepter les plans d'expansion de l'entreprise par la communauté et inspire des attitudes positives aux employés.

Le *génie industriel,* responsable de l'organisation et des méthodes de travail, est chargé de l'ordonnancement, des normes de performance et du contrôle de la qualité. Les usines de fabrication des moyennes et grandes entreprises comportent généralement cette fonction. Celle-ci est en outre responsable de la conception et de l'amélioration de l'environnement des activités de production, à savoir : l'**aménagement** des lieux, la **manutention** et la **circulation** des biens, les services du personnel.

La fonction maintenance est responsable de l'entretien général et de la réparation du matériel, des édifices et des installations, du chauffage et de la climatisation, de l'élimination des déchets toxiques.

La *distribution* s'occupe de la livraison des biens dans les entrepôts, aux points de vente ou chez les clients. Elle comprend parfois la logistique, domaine assez complexe qui déborde du sujet de ce livre.

Nous discutons plus en détail de plusieurs de ces relations dans des chapitres ultérieurs.

L'importance de la gestion de la production et des opérations, pour les entreprises et la société en général, est évidente : la consommation des biens et services fait partie intégrante de notre société. La gestion de la production et des opérations est responsable de la création de ces biens et services. Les entreprises existent principalement pour fournir des services ou créer des biens. Par conséquent, la production est une fonction centrale de l'entreprise. Sans elle, les autres fonctions ne seraient pas nécessaires et l'entreprise n'aurait pas de raison d'être. Étant donné la nature centrale de cette fonction, il n'est pas surprenant que plus de la moitié des personnes qui travaillent au pays occupent des emplois dans les secteurs de la production et des opérations. De plus, la fonction des opérations est responsable d'une importante part des éléments d'actif de la plupart des entreprises.

1.4 LA CONCEPTION ET L'EXPLOITATION DES SYSTÈMES DE PRODUCTION

Nous avons déjà souligné le fait que le directeur des opérations est responsable de la création des biens et services. Il a la charge de l'acquisition des ressources et de la conversion des intrants en extrants au moyen d'un ou de plusieurs processus de transformation. Ses responsabilités comportent la planification, la coordination et le contrôle des éléments qui constituent les processus, notamment les employés, le matériel, les installations, la répartition des ressources et les méthodes de travail. Elles incluent aussi la conception des produits et des services, un processus vital et continu que la plupart des entreprises doivent effectuer. Le service des opérations exécute ces activités de pair avec le service du marketing. Le personnel du marketing peut être une source d'idées de nouveaux produits et services et d'amélioration de ceux qui existent déjà. Le personnel des opérations peut proposer des idées d'améliorations des produits et services par rapport aux processus de production. En pratique, la conception des produits et services ainsi que les processus constituent le moteur de production de l'entreprise.

exploitation du système
Décisions concernant le personnel, les stocks, l'ordonnancement, la gestion de projets et l'assurance qualité.

L'**exploitation du système** fait intervenir la gestion du personnel, la planification ainsi que le contrôle des stocks, l'ordonnancement, la gestion de projets et l'assurance qualité.

conception du système
Décisions concernant la capacité de production, la localisation, la disposition des services, la planification des produits et services ainsi que l'acquisition et l'installation du matériel.

La **conception du système** comporte la prise de décisions relatives à la capacité du système, à la localisation des installations, à la disposition des services, à l'installation du matériel à l'intérieur des structures physiques, à la planification des produits et services et à l'acquisition du matériel. Ces décisions font habituellement appel à des engagements à long terme.

Habituellement, le directeur des opérations est plus absorbé par des décisions concernant les opérations quotidiennes que par des décisions relatives à la conception du système d'opération, bien que ces dernières déterminent essentiellement bon nombre des paramètres de l'exploitation. Par exemple, les coûts, l'espace, les capacités de production et la qualité sont directement influencés par les décisions prises sur le plan de la conception. Même si le directeur des opérations n'est pas responsable de toutes les décisions, il peut fournir aux autres décideurs une vaste gamme de renseignements qui auront des conséquences sur leurs choix.

Prenons quelques instants pour examiner l'information qui figure au tableau 1.4. Celui-ci donne un aperçu supplémentaire de la nature et de l'envergure de la gestion des opérations.

Nous apprendrons davantage sur ces différents types d'activités dans les chapitres ultérieurs.

TABLEAU 1.4

Décisions relatives à la conception et aux opérations

Secteur de décision	Questions de base	Chapitres
Prévisions	Quelle sera la demande ?	3
Conception		
Conception de produits et services	Que veulent les clients ? Comment peut-on améliorer les produits et services ?	4
Sélection de processus	Quels processus l'organisation doit-elle utiliser ?	4, 5
Capacité (à long terme)	Quelle sera la capacité nécessaire ? Comment l'organisation peut-elle satisfaire aux exigences en fait de capacité ?	5
Aménagement	Quelle est la meilleure disposition pour les services, le matériel, le roulement des travaux et le stockage en fonction des coûts et de la productivité ?	6
Conception des systèmes de travail	Quelle est la meilleure manière de motiver les employés ? Comment peut-on améliorer la productivité ? Comment peut-on mesurer le travail ? Comment peut-on améliorer les méthodes de travail ?	7
Localisation	Où trouverait-on un emplacement satisfaisant pour nos installations (l'usine, le magasin, etc.) ?	8
Exploitation		
Qualité	Comment définit-on la qualité ?	9
Contrôle de la qualité	La performance des processus est-elle appropriée ? Quelles normes doit-on utiliser ? Les normes sont-elles respectées ?	10
Gestion de la qualité totale	Comment produit-on et améliore-t-on des biens et des services de qualité ?	11
Planification générale	À moyen terme, de quelle capacité aura-t-on besoin ? Comment peut-on bien satisfaire les besoins en fait de capacité ?	12
Gestion des stocks	Combien d'articles doit-on commander ? À quel moment doit-on repasser une commande ? À quels articles doit-on accorder le plus d'attention ?	13
Planification des besoins en matériel	Quel matériel, quelles pièces et quels sous-montages seront nécessaires et quand ?	14
Ordonnancement	Comment peut-on bien planifier les tâches ? Qui pourra faire telle ou telle tâche ? Quel matériel utilisera-t-on ?	17
Gestion de projets	Quelles activités sont les plus critiques pour le succès d'un projet ? Quels sont les objectifs d'un projet ? Quelles ressources seront nécessaires et quand ?	18
Files d'attente	Quelle est la capacité appropriée ?	19

1.5 LA PRODUCTION DE BIENS *VERSUS* LES ACTIVITÉS DE SERVICES

La production fournit des biens et des services finis tangibles comme une automobile, un radio-réveil, une balle de golf, un réfrigérateur, bref, tout ce que nous pouvons voir ou toucher. Elle peut se dérouler dans une usine ou ailleurs. Les services, par ailleurs, comportent généralement une action. L'examen médical, la réparation d'un téléviseur ou d'une voiture, l'entretien de la pelouse et la projection d'un film dans une salle de cinéma sont tous des exemples de services. La majorité des emplois dans le secteur des services se classent dans les catégories suivantes :

- Secteur public (gouvernements fédéral et provincial ou municipalités).

- Vente en gros ou au détail (vêtements, nourriture, appareils électroménagers, petits articles de bureau, jouets, etc.).

- Services financiers (services bancaires, courtage, assurance, etc.).

- Soins de santé (médecins, dentistes, hôpitaux, etc.).

- Services personnels (blanchissage, nettoyage à sec, coiffure, esthétique, jardinage, etc.).

- Services commerciaux (traitement des données, livraison, agences d'emploi, etc.).

- Éducation (écoles, collèges, universités, etc.).

La production de biens et la production de services sont souvent similaires sur le plan des activités qu'on y effectue, mais différentes quant à la manière de les faire. Par exemple, toutes les deux comportent des décisions relatives à la conception et aux opérations. Les fabricants doivent décider quelle grandeur d'usine construire. Les entreprises de services (comme les hôpitaux) doivent déterminer quelle grandeur d'édifice est nécessaire. Toutes les deux doivent prendre des décisions sur la localisation, l'ordonnancement, les activités de contrôle et la répartition des ressources rares.

Par contre, c'est au point de vue organisationel que les deux secteurs diffèrent, parce que la fabrication est axée sur les biens et les services, sur l'action. Les différences sont les suivantes :

1. Relations avec la clientèle
2. Uniformité des intrants
3. Diversité des emplois
4. Régularité des activités en production manufacturière
5. Mesure de la productivité
6. Assurance qualité

Examinons chacune de ces différences.

1. De par leur nature, les services comportent plus de relations avec la clientèle que la fabrication. Un service se rend souvent au point de consommation.

Par exemple, la réparation d'un toit qui coule doit se dérouler là où se trouve le toit, et une intervention chirurgicale exige la présence d'un chirurgien et d'un patient. La fabrication permet une division entre la production et la consommation, de sorte que la fabrication peut se situer dans un endroit éloigné du client. Par conséquent, ce secteur dispose d'une relative latitude dans la sélection des méthodes de travail, l'assignation des tâches, l'ordonnancement des travaux et le contrôle des opérations. Les choix dont disposent les services sur le plan des opérations sont beaucoup plus limités en raison des relations avec la clientèle. Ainsi, les clients font parfois partie du système (par exemple dans les activités de libre-service, comme les stations-service, les magasins) ; il est donc impossible d'exercer un contrôle serré. De plus, les entreprises axées sur les produits peuvent accumuler des stocks de biens finis (comme des voitures, des réfrigérateurs), ce qui leur permet d'absorber certains des chocs provoqués par la variation de la demande. Les entreprises de services ne peuvent se constituer des stocks de temps et sont donc beaucoup plus sensibles aux fluctuations de la demande – les banques et les supermarchés alternent constamment entre les clients qui font la queue pour se faire servir et les caissiers qui ne font rien et attendent de servir des clients.

2. Les activités de services sont soumises à une plus grande variabilité des intrants que les activités de fabrication typiques. Chaque patient, chaque pelouse et chaque automobile à réparer présente un problème précis qu'il faut généralement diagnostiquer avant de le résoudre. En général, le service de production doit pouvoir contrôler attentivement la quantité de variabilité des intrants et ainsi atteindre une faible variabilité dans les biens finis. Par conséquent, les exigences relatives aux emplois dans le secteur de la fabrication sont plus uniformes que celles du secteur des services.

3. Puisque les services se consomment sur les lieux mêmes et compte tenu du niveau élevé de variation de leurs intrants, les emplois dans les services comportent un contenu plus élevé, tandis que la fabrication, à quelques exceptions près, peut être plus exigeante en matière d'investissements (exemple : l'automatisation).

4. Puisque l'automatisation génère des produits ayant une faible variabilité, la fabrication tend à être plus régulière et efficiente ; les activités de services semblent parfois lentes et étranges et les services finis sont plus variables.

5. La mesure de la productivité est plus directe dans le secteur de la fabrication. Cela est dû au haut degré d'uniformisation de la plupart des biens manufacturés. Dans le secteur des services, les fluctuations de la demande et les divergences entre les exigences d'un emploi à l'autre font qu'il est considérablement plus difficile de mesurer la productivité. Par exemple, comparez la productivité de deux médecins. L'un d'eux peut avoir un grand nombre de cas routiniers, et l'autre non. Leur productivité semble donc différente, mais ne l'est sans doute pas. Seule une analyse approfondie nous le révélera.

Caractéristiques	Biens	Services
Production	Tangible	Intangible
Relations avec les clients	Rares	Nombreuses
Uniformité des intrants	Grande	Faible
Diversité des emplois	Faible	Grande
Uniformité des biens finis	Grande	Faible
Mesure de la productivité	Facile	Difficile
Occasions de corriger les problèmes de qualité avant la livraison des produits ou la prestation des services	Fréquentes	Rares

TABLEAU 1.5

Différences typiques entre les biens et les services

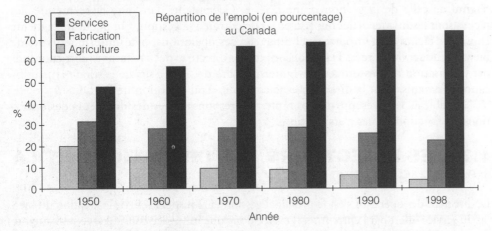

Figure 1.5

Répartition de l'emploi (en pourcentage) au Canada

Source : Statistique Canada ; CANSIM à www.statcan.ca.

6. L'assurance qualité est plus difficile à obtenir dans le secteur des services puisque la production et la consommation sont réalisées parallèlement. De plus, la plus grande variabilité des intrants fait en sorte qu'il est plus probable que la qualité de la production en souffre, à moins qu'il n'y ait une gestion active de l'assurance qualité. La qualité offerte sur les lieux de la création est généralement plus importante pour les services que pour la fabrication, où on peut corriger les erreurs avant que le client ne reçoive les biens finis.

Le tableau 1.5 donne un aperçu des différences entre la production de biens et les activités de services.

Bien qu'il soit pratique de songer à des systèmes consacrés exclusivement aux biens et aux services, la plupart des systèmes du monde réel sont une combinaison des deux. Par exemple, l'entretien et la réparation du matériel sont des services offerts par presque toutes les entreprises de fabrication. De même, la plupart des entreprises de services vendent généralement des biens qui complètent leurs services. Ainsi, une entreprise d'entretien de pelouses vend normalement des articles comme des herbicides, des engrais et des graines de gazon. Les hôpitaux distribuent des fournitures médicales et chirurgicales tout en offrant des services de santé. Les restaurants vendent de la nourriture. Les salles de cinéma vendent du maïs soufflé, des bonbons et des boissons.

Le secteur des services et celui de la fabrication sont tous les deux importants pour l'économie. Le secteur des services crée maintenant plus de 70 % des emplois au Canada. De plus, le nombre de personnes travaillant dans le secteur des services continue d'augmenter, tandis que le nombre de personnes employées dans la fabrication ne cesse de diminuer. (Voir la figure 1.5.) Malheureusement, une importante part de la croissance du secteur des services se traduit par des emplois moins qualifiés, aux salaires moins élevés et qui tendent à avoir une faible productivité. La fabrication est importante dans le sens où elle fournit une grande proportion des exportations qui sont avantageuses pour la balance d'un paiement d'un pays. De plus, plusieurs emplois du secteur des services dépendent de la fabrication ; autrement dit, ils soutiennent la fabrication. Si le secteur de la fabrication continue à décliner à cause de son incapacité à faire concurrence efficacement aux entreprises étrangères, les emplois du secteur des services qui sont liés à la fabrication (comme l'entretien, la sécurité et les services financiers) déclineront.

1.6 LE DIRECTEUR DES OPÉRATIONS ET LE PROCESSUS DE GESTION

Le directeur des opérations est la personne clé du système : il a la responsabilité ultime de créer des biens ou de fournir des services.

Les types de tâches que le directeur des opérations doit superviser varient considérablement d'une entreprise à une autre en raison des différents produits ou services. Ainsi, la gestion des opérations d'une banque exige évidemment une expertise différente de celle de la gestion d'une aciérie. Cependant, dans une large mesure, les tâches sont les mêmes : elles ont toutes les deux trait à la gestion. On peut dire la même chose des tâches de n'importe quel directeur des opérations, peu importe les types de biens ou de services créés. Dans tous les cas, le directeur des opérations doit coordonner l'utilisation des ressources par l'intermédiaire des processus de gestion : la planification, l'organisation, la direction et le contrôle, d'où la notion de PODC.

Le tableau 1.6 présente des exemples des responsabilités des directeurs des opérations en fonction de ces classifications.

1.7 LES DIRECTEURS DES OPÉRATIONS ET LA PRISE DE DÉCISIONS

Le directeur des opérations est le principal gestionnaire responsable de la création du bien ou du service offert par l'entreprise. Il exerce donc une influence considérable sur l'atteinte des objectifs de l'entreprise, à savoir créer des biens et des services utiles en respectant :

gestion.

TABLEAU 1.6

Responsabilités des directeurs des opérations

Planification
   Capacité
   Emplacement
   Produits et services
   Fabrication ou achat
   Aménagement
   Projets
   Ordonnancement

Organisation
   Degré de
      centralisation
   Sous-traitance

Direction
   Plans d'incitatifs
   Émission des ordres
      de travail
   Assignation des
      tâches

Contrôle
   Contrôle des stocks
   Contrôle de la
      qualité

Dotation en personnel
   Embauche/
      mises à pied
   Recours aux heures
      supplémentaires

- la **QUANTITÉ** requise ;
- la **QUALITÉ** espérée ;
- les **DÉLAIS** promis ;
- les **LIEUX** de livraison ;
- les **COÛTS** les plus justes.

C'est ce qu'il convient d'appeler les cinq **objectifs des opérations**. Sauf en cas de situations exceptionnelles, telles que les catastrophes naturelles et autres, on doit chercher à atteindre les cinq objectifs de façon intégrale, en ne donnant la priorité à aucun d'entre eux.

Pour ce faire, le gestionnaire disposera des approches suivantes :

- l'approche quantitative ;
- l'analyse et l'arbitrage ;
- l'approche systémique ;
- l'éthique.

Dans ce manuel, nous explorerons la vaste gamme de décisions que le directeur des opérations doit prendre et nous étudierons les outils qui l'aident à le faire. Dans cette partie, nous décrirons les approches générales concernant la prise de décisions, notamment les approches quantitatives, l'approche par l'analyse des compromis (arbitrage) et l'approche systémique.

Les cinq objectifs des opérations
Quantité, qualité, délais, lieux, coûts.

1.7.1 Les approches quantitatives

Les approches quantitatives de résolution de problèmes comportent souvent des tentatives pour obtenir des solutions mathématiquement optimales aux problèmes de gestion. Bien que les techniques quantitatives aient toujours été associées à la gestion de la production et des opérations, ce n'est pas avant la Seconde Guerre mondiale que des efforts ont été déployés pour mettre ces techniques au point. Pour résoudre des problèmes complexes de logistique militaire, on a mis sur pied des équipes multidisciplinaires (psychologues, mathématiciens, économistes, etc.) qui ont combiné leurs recherches afin de trouver des solutions efficaces. Après la guerre, on a poursuivi et accru ces efforts, et bon nombre des techniques résultantes ont été appliquées à la gestion des opérations. On utilise largement la *programmation linéaire* et les techniques mathématiques connexes pour la répartition optimale de ressources rares. Les *techniques de files d'attente*, créées dans les années 1920 dans l'industrie du téléphone mais inutilisées jusqu'aux années 1950 et 1960, sont utiles pour analyser des situations dans lesquelles des files d'attente se forment. Les *modèles de gestion des stocks*, également populaires après des études préliminaires, sont passés inaperçus longtemps, mais sont maintenant largement utilisés pour contrôler les stocks.

Les *modèles de gestion de projets* tels que la méthode de programmation optimale (*PERT : Program Evaluation and Review Technique*) et la méthode du chemin critique (*CPM : Critical Path Method*) sont utilisés dans la planification, la coordination et le contrôle de projets de grande envergure. Les *modèles statistiques* et les *techniques de prévision* servent dans plusieurs aspects de la prise de décisions.

Dans une large mesure, les approches quantitatives concernant la prise de décisions dans la gestion des opérations ont été acceptées grâce à l'introduction des calculatrices et à la disponibilité d'ordinateurs à grande vitesse capables de faire les calculs requis. Les ordinateurs ont une influence considérable sur la pratique de la gestion des opérations, particulièrement dans l'ordonnancement et le contrôle des stocks, car ils sont capables d'effectuer des calculs rapides et exempts d'erreurs, de tenir compte de milliers de données et de faire une récupération instantanée. De plus, la disponibilité croissante des progiciels couvrant presque toutes les techniques quantitatives a grandement poussé les gestionnaires à se servir d'ordinateurs. Plusieurs techniques autrefois impraticables, comme l'analyse de régression multiple et la programmation linéaire, s'effectuent maintenant avec aisance.

Cependant, il ne faut pas perdre de vue le fait que les gestionnaires utilisent généralement une combinaison de diverses approches qualitatives et quantitatives et que plusieurs décisions cruciales sont fonction des approches qualitatives.

1.7.2 L'analyse des compromis (l'arbitrage et l'équilibrage)

Les directeurs des opérations doivent prendre des décisions que l'on peut qualifier de décisions de compromis. Par exemple, en décidant de la quantité de stocks à garder en entrepôt, le gestionnaire doit tenir compte du compromis à faire entre l'amélioration du service à la clientèle que les stocks additionnels pourraient entraîner et les coûts supplémentaires requis pour conserver ces stocks. En sélectionnant une pièce d'équipement, un gestionnaire doit considérer les avantages de certaines caractéristiques des machines par rapport à leurs coûts. Et au moment de l'établissement des heures supplémentaires à effectuer en vue d'augmenter la production, le gestionnaire doit évaluer la valeur de l'accroissement de la production par rapport aux coûts plus élevés des heures supplémentaires (coûts de main-d'œuvre plus élevés, diminution de la productivité, diminution de la qualité et risques accrus d'accidents).

Dans ce manuel, nous vous présentons des modèles décisionnels qui reflètent ces types de compromis. Les gestionnaires doivent parfois prendre de telles décisions en dressant la liste des avantages et des inconvénients – les « pour » et les « contres » – d'une action pour mieux comprendre les conséquences des décisions qu'ils doivent prendre. Dans certains cas, les gestionnaires ajoutent des pondérations aux éléments de leur liste, lesquelles reflètent l'importance relative des divers facteurs. La méthode des « facteurs pondérés » les aide à déduire la valeur nette des conséquences potentielles des compromis sur leur décision. Le lecteur trouvera des applications de cette méthode tout au long de cet ouvrage.

1.7.3 L'approche systémique

L'approche systémique est presque toujours avantageuse dans la prise de décisions. Un système est un ensemble d'éléments interdépendants organisés en vue d'atteindre des objectifs. Dans une entreprise, on peut considérer l'organisation comme un **système** constitué de sous-systèmes (le sous-système du marketing, celui des opérations et celui des finances), qui, à leur tour, sont composés d'autres sous-systèmes. L'approche systémique met l'accent sur les interrelations entre les sous-systèmes, mais son thème principal est que le total est supérieur à la somme de ses parties individuelles. Ainsi, du point de vue systémique, les extrants et les objectifs de l'entreprise dans l'ensemble ont préséance sur ceux de n'importe quel sous-système. Une approche de rechange consiste à se concentrer sur l'efficacité au sein des sous-systèmes en vue d'atteindre une efficacité globale. Cette approche doit tenir compte du fait que les entreprises sont exploitées dans un environnement où les ressources sont rares et que les sous-systèmes se font souvent concurrence pour s'approprier ces dernières. Dans ce cas, il faut donc faire appel à une approche ordonnée de répartition des ressources.

Figure 1.6

*Un **système** est composé de cinq éléments*

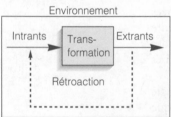

La faiblesse des techniques quantitatives est qu'elles tendent à produire des solutions optimales dans un champ rapproché, mais non optimales au sens plus large (en fonction d'un service, d'une usine, d'une division ou de l'ensemble de l'entreprise). Par conséquent, les gestionnaires doivent évaluer les solutions « optimales » en tenant compte d'un champ plus large, et doivent parfois modifier leurs décisions.

L'approche systémique est essentielle lorsqu'on conçoit, redéfinit, met en œuvre, améliore ou change un produit ou un service. Il est important de tenir compte des conséquences d'une décision sur toutes les parties du système. Par exemple, si le nouveau modèle d'une automobile prévoit l'ajout de freins anti-blocage, le concepteur doit considérer la manière dont les clients percevront le changement, les instructions d'utilisation des freins, les possibilités de mauvais emplois, les coûts liés à la production des nouveaux freins, les procédures d'installation, le recyclage des freins usés et les procédures de réparation. De plus, les travailleurs auront besoin d'une formation pour fabriquer et monter les freins ; l'horaire de production risque de changer ; on devra modifier les procédures de gestion des stocks, établir des normes de qualité, informer le service de la publicité des nouvelles caractéristiques et choisir des fournisseurs de pièces.

1.7.4 L'éthique

Les directeurs des opérations, tout comme les gestionnaires, doivent prendre des décisions en matière d'éthique. Les questions d'ordre éthique surviennent dans plusieurs aspects de la gestion des opérations. Elles concernent :

- la sécurité des travailleurs : donner une formation appropriée, garder le matériel en bon état de fonctionnement, maintenir un milieu de travail sûr ;
- la sécurité des produits : offrir des produits qui réduisent au minimum les risques de blessures pour les consommateurs ou les dommages à la propriété ou à l'environnement ;
- la qualité : honorer les garanties, éviter de cacher les défectuosités ;
- l'environnement : respecter les lois gouvernementales ;
- la communauté : être un bon voisin ;
- l'embauche et le congédiement des employés : ne pas embaucher sous de faux motifs (par exemple en promettant un emploi à long terme lorsque c'est impossible) ;
- la fermeture des installations : tenir compte des conséquences sur la communauté et honorer ses engagements ;
- les droits des travailleurs : respecter les droits des travailleurs, faire face aux problèmes de travail rapidement et avec équité.

En prenant des décisions, les gestionnaires doivent considérer la façon dont elles influeront sur les actionnaires, la direction, les employés, les clients, la collectivité et l'environnement. La recherche de solutions dans le meilleur intérêt de toutes les parties prenantes n'est pas toujours facile, mais les gestionnaires devraient tous viser cet objectif. De plus, même avec les meilleures intentions, ils commettront parfois des erreurs. Dans de tels cas, ils doivent agir de manière responsable pour les corriger le plus rapidement possible et réagir à toute conséquence négative.

Nos réflexions sur l'intégration des moyens pour atteindre des objectifs et sur l'éthique que devrait respecter tout gestionnaire nous ont amenés à développer la notion de **PESTE**. En effet, toute entreprise doit respecter l'environnement dans lequel elle évolue. Dans certains cas, elle subit les effets de cet environnement ; dans d'autres situations, elle affectera cet environnement.

L'environnement dans lequel évolue l'entreprise est constitué de :

- l'environnement politique : les lois et les règles qui régissent le fonctionnement de la société ;
- l'environnement économique : les taux de change, la situation économique, etc. ;
- l'environnement social : le niveau d'acceptation de la société, la disponibilité de la main-d'œuvre et ses caractéristiques propres en fonction des us et coutumes, la capacité de fournir un marché suffisant à l'entreprise, etc. ;
- l'environnement technologique : la disponibilité des connaissances et le développement technique du milieu ;
- l'environnement écologique : le respect, l'utilisation et la restitution des ressources dans l'écosystème.

Encore une fois, nous rappelons l'interdépendance de ces cinq éléments de l'environnement. L'histoire de l'humanité nous montre qu'à plusieurs reprises, le déséquilibre entre ces éléments causa des conflits graves qui ont entraîné des révolutions et des guerres.

Voyons maintenant l'aspect historique.

La Loi de Pareto
Quelques facteurs sont très importants ; plusieurs facteurs ont beaucoup moins d'importance.

PESTE
Politique, Économique, Social, Technologique, Écologique.

1.8 L'ÉVOLUTION HISTORIQUE DE LA GESTION DES OPÉRATIONS

Les systèmes de production existent depuis les temps anciens. La Grande Muraille de Chine, les pyramides d'Égypte, les Empires romain, espagnol et britannique ainsi que les routes et les aqueducs construits par les Romains sont tous des exemples de la capacité de l'être humain à organiser la production. L'origine de la production de biens, dans le sens moderne, et les systèmes d'usines modernes datent de la révolution industrielle.

1.8.1 La révolution industrielle

La révolution industrielle a vu le jour dans les années 1770, en Angleterre, et s'est répandue dans le reste de l'Europe et aux États-Unis durant le XIXᵉ siècle. Avant cette époque, les biens étaient produits dans de petits ateliers par des artisans et leurs apprentis. Avec ce système, il était courant qu'une personne soit responsable de la fabrication du produit, comme un carrosse ou un meuble, du début à la fin.

Plusieurs inventions ont changé à jamais le visage de la production en remplaçant la puissance de l'homme par celle des machines. La machine à imprimer et la machine à vapeur ont sans doute été les plus importantes inventions. En 1768, James Watt a créé la machine à vapeur, qui constituait une source d'énergie pour faire fonctionner d'autres machines. Le nettoyeur à vapeur de James Hargreave (1770) et le métier mécanique d'Edmund Cartwright (1785) ont révolutionné l'industrie du textile. Des provisions suffisantes de charbon et de minerai de fer généraient de la puissance et faisaient fonctionner ces machines. Les nouvelles technologies permettaient de fabriquer des machines en fer, beaucoup plus durables et solides que les anciennes machines en bois.

Dans les premiers jours de la fabrication, les biens étaient produits au moyen de la **production artisanale** : des travailleurs très spécialisés utilisant des outils simples et flexibles fabriquaient des biens selon les exigences des clients.

production artisanale
Système dans lequel des travailleurs très qualifiés utilisent des outils simples et souples pour produire de petites quantités de biens personnalisés.

La production artisanale a connu d'importants revers. Puisque les produits étaient fabriqués sur commande par des artisans qualifiés, la production était lente et coûteuse. En cas de défectuosités, on remplaçait aussi le produit, sur commande, ce qui était aussi très long et onéreux. La fabrication artisanale avait également un autre désavantage : les coûts de production ne diminuaient pas alors que le volume augmentait ; il n'y avait pas d'économies d'échelle, ce qui aurait été un important incitatif à l'expansion pour les entreprises. Au contraire, plusieurs petites entreprises ont ouvert leurs portes, chacune ayant établi ses propres normes.

Un important changement a donné lieu à la révolution industrielle : la mise au point de systèmes d'étalonnage standard. La révolution française mit fin aux mesures de l'Ancien Régime, où prévalaient les notions de « pied-de-roi » : les mesures étaient établies en fonction des membres du corps humain (pied, pouce, coudée, goutte, etc).

Le système métrique, appelé plus tard système international (SI), vit le jour, ce qui permit une meilleure communication entre les nations quant aux quantités commandées : un litre, un kilogramme, etc. Par conséquent, la demande pour des biens fabriqués sur mesure a considérablement diminué tandis que celle des produits standard augmentait. Les usines ont commencé à se multiplier et à prendre rapidement de l'expansion en normalisant la production, créant des emplois pour une innombrable quantité de personnes. On assista alors à un mouvement de la population des régions rurales vers les centres industriels.

En dépit de ces transformations considérables, les pratiques de gestion et la théorie à ce sujet n'avaient pas beaucoup évolué. On avait besoin d'une approche plus éclairée et systématique de la gestion.

1.8.2 La gestion scientifique

L'ère de la gestion scientifique a grandement modifié la gestion des usines. L'ingénieur en organisation et méthodes, l'inventeur Frederick Winslow Taylor, souvent surnommé le «père de la gestion scientifique», a accéléré le mouvement qui donna plus tard naissance au génie industriel[1].

Taylor croyait en une «science de la gestion» basée sur l'observation, la mesure, l'analyse et l'amélioration des méthodes de travail et les incitatifs économiques. Il a étudié les méthodes de travail en détail pour définir quelle était la meilleure méthode de travail pour chaque tâche accomplie. Taylor croyait également que la direction devait être responsable de la planification, de la sélection et de la formation des travailleurs, de la recherche de la meilleure manière d'accomplir chaque tâche, de la collaboration entre la direction et les travailleurs et de la segmentation des tâches elles-mêmes par rapport à la gestion des activités de travail.

Les méthodes de Taylor mettaient l'accent sur l'accroissement maximal de la production. Elles n'étaient pas toujours populaires auprès des travailleurs, qui, parfois, estimaient que ces méthodes servaient à des accroissements injustes de la production sans donner lieu à une augmentation correspondante des salaires. Certaines entreprises ont en effet abusé des travailleurs pour accroître leurs profits. Taylor lui-même a eu des démêlés avec ces entreprises. Finalement, le mécontentement des travailleurs s'est rendu jusqu'au Congrès américain, et des audiences publiques ont été tenues sur le sujet. Taylor a été appelé pour témoigner en 1911, année où on publiait son ouvrage intitulé *Principes d'organisation scientifique des usines*. La publicité qui a découlé de ces audiences a en fait aidé les principes de la gestion scientifique à obtenir la reconnaissance de l'industrie.

Plusieurs autres pionniers ont fortement contribué à ce mouvement :

Frank Gilbreth était un ingénieur des méthodes à qui on a accordé le titre de «père de l'étude des mouvements». Il a élaboré les principes de l'économie de mouvement qui s'appliquent à des portions incroyablement petites d'une tâche.

Henry Gantt a reconnu la valeur des récompenses non financières pour motiver les travailleurs et a mis au point un système très utilisé pour l'ordonnancement, appelé «le diagramme de Gantt».

Harrington Emerson a appliqué les idées de Taylor à la structure de l'entreprise et a encouragé le recours à des experts pour améliorer l'efficacité organisationnelle. Il a témoigné devant le Congrès pour prouver que les chemins de fer pourraient épargner un million de dollars par jour grâce à l'application des principes de gestion scientifique.

En Europe, l'ingénieur Henri Fayol et, plus tard, René Cavé, ont participé à ce mouvement. *Henry Ford*, le grand industriel, a utilisé des techniques de gestion scientifique dans ses usines.

Durant la première partie du XXe siècle, les automobiles sont devenues populaires aux États-Unis. Le modèle T de Ford a remporté un grand succès, à un point tel que l'entreprise a eu de la difficulté à satisfaire à la demande. En vue d'améliorer l'efficacité de ses opérations, Ford a adopté les principes de gestion scientifique promus par Frederik Winslow Taylor. Il a également introduit le mouvement de la chaîne de montage.

Parmi les nombreuses contributions d'Henry Ford, mentionnons l'introduction de la **production en série** dans l'industrie de l'automobile, soit un système de production dans lequel de grands volumes de biens standardisés sont produits par des travailleurs avec peu ou pas de spécialisation, utilisant du matériel sophistiqué et souvent coûteux. La notion clé sur laquelle Ford s'est appuyé et qui a sans doute lancé la production en série a été celle des **pièces interchangeables**. Cette notion a pour fondement la standardisation des pièces afin que chacune s'installe sur une automobile provenant de la chaîne de montage. Autrement dit, on ne fabrique plus les pièces sur mesure, comme c'est le cas pour la production artisanale. Les pièces normalisées peuvent également servir de pièces de remplacement. On obtient ainsi une diminution considérable du temps de montage et des coûts. Ford a accompli cela en normalisant les indicateurs utilisés pour mesurer les parties des pièces durant la production et en utilisant de nouveaux processus pour produire des pièces uniformes.

production en série
Système dans lequel des travailleurs peu spécialisés utilisent des machines spécialisées pour produire des volumes élevés de biens normalisés.

pièces interchangeables
Parties d'un produit faites avec une précision telle qu'elles ne peuvent pas être fabriquées sur mesure.

---

1. TAYLOR W.F. *T.Q.M. : 100 years of Production Management*, Joe Flynn, IIe Solutions, octobre 1998.

division du travail
Division du processus de production en petites tâches, de sorte que chaque travailleur effectue une petite portion de la tâche globale.

Ford a également eu recours à la notion de **division du travail**, qu'Adam Smith a abordée dans *La Richesse des nations* (1776). La division du travail signifie qu'une activité, comme le montage d'une automobile, est divisée en une série de plusieurs petites tâches et que chaque travailleur est affecté à une de ces tâches. Contrairement à la production artisanale, où chaque travailleur est responsable de plusieurs tâches et doit posséder des compétences diverses, dans la division du travail, les tâches sont si restreintes que presque aucune autre compétence n'est requise.

Ces notions ont permis à Ford d'accroître considérablement le taux de production de ses usines à l'aide d'une main-d'œuvre bon marché et disponible.

> […] Avec cette division du travail, le monteur n'a besoin que de quelques minutes de formation. De plus, il est constamment discipliné par la vitesse de la chaîne de montage, laquelle incite les travailleurs lents à travailler plus rapidement et les travailleurs rapides à ralentir. Le contremaître – autrefois chef d'un secteur complet de l'usine avec plusieurs tâches et responsabilités, mais maintenant vérificateur qualifié – peut repérer immédiatement les ralentissements ou les problèmes de performance dans les tâches assignées. Par conséquent, les travailleurs des chaînes de montage sont aussi facilement remplaçables que les pièces des voitures qu'ils fabriquent. *Source*: Reproduit avec l'autorisation de Rawson Associates/Scribner, une division de Simon & Schuster, Inc., tiré de l'ouvrage *The Machine That Changed the World*, par James P. Womack, Daniel T. Jones et Daniel Roos. © 1990 par James P. Womack, Daniel T. Jones, Daniel Roos et Donna Sammons Carpenter.

1.8.3 L'école humaniste

Alors que le mouvement de la gestion scientifique met lourdement l'accent sur les aspects techniques de la conception du travail, le mouvement des relations humaines est axé sur l'importance de la composante humaine. C'est le début de l'école humaniste. Lillian Gilbreth[2], psychologue et épouse de Frank Gilbreth, a travaillé avec son mari sur le facteur humain dans le travail. (La famille Gilbreth est le sujet du film classique des années 1950, *Cheaper by the Dozen*). Dans les années 1920, bon nombre d'études traitaient de la fatigue au travail. Dans les décennies suivantes, on a mis l'accent sur la motivation des employés. Durant les années 1920 et 1930, Elton Mayo a effectué des études à la division de Hawthorne de Western Electric. Elles révélaient qu'en plus des aspects physiques et techniques du travail, la motivation des travailleurs est cruciale pour améliorer la productivité.

Durant les années 1940, Abraham Maslow a élaboré les théories de la motivation, que Frederick Hertzberg a améliorées dans les années 1950. Dix ans plus tard, Douglas McGregor a ajouté les théories des prémisses décisionnelles ou théorie X et théorie Y. Ces théories représentent deux extrêmes quant à la manière dont les employés perçoivent le travail. Du côté négatif, la théorie X suppose que les travailleurs n'aiment pas travailler et doivent être contrôlés – récompensés et punis – afin d'être incités à faire un bon travail. Cette attitude était courante dans l'industrie lourde et dans certaines industries de masse (vêtements et autres), jusqu'à ce que la menace de la concurrence mondiale les force à repenser cette approche. La théorie Y, l'autre extrême, suppose que les travailleurs aiment les aspects physiques et cérébraux du travail et s'y engagent. L'approche par la théorie X a donné lieu à des confrontations, et la théorie Y, à l'émergence de travailleurs habiles à l'esprit plus coopératif. Dans les années 1970, William Ouchi a élaboré la théorie Z, qui combine l'approche japonaise (caractérisée par des éléments comme l'emploi à vie, la résolution des problèmes par les employés, le travail d'équipe et l'établissement de consensus) avec l'approche occidentale traditionnelle, qui englobe l'emploi à court terme, la spécialisation, ainsi que la prise de décisions et la responsabilité individuelles.

---

2. Mme Gilbreth fonda en 1948 l'Institute of Industrial Engineers.

1.8.4 L'école logistique

L'industrialisation massive a été accompagnée par l'introduction des modèles décisionnels et des techniques quantitatives. F. W. Harris a élaboré un des premiers modèles en 1915, soit celui de la gestion des stocks. Dans les années 1930, trois collègues travaillant en laboratoire chez Bell Telephone, soit H. F. Dodge, H. G. Romig et W. Shewhart, ont mis au point des procédures statistiques pour l'échantillonnage et le contrôle de la qualité. En 1935, L. H. C. Tippett effectua des études qui allaient établir les fondements de la théorie de l'échantillonnage statistique.

Au départ, ces modèles quantitatifs étaient peu utilisés dans l'industrie. L'arrivée de la Seconde Guerre mondiale a exercé des pressions considérables sur la production manufacturière. Les spécialistes de plusieurs disciplines ont dû combiner leurs efforts pour faire avancer le domaine militaire et celui de la fabrication. L'école logistique est née avec la création des équipes multidisciplinaires. Après la guerre, les efforts déployés pour mettre au point et améliorer les outils quantitatifs de prise de décisions se sont poursuivis et ont donné lieu à des modèles décisionnels applicables pour les prévisions, la planification, la gestion des stocks, la gestion de projets et d'autres secteurs de la gestion des opérations.

Durant les années 1960, les techniques de gestion scientifique étaient très appréciées ; dans les années 1970, elles ont perdu de leur popularité. Cependant, l'utilisation à grande échelle des ordinateurs personnels et des logiciels conviviaux, la recherche de l'accroissement de la production et la globalisation des marchés ont causé un regain de popularité de ces techniques depuis les années 1980, c'est-à-dire à la suite des crashs économiques et industriels de 1982 et de 1987.

1.8.5 L'influence des fabricants japonais

Plusieurs fabricants japonais ont mis au point ou amélioré des pratiques de gestion qui ont accru la productivité de leurs activités et la qualité de leurs produits. Ils sont devenus très compétitifs et ont suscité l'intérêt des entreprises étrangères. Leur approche met l'accent sur la qualité et l'amélioration continue, les équipes de travail, la responsabilisation des employés ainsi que sur la satisfaction de la clientèle. On peut attribuer aux Japonais le lancement de la « révolution de la qualité », qui a lieu dans les pays industrialisés. Ils ont également suscité un intérêt à grande échelle pour la gestion axée sur le temps.

L'influence des Japonais sur les entreprises occidentales de fabrication a été considérable et promet de se poursuivre. En raison de cette influence, nous analyserons en détail les méthodes et les succès des Japonais.

Le tableau 1.7 présente un résumé chronologique de l'évolution de la gestion des opérations.

1.9 LES NOUVELLES TENDANCES

Plusieurs tendances nous obligent à porter une attention particulière aux affaires, car elles influencent considérablement la planification et la prise de décisions. Bon nombre de ces tendances concernent la compétition, en particulier la compétition étrangère et ses conséquences sur les entreprises de fabrication.

1. *Le marché international*. Les marchés – et les entreprises – se mondialisent de plus en plus. L'Accord de libre-échange nord-américain (ALENA) a ouvert les frontières commerciales entre les États-Unis, le Canada et le Mexique. L'Accord général sur les tarifs douaniers et le commerce (GATT) a encore plus de portée. Il englobe 124 pays qui ont convenu d'ouvrir leur économie, de réduire les tarifs douaniers et les subventions d'État et d'amoindrir la protection de la propriété intellectuelle. La restructuration de l'Union soviétique, la réunification de l'Allemagne et l'Union européenne ont toutes créé un important marché européen pour les biens, beaucoup plus vaste que celui des États-Unis. Plusieurs fabricants étrangers ont ouvert ou ont l'intention d'ouvrir des succursales en Europe. De plus, plusieurs entreprises étrangères ont établi des

TABLEAU 1.7

Résumé historique de la gestion des opérations

Date approximative	Contribution/Notion	Inventeurs
1776	Division du travail	Adam Smith
1790	Pièces interchangeables	Eli Whitney
1911	Principes de la gestion scientifique	Frederick W. Taylor
1911	Étude des mouvements ; utilisation de la psychologie industrielle	Frank et Lillian Gilbreth
1912	Tableau pour les activités d'ordonnancement	Henry Gantt, Henri Fayol
1913	Déplacement de la chaîne de montage	Henry Ford
1915	Modèle mathématique pour la gestion des stocks	F. W. Harris
1930	Études de Hawthorne sur la motivation des travailleurs	Elton Mayo
1935	Procédures statistiques pour l'échantillonnage et le contrôle de la qualité	H. F. Dodge, H. G. Romig, W. Shewhart, L. H. C. Tippett
1940	Applications de la recherche opérationnelle à la guerre	Groupes de recherche sur l'exploitation
1947	Programmation linéaire	George Dantzig
1951	Ordinateurs numériques commerciaux	Sperry Univac
Années 1950	Automatisation	Plusieurs
Années 1960	Mise au point d'outils quantitatifs	Plusieurs
1975	Accent mis sur les stratégies de fabrication	W. Skinner
Années 1980	Accent mis sur la qualité, la souplesse et la gestion axée sur le temps	Fabricants japonais
Années 1990	Internet	Plusieurs

usines de fabrication aux États-Unis. Les marchés asiatiques, surtout celui de la Chine, se dressent à l'horizon. Par conséquent, le niveau de concurrence s'est nettement accru dans le monde, tendance qui ne présente aucun signe d'affaiblissement dans un avenir immédiat. C'est la globalisation des marchés.

2. *Stratégie d'exploitation.* Durant les années 1970 et 1980, plusieurs entreprises ont négligé d'inclure une stratégie, opérations dans leur stratégie d'affaires. Pour certaines d'entre elles, cette négligence a eu de lourdes conséquences sur le plan financier. Maintenant, de plus en plus d'entreprises reconnaissent l'importance de la stratégie d'opérations pour le succès global de leurs affaires ainsi que la nécessité de l'intégrer à leur stratégie globale d'affaires.

3. *Gestion intégrale de la qualité (GIQ).* Plusieurs entreprises adoptent maintenant une approche de la gestion totale de la qualité pour leurs affaires. En vertu de cette approche, l'organisation entière, du président jusqu'aux employés, s'engage dans une quête perpétuelle de qualité des biens et services. Cette approche comporte les caractéristiques suivantes : le travail d'équipe, la recherche et l'élimination des problèmes, l'importance du service à la clientèle et l'amélioration continue du système.

BULLETIN DE NOUVELLES
L'ALENA OFFRE DE VÉRITABLES OCCASIONS D'AFFAIRES
Serge Ratmiroff

L'Accord de libre-échange nord-américain (ALENA) a créé une quantité innombrable d'occasions d'affaires pour les fabricants américains, mais plusieurs entreprises ont mis du temps à les exploiter. Ce délai pourrait se révéler être une erreur qui finira par menacer leur avenir à long terme sur le marché mondial.

L'ALENA donne aux petites et aux grandes entreprises un avantage concurrentiel dans la poursuite d'occasions d'affaires au Mexique avant que les entreprises de l'extérieur de l'Amérique du Nord n'y gagnent de plus en plus de terrain. Presque la moitié des tarifs douaniers sur les exportations américaines vers le Mexique ont été éliminés quand on a conclu l'ALENA. Le reste sera graduellement éliminé au cours des cinq à dix prochaines années, mais seulement pour les produits qui satisfont au critère de l'ALENA d'être d'origine nord-américaine.

L'avantage concurrentiel est réel, mais il sert mieux l'intérêt de ceux qui agissent rapidement. Même les entreprises qui exportent déjà leurs produits et services au Mexique doivent déterminer si l'ALENA présente un avantage ou une menace pour leur potentiel de croissance. La prévision d'un accroissement des ventes grâce aux exportations et à la réduction des tarifs douaniers ne tient cependant pas compte des plans d'empiètement des entreprises dynamiques. L'accord ne donne pas nécessairement d'avantage aux entreprises américaines sur leurs compétiteurs américains qui sont intéressés à faire des affaires au sud de la frontière.

Cela ne signifie pas non plus que les entreprises mexicaines fermeront l'œil sur les entreprises américaines qui se préparent à vendre leurs produits sur le marché mexicain.

En fait, plusieurs entreprises mexicaines doivent réduire leurs frais d'exploitation pour préserver l'égalité entre leurs prix et ceux des biens américains, qui diminuent par suite de la réduction des tarifs douaniers. Elles doivent également investir de fortes sommes pour que leurs produits et services satisfassent aux normes mondiales sur le plan technique et celui de la qualité.

Si elles ne disposent pas du capital nécessaire pour mettre à niveau leurs opérations et demeurer concurrentielles, elles risquent de faire faillite. Cependant, elles peuvent toujours faire appel aux investisseurs étrangers. Dans certains cas, des entreprises complètes seront à vendre, conséquence directe de l'ALENA, et représenteront des occasions d'affaires supplémentaires pour les entreprises américaines. Toutefois, le Mexique peut également solliciter ces investisseurs et ces acheteurs dans d'autres pays.

Des entreprises européennes et japonaises investissent déjà dans les activités mexicaines ou construisent leurs propres usines en anticipant la croissance et la demande des consommateurs au Mexique. Elles doivent actuellement surmonter des obstacles tarifaires et non tarifaires pour vendre leurs propres produits en Amérique du Nord, mais elles trouvent des moyens pour se préparer à tirer parti d'occasions à long terme.

Le Mexique n'est que la pointe de l'iceberg. Les entreprises qui s'aventurent au Mexique se trouveront en bonne position pour explorer le marché de l'Amérique latine qui s'ouvrira également au libre-échange. L'an prochain, le Chili prévoit se joindre à l'ALENA. L'économie, les activités commerciales et les bénéfices de la plupart des pays de l'Amérique du Sud connaissent actuellement la plus grande croissance au monde.

Les entreprises américaines doivent percevoir le Mexique comme un allié sur le marché mondial. Elles doivent tenter de mieux prévoir ce que sera le marché international à long terme et anticiper la place qu'elles y occuperont d'ici les dix ou vingt prochaines années.

Toute entreprise qui souhaite pénétrer le Mexique doit commencer par déterminer si ses produits et services sont conformes aux règlements de l'ALENA quant à leur origine. Selon l'industrie et ses produits, seul un pourcentage limité des composantes ou des matières premières peuvent provenir de l'extérieur des États-Unis, du Mexique ou du Canada.

Les fabricants qui découvrent que leurs produits ne sont pas admissibles et qui demeurent soumis aux pleins tarifs douaniers doivent prendre des décisions cruciales. Ils peuvent passer des fournisseurs asiatiques et européens de matières premières et composantes à des fournisseurs nord-américains. Ils pourraient fabriquer les composantes actuellement imparties dans leurs propres installations ou au moyen de partenariats de coentreprise avec le Mexique ou le Canada.

Les décisions prises par les entreprises pour pénétrer le marché mexicain ou pour y solidifier leurs activités exigent une évaluation attentive et la prise en compte de considérations à long terme. Par exemple, bon nombre de pays qui fournissent des composantes bon marché sont également en train de devenir des marchés importants pour les produits américains. Il serait donc avantageux d'entretenir des relations étroites avec ces pays.

En fait, les entreprises ne doivent pas oublier que l'ALENA a été conçu pour renforcer la position sur les marchés mondiaux des industries de l'Amérique du Nord. Elles doivent donc exploiter à fond les occasions qui se présentent.

M. Ratmiroff est le directeur des services internationaux pour Deloitte et Touche à Chicago.

Source : Reproduit avec l'autorisation de *Industry Week*, 3 octobre 1994. Copyright par Penton Publishing, Inc., Cleveland, Ohio.

4. *Flexibilité*. La capacité de s'adapter rapidement aux changements sur le plan du volume de la demande, de la combinaison des produits demandés et de la conception des produits, est devenue une importante stratégie concurrentielle. Dans le secteur de la fabrication, on utilise parfois l'expression technologie de fabrication de pointe pour désigner cette souplesse. Plusieurs entreprises atteignent cette **flexibilité** en réduisant les temps de mise en route (c'est-à-dire le temps nécessaire à la préparation des postes de travail en vue de la production d'un nouveau produit ou service).

flexibilité

Capacité de s'adapter rapidement aux changements.

5. *Réduction du temps*. Plusieurs entreprises concentrent leurs efforts sur la réduction du temps nécessaire pour accomplir diverses tâches afin d'acquérir un avantage concurrentiel. Si deux entreprises peuvent fournir le même produit au même prix et avec la même qualité, mais que l'une d'elles peut le livrer quatre semaines plus tôt que l'autre, elle obtiendra invariablement la vente. On parvient actuellement à réduire les temps de traitement, de récupération de l'information, de conception de produits et de réponse aux plaintes des clients. Dans le domaine des services, l'importance du temps est évidente lors des arrêts aux puits en Formule 1.

6. *Technologie*. Les progrès techniques ont donné lieu à une vaste gamme de nouveaux produits et processus. L'ordinateur a incontestablement eu — et continuera d'avoir — les conséquences les plus grandes sur les organisations commerciales. Il a véritablement révolutionné la manière dont sont exploitées les entreprises. Ses applications comprennent la conception de produits, les caractéristiques des produits, les techniques de traitement, le traitement de l'information et les communications. Les progrès techniques accomplis sur le plan des nouveaux matériaux ainsi que de nouvelles méthodes ont également eu un impact sur les opérations. Les changements technologiques survenus dans les produits et les processus peuvent avoir d'importantes conséquences sur les systèmes de production, ce qui influe sur la compétitivité et la qualité. Toutefois, à moins que ces technologies ne soient correctement intégrées dans les systèmes actuels, elles peuvent occasionner plus de dommages que de bienfaits en élevant les coûts, en réduisant la souplesse et même, en faisant diminuer la productivité.

7. *Participation des travailleurs*. De plus en plus d'entreprises délèguent la responsabilité des prises de décisions et la résolution des problèmes aux échelons inférieurs. Elles reconnaissent les connaissances qu'ont les travailleurs dans le processus de production et leur contribution dans l'amélioration du système de production. Une des clés de cette nouvelle tendance est le recours aux équipes.Celles-ci résolvent des problèmes et prennent des décisions sur une base consensuelle.

8. *Réingénierie du processus administratif (RPA)*. Certaines entreprises prennent des mesures radicales pour améliorer leur rendement. En partant de zéro, elles remanient leurs processus d'affaires. Selon Michael Hammer, coauteur de *Reengineering the Corporation* (Harper-Business), la RPA consiste à se demander pourquoi l'entreprise agit ainsi et à remettre en question les règles et les hypothèses fondamentales du processus activé d'opérations. La réingénierie est surtout axée sur l'amélioration des processus d'affaires, comme satisfaire un client ou lancer un produit sur le marché. Kodak a été en mesure de réduire de moitié le temps nécessaire pour mettre en marché un nouvel appareil photo; Union Carbide a pu diminuer de 400 millions de dollars ses coûts fixes et Bell Atlantic est parvenue à réduire le temps nécessaire pour relier les entreprises de services interurbains de 15 jours à moins de 1 journée, ce qui a permis d'épargner 82 millions de dollars. Toutefois, la RPA n'est pas idéale pour toutes les entreprises. Les meilleures candidates sont les entreprises ayant de graves difficultés financières ou des problèmes à court terme. La réingénierie ne constitue pas une solution rapide et ne fonctionne pas toujours. Elle exige un travail d'équipe, de bonnes communications, du dévouement et une attention particulière à l'aspect humain de l'entreprise.

En résumé, la RPA est l'application de l'approche fondamentale du génie industriel dans le secteur des services.

9. *Questions environnementales.* Le contrôle de la pollution et l'élimination des déchets sont des questions importantes que les gestionnaires doivent prévoir. Le deuxième E (écologie), dans l'expression PESTE, prend de plus en d'importance dans l'exploitation de l'entreprise. Le S (social) fait des pressions sur le P (politique) pour pousser le développement technique (T) à préserver l'environnement, ce qui a un impact certain sur le premier E (économique). Tout cela ajoute un défi supplémentaire aux responsables des opérations. On accorde de plus en plus d'importance à la récupération des déchets, au recyclage des produits utilisés et à la réutilisation de ces mêmes objets : c'est ce qu'on appelle le modèle des 3 R (récupérer, recycler, réutiliser). Un nouveau secteur industriel prometteur vient d'être créé : la récupération des rebuts. Le développement et l'utilisation des produits moins toxiques et recyclables sont en plein essor. En voici quelques exemples : les savons et les peintures biodégradables, les cartouches d'imprimantes recyclables, les tasses en carton, etc.

On utilise parfois l'expression fabrication respectueuse de l'environnement pour décrire ces politiques. On accroît le nombre et la complexité des règlements et on impose des pénalités sévères aux entreprises qui polluent et qui ne contrôlent pas leurs déchets de manière appropriée. Tandis que cette situation impose un lourd fardeau à certaines industries, la société en général devrait en tirer des bénéfices considérables puisque l'air et l'eau seront plus propres et que l'environnement subira moins de dommages. Certaines des conséquences qui découlent du fait de ne pas porter attention aux questions environnementales sont observables dans les villes industrialisées de l'ancienne Union soviétique et ailleurs, où des années de négligence ont donné lieu à des dommages environnementaux catastrophiques, auxquels on ne pourra remédier qu'au bout de plusieurs années et de quantités considérables d'argent. La catastrophe de Tchernobyl en Ukraine en avril 1986 et celle de Three Miles Island aux États-Unis en 1976, de même que des naufrages de pétroliers mal entretenus, en sont des exemples concrets. Les règlements qui portent sur l'élimination des déchets ont entraîné différentes occasions d'affaires pour les entreprises qui se spécialisent dans la gestion des déchets et le recyclage.

10. *Rationalisation de l'entreprise.* En raison de l'accroissement de la concurrence, du ralentissement de la productivité et des exigences des actionnaires pour un rendement par action toujours de plus en plus grand, plusieurs entreprises ont réagi en diminuant leur masse salariale. Par conséquent, les directeurs des opérations ont souvent dû trouver des manières d'accroître la production avec moins de travailleurs, ce qui ne s'est pas fait sans heurts, mais plutôt avec des conséquences sociales importantes à moyen et long terme.

11. *Gestion de la chaîne d'approvisionnement.* Les entreprises accordent de plus en plus d'attention à la gestion de la chaîne d'approvisionnement, et ce, des acheteurs des matières premières et fournisseurs jusqu'aux clients.

12. *Production épurée.* Cette nouvelle approche de production est apparue dans les années 1990. Elle intègre plusieurs des tendances récentes énumérées dans ce chapitre. Elle met l'accent sur la qualité, la flexibilité, la réduction du temps de réponse au client et le travail d'équipe. Elle a mené à un affaiblissement de la structure organisationnelle, qui comporte alors moins d'échelons.

Les systèmes de **production épurée** (lean manufacturing) sont ainsi nommés car ils utilisent beaucoup moins de ressources que les systèmes de production classique – moins d'espace, moins de stocks et moins de travailleurs – pour produire une quantité comparable de biens ou de services utiles. Ces systèmes ont recours à une main-d'œuvre mieux formée et flexible et à du matériel capable d'une grande variabilité. En effet, ils combinent les avantages de la production en série (grand volume, faible coût unitaire) avec ceux de la production artisanale (variété et flexibilité).

De plus, avec la production épurée, les travailleurs qualifiés sont davantage mis à contribution dans l'entretien et l'amélioration du système qu'ils ne le sont dans les

production épurée
Système qui utilise des quantités minimales de ressources pour produire de grandes quantités de biens et de services variés et de bonne qualité, au bon moment, au bon endroit et à un moindre coût.

systèmes de production en série. On leur apprend à mettre fin à la production s'ils découvrent des défectuosités et à travailler avec les autres employés pour trouver la cause du problème afin qu'il ne se reproduise plus. Par conséquent, avec le temps, le niveau de qualité s'accroît et il ne devient plus nécessaire d'inspecter et de refaire le travail. La main-d'œuvre a plus de responsabilités.

Puisque les systèmes de production épurée fonctionnent avec moins de stocks, on met l'accent sur l'anticipation des problèmes et on fait tout pour les éviter. Néanmoins, lorsqu'on en éprouve, il est important de les résoudre rapidement. En plus des étapes de planification, les travailleurs participent aussi à la correction. On a malgré tout recours à des experts techniques, mais uniquement comme consultants ; ils ne se substituent pas aux travailleurs.

Au fond, on vise à concevoir un système (produits et processus) permettant aux travailleurs de fabriquer une grande quantité de produits de qualité... au bon moment, à la bonne place et au moindre coût[3]. Et on s'attend, comparativement aux travailleurs d'un système traditionnel, à un rendement élevé de leur part. Ils doivent fonctionner dans le cadre d'une équipe et jouer un rôle actif dans l'exploitation et dans l'amélioration du système. La créativité individuelle est beaucoup moins importante que le succès de l'équipe et des responsabilités plus grandes peuvent stresser les employés. De plus, la structure organisationnelle fait en sorte que les possibilités d'avancement ne sont pas aussi grandes. Les travailleurs tendent à devenir des généralistes plutôt que des spécialistes, une autre différence importante par rapport aux organisations plus traditionnelles.

Les syndicats s'opposent souvent à la conversion des systèmes plus traditionnels en systèmes épurées, car ils estiment que les responsabilités supplémentaires et les tâches multiples accroissent les exigences de l'emploi sans être assorties d'augmentations salariales correspondantes. De plus, les travailleurs se plaignent parfois du fait que l'entreprise est la principale bénéficiaire des améliorations qu'ils apportent.

1.10 Conclusion

La production est l'ensemble des activités ou des opérations qui transforment des valeurs ressources (matières premières, main-d'œuvre et capitaux) en biens et services utiles. La gestion de la production consiste à planifier, organiser, diriger et contrôler les opérations de création des biens et services offerts par l'entreprise : c'est la PODC de la production.

La fonction production, habituellement appelée « opération » dans les secteurs des services, est l'une des quatre fonctions principales de toute entreprise, les autres étant le marketing, les finances et les ressources humaines.

Les décisions concernant les opérations portent :

- sur l'exploitation du système de production ;

- sur sa conception.

Pour s'acquitter convenablement des activités d'exploitation, nous préconisons cinq fonctions de gestion du système de production, à savoir :

- les prévisions (chapitre 3)

- la planification (chapitres 12, 15, 17 et 18) ;

- le contrôle des opérations (chapitres 12, 15, 17 et 18) ;

- la gestion des stocks (chapitres 13, 14 et 16) ;

- la gestion de la qualité (chapitres 9, 10 et 11).

Ces fonctions servent à gérer les activités récurrentes de l'entreprise.

Les décisions concernant la conception du système de production sont prises par les dirigeants en fonction de leur support au système de production, soit :

---

3. Voir les cinq objectifs de la production, à la section 1.7.

- l'étude (des méthodes et la mesure du travail) (chapitres 2, 7 et 19);
- l'aménagement, la manutention et la circulation (chapitres 5, 6 et 8);
- la maintenance et la fiabilité (chapitre 20).

Le chapitre 4 aborde les prises de décisions concernant le type de produits et les méthodes de production à utiliser.

Dans ce premier chapitre, nous avons survolé rapidement l'évolution dans le temps de la gestion de la production et des opérations et les tendances actuelles dans ce domaine. Parmi celles-ci, mentionnons la concurrence mondiale, la globalisation des marchés, l'accent mis sur la qualité, l'intégration de la technologie dans les systèmes de production, la participation accrue des travailleurs dans la résolution des problèmes et les prises de décisions (particulièrement par l'entremise d'équipes), l'accent mis sur la flexibilité et la réduction des temps d'opérations, l'attention accrue portée aux questions environnementales, la gestion de la chaîne d'approvisionnement et la production épurée.

Terminologie

Conception de système

Délai de livraison

Division du travail

Exploitation de système

Flexibilité

Gestion des opérations

Objectifs des opérations

PESTE

Pièces interchangeables

Production artisanale

Production à valeur ajoutée (PVA)

Production en série

Production épurée

Réingénierie du processus administratif

Système

Questions de discussion et de révision

1. Définissez brièvement l'expression « gestion de la production et des opérations ».

2. Énumérez les quatre principales fonctions de l'organisation d'affaires et décrivez brièvement leurs relations.

3. Décrivez la fonction opérations et les responsabilités du directeur des opérations.

4. Énumérez cinq différences importantes entre la production de biens et la production de services.

5. Discutez brièvement des expressions suivantes, reliées à l'évolution dans le temps de la gestion de la production et des opérations :
   a) révolution industrielle
   b) gestion scientifique
   c) pièces interchangeables
   d) division du travail

6. Pourquoi les services et la fabrication sont-ils importants ?

7. Identifiez certaines des nouvelles tendances de la gestion des opérations et établissez la relation avec de nouveaux articles produits sur le marché ou avec des expériences personnelles.

8. Énumérez les compromis que vous devez faire pour chacune des décisions suivantes :
   a) Conduire votre propre voiture ou utiliser le transport public.
   b) Acheter un ordinateur maintenant ou attendre pour acheter un meilleur modèle.
   c) Acheter une voiture neuve ou une voiture usagée.
   d) Émettre votre opinion en classe ou attendre qu'un enseignant vous la demande.

9. Décrivez chacun de ces systèmes : production artisanale, production en série et production épurée.

10. Pourquoi certains travailleurs préfèrent-ils ne pas travailler dans un milieu de production épurée ? Pourquoi certains gestionnaires s'opposent-ils à l'adoption d'un mode de production épurée ?

11. Attribuez à chaque pionnier la description appropriée.

   a) Henry Gantt   I. Production en série et chaîne de montage qui se déplace
   b) F. W. Taylor   II. Psychologue qui a mis l'accent sur le facteur humain dans la conception de l'emploi
   c) Frank Gilbreth   III. Père de la gestion scientifique
   d) Lillian Gilbreth   IV. Principes de l'étude des mouvements
   e) Henry Ford   V. Tableaux utilisés pour l'ordonnancement

12. Expliquez brièvement ces expressions :
   a) fabrication respectueuse de l'environnement
   b) réingénierie

CAS
HAZEL

Hazel a travaillé pour la même entreprise pendant presque 15 ans. Malgré quelques périodes difficiles, l'entreprise commençait à reprendre le dessus. Les commandes des clients avaient augmenté, et la qualité et la productivité avaient considérablement progressé grâce à la mise en œuvre d'un programme d'amélioration de la qualité à l'échelle de l'entreprise. Hazel a donc été très surprise lorsqu'elle a appris, avec 400 autres collègues, qu'elle perdait son emploi à la suite de la décision du nouveau PDG de rationaliser l'entreprise.

Après s'être remise de son choc initial, elle a tenté de trouver un emploi ailleurs. En dépit de ses efforts, huit mois plus tard, elle n'avait toujours rien trouvé. Il ne lui restait presque plus d'argent et elle était de plus en plus découragée. Mais il lui restait une lueur d'espoir : elle était capable de gagner un peu d'argent en tondant les pelouses de ses voisins.

Quand un voisin lui a dit que personne ne tondait la pelouse depuis que ses enfants ne vivaient plus à la maison, elle a sauté sur l'occasion. Presque en riant, Hazel lui a demandé combien il serait prêt à débourser pour ce service. Peu de temps après, Hazel tondait les pelouses de cinq voisins. D'autres lui ont demandé de travailler pour eux, mais elle estimait qu'elle ne pouvait pas consacrer plus de temps à cette tâche, compte tenu du fait qu'elle devait tout de même poursuivre sa recherche d'emploi.

Cependant, à mesure que s'empilaient les lettres de refus, Hazel a compris qu'elle devait prendre une importante décision dans sa vie. Par un mardi matin pluvieux, elle a décidé de se lancer en affaires – dans l'entretien de pelouses. Soulagée de ne plus avoir à chercher d'emploi et enthousiaste à l'idée d'être son propre employeur, elle craignait toutefois d'être entièrement autonome. Mais elle était déterminée à prendre ce risque.

Son entreprise a démarré lentement, mais lorsque les gens se sont rendu compte qu'elle était disponible, les propositions ont afflué. Certaines personnes étaient simplement heureuses de lui confier la tâche ; d'autres ont cessé de faire affaire avec des services d'entretien professionnels.

Depuis la fin de la première année, Hazel sait qu'elle peut gagner sa vie ainsi. Elle offre également d'autres services comme la fertilisation des pelouses, le retrait des mauvaises herbes et la coupe des haies. Son entreprise est si florissante qu'Hazel engage deux travailleurs à temps partiel. En plus, elle a l'impression de pouvoir prendre davantage d'expansion.

Questions

1. De quelle manière les clients de Hazel jugeront-ils de la qualité de ses services ?

2. Hazel est la directrice des opérations de son entreprise. Parmi ses responsabilités, mentionnons les prévisions, la gestion des stocks, l'ordonnancement, l'assurance qualité et l'entretien.

   a) Quelles activités devraient être planifiées ?

   b) Quels articles Hazel doit-elle garder en stock ? Nommez une décision qu'elle doit prendre régulièrement par rapport à ses stocks.

   c) Quels horaires doit-elle établir ? Quels événements pourraient perturber les horaires et faire en sorte qu'elle doive les modifier ?

   d) Quelle est l'importance de l'assurance qualité pour l'entreprise de Hazel ? Expliquez.

   e) Quels types d'entretien doit-elle effectuer ?

3. Quels sont les compromis que Hazel doit faire dans les deux cas suivants :

   a) Travailler pour une entreprise plutôt qu'à son compte.

   b) Faire prendre de l'expansion à son entreprise.

4. La Ville pense adopter une loi interdisant de mettre les retailles des pelouses aux poubelles, car les sites d'enfouissement de la région ne peuvent plus recevoir ce genre de déchets. Quelles options Hazel doit-elle considérer si la loi est adoptée ? Nommez deux avantages et deux inconvénients pour chacune de ces options.

UNE TOURNÉE DES OPÉRATIONS
WEGMANS FOOD MARKETS

  www.wegmans.com

Wegmans Food Markets Inc. est une des premières chaînes d'épiceries aux États-Unis. Son siège social est à Rochester, dans l'État de New York. Elle exploite plus de 70 magasins, surtout à Rochester, à Buffalo et à Syracuse. Elle possède également plusieurs magasins ailleurs dans l'État de New York et en Pennsylvanie. L'entreprise emploie plus de 23 000 personnes et enregistre des bénéfices annuels de plus de 2 milliards de dollars. En plus des supermarchés, l'entreprise dirige Chase-Pitkin Home and Garden Centers et une ferme de production d'œufs.

Wegmans s'est taillé une réputation enviable au fil des ans. Elle offre à ses clients des produits de grande qualité et un excellent service. Grâce à des études de marché, à des tentatives diverses et aux commentaires de ses clients, Wegmans a évolué pour devenir une entreprise très prospère. En fait, cette entreprise a tellement de succès que des chaînes d'épiceries de partout au pays envoient des représentants pour observer ses opérations.

Les supermarchés

Plusieurs des magasins de l'entreprise sont des géants qui couvrent 30 000 mètres carrés de surface, soit deux ou trois fois la taille des supermarchés moyens. Ils comptent habituellement de 25 à 35 caisses qui fonctionnent toutes aux heures de pointe. Un supermarché emploie généralement de 500 à 600 personnes.

Chaque magasin diffère quant à la grandeur et à certaines caractéristiques. En plus des biens que l'on trouve normalement dans les supermarchés, il y a un comptoir de viandes froides (un présentoir d'environ 13 mètres), un comptoir de poissons d'environ 160 mètres carrés qui offre environ 10 différents types de poissons tous les jours, un grand comptoir de boulangerie (chaque magasin prépare ses pains, ses gâteaux, ses tartes et ses pâtisseries) et des sections très vastes de produits frais. En plus d'offrir le développement des films, ce magasin compte une pharmacie, une boutique de cartes de

souhaits de 350 mètres carrés, la location de vidéos et une section de fromages: Olde World Cheese™. Les boutiques de fleurs en magasin ont différentes tailles; elles peuvent avoir jusqu'à 250 mètres carrés de surface. Elles proposent une grande variété de fleurs fraîches, d'arrangements floraux, de vases et de plantes. Le rayon des aliments en vrac pemet aux clients de choisir les quantités qu'ils souhaitent acheter (produits alimentaires ou autres, tels que des graines pour oiseaux ou de la nourriture pour animaux).

Chaque magasin est légèrement différent des autres. Parmi certaines particularités, il y a le rayon de nettoyage à sec, celui de la restauration au wok et un buffet de salades. Certains magasins ont un Market Café™ avec différents comptoirs alimentaires, chacun étant consacré à la préparation et au service d'un certain type de nourriture. Par exemple, un comptoir servira de la pizza, un autre, des spécialités italiennes ou de la nourriture orientale, etc. Il y a aussi un comptoir de sandwichs, à salades et de desserts. Les clients se promènent souvent entre les comptoirs avant de commander. Dans certains Market Cafes, on sert du vin avec les repas et des brunchs le dimanche. Dans les magasins les plus populaires, les clients peuvent s'arrêter en revenant du travail et choisir parmi une vaste sélection de repas fraîchement préparés: médaillons de bœuf au beurre et aux herbes, poulet à la Marsala, flanc de bœuf farci aux champignons, saumon grillé, thon cajun, pâtés de crabe ainsi que divers accompagnements comme des pommes de terre rôties, des légumes grillés et des salades César. Plusieurs magasins Wegmans servent des sandwichs prêts à emporter ou sur commande pendant l'heure du déjeuner. Certains magasins ont un café doté de tables et de chaises où les clients peuvent déguster un café ordinaire ou un café spécial, ou encore une variété de pâtisseries appétissantes.

Le rayon des produits frais

L'entreprise est fière de ses produits frais. On regarnit les comptoirs de produits frais jusqu'à 12 fois par jour.

Les grands magasins ont des sections de produits frais cinq à six fois plus grandes que celles des supermarchés moyens. En saison, Wegmans offre des produits de la région. Il utilise le système «ferme au marché»: les cultivateurs de la région livrent leurs produits directement aux magasins, sans passer par l'entrepôt principal. Cela permet à l'entreprise de réduire les coûts de gestion des stocks et d'obtenir plus rapidement les produits dans les magasins. Les cultivateurs peuvent utiliser des contenants spéciaux qu'ils placent directement sur le plancher du magasin. Cela évite d'abîmer les fruits et les légumes en les transférant des conteneurs aux étalages et permet aussi de diminuer les frais de manutention.

Le rayon des viandes

En plus des grands comptoirs de viandes fraîches et congelées, plusieurs magasins ont une boucherie qui offre une variété de produits frais. Les bouchers fournissent aux clients les coupes qu'ils désirent.

Les commandes

Chaque rayon traite ses propres commandes. Bien qu'on puisse se procurer les chiffres des ventes grâce à l'enregistrement des articles numérisés aux caisses, on ne s'en sert pas directement pour refaire les stocks. Il faut considérer d'autres facteurs, comme l'établissement des prix, les promotions, les particularités locales (par exemple les festivals, les conditions météorologiques etc.). Cependant, pour les périodes saisonnières (par exemple les vacances), les gérants vérifient souvent les enregistrements numérisés pour connaître la demande des années précédentes.

Les supermarchés reçoivent généralement plusieurs chargements de camions par jour en provenance de l'entrepôt principal. Durant les périodes de pointe, un magasin peut recevoir deux chargements par jour. Le court délai de livraison réduit grandement le temps pendant lequel un article n'est plus en stock en magasin, à moins que l'entrepôt central soit lui aussi à court de stocks.

L'entreprise exerce un contrôle strict sur ses fournisseurs, insistant sur la qualité des produits et les livraisons juste-à-temps.

Les employés

L'entreprise reconnaît la valeur des bons employés. Elle investit généralement 7000 $ pour la formation de ses nouveaux employés. En plus d'apprendre le fonctionnement du magasin, l'employé apprend l'importance d'un bon service à la clientèle et la manière de l'offrir. Les employés sont serviables et gais; ils répondent aux questions des clients ou règlent les plaintes. On les motive par la combinaison des salaires, au partage des profits et des avantages sociaux. Dans un sondage mené par *Fortune* auprès des employés et dans lequel on leur demandait quelles étaient les meilleures entreprises où

* *Fortune*, 12 janvier 1998, p. 85.

travailler aux États-Unis, Wegmans s'est classé au 16e rang*.

La qualité

La qualité et la satisfaction de la clientèle sont primordiales pour la direction et les employés de Wegmans. Les articles de marque privée, les marques de commerce ainsi que les nouveaux produits potentiels sont régulièrement évalués dans des cuisines d'essai. Les gérants sont responsables de la qualité des produits et des services de leur rayon respectif. De plus, on encourage les employés à rapporter aux gérants les problèmes qu'ils ont eus.

Si un client est insatisfait d'un article et qu'il le retourne, ou même si une portion de l'article ne lui plaît pas, on lui offre le choix entre un remplacement ou un remboursement. Si l'article est une marque maison de

Wegmans, on l'envoie alors à la cuisine d'essai pour déterminer la cause du problème. S'il est possible de déterminer la cause, on prend les mesures de correction appropriées.

Questions

1. Comment les clients jugent-ils de la qualité d'un supermarché?

2. Indiquez comment et pourquoi chacun des facteurs suivants est important pour le succès des opérations d'un supermarché:
   a) satisfaction de la clientèle;
   b) prévisions;
   c) planification de la capacité;
   d) localisation;
   e) gestion des stocks;
   f) aménagement du magasin;
   g) ordonnancement.

Bibliographie

ACGPS (Association canadienne pour la gestion de la production et des stocks). *Dictionnaire de la gestion de la production et des stocks,* Montréal, Éditions Québec/Amérique, Presses HEC, 1993, 272 p.

BENEDETTI, C. *Introduction à la gestion des opérations,* Laval, Études Vivantes, 1980, 357 p.

BIT. *Introduction à l'étude du travail,* 3e édition, B.I.T., Genève, 1993, 524 p.

BOUNDS, Gregory M., Gregory H. DOBBINS et Oscar S. FOWLER. *Management: A Total Quality Perspective,* Cincinnati, South-Western Publishing, 1995.

CASCIO, Wayne F. *Managing Human Resources,* 2e édition, New York, McGraw-Hill, 1989.

COHEN, Stephen S. et John ZYSMAN. *Manufacturing Matters: The Myth of the Post-Industrial Economy,* New York, Basic Books, 1987.

HAMMER, Michael et James CHAMPY. *Reengineering the Corporation,* New York, Harper Business, 1993.

HOPP, William J. et Mark SPEARMAN. *Factory Physics: Foundations of Manufacturing Management,* Burr Ridge (Illinois), Irwin, 1996.

WOMACK, James P., Daniel JONES et Daniel ROOS. *The Machine that Changed the World* New York, Harper Perrenial, 1991.

WREN, Daniel A. *The Evolution of Management Thought,* 3e édition, New York, Wiley, 1987.

OBJECTIFS D'APPRENTISSAGE

Après avoir terminé l'étude de ce chapitre, vous devriez pouvoir :

1. Définir le mot productivité et expliquer son importance pour les entreprises et les pays.

2. Connaître les causes d'une faible productivité et les manières de l'améliorer.

3. Énumérer les principales façons qu'ont les organisations commerciales de faire

concurrence et en discuter brièvement.

4. Énumérer cinq raisons expliquant la faible compétitivité de certaines entreprises.

5. Définir le mot stratégie et expliquer la raison pour laquelle la stratégie est importante pour la compétitivité.

6. Distinguer stratégie et tactique.

7. Comparer la stratégie organisationnelle et la stratégie opérationnelle et expliquer pourquoi il est important d'établir un lien entre elles.

8. Décrire les stratégies axées sur le temps et en donner des exemples.

Chapitre 2

LA PRODUCTIVITÉ, LA COMPÉTITIVITÉ ET LA STRATÉGIE

2.1 INTRODUCTION

Dans ce chapitre, nous discutons de la productivité, de la compétitivité et de la stratégie : il s'agit de trois sujets distincts mais connexes, qui sont essentiels à toutes les entreprises. La productivité concerne l'utilisation efficace des ressources. La compétitivité a trait à l'efficacité de l'entreprise sur le marché par rapport à la concurrence. La stratégie est reliée à l'établissement de plans pour déterminer l'orientation adoptée par une entreprise en vue de l'atteinte de ses objectifs.

Le ralentissement des gains de productivité de la fin des années 1970 et du début des années 1980, de même que les succès impressionnants de la concurrence sur le plan mondial, ont incité plusieurs entreprises à repenser non seulement leurs stratégies, mais aussi à accorder plus d'attention aux stratégies opérationnelles.

2.2 LA PRODUCTIVITÉ

productivité
Mesure de l'utilisation efficace des ressources, habituellement exprimée par le rapport entre les extrants et les intrants.

Le responsable des opérations a pour principal rôle de veiller à l'utilisation rationnelle des ressources (matières, main-d'œuvre, machines, méthodes et milieu) de l'entreprise. Par la **productivité**, on peut mesurer les extrants (biens et services) par rapport aux intrants (la main-d'œuvre, les matériaux, l'énergie et d'autres ressources) utilisés pour la produire. On l'exprime à l'aide du rapport entre les extrants et les intrants[1] : la productivité est le rapport du produit obtenu aux ressources utilisées pour l'obtenir.

$$\text{Productivité} = \frac{\text{Extrants}}{\text{Intrants}}$$

On peut calculer ce rapport de productivité pour une seule opération, un service, une organisation ou un pays entier.

Les mesures de la productivité peuvent être basées sur un seul intrant (productivité partielle), sur plus d'un intrant (productivité multifactorielle) ou sur tous les intrants (productivité totale). Le tableau 2.1 fournit des exemples de mesures de productivité. Le choix de la mesure de productivité est principalement fonction des objectifs de la mesure. S'il s'agit de rechercher des améliorations dans la productivité de la main-d'œuvre, la main-d'œuvre devient l'unité de mesure des intrants.

Les mesures partielles sont souvent très utiles dans la gestion des opérations (voir le tableau 2.2). Bien que cela ne soit pas fondamentalement exact au point de vue de la définition, on utilise parfois d'autres notions pour mesurer la productivité, telles que les cadences de production et autres.

Le **taux de production**, appelé aussi **cadence** ou **vitesse de production** : quantité produite par unité de temps.

Exemples : nombre de mètres de tapis installés/heure ;
nombre de bureaux nettoyés/quart de travail ;
nombre de mètres cubes de bois coupé/semaine.

Le **cycle d'opération** : temps nécessaire à la création d'une unité de bien ou de service. Aux fins de gestion, de planification et de l'établissement du prix de revient, on détermine parfois le cycle d'opération en heures, d'où la notion de standard de production (s.h./unité de production). On voit apparaître les notions de standard heures-machines, standard heures-employés, etc.

Standard de production : temps en heures nécessaire à la création d'un bien ou d'un service.

---

1. Bureau international du travail (BIT) : *Intro à l'étude du travail*, 3e édition, Bureau international du travail, Genève, 1996.

Mesures partielles	$\dfrac{\text{production}}{\text{main-d'œuvre}}$	$\dfrac{\text{production}}{\text{machine}}$	$\dfrac{\text{production}}{\text{capital}}$	$\dfrac{\text{production}}{\text{énergie}}$
Mesures multifactorielles	$\dfrac{\text{production}}{\text{main-d'œuvre + machine}}$		$\dfrac{\text{production}}{\text{main-d'œuvre + capital + énergie}}$	
Mesure totale	$\dfrac{\text{Biens ou services produits}}{\text{Tous les intrants utilisés pour les produire}}$			

TABLEAU 2.1

Exemples de différents types de mesure de la productivité

a) **Productivité de la main-d'œuvre** = unités produites/employé

vitesse = unités de production par heure de main-d'œuvre

= unités de production par quart de travail

Valeur ajoutée par heure de main-d'œuvre

Valeur financière de la production par heure de main-d'œuvre

b) **Productivité de la machine** = unités produites par heure/machine

Valeur ajoutée ($) par heure/machine

c) **Productivité du capital**

Unités de production par intrant en dollars

Valeur en dollars de la production par intrant en dollars

d) **Productivité de l'énergie**

Unités de production par kilowatt heure

Valeur en dollars de la production par kilowatt heure

TABLEAU 2.2

Exemples de mesure de la productivité partielle

Nous pouvons énumérer des exemples similaires pour la productivité de la machine (c'est-à-dire le nombre de pièces produites à l'heure par une machine).

Toutes ces mesures représentent ce qu'on appellera dorénavant des indicateurs de performance.

Indicateurs de performance

Calculez les ratios pour les cas suivants:

Exemple 1

1. Quatre travailleurs ont installé 720 mètres carrés de tapis en 8 heures.

Solution

Cadence de production = $\dfrac{\text{mètres de tapis installés}}{\text{heures de main-d'œuvre travaillées}}$

$$\dfrac{720 \text{ mètres carrés}}{4 \text{ travailleurs} \times 8 \text{ heures/travailleur}}$$

$$\dfrac{720 \text{ mètres}}{32 \text{ heures}}$$

$$\dfrac{22,5 \text{ mètres}}{\text{heure}}$$

2. La machine a produit 68 «bonnes» pièces en 2 heures.

Cadence ou taux = $\dfrac{\text{Pièces utilisables}}{\text{temps de production}}$

$$\dfrac{68 \text{ pièces}}{2 \text{ heures}}$$

$$\dfrac{34 \text{ pièces}}{\text{heure}}$$

Nous ne tenons compte que des bonnes pièces fabriquées, les pièces utiles, comme le spécifie la définition de la production, pour calculer nos ratios de productivité ou taux de production, et pas seulement des quantités fabriquées, sans égard à leur état. Il est important de retenir que les notions de productivité et de qualité vont de pair.

Les calculs de la productivité multifactorielle mesurent les intrants en utilisant une unité de mesure commune, comme le coût ou la valeur. On peut, par exemple, utiliser les coûts des intrants et le prix des extrants :

Productivité multifactorielle

$$\frac{\text{quantité d'extrants au prix standard} \qquad (\$)}{\text{coût de la main-d'œuvre + coût des matériaux + coûts indirects (\$)}}$$

Exemple 2

La valeur de l'unité sur le marché est de 2,50 $.

Déterminez la productivité multifactorielle pour les intrants combinés de la main-d'œuvre et du temps/machine à l'aide des données suivantes :

Si :
Production : 1760 unités

Intrants :
Main-d'œuvre : 1000 $
Matériaux : 520 $
Coûts indirects : 2000 $

Solution

$$\text{Productivité multifactorielle (En u/\$)} = \frac{\text{extrants}}{\text{main-d'œuvre + matériaux + coûts indirects}}$$

$$= \frac{1760 \text{ unités}}{1000 \$ + 520 \$ + 2000 \$}$$

$$= 0,50 \text{ unité/\$}$$

Ou mieux encore :

Extrants : 1760 unités × 2,50 $ = 4400 $

Total des intrants : 1000 $ + 520 $ + 2000 $ = 3520 $

Productivité totale : $\frac{4400 \$}{3520 \$}$ = 1,25 ou 125 %.

Plus ce ratio est élevé, meilleure est la productivité.
Un ratio égal à 1,00 ou 100 % indique que l'entreprise fait du surplus.

Les mesures de productivité sont utiles sur plusieurs plans. Pour un service ou une entreprise, les mesures de productivité peuvent servir à estimer le rendement dans le temps. Ainsi, les gestionnaires peuvent évaluer le rendement et déterminer les secteurs où des améliorations sont nécessaires. Les mesures de productivité peuvent également servir à évaluer la performance d'une industrie complète ou la productivité nationale d'un pays. Ces mesures sont des mesures agrégées, qu'on détermine en combinant les mesures de productivité de diverses entreprises ou industries. Essentiellement, les mesures de productivité servent à vérifier l'utilisation efficace des ressources. Les chefs d'entreprises se préoccupent de la productivité puisqu'elle indique leur capacité à soutenir la compétition, d'où la notion de compétitivité. Si deux entreprises ont le même niveau d'extrants, mais que l'une d'elles exige moins d'intrant en raison de sa productivité plus élevée, elle sera en mesure de demander un prix plus bas et, par conséquent, elle pourra accroître sa part du marché. Elle pourrait aussi demander le même prix et augmenter ainsi ses profits. Les chefs des gouvernements s'intéressent à la productivité nationale en raison de la relation étroite qui existe entre la productivité et le niveau de vie d'un pays. Les niveaux plus élevés de productivité sont largement responsables du niveau de vie relativement élevé des habitants des pays industrialisés. De plus, les augmentations de salaires et de prix qui ne sont pas accompagnées de hausses de productivité tendent à exercer des pressions inflationnistes sur l'économie d'un pays.

Nous voyons donc le lien qui existe entre la production de biens et services utiles, la productivité (mesure de cette capacité de produire ces biens et services), et le niveau de vie d'une société. Rien d'autre ne peut accroître le bien-être d'une nation et lui permettre ensuite de se payer les services sociaux, d'éducation, de santé, d'arts et autres qui sont nécessaires à son bien-être et à sa survie. C'est cette vision qui fit dire à Adam Smith[2] : « Le bien-être des nations ne provient que de la production. »

La question la plus évidente est la suivante : comment certaines nations, industries ou entreprises peuvent-elles obtenir des gains de productivité, alors que d'autres n'y parviennent pas ? Les théoriciens et les chercheurs font mention de certaines attitudes ayant des effets négatifs sur la productivité. Parmi les plus connues, mentionnons :

1. La tendance à surconsommer et à ne pas épargner provoque un ralentissement de la formation de capital et entraîne l'arrivée massive de produits étrangers.

2. L'accroissement du nombre de règlements gouvernementaux alourdit le fardeau administratif (et non productif) de plusieurs entreprises.

3. L'accroissement de la demande de services, souvent moins productifs que les activités de fabrication ne crée peu de valeurs ajoutées.

4. Le fait de mettre l'accent sur le rendement à court terme (c'est-à-dire les bénéfices annuels et les ventes) a pour effet d'entraîner une diminution des initiatives en vue d'élaborer des solutions durables aux problèmes. De plus, durant les périodes d'inflation et d'augmentation des coûts des emprunts, les gestionnaires hésitent à investir des fonds pendant de longues périodes, car cela leur empêche de tirer profit d'autres occasions pouvant survenir entre-temps.

Certains mentionnent l'incapacité des gestionnaires à intégrer efficacement les progrès technologiques au processus de production ; on se plaint généralement du fait que les gestionnaires avides de profits à court terme semblent « attaquer leurs problèmes au moyen de la technologie » plutôt que d'analyser sagement leurs processus pour voir si la technologie pourrait les aider à obtenir un avantage concurrentiel et comment.

La difficulté de mesurer avec précision la productivité est un autre problème auquel font face les gestionnaires. Par exemple, il peut être difficile de mesurer la productivité des cols blancs, surtout si la pensée et les efforts créatifs font partie du travail. De plus, le contenu variable des emplois dans le secteur des services peut fausser les mesures de productivité. Supposez qu'un restaurant engage 4 serveuses, qui servent 80 repas le mercredi et 90 repas le jeudi, au cours du même intervalle de 2 heures. Il semble que les serveuses soient plus productives le jeudi, mais il est possible que la baisse de production du mercredi reflète le fait qu'il y a eu moins de clients au restaurant. Ou considérez le cas de deux médecins travaillant dans une salle d'urgence. L'un d'eux s'est occupé de six patients atteints de blessures mineures, tandis que l'autre a passé le même laps de temps avec un seul patient gravement blessé. Il est faux d'affirmer que le médecin qui a pris soin de six patients a été plus productif.

Les différences de qualité peuvent également altérer les mesures de production. Cela peut notamment se produire quand on effectue des comparaisons dans le temps, comme la comparaison de la productivité d'une entreprise des années 1990 avec celle d'une usine des années 1960. Peu de personnes contesteraient le fait que la qualité est maintenant beaucoup plus grande qu'elle ne l'était en 1960, mais il n'y a pas de manière facile d'intégrer la qualité aux mesures de productivité.

En bref, il faut considérer les mesures de productivité en tenant compte des facteurs connexes et d'une certaine déformation des chiffres. Par conséquent, il est préférable de traiter la productivité comme un indicateur approximatif plutôt que comme une mesure précise.

---

2. Adam Smith, économiste anglais du XVIIIe siècle, auteur de *The Wealth of Nations* (1776).

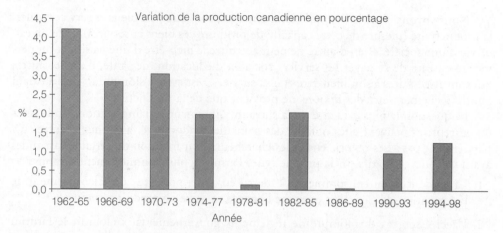

Pourcentage des modifications de la production canadienne (PIB par heure) 1962-1998

2.2.1 Les facteurs qui influent sur la productivité

Plusieurs facteurs influent sur la productivité. Parmi ceux-ci, mentionnons les méthodes, le capital, la qualité, la technologie et la gestion.

Considérez un étudiant qui prévoit taper un très long travail de fin de trimestre. L'étudiant a un rendement moyen à la dactylo et peut produire environ trois pages à l'heure. Comment l'étudiant pourrait-il augmenter sa cadence? Il pourrait, entre autres choses, s'inscrire à un cours de courte durée pour améliorer ses compétences en dactylographie (méthode). Il pourrait aussi remplacer sa machine à écrire par un ordinateur plus coûteux et un progiciel de traitement de textes (capital) pour acquérir la vitesse grâce à des fonctions automatiques comme le vérificateur d'orthographe et la correction des erreurs (qualité). Il pourrait aussi accroître sa productivité en améliorant son organisation et sa préparation pour la saisie (gestion). La motivation à avoir une bonne note et la fierté liée à la production d'un bon travail peuvent également être des facteurs importants. En fait, tous ces facteurs sont des sources potentielles de productivité, non seulement pour taper des travaux, mais aussi pour n'importe quel type de travail, et c'est généralement au gestionnaire à veiller à ce qu'ils soient complètement exploités.

On a généralement tendance à croire, à tort, que les travailleurs sont les facteurs déterminants de la productivité. Selon cette théorie, pour obtenir des gains de productivité, il faut inciter les travailleurs à travailler plus fort. En fait, dans le passé, plusieurs gains de productivité ont été obtenus grâce à des progrès technologiques. Par exemple :

Rouleau à peinture	Appel interurbain direct, paiement par
Tondeuse électrique	téléphone, téléphone cellulaire
Machine à écrire électrique	Facturation et gestion des stocks
Photocopieuse	informatisées
Four à micro-ondes	Automatisation
Machine à laver automatique, sécheuse,	Calculatrice
machine à laver la vaisselle,	Ordinateur, ordinateur personnel
mélangeur électrique	

Cependant, la technologie seule ne garantit pas de gains de productivité ; on doit l'utiliser sagement et de manière réfléchie. Sans une planification attentive, la technologie peut en fait réduire la productivité, surtout si elle entraîne un manque de souplesse, une hausse des coûts ou des opérations mal assorties. Un autre ralentissement courant de la productivité provient d'employés qui utilisent leur ordinateur pour effectuer des activités qui ne sont pas reliées au travail (jouer à des jeux, vérifier le prix des actions ou les résultats sportifs sur Internet). En plus de tous ces facteurs, ajoutons la perte de productivité qui découle de l'apprentissage des employés ; ils apprennent à utiliser un nouveau matériel ou des procédures qui mèneront finalement à des gains de productivité, mais uniquement à la fin de ces phases d'apprentissage.

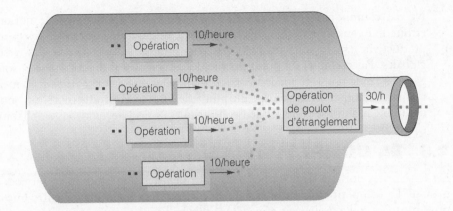

Figure 2.2

Opération de goulot d'étranglement

2.2.2 L'amélioration de la productivité

Une entreprise ou un service peut entreprendre diverses actions pour améliorer sa productivité :

1. Créer des mesures ou indices de productivité pour toutes les activités ; les mesures sont la première étape vers la gestion et le contrôle des opérations. En effet, nous ne le répéterons jamais assez :

   ON NE PEUT AMÉLIORER CE QU'ON NE PEUT MESURER.

2. Analyser le système dans son ensemble lorsqu'on tente de déterminer quelles opérations sont les plus cruciales. C'est la productivité globale qui est importante ; la mesure de la productivité partielle doit être utilisée avec discernement. On entend souvent des entrepreneurs se plaindre du fait que leur productivité est faible, car le salaire des employés est plus élevé que celui des travailleurs de plusieurs pays en voie de développement. Or, il ne fait aucun doute que les salaires des travailleurs des pays du G8 sont plus élevés que ceux des pays du tiers-monde, et pourtant la productivité du G8 est de loin plus élevée. Il faut donc mesurer la productivité dans un ensemble. La figure 2.2 illustre d'une autre façon la productivité globale : en montrant plusieurs opérations qui introduisent leur production dans une opération de goulot d'étranglement. La capacité de l'opération de goulot d'étranglement est inférieure aux capacités combinées des opérations fournissant les intrants ; les unités se mettent donc en file d'attente pour être traitées, d'où l'expression **goulot d'étranglement.** Les améliorations de productivité apportées à des opérations qui n'ont pas de goulot d'étranglement n'influeront pas sur la productivité du système. Par contre, celles que subissent les opérations de goulot d'étranglement mèneront à un accroissement de la productivité, au point où le taux de production du goulot est égal au taux de production de l'opération qui l'alimente. Nous développerons plus en détail dans ce livre les notions d'équilibrage des goulots (chapitre 6) et des files d'attente (chapitre 19).

3. Élaborer des méthodes visant l'amélioration de la productivité, comme solliciter des idées auprès des travailleurs (en organisant des équipes de travailleurs, d'ingénieurs et de gestionnaires), étudier la manière dont les autres entreprises ont accru leur productivité et réexaminer la manière dont le travail est effectué. Les notions de Kaïzen, les programmes d'amélioration continue et d'analyse comparative appelée balisage (Benchmarking) sont autant de nouvelles approches qui peuvent nous aider à atteindre cet objectif.

4. Établir des buts raisonnables quant à l'amélioration.

5. S'assurer que la direction appuie et encourage les améliorations au niveau de la productivité. Considérer des incitatifs pour récompenser les travailleurs pour leurs contributions.

6. Mesurer les améliorations et les annoncer.

7. Ne pas confondre la productivité et l'efficience. L'efficience est une notion plus étroite qui consiste à obtenir le maximum d'un ensemble donné de ressources ; la productivité est un concept plus vaste qui a trait à l'usage efficace des ressources globales. Par exemple, du point de vue de l'efficience, si on considère la tonte du gazon à l'aide d'une tondeuse à gazon manuelle, on se concentre sur la meilleure manière d'utiliser la tondeuse ; du point de vue de la productivité, on songerait notamment à utiliser une tondeuse électrique. Nous y reviendrons au chapitre 5.

2.3 LA COMPÉTITIVITÉ

compétitivité
Efficacité avec laquelle une entreprise répond aux besoins de ses clients par rapport aux autres qui offrent des biens ou services similaires.

Les entreprises doivent être compétitives pour vendre leurs produits et services sur le marché. La **compétitivité** est un facteur décisif qui fera la différence entre une entreprise prospère, celle qui survit et celle qui fait faillite. Les entreprises se font concurrence de différentes manières, soit sur le plan des prix, de la qualité, de la différenciation des produits ou services, de la souplesse et du temps nécessaire pour effectuer certaines activités.

1. Le prix est le montant qu'un client doit payer pour un produit ou service. Si tous les autres facteurs sont égaux, le client choisira le produit ou service qui a le prix le plus bas. Les entreprises qui se font concurrence sur le plan des prix peuvent accepter des marges de profit plus basses, mais elles concentreront leurs efforts en vue de réduire le prix de leurs biens et services.

2. La qualité est reliée aux perceptions des acheteurs quant à l'efficacité avec laquelle le produit ou le service servira leurs propres besoins.

3. La différenciation de produits désigne toute caractéristique spéciale (c'est-à-dire la conception, le coût, la qualité, la facilité d'utilisation, l'emplacement pratique, la garantie) qui fait qu'un produit ou service est perçu par le client comme plus approprié que celui de la compétition.

4. La flexibilité est la capacité à réagir aux changements. Plus une entreprise a de la facilité à réagir aux changements, plus elle aura un important avantage concurrentiel sur une entreprise qui n'est pas aussi réactive. Les changements peuvent concerner des augmentations ou des diminutions du volume demandé ou des changements dans la conception des biens ou services.

5. Le temps se rapporte à différents aspects de l'exploitation d'une entreprise. Un de ces aspects est la disponibilité d'un produit ou d'un service prêt à être livré au client. L'autre concerne la rapidité avec laquelle de nouveaux produits ou services sont mis au point et mis sur le marché. Finalement, un autre aspect est la fréquence à laquelle on améliore les produits ou les processus.

Les entreprises peuvent réussir ou avoir un faible rendement pour plusieurs raisons. Parmi les erreurs les plus courantes, mentionnons-en quelques-unes. En les connaissant, les gestionnaires peuvent éviter de les commettre.

1. Accorder trop d'importance au retour sur investissement à court terme aux dépens de la recherche et du développement.

2. Accorder trop d'importance à la conception des produits ou services et pas suffisamment à la conception des méthodes de travail (les processus).

3. Négliger la stratégie opérationnelle.

4. Ne pas tirer parti des forces et des occasions et ne pas reconnaître les menaces de la concurrence.

5. Négliger d'investir dans l'environnement opérationnel de l'entreprise, c'est-à-dire dans la bâtisse et les équipements de toutes sortes. À part l'équipement nécessaire à la production et aux opérations, ils comprennent aussi les systèmes de climatisation, de ventilation, de récupération des déchets, d'éclairage, d'information (ordi-

nateurs, téléphonie), etc. L'entretien et la maintenance de ces équipements influent grandement sur la sécurité, la qualité du travail et les relations interpersonnelles, et de là, sur la productivité. Malheureusement, peu d'entreprises se soucient de l'environnement opérationnel et y font les premières coupures au moment de l'implantation d'une politique d'austérité ou de rationalisation des coûts. Ces coupures servent le gestionnaire à très court terme, mais leurs effets néfastes et pernicieux se font sentir rapidement.

6. Négliger d'investir dans les ressources humaines. Il est important d'investir dans la formation et la mise à jour des connaissances des employés de l'entreprise si l'on veut demeurer concurrentiel. Les développements technologiques, la globalisation des marchés et la concurrence qui s'ensuit font en sorte que les connaissances actuelles sont très vite dépassées. Combinée à l'expertise accumulée, la mise à jour des connaissances des employés permet de garder l'entreprise compétitive. Pensons à l'avènement des logiciels, progiciels et autres dans le domaine manufacturier, dans les marchés virtuels, dans les services, dans le domaine médical (scanner et développement de l'oncologie); tous ces domaines étaient totalement inconnus il y a quelques années.

7. Ne pas établir de bonnes communications à l'interne et une collaboration entre les différents secteurs fonctionnels.

8. Ne pas tenir compte des besoins et des exigences du client.

La clé pour être concurrentiel consiste à déterminer ce que veulent les clients et ensuite à diriger nos efforts pour répondre à leurs besoins. Que veulent les clients (la valeur)? Comment peut-on la leur livrer?

La relation suivante mesure la valeur espérée[3]:

$$\text{Valeur} = \frac{\text{rendement}}{\text{coût}} = \frac{\text{qualité} + \text{vitesse} + \text{souplesse}}{\text{coût}} \qquad (2\text{-}3)$$

Cette relation nous indique qu'un client évaluera un produit ou service en fonction de son rendement (comme le mesurent ces trois facteurs) par rapport à son coût. Selon la nature du produit ou du service et le client, les aspects les plus importants de la relation de valeur diffèrent. Ainsi, dans certains cas, la qualité peut avoir plus ou moins d'importance que la vitesse ou la souplesse. On intègre ces différences en pondérant chaque facteur de performance selon l'importance. D'où la formule suivante:

$$\text{Valeur} = \frac{w_1 \times \text{qualité} + w_2 \times \text{vitesse} + w_3 \times \text{souplesse}}{\text{coût}} \qquad (2\text{-}4)$$

En comprenant cette relation de valeur, les gestionnaires pourront élaborer des stratégies efficaces.

2.4 LA STRATÉGIE

La stratégie organisationnelle a des effets à long terme sur la nature et les caractéristiques d'une entreprise. Dans une certaine mesure, les stratégies influent sur la capacité d'une entreprise à se livrer à la concurrence ou, dans le cas des entreprises sans but lucratif, sur leur capacité à atteindre les objectifs visés.

2.4.1 La mission

La **mission** est la base de l'entreprise — sa raison d'être. Les missions varient d'une entreprise à l'autre, selon la nature de leurs activités. Un hôpital a pour mission de prodiguer des soins de santé, une entreprise de construction a pour mission, entre autres choses, de construire de nouvelles maisons unifamiliales et une compagnie d'assurances, de fournir de l'assurance-vie ou une gamme complète d'assurances (maison, automobile, vie,

mission
Raison d'être d'une entreprise.

---

3. Décrite par le président-directeur général de Procter & Gamble, Edwin L. Artzt, au Quality Forum VIII, 1er octobre 1992.

accident). La mission des entreprises sans but lucratif consiste en partie à offrir des services aux clients. On a cru longtemps que la mission des entreprises à but lucratif était uniquement de générer des profits pour les propriétaires. Or, depuis le crash de la fin des années 1970 et celui du début de 1980, une nouvelle vision est apparue, développée par W. Edwards Deming[4]. Selon Deming, l'entreprise doit se fixer des objectifs en vue de l'amélioration des produits et des services qui soient cohérents avec :

- la volonté de rester concurrentiel ;
- la volonté de rester en affaires ;
- la volonté de fournir du travail.

Cette vision est révolutionnaire par rapport à l'approche classique (qui consiste à faire des profits), mais elle assure une richesse durable de la société, y compris un équilibre de l'environnement (PESTE[5]), et ce, grâce à la paix sociale qu'elle engendre.

énoncé de mission
Énoncé clair des objectifs qui servent de guides pour les stratégies et la prise de décisions.

Il est important pour une entreprise de disposer d'un **énoncé de mission** clair et simple, qui répond à la question : « Dans quel secteur industriel évoluons-nous ? » L'énoncé de mission doit servir de guide pour formuler les stratégies d'une entreprise ainsi que pour prendre des décisions à tous les niveaux. Toutes les entreprises ne disposent pas d'un énoncé de mission ; il est possible que leurs cadres ne soient pas conscients de l'importance de cet énoncé ou qu'ils ne sachent pas exactement ce que doit être leur mission. Sans une mission claire, une entreprise atteindra difficilement son plein potentiel, car elle a peu d'orientation pour formuler ses stratégies.

2.4.2 Les stratégies et les tactiques

Nous avons vu que l'énoncé de mission offre une orientation générale à l'entreprise et permet de définir les objectifs de celle-ci. Par exemple, elle peut avoir pour objectif de s'approprier une certaine part du marché pour un produit donné ; un autre objectif pourrait être d'atteindre un certain niveau de rentabilité. Ensemble, les objectifs et la mission établissent son orientation.

stratégie
Plan conçu en vue de l'atteinte des objectifs organisationnels.

Les **stratégies** sont des plans conçus en vue de l'atteinte des objectifs. Si on pense aux objectifs en tant qu'orientation, alors les stratégies sont des cartes routières qui permettent de s'orienter. Elles offrent une orientation pour la prise de décisions. En général, les entreprises adoptent des stratégies globales appelées stratégies organisationnelles, qui sont reliées à toute l'entreprise, et aussi des stratégies fonctionnelles, qui concernent chacun des secteurs fonctionnels de l'entreprise. Les stratégies fonctionnelles doivent soutenir les stratégies globales de l'entreprise, lesquelles doivent appuyer les objectifs et la mission de l'entreprise. Selon un ordre hiérarchique, on aura : 1) la mission ; 2) la stratégie organisationnelle ; 3) la stratégie fonctionnelle ; 4) les tactiques.

Les tactiques sont les méthodes et les actions utilisées pour accomplir les stratégies. De nature, elles sont plus précises que les stratégies et elles définissent l'orientation en vue d'exécuter les opérations, lesquelles font appel aux plans et aux processus de prise de décisions les plus précis et détaillés possible. Vous pouvez considérer les tactiques comme la partie « comment faire » du processus (c'est-à-dire comment s'orienter en suivant la carte routière de la stratégie) et les opérations comme la partie « action » du processus.

Il devrait être apparent que la relation globale qui existe entre la mission et les opérations est de nature hiérarchique. La figure 2.3 illustre cette situation.

Un exemple simple vous aidera à comprendre cette hiérarchie.

Exemple 3

Andréa est étudiante d'une éminente faculté. Elle aimerait faire carrière dans les affaires, avoir un bon poste et gagner suffisamment d'argent pour bien vivre.

Voici une possibilité de scénario qui lui permettrait d'atteindre ses objectifs :

Mission : Vivre une vie agréable.

---

4. Voir les quatorze principes de Deming, chapitre 9.
5. Voir chapitre 1. PESTE : Politique, Économique, Social, Technologique, Écologique.

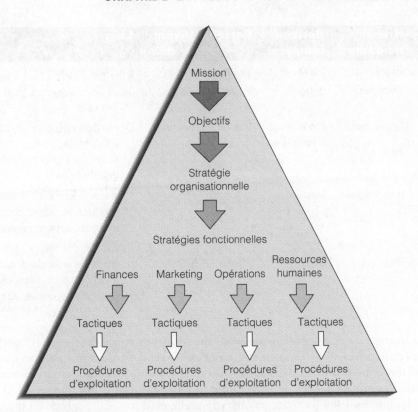

Figure 2.3

La planification et la prise de décisions sont hiérarchiques dans les entreprises.

Objectif : Carrière prospère et bons revenus.

Stratégie : Obtenir une formation supérieure.

Tactiques : Choisir une université et une spécialisation ; déterminer des moyens de financement pour payer ses études.

Opérations : S'inscrire aux cours, acheter des livres, suivre les cours, étudier.

2.4.3 La stratégie opérationnelle

Contrairement à la stratégie organisationnelle, qui fournit l'orientation globale de l'entreprise, les **stratégies opérationnelles** ont une portée moins grande et ne couvrent que l'aspect « opérations » de l'entreprise. Elles concernent les produits, les processus, les méthodes, les ressources d'exploitation, la qualité, les coûts, les délais de livraison et l'ordonnancement. Au tableau 2.3 on compare la mission d'une organisation, sa stratégie globale et ses stratégies opérationnelles, ses tactiques et ses opérations.

Pour qu'une stratégie opérationnelle soit réellement efficace, il faut la relier à la stratégie organisationnelle ; autrement dit, il ne faut pas les formuler de manière indépendante. La formulation de la stratégie organisationnelle doit plutôt tenir compte des forces et des faiblesses des opérations, tirer profit des forces et faire face aux faiblesses. De même, la stratégie opérationnelle doit concorder avec la stratégie globale de l'entreprise et être formulée de manière à soutenir ses objectifs. Pour ce faire, les cadres supérieurs doivent travailler de pair avec les unités fonctionnelles pour formuler des stratégies qui se soutiendront mutuellement plutôt que de se contredire. Bien que cela semble évident, en pratique, ce n'est pas toujours le cas. Au contraire, il existe des luttes de pouvoir au sein des diverses unités fonctionnelles. Ces luttes sont dommageables pour l'entreprise, car elles suscitent une compétition entre les unités fonctionnelles plutôt que de concentrer leurs énergies à rendre l'entreprise plus compétitive et mieux en mesure de servir ses clients. Certaines des approches les plus récentes adoptées par les entreprises, qui se traduisent par la formation d'équipes de gestionnaires et de travailleurs, reflètent une plus grande conscience des effets synergiques du travail d'équipe.

stratégie opérationnelle
Approche qui, en concordance avec la stratégie organisationnelle, sert de guide pour la fonction opération.

		Niveau de cadres	Horizon temporel	Portée	Niveau de détail	Lien
L'organisation globale	Mission	Supérieur	Long	Vaste	Faible	Survie, rentabilité
	Stratégie	Supérieur	Long	Vaste	Faible	Taux de croissance, part du marché
Production/ opérations	Stratégique	Supérieur	Modéré à long	Vaste	Faible	Conception du produit, choix de l'emplacement, choix de la technologie, nouvelles installations
	Tactique	Intermédiaire	Modéré	Modérée	Modéré	Niveaux d'emplois, niveaux de production, sélection du matériel, aménagement des installations
	Opérationnelle	Bas	Court	Étroite	Élevé	Horaires du personnel, ajustement des taux de production, gestion des stocks, achats

TABLEAU 2.3

Comparaison de la mission, de la stratégie organisationnelle et de la stratégie opérationnelle

La stratégie opérationnelle peut avoir une influence considérable sur la compétitivité de l'entreprise. Si elle est bien conçue et exécutée, il y a de fortes chances que l'entreprise devienne prospère ; dans le cas contraire, elle risque d'être moins efficace.

Dans les années noires de l'économie mondiale, à la fin des années 1970 et au début des années 1980, la stratégie opérationnelle était souvent négligée en faveur des stratégies de marketing *push* et de finances. Les taux d'intérêt avaient alors grimpé à près de 18 %, voire 20 %, dans les pays du G7[6]. Les ressources humaines ont alors fait face à un drame humain important : les mises à pied massives. Cela a eu comme impact une baisse de la consommation, la population ne disposant plus de salaires convenables, suivie d'une récession. Cette situation s'est sans doute produite parce que plusieurs PDG n'avaient pas d'expérience ni de connaissances dans le secteur des opérations et ne comprenaient pas son importance. Les regroupements d'entreprises étaient chose courante. On avait recours aux acquisitions à crédit et on formait des conglomérats qui reliaient des entreprises de secteurs d'opérations totalement différents. Ces regroupements n'ont pas ajouté à la valeur des entreprises ; ils étaient de nature purement financière. Les décisions étaient prises par des personnes qui n'étaient pas familières avec les opérations, et souvent au détriment de l'entreprise. Durant cette période, seul le Japon s'en est tiré à bon compte. Les entreprises nippones développèrent ce que l'on appellera plus tard les « approches japonaises de la production », à savoir : robotisation (pour diminuer les temps de mise en route), le juste-à-temps ou flux tendus, les stocks zéro, les Kanban, le TPS (Toyota Production System) et autres. Au fond, ils ne firent que moderniser et implanter avec succès les enseignements et les principes développés par Taylor, Ford, Gantt, Deming et autres. Nous étudions toutes ces approches dans le présent volume.

Vers la fin des années 1980, les autres pays du G7 comprirent que leurs stratégies financières et de marketing *push* ne fonctionnaient pas. Les entreprises de ces pays ont reconnu leur faible compétitivité et se sont mis à accorder plus d'attention au marketing *pull* et aux opérations[7]. À cette fin, plusieurs d'entre elles élaborèrent des stratégies ayant comme objectifs de fournir les quantités demandées, la qualité requise, dans les délais de livraison promis, aux lieux convenus et aux coûts les plus bas. Comparez ces objectifs avec ceux qui ont été exposés au chapitre 1 (quantité, qualité, temps, lieux, coûts[8]).

---

6. Par ordre de produit national brut : États-Unis, Japon, Allemagne, France, Italie, Grande-Bretagne et Canada.

7. DEMING, W. E. *Hors de la Crise*, Paris, Economica, 1982, 352 p.

8. BENEDETTI, C. *Introduction à la gestion des opérations*, Laval, Études Vivantes, 1980, chapitre 1.

Ce mouvement correspond aux résultats d'un sondage récemment mené auprès de cadres et de gestionnaires du secteur de la fabrication à qui on a demandé de nommer les points stratégiques et tactiques sur lesquels les fabricants américains doivent se concentrer pour être concurrentiels sur le marché mondial dans les années 1990[9]. Les deux principales stratégies mentionnées portaient sur la gestion de la qualité et sur la fabrication. Les deux points tactiques principaux concernaient le contrôle de la qualité, la planification de la fabrication et les systèmes de contrôle. L'élément central de la stratégie organisationnelle et de la stratégie opérationnelle est la formulation de la stratégie.

2.4.4 La formulation de la stratégie

Pour formuler une stratégie efficace, les cadres supérieurs doivent tenir compte des compétences distinctives de l'entreprise et faire une analyse de l'environnement aussi bien interne qu'externe. Ils doivent tenir compte ce que font les compétiteurs ou de ce qu'ils prévoient faire, examiner de manière critique d'autres facteurs qui pourraient avoir des effets sur les opérations. C'est ce qu'on appelle l'approche FFPM (forces, faiblesses, possibilités et menaces).

En formulant une stratégie efficace, les entreprises doivent examiner les qualificateurs des commandes et les gagnants des commandes. Terry Hill décrit les **qualificateurs des commandes** comme les caractéristiques que les clients potentiels perçoivent comme des normes minimales d'acceptabilité pour acheter des produits ou services.

qualificateurs des commandes
Caractéristiques que les clients potentiels perçoivent comme des normes minimales d'acceptabilité pour acheter les produits ou services.

	Compétence	Exemples d'entreprises ou de services
Prix	Faible coût	Costo Walmart Future Shop
Qualité	Conception de haute performance ou grande qualité	Sony TV Mercedes Disneyland Restaurants ou hôtels cinq étoiles
	Qualité constante	Cocal-Cola, Nortel Kodak, Xerox, Bombardier Hydro Québec
Temps	Livraison rapide	Restaurants McDonald's Courrier express UPS Pizza Domino
	Livraison juste-à-temps	Développement de photos en une heure Federal Express Courrier express
Souplesse	Variété	Harvey's Salle d'urgence d'un hôpital
	Volume	McDonald's (« Bienvenue aux autobus ») Toyota Supermarchés (caisses supplémentaires)
Service	Service à la clientèle supérieur	Disneyland Hewlett-Packard IBM Ailes de la mode
Emplacement	Aspect pratique	Supermarchés, nettoyeurs à sec Magasins de centres commerciaux Stations-service Banques, guichets automatiques

TABLEAU 2.4

Exemples de compétences distinctives

9. MANOJ, K. Malhotra, Daniel C. STEELE et Varun GROVER. «Important Strategic and Tactical Manufacturing Issues in the 1990s», *Decision Sciences*, vol. 25, n° 2, mars et avril 1994, p. 189-214.

**gagnants
des commandes**
Caractéristiques des biens
ou services d'une entre-
prise qui font en sorte que
les consommateurs les
trouvent meilleurs que ceux
de la concurrence.

Cependant, elles peuvent ne pas être suffisantes pour inciter un client à acheter les produits ou services offerts par l'entreprise. Les **gagnants des commandes** sont les caractéristiques des biens et services d'une entreprise qui font en sorte que les consommateurs les trouvent meilleurs que ceux de la concurrence.

Les compétences distinctives sont les caractéristiques ou les habiletés que possède une entreprise et qui lui confèrent un avantage concurrentiel. En effet, les compétences distinctives concernent la façon dont les entreprises font face à la concurrence. Comme nous l'avons mentionné plus haut, elles peuvent inclure le prix (basé sur une combinaison donnée de faibles coûts des ressources comme la main-d'œuvre et les matériaux, de faibles frais d'exploitation et de faibles coûts de production); la qualité (grande performance ou qualité constante); le temps (livraison rapide ou livraison juste-à-temps); la flexibilité (en termes de variété ou de quantité); le service à la clientèle et l'emplacement ou le lieu. Le tableau 2.4 énumère les six principales compétences distinctives et des exemples de services et d'entreprises qui les possèdent.

Les entreprises les plus efficaces semblent utiliser une approche qui développe les compétences distinctives en fonction des besoins des clients ainsi que des activités de la concurrence. Le marketing et les opérations travaillent en étroite collaboration pour établir une harmonie entre les besoins des clients et les fonctions des opérations. Les compétences des compétiteurs sont importantes pour différentes raisons. Par exemple, si un compétiteur est en mesure de fournir des produits de grande qualité, il sera peut-être nécessaire d'offrir des produits de la même qualité. Cependant, le fait de simplement égaler la qualité des produits d'un compétiteur ne suffit pas pour acquérir une part du marché. Il pourrait être nécessaire de dépasser les niveaux de qualité[10] des compétiteurs ou d'acquérir un avantage sur la concurrence en excellant sur plusieurs plans, comme la rapidité de la livraison ou le service après-vente.

Voici certaines des stratégies qu'ont employées différentes entreprises japonaises de fabrication depuis la fin de la Seconde Guerre mondiale :

- *Stratégie du faible coût de la main-d'œuvre.* Immédiatement après la guerre, elles ont exploité le réservoir de main-d'œuvre, alors peu coûteux.

- *Stratégie basée sur l'économie d'échelle.* Durant les années 1960, elles ont utilisé des méthodes à forte teneur en capital pour obtenir une productivité plus grande de la main-d'œuvre et des coûts unitaires plus bas.

- *Stratégie de l'usine dédiée spécialisée.* Toujours pendant les années 1960, elles ont eu recours à des usines plus petites, qui se concentraient sur des lignes de produits plus restreintes pour tirer profit de la spécialisation et atteindre une qualité plus élevée.

- *Stratégie de l'usine flexible.* Durant les années 1980, elles ont réduit le temps nécessaire pour intégrer de nouveaux produits et processus. Elles ont utilisé un équipement flexible, qui permettait des changements de volume et de conception ainsi qu'une grande variété au niveau de la production. Elles ont continué à mettre l'accent sur la qualité[11].

Dans les années 1990, les principaux fabricants japonais ont adopté une approche intégrant l'introduction de nouvelles caractéristiques des produits à l'apport d'améliorations continues aux produits et aux processus.

**analyse de
l'environnement**
Considération des événe-
ments et des tendances qui
présentent des menaces ou
des occasions pour une
entreprise.

L'**analyse de l'environnement**, c'est le fait de considérer les événements et les tendances qui présentent des menaces ou des occasions pour l'entreprise. Généralement, ceux-ci comprennent les activités de la concurrence, les changements des besoins des consommateurs, les questions légales, économiques, politiques et environnementales; les nouveaux marchés potentiels, et ainsi de suite. Selon la nature de l'entreprise et l'emplacement de ses clients, ces questions peuvent être d'ordre mondial, national, régional ou local. Ainsi, le démantèlement de l'ancienne Union soviétique en 1991-1992, la

---

10. Notion développée en détail au chapitre 10
11. STALK, George Jr. et Thomas HOUT. «Competing Against Time», *Research and Technology Management*, vol. 33, n° 2, mars et avril 1990, p. 19-24.

réunification de l'Allemagne et la formation de l'Union européenne ont une énorme importance sur la planification stratégique d'entreprises internationales comme Ford Motor Company, General Motors, Kodak, Coca-Cola, Pepsi Cola et IBM (environnement politique). Les entreprises qui sont des fournisseurs locaux pour ces entreprises mondiales sont aussi affectées par ces événements internationaux.

Les progrès technologiques (environnement technologique) sont un autre facteur clé à considérer lorsqu'on élabore des stratégies. Ils peuvent représenter des occasions et des menaces réelles pour une entreprise. Les progrès technologiques se manifestent au niveau des produits (téléviseurs à haute définition, amélioration des puces d'ordinateurs, amélioration des systèmes de téléphones cellulaires et amélioration de la conception des structures à l'épreuve des séismes) ; au niveau des services (processus de commandes plus rapides, livraison accélérée, EDI, Internet) et au niveau des processus (robotique, automatisation, traitement informatisé, numériseurs aux points de vente et systèmes de fabrication souples). Les avantages des progrès sont évidents : ils permettent de prendre de dessus sur les concurrents ; les risques tiennent au fait que des choix inappropriés, une mauvaise exécution et des frais d'exploitation plus élevés que ce qui était prévu créent des désavantages concurrentiels.

Les facteurs importants constitués par l'environnement sont d'ordre externe et interne.

Les facteurs externes :

1. *Politiques* : lois et règlements gouvernementaux, lois antitrust, lois du travail, lois fiscales, tarifs douaniers, protection des brevets, stabilité...

2. *Économiques* : situation économique, inflation, récession, taux d'intérêt...

3. *Sociaux* : données démographiques, us et coutumes, religions, loyauté envers la marque, forces et faiblesses de la concurrence, facilité de pénétration du marché...

4. *Technologiques* : taux d'innovation des produits, présence de centres de recherche spécialisés et d'universités, possibilités de développement...

5. *Écologiques* : la sensibilisation de plus en plus grande de la société face à l'écologie crée une obligation et des responsabilités pour l'entreprise lorsqu'elle consomme des ressources naturelles et lorsqu'elle rejette ses déchets dans l'environnement.

Les facteurs internes :

1. *Ressources humaines* : celles-ci comprennent les habiletés et les compétences des gestionnaires et des travailleurs, les talents particuliers (créativité, conception, résolution de problèmes), la loyauté envers l'entreprise, l'expertise, le dévouement et l'expérience.

2. *Matériel et aménagement* : la capacité, l'emplacement, l'âge et le coût d'entretien ou de remplacement peuvent avoir des conséquences considérables sur les activités d'exploitation.

3. *Ressources financières* : l'encaisse, l'accès à un financement supplémentaire, le fardeau de la dette actuelle et le coût du capital sont des considérations importantes.

4. *Clients* : la loyauté, les relations actuelles et la compréhension des besoins et des exigences sont importantes.

5. *Produits et services* : ces facteurs comprennent les produits et services actuels ainsi que les produits et services potentiels.

6. *Technologie* : elle comprend la technologie actuelle, la capacité d'intégrer de nouvelles technologies et les conséquences probables de la technologie sur les activités présentes ou futures.

7. *Fournisseurs* : les relations avec les fournisseurs, leur fiabilité, la qualité, la souplesse et le service sont des points importants.

8. *Autres*: les autres facteurs incluent les brevets, les relations de travail, l'image de l'entreprise ou des produits, les réseaux de distribution, les relations avec les distributeurs, l'entretien des installations et du matériel, l'accès aux ressources et l'accès aux marchés.

2.4.5 Les stratégies relatives à la qualité et au temps

Les stratégies traditionnelles des entreprises commerciales avaient tendance à mettre l'accent sur la réduction des coûts au minimum ou sur la différenciation des produits. Tout en n'abandonnant pas ces stratégies, bon nombre d'entreprises adoptent maintenant des stratégies axées sur la qualité et le temps. Ces deux approches ont de plus en plus de succès dans le monde des affaires. Elles promettent de changer nettement la manière dont les entreprises fonctionnent.

Les **stratégies axées sur la qualité** se concentrent sur la satisfaction du client en intégrant la qualité à toutes les étapes de l'entreprise. Cette stratégie englobe non seulement le produit ou le service final livré au client, mais aussi les processus connexes comme la conception, la production et le service après-vente.

Les **stratégies axées sur le temps** mettent l'accent sur la réduction du temps requis pour accomplir diverses activités (c'est-à-dire mettre au point de nouveaux produits ou services et les mettre en marché, réagir à un changement au niveau de la demande des clients, livrer un produit ou effectuer un service). Les entreprises cherchent à améliorer le service à la clientèle et à acquérir un avantage concurrentiel sur leurs rivaux qui prennent plus de temps pour accomplir les mêmes tâches.

Les stratégies axées sur le temps visent à réduire le temps nécessaire pour effectuer plusieurs activités faisant partie d'un processus. La logique est la suivante: quand on diminue le temps, les coûts sont généralement inférieurs, la productivité est plus grande, la qualité tend à être supérieure, de nouveaux produits apparaissent sur le marché plus rapidement et le service à la clientèle est amélioré.

Les entreprises sont parvenues à gagner du temps sur plusieurs plans:

Temps de planification: temps nécessaire pour réagir à une menace de la concurrence, élaborer des stratégies et sélectionner des tactiques, approuver les changements proposés aux installations, adopter de nouvelles technologies, et ainsi de suite.

Temps de conception des produits ou services: temps nécessaire pour mettre au point et mettre en marché de nouveaux produits ou services.

Durée de traitement ou temps de fabrication: temps nécessaire pour produire des biens ou fournir des services; peut comporter l'ordonnancement, la réparation du matériel, les pertes d'efforts, l'inventaire des stocks, la qualité, la formation et des choses semblables.

Temps de mise en route: temps nécessaire pour passer de la production d'un type de produits ou services à un autre. Cela peut comporter de nouveaux réglages et de nouveaux accessoires pour l'équipement ou des changements au niveau des méthodes, de l'équipement, des horaires ou des matériaux.

Délai de livraison: temps nécessaire pour exécuter une commande.

Délai de réponse aux plaintes: il peut s'agir des plaintes des clients concernant la qualité, du temps de livraison ou de livraisons incorrectes. Il peut également s'agir de plaintes des employés concernant les conditions de travail (c'est-à-dire la sécurité, l'éclairage, la chaleur ou le froid), de problèmes d'équipement ou de qualité.

---

stratégie axée sur la qualité
Stratégie qui est axée sur la qualité à tous les niveaux d'une entreprise.

stratégie axée sur le temps
Stratégie concernant la réduction du temps nécessaire pour accomplir des tâches.

2.5 Conclusion

La productivité est une mesure de l'utilisation efficace des ressources de l'entreprise. Les comparaisons de productivité aident les gestionnaires à juger de la capacité d'une entreprise à faire face à la concurrence et à servir ses clients. Les entreprises ou les pays qui connaissent une productivité relativement élevée ont un avantage sur leurs concurrents.

Les entreprises font face à la concurrence de plusieurs manières, notamment sur le plan des prix, de la qualité, des fonctions ou services particuliers et du temps. Certaines entreprises sont peu compétitives, souvent à cause de faiblesses stratégiques.

Les stratégies sont les approches de base qu'utilisent les entreprises pour atteindre leurs objectifs. Les stratégies offrent une orientation pour la planification et la prise de décisions. Une entreprise adopte généralement des stratégies globales qui sont pertinentes pour l'entreprise dans son ensemble ainsi que des stratégies pour chacun de ses secteurs fonctionnels. Les stratégies fonctionnelles ont une portée plus limitée et doivent être reliées à la stratégie globale. Plusieurs entreprises ont adopté des stratégies axées sur le temps ou sur la qualité pour devenir plus concurrentielles, être plus productives et mieux servir leurs clients.

Terminologie

Analyse de l'environnement	Qualificateurs des commandes
Cadence de production	Standard heure de de production
Compétences distinctives	Stratégie
Compétitivité	Stratégie axée sur la qualité
Énoncé de mission	Stratégie axée sur le temps
Gagnants des commandes	Stratégie opérationnelle
Indicateurs de performance	Tactique
Mission	Taux de production
Productivité	

Problèmes résolus

Problème 1

Une société qui transforme des fruits et des légumes est en mesure de produire 400 boîtes de conserve de pêches en une demi-heure avec quatre travailleurs. Calculez la cadence ou taux de production par employé.

Solution

$$\text{Taux de production par employé} = \frac{400 \text{ boîtes}}{4 \text{ empl.} \times 0,5 \text{ h / par empl.}} = 200 \text{ boîtes / h par employé}$$

Problème 2

Une entreprise de papier d'emballage a produit 2000 rouleaux de papier par jour. Les coûts de la main-d'œuvre étaient de 160 $, ceux du matériel étaient de 50 $ et les coûts indirects s'élevaient à 320 $. Déterminez la productivité multifactorielle du capital en u / $.

Solution

Productivité multifactorielle (u / $) = quantité produite au prix standard (coût de la main-d'œuvre + coût du matériel + coûts indirects)

$$\frac{2000 \text{ unités}}{160 \$ + 50 \$ + 320 \$} = 3,77 \text{ u / }\$$$

Un calcul plus précis de la productivité multifactorielle consiste à incorporer le prix standard de la valeur créée. Ainsi, si chaque rouleau a une valeur de 0,33 $, la productivité de l'entreprise pour ce produit se calcule comme suit :

$$\text{Productivité} = \frac{2000 \text{ u} \times 0,33 \$ \text{ / u}}{(160 \$ + 50 \$ + 320 \$)} = \frac{660 \$}{530 \$} = 1,2453 \text{ ou } 124,53 \%$$

Questions de discussion et de révision

1. Qu'est-ce que la productivité et quelle est son importance? Qui est principalement responsable de la productivité dans une entreprise?

2. Dressez la liste des facteurs qui peuvent influer sur la productivité et nommez certaines façons d'améliorer la productivité.

3. On a dit qu'un fabricant d'automobiles japonais typique produisait plus de voitures avec moins de travailleurs que son concurrent nord-américain. Quelles sont les explications possibles, si on part du principe que les employés américains travaillent aussi fort que les employés japonais?

4. De temps à autre, divers groupes peuvent revendiquer des restrictions imposées aux importations ou des tarifs douaniers sur les biens produits à l'étranger, particulièrement sur les automobiles. Identifiez les avantages et les inconvénients de telles barrières tarifaires.

5. Dressez la liste des manières dont les entreprises se font concurrence.

6. Quelles sont les principales causes de la faible compétitivité de certaines entreprises?

7. Les États-Unis connaissent la productivité agricole la plus élevée au monde. Quelles sont les principales causes de cette productivité élevée?

8. La plupart des experts s'entendent pour dire que les travailleurs ne sont pas les principaux responsables d'une faible productivité. Qui l'est?

9. Quelles sont les compétences distinctives et quelle est leur relation avec la formulation des stratégies?

10. Faites la distinction entre les mots *stratégies* et *tactiques*.

11. Faites la distinction entre la *stratégie organisationnelle* et la *stratégie opérationnelle*.

12. Expliquez l'expression *stratégie axée sur le temps* et donnez-en trois exemples.

Problèmes

1. Supposez qu'une entreprise ait produit 300 bibliothèques la semaine dernière en utilisant 8 travailleurs et 240 bibliothèques la semaine d'avant avec 6 travailleurs. Durant quelle période la productivité a-t-elle été le plus élevée? Expliquez.

2. Le gestionnaire d'une équipe qui installe du tapis a noté la productivité de l'équipe au cours des dernières semaines et a obtenu les chiffres suivants:

Semaine	Nombre d'employés dans l'équipe	Mètres de tapis installés
1	4	960
2	3	702
3	4	968
4	2	500
5	3	696
6	2	500

Calculez le taux de production pour chacune des semaines. Selon vos calculs, que pouvez-vous conclure concernant la taille de l'équipe et sa productivité?

3. Calculez la productivité multifactorielle pour chacune des semaines. Que suggèrent les chiffres sur la productivité? Calculez des semaines de travail de 40 heures et un salaire horaire de 12 $. Les frais généraux sont 1,5 fois les coûts de la main-d'œuvre par semaine. Les coûts des matériaux sont de 6 $ le kilo. Le prix standard est de 140 $ l'unité.

Semaine	Extrants (unités)	Travailleurs	Matériel (en kg)
1	300	6	45
2	338	7	46
3	322	7	46
4	354	8	48
5	222	5	40
6	265	6	42
7	310	7	46

4. Un manufacturier de paniers à provisions pour les supermarchés a récemment fait l'achat d'un nouvel équipement qui lui permet de réduire le temps de main-d'œuvre nécessaire pour produire les paniers. Initialement, l'entreprise utilisait 5 travailleurs produisant en moyenne 80 paniers à l'heure. Le coût de la main-d'œuvre était de 10 $ l'heure et le coût des machines, de 40 $ l'heure. Avec le nouvel équipement, il a été possible de transférer un des travailleurs dans un autre service et les coûts de l'équipement ont augmenté de 10 $ l'heure, tandis que la production s'est accrue de 4 paniers à provisions à l'heure.

a) En utilisant les paniers à provisions fabriqués par travailleur et par heure comme, comparez les deux méthodes de travail.

b) En utilisant les paniers à provisions par coût en dollars (main-d'œuvre plus matériel) comme mesure, comparez les méthodes de travail.

c) Commentez les variations de la productivité selon les deux mesures et identifiez la plus pertinente pour cette situation.

LECTURE
LES GAINS DE PRODUCTIVITÉ CHEZ WHIRLPOOL

www.whirlpool.com

Les travailleurs et la direction de l'usine de Whirlpool Appliances située à Benton Harbor, au Michigan, ont donné l'exemple avec leurs méthodes d'amélioration de la productivité. Celles-ci ont été profitables non seulement pour l'entreprise et ses actionnaires, mais aussi pour les clients de Whirlpool et ses travailleurs.

Les choses n'avaient pas toujours été roses à l'usine. La productivité et la qualité n'étaient pas toujours bonnes, les relations entre la direction et les travailleurs non plus. Ces derniers cachaient les pièces défectueuses pour que la direction ne les retrouve pas et quand les machines brisaient, ils s'asseyaient tout simplement jusqu'à ce quelqu'un vienne, tôt ou tard, effectuer les réparations. Tout a changé vers la fin des années 1980, lorsque l'usine a failli fermer. La direction et les travailleurs ont travaillé de pair pour trouver des manières de sauver l'usine. Il s'agissait d'accroître la productivité — de produire plus de biens sans utiliser plus de ressources. Chose intéressante, la productivité ne s'est pas améliorée grâce à l'achat de machines plus perfectionnées, mais en mettant l'accent sur la qualité. Il s'agissait de changer les anciennes méthodes, qui accordaient souvent de l'importance au volume au détriment de la qualité. Pour stimuler les travailleurs, l'entreprise leur a accordé une participation aux bénéfices et a adopté un plan qui les récompensait : leur chèque de paye augmentait en même temps que leur productivité.

La société a remanié le processus de fabrication et a enseigné à ses travailleurs comment améliorer la qualité. À mesure qu'augmentait la qualité, la productivité s'accroissait parce qu'une plus grande part de la production était bonne. Les coûts ont diminué parce qu'on éliminait ou retravaillait un moins grand nombre de pièces défectueuses. Les coûts des stocks ont également diminué, car on avait besoin de moins de pièces de rechange pour remplacer la production défectueuse à l'usine et pour effectuer les réparations des appareils sous garantie. De plus, les travailleurs ont été en mesure de constater le lien entre leur salaire et leurs efforts en vue d'améliorer la qualité et la productivité.

Whirlpool a pu non seulement utiliser ses gains de productivité pour augmenter le salaire des travailleurs, mais aussi pour limiter les augmentations de prix et investir dans la recherche, ce qui a réduit les coûts de production et amélioré la qualité.

Questions :

1. Quels sont les deux éléments clés qui ont permis à la direction de Whirlpool d'obtenir des gains de productivité ?

2. Qui a tiré profit des gains de productivité ?

3. Quelle est la relation entre la productivité et la qualité ?

4. Comment une entreprise peut-elle se permettre de payer ses travailleurs pour leurs gains de productivité ?

Source : Rick Wartzman, « A Whirlpool Factory Raises Productivity — And Pay of Workers », *The Wall Street Journal,* 1992.

Cas
OÙ EN EST HAZEL ?

(Reportez-vous à la page 28 pour le cas de Hazel.)

1. Quel avantage concurrentiel Hazel détient-elle sur un service d'entretien de pelouses professionnel ?

2. Hazel aimerait accroître ses profits, mais elle ne croit pas qu'il serait sage d'augmenter ses prix, considérant l'état actuel de l'économie locale. Elle a plutôt pensé à améliorer sa productivité.

   a) Expliquez comment une hausse de la productivité pourrait être une solution de rechange à l'augmentation des prix.

   b) Comment Hazel pourrait-elle accroître sa productivité ?

3. Hazel songe à acheter de nouvelles pièces d'équipement, dont un coupe-bordure. Elle croit que le coupe-bordure lui permettra d'augmenter sa productivité. L'autre achat envisagé serait une tronçonneuse, qui servirait à tailler les arbres. Quels compromis doit-elle considérer dans son analyse ?

4. Hazel a connu un succès relativement grand dans son voisinage et souhaite maintenant prendre de l'expansion dans d'autres voisinages, dont certains sont situés à deux kilomètres de distance. Quels seraient les avantages et les inconvénients de cette expansion ?

5. Hazel n'a pas établi d'énoncé de mission ni d'objectifs. Adoptez l'une des positions suivantes et défendez-la :

   a) Hazel n'a pas besoin d'un énoncé formel de mission ni d'objectifs. Plusieurs petites entreprises n'en possèdent pas.

   b) Elle a indéniablement besoin d'un énoncé de mission et d'un ensemble d'objectifs. Ils lui seraient très profitables.

   c) Ils pourraient être avantageux pour les affaires de Hazel et elle devrait considérer de les définir.

Bibliographie

BLACKBURN, Joseph D. *Time-Based Competition*, Burr Ridge, IL, Business One Irwin, 1991.

BIT. *Intro à l'étude du travail*, Genève, Bureau international du travail, 1996, 524 p.

BUFFA, E. S. *Meeting the Competitive Challenge: Manufacturing Strategies for U.S. Companies*, Burr Ridge, IL, Richard D. Irwin, 1984.

DEMING, W. Edward. *Hors de la crise*, Paris, Economica, 1982, 352 p.

HALL, Robert. *Attaining Manufacturing Excellence*, Burr Ridge, IL, Richard D. Irwin, 1987.

HAYES, Robert H. et Gary P. PISANO. «Beyond World Class: The New Manufacturing Strategy», *Harvard Business Review*, vol. 70, n° 1, janvier et février 1994, p. 77-86.

HAYES, Robert H. et Steve C. WHEELWRIGHT. *Restoring Our Competitive Edge: Competing through Manufacturing*, New York, John Wiley & Sons, 1984.

HILL, Terry. *Manufacturing Strategy*, 2e édition, Burr Ridge, IL, Richard D. Irwin, 1994.

PETERSON, Ronald S. «The Critical Issues for Manufacturing Management», *Operations Management Review*, vol. 2, n° 4, 1984, p. 15-20.

PORTER, Michael E. *Competitive Advantage: Creating and Sustaining Superior Performance*, New York, The Free Press, 1984.

STALK, George Jr. «Time – The Next Source of Competitive Advantage», *Harvard Business Review*, juillet et août 1988, p. 41-51.

WHEELWRIGHT, Steven C. «Japan – Where Operations Really Are Strategic», *Harvard Business Review*, juillet et août 1981, p. 67-74.

Partie II

LES PRÉVISIONS

CHAPITRE 3 Les prévisions

Nous avons exclusivement consacré cette partie aux prévisions. Nous les introduisons dès les premiers chapitres, car elles constituent le fondement d'une vaste gamme de décisions qui seront décrites dans les chapitres subséquents. En fait, les prévisions représentent les données de base pour bon nombre de décisions prises dans les entreprises commerciales. Par conséquent, il est important pour tous les gestionnaires d'être en mesure de comprendre les prévisions et de les utiliser. Bien qu'elles soient généralement élaborées par la fonction marketing de l'entreprise, la fonction de l'exploitation doit souvent participer à la préparation des prévisions.

Dans le chapitre 3, nous vous présentons les notions de base relatives aux prévisions ainsi que des informations sur les méthodes qui vous permettront d'élaborer des prévisions et d'en faire le suivi.

OBJECTIFS D'APPRENTISSAGE

Après avoir terminé l'étude de ce chapitre, vous devriez pouvoir:

1. Énumérer les composantes d'une bonne prévision.

2. Connaître les étapes du processus de prévision.

3. Connaître le rôle et les responsabilités de la fonction prévision.

4. Comparer les approches qualitatives et quantitatives des prévisions.

5. Définir les principaux facteurs dont il faut tenir compte pour choisir une technique de prévision.

6. Connaître les caractéristiques du calcul de la moyenne, des tendances, de l'analyse de régression et les phénomènes à caractère saisonnier.

7. Décrire deux mesures de précision d'une prévision.

8. Faire une analyse de sensibilité des techniques quantitatives de prévisions.

9. Établir un plan de prévisions.

Chapitre 3
LES PRÉVISIONS

Plan du chapitre

3.1 INTRODUCTION

Les acheteurs ont souvent plusieurs points en commun. Prenons l'exemple de l'achat d'une voiture. Après la commande, ils ne souhaitent pas attendre six semaines ou plus pour la livraison ; ils veulent leur voiture le plus tôt possible. Si le concessionnaire n'a pas la voiture désirée, ils iront ailleurs. Le concessionnaire doit donc anticiper les besoins des acheteurs potentiels et avoir les modèles de voitures voulus en stock, avec les options nécessaires. Celui qui fait des prévisions avec exactitude réussira beaucoup mieux que son compétiteur qui devine plutôt que de prévoir, car ce dernier risque de se retrouver avec des voitures non désirées. Mais comment le concessionnaire peut-il déterminer la quantité et le type de voitures à conserver en stock ainsi que le moment où elles doivent être disponibles ? Il ne le sait pas d'une façon certaine, mais avec les analyses des structures de consommation et en tenant compte des conditions actuelles du marché, il pourra faire une approximation de la demande pour des voitures et autres produits connexes à offrir aux clients : il doit prévoir la quantité, la qualité et le temps[1].

La fonction prévision, première fonction de la gestion des opérations, fait partie intégrante de la tâche du gestionnaire. En cas d'incertitude, le gestionnaire trouvera difficile de planifier efficacement ses opérations. Les prévisions aident le gestionnaire à élaborer des plans d'opérations plus réalistes, c'est-à-dire à planifier.

En résumé, la **prévision** est un énoncé sur le futur.

Dans ce chapitre, nous étudions la fonction prévision en affaires. Nous décrivons les étapes nécessaires pour préparer un plan de prévisions, les composantes nécessaires, les techniques de base à utiliser et le suivi des prévisions. Si la plupart du temps les météorologues parviennent à prévoir la météo assez justement, il arrive aussi que les prévisions météorologiques soient inexactes. La prévision de la demande est très similaire à celle de la météo en ce sens qu'il n'existe pas de certitude. Les prévisions s'avèrent habituellement à peu près justes, mais, occasionnellement, elles sont complètement erronées ; dans les deux cas, elles servent de fondement à la planification. Les prévisions météorologiques influent sur les plans de voyages, le choix des vêtements, etc. Elles aident les agriculteurs à déterminer le moment des semailles et à prendre des mesures de précaution, par exemple protéger leur récolte contre le gel ou d'autres phénomènes naturels. En affaires, les prévisions constituent les informations de base nécessaires pour l'établissement des budgets d'immobilisations et de fonctionnement récurrents, pour la planification et la budgétisation de la capacité, des ventes, de la production, des stocks, de la main-d'œuvre, des achats, et plus encore. Elles jouent donc un rôle important dans le processus de planification, car elles permettent aux gestionnaires de prévoir et de préparer le futur et de modifier, au besoin, leurs plans.

On utilise les prévisions de deux façons :

- pour planifier le système d'opération ;

- pour planifier l'utilisation de ce même système.

La planification du système exige habituellement des plans à long terme en ce qui concerne les types de produits et services à offrir, les installations et le matériel à posséder, la localisation, etc. La planification de l'utilisation du système désigne la planification à court et moyen terme. Elle inclut des tâches comme la planification des stocks, des achats et de la production ainsi que du volume de la main-d'œuvre, l'établissement du budget et l'ordonnancement des activités.

En affaires, les prévisions servent également à prévoir les profits, les bénéfices, les coûts, les variations de productivité, les prix et la disponibilité de l'énergie et des matières premières, les taux d'intérêt, les mouvements des indicateurs économiques clés (PIB, inflation, emprunts gouvernementaux), les prix des actions et des obliga-

Prévision

Fonction permettant d'estimer la demande future, qu'on établit soit mathématiquement (données historiques), soit intuitivement (connaissance du marché), soit en combinant les deux[2].

---

1. Voir le chapitre 1 section 1.7.
2. ACGPS. *Dictionnaire de la gestion de la production et des stocks,* Montréal, Québec/Amérique, 1993.

tions. On s'en sert également à des fins démographiques. Une profession est entièrement vouée à cet aspect macroéconomique : l'actuariat. Pour simplifier, nous nous concentrerons dans ce chapitre sur les prévisions au niveau de la demande. Cependant, n'oublions pas que tous les concepts et toutes les techniques s'appliquent également à plusieurs autres situations.

Malgré l'informatique et les modèles mathématiques complexes, la fonction prévision n'est pas une science exacte. Par contre, elle exige une combinaison habile d'art, d'intuition et de science. L'expérience, le jugement et l'expertise technique jouent tous un rôle dans l'élaboration de prévisions exactes, donc utiles. En outre, il est important de posséder une certaine dose de chance et un brin d'humilité : même les meilleurs prévisionnistes se trompent parfois complètement. Les techniques de prévision sont nombreuses ; elles vont des plus banales aux plus rébarbatives, et certaines sont plus efficaces que d'autres. Mais aucune ne fonctionne dans tous les cas.

Généralement, dans les organisations commerciales, on délègue la responsabilité de la préparation des prévisions au niveau de la demande à la fonction marketing ou au service des ventes plutôt qu'à la fonction production ou opération. Néanmoins, on fait souvent appel au personnel des opérations pour faire certaines prévisions et pour aider d'autres personnes à préparer les prévisions. De plus, puisque ces prévisions sont importantes pour la prise de plusieurs décisions concernant les opérations, le personnel des autres fonctions de l'entreprise (production, finances et ressources humaines) ou leurs représentants doivent au moins être mis à contribution dans la préparation des prévisions. Pour cela, ils doivent connaître les différents types de techniques de prévision, les hypothèses qui sous-tendent leurs recours et leurs limites. Il est également primordial qu'ils connaissent l'influence des prévisions sur le processus opérationnel de l'entreprise. En bref, les prévisions font partie intégrante de la gestion de l'entreprise, et plus particulièrement de la gestion des opérations.

3.2 CLASSIFICATION DES PRÉVISIONS EN FONCTION DU TEMPS [3]

On ne peut concevoir un seul et unique système servant à faire des prévisions et l'appliquer ensuite intégralement à tous les cas et à toutes les entreprises. Selon le produit offert, la taille de l'entreprise, ses besoins spécifiques, son environnement et surtout la période que l'on veut couvrir, on devra tenir compte de certains aspects, en oublier d'autres et utiliser des approches ayant des niveaux de précision différents. Il est donc primordial de connaître ces éléments avant de commencer l'élaboration des prévisions proprement dite.

Or, une façon de classifier les prévisions est de le faire selon la période qu'elles couvrent. Nous allons donc commencer par la classification des prévisions en fonction du temps.

3.2.1 Prévisions à long terme

Les prévisions à long terme couvrent un horizon de deux à cinq ans. Elles sont normalement établies par les responsables du marketing en collaboration avec le service d'ingénierie : les premiers déterminent la tendance du marché ainsi que l'expansion probable du produit, de l'entreprise et de ses concurrents ; les ingénieurs, quant à eux, conçoivent les programmes d'expansion et prévoient leurs implications.

Les facteurs économiques et sociaux agissant à l'échelle nationale et internationale, ce genre de prévisions requiert qu'on connaisse et qu'on suive bien le marché, surtout dans cette ère de globalisation des marchés, laquelle est là pour rester. On doit aussi comprendre les influences sur les plans technologique, politique et écologiques, et connaître les objectifs à long terme de l'entreprise. En d'autres mots, il faut connaître tous les facteurs internes et externes qui pourraient avoir une influence quelconque sur

---

3. BENEDETTI, C. *Introduction à la gestion des opérations*, Montréal, E.V., 1991, p. 112-116.

le produit pour lequel on doit établir les prévisions et posséder à leur sujet les informations les plus précises et les plus complètes possible. À titre d'exemple, les problèmes liés à la couche d'ozone ont incité les gouvernements à légiférer internationalement pour obliger les fabricants d'emballages utilisant le polystyrène (*styrofoam*) comme matière première à concevoir sur une certaine période une matière de remplacement. Les prévisions des fabricants de cette matière verront donc leur activités changer radicalement. Notons que pour deux entreprises de même taille, œuvrant dans le même domaine et dans le même milieu, le système de prévision et le plan de prévisions à long terme peuvent être totalement différents, et à plus forte raison dans le cas de deux industries différentes (par exemple, celle du lait et celle du bois ouvré).

Les prévisions à long terme servent à prendre des décisions concernant l'agrandissement des locaux existants, l'aménagement dans de nouveaux locaux ou l'acquisition d'équipements dont le prix dépasse la limite dictée par la politique interne. Des montants considérables sont liés à ces prévisions, qui sont faites sur un plan stratégique, d'où leur importance. Elles sont souvent le reflet du but ultime de l'entreprise.

3.2.2 Prévisions à moyen terme

Les prévisions à moyen terme couvrent un horizon de un à deux ans. Elles servent principalement à déterminer le budget de fonctionnement et quelques dépenses mineures du budget d'immobilisations. Elles doivent être conformes aux prévisions à long terme, dont elles découlent.

3.2.3 Prévisions à court terme

Les prévisions à court terme couvrent un horizon de un an et moins. Elles sont donc faites pour permettre de prévoir les activités de l'année en cours. Elles doivent être conformes aux prévisions à moyen terme, dont elles découlent. Elles servent à la planification des activités de production, à l'ordonnancement, aux achats, à l'entretien de l'équipement et à la planification des mises en route[4].

Ces prévisions d'ordre tactique sont souvent sous la responsabilité du service de la planification ou du contrôle de la production. Elles doivent être plus précises que les prévisions à long et moyen terme, car elles régissent les activités opérationnelles hebdomadaires et mensuelles, ce qui laisse peu de temps pour réagir en cas d'erreurs ou de retards. Elles ressemblent habituellement aux prévisions à moyen terme en ce qui concerne les modalités d'élaboration.

Il est important de noter que la notion de temps varie en fonction de trois paramètres importants :

- la taille de l'entreprise ;
- la situation économique ;
- le secteur économique.

La taille de l'entreprise

Pour une multinationale classique, disposant de spécialistes, d'informations et d'outils de calcul et d'analyse adéquats, le long terme couvre cinq ans. Pour une petite entreprise, le long terme pourrait signifier une période de un ou deux ans maximum.

La situation économique

En période d'instabilité économique, de récession ou d'inflation galopante, il devient très difficile de connaître les besoins des clients, qui sont très insécures. De plus, les fournisseurs ne peuvent plus assurer un approvisionnement fiable à des prix constants, et le loyer de l'argent (taux d'intérêt) subit lui aussi des variations imprévisibles. Dans un tel contexte, il est impossible d'établir des prévisions rationnelles et de s'engager dans des investissements en termes de production, d'agrandissement ou d'amélioration à long terme. Tout devient spéculation.

---

4. BENEDETTI, C. *Introduction à la gestion des opérations*, Montréal, E.V., 1991, p. 166.

Le secteur économique

Dans certains secteurs économiques stables, il est relativement facile de faire des prévisions à moyen et à long terme, car la demande ne variera pas beaucoup, et les éléments et facteurs pouvant influencer la demande sont relativement stables. À titre d'exemple, il est facile de prévoir le nombre de garderies et d'écoles de niveaux primaire et secondaire dont la société aura besoin, les données démographiques ayant peu tendance à changer (nombre de naissances, temps nécessaire pour atteindre l'âge préscolaire et scolaire, etc.). Par contre, dans des secteurs volatils tels que celui de la haute technologie, il est difficile de spéculer sur les tendances des nouveaux développements en matière d'électronique, par exemple au niveau des réseaux de communication (fibres optiques), qui pourraient révolutionner le mode de vie des consommateurs. Le long terme, dans ces domaines, est de l'ordre de deux ans.

Il en est de même pour les secteurs économiques classiques : primaire, secondaire et tertiaire.

Plus on est proche du consommateur — secteur tertiaire —, plus la demande est volatile.

3.3 PRINCIPES ET CARACTÉRISTIQUES DES PRÉVISIONS

Il existe une grande variété de techniques de prévision. Sur de nombreux points, elles sont différentes les unes des autres, chacune s'appliquant à des situations particulières. Néanmoins, elles doivent toutes respecter les principes suivants.

1. Cause à effet ;
2. Pourcentage d'erreur ;
3. Taille ;
4. Temps.

Analysons brièvement chacun de ces principes.

1. *Cause à effet*

   Les techniques de prévision supposent généralement que la relation causale (cause à effet) présente dans le passé sera la même et continuera d'exister dans le futur. Un gestionnaire ne peut pas simplement déléguer la préparation des prévisions et l'oublier ensuite, car des événements imprévus peuvent rendre inutilisables les prévisions initiales, établies selon l'hypothèse que les événements passés se répéteront d'une façon identique. Par exemple, les événements reliés à la température, les augmentations ou les diminutions d'impôts et les changements dans les caractéristiques ou les prix des produits ou services compétitifs peuvent avoir des conséquences importantes sur la demande. Le gestionnaire doit donc être très attentif à l'environnement PESTE[5], sensible à ses variations et prêt à réajuster rapidement les prévisions.

2. *Pourcentage d'erreur*

   Les prévisions sont rarement parfaites ; habituellement, les faits réels diffèrent des prévisions. Personne ne peut prévoir avec exactitude les quantités à produire ou celles qui seront vendues, car un nombre important de variables affectera la situation. C'est l'aspect aléatoire et très insécurisant des prévisions. Pour cette raison, elles doivent toutes être établies en tenant compte d'un pourcentage d'erreur. Cela permet au gestionnaire de préparer des solutions de rechange en prévision de cette marge de jeu.

3. *Taille*

   Les prévisions faites pour des groupes d'articles tendent à être plus précises que celles qui sont faites pour des articles individuels, car les erreurs de prévisions parmi les articles d'un groupe ont habituellement un effet d'annulation. Les occa-

---

5. Voir chapitre 1 : environnement politique, économique, social, technologique, écologique.

sions de regroupements peuvent se présenter si on utilise des pièces ou des matières premières pour de multiples produits ou si plusieurs sources indépendantes demandent un produit ou un service.

4. *Horizon de temps*

Les prévisions à court terme sont plus précises que les prévisions à moyen terme qui, elles, sont plus précises que les prévisions à long terme. Généralement, les prévisions à court terme comportent moins d'incertitudes, car la période sur laquelle portent les prévisions est plus proche. Les **organisations souples**, c'est-à-dire celles qui peuvent réagir rapidement aux variations de la demande, fonctionnent selon un horizon prévisionnel plus court : elles tirent donc profit de prévisions plus précises que les compétiteurs moins souples, qui doivent utiliser des horizons prévisionnels plus longs.

D'autre part, des prévisions bien préparées doivent satisfaire à certaines exigences :

1. *Être faites à temps*

Habituellement, il faut du temps pour planifier les activités et répondre à la demande du marché telle qu'elle a été établie par la fonction prévision. Ainsi, on ne peut, du jour au lendemain, accroître la capacité d'une usine ou des entrepôts, modifier le niveau des stocks ou embaucher du personnel qualifié et opérationnel. Par conséquent, les prévisions doivent être réalistes si on veut pouvoir mettre en œuvre les changements envisagés.

2. *Être précises*

Bien que comportant un pourcentage d'erreur, les prévisions doivent être le plus précises possible et leur degré de précision doit être connu. Cela permettra aux utilisateurs de prévoir les marges d'erreur et de choisir la technique de prévision la mieux adaptée à leurs besoins. Pour cela, il est préférable d'appliquer l'approche essai-erreur avant d'adopter une technique de prévision. En outre, plus la marge d'erreur est petite, moins il en coûtera pour préparer les solutions de rechange qui permettront de répondre aux variations de la demande.

3. *Être fiables et cohérentes*

Les prévisions doivent être fiables et fonctionner de manière cohérente. Autrement, les utilisateurs des données établies par la fonction prévision n'auront plus confiance en ces informations et agiront chacun de son côté, ce qui entraînera des opérations et des objectifs totalement incohérents d'un service à l'autre de l'entreprise.

4. *Être définies en unités réalistes*

Les prévisions doivent être exprimées en unités significatives, en fonction des besoins de l'utilisateur ou du service à qui elles s'adressent. Les planificateurs financiers doivent connaître le montant d'argent nécessaire ; ceux de la production, le nombre d'unités requises et le moment de l'année où elles le seront, et ce, afin de planifier les tâches, l'utilisation des machines et les procédés.

5. *Être présentées par écrit*

Bien que cette mesure ne garantisse pas l'engagement de toutes les personnes concernées, elle en augmentera la crédibilité et l'imputabilité. De plus, des prévisions écrites permettront de vérifier de façon objective les écarts entre le « prévu » (ce qu'il est prévu de faire), et le « réel » (ce qui est réellement fait).

6. *Être simples à comprendre et à utiliser*

Les utilisateurs n'ont souvent pas confiance dans les prévisions basées sur des techniques sophistiquées ; ils ne comprennent pas les circonstances dans lesquelles ces techniques ont été développées ainsi que leurs caractéristiques, possibilités, limites, avantages et inconvénients. Il n'est pas surprenant que les techniques de prévision relativement simples soient parmi les populaires, car les utilisateurs sont plus à l'aise pour travailler avec elles. Il revient au responsable des prévisions de savoir à qui il s'adresse et de présenter les prévisions en conséquence.

3.4 LES ÉTAPES DU PROCESSUS DE PRÉVISION

Comme pour d'autres thèmes du présent ouvrage, nous adoptons l'approche fondamentale développée par le Bureau international du travail[6] et ses sept étapes de base inhérentes au processus d'établissement des prévisions:
1. Établir le but des prévisions;
2. Définir l'horizon de temps;
3. Choisir une technique de prévision;
4. Recueillir et analyser les données pertinentes;
5. Établir les prévisions et le pourcentage d'erreur;
6. Faire adopter les prévisions;
7. Suivre l'évolution des prévisions (suivi).

Analysons maintenant chacune de ces étapes.

1. *Établir le but des prévisions*
   Quel est le but des prévisions et quand seront-elles nécessaires? La réponse indique la précision de la prévision requise, la qualité des ressources à utiliser et leur justification (main-d'œuvre, ordinateurs, techniques plus ou moins sophistiquées). L'extrant du système de prévisions est le plan de prévisions.

2. *Définir l'horizon de temps*
   Les prévisions doivent indiquer une limite temporelle, en tenant compte du fait que la précision diminue lorsque l'horizon temporel augmente (voir la section 3.2).

3. *Choisir une technique de prévision*
   Le choix de la technique est fonction de la précision attendue et de l'expérience de l'entreprise. Plus l'entreprise est jeune, plus les données antérieures et l'expérience sont limitées et plus la technique de prévision retenue sera simple. Avec l'expérience et la connaissance du marché ainsi que des avantages et inconvénients des premières techniques de prévision, on raffinera l'utilisation des techniques de prévision disponibles. Ainsi, nous conseillons fortement de commencer par appliquer des techniques simples, même si, *a priori*, elles paraissent simplistes, et ce, afin de comprendre tous les détails du secteur dans lequel on évolue avant de passer à des techniques plus sophistiquées.

4. *Recueillir et analyser les données appropriées*
   Avant de préparer un plan de prévisions, il faut recueillir les données pertinentes et les analyser. On doit également faire toutes les hypothèses et les formuler de pair avec la préparation et l'utilisation des prévisions. C'est la partie la plus longue du processus de prévision.

5. *Établir les prévisions et le pourcentage d'erreur*
   C'est l'étape où l'on choisit la technique de prévision la mieux adaptée à la situation; on calculera les prévisions en tenant compte des éléments présentés aux sections précédentes en prenant soin d'établir leur degré de fiabilité et le pourcentage d'erreur.

6. *L'adoption*
   Bien que les prévisions soient établies de façon quantitative, il est important de les faire approuver et adopter par des personnes possédant une connaissance intuitive du secteur économique dans lequel l'entreprise évolue. Dans le cas de prévisions à moyen et à court terme, un comité de prévision sera établi pour l'adoption finale d'un plan de prévisions.

---

6. BUREAU INTERNATIONAL DU TRAVAIL. *Introduction à l'étude du travail*, 3e édition, Genève, 1996, 524 p.

7. *Le suivi*

Il faut surveiller une prévision pour déterminer si son rendement est satisfaisant. Sinon, il faut réexaminer les méthodes, les hypothèses, la validité des données, etc., les modifier au besoin et refaire une prévision.

3.5 LES MÉTHODES DE PRÉVISION

Il existe deux approches principales pour faire des prévisions:

- l'approche qualitative;

- l'approche quantitative, divisée en données historiques ou chronologiques et en prévisions associatives. Les méthodes quantitatives comportent l'extension de données historiques ou la mise au point de modèles associatifs qui visent l'utilisation de variables causales (explicatives) pour faire une prévision.

3.5.1 Approche qualitative

Principalement basées sur le jugement et l'opinion générale, les méthodes qualitatives sont constituées d'informations subjectives. Ces méthodes nous permettent d'inclure dans le processus de prévision de l'information intuitive, tels les facteurs humains, les opinions personnelles ou celles d'un groupe d'experts du secteur, la connaissance du marché et de ses tendances. Quand on utilise les techniques quantitatives, on omet souvent ces facteurs difficilement quantifiables, ou on minimise leur importance, car ces méthodes sont basées sur l'analyse de données réelles objectives, prétendument sûres, qui ne tiennent pas compte des intuitions personnelles, perçues comme des contaminants.

Les **prévisions qualitatives** ont pour base l'analyse des données subjectives provenant de diverses sources comme les enquêtes auprès des consommateurs, l'opinion du personnel des ventes et celle des gestionnaires, des cadres et des comités d'experts. Généralement, ces renseignements sont difficilement disponibles autrement.

prévisions qualitatives
Prévision qui utilise des données subjectives comme les enquêtes auprès des consommateurs, l'opinion du personnel des ventes et celle des gestionnaires, des cadres et des experts.

3.5.2 Approche quantitative basée sur des données chronologiques

Cette approche consiste tout simplement à projeter dans le futur les expériences passées et est basée sur l'hypothèse de départ que le futur sera identique au passé. Certains de ces modèles essaient de lisser, de niveler les variations aléatoires des données historiques. D'autres tentent de cerner des tendances précises dans les données et de projeter ou d'extrapoler ces structures dans le futur, sans cerner ni mesurer les forces qui leur donnent lieu.

3.5.3 Les prévisions associatives

Contrairement aux méthodes chronologiques, basées sur l'évolution dans le temps des activités de l'entreprise, les **modèles associatifs** identifient une ou plusieurs variables pouvant servir à prévoir la demande future. Par exemple, la demande pour de la peinture peut être reliée à des variables telles que son prix au litre, le montant dépensé en publicité ou les caractéristiques précises de la peinture (comme le temps de séchage, la facilité de nettoyage). L'analyse de cette situation produit une équation mathématique qui permet aux gestionnaires de prévoir le volume des ventes de peinture en fonction des valeurs données aux autres variables (dans notre exemple, le prix, la publicité ou les caractéristiques propres au produit).

modèle associatif
Technique de prévision qui recourt à des variables explicatives pour prévoir la demande future.

En pratique, on utilise l'une ou l'autre des approches décrites ci-dessus pour élaborer un plan de prévisions. L'idéal est de trouver une approche qui tienne compte de tous les éléments en présence, d'où l'expression « approche intégrale ». Analysons maintenant chacune de ces approches et les techniques qui les caractérisent.

3.6 LES PRÉVISIONS BASÉES SUR LE JUGEMENT ET L'OPINION

Dans certaines circonstances, les prévisionnistes s'appuient uniquement sur les jugements et sur les opinions pour faire des prévisions. Si la direction a rapidement besoin d'une prévision, elle n'a pas toujours suffisamment de temps pour recueillir et analyser les données quantitatives. Parfois, surtout quand les conditions sociales et économiques changent, les données disponibles peuvent être désuètes ou l'information plus à jour peut ne pas encore être disponible. De même, lors de l'introduction de nouveaux produits et de la nouvelle conception de produits actuels, l'absence de données historiques les concernant nuit à la prévision. Dans ce cas, les prévisions sont basées sur les opinions des cadres, les enquêtes auprès des consommateurs, les opinions du personnel des ventes et celles des experts.

3.6.1 Les opinions des cadres

Un petit groupe de cadres supérieurs (habituellement les responsables du marketing, des opérations et des finances) peuvent se rencontrer et établir une prévision. On utilise souvent cette approche dans le cadre d'une planification à long terme et de la mise au point d'un nouveau produit. Elle a pour avantage de réunir les connaissances et les talents de divers gestionnaires. Cette approche présente l'inconvénient suivant : il y a un risque certain que l'opinion d'une seule personne — habituellement la plus extravertie — puisse influencer grandement le jugement des autres, ce qui aura comme résultat des prévisions biaisées que l'on attribuera faussement à l'ensemble du groupe.

3.6.2 Les composantes de la communication directe avec le client

Le personnel des ventes ou du service à la clientèle constitue souvent une bonne source d'informations en raison de son contact direct avec les consommateurs. Il est souvent conscient des désirs futurs des clients. Cette approche comporte cependant plusieurs désavantages. Le premier est que le personnel n'est pas toujours en mesure de faire la distinction entre ce qu'aimerait faire le consommateur et ce qu'il fera. L'autre est qu'il est parfois trop influencé par les expériences récentes. Ainsi, après plusieurs périodes de faibles ventes, les estimations peuvent avoir tendance à être pessimistes. Après plusieurs périodes de ventes élevées, elles auront, par contre, tendance à être trop optimistes. De plus, si les prévisions sont utilisées pour établir les quotas de ventes, il y aura conflit d'intérêts parce qu'il est avantageux pour le vendeur de donner de faibles projections de ventes.

3.6.3 Les enquêtes auprès des consommateurs

Puisque, finalement, c'est le consommateur qui détermine la demande, il semble naturel de solliciter son opinion. Dans certains cas, tous les clients ou clients potentiels peuvent être contactés. Cependant, il y a habituellement trop de clients ou il n'est pas possible d'identifier tous les clients potentiels. Par conséquent, les entreprises qui cherchent à connaître l'opinion des consommateurs recourent habituellement à des enquêtes, qui leur permettent d'échantillonner les opinions des consommateurs. Les enquêtes auprès des consommateurs ont comme avantage évident de recueillir de l'information qui n'est disponible nulle part ailleurs. Par contre, pour être bien menées, les enquêtes exigent une quantité considérable de connaissances et d'habiletés. Pour obtenir de l'information valide, il faut accorder beaucoup d'attention à la préparation de l'enquête, à son administration et à l'interprétation juste des résultats. Les enquêtes peuvent être coûteuses et longues. De plus, même dans les meilleures conditions, celles qui sont réalisées auprès du grand public doivent tenir compte de certaines structures de comportement irrationnelles. Par exemple, une bonne part des informations retenues par les consommateurs avant l'achat d'une nouvelle voiture est souvent influencée par l'éclat d'une nouvelle salle d'exposition ou par des arguments de vente. Dans le même ordre d'idées, les faibles taux de réponse aux enquêtes par la poste devraient — mais ne le font généralement pas — rendre les résultats suspects.

Cette démarche s'apparente énormément aux études de marché; le personnel du marketing sera le plus à même de procéder à cette étude. Des pionniers de la gestion des opérations tels que W. S. Deming et Philip Cotler, père du marketing moderne, ont été les plus grands acteurs de cette approche dite de «flux tiré» (*pull*) — par opposition à «flux poussé» (*push*) — qui vise à prévoir les demandes futures du marché.

3.6.4 Méthode Delphi

Un gestionnaire peut solliciter l'opinion de plusieurs gestionnaires et membres du personnel. Occasionnellement, il faut faire appel à des experts de l'extérieur pour formuler les prévisions. Ces experts peuvent donner des conseils sur les conditions politiques ou économiques ou certains autres aspects importants avec lesquels une entreprise n'est pas familière.

La plus intéressante de ces méthodes est la **méthode Delphi**. Elle consiste à faire circuler un ensemble de questionnaires parmi plusieurs personnes qui possèdent les connaissances et les compétences voulues pour que leur avis soit considéré comme un apport significatif. L'anonymat des répondants est préservé, ce qui tend à les encourager à donner des réponses non biaisées. Chacun des nouveaux questionnaires est établi à l'aide de l'information tirée du questionnaire précédent, ce qui permet d'élargir la portée de l'information sur laquelle les participants peuvent fonder leurs jugements. Cette méthode a pour objectif d'amener les personnes intéressées à atteindre un consensus sur la prévision.

La méthode Delphi a été crée par la Rand Corporation en 1948. Depuis ce temps, on l'applique à des situations variées, qui ne comportent pas toutes des prévisions. Nous nous limiterons à son utilisation comme outil de prévision.

En tant qu'outil de prévision, la méthode Delphi est utile pour les prévisions d'ordre technologique. Elle permet d'évaluer les changements sur le plan technologique et leurs conséquences sur une entreprise. Généralement, elle a pour objectif de prédire le moment où un événement donné se produira. Par exemple, la méthode Delphi peut avoir pour but de prédire quand des téléphones vidéo seront installés dans au moins 50 % des foyers ou quand un vaccin contre une maladie pourra être mis au point et distribué. Dans la plupart des cas, il s'agit de prévisions à long terme à utilisation unique, qui comportent habituellement peu d'informations sûres ou pour lesquelles il est coûteux d'obtenir des données, et qui ne se prêtent donc pas aux techniques analytiques. On utilise plutôt le jugement des experts ou d'autres personnes qui possèdent suffisamment de connaissances pour faire ce type de prévisions.

méthode Delphi
Les gestionnaires et le personnel remplissent une série de questionnaires anonymes, chacun étant rédigé à partir du précédent, pour en venir à un consensus sur les prévisions.

3.7 LES PRÉVISIONS BASÉES SUR LES SÉRIES CHRONOLOGIQUES

Une **série chronologique** est une séquence d'observations prises à des intervalles réguliers sur une période donnée (par exemple sur une base horaire, quotidienne, hebdomadaire, mensuelle, trimestrielle, annuelle). Ces observations peuvent concerner les commandes des clients, les bénéfices, les profits, les livraisons, les accidents, les quantités produites, les précipitations, les indices de productivité ou les prix à la consommation. On établit les techniques de prévision basées sur les séries chronologiques en supposant que l'on peut prévoir les valeurs futures des séries à partir des valeurs passées. Bien qu'on ne connaisse pas les variables qui influent sur la série, on obtient, avec ces méthodes, des résultats satisfaisants, surtout si on les soumet par la suite à des corrections basées sur une approche qualitative (voir la section 3.5, «Les méthodes de prévision», page 59).

L'analyse des séries chronologiques exige que l'analyste identifie le comportement sous-jacent à l'évolution des activités de l'entreprise sur une période clairement identifiée. Il peut le faire en traçant et en analysant le graphique des données: l'abscisse

série chronologique
Suite d'observations dans le temps prises à intervalles réguliers.

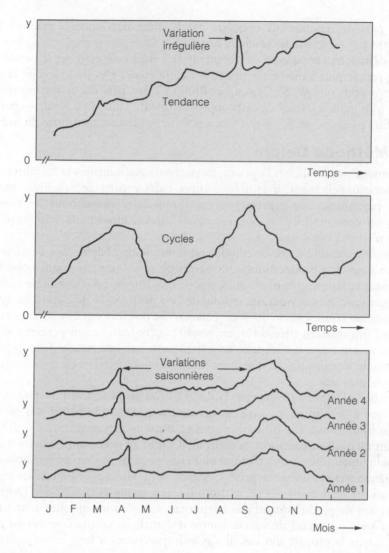

représente le temps ; l'ordonnée, les activités, le nombre d'unités produites, le nombre de patients traités, les revenus etc. On verra apparaître une ou plusieurs relations : des tendances, des variations saisonnières, des cycles, des variations constantes (variations autour d'une moyenne), des variations aléatoires ou irrégulières. Identifions quelques-unes de ces relations.

1. La **tendance** désigne un mouvement des données graduel et à long terme, vers le haut ou vers le bas. Les changements démographiques, la variation des revenus et les changements culturels sont souvent caractérisés par de tels mouvements.

2. La **saisonnalité** désigne des variations à court terme, relativement régulières et généralement reliées à des facteurs saisonniers. Elle inclut aussi les variations rattachées à la température, aux jours fériés ou aux vacances. Les restaurants, les supermarchés et les cinémas connaissent des variations saisonnières hebdo-madairement, voire quotidiennement.

3. Les **cycles** sont des variations en forme d'ondes. Les cycles peuvent être hebdo-madaires, mensuels, semestriels ou autres. Parfois, ils ont de larges amplitudes de plus d'un an et sont reliés à une variété de conditions politiques, économiques, sociales et même météorologiques qui influeront sur toute l'activité humaine. Le cas du phénomène *El Niño* et de son vis-à-vis, *La Niña*, en sont des exemples typiques.

4. Les **variations irrégulières** sont provoquées par des circonstances inhabituelles comme des conditions météorologiques extrêmes, des grèves, des problèmes

saisonnalité
Variation régulière dont le caractère provisoire et répétitif est lié à un phénomène saisonnier.

cycle
Variation due à des retours de fluctuations successives.

variation irrégulière
Variation provoquée par des circonstances inhabituelles et ne reflétant pas un comportement régulier.

momentanés chez la concurrence ou d'importants changements au niveau d'un produit ou d'un service. Elles ne reflètent pas un comportement typique et leur inclusion dans les séries déforme le portrait d'ensemble. Quand c'est possible, on doit les circonscrire et les éliminer des données étudiées.

5. Les **variations aléatoires** sont des variations résiduelles qui demeurent après qu'on a tenu compte de tous les autres comportements.

variation aléatoire
Variation inexpliquée après que tous les autres comportements ont été pris en considération.

La figure 3.1 illustre ces comportements. Les petits « dénivellements » des courbes représentent les variations aléatoires.

Le reste de cette section présente des descriptions des diverses approches concernant l'analyse des données des séries chronologiques. Mais avant de poursuivre, arrêtons-nous sur un point important : la prévision de la demande doit être basée sur une série chronologique de la demande passée — c'est-à-dire les commandes reçues — plutôt que sur les ventes.

En clair, cela signifie qu'on doit faire des prévisions sur la vraie demande du marché. En effet, les quantités livrées reflètent notre capacité à répondre à la demande et non pas les vrais besoins des clients, qui peuvent être supérieurs à nos capacités. En nous limitant à nos capacités de production, on peut perdre des marchés potentiels. Évidemment, cette façon de faire exige de faire un suivi de toutes les commandes reçues.

Nous allons développer les techniques prévisionnelles suivantes, qui sont basées sur les moyennes.

3.7.1 Les techniques du calcul de la moyenne

Quand une entreprise implante un système de prévisions quantitatives, nous lui suggérons, en premier lieu, les techniques simples basées sur l'analyse des moyennes.

Avec ces techniques, les prévisions reflètent les valeurs récentes d'une série chronologique (c'est-à-dire la valeur moyenne au cours des dernières périodes). Elles fonctionnent mieux quand une série tend à varier autour d'une moyenne, bien qu'elles puissent également traiter des changements par étapes ou des changements progressifs de la série (voir figure 3.2). Nous décrivons ici six techniques de calcul de la moyenne :

1. Les prévisions naïves ;

2. Les moyennes simples ;

3. Les moyennes mobiles ;

4. Les moyennes pondérées ;

5. L'analyse de la tendance ;

6. Les lissages exponentiels.

3.7.1.1 Les prévisions naïves

La technique de prévision la plus simple est la méthode naïve. Une **prévision naïve** pour une période est égale à la valeur de la période précédente. Par exemple, si la demande de la semaine dernière était de 50 unités, une prévision naïve pour la semaine à venir serait de 50 unités. De même, si la demande pour la semaine à venir est de 54 unités, la prévision pour la semaine suivante sera de 54 unités.

prévision naïve
Prévision pour toute période égale à la valeur effective de la période précédente.

Bien qu'à première vue l'approche naïve semble simpliste, elle constitue néanmoins un outil de prévision valable. Considérons ses avantages : elle ne coûte presque rien, elle est rapide, facile à établir (pas d'analyse des données), et simple à comprendre. Son principal défaut est son incapacité à fournir des prévisions très précises. Cependant, si la précision qui en découle est acceptable, cette approche mérite une attention sérieuse. De plus, les autres techniques de prévision qui offrent une plus grande précision coûtent toujours plus cher. La précision des prévisions naïves peut servir de base de comparaison pour juger des coûts et de la précision des autres techniques. Par conséquent,

Figure 3.2

L'établissement d'une moyenne appliquée à trois structures possibles

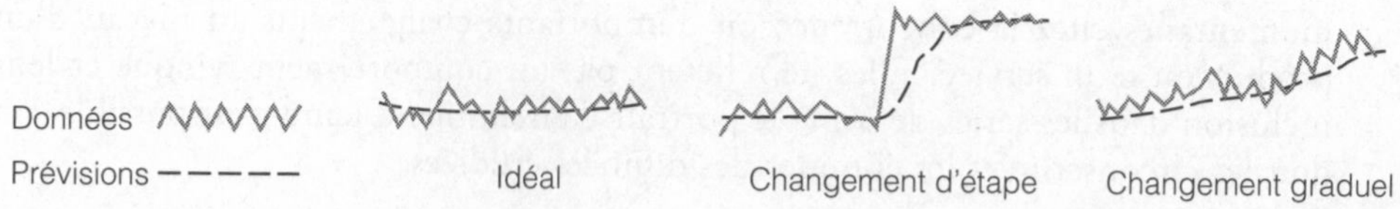

Données   Prévisions ─────   Idéal   Changement d'étape   Changement graduel

on doit se poser la question suivante : la précision accrue d'une autre méthode vaut-elle les ressources supplémentaires requises pour l'obtenir ?

On peut aussi appliquer la méthode des prévisions naïves à une série qui présente une saisonnalité ou une tendance. Par exemple, si les ventes mensuelles ont une structure saisonnière, la demande pour le mois de décembre courant peut être basée sur la demande du mois de décembre précédent ; celle de janvier peut être fonction de la demande du mois de janvier précédent, et ainsi de suite. De même, on peut appliquer toute variation survenant lors d'une période directement sur la prévision de la période future pour laquelle nous voulons établir une prévision : par exemple, si la consommation pour le mois de juin est de 90 unités de plus que celle de mai, la prévision pour juillet (P juillet) = Réelle de juin + 90. Si la consommation en juillet est plus élevée de 85 unités que celle de juin, P août = Réelle juillet + 85.

Par exemple, si la demande en juin est de 90 unités de plus qu'en mai, une prévision naïve pour juillet serait la demande effective de juin plus 90 unités. Ensuite, si la demande en juillet n'est que de 85 unités de plus qu'en juin, la prévision pour août serait la demande effective de juillet plus 85 unités.

3.7.1.2 Les moyennes simples

Cette technique consiste à faire les moyennes des activités des périodes passées (R) pour prévoir la période future (P).

On dira $P_{i+1} = \dfrac{\sum \text{Réels passés}}{i \text{ périodes}}$

Exemple 1

Mois	Réel
1	492
2	470
3	493
4	485
5	498

$$P_6 = \frac{492 + 470 + 493 + 485 + 498}{5}$$

On peut même donner un caractère cyclique ou saisonnier à cette méthode, comme le démontre l'exemple suivant.

Exemple 2

Semaine	Jour	Réel	Semaine	Jour	Réel	Semaine	Jour	Réel
1	Lu	67	2	Lu	60	3	Lu	64
	Ma	75		Ma	73		Ma	76
	Me	82		Me	85		Me	87
	Je	98		Je	99		Je	96
	Ve	90		Ve	86		Ve	88
	Sa	36		Sa	40		Sa	44
	Di	55		Di	52		Di	50

Prévision du lundi = $P_l = \dfrac{67 + 60 + 64}{3} = 64$ unités

Prévisions quotidiennes pour la semaine 4:

Semaine	Jour	Prévision
4	Lu	64
	Ma	75
	Me	85
	Je	98
	Ve	88
	Sa	40
	Di	52

3.7.1.3 Les moyennes mobiles

Si, par hasard, nous disposons des données des 25 dernières périodes ou plus, il serait irréaliste de prévoir les activités de la période 26 en faisant la moyenne des 25 passées, l'environnement politique, économique, social, technologique et la concurrence ayant changé. On devrait considérer plutôt les périodes les plus pertinentes, soit, logiquement, les plus récentes. Une prévision par la **moyenne mobile** utilise un nombre fixe des données les plus récentes pour produire une prévision.

On calcule la prévision par la moyenne mobile à l'aide de l'équation suivante:

$$P_{n+1} = \frac{\sum_{i=1}^{n} R_i}{n}$$

où

i = période

n = nombre de périodes (les points de données) de la moyenne mobile, appelé la base

R_i = valeur réelle de la période i passée

P_{n+1} = prévision de la prochaine période

moyenne mobile
Technique qui permet de calculer la moyenne d'un certain nombre de valeurs effectives récentes, mises à jour au fur et à mesure que les nouvelles valeurs deviennent disponibles.

Prévoir la moyenne mobile (avec une base n = 3) du besoin de paniers à provisions pour la prochaine période, la sixième, connaissant l'utilisation des cinq périodes passées.

Exemple 3

Période	Nombre de paniers utilisés R
1	42
2	40
3	43
4	40
5	41

Solution

$$P_{n+1} = \frac{\sum_{i=1}^{n} R_i}{n}$$

$$P_6 = \frac{\sum_{i=1}^{3} R_i}{3} = \frac{R_3 + R_4 + R_5}{3} = \frac{43 + 40 + 41}{3} = 41{,}33 \approx 41 \text{ paniers}$$

Si la demande effective (c'est-à-dire le nombre de paniers réellement utilisés de la période 6) a été de 39 unités, alors la prévision par la moyenne mobile pour la période 7 serait:

$$P_7 = \frac{40 + 41 + 39}{3} = 40$$

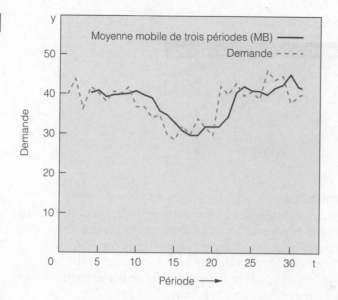

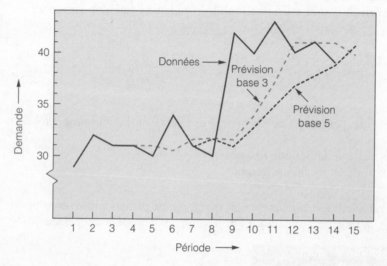

Notons que :

a) dans une moyenne mobile, alors que chaque nouvelle valeur devient disponible, on met la prévision à jour en additionnant la valeur la plus récente, en éliminant la plus ancienne et en recalculant la moyenne. Par conséquent, la prévision « se déplace » en reflétant uniquement les valeurs les plus récentes ;

b) la moyenne mobile est valable pour des prévisions à court terme : on fait des prévisions pour la période qui suit. On ne peut pas faire de prévisions valables pour deux ou trois périodes à l'avance.

Répondons maintenant à la dernière question : comment déterminer la base « n » qui nous permet de faire des prévisions valables ?

Analysons la figure 3.3. Elle illustre le graphique d'une prévision par la moyenne mobile pour 3 périodes tracé par rapport à celui de la demande effective sur 31 périodes. Notons la manière dont la prévision par la moyenne mobile provoque un retard des valeurs effectives et à quel point les valeurs prévues sont lissées ou nivelées par rapport aux valeurs réelles.

Notons aussi que plus les activités que nous voulons prévoir sont dynamiques, c'est-à-dire plus elles évoluent nerveusement, plus on choisira des bases « n » petites, par exemple 3, 4 ou 5. Plus les activités évoluent doucement dans le temps, plus on dira que l'évolution est statique et on préférera des bases « n » plus grandes.

Nous suggérons la procédure par essai-erreur suivante pour déterminer la base idéale :

- simuler des prévisions pour des périodes antérieures avec différentes bases ;

- calculer les écarts entre le réel (R) et la prévision (P) ;

- choisir la base qui reflète le mieux l'évolution des phénomènes.

L'ordinateur et le logiciel Excel s'avèrent d'excellents outils pour déterminer la base idéale.

3.7.1.4 Les moyennes pondérées

La prévision par la moyenne mobile a l'avantage d'être facile à calculer et à comprendre. Son inconvénient est que toutes les valeurs de la moyenne sont pondérées également. Par exemple, dans une moyenne mobile étalée sur 10 périodes, chaque valeur a une pondération de 1/10. Ainsi, la valeur la plus ancienne a la même importance, le même poids, que la valeur la plus récente. Si un changement se produit dans la série, une prévision par la moyenne mobile peut réagir lentement, surtout si la moyenne comporte plusieurs données antérieures. En diminuant l'importance des valeurs les plus anciennes, on augmente le poids des périodes les plus récentes.

Une moyenne pondérée est similaire à une moyenne mobile, sauf qu'elle attribue des pondérations aux valeurs différentes de la série chronologique. Par exemple, on peut attribuer à la valeur la plus récente une pondération de 0,40, à la valeur suivante la plus récente une pondération de 0,30, à celle d'après, une pondération de 0,20 et à la suivante, 0,10. La somme des facteurs de pondération doit être nécessairement égale à 1,00.

On peut agir de la sorte avec chacune des périodes en donnant au besoin une importance différente à chacune des périodes passées.

Voilà des données concernant la consommation d'une matière première pour les cinq dernières périodes.

Exemple 4

Période	Consommation réelle
1	42
2	40
3	43
4	40
5	41

a) Calculez une prévision par la moyenne pondérée à l'aide d'une pondération de 0,40 pour la période la plus récente, de 0,30 pour l'avant-dernière, de 0,20 pour celle d'avant et de 0,10 pour la plus ancienne.

b) Si la demande effective pour la période 6 est de 39, prévoyez la demande pour la période 7 en utilisant les mêmes pondérations.

Solution

a) Prévision période 6 = P_6 = 0,40 (41) + 0,30 (40) + 0,20 (43) + 0,10 (40) = 41,0

b) Prévision période 7 = P_7 = 0,40 (39) + 0,30 (41) + 0,20 (40) + 0,10 (43) = 40,2

Si on utilisait cinq facteurs de pondération au lieu de quatre comme dans l'exemple précédent, on utiliserait les cinq périodes les plus récentes pour faire les prévisions.

La moyenne pondérée a comme avantage, par rapport à la moyenne mobile, qu'elle reflète mieux les tendances du marché en tenant compte des informations les plus récentes. Cependant, le choix des pondérations est arbitraire. On utilisera une approche par essai-erreur similaire à celle qui a été utilisée dans la méthode de moyenne mobile pour déterminer les facteurs de pondération appropriés.

En présence d'un phénomène cyclique dans les prévisions, on utilisera des facteurs différents d'une période à l'autre. À titre d'exemple et en reprenant les données du problème précédent, si chaque période représente une semaine, la semaine 5 représentera alors la 1re semaine du nouveau mois. Il est logique qu'elle soit plus semblable à la semaine 1 qu'à la semaine 2 ou 3. On peut alors supposer que les facteurs de pondération sont : semaine 1 : 0,5 ; semaine 2 : 0,1 ; semaine 3 : 0,3 ; semaine 4 : 0,2. On prévoira alors pour la semaine 5 :

Prévision période 5 = P_5 = 0,5 R_1 + 0,1 R_2 + 0,3 R_3 + 0,1 R_4
P_5 = 0,50 (42) + 0,10 (40) + 0,30 (43) + 0,10 (40) = 41,9

Sachant qu'à la semaine 5, le réel = 41, la prévision pour la 6e sera :
P_6 = 0,5 R_2 + 0,1 R_3 + 0,3 R_4 + 0,1 R_5
P_6 = 0,50 (40) + 0,10 (43) + 0,30 (40) + 0,10 (41) = 40,4

Si le réel de la période 6 (R_6) = 39, alors la prévision pour la semaine 7 sera :
P_7 = 0,5 R_3 + 0,1 R_4 + 0,3 R_5 + 0,1 R_6
P_7 = 0,50 (43) + 0,10 (40) + 0,30 (41) + 0,10 (39) = 41,7

Ici aussi, l'approche par essai-erreur et les simulations sont d'une grande utilité pour déterminer les facteurs de pondération.

Finalement, on peut utiliser d'autres données que les réels passés pour établir les prévisions pour la prochaine période. Par exemple, le nombre d'interventions du service de maintenance d'une usine est fonction des activités de chaque atelier de production, et ce, d'une façon pondérée en fonction de leur importance. On évalue aussi les indices boursiers en pondérant différemment le nombre de transactions des titres inscrits et en donnant plus d'importance aux grands titres.

3.7.1.5 Le lissage exponentiel simple

Cette technique tient à la fois de la méthode de la moyenne mobile et de celle de la moyenne pondérée. On a vu que dans le cas de la moyenne mobile, on utilise les activités d'un nombre fixe « n » (la base) de périodes antérieures et on donne une importance identique à chacune de ces périodes, soit un coefficient de pondération égal à 1/n. On additionne les « n » périodes ainsi pondérées pour obtenir la prévision de la période (n + 1). Le facteur de pondération étant 1/n, on écrit par exemple pour n = 4 :

$$P_{n+1} = \frac{1}{n} R_1 + \frac{1}{n} R_2 + \frac{1}{n} R_3 + \frac{1}{n} R_4$$

où R_1 jusqu'à R_n sont les données des activités réelles des « n » périodes de base et où est P_{n+1} la prévision de la (n + 1)ième période. Par contre, dans le cas de la moyenne pondérée, on utilise des facteurs économiques, ou encore des réels, mais on les pondère différemment, selon leur importance.

lissage exponentiel
Méthode de calcul de la moyenne pondérée basée sur la prévision précédente, plus un pourcentage de l'erreur de prévision.

Pour le **lissage exponentiel**, on n'utilise que deux facteurs pour établir les prévisions pour la période future P_{i+1}, soit :

P_i : les prévisions de la période actuelle ;

R_i : les activités (ventes, livraisons ou production, selon le cas) de la période actuelle.

Les prévisions de la période à venir Pi + 1 seront alors :

P_{i+1} = α_1 R i + α_2 Pi

Il nous faut alors déterminer les deux facteurs de pondération, (les *alpha*). Or, nous savons que la somme des deux facteurs doit nécessairement donner 1,00. On peut donc écrire :

$\alpha_1 + \alpha_2$ = 1,00 ; α_2 = 1,00 − α_1

P_{i+1} = α_1 R_i + (1,00 − α_1) P_i

et finalement, pour simplifier les calculs, on écrira :

$P_{i+1} = P_i + \alpha (R_i - P_i)$

Cela signifie que chaque nouvelle prévision est égale à la prévision précédente plus un pourcentage α de l'erreur commise à la période précédente $(R_i - P_i)$.

En outre, on constate qu'il faut déterminer un seul facteur de pondération α.

Toutefois, avant d'appliquer le lissage exponentiel, il faut avoir préalablement utilisé la moyenne mobile pendant un certain temps avec une base « n ». Dans ce cas, une règle découverte d'une façon empirique nous informe que la relation

$$\alpha \approx \frac{2}{n+1}$$

donne une approximation très valable du facteur de pondération *alpha*, « n » étant le nombre de périodes de base utilisées avec la moyenne mobile. Ainsi, si dans le cas des prévisions établies selon la moyenne mobile on utilisait n = 6, on commence les prévisions selon le lissage exponentiel avec un facteur $\alpha \approx 2/(6+1) = 0,29$. Ici aussi, on utilise l'ordinateur pour définir *alpha*, en simulant plusieurs « α » dans un contexte reproduisant le plus fidèlement possible le milieu où on évolue. Après plusieurs essais, on trouve finalement le « α » le mieux adapté au cas étudié.

Théoriquement, *alpha* est compris entre 0,000 et 1,000. En pratique, notons que « α » est évalué entre 0,010 et 0,039. Plus on a affaire à un produit dont l'évolution est dynamique, plus le « α » doit être corrigé à la hausse ; plus le produit a une évolution lente et statique, plus le « α » doit être corrigé à la baisse. Nous voyons donc que le raisonnement est l'inverse de celui qui s'applique à la base « n » de la moyenne mobile.

Lorsqu'on passe de la moyenne mobile au lissage exponentiel, on utilisera comme prévision, dans l'équation de la première période, celle qui a été établie avec la moyenne mobile. Par la suite, on utilisera les prévisions faites selon le lissage exponentiel. L'exemple qui suit aidera à concrétiser ces notions.

Notons que la constante de lissage α représente un pourcentage de l'erreur commise entre le réel et la prévision $(R - P)$. Par exemple, supposez que la prévision pour la période 5 soit de 42 unités, la demande réelle, de 40 unités, et que $\alpha = 0,10$. On calcule la prévision pour la période 6 ainsi :

$P_{i+1} = P_i + \alpha (R_i - P_i)$

$P_6 = P_5 + \alpha (R_5 - P_5) = 42 + 0,10 (40 - 42) = 41,8$

Si, à la période 6, on a effectivement 43 unités, la prévision de la 7e serait :

$P_7 = P_6 + \alpha (R_6 - P_6) = 41,8 + 0,10 (43 - 41,8) = 41,92 \approx 42$ unités

La rapidité de l'ajustement de la prévision à l'erreur est déterminée par la constante de lissage, α. Plus sa valeur est proche de zéro, plus la prévision s'ajustera lentement aux erreurs de prévision (plus le lissage sera grand). Inversement, plus la valeur de α sera proche de 1,00, plus la réaction sera grande et plus le lissage sera petit. L'exemple 3 illustre cette situation.

Exemple 5

Utilisez le lissage exponentiel pour établir des prévisions pour les données suivantes et calculez l'erreur (réel – prévision), et ce, pour chaque période.

a) Utilisez un facteur de lissage de 0,10.

b) Utilisez un facteur de lissage de 0,40.

c) Tracez les données effectives et les deux ensembles de prévisions sur un seul graphique.

Période	Production réelle
1	42
2	40
3	43
4	40
5	41
6	39
7	46
8	44
9	45
10	38
11	40
12	

Solution

Le tableau qui suit représente les prévisions selon $\alpha = 0,10$ et $\alpha = 0,40$. Les données sont représentées en caractères romains et les résultats en italique. Observez et commentez l'évolution des prévisions selon $\alpha = 0,10$ et $\alpha = 0,40$.

Période	Réel	Prévision $\alpha = 0,10$	Erreur	Prévision $\alpha = 0,40$	Erreur
1	42	–	–	–	–
2	40	42	–2	42	–2
3	43	41,8	1,2	41,2	1,8
4	40	41,92	–1,92	41,92	–1,92
5	41	41,73	–0,73	41,15	–0,15
6	39	41,66	–2,66	41,09	–2,09
7	46	41,39	4,61	40,25	5,75
8	44	41,85	2,15	42,55	1,45
9	45	42,07	2,93	43,13	1,87
10	38	42,35	–4,35	43,88	–5,88
11	40	41,92	–1,92	41,53	–1,53
12		41,73		40,92	
		Erreur totale	–2,69	Erreur totale	–2,7

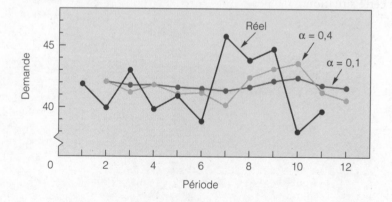

Concluons cette section en notant que le lissage exponentiel est une des techniques de prévision les plus utilisées, particulièrement en raison de sa simplicité et de la facilité avec laquelle on peut modifier le facteur de pondération α en fonction de l'évolution des activités pour lesquelles on veut établir des prévisions. Il existe des progiciels qui ont une fonction permettant de modifier automatiquement la constante de lissage si les erreurs de prévisions sont trop élevées.

3.7.1.6 L'analyse de la tendance

Les techniques basées sur les moyennes simples, mobiles, pondérées ou lissées ont le défaut de ne pas tenir compte de la tendance qui peut influencer nos activités. Reprenons l'exemple des paniers à provisions.

Période	Nombre de paniers utilisés R
1	40
2	40
3	41
4	42
5	43

Ce n'est pas vrai que le nombre de paniers dont on aurait besoin serait une simple moyenne du nombre de paniers des périodes passées. En effet, nous observons une tendance à la hausse nette de nos besoins en paniers, une tendance basée sur la chronologie. Il faudra donc procéder à une analyse de la tendance. L'**analyse de la tendance** comporte l'élaboration d'une équation qui décrira de manière appropriée la tendance (en supposant que la tendance est présente dans les données). La composante de tendance peut être linéaire ou non. La figure 3.5 illustre quelques exemples de tendances non linéaires les plus courantes. Un simple graphique des données peut souvent révéler l'existence et la nature d'une tendance. Dans cette section, nous nous concentrerons exclusivement sur les tendances linéaires.

analyse de la tendance

Si le nombre de périodes passées pour lesquelles nous disposons de données est relativement restreint (cinq ou moins), nous suggérons la procédure de l'exemple 6.

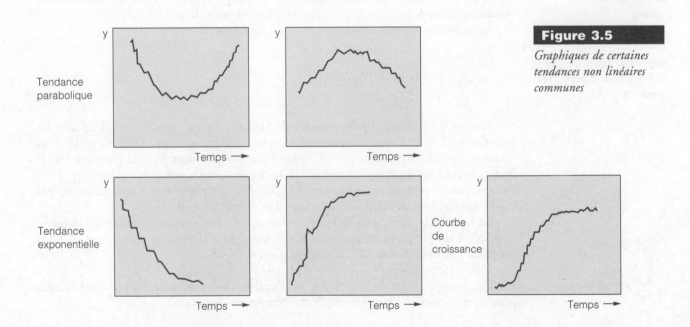

Figure 3.5

Graphiques de certaines tendances non linéaires communes

Tendance parabolique

Tendance exponentielle

Courbe de croissance

Revenons à l'exemple des paniers à provisions. Prévoyez vos besoins en paniers à provisions pour la 6ᵉ période sachant que :

Période	Nombre de paniers utilisés	Variation
1	40	
2	40	0 %
3	41	2,5 %
4	42	2,44 %
5	43	2,38 %

On remarque que l'accroissement à la 3ᵉ période par rapport à la 2ᵉ est de :

$$\frac{\text{Période 3} - \text{Période 2}}{\text{Période 2}} = \frac{41 - 40}{40} = 0,025, \text{ soit } 2,5\,\%$$

Sur l'horizon de temps des cinq périodes, l'accroissement moyen est de :

$$\frac{0 + 2,5\,\% + 2,44\,\% + 2,38\,\%}{4} = \frac{7,32\,\%}{4} = 1,83\,\%$$

$$P_6 = P_5 + 0,0183 \times P_5 = P_5 \times (1,0183) = 43,79 \approx 44 \text{ paniers}$$

Quand le nombre de données est relativement important (minimum 5, idéalement 10 et plus) on peut utiliser des techniques plus sophistiquées. La première comporte le recours à la régression linéaire, développée un peu plus loin dans ce chapitre. L'autre est une extension du lissage exponentiel que nous appellerons le lissage exponentiel double.

3.7.1.7 Le lissage exponentiel double

Le lissage exponentiel simple (LES) est valable quand les données varient autour d'une moyenne ou quand elles subissent des changements par étapes ou graduels. Si une série comporte une tendance et qu'on utilise un lissage simple, les prévisions seront en retard ou en décalage par rapport aux activités réelles. Si les données sont croissantes, les prévisions seront trop faibles. Si elles sont décroissantes, les prévisions seront trop élevées. Encore une fois, le traçage des données sur un graphique indiquera s'il faut procéder à une correction du lissage simple en fonction de la tendance générale. C'est ce qu'il convient d'appeler le lissage exponentiel double (LED). Il est fortement suggéré de ne pas appliquer le **lissage exponentiel double** si le lissage simple n'a pas été expérimenté durant un certain nombre de périodes, le lissage double découlant du simple.

lissage exponentiel double

Variante du lissage exponentiel simple utilisée quand une série chronologique présente une tendance.

La prévision selon le lissage exponentiel double se calcule ainsi :

$P_{i+1} = S_i + T_i$

où $S_i = P_i + \alpha (R_i - P_i)$

$T_i = T_{i-1} + \beta (P_i - P_{i-1} - T_{i-1}) = $ facteur de correction lissé

Notons la similitude de l'expression de S_i avec celle qu'on utilise pour calculer les prévisions selon le lissage exponentiel simple. Soulignons aussi l'introduction d'un nouveau facteur de pondération : β. Quand nous implantons pour la première fois le lissage double, on peut approximer $\beta \approx \alpha$, le α étant celui qu'on a utilisé lors des prévisions effectuées selon le lissage simple. On procédera par la suite par simulation ou par expérimentation pour modifier le facteur β et même, au besoin, le α.

Le facteur de correction T de départ est estimé en fonction des activités passées. Une façon simple de procéder serait la suivante : si, à la période passée, nous avions prévu 425 unités selon le LES et obtenu un réel de 432 :

T période précédente = R − P = 432 − 425 = 7 = T_{i-1}

Une autre manière de faire, basée sur l'analyse de la tendance des réels de périodes passées, est présentée dans l'exemple qui suit.

Nous disposons des données de départ sur les ventes de calculatrices pour les 10 dernières semaines :

Périodes	Réels
1	700
2	724
3	720
4	728
5	740
6	742
7	758
8	750
9	770
10	775

De plus, on nous informe que :

- la prévision de la période 4 selon le LES, calculée avec un $\alpha = 0,4$, est de $P_4 = 728$;

- l'entreprise désire implanter le lissage exponentiel double à partir de la 5e période.

Procédure

N'ayant pas le facteur de correction initial, estimons globalement la tendance des 4 premières périodes comme suit :

$$T_4 = \frac{R_4 - R_1}{3} = \frac{728 - 700}{3} = 9,33$$

tandis que S_4 sera calculé approximativement à 728 unités pour la période de départ (la valeur de P_4).

$$P_5 = S_4 + T_4 = 728 + 9,33 = 737,30 \text{ unités}$$

À partir de là, nous disposons de toutes les informations nécessaires pour calculer les périodes 6 à 11 :

$S_i = P_i + \alpha (R_i - P_i)$

$S_5 = P_5 + \alpha (R_5 - P_5) = 737,3 + 0,4 (740 - 737,3) = 738,38$

$T_i = T_{i-1} + \beta (P_i - P_{i-1} - T_{i-1})$

$T_5 = T_4 + \beta (P_5 - P_4 - T_4) = 9,33 + 0,4 (737,3 - 728 - 9,33) = 9,33 + 0,4 (0)$
     $= 9,33$

$P_{i+1} = S_i + T_i$

$P_6 = S_5 + T_5 = 738,36 + 9,33 = 747,69 \approx 748 \text{ unités}$

Pour la période 7
$P_7 = S_6 + T_6$

$S_6 = P_6 + \alpha (R_6 - P_6) = 747,68 + 0,4 (742 - 747,68) = 745,41$

$T_6 = T_5 + \beta (P_6 - P_5 - T_5) = 9,3 + 0,4 (747,68 - 737,3 - 9,3) = 9,73$

$P_7 = S_6 + T_6 = 745,41 + 9,73 = 755,14 \approx 755 \text{ unités}$

Pour la période 8
$P_8 = S_7 + T_7$

$S_7 = P_7 + \alpha (R_7 - P_7) = 755,14 + 0,4 (758 - 755,14) = 756,28$

$T_7 = T_6 + \beta (P_7 - P_6 - T_6) = 9,73 + 0,4 (755,14 - 747,68 - 9,73) = 8,82$

$P_8 = S_7 + T_7 = 756,28 + 8,82 = 765,11 \approx 765$

TABLEAU 3.1

Période i	Réel	Prévision	T_i	S_i	Écart $R_i - P_i$
1	700				
2	724				
3	720				
4	728	728,00	9,33	728,00	
5	740	737	9,33	738,38	3
6	742	748	9,75	745,43	−6
7	758	755	8,84	756,31	3
8	750	765	9,29	759,09	−15
9	770	768	6,87	769,02	2
10	775	776	7,13	775,53	−1
11		783		469,60	
				Écart moyen =	−2,44

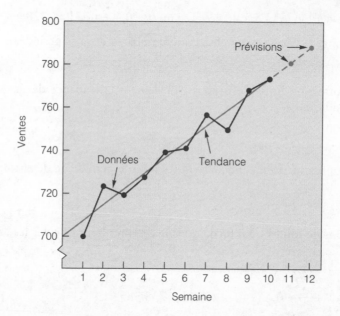

Nous vous invitons à poursuivre les calculs pour P_9, P_{10} et P_{11}; les résultats apparaissent en italique au tableau 3.1. Nous avons procédé au calcul des écarts entre les valeurs réelles et les prévisions. L'écart moyen sur les six périodes considérées est de −2,44, ce qui implique que les prévisions sont plus élevées que les réels. Nous analyserons plus en détail la sensibilité des techniques de prévisions.

3.8 LES TECHNIQUES DE PRÉVISIONS ASSOCIATIVES : LES RÉGRESSIONS

Les techniques associatives dépendent de l'identification des variables connexes qui peuvent servir à prédire les valeurs de la variable d'intérêt. Par exemple, les ventes de bœuf peuvent être reliées au prix au kilo demandé pour le bœuf et aux prix des substituts comme le poulet, le porc ou l'agneau. Dans l'immobilier, les prix sont habituellement reliés à l'emplacement des propriétés. Les récoltes dépendent des conditions du sol, de la quantité et du moment des précipitations et des applications d'engrais.

Les techniques associatives ont pour fondement la formulation d'une équation qui résume les effets des variables explicatives. Nous essayons de prévoir les valeurs Y, communément appelées les variables dépendantes, en fonction de variables x_1, x_2, …, x_n, dites **variables indépendantes**.

variable indépendante
Variable explicative utilisée pour prédire les valeurs de la variable dépendante ou d'intérêt.

On dira alors que la prévision Y sera :

y = fonction $(x_1, \ldots, x_n)$

La fonction qui détermine cette relation est la fonction de régression. Nous ne parlerons dans le présent ouvrage que des régressions linéaires, les quadratiques et autres débordant du cadre du programme. Le principe de la régression linéaire est le suivant : on trace une droite (la droite d'ajustement) qui passe le plus près possible d'un ensemble ou nuage de points. Ces « n » points sont identifiés par leurs coordonnées (x, y), où X représente l'ensemble des variables indépendantes et Y, l'ensemble des variables dépendantes, celles que nous voulons prévoir.

Nous n'étudions ici que les relations linéaires entre les variables dépendantes et indépendantes, et ce, en nous basant sur la méthode des moindres carrés. Cette méthode a pour but de produire une équation de la droite qui minimise la somme des écarts verticaux (l'axe des Y) entre les points de la droite. L'équation de cette droite, dite droite d'ajustement ou droite de régression linéaire, est de la forme :

$y = f(x)$

$$y = m\,x + b \qquad\qquad (3\text{-}8)$$

y = variable expliquée ou variable dépendante (celle que nous voulons prévoir)

x = variable explicative ou indépendante, sur laquelle nous nous appuierons pour prévoir y

m = la pente de la droite

$$m = \frac{n\sum(x*y) - (\sum x)*(\sum y)}{n*\sum(x^2) - (\sum x)^2} \qquad\qquad (3\text{-}9)$$

b = le point d'intersection de la droite d'ajustement avec l'ordonnée (Y)

$$b = \frac{\sum y - m(\sum x)}{n}$$

n = le nombre de points (x, y) $\qquad\qquad\qquad\qquad\qquad (3\text{-}10)$

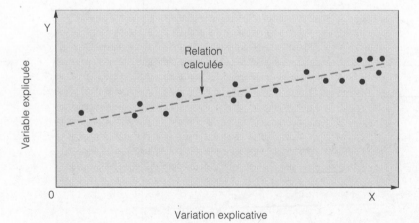

Figure 3.6

Une droite est ajustée à un ensemble de points d'échantillon.

Or, mathématiquement, pour un ensemble de points (x, y), on peut toujours calculer l'équation de la droite d'ajustement, sans qu'il y ait une relation réelle entre l'ensemble des variables indépendantes (X) et l'ensemble des variables dépendantes (Y). Pour cela, il faut toujours procéder au calcul du coefficient de corrélation r pour mesurer le degré de relation entre les X et les Y.

$$r = \frac{n\sum(x * y) - (\sum x) * (\sum y)}{\sqrt{[n\sum(x^2) - (\sum x)^2]}\sqrt{[n\sum(y^2) - (\sum y)^2]}}$$

r est nécessairement compris dans l'intervalle :

$$-1 \leq r \leq +1$$

Plus r tend vers +1 ou −1, plus la relation entre l'ensemble de points Y X est forte. Une corrélation de +1,00 indique que la relation est croissante entre X et Y et que la pente de la droite d'ajustement sera positive. Une corrélation de −1,00 indique que la relation est décroissante et que la pente sera négative. Une corrélation près de zéro indique qu'il existe peu ou pas de relation linéaire entre les deux variables. Les figures suivantes illustrent le phénomène.

Figure 3.7

Pas de relation linéaire ; nuage de points disposé d'une façon aléatoire

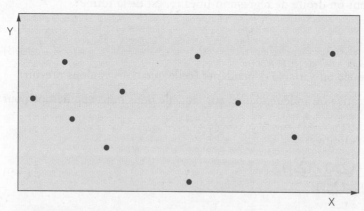

Figure 3.8

Relation avec pente positive

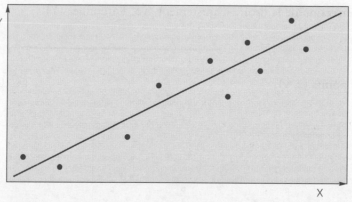

Figure 3.9

Relation avec pente négative

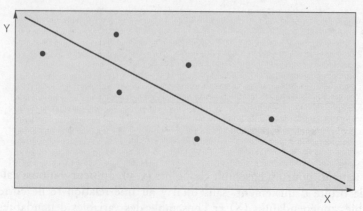

Le tableau suivant indique comment interpréter le coefficient de corrélation[7].

Coefficient de corrélation	Interprétation
1,00 à 0,90	Très haut degré de corrélation
0,89 à 0,70	Bonne corrélation
0,69 à 0,40	Corrélation faible à moyenne
0,39 à −0,39	Corrélation mauvaise ou inexistante
−0,40 à −0,69	Corrélation faible à moyenne
−0,70 à −0,89	Bonne corrélation
−0,90 à −1,00	Très haut degré de corrélation

L'interprétation de la force de la relation entre l'ensemble des points X et des points Y peut se faire par le calcul de r^2, le **coefficient de détermination**[8]. Plus r^2 tend vers 1,00, meilleure est la correspondance ; r^2 indique le pourcentage de variation dans la variable dépendante. Ainsi, si nous calculons un r de 0,90, $r^2 = 0,81$ ou 81 %. Cela veut dire que près de 81 % de l'ensemble des variables Y dépend des variables X. Selon ce principe, une valeur r = 0,40 indiquerait qu'il s'agit d'une mauvaise relation et il serait téméraire, dans ce cas, de prévoir les Y en se basant sur les X.

Le **coefficient de détermination** mesure la force de la relation entre les variables X et Y.

3.8.1 Étapes à suivre lors de l'application de la méthode des moindres carrés

1. Tracer le graphique reliant les variables indépendantes x et les variables dépendantes y afin de visualiser la situation étudiée.

2. Calculer le coefficient de corrélation r ; s'il est valable, passer à l'étape trois.

   Si le r n'est pas acceptable, on peut soit chercher une autre variable indépendante sur laquelle s'appuyer pour faire les prévisions, soit explorer une autre technique de prévision, la méthode des moindres carrés ne s'appliquant pas dans ce cas.

3. Établir l'équation de la droite d'ajustement.

4. À partir de la variable indépendante x de la période suivante et à l'aide de l'équation de la droite d'ajustement, établir la prévision pour y.

5. Calculer le pourcentage d'erreur.

   La figure 3.10 montre le graphique d'une droite de régression linéaire.

Figure 3.10

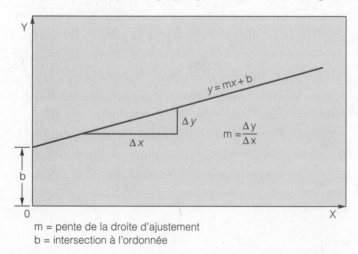

m = pente de la droite d'ajustement
b = intersection à l'ordonnée

7. BENEDETTI, C. *Introduction à la gestion des opérations,* p. 136.
8. BAILLARGEON, G. *Statistique appliquée et outils d'amélioration de la qualité,* Trois-Rivières, Éditions S.M.G., 1999, p. 289-299.

L'exemple suivant illustre la démarche complète, étape par étape.

Exemple 8

Hamburgers Santé possède une chaîne de 12 restaurants. Le tableau suivant présente les ventes et les profits des restaurants. On désire prévoir les profits pour des ventes de 10 000 000 $ (10 M $).

Ventes réelles M$	Profits réalisés M$
7	0,15
2	0,10
6	0,13
4	0,15
14	0,25
15	0,27
16	0,24
12	0,20
14	0,27
20	0,44
15	0,34
7	0,17

Solution

1. Tracer le graphique.

La figure 3.11 suggère que les points semblent se disperser autour de la droite.

Figure 3.11

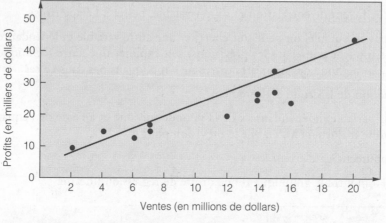

2. Calculer le coefficient de corrélation r.

Le tableau 3.2 aide à travailler de façon méthodique. La colonne 2 représente la variable indépendante X et la colonne 3, la variable dépendante Y, pour n = 12 points (x, y). Les valeurs en romain représentent les données initiales et celles qui sont en italique, les calculs effectués.

Données.

Période	Ventes	Profits réels				Profits prévus	Prévu/ réel	Erreur relative
	X	Y	X * Y	X^2	Y^2	Y'	Y − Y'	|Y − Y'| / Y' (%)
(1)	(2)	(3)	(4)	(5)	(6)	(7)	(8)	(9)
1	7	0,15	1,05	49	0,023	0,16	−0,01	7,47
2	2	0,1	0,2	4	0,01	0,08	0,02	21,27
3	6	0,13	0,78	36	0,017	0,15	−0,02	11,07
4	4	0,15	0,6	16	0,023	0,11	0,04	31,21
5	14	0,25	3,5	196	0,063	0,27	−0,02	8,63
6	15	0,27	4,05	225	0,073	0,29	−0,02	6,75
7	16	0,24	3,84	256	0,058	0,31	−0,07	21,44
8	12	0,2	2,4	144	0,04	0,24	−0,04	17,27
9	14	0,27	3,78	196	0,073	0,27	0,00	1,32
10	20	0,44	8,8	400	0,194	0,37	0,07	19,17
11	15	0,34	5,1	225	0,116	0,29	0,05	17,42
12	7	0,17	1,19	49	0,029	0,16	0,01	4,87
TOTAL	132	2,71	35,3	1796	0,716	2,71	0,00	167,90

TABLEAU 3.2

Les calculs ont été faits à l'aide du logiciel Excel. Des écarts peuvent apparaître dans les résultats de Y' et de ER; toutefois, les totaux des écarts s'annulleront; ainsi $\Sigma Y = \Sigma Y'$.

À l'aide des colonnes 2 à 6, nous pouvons calculer le r comme suit:

$$r = \frac{n\Sigma(x*y) - (\Sigma x)*(\Sigma y)}{\sqrt{[n\Sigma(x^2) - (\Sigma x)^2]}\sqrt{[n\Sigma(y^2) - (\Sigma y)^2]}} = \frac{12*35,3 - 132*2,71}{\sqrt{12*1796 - 132^2}\sqrt{12*,716 - 2,71^2}} = 0,917$$

Coefficient de détermination $r^2 = 84,09\%$

Le coefficient de corrélation étant satisfaisant, passons à l'étape 3.

3. Établir l'équation de la droite d'ajustement.

$$m = \frac{n\Sigma(x*y) - (\Sigma x)*(\Sigma y)}{n\Sigma(x^2) - (\Sigma x)^2} = \frac{12*35,3 - 132*2,71}{12*1796 - 132^2} = 0,016$$

$$b = \frac{(\Sigma y) - m(\Sigma x)}{n} = \frac{2,71 - 0,016(132)}{12} = 0,051$$

La droite d'ajustement est de la forme $y' = m * x + b = 0,016 * x + 0,051$.

4. Établir la prévision pour y.

Sachant que pour la prochaine année, $x = 10$ M\$
$y' = m * x + b = 0,016 * x + 0,051$
$\quad = 0,016 \times 10$ M\$ $+ 0,051 = 0,211$ M\$ $\approx 211\ 000$ \$

5. Calculer le pourcentage d'erreur.

Pour prévoir le pourcentage d'erreur possible, on évalue les erreurs relatives des périodes précédentes en comparant les valeurs Y (colonne 3) et Y' (colonne 7).

$$ER = \frac{|Y - Y'|}{Y'} \text{ (en valeur absolue)},$$

où Y = valeurs réelles observées pour chacune des périodes (1 à 12);

Y' = valeurs que nous aurions prévues si nous avions utilisé la droite d'ajustement pour établir les prévisions pour ces périodes.

Ainsi, pour la période 1, on aurait prévu :

$$y' = m * x + b = 0,016 * x + 0,051 = 0,016 * 7\,M\$ + 0,051 = 0,16\,M\$$$

Rappelons que les totaux de la colonne 3 et de la colonne 7 doivent être identiques, et que la somme de la colonne 8 tend vers 0. Sur les 12 périodes, nous avons une **erreur relative moyenne** (ERM) de :

ERM = erreur relative
moyenne

$$ERM = \frac{\Sigma(ER)}{n} = \frac{167,90}{12} = 13,99\,\% \approx 14\,\%$$

Nous pouvons conclure que la prévision de la 12e période est de :

$$P_{12} = 160\,000\,\$ \pm 14\,\% \text{ (c'est-à-dire comprise entre } 182\,400 \text{ et } 137\,600\,\$).$$

Le calcul du pourcentage d'erreur est d'une grande importance, car il permet aux planificateurs de prévoir et de planifier des solutions de rechange, si, pour diverses raisons, les prévisions ne se réalisaient pas, ce qui est normal. Nul n'est capable de prévoir l'avenir avec certitude !

3.8.2 Caractéristiques et limites de l'analyse de régression linéaire

Avant d'appliquer la régression linéaire, il faut respecter certaines conditions.

1. L'identification d'indicateurs (variables indépendantes)

   Il s'agit de variables indépendantes qui tendent à mener et à précéder les changements dans une variable dépendante ou d'intérêt. Par exemple, une augmentation du nombre de logements pendant le printemps et l'été peut entraîner une hausse de la demande pour des électroménagers, des tapis, des meubles, etc., à l'automne et en hiver. Une identification attentive et une analyse de ces indicateurs peuvent donner un aperçu de la demande future dans certaines situations. Parmi ces indicateurs, mentionnons :

   a) les indices économiques publiés par des institutions reconnues (Institut C. D. Howe, Banque du Canada, Banque Mondiale, GATT, etc.);
   b) les taux d'intérêt sur les prêts industriels;
   c) la production industrielle;
   d) l'indice des prix à la consommation (IPC);
   e) l'indice des prix de vente en gros;
   f) les indices boursiers;
   g) le prix du Brent (baril de pétrole brut de la mer du Nord), etc.

   Autres indicateurs potentiels : les changements démographiques, les climats politiques locaux et les activités d'autres entreprises (l'ouverture d'un centre commercial, par exemple, peut entraîner une augmentation des ventes pour les entreprises situées à proximité).

2. Les prévisions à l'intérieur de l'étendue des valeurs observées

   Par exemple, on a établi un lien direct entre l'âge d'un nouveau-né (en mois) et son poids, et cela, pour les 12 premiers mois, indépendamment du sexe. Il est donc possible de prévoir le poids à l'intérieur de la 1re année. Il serait téméraire d'utiliser cette relation pour des enfants et de jeunes adolescents : d'autres facteurs entrent en ligne de compte après les 12 premiers mois, à la puberté, et ainsi de suite.

3. Relation non continue

   On peut avoir une très forte relation pendant un certain intervalle, puis des variations. Par exemple, en hiver, plus la température est basse, plus la consommation énergétique augmente et, inversement, plus la température monte, plus notre consommation diminue. Par contre, en été, plus la température augmente, plus la consommation énergétique augmente, et vice-versa. On voit ici qu'il y a une relation certaine entre la température et la consommation énergétique, mais cette relation varie à chaque saison.

4. Type de relation
Tracez un graphique pour vérifier si la relation est appropriée ; le graphique montrera l'effet expliqué ci-dessus, et indiquera également si la relation est linéaire, exponentielle, quadratique ou autre. Il existe des techniques spécifiques pour ces situations (voir la section 3.8.3).

5. Relation de cause à effet
Même si r est très haut, il faut être extrêmement prudent avant de conclure qu'une relation directe de cause à effet s'établit entre les X et les Y. À la limite, on peut trouver mathématiquement une relation forte entre les ventes de fenêtres en été et un hiver rigoureux sans qu'il y ait effectivement un vrai lien. Ce phénomène pourrait s'expliquer par une augmentation du pouvoir d'achat du consommateur, qui se permet alors d'investir dans la rénovation.

6. Nombre de points
Pour être valable, la régression linéaire doit s'appuyer sur une quantité considérable de données pour qu'on puisse établir une relation — idéalement 20 observations ou plus. Avec moins de cinq données, nous suggérons l'analyse des tendances (voir la section 3.7.1).

7. Sensibilité au temps
Les données peuvent être sensibles au temps. Vérifiez-le en traçant le graphique de la valeur dépendante par rapport au temps. Si des tendances apparaissent, utilisez le temps comme variable indépendante dans le cadre de l'analyse de régression multiple. Nous pouvons aussi introduire au besoin des ajustements saisonniers à l'aide de facteurs d'ajustements saisonniers (FAS), comme l'illustre le problème résolu n° 5.

Si toutes les considérations mentionnées ci-dessus sont respectées, l'analyse de régression peut être un outil très puissant et flexible. Contrairement aux séries chronologiques, qui s'appuient sur des données des activités passées (le réel) pour permettre d'établir des prévisions pour la période suivante, l'analyse de régression peut être utilisée pour les prévisions de deux, trois ou quatre périodes à l'avance, avec le degré de prudence qui s'impose. L'exemple suivant illustre une application d'une régression linéaire chronologique.

Reconsidérons les données du fabricant de calculatrices. Nous disposions des données sur les ventes de calculatrices des 10 dernières semaines. Les données de départ sont :

Exemple 9

Périodes	Réels
1	700
2	724
3	720
4	728
5	740
6	742
7	758
8	750
9	770
10	775

Nous désirons prévoir les ventes des semaines 11, 12 et 13.

Solution

1° Traçons le graphique.

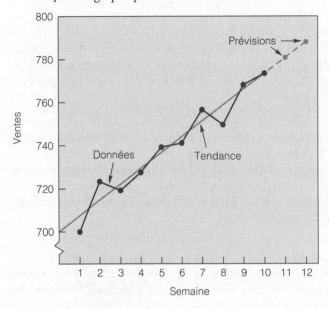

L'analyse nous indique qu'une relation semble se dessiner.

2° Calculons r et, au besoin, m et b.

Le tableau suivant nous simplifie la tâche : les données sont en romain et les calculs, en italique.

Semaines X	Ventes Y	X * Y	X²	Y²	Y'	Y − Y'	|Y − Y'| / Y' (%)
(1)	(2)	(3)	(4)	(5)	(6)	(7)	(8)
1	700	700	1	490 000	706,91	−6,91	0,98
2	724	1448	4	524 176	714,42	9,58	1,34
3	720	2160	9	518 400	721,93	−1,93	0,27
4	728	2912	16	529 984	729,44	−1,44	0,20
5	740	3700	25	547 600	736,95	3,05	0,41
6	742	4452	36	550 564	744,45	−2,45	0,33
7	758	5306	49	574 564	751,96	6,04	0,80
8	750	6000	64	562 500	759,47	−9,47	1,25
9	770	6930	81	592 900	766,98	3,02	0,39
10	775	7750	100	600 625	774,49	0,51	0,07
TOTAL 55	7407	41 358	385	5 491 313	7407	0,00	6,04

$$r = \frac{n\Sigma(x * y) - (\Sigma x) * (\Sigma y)}{\sqrt{[n\Sigma(x^2) - (\Sigma x)^2]}\sqrt{[n\Sigma(y^2) - (\Sigma y)^2]}} = \frac{10 * 41\ 358 - 55 * 7407}{\sqrt{10 * 385 - 55^2}\sqrt{10 * 5\ 491\ 313 - 7407^2}} = 0,97$$

« r » étant satisfaisant, avec un coefficient de détermination r^2 = 94,09 %, on peut calculer la droite d'ajustement :

$$m = \frac{n\Sigma(x * y) - (\Sigma x) * (\Sigma y)}{n * \Sigma(x^2) - (\Sigma x)^2} = \frac{10 * 41\ 358 - 55 * 7407}{10 * 385 - 55^2} = 7,51$$

$$b = \frac{(\Sigma y) - m(\Sigma x)}{n} = \frac{7407 - 7,51 * 55}{10} = 699,40$$

L'ERM (erreur relative moyenne) est de : $\frac{6,04\%}{10} = 0,604\%$.

3° Les prévisions pour les semaines 11, 12 et 13 se calculent ainsi :

$P_{11} = 7{,}51 * x + 699{,}40 = 7{,}51 * 11 + 699{,}4 = 782 \pm 0{,}6\,\%$

$P_{12} = 7{,}51 * x + 699{,}40 = 7{,}51 * 12 + 699{,}4 \approx 789{,}51 \pm 0{,}6\,\%$

$P_{13} = 7{,}51 * x + 699{,}40 = 7{,}51 * 13 + 699{,}4 \approx 797 \pm 0{,}6\,\%$

Soulignons que plus on prévoit à long terme la 12ᵉ et la 13ᵉ semaines, plus le risque d'erreurs augmente. Nous suggérons d'établir tout de suite les prévisions P_{12} et P_{13}, mais en les réajustant au fur et à mesure que les données réelles nous parviennent.

3.8.3 Les régressions curvilignes et multiples

Dans certains cas, la régression linéaire simple peut être inadéquate pour régler certains problèmes, car un modèle linéaire est inapproprié lorsque plus d'une variable indépendante est en cause. Quand les relations sont non linéaires, il est suggéré d'employer des régressions curvilignes, exponentielles, quadratiques ou autres. Les modèles qui comportent plus d'un facteur de prévision requièrent le recours à l'analyse de régression multiple. Bien que ces multiples régressions ne soient pas étudiées dans ce manuel, il est important d'en connaître l'existence et l'utilité. Ces techniques se prêtent mieux à l'informatique qu'au calcul manuel. La prévision par la régression multiple fait augmenter nettement les besoins en données. Dans chaque cas, il est nécessaire d'évaluer la pertinence d'une plus grande précision dans les prévisions en comparant les coûts et les efforts supplémentaires nécessaires et les améliorations potentielles que l'on peut en retirer.

Le tableau suivant présente les données sur les ventes de téléviseurs couleur de 47 cm et sur un ralentissement du chômage pendant une période de 3 mois. Déterminez si vous pouvez utiliser les niveaux de chômage pour prédire la demande pour des téléviseurs couleur de 47 cm et, le cas échéant, dérivez une équation prédictive.

Exemple 10

Période	1	2	3	4	5	6	7	8	9	10	11
Unités vendues	20	41	17	35	25	31	38	50	15	19	14
Taux de chômage (%) (ralentissement de trois mois)	7,2	4,0	7,3	5,5	6,8	6,0	5,4	3,6	8,4	7,0	9,0

Solution

1. Reportez les données sur un graphique pour savoir si le modèle linéaire semble raisonnable. Dans ce cas, un modèle linéaire semble approprié, compte tenu de l'étendue des données.

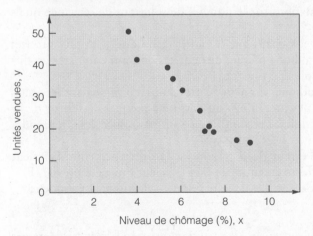

Calculez le coefficient de corrélation et interprétez-le.

x	y	xy	x^2	y^2
7,2	20	144,0	51,8	400
4,0	41	164,0	16,0	1681
7,3	17	124,0	53,3	289
5,5	35	192,5	30,3	1225
6,8	25	170,0	46,2	625
6,0	31	186,0	36,0	961
5,4	38	205,2	29,2	1444
3,6	50	180,0	13,0	2500
8,4	15	126,0	70,6	225
7,0	19	133,0	49,0	361
9,0	14	126,0	81,0	196
70,2	305	1750,8	476,4	9907

$$r = \frac{11(1750,8) - 70,2(305)}{\sqrt{11(476,4) - (70,2)^2}\sqrt{11(9907) - (305)^2}} = -0,966$$

Il s'agit d'une corrélation négative relativement élevée.

Calculez la droite de régression :

$$m = \frac{11(1750,8) - 70,2(305)}{11(476,4) - 70,2(70,2)} = -6,91$$

$$b = \frac{305 - (-6,914\ 5)(70,2)}{11} = 71,85$$

$$y' = -6,91x + 71,85$$

Notez que l'équation de la droite d'ajustement est pertinente uniquement pour les niveaux de chômage qui se situent entre 3,6 et 9,0, car les observations des échantillons couvrent uniquement cette étendue.

3.9 LA PRÉCISION ET LE SUIVI DES PRÉVISIONS

Comme nous l'avons mentionné précédemment, le suivi et l'estimation du degré de précision des prévisions constituent un aspect essentiel de la prévision. La nature complexe de la plupart des variables du monde réel fait qu'il est presque impossible de prévoir correctement les valeurs futures sur une base régulière. Par conséquent, il est important d'inclure une indication de l'ampleur dont la prévision peut dévier de la valeur réelle (celle que nous voulons prévoir). Cela fournira aux différents utilisateurs du plan de prévisions des informations sur le nombre de solutions de rechange qu'ils devront préparer en cas d'écarts.

De plus, selon les situations et sachant que certaines techniques sont plus précises que d'autres, le décideur a besoin d'une mesure de la précision pour comparer les différentes techniques et choisir la plus pertinente.

En faisant des révisions périodiques du plan de prévisions, en surveillant les écarts entre les valeurs réelles et celles des prévisions, on s'assurera d'être à l'intérieur de limites raisonnables, qui sont à définir. Si ces limites ne sont pas respectées, on prendra les mesures de correction appropriées.

erreur
Différence entre la valeur effective et la valeur qui a été prévue pour une période donnée.

Pour une période donnée, l'**erreur** de prévision est la différence entre la valeur réelle (R), à savoir ce qui s'est effectivement réalisé, et la valeur qui a été prévue (P).

L'écart ou erreur de la période i = Réel de la période i − Prévu de la période i :

$$Ei = Ri - Pi$$

(3-12)

Des erreurs positives se produiront quand la prévision sera trop faible, et des erreurs négatives surviendront quand la prévision sera trop élevée. Par exemple, si la demande effective pour une semaine est de 100 unités et que la demande selon la prévision est de 90 unités, la prévision est trop faible. L'erreur est 100 – 90 = +10.

Les erreurs de prévisions influent sur les décisions de deux manières différentes : dans le choix entre différentes méthodes de prévision et dans l'évaluation du succès ou de l'échec de la technique utilisée. Nous commencerons par examiner les manières de résumer des prévisions dans le temps, puis nous verrons comment utiliser cette information dans le choix d'une méthode de prévision. Ensuite, nous considérerons les méthodes de contrôle des prévisions. L'estimation des écarts entre le réel et la preuve, c'est-à-dire l'erreur, est d'une grande importance pour deux raisons principales :

1. Pour comparer différentes techniques de prévision et choisir celle qui représente le plus fidèlement l'évolution de nos activités ;

2. Pour connaître le niveau d'erreur entre le R et le P et préparer les solutions de rechange les plus adéquates.

3.9.1 Évaluation de la précision des prévisions

On évalue une bonne prévision par :

a) sa conformité à la réalité ;

b) sa flexibilité face aux changements.

Les deux mesures ou indices les plus couramment utilisés pour évaluer les écarts sont :

- l'**écart moyen absolu** (ÉMA)[9] ;

$$\text{ÉMA} = \frac{\Sigma|R - P|}{n}$$

n = nombre de périodes considérées

- l'**erreur quadratique moyenne** (EQM)[10]

$$\text{EQM} = \frac{\Sigma(\text{Réel} - \text{Prévu})^2}{n - 1}$$

écart moyen absolu
Erreur moyenne absolue.

erreur quadratique moyenne
Moyenne des erreurs quadratiques.

Une des utilisations de ces mesures consiste à comparer des méthodes de prévision de rechange. Par exemple, en utilisant l'ÉMA ou l'EQM, un gestionnaire pourrait comparer les résultats du lissage exponentiel avec les valeurs 0,1, 0,2 et 0,3 et sélectionner celle qui donne l'ÉMA ou l'EQM minimal. On procédera alors à l'**analyse de sensibilité** des prévisions. Du point de vue du calcul, il y a une différence entre les deux mesures : l'ÉMA pondère toutes les erreurs équitablement, tandis que l'EQM évalue les erreurs selon leurs valeurs quadratiques. Si nous préférons mesurer la flexibilité face aux changements, nous choisirons l'EQM. Par contre, si c'est la précision de nos prévisions qui nous intéresse, nous choisirons l'ÉMA (voir la section suivante, qui porte sur l'interprétation).

Analyse de sensibilité
Analyse d'une méthode de prévision pour mesurer sa capacité de réaction aux variations de la demande.

---

9. Souvent désigné par l'expression MAD. (*Mean Absolute Deviation*).
10. Souvent désignée par l'expression MSE. (*Mean Squared Error*).

3.9.1.1 Interprétation de l'ÉMA et de l'EQM

L'interprétation de l'ÉMA s'appuie sur des bases statistiques. Le tableau et le graphique suivants présentent la signification de l'ÉMA.

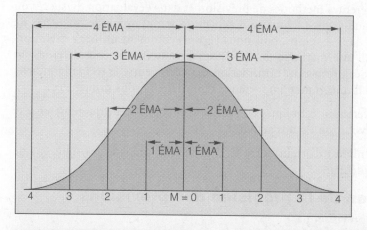

ÉMA (écart moyen absolu)	Équivalent en écart type	Intervalle de confiance
± 1 ÉMA	± 0,8 σ	60 %
± 2 ÉMA	± 1,6 σ	90 %
± 3 ÉMA	± 2,4 σ	98 %
± 4 ÉMA	± 3,2 σ	≈ 100 %

L'exemple 11 illustre le calcul de l'ÉMA et de l'EQM.

Exemple 11

Calculez l'ÉMA et l'EQM pour les données suivantes :

Période	Réel	Prévision	(R – P) Erreur	| Erreur |*	Erreur^2
1	217	215	2	2	4
2	213	216	−3	3	9
3	216	215	1	1	1
4	210	214	−4	4	16
5	213	211	2	2	4
6	219	214	5	5	25
7	216	217	−1	1	1
8	212	216	−4	4	16
			−2	22	76

* En valeur absolue = e

Solution

Si on se base sur les chiffres présentés dans le tableau,

$$\text{ÉMA} = \frac{\sum |e|}{n} = \frac{22}{8} = 2,75$$

$$\text{EQM} = \frac{\sum (e^2)}{n - 1} = \frac{76}{8 - 1} = 10,86$$

Si, par exemple, nous prévoyons 215 unités, nous pouvons considérer avec un degré de confiance de 90 % que nos activités se situeront entre :

215 ± 2 ÉMA = 215 ± 2 × 2,75 = 215 ± 5,5, c'est-à-dire entre 220,5 et 214,5.

3.9.2 Le suivi des prévisions

Si on veut s'assurer de la pertinence des méthodes de prévision, il faut effectuer un suivi systématique des écarts entre R (réel) et P (prévu) en comparant les erreurs de prévisions à des valeurs limites prédéterminées, comme à la figure 3.12. Les écarts se situant à l'intérieur de ces limites sont jugés acceptables ; les autres indiqueront qu'une mesure de correction est nécessaire.

Les erreurs ont plusieurs causes :

1. *Un modèle prévisionnel inadéquat*

   Cette erreur peut être due à l'omission d'une variable importante, à un changement ou un déplacement au niveau de la variable que le modèle ne peut traiter (par exemple l'apparition soudaine d'une tendance ou d'un cycle) ou à l'apparition d'une nouvelle variable (par exemple de nouveaux compétiteurs).

2. *Des variations anormales*

   Elles sont dues à des conditions météorologiques exceptionnelles ou à d'autres phénomènes naturels, à des pannes majeures temporaires, à des catastrophes naturelles ou autres événements similaires.

3. Une *mauvaise utilisation* ou *interprétation* de la méthode de prévision.

4. *Des variations aléatoires*

   Les données comportent toujours des variations aléatoires, totalement hors de contrôle et imprévisibles.

Normalement, une prévision est censée donner un rendement adéquat lorsque les erreurs ne présentent que des variations aléatoires. Ainsi, pour juger du moment où il faut réexaminer la validité d'une technique de prévision particulière, il faut savoir si les erreurs de variation sont aléatoires. Si elles ne le sont pas, on doit faire une analyse pour déterminer la source d'erreur et la manière de corriger le problème.

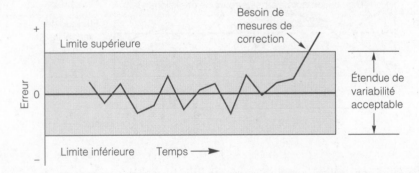

Figure 3.12

Surveillance des erreurs de prévisions

On peut surveiller les prévisions en utilisant des **signaux de dérive**[11] ou des **cartes de contrôle**. Un écart par rapport aux prévisions se concentre sur le rapport entre les erreurs de prévisions cumulatives et la valeur correspondante de l'ÉMA.

L'indice de déviation permet de calculer le rapport entre les erreurs cumulées dans les prévisions et l'ÉMA correspondant.

signal de dérive (SD)
Rapport entre les erreurs de prévisions cumulatives et la valeur correspondante de l'ÉMA. Le SD est utilisé pour contrôler une prévision.

$$SD = ID = \frac{\Sigma(R - P)}{ÉMA}$$

L'erreur de prévision cumulative reflète la **partialité** dans les prévisions, c'est-à-dire la tendance persistante des prévisions à être supérieures ou inférieures aux valeurs effectives d'une série chronologique.

On compare les valeurs de l'écart par rapport aux prévisions avec des limites prédéterminées grâce au jugement et à l'expérience. Les signaux de dérive se situent habituellement entre ± 3 et ± 8 :

partialité
Tendance persistante des prévisions à être supérieures ou inférieures aux valeurs effectives d'une série chronologique.

---

11. Appelés aussi indices de déviation soutenue (IDS).

$$\pm 3 \le SD \le \pm 8$$

$$\pm 3 \le \frac{\Sigma(R - P)}{\text{ÉMA}} \le \pm 8$$

Des signaux de dérive de ±4 nous assurent d'un intervalle de confiance dans nos prévisions d'approximativement 99 %. C'est l'équivalent de ± 3 σ (*sigma* ou écart type) de la distribution normale, soit la norme acceptable.

$$-4 < SD < +4$$

Les valeurs qui sont à l'intérieur de ces limites laissent entendre, sans toutefois le garantir, que la prévision est adéquate.

Après avoir calculé une première valeur pour l'ÉMA, nous pouvons en faire la mise à jour en utilisant le lissage exponentiel de la forme :

$$\text{ÉMA}_i = \text{ÉMA}_{i-1} + \alpha \ (|R - P|_i - \text{ÉMA}_{i-1})$$

α = coefficient de lissage

carte de contrôle
Approche de contrôle qui établit les limites pour les erreurs de prévisions individuelles. Les limites sont des multiples de la racine carrée de l'EQM.

L'autre approche qu'on utilise pour faire le suivi est celle de la **carte de contrôle**. Elle consiste à établir des limites inférieures et supérieures pour les erreurs de prévisions individuelles, plutôt que pour les erreurs cumulatives. Ces limites sont des multiples de la racine carrée de l'EQM. Cette méthode suppose que :

1. Les erreurs de prévisions sont aléatoirement distribuées autour d'une moyenne de zéro.

2. La distribution des erreurs est normale. (Voir la figure 3.13.)

Figure 3.13

Représentation conceptuelle d'un graphique de contrôle

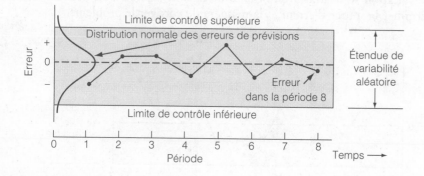

En réalité, on utilise la racine carrée de l'EQM comme estimation de l'écart type de la distribution des erreurs[12]. Autrement dit,

Écart type estimé = $s = \sqrt{(\text{EQM})}$

Soulignons que pour une distribution normale, 95 % des prévisions devront se situer entre 3 écarts types et ± 2 écarts types et 99 % des prévisions se situeront entre ± 3 écarts types, sinon on dira que les prévisions sont hors de contrôle. Les points qui se situent à l'extérieur de ces limites indiqueront la nécessité d'une mesure de correction (puisque le rendement de la prévision est inadéquat).

---

12. On peut calculer la valeur effective à l'aide de $s = \sqrt{\dfrac{\Sigma(e - \bar{e})^2}{n - 1}}$

Le tableau suivant représente les données sur les ventes de manteaux de cuir de la boutique *Le cuir et rien d'autre* ainsi que les prévisions et les erreurs, et ce, pour une période de 24 mois. Vérifiez la validité de la méthode de prévision privilégiée en utilisant :

a) un écart par rapport aux prévisions, en commençant par le mois 10 et en mettant à jour l'ÉMA par le lissage exponentiel. Utilisez les limites de ± 4 et un α (*alpha*) = 0,2 ;

b) un graphique de contrôle avec des limites de ± 2. Utilisez les données des huit premiers mois pour créer un graphique de contrôle et évaluez ensuite le reste des données avec le graphique de contrôle.

Mois	R (ventes)	P (prévisions)	R − P (erreurs)	|e|	Erreur cumulée
1	47	43	4	4	4
2	51	44	7	7	11
3	54	50	4	4	15
4	55	51	4	4	19
5	49	54	−5	5	24
6	46	48	−2	2	26
7	38	46	−8	8	34
8	32	44	−12	12	46
9	25	35	−10	10	56
10	24	26	−2	2	58
11	30	25	5	5	
12	35	32	3	3	
13	44	34	10	10	
14	57	50	7	7	
15	60	51	9	9	
16	55	54	1	1	
17	51	55	−4	4	
18	48	51	−3	3	
19	42	50	−8	8	
20	30	43	−13	13	
21	28	38	−10	10	
22	25	27	−2	2	
23	35	27	8	8	
24	38	32	6	6	
			TOTAL = −11		

a) L'erreur absolue cumulée au 10e mois étant de 58, l'ÉMA (écart moyen absolu) initial sera de 58 ÷ 10 = 5,8. Pour les périodes suivantes, l'ÉMA est mis à jour par la formule de lissage :

ÉMA nouveau = ÉMA ancien + α (\|e\| − ÉMA ancien)

Le tableau suivant présente les résultats.

Mois	lel	$ÉMA_t$ $= EMA_{i-1} + 0{,}2(lel - ÉMA_{i-1})$	Erreur cumulative	Signal de dérive erreur cumulative$_t$ $= \dfrac{}{ÉMA_i}$
10			−20	−20 / 5,800 = −3,45
11	5	5,640 = 5,800 + 0,2 (5 − 5,800)	−15	−15 / 5,640 = −2,66
12	3	5,112 = 5,640 + 0,2 (3 − 5,640)	−12	−12 / 5,112 = −2,35
13	10	6,090 = 5,112 + 0,2 (10 − 5,112)	−2	−2 / 6,090 = −0,33
14	7	6,272 = 6,090 + 0,2 (7 − 6,090)	5	5 / 6,272 = 0,80
15	9	6,818 = 6,272 + 0,2 (9 − 6,272)	14	14 / 6,818 = 2,05
16	1	5,654 = 6,818 + 0,2 (1 − 6,818)	15	15 / 5,654 = 2,65
17	4	5,323 = 5,654 + 0,2 (4 − 5,654)	11	11 / 5,323 = 2,07
18	3	4,858 = 5,323 + 0,2 (3 − 5,323)	8	8 / 4,858 = 1,65
19	8	5,486 = 4,858 + 0,2 (8 − 4,858)	0	0 / 5,486 = 0,00
20	13	6,989 = 5,486 + 0,2 (13 − 5,486)	−13	−13 / 6,989 = −1,86
21	10	7,591 = 6,989 + 0,2 (10 − 6,989)	−23	−23 / 7,591 = −3,03
22	2	6,473 = 7,591 + 0,2 (2 − 7,591)	−25	−25 / 6,473 = −3,86
23	8	6,778 = 6,473 + 0,2 (8 − 6,473)	−17	−17 / 6,778 = −2,51
24	6	6,622 = 6,778 + 0,2 (6 − 6,778)	−11	−11 / 6,622 = −1,66

Le signal de dérive pour chacun des mois considérés se calcule de la façon suivante :

$$SD = \frac{\text{erreur cumulative}}{ÉMA} = \frac{\Sigma(R - P)}{ÉMA}$$

Puisque l'écart de chaque mois est compris entre −4 < SD < +4, il n'y a aucune raison de réagir.

b) Construction d'une carte de contrôle à ± 2 écarts types :

1) S'assurer que l'erreur moyenne tend vers 0, car une moyenne élevée laisserait entendre que la prévision est biaisée.

Erreur moyenne = erreur cumulée ÷ nombre de périodes

$$= \frac{-11}{24} = -0{,}46 \approx 0 \text{ ; acceptable}$$

2) Calculez l'écart type :

$$s = \sqrt{\frac{\sum e^2}{n-1}}$$

$$= \sqrt{\frac{4^2 + 7^2 + 4^2 + 4^2 + (-5)^2 + (-2)^2 + (-8)^2 + (-12)^2}{8-1}} = 6{,}91$$

3) Déterminez les limites de contrôle à 2 s :

$$0 \pm 2s = 0 \pm 2(6{,}91) = [-13{,}82 \,; 13{,}82]$$

4) Tracez le graphique des données (voir le graphique suivant) et vérifiez les tendances non aléatoires. Notez la suite d'erreurs positives et négatives : elles suggèrent la présence d'un aspect non aléatoire et une possibilité d'améliorer la prévision que ne révélait pas l'écart par rapport aux prévisions.

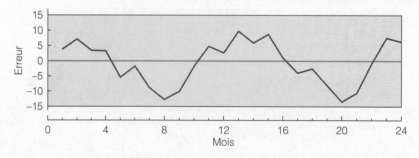

En reportant les erreurs sur un graphique de contrôle, il sera plus facile de visualiser le processus et de vérifier les tendances qui se dessinent à l'extérieur des limites[13] prédéterminées. Quelle que soit la méthode utilisée, il est toujours souhaitable de vérifier les tendances possibles dans les erreurs, même si elles sont à l'intérieur des limites; la figure 3.14 en illustre les plus courantes. S'il y a une tendance, cela signifie que les erreurs sont prévisibles, donc non aléatoires. Par conséquent, on peut améliorer la prévision. La présence d'une tendance dans les erreurs signifie que leur fréquence augmente. Dans une prévision basée sur les données d'une série chronologique, il peut être nécessaire d'ajouter ou de modifier une composante de tendance. Dans un modèle explicatif, il peut être utile de recalculer la pente ou d'effectuer un autre ajustement.

Si vous intégrez les changements nécessaires dans le modèle de prévision, vous obtiendrez moins de variabilité dans les erreurs de prévisions, donc des limites de contrôle plus étroites. La figure 3.15 illustre les conséquences d'une variabilité réduite des erreurs sur les limites de contrôle.

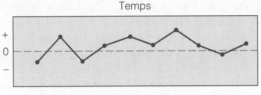

Partialité (trop d'observations du côté supérieur
de la droite centrale)

Figure 3.14

Exemples de tendances possibles

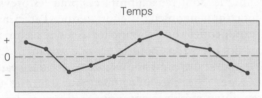

Cycle (mouvement périodique vers
le haut et vers le bas)

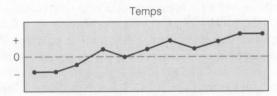

Tendance (mouvement persistant vers
le haut ou vers le bas)

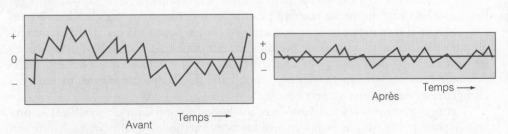

Avant

Après

Figure 3.15

L'élimination d'une tendance donne généralement lieu à moins de variabilité, donc à des limites de contrôle plus restreintes.

---

13. La théorie et l'application des graphiques de contrôle et des diverses méthodes de repérage des structures dans les données sont couvertes plus en détail au chapitre 10, qui porte sur le contrôle de la qualité.

3.9.2.1 Commentaire

L'approche par carte de contrôle est généralement supérieure à l'approche basée sur l'écart par rapport aux prévisions. Une des principales faiblesses de celle-ci est qu'elle utilise des erreurs cumulatives. Avec les graphiques de contrôle, toutes les erreurs sont jugées individuellement.

3.10 LE CHOIX D'UNE TECHNIQUE DE PRÉVISION

Il existe plusieurs techniques de prévision, et aucune ne fonctionne parfaitement dans toutes les situations. En sélectionnant une technique pour une situation donnée, le gestionnaire ou l'analyste doit tenir compte de plusieurs facteurs.

Les deux principaux sont les coûts et la précision. Quel montant d'argent est prévu pour produire une prévision? Quels sont les coûts possibles des erreurs et quels sont les avantages qui découleraient d'une prévision précise? Généralement, plus la précision est grande, plus les coûts sont élevés. Il est donc important d'évaluer attentivement les avantages et les inconvénients économiques par rapport à la précision. La meilleure prévision n'est pas nécessairement la plus précise ou la moins coûteuse. Au contraire, elle est une combinaison de la précision et des coûts jugés les plus acceptables par la direction.

D'autres facteurs sont à considérer: la disponibilité des données historiques, la disponibilité des ordinateurs, la capacité des décideurs d'utiliser certaines techniques, le temps nécessaire pour recueillir et analyser les données et préparer la prévision ainsi que toute expérience précédente avec une technique. L'horizon prévisionnel est important, car certaines techniques sont plus appropriées pour les prévisions à long terme, tandis que d'autres fonctionnent mieux à court terme. Par exemple, les moyennes mobiles et le lissage exponentiel sont essentiellement des techniques à court terme, puisqu'elles produisent des prévisions pour la période suivante. Les équations de tendances peuvent servir à établir des prévisions sur des périodes beaucoup plus longues. L'utilisation des données des séries chronologiques pour tracer les graphiques peut être très utile dans le choix d'une méthode appropriée. Plusieurs des techniques qualitatives sont appropriées pour les prévisions à long terme, car elles n'exigent pas de données historiques. La méthode Delphi et celles qui tiennent compte de l'opinion des cadres sont souvent utilisées pour une planification à long terme. Faute de données historiques, les prévisions sur les nouveaux produits et services doivent être basées sur des estimations subjectives. Dans plusieurs cas, l'expérience avec des articles similaires est pertinente. Le tableau 3.3 fournit un guide pour la sélection d'une méthode de prévision. Le tableau 3.4 présente d'autres perspectives qui tiennent compte de l'horizon temporel.

Dans certains cas, un gestionnaire peut utiliser plus d'une technique de prévision pour obtenir des prévisions indépendantes. Si les différentes techniques produisent environ les mêmes prévisions, il peut se fier davantage sur les résultats. Une disparité parmi les prévisions indiquerait la nécessité d'une analyse supplémentaire.

Le responsable des prévisions peut adopter une approche réactive ou basée sur l'anticipation. Une approche réactive perçoit les prévisions comme des descriptions probables de la demande future et se traduit par une réponse à la demande (par exemple par un ajustement des taux de production, des stocks, de la main-d'œuvre). Inversement, une approche basée sur l'anticipation cherche à influer activement sur la demande (par exemple au moyen de la publicité, de l'établissement des prix ou des changements de produits ou services).

Certains gestionnaires utilisent deux méthodes de prévision en parallèle: la première, pour prévoir les activités en utilisant des méthodes quantitatives éprouvées, lesquelles supposent, comme nous l'avons vu, un *statu quo* dans l'environnement interne et externe; la deuxième, plus qualitative, se basant sur des informations hypothétiques et ayant recours à l'instinct même des gestionnaires.

Méthode de prévision	Quantité de données historiques	Structure des données	Horizon prévisionnel	Temps de préparation	Expérience personnelle
Lissage exponentiel simple	5 à 10 observations	Les données doivent être stationnaires	Court	Court	Peu d'évolution
Lissage exponentiel corrigé en fonction de la tendance générale	Au moins 4 ou 5 observations par saison	Tendance	Court à moyen	Court	Évolution modérée
Modèles de tendances	10 à 20; pour la saisonnalité, au moins 5 par saison	Tendance	Court à moyen	Court	Évolution modérée
Saisonnière		Traite les structures cycliques et saisonnières	Court à moyen	Court à moyen	Peu d'évolution
Modèles de régression causale	10 observations par variable indépendante	Peut traiter des structures complexes	Court, moyen ou long	Long temps de développement, court temps de mise en œuvre	Évolution considérable

Source: Adapté de l'article de J. Holton Wilson et Deborah Allison-Koerber, «Combining Subjective and Objective Forecasts Improves Results», *The Journal of Business Forecasting*, automne 1992, p. 4.

TABLEAU 3.3

Guide pour le choix d'une méthode de prévision appropriée

Facteur	Court terme	Moyen terme	Long terme
Fréquence	Souvent	Occasionnel	Rare
Niveau de globalité	Article	Famille de produits	Production totale Type de produits/services
Type de modèle	Lissage Projection Régression	Projection Saisonnière Régression	Jugement de la direction
Degré de participation de la direction	Faible	Modéré	Élevé
Coût par prévision	Faible	Modéré	Élevé

TABLEAU 3.4

Facteurs de prévision classés par étendue de temps

3.11 Conclusion

Les prévisions sont à la base de plusieurs décisions. Plus les prévisions d'une entreprise sont précises, plus l'entreprise tirera parti des occasions futures et réduira les risques potentiels. Le maintien d'une information à jour et précise sur les prix, la demande et d'autres variables peut avoir des conséquences considérables sur la précision d'une prévision.

Pour améliorer notre façon de prévoir, il ne suffit pas de rechercher des techniques statistiques : le jugement est un outil indispensable. Par exemple, le fait que des prévisions couvrant de courtes périodes sont plus précises que celles qui s'étalent à long terme devrait suggérer aux gestionnaires de faire des efforts pour écourter les horizons de temps afin de réagir plus rapidement aux variations de la demande du marché.

Bien souvent, cette simple mesure permettra d'écourter le délai de livraison requis pour obtenir les fournitures, le matériel, les matières premières, le temps nécessaire pour former ou reformer les employés, ou pour élaborer de nouveaux produits et services. Les prévisions sont essentielles pour la conception et le fonctionnement des opérations, car elles aident les gestionnaires à anticiper le futur.

TABLEAU 3.5

Méthodes de prévision

	MÉTHODE DE PRÉVISION	DESCRIPTION
Opinion générale et jugement	Enquêtes auprès des consommateurs	Questionner les consommateurs sur leurs besoins futurs
	Composantes du contact direct	Estimations communes obtenues auprès du personnel des ventes ou du personnel du service à la clientèle
	Opinion des cadres	Les directeurs des finances, du marketing et de la fabrication s'unissent pour préparer les prévisions
	Méthode Delphi	Séries de questionnaires remplis anonymement par des experts ; les questions sont formulées grâce à l'information obtenue dans les sondages précédents
	Opinions de l'extérieur	Consultants ou experts de l'extérieur qui préparent les prévisions
Statistique	Naïve	Valeur suivante d'une série présumée égale à la valeur précédente pour une période comparable
	Moyenne mobile et pondérée	La prévision est basée sur la moyenne (pondérée ou non) des valeurs récentes
	Lissage exponentiel, simple et double	Forme évoluée de la moyenne mobile pondérée
	Régression simple et méthode des moindres carrés	Les valeurs d'une variable indépendante sont utilisées pour prédire les valeurs d'une autre variable dépendante
	Régression multiple	Deux ou plusieurs variables sont utilisées pour prédire les valeurs d'une autre variable
	Régression avec facteur d'ajustement saisonnier	Régression chronologique saisonnière

On peut classer les techniques de prévision selon qu'elles sont qualitatives ou quantitatives. Les techniques qualitatives dépendent du jugement, de l'expérience et de l'expertise de ceux qui formulent des prévisions ; les techniques quantitatives sont basées sur le recours aux données historiques ou aux associations entre les variables pour permettre d'élaborer des prévisions. Certaines techniques sont simples et d'autres, plus complexes ; certaines sont plus efficaces que d'autres, mais aucune ne fonctionne en tout temps. De plus, toutes les techniques de prévision comportent un certain niveau de précision dont il faut tenir compte. Toutes les techniques s'appuient sur le principe que le système causal sous-jacent qui existait dans le passé continuera d'exister dans le futur.

Les techniques qualitatives décrites dans ce chapitre incluent les enquêtes auprès des consommateurs, les estimations du personnel des ventes, les opinions des cadres et des gestionnaires et les opinions du personnel. Les deux principales approches quantitatives décrites sont l'analyse des données des séries chronologiques et les techniques associatives. Les données des séries chronologiques dépendent uniquement de l'examen des données historiques; on établit des prévisions en projetant les mouvements passés d'une variable dans le futur, sans tenir compte des facteurs précis qui pourraient influer sur elle. Les techniques associatives visent à cerner explicitement les facteurs influents et à intégrer cette information aux équations que l'on peut utiliser à des fins de prévision.

TECHNIQUE	FORMULE	DÉFINITION
Naïve	$P_i = R_{i-1}$	P = prévision R = activités réelles i = période
Moyenne mobile	$P_{n+1} = \dfrac{\sum\limits_{i=1}^{n} R_i}{n}$	n = base (nombre de périodes antérieures)
Moyenne pondérée	$P_{i+1} = \alpha_1 (R_1) + \alpha_2 (R_2) + \alpha_3 (R_3)$, etc.	α = facteur de pondération $\sum(d_i, ..., \alpha_2) = 1,0$
Lissage exponentiel simple	$P_{i+1} = P_i + \alpha (R_i - P_i)$	α = facteur de pondération
Lissage exponentiel double	$P_{i+1} = S_i + T_i$ $S_i = P_i + \alpha (R_i - P_i)$ $T_i = T_{i-1} + ß (P_i - P_{i-1} - T_{i-1})$	S = composante saisonnière T = tendance P_{i+1} = prévision corrigée
Régression linéaire	$y = m * x + b$ $m = \dfrac{n \sum(x * y) - (\sum x) * (\sum y)}{n * \sum(x^2) - (\sum x)^2}$ $b = \dfrac{\sum y - m(\sum x)}{n}$ $r = \dfrac{n\sum(x * y) - (\sum x) * (\sum y)}{\sqrt{[n\sum(x^2) - (\sum x)^2]}\sqrt{[n\sum(y^2) - (\sum y)^2]}}$	y = variable dépendante x = variable indépendante m = pente b = point d'intersection r = coefficient de corrélation r^2 = coefficient de détermination
Écart moyen absolu	$\text{ÉMA} = \dfrac{\sum\lvert R - P \rvert}{n}$	
Erreur quadratique moyenne	$\text{EQM} = \dfrac{\sum(\text{Réel} - \text{Prévu})^2}{n-1}$	
Signal de dérive (indice de déviation soutenue)	$\text{SD} = \text{ID} = \dfrac{\sum(R - P)}{\text{ÉMA}}$	Généralement acceptable $-4 < \text{SD} < +4$
Carte de contrôle	Limite supérieure = z * s Limite inférieure = z * s	$s = \sqrt{(\text{EQM})}$ $\sum$ = 2 ou 3 fois
Erreur relative moyenne	$\text{ERM} = \dfrac{\sum(\text{ER})}{n}$	$\text{ER} = \dfrac{\lvert R - P \rvert}{P}$

TABLEAU 3.6

Résumé des formules

Toutes les prévisions tendent à être imprécises. Par conséquent, il est important de fournir une mesure de la précision. On peut en calculer plusieurs; ces mesures aident les gestionnaires à évaluer la performance d'une technique donnée et à choisir parmi les techniques de prévision de rechange. Le fait de décider si une prévision a un rendement adéquat, en utilisant soit un graphique de contrôle ou un écart par rapport aux prévisions, fait partie du contrôle des prévisions.

En choisissant une technique de prévision, un gestionnaire doit l'adapter afin qu'elle soit acceptable sur le plan des coûts et de la précision tout en atteignant le but fixé.

Le tableau 3.5 résume les différentes techniques de prévision. Le tableau 3.6 dresse la liste des formules utilisées dans les techniques de prévision et dans les méthodes de mesure de leur précision.

Terminologie

Actuariat	Modèle associatif
Analyse de la tendance	Moyenne mobile
Analyse de sensibilité	Moyenne pondérée
Approche fondamentale	Nuage de points
Base	Opinion générale
Carte de contrôle	Organisation souple
Corrélation	Partialité
Cycle	Phénomène cyclique
Droite d'ajustement	Plan de prévisions
Droite des moindres carrés	Poids
Dynamique	Prévision (plan de prévisions)
Écart moyen absolu (ÉMA)	Prévision appréciative
Écart par rapport aux prévisions	Prévision naïve
Équation de la tendance	Régression
Erreur quadratique moyenne (EQM)	Saisonnalité
Erreur relative moyenne	Série chronologique
Études de marché	Signal de dérive
Fonction de la gestion des opérations	Tendance
Indice de déviation soutenue	Variable dépendante et indépendante
Lissage exponentiel double	Variation aléatoire
Lissage exponentiel simple	Variation irrégulière
Méthode Delphi	Variation saisonnière
Méthode des moindres carrés	

Problèmes résolus

Problème 1

Prévisions basées sur les moyennes. Les données suivantes concernent le nombre de plaintes par période :

Période	Nombre de plaintes
1	60
2	65
3	55
4	58
5	64

Faites des prévisions en utilisant :

a) l'approche naïve ;

b) une moyenne mobile sur trois périodes ;

c) une moyenne pondérée en utilisant des pondérations de 0,50 (plus récente), 0,30 et 0,20 ;

d) le lissage exponentiel avec une constante de lissage de 0,40.

Solution

a) La valeur la plus récente de la série devient la prévision suivante : 64.

b) $P_6 = (55 + 58 + 64) \div 3 = 59$

c) $P_6 = 0,50 \times 64 + 0,30 \times 58 + 0,20 \times 55 = 60,4 \approx 60$

d)

Période	Réel $\alpha = 0,40$	Prévision	Équation
1	60	–	–
2	65	60	*utiliser le R_1*
3	55	62	*60 + 0,40 (65 − 60) = 62*
4	58	59,2	*62 + 0,40 (55 − 62) = 59,2*
5	64	58,72	*59,2 + 0,40 (58 − 59,2) = 58,72*
6		60,83	*59,72 + 0,40 (64 − 58,72) = 60,83*

Vous pouvez également obtenir ces prévisions et le graphique de leur tendance en utilisant le logiciel Excel.

Détermination de la base n de la moyenne mobile. Une entreprise veut implanter la moyenne mobile comme technique de prévision pour prévoir les pannes possibles de ses machines. Elle dispose des données sur les 15 dernières périodes (voir tableau ci-dessous) et vous demande de trouver la base n qui s'applique le mieux à sa situation. On essayera n = 4 et n = 6 et on comparera.

Problème 2

Période	Nombre de pannes
1	45
2	78
3	56
4	84
5	84
6	72
7	100
8	95
9	73
10	95
11	96
12	85
13	127
14	128
15	111

Le tableau suivant représente les résultats. Les données sont en romain et les calculs, en italique.

Solution

Semaine	Nombre de pannes	Prévisions Base n = 3	ER = $\|R-P\|/P$	Base n = 5	ER = $\|R-P\|/P$
1	45				
2	78				
3	56				
4	84	*60* (1)	*40,78* (2)		
5	84	*73*	*15,60*		
6	72	*75*	*3,57*	*69* (3)	*3,75* (4)
7	100	*80*	*25,00*	*75*	*33,69*
8	95	*85*	*11,33*	*79*	*19,95*
9	73	*89*	*17,98*	*87*	*16,09*
10	95	*89*	*6,34*	*85*	*12,03*
11	96	*88*	*9,51*	*87*	*10,34*
12	85	*88*	*3,41*	*92*	*7,41*
13	127	*92*	*38,04*	*89*	*43,02*
14	128	*103*	*24,68*	*95*	*34,45*
15	111	*113*	*2,06*	*106*	*4,52*
	Total		*198,29*		*185,25*
	ERM		*16,52*		*18,52*

1) $P_4 = (45 + 78 + 56) \div 3 \approx 60$

2) ER = $\|84 - 60\| / 60 = 40,72\%$

3) $P_6 = (45 + 78 + 56 + 84 + 84) \div 5 \approx 69$

4) ER = $\|72 - 69\| / 69 = 4,35\%$.

En analysant l'erreur relative moyenne (ERM), nous remarquons que la base n = 3 donne une ERM = (198,29) ÷ 12 = 16,52 %, tandis que la base n = 5 donne une ERM = 185,25 ÷ 10 = 18,52 %. Dans ce cas précis, la base n = 3 semble plus indiquée. Le traçage superposé des graphiques (page suivante) permet de mieux visualiser le phénomène.

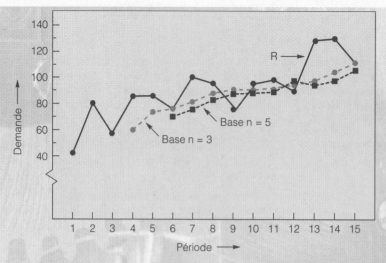

Problème 3

Régression linéaire. Le nombre d'interventions du service de maintenance pendant les neuf premiers mois de l'année apparaît ci-dessous. On vous demande de prévoir le nombre d'interventions pour les trois derniers mois de la même année.

Mois	Interventions	Mois	Interventions
1	44	7	60
2	52	8	56
3	50	9	62
4	54	10	
5	55	11	
6	55	12	

Solution

1) On trace le graphique.

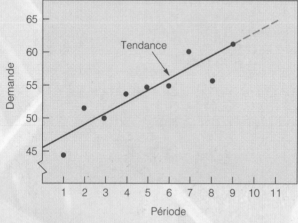

2) Une tendance semble se dessiner; on calcule l'équation de la droite d'ajustement selon la méthode des moindres carrés à l'aide des données du tableau.

Semaines X 1	Interv. Y 2	X * Y 3	X² 4	Y² 5	Y' 6	Y – Y' 7	Erreur relative |Y – Y'| / Y' (%) 8
1	44	44	1	1936	47,22	–3,22	6,82
2	52	104	4	2704	48,97	3,03	6,18
3	50	150	9	2500	50,72	–0,72	1,42
4	54	216	16	2916	52,47	1,53	2,91
5	55	275	25	3025	54,22	0,78	1,43
6	55	330	36	3025	55,97	–0,97	1,74
7	60	420	49	3600	57,72	2,28	3,95
8	56	448	64	3136	59,47	–3,47	5,84
9	62	558	81	3844	61,22	0,78	1,27
45	488	2545	285	26686	488	0,00	31,57

Le coefficient de corrélation r étant de 0,903, on calcule b = 45,47 et m = 1,75.

La droite d'ajustement est de la forme $y = 1,75 \bullet x + 45,47$.

P_{10} = prévision mois 10 = $1,75 \times 10 + 45,47 = 62,97 \approx 63$

P_{11} = prévision mois 11 = $1,75 \times 11 + 45,47 = 64,72 \approx 65$

P_{12} = prévision mois 12 = $1,75 \times 12 + 45,47 = 66,47 \approx 66$

L'erreur relative possible dans ce cas est de 31,57 / 9 = ± 3,51 % par mois.

Vous pouvez également utiliser un modèle Excel pour obtenir les coefficients et un graphique.

Problème 4

Lissage exponentiel corrigé en fonction de la tendance. Après avoir tracé le graphique de la demande pour quatre périodes, un gestionnaire a conclu qu'un modèle de lissage exponentiel corrigé en fonction de la tendance est approprié pour prédire la demande future. L'estimation initiale de la tendance T_4 est fonction de la variation nette de 30 pour les périodes 1 à 4, pour une moyenne de +10 unités. De même, la prévision initiale P_5 est calculée par la formule $P_5 = S_4 + T_4$.

Solution

Utilisez $\alpha = 0,5$ et $\beta = 0,4$ pour prévoir les périodes 5 à 10.

$S_i = P_i + \alpha (R_i - P_i)$

$S_5 = P_5 + \alpha (R_5 - P_5) = 250 + 0,5 (255 - 250) = 252,5$

$T_i = T_{i-1} + \beta (P_i - P_{i-1} - T_{i-1})$

$T_5 = T_4 + \beta (P_5 - P_4 - T_4) = 10 + 0,4(250 - 240 - 10) = 10 + 0,4 (0) = 10$

$P_{i+1} = S_i + T_i$

$P_6 = S_5 + T_5 = 252,5 + 10 = 262,5$

Pour la période 7 : $P_7 = S_6 + T_6$

$S_6 = P_6 + \alpha (R_6 - P_6) = 262,5 + 0,5(265 - 262,5) = 263,75$

$T_6 = T_5 + \beta (P_6 - P_5 - T_5) = 10 + 0,4 (262,5 - 250 - 10) = 11$

$P_7 = S_6 + T_6 = 263,75 + 11 = 274,75$

pour la période 8 : $P_8 = S_7 + T_7$

$S_7 = P_7 + \alpha (R_7 - P_7) = 274,75 + 0,5 (272 - 274,75) = 273,37$

$T_7 = T_6 + \beta (P_7 - P_6 - T_6) = 11 + 0,4 (274,75 - 262,5 - 11) = 11,5$

$P_8 = S_7 + T_7 = 273,37 + 11,5 = 284,87$

Le tableau suivant présente les résultats ; les données sont en romain et les résultats en italique.

Période i	Réels	Prévisions	Ti	Si	Écarts Ri – Pi
1	210				
2	224				
3	229				
4	240		*10,00*	*240,00*	
5	255	*250*	*10,00*	*252,50*	*5*
6	265	*263*	*11,00*	*263,75*	*3*
7	272	*275*	*11,50*	*273,38*	*–3*
8	285	*285*	*10,95*	*284,94*	*0*
9	294	*296*	*10,98*	*294,94*	*–2*
10		*306*	*10,60*	*152,96*	
				Écart moyen =	*0,60*

Vous pouvez également utiliser un modèle Excel pour procéder aux calculs.

Problème 5

Régression linéaire avec facteur d'ajustement saisonnier (FAS). Dans les données sur les activités passées apparaissant dans le tableau ci-dessous, nous remarquons un phénomène de variation saisonnière. Pour établir les prévisions pour chacune des quatre saisons de la quatrième année, nous procéderons à une modification de la régression linéaire. On introduira des facteurs d'ajustements saisonniers pour pallier ces variations cycliques.

Année	Saison	Consommation réelle
1	1	14
	2	18
	3	35
	4	46
2	1re saison (5)	28
	2e saison (6)	36
	3e saison (7)	60
	4e saison (8)	71
3	1re saison (9)	45
	2e saison (10)	54
	3e saison (11)	84
	4e saison (12)	88

Solution

1) Tracer le graphique, en plaçant sur l'axe des X les saisons identifiées de 1 à 13.

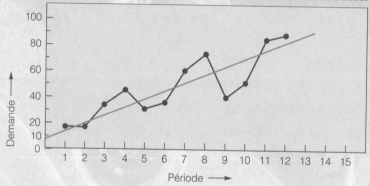

Le phénomène saisonnier est apparent.

2) Établir la droite d'ajustement entre X (les saisons) et Y (la consommation réelle par saison).
Tableau T-1

Année	Saison	Consommation						
	X	Y	X * Y	X^2	Y^2	Y'	Y / Y'	$\dfrac{\|Y - Y'\|}{Y'}$ (%)
	(2)	(3)	(4)	(5)	(6)	(7)	(8)	(9)
1	1	14	*14*	*1*	*196*	*15,77*	*0,89*	*1,77*
	2	18	*36*	*4*	*324*	*21,67*	*0,83*	*3,67*
	3	35	*105*	*9*	*1225*	*27,58*	*1,27*	*7,42*
	4	46	*184*	*16*	*2116*	*33,49*	*1,37*	*12,51*
2	5	28	*140*	*25*	*784*	*39,39*	*0,71*	*11,39*
	6	36	*216*	*36*	*1296*	*45,30*	*0,79*	*9,30*
	7	60	*420*	*49*	*3600*	*51,20*	*1,17*	*8,80*
	8	71	*568*	*64*	*5041*	*57,11*	*1,24*	*13,89*
3	9	45	*405*	*81*	*2025*	*63,01*	*0,71*	*18,01*
	10	54	*540*	*100*	*2916*	*68,92*	*0,78*	*14,92*
	11	84	*924*	*121*	*7056*	*74,83*	*1,12*	*9,17*
	12	88	*1056*	*144*	*7744*	*80,73*	*1,09*	*7,27*
TOTAL	*78*	*579*	*4608*	*650*	*34323*	*579*	*11,99*	*118,13*

En utilisant la méthode des moindres carrés et le tableau ci-dessus, où les données sont en romain et les calculs en italique, on obtiendra :

$y = m * x + b$

$y' = 5,906 * x + 9,864$

Les prévisions désaisonnalisées des périodes 14, 15 et 16 donnent :

$y' = 5,906 * x + 9,864$ $y = 5,906 * 13 + 9,864 = 86,64$

$y' = 5,906 * x + 9,864$ $y = 5,906 * 14 + 9,864 = 92,54$

$y' = 5,906 * x + 9,864$ $y = 5,906 * 15 + 9,864 = 98,45$

$y' = 5,906 * x + 9,864$ $y = 5,906 * 16 + 9,864 = 104,35$

Total pour la 4e année : 382.

Il faut maintenant donner un mouvement cyclique à nos prévisions désaisonnalisées pour traduire le phénomène saisonnier. Nous procéderons de la façon suivante :

a) à partir des données de la colonne 8 du tableau T-1, calculer le facteur d'ajustement saisonnier (FAS) moyen pour chacune des 4 saisons ;

Tableau T-2

| Saison | Année | | | FAS |
	1	2	3	moyen
1	0,89[14]	0,71	0,71	0,77
2	0,83	0,79	0,78	0,80
3	1,27	1,17	1,12	1,19
4	1,37	1,24	1,09	1,23

FAS moyen = (0,89 + 0,71 + 0,71) ÷ 3 = 0,77

b) corriger les prévisions désaisonnalisées à l'aide des facteurs d'ajustements saisonniers moyens.

Tableau T-3

Les prévisions saisonnières pour la 4e année sont :

Saison	Prévisions désaisonnalisées		FAS moyen		Prévisions saisonnières
1	86,64	*	0,77	=	66,71
2	92,54		0,8		74,03
3	98,45		1,19		117,16
4	104,35		1,23		128,35
Total annuel	≈ 382				≈ 386

Notez qu'avec une erreur relative moyenne de 118,13 ÷ 12 saisons = 9,84 %, le total annuel est sensiblement identique pour les valeurs saisonnières et les valeurs désaisonnalisées.

Analyse de régression. Le propriétaire d'une petite quincaillerie a noté que ses ventes de verrous de fenêtres semblent reliées au nombre de vols avec effraction rapportés chaque semaine dans le journal local. Voici les données recueillies :

Problème 6

Ventes :	46	18	20	22	27	34	14	37	30
Vols :	9	3	3	5	4	7	2	6	4

Faites une analyse complète de la situation en suivant les étapes ci-dessous :

a) tracer le graphique des données pour déterminer le type de relation (linéaire ou non) ;

b) vérifier s'il existe une relation significative ;

c) s'il existe une relation, établir l'équation de la droite d'ajustement ;

d) faire des prévisions, sachant qu'on a enregistré cinq vols avec effraction au cours de la dernière semaine ;

e) déterminer l'erreur relative moyenne.

a) Tracer le graphique avec X = variable indépendante = nombre d'effractions par semaine et Y = variable dépendante = nombre de verrous vendus ;

Solution

---

14. 0,89 = Y / Y' de la première saison de la première année, etc.

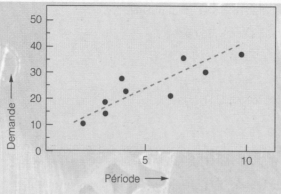

L'analyse du graphique montrant une relation linéaire, on passe à la 2ᵉ étape.

b) faire le calcul du coefficient de corrélation r;

Le tableau suivant nous aide à procéder aux calculs. Les données sont en romain et les calculs, en italique. Le logiciel Excel nous aidera à procéder rapidement à ces calculs.

Semaine	Effrac. X	Ventes Y	X * Y	X^2	Y^2	Y'	Y − Y'	$\dfrac{\lvert Y - Y' \rvert}{Y'}$ (%)
	(2)	(3)	(4)	(5)	(6)	(7)	(8)	(9)
1	9	46	*414*	*81*	*2116*	*45,61*	*0,39*	*0,86*
2	3	18	*54*	*9*	*324*	*19,96*	*−1,96*	*9,80*
3	3	20	*60*	*9*	*400*	*19,96*	*0,04*	*0,23*
4	5	22	*110*	*25*	*484*	*28,51*	*−6,51*	*22,82*
5	4	27	*108*	*16*	*729*	*24,23*	*2,77*	*11,43*
6	7	34	*238*	*49*	*1156*	*37,06*	*−3,06*	*8,25*
7	2	14	*28*	*4*	*196*	*15,68*	*−1,68*	*10,71*
8	6	37	*222*	*36*	*1369*	*32,78*	*4,22*	*12,87*
9	4	30	*120*	*16*	*900*	*24,23*	*5,77*	*23,81*
TOTAL	*43*	*248*	*1354*	*245*	*7674*	*248*	*0,00*	*100,78*

$$r = \frac{n\Sigma(xy) - (\Sigma x)(\Sigma y)}{\sqrt{n\Sigma(x^2) - (\Sigma x)^2}\sqrt{[n\Sigma(y^2) - (\Sigma y)^2}} = \frac{9 * 1354 - 43 * 248}{\sqrt{9 * 245 - 43^2}\sqrt{9 * 7674 - 248^2}} = 0,928$$

r^2 = coefficient de détermination (très haut degré) = 86,12 %

c) faire le calcul de la droite d'ajustement de la forme $y' = m * x + b$

$$m = \frac{n\Sigma(xy) - (\Sigma x)(\Sigma y)}{n\Sigma(x^2) - (\Sigma x)^2} = \frac{9 * 1354 - 43 * 248}{9 * 245 - 43^2} = 4,275$$

$$b = \frac{\Sigma y - m\Sigma(x)}{n} = \frac{248 - 4,275 * 43}{9} = 7,129$$

$y' = m * x + b = 4,275 * x + 7,129$

d) faire des prévisions, sachant qu'on a enregistré 5 effractions au cours de la dernière semaine;

si $x = 5$, alors :

$y' = m * x + b = 4,275 * x + 7,129 = 4,275 * 5 + 7,129 = 28,50$

e) déterminer l'erreur relative moyenne.

L'erreur relative cumulée sur les 9 périodes est de 100,78.

ERM = 100,78 / 9 = ± 11,20 %

Précision et contrôle des prévisions. Le directeur d'une grande entreprise de fabrication de pompes industrielles doit choisir entre deux techniques de prévision. Les deux techniques ont été utilisées pour préparer les prévisions pour une période de six mois. En utilisant l'ÉMA comme critère, laquelle lui suggérez-vous?

Problème 7

Mois	Demande	PRÉVISION Technique 1	PRÉVISION Technique 2
1	492	488	495
2	470	484	482
3	485	480	478
4	493	490	488
5	498	497	492
6	492	493	493

Vérifiez si chacune des prévisions a une erreur moyenne d'environ zéro (voir les calculs qui suivent).

Solution

Mois	Demande	Technique 1	e	|e|	Technique 2	e	|e|
1	492	488	4	4	495	−3	3
2	470	484	−14	14	482	−12	12
3	485	480	5	5	478	7	7
4	493	490	3	3	488	5	5
5	498	497	1	1	492	6	6
6	492	493	−1	1	493	−1	1

La technique 1 est supérieure, car son ÉMA est plus petit. Toutefois, six observations sont généralement insuffisantes pour effectuer une comparaison réaliste.

Cartes de contrôle. Avec les données suivantes concernant la demande, préparez une prévision naïve pour les périodes 2 à 10. Déterminez ensuite l'erreur de prévision et utilisez ces valeurs pour obtenir les limites de contrôle à plus ou moins 2 écarts types. Si les demandes pour les deux prochaines périodes (période 11 et période 12) s'avèrent être 125 et 130, pouvez-vous en conclure que les prévisions sont sous contrôle?

Problème 8

Période:	1	2	3	4	5	6	7	8	9	10
Demande:	118	117	120	119	126	122	117	123	121	124

Dans une prévision naïve, la demande de chaque période devient la prévision de la période suivante. Donc, les prévisions et les erreurs sont:

Solution

Période	Demande	Prévision	Erreur	Erreur 2
1	118			
2	117	118	−1	1
3	120	117	3	9
4	119	120	−1	1
5	126	119	7	49
6	122	126	−4	16
7	117	122	−5	25
8	123	117	6	36
9	121	123	−2	4
10	124	121	3	9
			+6	150

(n = nombre d'erreurs)

$$s = \sqrt{\frac{\sum(\text{erreur}^2)}{n-1}} = \sqrt{\frac{150}{9-1}} = 4,33$$

Les limites de contrôle sont $\pm 2 * (4,33) = \pm 8,66$.

La prévision pour la période 11 était de 124, la demande de 125. Erreur : $125 - 124 = +1$. Cette valeur se situe dans les limites de $\pm 8,66$. Si la demande suivante est de 130 et la prévision naïve de 125 (en fonction de la demande de la période 11), l'erreur est de $+5$. Cette valeur se situant à l'intérieur des limites de $\pm 8,66$, nous ne pouvons pas conclure que la technique de prévision est mauvaise. Avec plus de valeurs – au moins cinq ou six – on pourra reporter les données sur les erreurs sur un graphique et ainsi détecter la présence d'une tendance.

Questions de discussion et de révision

1. Quels sont les principaux avantages des techniques quantitatives pour la prévision par rapport aux techniques qualitatives ? Quelles sont les limites des techniques quantitatives ?

2. Quelles sont les conséquences des mauvaises prévisions ? Expliquez.

3. Dressez la liste des faiblesses de chacune des approches servant à élaborer une prévision :
   a) enquêtes auprès des consommateurs ;
   b) opinions des membres de l'équipe des ventes ;
   c) opinion du comité de directeurs ou de cadres.

4. Décrivez brièvement la méthode Delphi. Quels sont ses principaux avantages et inconvénients ?

5. Quel est le but de l'établissement des limites de contrôle pour les erreurs de prévisions ?

6. Quels facteurs considéreriez-vous au moment de votre décision d'utiliser des limites de contrôle larges ou étroites pour une prévision ?

7. Comparez l'utilisation de l'ÉMA et de l'EQM dans l'évaluation des prévisions.

8. Quels sont les avantages du lissage exponentiel en tant qu'outil de prévision par rapport aux moyennes mobiles ?

9. Comment le nombre de périodes dans une moyenne mobile influe-t-il sur la sensibilité de la prévision ?

10. Quels facteurs entrent en ligne de compte dans le choix d'une valeur pour la constante de lissage dans le lissage exponentiel ?

11. Que signifie le fait d'utiliser le mot « ventes » plutôt que « demande » ?

12. Pourquoi la technique de la moyenne mobile est-elle difficile à utiliser pour faire des prévisions à long terme ?

Problèmes

1. Le nombre de paniers de pommes vendus dans un kiosque de fruits situé sur le bord d'une route sur une période de 12 jours est le suivant :

Jour	Paniers vendus	Jour	Paniers vendus
1	25	7	35
2	31	8	32
3	29	9	38
4	33	10	40
5	34	11	37
6	37	12	32

a) Si on utilise une moyenne mobile de deux périodes pour prévoir les ventes, quelles seront les prévisions quotidiennes à partir de la prévision du jour 3 ?

b) Si on utilise une moyenne mobile de quatre périodes, quelles seront les prévisions pour chaque jour à partir du jour 5 ?

c) Reportez les données originales et chaque ensemble de prévisions sur un même graphique. Quelle prévision aura la plus grande tendance à lisser ? Quelle prévision aura la meilleure capacité de réagir rapidement aux changements ?

2. National Mixer, Inc. vend des ouvre-boîtes. Les ventes mensuelles pour une période de sept mois ont été les suivantes :

Mois	Ventes (milliers d'unités)
Février	19
Mars	18
Avril	15
Mai	20
Juin	18
Juillet	22
Août	20

a) Tracez le graphique des données mensuelles sur une feuille de papier quadrillé.

b) Prévoyez le volume des ventes pour le mois de septembre en utilisant ce qui suit :
   i)   une équation de la tendance linéaire ;
   ii) une moyenne mobile de cinq mois ;
   iii) le lissage exponentiel avec une constante de lissage égale à 0,20, en supposant une prévision pour le mois de mars de 19 000 ;
   iv) l'approche naïve ;
   v)   une moyenne pondérée en utilisant 0,60 pour août, 0,30 pour juillet et 0,10 pour juin ;

c) Quelle méthode semble la moins appropriée ? Pourquoi ?

3. Un nettoyeur utilise le lissage exponentiel pour prévoir l'utilisation du matériel dans sa principale usine. On prévoyait une utilisation pour le mois d'août de 88 % de la capacité. L'usage effectif est de 89,6 % de la capacité. Un coefficient (*alpha*) $\alpha = 0{,}1$ est utilisé.
   a) préparez une prévision pour septembre ;
   b) en supposant que l'utilisation pour le mois de septembre est de 92 %, préparez une prévision de l'utilisation pour le mois d'octobre.

4. Les dossiers d'un entrepreneur en électricité indiquent le nombre de demandes de travaux des cinq dernières semaines :

Semaines :	1	2	3	4	5
Demandes :	20	22	18	21	22

Prédisez le nombre de demandes pour la semaine 6 en utilisant les méthodes suivantes :
   a) naïve ;
   b) une moyenne mobile avec une base de 4 ;
   c) le lissage exponentiel avec α (*alpha*) = 0,30.

5. Le service de marketing d'un fabricant de cosmétiques a mis au point une équation de régression linéaire que l'on peut utiliser pour prévoir les ventes annuelles d'une crème populaire. Pour faire ses prévisions, il utilise l'année comme variable indépendante, selon l'équation :

$y = 15\,x + 80$

y = ventes annuelles (milliers de bouteilles)
x = année sur laquelle portent les prévisions

   a) De combien les ventes annuelles augmentent-elles ou diminuent-elles d'une année à l'autre ?
   b) Prévoir les ventes annuelles pour l'an 2001.

6. À partir du graphique suivant, déterminez l'équation linéaire de la droite de tendance en utilisant 1988 comme année de référence pour les Ventes Glib, Inc.

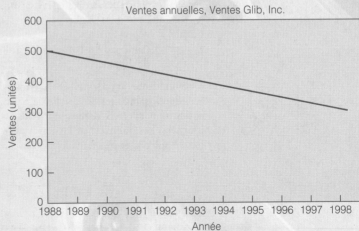

7. Voici le nombre de chargements de wagons de marchandises dans une gare pour une période de 12 ans :

Année	Nombre (centaines)	Année	Nombre (milliers)
1	220	7	350
2	245	8	360
3	280	9	400
4	275	10	380
5	300	11	420
6	310	12	450

a) Vérifiez s'il existe une relation ; le cas échéant, établir l'équation de la droite d'ajustement pour les chargements.
b) Tracez la droite de tendance et les données originales sur le même graphique.
c) Utilisez l'équation de la tendance pour prédire les chargements pour la 15e année.

8. Établissez une équation de régression linéaire pour les données suivantes, qui portent sur des livraisons de pain, et prévoyez les livraisons des périodes 11 à 14.

Période	Livraisons (douzaines)	Période	Livraisons (douzaines)
1	200	6	222
2	214	7	248
3	211	8	241
4	228	9	253
5	235	10	267

9. Utilisez le lissage corrigé en fonction de la tendance générale avec $\alpha = 0,3$ et $\beta = 0,2$ pour lisser les données sur les livraisons de pain du problème précédent.

10. La gérante d'un magasin spécialisé dans la vente et l'installation de baignoires à remous souhaite préparer des prévisions pour les mois de janvier, février et mars de l'année prochaine. Ses prévisions sont une combinaison des tendances et des saisonnalités. Elle utilise l'équation suivante pour déterminer les composantes de tendances de la demande mensuelle : $y_t = 5i + 70$, où $t = 0$ pour le mois de juin de l'an dernier. Les facteurs d'ajustement saisonniers sont de 1,10 pour janvier, 1,02 pour février et 0,95 pour mars. Établissez la prévision de la demande.

11. L'équation suivante résume la tendance des ventes trimestrielles de lave-vaisselle sur une longue période. Les ventes présentent également des variations saisonnières. En vous basant sur les facteurs d'ajustement saisonniers ci-dessous, prévoyez les ventes pour chaque trimestre de 2004 et pour le premier trimestre de 2005.

Trimestre	Facteur d'ajustement saisonnier (FAS)
1	1,1
2	1,0
3	0,6
4	1,3

La relation entre les ventes et les saisons est donnée par :

$y_t = 2t^2 - 6,5t + 40$,

où y_t = ventes

t = trimestre sur lequel portent les prévisions, avec $t = 0$ pour le quatrième trimestre de 2001

12. Une boutique de cadeaux située dans un centre touristique est ouverte les fins de semaine (vendredi, samedi et dimanche). Le propriétaire souhaite améliorer l'horaire des employés à temps partiel en déterminant les valeurs relatives saisonnières pour chacune de ces journées. Les données sur les activités récentes de la boutique (les transactions de vente par jour) sont présentées dans le tableau suivant.

	SEMAINE					
	1	2	3	4	5	6
Vendredi	149	154	152	150	159	163
Samedi	250	255	260	268	273	276
Dimanche	166	162	171	173	176	183

a) Trouvez les facteurs d'ajustement pour les trois jours considérés.

b) Faites des prévisions selon la moyenne simple pour la semaine 7.

13. Les livraisons de charbon des 7 dernières années de la mine n° 4 de la société Charbon de la Montagne sont les suivantes:

Année	Tonnes livrées (en milliers)
1	405
2	410
3	420
4	450
5	412
6	420
7	424

Établissez les prévisions de livraisons des trois prochaines années.

14. Prévoyez le nombre de repas à préparer pour chaque jour de la semaine 5 d'un restaurant, sachant que le nombre de repas servis respectivement au cours de chacune des 4 dernières semaines était le suivant.

Jour	Repas servis	Jour	Repas servis
1	80	15	84
2	75	16	77
3	78	17	83
4	95	18	96
5	130	19	135
6	136	20	140
7	40	21	37
8	82	22	87
9	77	23	82
10	80	24	98
11	94	25	103
12	125	26	144
14	42	28	48

15. Un pharmacien contrôle les ventes de certains analgésiques en vente libre. Les ventes quotidiennes des 15 derniers jours ont été les suivantes:

Jour:	1	2	3	4	5	6	7	8	9	10	11	12	13	14	15
Produits vendus:	36	38	42	44	48	49	50	49	52	48	52	55	54	56	57

a) Sans faire de calculs, quelle méthode de prévision suggéreriez-vous pour les ventes: la tendance linéaire ou le lissage exponentiel corrigé en fonction de la tendance (lissage exponentiel double)? Pourquoi?

b) On vous informe que certains jours, il était à court d'un analgésique précis. Quelle est votre réaction concernant les ventes lors de ces journées?

c) En supposant que les données désignent la demande plutôt que les ventes et en utilisant le lissage double avec une prévision initiale de 50 pour la semaine 8 et une estimation de la tendance initiale de 2 et $\alpha = \beta = 0,3$, faites les prévisions pour les jours 9 à 16. Évaluez l'EQM à partir de la la semaine 8.

16. Une analyste de la qualité voudrait savoir si le processus qu'elle a implanté fait baisser le taux de pièces défectueuses. Elle a recueilli les données des 4 dernières semaines pour chaque jour ouvrable (voir le tableau ci-dessous).

	Semaine			
	1	2	3	4
Lundi	10,2	9,4	8,4	7,8
Mardi	8,2	7,3	7,0	6,5
Mercredi	7,2	6,8	6,3	5,0
Jeudi	6,8	6,0	5,4	4,8
Vendredi	9,4	9,0	8,2	7,1

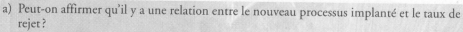

a) Peut-on affirmer qu'il y a une relation entre le nouveau processus implanté et le taux de rejet ?
Tracez le graphique et calculez les coefficients r et r^2.

b) Établissez mathématiquement la relation.

c) En vous basant sur ces informations, prévoyez le taux de pièces défectueuses pour chaque jour de la semaine 5.

17. Le directeur d'une coopérative agricole veut prévoir les valeurs trimestrielles des livraisons de grains de la 6ᵉ année en se basant sur les données ci-dessous (les quantités sont en tonnes métriques).

	Trimestre			
Année	1	2	3	4
1	200	250	210	340
2	210	252	212	360
3	215	260	220	358
4	225	272	233	372
5	232	284	240	381

18. Le gérant d'un restaurant de fruits de mer voudrait savoir s'il existe un lien entre les prix des plats affichés et le nombre de repas servis. On a recueilli les informations suivantes.

Moyenne de plats servis	Prix du plat ($)
200	6,00
190	6,50
188	6,75
180	7,00
170	7,25
162	7,50
160	8,00

Êtes-vous capable de l'aider ? Tracez le graphique, calculez les coefficients pertinents et interprétez-les.

19. On a recueilli les informations suivantes concernant une variable indépendante X et une variable dépendante Y, X étant le nombre de mises en route effectuées par mois et Y, le nombre de pièces rejetées pendant ce même mois.

a) en traçant un graphique reliant les points (x, y) correspondants, peut-on affirmer qu'il existe une relation entre ces deux variables ?

b) déterminez les coefficients pertinents et interprétez-les ;

c) sachant que pour la période 14, on prévoit faire 41 mises en route, prévoyez la quantité possible de pièces rejetées.

Période	X	Y	Période	X	Y
1	15	74	8	18	78
2	25	80	9	14	70
3	40	84	10	15	72
4	32	81	11	22	85
5	51	96	12	24	88
6	47	95	13	33	90
7	30	83			

20. Bogazon Inc. a l'intention d'utiliser les données sur les ventes d'engrais pour pelouse pour prévoir les ventes de tondeuses. Le gérant du magasin estime qu'il existe un décalage de six semaines entre les ventes d'engrais et les ventes de tondeuses. Les données pertinentes sont les suivantes :

Semaine	Engrais (tonnes)	Ventes de tondeuses (décalage de 6 semaines)
1	1,6	10
2	1,3	8
3	1,8	11
4	2,0	12
5	2,2	12
6	1,6	9
7	1,5	8

a) Y a-t-il une relation entre ces variables? Justifiez quantitativement votre réponse.

b) Établissez la droite de régression linéaire pour ces données.

c) Prévoyez les ventes de tondeuses pour la première semaine d'août, sachant que les ventes d'engrais d'il y a six semaines étaient de deux tonnes.

21. Deux méthodes de prévision (MP1 et MP2) ont été utilisées pour prévoir les besoins en caisses d'eau embouteillée. La demande réelle et les prévisions selon chacune des méthodes apparaissent ci-dessous :

Période	Demande réelle	Demande prévue	
		Méthode 1	Méthode 2
1	68	66	66
2	75	68	68
3	70	72	70
4	74	71	72
5	69	72	74
6	72	70	76
8	80	71	78
	78	74	80

a) Calculez l'ÉMA pour chacune des méthodes de prévision. Laquelle semble la plus précise? Justifiez quantitativement et qualitativement votre réponse.

b) Calculez l'EQM pour chacune des méthodes de prévisions. Laquelle semble la plus précise? Justifiez quantitativement et qualitativement votre réponse.

c) Quels autres facteurs pourraient convaincre un gestionnaire d'en choisir une plutôt qu'une autre?

22. Le responsable du magasin de pièces de rechange d'un transporteur aérien utilise une prévision corrigée sur une base saisonnière pour prédire la demande pour une pièce importante. Les prévisions ainsi que les valeurs réelles pour chacune des périodes considérées sont :

Période	Réel	Prévu	Période	Réel	Prévu
1	129	124	8	126	124
2	194	200	9	95	100
3	156	150	10	149	150
4	91	94	11	98	94
5	85	80	12	85	80
6	132	140	13	137	140
7	126	128	14	134	128

a) Calculez l'ÉMA pour la cinquième période. Ensuite, mettez-le à jour pour les périodes suivantes en utilisant le lissage exponentiel avec α (*alpha*) = 0,3.

b) Calculez le signal de dérive (ou indice de déviation) pour les périodes 5 à 14 en utilisant les ÉMA correspondants. Si des limites de ± 3 sont utilisées, que pouvez-vous en conclure?

23. Au cours des 10 derniers mois et pour chaque mois, on a préparé 2 méthodes de prévision indépendantes basées sur le jugement et l'expérience. Les prévisions et les ventes sont les suivantes :

Mois	Ventes	Prévision 1	Prévision 2
1	770	771	769
2	789	785	787
3	794	790	792
4	780	784	798
5	768	770	774
6	772	768	770
7	760	761	759
8	775	771	775
9	786	784	788
10	790	788	788

a) Calculez l'EQM et l'ÉMA pour chaque prévision. Quelle prévision semble plus juste? Expliquez.

b) Pour le 10e mois, calculez le signal de dérive avec des limites de ± 4 pour chaque méthode de prévision. Qu'indique-t-il?

c) Établissez des cartes de contrôle à 2 * s pour chaque période.

24. Le service de la publicité d'une revue mensuelle a utilisé une combinaison des méthodes quantitative et qualitative pour prévoir les ventes d'espaces publicitaires. Les résultats, sur une période de 20 mois, sont les suivants:

Mois	Erreur	Mois	Erreur
1	–8	11	1
2	–2	12	6
3	4	13	8
4	7	14	4
5	9	15	1
6	5	16	–2
7	0	17	–4
8	–3	18	–8
9	–9	19	–5
10	–4	20	–1

a) Calculez le signal de dérive (indice de déviation) pour les mois 11 à 20. Calculez la valeur initiale de l'ÉMA pour le mois 11 et mettez-le à jour pour chacun des mois suivants en utilisant le lissage exponentiel avec $\alpha = 0,1$. Que pouvez-vous conclure? Supposez des limites de ± 4.

b) En utilisant la première moitié des données, construisez une carte de contrôle avec des limites de 2 * s. Que pouvez-vous en conclure?

c) Tracez le graphique des 10 dernières erreurs sur la carte de contrôle. Les écarts sont-ils aléatoires? Quelles en sont les conséquences?

25. Une maison d'édition de manuels scolaires a compilé des données sur les ventes annuelles totales de ses manuels de gestion pour les neuf dernières années:

Année	1	2	3	4	5	6	7	8	9
Ventes (000)	40,2	44,5	48,0	52,3	55,8	57,1	62,4	69,0	73,7

a) En utilisant le modèle approprié, prédisez les ventes de manuels scolaires pour les neuf prochaines années.

b) Préparez une carte de contrôle pour la prévision en utilisant les données originales et des limites de 2 * s.

c) Supposons que les ventes réelles des cinq années suivantes seront:

Année	10	11	12	13	14
Ventes (000)	77,2	82,1	87,8	90,6	98,9

Que peut-on penser de la performance de la prévision?

26. Le tableau suivant présente les données sur les ventes de CD-ROM des 12 dernières semaines. Le gestionnaire a décidé d'utiliser le lissage exponentiel pour prévoir les ventes. Il essaie deux plans de prévisions : le premier avec un coefficient de lissage $\alpha = 0,10$; le second avec $\alpha = 0,40$.

Semaine	1	2	3	4	5	6	7	8	9	10	11	12
Ventes	40	44	46	43	45	44	40	43	44	42	46	45

a) En utilisant les données des semaines 1 à 7, déterminez lequel des 2 coefficients testés est le plus adapté à notre produit.

b) Pour chacune des méthodes de prévision, construisez une carte de contrôle basée sur les six écarts des semaines considérées et déterminez le meilleur coefficient.

c) En utilisant le meilleur coefficient, établissez des prévisions jusqu'à la semaine 12. Les erreurs de prévisions sont-elles sous contrôle ?

d) Quelle est la prévision pour la semaine 13 ? Si les ventes réelles sont de 48, la prévision est-elle sous contrôle ?

27. Une directrice utilise l'équation $y_t = 5t + 10$ pour faire ses prévisions. La consommation réelle des huit dernières périodes a été la suivante :

Période t	1	2	3	4	5	6	7	8
Réel	15	21	23	30	32	38	42	47

Que pensez-vous de la performance de cette méthode de prévision ? Justifiez quantitativement et qualitativement votre position.

28. Un gestionnaire utilise une équation de tendance en plus du facteur d'ajustement saisonnier pour établir ses prévisions. Les FAS ont été établis à $Q_1 = 0,90$, $Q_2 = 0,95$, $Q_3 = 1,05$ et $Q_4 = 1,10$. L'équation de la tendance est $y_t = 5t + 10$. Au cours des huit derniers trimestres, la demande réelle a été la suivante :

Période t	1	2	3	4	5	6	7	8
Réel	14	20	24	31	31	37	43	48

Que pensez-vous de la performance de cette méthode de prévision ? Justifiez quantitativement et qualitativement votre position.

Bibliographie

ACGPS. *Dictionnaire de la gestion de la production et des stocks,* Québec/Amérique, 1993, 272 p.

BAILLARGEON, G. *Statistique appliquée et outils d'amélioration de la qualité,* Trois-Rivières, Éditions SMG, 1999, 568 p.

BENEDETTI, C. *Introduction à la gestion des opérations,* Montréal, Éditions Études vivantes, 1991, p. 106-162.

BOWERMAN, Bruce L. et Richard T. O'CONNELL. *Forecasting and Time Series : An Applied Approach,* 3e édition, Belmont, CA, Duxbury Press, 1993.

CHASE, Aquilano. *Production and Operations Management,* Irwin/McGraw-Hill, 1998, chap. 13.

DELURGIO, Stephen A. *Forecasting Principles and Applications,* 1re édition, Irwin/McGraw-Hill, 1998, 802 p.

HANKE, John E. et Arthur G. REITSCH. *Business Forecasting,* 4e édition, Boston, Allun & Bacon, 1992.

LEVENBACH, Hans et James P. CLARY. *The Modern Forecaster : The Forecasting Process through Data Analysis,* Belmont, CA, Lifetime Learning Publications, 1984.

MAKRIDAKIS, Spyros et Steven WHEELRIGHT. *Forecasting Methods for Management,* 5e édition, New York, John Wiley and Sons, 1989.

STEVENSON, William J. *Business Statistics : Concepts and Applications,* 2e et 3e éditions, New York, Harper & Row, 1985.

Partie III

LA CONCEPTION DES SYSTÈMES DE PRODUCTION

La partie trois décrit les éléments et les fonctions de la gestion des opérations à considérer au moment de la conception du système produit-processus, à savoir :

CHAPITRE 4 La conception de produits et services

CHAPITRE 5 La sélection et la planification des processus

CHAPITRE 6 La fonction aménagement

CHAPITRE 7 La fonction étude du travail scientifique : organisation du travail (méthode et mesure)

CHAPITRE 8 La fonction localisation

La satisfaction du client dépend de la conception des biens produits : ils doivent répondre à ses besoins, lui offrir la qualité promise (qualité), être disponibles en quantité suffisante (quantité), dans les délais prévus (temps), livrés au bon endroit (lieu) et à un coût raisonnable (coût[1]). Les décisions concernant la conception ont des conséquences directes sur la survie de l'entreprise.

Le choix des méthodes de production et d'opération (le processus) et la planification dudit procédé influent sur la capacité de la fonction production à satisfaire les clients. La flexibilité, les délais de production et les coûts sont des facteurs clés dont il faut tenir compte lors de la conception du processus.

En outre, le choix de la méthode de production et les fonctions d'aménagement, de manutention des produits et de circulation dans les lieux de travail (AMC) sont étroitement reliés.

De plus, les décisions relatives à la capacité de production influent sur les coûts d'opération et sur la capacité de répondre à la demande des clients. Le choix de la localisation a une influence sur les coûts de transport, la disponibilité de la main-d'œuvre, les coûts des matériaux et l'accès aux marchés.

Enfin, l'étude du travail, fonction qui consiste à concevoir et à améliorer les postes de travail de manière à les rendre efficaces, est axée sur la composante humaine des systèmes de production. En effet, les gestionnaires savent que les travailleurs constituent un élément précieux et comptent sur leur participation pour améliorer les systèmes de production et contribuer au succès de l'entreprise.

Bien qu'ils ne soient pas les concepteurs du système opérationnel en tant que tels, les gestionnaires des opérations sont directement mis à contribution dans les décisions concernant la conception des processus d'opération puisqu'ils auront à gérer et à assumer les activités récurrentes qui entrent dans la création des biens et services offerts par l'entreprise.

---

1. Voir les cinq objectifs des opérations au chapitre 1.

OBJECTIFS D'APPRENTISSAGE

Après avoir terminé l'étude de ce chapitre, vous devriez pouvoir :

1. Connaître l'importance de la conception des produits et des services.

2. Décrire le processus de conception des biens et services.

3. Distinguer les notions de normalisation et de standardisation de même que leurs avantages et inconvénients.

4. Analyser la notion de conception d'unités modulaires.

5. Décrire les contributions de la recherche et du développement dans la conception des produits et services.

6. Définir la fiabilité d'un produit, d'un système, etc. et suggérer des améliorations.

Chapitre 4
LA CONCEPTION DE PRODUITS ET SERVICES

Plan du chapitre

2. Voir p. 127 et la bibliographie à la fin du chapitre.

4.1 INTRODUCTION

La conception des produits et services joue un rôle stratégique en ce sens qu'elle aide l'entreprise à atteindre ses cinq objectifs. Or, généralement, le client a tendance à évaluer un bon fournisseur par sa capacité à offrir des produits au prix le plus bas (objectif «coût»), puis par la qualité offerte. Viendront ensuite l'appréciation de la quantité, des délais et des lieux de livraison.

Globalement, on atteint l'objectif «qualité» de deux façons :

1) au moment de la conception des produits et des services ;

2) au moment de la conception du système d'opération, lequel nous permet de créer les biens et les services (chapitre 5). La manufacturabilité est un facteur clé de la production des biens.

Par **manufacturabilité,** on entend la facilité avec laquelle la production est en mesure de se conformer aux caractéristiques de la conception.

manufacturabilité
Facilité de fabrication ou d'assemblage.

La conception du produit et sa manufacturabilité ont une influence sur le coût du produit, première caractéristique recherchée par le client, et dépendront du choix de la matière première à utiliser, de la main-d'œuvre et des ressources matérielles nécessaires, à savoir l'infrastructure opérationnelle.

Dans une certaine mesure, la mise au point des produits fait intervenir presque toutes les fonctions de l'entreprise. Mais trois fonctions y participent davantage : le marketing, la conception et les opérations. Deux d'entre elles sont particulièrement mises à contribution : le marketing (par ses études de marchés) et la production (par l'intermédiaire de sa sous-fonction recherche et développement). Celle-ci crée des produits et des procédés capables de répondre à la demande définie par les études de marché. Selon la taille et le secteur d'activité de l'entreprise, la fonction recherche et développement peut faire partie de la fonction production ou être une fonction à part entière de l'entreprise.

Dans le présent chapitre, nous étudierons les principaux aspects de la conception des produits et des services, les objectifs et les processus de la conception, les méthodes Taguchi de conception des produits ainsi que la recherche et le développement. Soulignons que les principes et les notions développés ici s'appliquent aussi bien aux organismes commerciaux et industriels qu'aux institutions publiques.

4.2 LES OBJECTIFS DE LA CONCEPTION DES BIENS ET DES SERVICES

Plusieurs raisons amènent les entreprises à participer à la conception des biens et services. La plus évidente est la compétitivité qu'apportent de nouveaux produits ou services, mais aussi le fait de pouvoir se développer et accroître leurs profits. De plus, les meilleures entreprises tentent de mettre au point de nouveaux produits ou services plutôt que de se rationaliser ou de produire dans l'ombre des grandes entreprises. Quand les gains de productivité donnent lieu à une diminution du nombre de travailleurs, la mise au point de nouveaux produits ou services crée de nouveaux emplois, évite les congédiements, assure la survie de l'entreprise et augmente le niveau de vie de l'ensemble de la société.

La conception des produits et services est parfois un processus de remaniement. Celui-ci dépend de plusieurs facteurs : plaintes de clients au sujet de la qualité, accidents ou blessures en cours de fabrication, réclamations excessives pour des produits sous garantie, incapacité à suffire à la demande ou désir d'abaisser les coûts d'opération pour faire face à la concurrence qui, depuis la **globalisation des marchés,** déborde les frontières. Les entreprises sont condamnées à se dépasser en offrant des produits toujours meilleurs… pour le plus grand bonheur des consommateurs.

La recherche d'une diminution des coûts de la main-d'œuvre ou des matériaux peut également constituer un facteur motivant.

BULLETIN DE NOUVELLES
ON VEND PLUS DE VOITURES AVEC UNE TEINTE DE VERT : LES MATÉRIAUX RECYCLÉS

www.ford.com
www.gm.com
www.chryslercorp.com

Les trois principaux fabricants d'automobiles de Détroit, qui font de leur mieux pour construire des voitures fiables, ont un nouvel objectif : construire des voitures faciles à démonter pour pouvoir mieux les recycler.

Actuellement, au moment de la conception de nouveaux véhicules, les fabricants accordent au recyclage des pièces la même importance que la sécurité, les économies de carburant et les coûts.

Par exemple, l'Aurora 1995 d'Oldsmobile utilise de la ferraille dans la fabrication de son radiateur et les poutres de pare-chocs contiennent du cuivre et de l'aluminium recyclés. Chrysler utilise des pneus recyclés pour les anti-éclaboussures sur ses berlines de taille moyenne.

On recycle depuis plusieurs années les pièces d'automobiles. Cependant, l'industrie automobile n'a que récemment commencé à construire des voitures en utilisant des matériaux recyclés. Environ 75 % des nouvelles voitures contiennent des matériaux recyclés, surtout du fer et de l'acier pour la carrosserie.

Les démonteurs d'automobiles achètent habituellement les véhicules et en retirent toutes les pièces encore fonctionnelles, comme les sièges, le moteur et les phares. Les véhicules sont ensuite transportés chez un déchiqueteur. Ils sont réduits en petits fragments avant qu'un énorme aimant sépare les pièces de métal.

Les fabricants d'automobiles ont comme défi de trouver des manières de séparer les quelque 20 000 sortes de plastique qui entrent dans la composition des voitures. Environ 24 % du matériel déchiqueté, appelé « résidus pelucheux de déchiquetage d'auto-mobiles », contient du plastique, des liquides, du caoutchouc, du verre et d'autres matériaux. Il n'est cependant pas possible de recycler la plupart des résidus pelucheux.

Ford, GM et Chrysler ont formé un partenariat en vue d'améliorer la technologie de la récupération des plastiques et autres matériaux présents dans les résidus pelucheux. Les fournisseurs de matériaux et les responsables de l'industrie du recyclage font également partie de ce partenariat.

Les fabricants sont soudainement devenus des amis de la Terre. « Tous les programmes de recyclage entrepris par Ford ont été efficients », explique Susan Day, la coordonnatrice du recyclage des véhicules.

Source : Rochester Democrat and Chronicle, 20 février 1994, p. 11.

4.2.1 Les tendances dans la conception des produits et des services

Au cours des dernières années, les concepteurs de produits et de services ont accordé plus d'importance à certains aspects de la conception des produits ou à celle des produits et services. Mentionnons :

1. La satisfaction de la clientèle et la compétitivité. Les programmes de gestion de la qualité totale, qui mettent principalement l'accent sur la satisfaction de la clientèle, y ont contribué.

2. La réduction du temps nécessaire pour introduire et lancer un nouveau produit ou service sur le marché.

3. La diminution du temps nécessaire pour fabriquer un produit ou fournir un service. Cette diminution se traduit habituellement par une réduction des coûts et par une amélioration de la qualité du service. Par exemple, les services de livraison à domicile de mets de restauration rapide (pizza ou autres) s'améliorent de jour en jour.

4. La capacité de l'entreprise à produire ou à livrer un article.

5. Les questions environnementales, notamment la réduction des déchets, le recyclage des pièces et l'élimination des produits usés.

6. La conception de produits et de services conviviaux.

7. Une diminution de la quantité de matériaux utilisés pour fabriquer les produits (par exemple des détergents liquides plus concentrés) et pour l'emballage.

Dans un environnement compétitif, l'entreprise qui parvient à mettre en marché des produits ou des services nouveaux ou améliorés avant ses compétiteurs a un avantage concurrentiel certain qui se traduit par une part accrue du marché et une hausse des profits. Elle se crée en outre une image de chef de file. Dans les entreprises sans but lucratif, une mise en marché plus rapide permet d'accroître le niveau de service à la clientèle. Par exemple, l'obtention d'une approbation rapide du ministère de la Santé pour de nouveaux médicaments contre le cancer ou le sida, tout comme l'approbation et la mise en marché rapides de produits sans gras, donne lieu à d'importants avantages pour la société.

La qualité occupe habituellement une place importante dans les priorités des concepteurs de biens et services. Si elle a longtemps suffi pour distinguer un produit ou un service des autres, elle constitue aujourd'hui la norme. Il faut se surpasser pour concurrencer les autres produits ou services.

Finalement, lors de la conception des biens et services, il est primordial que les concepteurs tiennent compte des capacités opérationnelles de l'entreprise à produire ou à livrer un produit ou un service donné, c'est-à-dire de toute son infrastructure, de ses politiques internes, de sa structure organisationnelle et de sa façon de faire les choses. C'est ce qu'on appelle parfois la **conception en vue des opérations** (**CVO**).

conception en vue des opérations (CVO)
Le fait de tenir compte, lors de la conception des produits, des capacités opérationnelles de l'entreprise à produire et à livrer les biens et services offerts.

4.3 LE PROCESSUS DE CONCEPTION

Le processus de conception débute par la motivation de la conception. Pour une nouvelle entreprise ou un nouveau produit, la motivation peut être évidente : atteindre les objectifs de l'entreprise en offrant et en distribuant un nouveau produit. Pour une entreprise existante, en plus de cette motivation générale, il faut considérer des facteurs plus précis, comme les règlements gouvernementaux, les pressions de la concurrence, les besoins des clients et l'apparition de nouvelles techniques qui ont un impact sur les produits et sur les procédés de production.

Finalement, c'est toujours le consommateur qui est la force motrice de la conception des produits et services. Lorsqu'une entreprise ne satisfait pas ses clients, elle doit faire face à des plaintes, à des retours de marchandises, à des réclamations pour des produits sous garantie, etc. Elle finit ainsi par perdre une part du marché.

Par ailleurs, pour que le processus de conception s'enclenche, une entreprise doit avoir des idées nouvelles ou améliorées quant à la conception. La source la plus importante est le client. D'autres sources sont disponibles : les études de marché, les tendances sociologiques, les séances de remue-méninges, etc.

Certaines entreprises ont des services de recherche et de développement (nous les décrivons plus loin dans ce chapitre) qui développent des idées de produits et services nouveaux ou améliorés.

Les compétiteurs sont également une source importante d'idées. En étudiant les produits ou services d'un compétiteur et la manière dont il les exploite, une entreprise peut en apprendre beaucoup sur la manière d'améliorer le produit. On créera donc une « veille technologique » pour rester à l'affût des nouvelles tendances et des nouveaux développements susceptibles de révolutionner le secteur dans lequel on évolue. Certaines entreprises achètent le nouveau produit d'un compétiteur dès qu'il apparaît sur le marché. En utilisant une procédure appelée **rétroconception**[3], ils démontent le produit et analysent chaque détail. Ainsi, ils découvrent des améliorations et les intègrent à leur propre produit. L'industrie nipponne est passée maître dans cette approche. La Ford Motor Company l'a également utilisée au moment de la conception du modèle Taurus. Parfois, la rétroconception peut mener à des produits supérieurs à l'original. Autrement dit, les concepteurs conçoivent un produit amélioré, qui leur permet de faire un bond technologique par rapport à la compétition, et ce, en introduisant rapidement une version améliorée du produit d'un compétiteur. Ce bond permet à l'entreprise de récolter les honneurs normalement destinés à l'entreprise qui a d'abord

rétroconception
Démontage et inspection du produit d'un compétiteur pour en découvrir des améliorations.

www.ford.com

---

3. En anglais : *reverse engineering.*

introduit le nouveau produit. Elle crée aussi ce produit à une fraction du coût nécessaire pour le développer en entier. Il est évident que dans ce type de situations, d'autres problèmes apparaissent.

La conception ne peut utiliser la rétroconception sans tenir compte des capacités internes (les 5 M[4]) de l'entreprise à soutenir la création et le développement de ces nouveaux produits ou de ces nouvelles façons de faire les choses. Ce faisant, on pourra concevoir des biens et services en accord avec les compétences de l'entreprise. Sinon, la direction doit considérer le potentiel d'expansion ou de « reconception » de son infrastructure pour tirer profit de ces occasions.

De plus, les prévisions[5] quant à la demande seront très utiles, car elles fournissent de l'information sur le moment et le volume de la demande actuelle et future ainsi que sur la demande pour de nouveaux produits et services.

La conception des produits et services doit tenir compte des coûts de production, du marché ciblé et des fonctions que le produit doit remplir. Pour les biens fabriqués, la manufacturabilité est une considération clé : la facilité de fabrication et d'assemblage est importante sur le plan des coûts, de la productivité et de la qualité. Dans le cas des services, la facilité à les fournir, leurs coûts, la productivité, la qualité, la rapidité et la disponibilité sont également des facteurs dont il faut tenir compte.

La figure 4.1 présente, d'un point de vue humoristique, les différentes façons d'interpréter une « conception » par les personnes concernées. En fait, il faut disposer de suffisamment d'informations pour déterminer les besoins des clients ; les personnes responsables de la conception, de la production et du marketing des produits ou services doivent bien s'entendre et communiquer. En général, elles collaborent continuellement en se tenant informées et en tenant compte des besoins et des exigences des clients. De plus, des considérations d'ordre légal ou réglementaire et les facteurs inhérents au cycle de vie peuvent influer sur la fonction de la conception.

4.4 LES CONSIDÉRATIONS POLITIQUES ET LÉGALES

Les entreprises doivent obéir aux nombreux organismes gouvernementaux qui réglementent leurs activités. Ces organismes s'assurent de la conformité des produits offerts aux consommateurs : ministère de la Santé et des Services sociaux, ministère du Transport, ministère de l'Agriculture, Office de la protection des consommateurs, ordres professionnels, règlements municipaux, etc. À titre d'exemple, à cause de l'interdiction de produire des cyclamates, des teintures alimentaires rouges, des phosphates et de l'amiante, les entreprises ont dû concevoir des produits de rechange acceptables pour la société. Il en est de même dans le domaine automobile. Les normes anti-pollution et de sécurité (ceintures de sécurité, coussins gonflables ou *airbags,* parebrise, lunettes arrière, vitres sécuritaires et sièges de bébés) ont un impact considérable sur la conception des véhicules. Autre exemple : on a accordé beaucoup d'attention à la conception des jouets pour en éliminer les bords pointus, enlever les petites pièces avec lesquelles l'enfant peut s'étouffer et les matières toxiques. Dans le domaine de la construction, les règlements gouvernementaux exigent l'emploi de peinture sans plomb et l'accès aux édifices publics pour les personnes handicapées. De plus, les gouvernements ont établi des normes pour l'isolation, les fils électriques et la plomberie.

La **responsabilité du produit** peut être un fort incitatif pour l'améliorer. La responsabilité du produit signifie qu'un fabricant est responsable de toute blessure ou de tout dommage causé par un produit défectueux, en cas de mauvaise fabrication ou conception. Plusieurs entreprises ont fait face à des poursuites légales à cause de leurs produits, notamment Firestone Tire & Rubber, Ford, General Motors ainsi que des fabricants de jouets. Les fabricants doivent également respecter les garanties implicites créées par les lois gouvernementales en vertu du **Code commercial uniforme**, qui sti-

responsabilité du produit
Un fabricant est responsable des blessures ou des dommages causés par un produit défectueux.

Code commercial uniforme
Les produits doivent respecter les normes de qualité marchande et de conformité.

---

4. 5 M : matières, main-d'œuvre, machines, méthodes, milieu.
5. Voir le chapitre 3.

Produit proposé par le service du marketing

Produit modifié après étude de marché

Produit conçu par le designer industriel

Produit fabriqué par le service de la fabrication

Utilisation du produit par le client

Produit souhaité par le client

Source : Educational Center Newsletter, Minneapolis, Minnesota.

Figure 4.1

Face à une conception, différences de points de vue dues au manque d'information

pule que les produits doivent respecter des normes de qualité marchande et de conformité ; autrement dit, un produit doit être utilisable à des fins commerciales.

Les poursuites intentées et les poursuites potentielles ont mené à une hausse vertigineuse des frais légaux et d'assurance, à des indemnisations des victimes et à des plans de rappels de produits défectueux qui ont été extrêmement coûteux en termes d'argent, de renommée et de pertes d'emplois. De plus, la conscience accrue des consommateurs quant la sécurité des produits peut nuire à l'image d'un produit et à sa demande future.

Par conséquent, il est extrêmement important de concevoir des produits fiables et sécuritaires. En cas de danger, il est nécessaire d'en avertir le consommateur et d'installer des dispositifs de sécurité pour réduire les risques d'accidents. Les groupes de consommateurs, les entreprises et plusieurs organisations gouvernementales travaillent souvent ensemble pour établir des normes industrielles qui aident à éviter certains risques.

4.5 LA FONCTION RECHERCHE ET DÉVELOPPEMENT (CONSIDÉRATIONS TECHNIQUES)

Historiquement, sur le plan organisationnel, la fonction **recherche et développement** faisait partie de la fonction production ou opération, ce qui est d'ailleurs encore le cas dans certaines entreprises. Dans d'autres, elle est devenue une fonction à part entière, dotée d'un vice-président attitré. Mais dans les deux cas, le rôle et les responsabilités des titulaires de cette fonction demeurent les mêmes, comme nous le verrons ci-dessous.

La recherche et le développement (R-D) désignent un effort organisé et dirigé vers l'accroissement des connaissances scientifiques et l'innovation au niveau des produits et des procédés de production. Les progrès réalisés dans les domaines de l'automobile

recherche et développement

Efforts organisés en vue d'accroître les connaissances scientifiques ou l'innovation dans les produits.

www.kodak.com

(semi-conducteurs), la médecine, les communications et la technologie aérospatiale sont attribuables aux efforts investis en recherche et développement dans les collèges et les universités, dans les établissements de recherche, dans les organismes gouvernementaux et au sein des entreprises privées.

La fonction R-D comporte la *recherche fondamentale*, la *recherche appliquée* et le *développement*.

La *recherche fondamentale* a pour objectif de faire évoluer les connaissances sur un sujet, sans prévoir la mise au point d'applications commerciales à court terme.

La *recherche appliquée* a pour objectif la mise au point d'applications commerciales.

Le *développement* convertit les résultats de la recherche appliquée en applications industrielles utiles.

Puisqu'elle ne mène pas à des applications commerciales à court terme, la recherche fondamentale est généralement financée par le gouvernement et les grandes entreprises. Par contre, en raison de leurs potentiels de création d'applications commerciales, la recherche appliquée et le développement attirent une vaste gamme d'organisations commerciales.

Les avantages d'une R-D efficace peuvent être énormes. Certaines recherches mènent à l'obtention de **brevets** protégeant le produit de toute copie, avec une possibilité de licences et de redevances. Tout brevet a une durée de vie propre selon le pays et le secteur d'activités. Après cette période, le produit couvert devient propriété publique et toute entreprise peut l'utiliser. Cependant, plusieurs découvertes ne sont pas brevetées, car certaines entreprises ne souhaitent pas divulguer de détails sur les idées qui sous-tendent le cheminement du brevet. Elles évitent ainsi elles-mêmes le plagiat. C'est le cas de Coca-Cola. Mais même sans brevet, l'entreprise capable de mettre en marché un nouveau produit ou service en profitera, car le prix de la première version d'un produit peut être plus élevé en raison du monopole temporaire qui prévaut jusqu'à ce que les compétiteurs produisent leurs propres versions.

Les coûts de la recherche et du développement peuvent être exorbitants. Kodak, par exemple, consacre plus d'un million de dollars par jour à la recherche et au développement. Dans les industries de l'automobile, des ordinateurs, des communications et des produits pharmaceutiques, les grandes sociétés en dépensent encore plus. Les dépenses en R-D sont différentes d'un pays à l'autre et d'une entreprise à l'autre, bien qu'elles soient directement liées à l'avenir même des nations industrielles. Pour cette raison, les gouvernements font des efforts pas toujours heureux pour inciter les entreprises à investir dans la fonction recherche et développement.

Il est intéressant de noter que certaines entreprises accordent maintenant plus d'importance à une approche plus équilibrée en R-D, approche qui met l'accent sur les produits et les processus plutôt que de se concentrer uniquement sur les produits. En effet, dans un trop grand nombre de cas, les innovations américaines (concernant par exemple les téléviseurs, les magnétoscopes et les fours à micro-ondes) ont été utilisées par des entreprises étrangères de façon plus compétitive, principalement à cause de meilleurs procédés ou processus de fabrication.

Dans certains cas, la recherche peut ne pas être la meilleure approche, comme l'explique l'article suivant.

LECTURE
LE JOURNAL D'UN GESTIONNAIRE : QUAND LA RECHERCHE DE CLIENTÈLE N'EST PAS CONVENABLE

Par Willard I. Zangwill

www.sony.com

La recherche de clientèle est souvent considérée comme une étape préalable à l'introduction d'un nouveau produit sur le marché. Le problème – surtout pour les produits innovateurs –, c'est qu'elle se révèle souvent inexacte. Prenons l'exemple de la mousse pour cheveux, qui est maintenant très populaire. Dans les tests de marchés effectués aux États-Unis, les gens la considéraient comme gluante et désagréable et ils n'aimaient pas la sensation qu'elle procurait lorsqu'ils l'appliquaient.

Même chose pour le répondeur téléphonique, qui a fait l'objet d'une réaction presque universellement négative chez les consommateurs. À l'époque, la plupart des gens estimaient que le recours à un dispositif mécanique pour répondre au téléphone était impoli et irrespectueux. Aujourd'hui, de nombreuses personnes considèrent que le répondeur téléphonique est essentiel et n'envisagent pas de prévoir leurs activités quotidiennes sans celui-ci. Dans la même veine, lors de tests initiaux, la souris d'ordinateur a été évaluée par les clients potentiels comme étrange et futile.

En raison de ces difficultés, certaines entreprises sont allées jusqu'à éliminer la recherche de clientèle pour les produits innovateurs. Selon Kozo Ohsone, cadre chez Sony, « lorsqu'on introduit des produits qui n'ont jamais été inventés auparavant, à quoi sert la recherche en marketing ? » Le baladeur a été mis en marché sans qu'on ait effectué de recherches auprès des clients, ce qui est typique chez Sony.

Avec une recherche de clientèle non seulement coûteuse, mais aussi erronée, comment un directeur peut-il connaître les innovations souhaitées par le client ? La solution peut se trouver dans la conception en vue d'un objectif, nouvelle approche en vertu de laquelle une entreprise utilise la vitesse et la souplesse pour acquérir de l'information sur la clientèle plutôt

qu'une recherche standard de clientèle. On peut aussi cumuler les deux approches.

Illustrons cette situation. Sony obtient de l'information sur les ventes de divers modèles de baladeurs et ajuste rapidement sa combinaison de produits conformément à ces structures de consommation. Plus précisément, la conception de chaque modèle de baladeur est basée sur une plate-forme centrale contenant la technologie essentielle. Mais cette plate-forme est conçue pour être souple, ce qui permet de fabriquer facilement une vaste gamme de modèles, comme le modèle pour la plage, le modèle pour enfants, le modèle qui se fixe au bras, etc.

En se basant sur les modèles qui se vendent, on modifie les caractéristiques ou les modèles, mais la plate-forme demeure la même. Si le rose est une couleur en demande, on fabrique plus de modèles roses. Si les modèles pour la plage se vendent bien, on en fabrique un plus grand nombre et on développe la gamme. Cette technique est beaucoup plus précise que celle qui utilise uniquement la recherche traditionnelle de clientèle pour fabriquer un produit.

Autre exemple : sans faire de recherche de clientèle, Seiko lance chaque saison sur le marché plusieurs centaines de nouveaux modèles de montres. Elle fabrique davantage de montres que les clients n'en achètent et abandonne des modèles en cours de route. En misant sur la stratégie de la conception en vue d'une réaction, Seiko possède des processus de conception et de production très souples qui lui permettent d'introduire rapidement et à peu de frais ses produits. S'inquiète-t-elle du fait qu'un pourcentage élevé de ses montres est rejeté par les clients ? Non (à moins que le taux d'échec soit très élevé), car son processus souple et rapide de conception de produits a réduit radicalement les coûts liés à l'échec.

Un dernier exemple : pour créer une nouvelle revue, Hearst Magazines adopte également cette approche. Hearst a compris qu'il est presque impossible de faire évaluer des idées de revues par la clientèle et qu'il est préférable de lancer la revue et de voir ce qui se produit ensuite. Pour ce faire, la compagnie a créé un groupe spécial d'éditeurs ayant les talents et la souplesse nécessaires pour lancer presque n'importe quelle nouvelle revue. Selon les ventes, ils révisent le contenu et le format ou bien abandonnent la publication. Toute revue qui s'avère un succès continue de fonctionner de manière indépendante.

Cependant, avec cette approche, il est crucial de réduire les coûts des échecs en diminuant le plus possible les dépenses. Hearst y parvient en engageant un éditeur global ayant un contrat à court terme, en engageant des correspondants comme journalistes et en empruntant du personnel de publicité. De plus, avec l'expérience, ils ont découvert des trucs pour lancer de nouvelles revues à peu de frais, comme tester efficacement différentes conceptions de couvertures et tester les ventes auprès de différents marchés (kiosques ou abonnés).

Plusieurs autres entreprises adoptent la stratégie qui consiste à utiliser moins souvent les données sur la recherche de clientèle et à recourir plus régulièrement à une réponse rapide et souple. L'industrie alimentaire vient en tête de file. Un des problèmes de la recherche de clientèle dans ce secteur, c'est que l'envie d'un aliment est fortement influencée par l'ambiance, les compagnons de table et les aliments consommés récemment, des facteurs qui se confondent et viennent obscurcir les résultats. Encore plus irréguliers sont les résultats concernant les aliments pour enfants, par exemple une nouvelle céréale ou un casse-croûte. Les réponses des enfants sont fortement influencées par la personne qui leur fait passer les tests et les jouets qui se trouvent sur les lieux. Pis encore, les enfants changent rapidement d'idée et, pendant un test de dégustation de différents aliments, un enfant peut juger qu'un aliment est meilleur que l'autre et, une heure plus tard, dire que ce même aliment n'est « pas bon ».

Arthur D. Little & Co. a découvert que, parmi toutes les nouvelles céréales introduites sur le marché, 92 % se soldaient par des échecs. Puisque le recours à la gamme complète des techniques de recherche de clientèle produit un taux de succès de seulement 8 %, de plus en plus d'entreprises

révisent leur façon de faire. Les entreprises innovatrices comme Keebler et les principaux fabricants de céréales réduisent les sommes investies dans la recherche de clientèle ainsi que les coûts liés au lancement de nouveaux produits, notamment en rendant leurs processus de fabrication plus souples.

La conception en vue d'une réaction permet aux entreprises non seulement de recourir à la recherche de clientèle lorsqu'elle est avantageuse, mais aussi de réagir rapidement à ce que les clients souhaitent véritablement, préparant l'entreprise aux

changements se produisant sur le marché et aux surprises.

Remarque : M. Zangwill est professeur au Graduate School of Business, University of Chicago, et auteur de *Lightning Strategies for Innovation* (Lexington, 1992).

(Reportez-vous à la lettre connexe : « Letters to the Editor : Testing the Waters before the Launch », WSJ, 1er avril 1993.)

Source : The Wall Street Journal, 8 mars 1993, p. A12. Reproduit avec l'autorisation de *The Wall Street Journal*, © 1993 Dow Jones & Co., Inc. Tous droits réservés internationalement.

4.6 LES TYPES DE PRODUITS : STANDARDISATION ET NORMALISATION

Un point important est souvent soulevé au moment de la conception des produits et services et de la conception des processus qui s'y rattachent : le degré de standardisation. Par **standardisation** (à ne pas confondre avec normalisation), on entend la capacité d'offrir et d'utiliser des produits similaires, capables de répondre aux besoins variés du client.

standardisation

Capacité d'offrir des produits similaires selon des normes préétablies et invariables capables de répondre aux besoins du client.

4.6.1 Types de produits

Commençons par décrire la notion de types de produits. Les biens et les services offerts par toute entreprise se classent en deux grandes catégories. Pour simplifier, nous les appellerons :

a) les produits sur commande ;

b) les produits standard.

Les produits sur commande répondent aux besoins d'un client particulier. Ils sont conçus après que ce client a lui-même spécifié ses besoins, ce qui facilite l'étape de la conception du produit, car le consommateur participe à la définition du produit. L'entreprise n'a pas à prévoir le besoin, à fabriquer le produit et à le stocker. Par contre, elle sera à la merci de la demande, qui est souvent très aléatoire, ce qui rend difficile la planification des opérations (voir le chapitre 12). La fabrication d'un habit sur mesure, d'une turbine pour une centrale électrique spécifique, d'un camion de pompier pour une municipalité agricole, le transport par taxi et l'enseignement individuel sont autant d'exemples de biens et de services sur commande.

De l'autre côté, nous avons les produits standard. Ils sont fabriqués en grandes quantités et doivent répondre aux besoins de l'ensemble des clients et à aucun en particulier : calculatrices, ordinateurs et lait 2 % en sont des exemples. Dans le cas des services standard, tous les clients ou les articles traités obtiennent essentiellement le même service. Un lave-auto est un bon exemple : chaque véhicule, qu'il soit très sale ou propre, obtient le même service. La conception des produits standard est plus complexe que celle des produits sur commande, car il faudra définir des biens et des services satisfaisants pour l'ensemble des clients. Par contre, il est plus facile de planifier les opérations, de stocker les produits et de gérer les opérations d'une entreprise qui offre des produits standard. Entre ces deux extrêmes, il revient au gestionnaire de trouver le juste équilibre entre produits standard et sur commande en tenant compte de la demande, des prévisions et de l'environnement interne et externe de son entreprise.

Il est important de bien comprendre la distinction entre standardisation et **normalisation**. Nous réservons la standardisation aux produits et la normalisation aux procédés et ressources utilisés. Pour illustrer cette nuance, considérons l'exemple suivant. Une entreprise décide d'offrir à tous ses clients le même type de produit : des hamburgers carrés. Les hamburgers carrés deviennent le produit standard de cette entreprise. Pour cela, elle décide d'un choix d'ingrédients, de moules spéciaux et de procédés de travail spécifiques auxquels les employés devront se conformer. Elle vient de normaliser ses matières et ses procédés afin de s'assurer de la standardisation du produit fini offert.

> Par **normalisation**, on entend l'action de rendre une matière ou un procédé conforme aux normes établies avant de le mettre en production.

4.6.2 Avantages et inconvénients de la standardisation

La standardisation comporte bon nombre d'avantages et certains inconvénients. Les produits standard sont généralement dotés de pièces interchangeables, ce qui réduit considérablement les coûts de production tout en accroissant la productivité et en rendant le remplacement et la réparation relativement simples en comparaison des pièces faites sur mesure. En outre, les coûts de la conception sont généralement plus bas. Par exemple, General Motors a récemment tenté de standardiser des composantes clés de ses automobiles : les freins, les systèmes électriques et autres pièces intégrées sont les mêmes pour tous les modèles de voitures. En réduisant la variété, GM épargne du temps et de l'argent et accroît la qualité et la fiabilité de ses produits. Volkswagen est passée maître dans ce domaine. Bon nombre des éléments de ses trois marques (VW, Audi et Porsche) sont identiques : tissus, ceintures, essuie-glace, filtres, etc. La situation difficile vécue par Volkswagen après la Seconde Guerre mondiale, plus précisément la pénurie de matériaux, l'a obligée à improviser, c'est-à-dire à développer et utiliser des moyens économiques. Chrysler a fait la même chose à la fin des années 1970, alors qu'elle a frôlé la faillite. En développant un produit très simple et standard, la famille des modèles K, et en normalisant ses procédés de production et ses méthodes de travail, Chrysler a réussi à se soustraire à une situation difficile sans avoir recours à la marge de crédit que l'administration du président Carter lui avait accordée. Nous avons ici un bel exemple de collaboration entre le politique et l'économique.

www.toshiba.com
www.gm.com

La standardisation a également comme avantage de réduire le temps et les coûts nécessaires pour former les employés ainsi que le temps requis pour concevoir les postes. L'ordonnancement des travaux (chapitre 17), la gestion des stocks (chapitre 13) ainsi que les achats et la comptabilité deviennent alors beaucoup plus simples et économiques.

Le manque de standardisation peut parfois entraîner de sérieuses difficultés et des luttes compétitives. Prenons quelques exemples : lors de la mise en marché des magnétoscopes, il existait deux formats de cassettes, VHS et bêta. Un magnétoscope pouvait lire une cassette ou une autre, mais pas les deux. Autrement dit, les producteurs de films devaient fabriquer deux types de cassettes.

Deuxième exemple : la télévision à haute définition aurait pu être introduite beaucoup plus tôt mais trois systèmes concurrents et incompatibles ont été proposés, ce qui a entraîné des délais et de longues études avant qu'on adopte un système.

Le manque de standardisation dans les logiciels et les systèmes d'exploitation pour ordinateurs (Macintosh et IBM) fait en sorte que les utilisateurs ont des difficultés à passer d'un système à l'autre. Pour cette raison, plusieurs entreprises ont défini une norme quant aux systèmes d'exploitation utilisés dans leurs entreprises pour ne pas être prises entre les deux systèmes : elles ont normalisé leur procédé. Ainsi, le secteur de l'édition demeure en Macintosh, tandis que le domaine de la gestion et de l'ingénierie a opté pour le DOS et Windows. L'utilisation du système de mesures impériales, alors que la plupart des pays industrialisés utilisent le système métrique, a entraîné des problèmes sur le plan de la vente des produits américains dans les pays étrangers et de l'achat de machines étrangères par les États-Unis. Ce refus de se conformer à la norme internationale fait en sorte que les entreprises américaines ont de la difficulté à concurrencer les entreprises européennes. De même, les fabricants d'automobiles britanniques se sont plaints pendant des années de leur incapacité à pénétrer librement les marchés mondiaux à cause de leur système de conduite à droite.

La standardisation comporte aussi des désavantages. Le principal concerne une diminution de la variété. Elle peut limiter le nombre de clients à qui plaisent les produits ou services et ceux-ci peuvent accepter un produit à contrecœur, uniquement parce que rien d'autre ne leur convient.

TABLEAU 4.1

Avantages et inconvénients de la standardisation

Avantages	Inconvénients
1. Il y a moins de pièces à stocker et à fabriquer.	1. La recherche d'un produit répondant aux besoins de l'ensemble des clients exige des investissements énormes.
2. Il y a réduction des coûts et du temps de formation.	2. Les coûts élevés des changements au produit initial font hésiter l'entreprise à l'améliorer.
3. Les achats, la manutention et les procédures d'inspection sont faits de façon plus routinière.	3 La diminution de la variété éloigne le consommateur.
4. On peut répondre à la demande grâce aux stocks.	4. Il est difficile de répondre adéquatement au besoin d'un client spécifique.
5. Les longs cycles de production et l'automatisation sont possibles.	
6. Il y a accroissement des dépenses consacrées à l'amélioration de la conception et des procédures de contrôle de la qualité.	

Dans cette situation, le compétiteur risque d'introduire un meilleur produit ou une plus grande variété de produits (une fonction de la production rationnelle) et d'acquérir ainsi un avantage concurrentiel.

L'autre désavantage, c'est qu'un fabricant peut bloquer une conception prématurément et découvrir plus tard des raisons pour résister aux modifications. Prenons, par exemple, la disposition des touches sur les claviers des machines à écrire et des ordinateurs. Des études ont démontré qu'une disposition différente des touches serait plus efficace, mais que les coûts du remplacement de tout le matériel existant et la formation de millions de dactylographes et d'utilisateurs de traitement de texte n'en vaudraient pas la peine. De même, le système de diffusion de la télévision couleur utilisé en Amérique du Nord a un balayage inférieur (lignes par centimètres) au système européen, ce qui se traduit par une définition plus faible. Cette situation est en partie attribuable à un blocage prématuré de la conception.

De toute évidence, en faisant des choix, les concepteurs doivent tenir compte des questions importantes reliées à la normalisation. Le tableau 4.1 résume les principaux avantages et inconvénients de la standardisation.

4.7 LA CONCEPTION DU PRODUIT

Dans cette section, nous vous donnons un aperçu des diverses approches concernant la conception du produit:

- le cycle de vie du produit;
- la conception de la fabrication;
- la refabrication;
- la conception robuste;
- l'ingénierie simultanée;
- la conception assistée par ordinateur (CAO);
- la conception modulaire.

4.7.1 Cycle de vie du produit

Les produits passent par un **cycle de vie** en ce qui concerne la demande. Quand un article est mis sur le marché, il arrive qu'on le traite comme s'il s'agissait d'une curiosité. La demande est généralement faible, car les acheteurs potentiels ne sont pas encore familiers avec l'article. Plusieurs savent que tous les problèmes n'ont pas encore été éliminés et que les prix chuteront après la période d'introduction. Avec le temps, l'amélioration de la production et de la conception crée habituellement un produit plus fiable et moins coûteux. Pour ces raisons, et aussi grâce à une plus grande notoriété du produit, la demande s'accroît. À l'étape suivante du cycle de vie, le produit atteint sa maturité : il y a peu de changements dans la conception et la demande finit par se stabiliser. Finalement, le marché stagne, ce qui mène à un recul de la demande. La figure 4.2 illustre les phases du cycle de vie.

Pendant la dernière phase, certaines entreprises adoptent une position de recherche défensive : elles tentent de prolonger la durée de vie utile d'un produit ou service en améliorant sa fiabilité, en réduisant ses coûts de production (donc les prix) et en le remaniant ou en modifiant son emballage.

Considérez les différentes phases du cycle de vie des produits de l'industrie de la musique : les bandes sonores numériques sont à la phase de l'introduction, les disques compacts se situent dans la phase de croissance et les cassettes passent de la phase de saturation/maturité à la phase du déclin.

Certains produits n'ont pas de cycle de vie : les crayons en bois, les trombones, les clous, les couteaux, les fourchettes, les cuillères, les verres et les articles similaires. Cependant, la plupart des produits en ont un.

Il existe de grandes variations quant au temps nécessaire à un produit pour passer d'une phase à l'autre de son cycle de vie : certains le font dans une période relativement courte, d'autres prennent beaucoup plus de temps. Souvent, il s'agit d'une question de besoin essentiel pour l'article et du rythme des progrès technologiques. Certains jouets, des articles nouveaux et des articles de style ont une durée de vie de moins d'un an, tandis que d'autres articles plus utiles, comme les machines à laver et les sécheuses, peuvent durer plusieurs années avant de céder aux changements de la technologie.

4.7.2 Conception de la fabrication

L'expression **conception en vue de la fabrication (CVF)** est utilisée pour désigner la conception de produits compatibles avec les capacités manufacturières de l'entreprise. Une notion connexe de fabrication est la **conception en vue de l'assemblage (CVA)**. Une bonne conception doit tenir compte non seulement de la manière dont un produit sera fabriqué, mais aussi de la manière dont il sera assemblé. La conception en vue de l'assemblage se concentre sur la réduction du nombre de pièces dans le processus de montage, ainsi que sur les méthodes d'assemblage utilisées. Il est important de comprendre la différence entre la CVO, (niveau stratégique concernant les services), la CVF et la CVA (plus tactiques et concernant le secteur manufacturier).

cycle de vie d'un produit
Incubation, croissance, maturité, saturation et déclin.

conception en vue de la fabrication (CVF)
Les concepteurs tiennent compte des capacités manufacturières de l'entreprise en concevant un produit.

conception en vue de l'assemblage (CVA)
La conception se concentre sur la réduction du nombre de pièces d'un produit ou des méthodes de montage et de ses étapes.

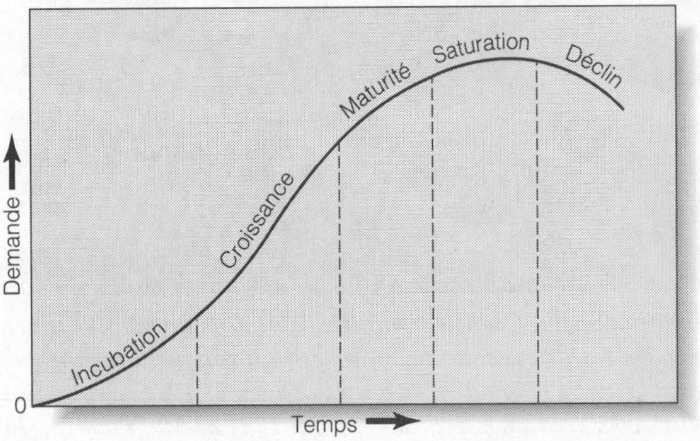

Figure 4.2

Les produits ou services peuvent avoir des cycles de vie dans le temps.

Les règlements environnementaux et le souci pour le recyclage ont causé d'autres préoccupations aux concepteurs, d'où la **conception en vue du recyclage (CVR)**. Nous nous pencherons ici sur la conception qui permet le démontage des produits afin de récupérer les composantes et les matériaux pour les réutiliser.

4.7.3 Refabrication

Une nouvelle méthode de fabrication consiste à remettre à neuf les produits. Par **remise à neuf** ou refabrication, on entend le retrait de certains composants des anciens produits et la réutilisation de ceux-ci dans de nouveaux produits. L'ancien fabricant ou une nouvelle entreprise peut effectuer la remise à neuf. Parmi les produits qui ont des composants remis à neuf, mentionnons les automobiles, les avions, les trains, les imprimantes, les photocopieurs, les appareils photo, les ordinateurs, les téléphones et surtout les machines et les équipements utilisés dans les manufactures. Aujourd'hui, un nouveau marché est en train de se créer dans le domaine de l'automobile. En effet, plusieurs manufacturiers récupèrent leur parc de véhicules ayant servi à la location à long terme, procèdent à une remise à neuf rigoureuse des véhicules et les remettent sur le marché avec une garantie complète et totale.

Il existe deux façons de procéder à la refabrication :

1. La première consiste à faire une vraie remise à neuf du produit initial. Celui-ci est inspecté de fond en comble, et des composants usés ou défectueux sont remplacés par des nouveaux. Le produit initial garde son identité ; seuls les éléments défaillants sont remplacés.

2. La deuxième consiste à retirer les bons composants d'un produit, à les remettre en état et à les réutiliser dans de nouveaux produits.

Il existe plusieurs motifs à la refabrication. La première est que l'on peut vendre le produit remis à neuf pour environ 50 % des coûts d'un nouveau produit. L'autre est que sur le marché international – européen en particulier – les législateurs demandent de plus en plus aux fabricants de récupérer les produits usagés pour qu'un moins grand nombre de produits se retrouvent dans les sites d'enfouissement. Ainsi, on gaspille moins nos ressources naturelles précieuses, comme les matières premières et le pétrole.

La conception des produits en vue de les rendre plus facilement démontables a donné lieu à une autre considération sur le plan de la conception : la facilité de démon-

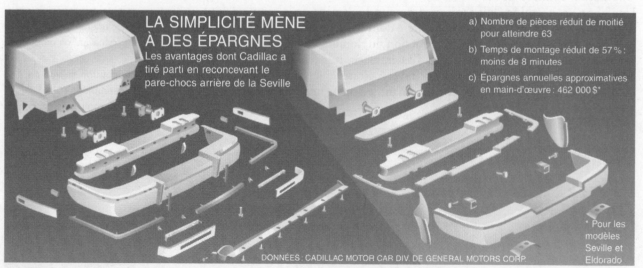

En repensant le pare-chocs arrière de la Seville, Cadillac réduit le nombre de pièces, donc le temps de montage et les coûts de main-d'œuvre. La nouvelle conception améliore aussi la qualité du produit puisqu'il comporte moins de pièces défectueuses et moins d'étapes de montage. Reproduit avec l'autorisation de Business Week © 1991. Dessins tirés de la publication du 25 octobre 1991 de Business Week avec permission spéciale, copyright 1991 de McGraw-Hill, Inc.

tage des produits usagés. La **conception en vue du désassemblage (CVD)** vise l'utilisation d'un moins grand nombre de pièces et de matériaux, ainsi que le recours à des pièces imbriquées plutôt qu'à des vis, des écrous et des boulons.

4.7.4 Conception robuste

Plus un produit (ou service) est dit « de **conception robuste** », moins il est probable qu'il perde de sa fonctionnalité lors de changements dans l'environnement dans lequel il est appelé à évoluer. Ainsi, plus les concepteurs fabriquent des produits ou services robustes, plus ces produits dureront longtemps, d'où un niveau élevé de satisfaction de la clientèle.

À titre d'exemple, considérons le cas d'une paire de bottes en cuir fin. Elles ne sont pas fabriquées pour évoluer dans la boue ou la neige, ni dans des conditions extrêmes. Des bottes solides en caoutchouc pourront évoluer dans ces conditions ; par contre, elles sont lourdes et inconfortables. Un produit robuste pourrait évoluer dans toutes ces conditions tout en étant élégant et confortable.

Ce même principe s'applique aux procédés et aux méthodes de production qui viseront à assurer la « robustesse » du produit. Par exemple, plusieurs produits passent par une étape de cuisson : les produits alimentaires, les céramiques, l'acier, les produits pétroliers et les produits pharmaceutiques. Souvent, les fournaises ne chauffent pas de manière uniforme ; la température peut varier selon la position du produit dans le four et il est très difficile d'assurer une température uniforme sur une longue période durant la production. On peut régler ce problème en mettant au point un four de qualité supérieure ou encore en concevant un système qui déplace les produits durant la cuisson pour obtenir cette uniformité. L'approche par la conception robuste consiste ici à créer des produits qui ne sont pas influencés par des variations mineures de température durant le traitement.

4.7.4.1 L'approche Taguchi[6]

L'approche de l'ingénieur japonais Genichi Taguchi est basée sur la conception robuste. Selon Taguchi, il est souvent plus facile de concevoir un produit insensible à des facteurs environnementaux, soit par sa fabrication ou dans son utilisation, que de contrôler les facteurs environnementaux.

La caractéristique principale de l'approche Taguchi est la **conception paramétrique**. Il faut déterminer les paramètres des spécifications du produit et du processus qui permettront une conception robuste tout en tenant compte des variations dans la fabrication ainsi que de la détérioration du produit et des conditions environnementales durant l'utilisation.

L'approche Taguchi modifie les méthodes statistiques conventionnelles de la conception expérimentale. À titre d'exemple, supposons qu'une entreprise utilise 12 produits chimiques dans un nouveau produit. Il existe deux fournisseurs de ces produits chimiques et les concentrations varient légèrement entre les deux fournisseurs. La conception classique de l'expérience exigerait $2^{12} = 4094$ expériences pour déterminer quelle combinaison de produits chimiques serait optimale. Selon l'approche Taguchi, on ne testera que certaines portions des combinaisons possibles. En se fiant sur des experts pour déterminer les variables qui influeraient le plus sur la performance, on réduirait considérablement le nombre de combinaisons, disons à 32. L'identification de la meilleure combinaison de l'échantillon plus petit pourrait être une combinaison quasi optimale plutôt qu'une combinaison optimale. La valeur de cette approche se situe dans sa capacité à réaliser relativement vite d'importants progrès dans la conception des produits ou des processus avec un nombre restreint d'expériences.

Les critiques soutiennent que les méthodes préconisées par Taguchi sont inefficaces et incorrectes et qu'elles mènent souvent à des solutions non optimales. Néanmoins, les expériences réalisées jusqu'à présent ont grandement accéléré la conception de produits et de processus fiables.

---

6. Voir la bibliographie à la fin du chapitre.

conception en vue du désassemblage (CVD)
La conception vise à ce que les produits usagés soient facilement démontables.

conception robuste
Conception qui donne des produits ou des services pouvant fonctionner dans des conditions multiples et variées.

4.7.5 L'ingénierie simultanée

Pour permettre une transition plus en douceur entre la conception des produits et la production et pour diminuer le temps de mise au point des produits, plusieurs entreprises utilisent une mise au point simultanée ou ingénierie simultanée. Dans son sens le plus étroit, l'ingénierie simultanée consiste à réunir le personnel de la conception et de la fabrication, très tôt dans la phase de conception, pour simultanément mettre au point les produits et les processus de création du produit. Plus récemment, on a inclus le personnel de la fabrication, du marketing et des achats dans des équipes intégrées et interfonctionnelles : c'est l'application pure de l'approche multidisciplinaire évoquée au chapitre 1[7]. De plus, on demande souvent aux fournisseurs et aux clients de donner leurs points de vue. Le but d'une telle démarche, évidemment, est d'obtenir des conceptions de produits qui reflètent les besoins des clients ainsi que les capacités de fabrication.

Auparavant, les concepteurs mettaient au point un nouveau produit sans obtenir l'avis des personnes qui avaient la responsabilité de les réaliser. Ils remettaient ensuite la conception entre les mains du service de la fabrication. Cette approche créait des défis considérables pour le personnel de la production et celui des opérations, ce qui engendrait de nombreux conflits et augmentait nettement le temps nécessaire pour fabriquer avec succès un nouveau produit. Ensuite venait la période longue et coûteuse d'essai-erreur, qui contribuait à créer une atmosphère de rivalité et de frustration. Plusieurs entreprises fonctionnent encore ainsi.

Parmi les avantages de l'ingénierie simultanée, mentionnons les suivants :

1. Le personnel qui s'occupe de la production est mieux placé pour connaître les capacités de production. Il a plus de latitude ou bien il s'implique activement dans le choix des matières et des méthodes de production. Cela permet d'éviter les conflits et d'éliminer le phénomène de l'essai-erreur au moment de la production.

2. En impliquant le plus tôt possible les employés de la production dans le choix et le design des machines et des équipements critiques, dont les délais de livraison sont parfois assez longs, on diminue le temps de développement et de lancement des nouveaux produits sur le marché, ce qui se traduit par un avantage certain sur les concurrents.

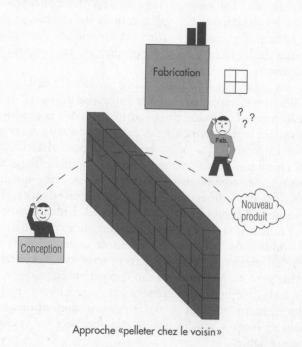

Approche « pelleter chez le voisin »

---

7. Voir « L'école logistique » dans la section « L'évolution historique de la gestion des opérations », au chapitre 1.

3. Cette approche du travail d'équipe, où les principaux acteurs sont impliqués tôt dans les processus décisionnels, met l'accent sur la résolution de problèmes potentiels plutôt que sur la résolution de conflits.

4. L'accent peut être mis sur la résolution des problèmes plutôt que sur la résolution des conflits.

L'ingénierie simultanée entraîne certains défis :

1. Abattre les barrières entre conception et fabrication : il peut être difficile d'abattre les barrières qui existent depuis longtemps entre la conception et la fabrication. Il est sans doute naïf de croire que la simple formation d'une équipe suffira.

2. Implanter une culture de respect mutuel et d'ouverture d'esprit : pour que le processus fonctionne, il doit y avoir une bonne communication et beaucoup de souplesse. Ces deux éléments peuvent être difficiles à obtenir.

4.7.6 Conception assistée par ordinateur (CAO)

Les ordinateurs sont de plus en plus utilisés dans la conception des produits. La **conception assistée par ordinateur (CAO)** a recours à des logiciels pour concevoir le produit. Le concepteur peut modifier une conception existante ou en créer une nouvelle directement à l'écran de l'ordinateur au moyen d'un photostyle, d'un clavier, d'une manette ou d'un dispositif similaire. Une fois la conception entrée dans l'ordinateur, le concepteur peut la manipuler à l'écran : il peut lui faire faire une rotation pour obtenir différentes perspectives, la diviser en deux pour avoir une vue de l'intérieur et en élargir une portion pour faire un examen plus approfondi. Le concepteur peut obtenir une version imprimée de la conception et la classer dans un dossier électronique, la rendant accessible aux personnes de l'entreprise qui ont besoin de cette information (par exemple le marketing).

Un nombre grandissant de produits sont conçus de cette façon, notamment les transformateurs, les pièces d'automobiles, les pièces d'avion, les circuits intégrés et les moteurs électriques.

La CAO a pour principal avantage d'accroître la productivité des concepteurs. Il n'est dorénavant plus nécessaire de préparer manuellement les plans et les dessins de produits et de pièces, de les réviser à plusieurs reprises, de corriger les erreurs et d'y intégrer les modifications. On estime que la CAO permet aux concepteurs d'être de trois à dix fois plus productifs. La CAO permet également de créer une base de données sur la fabrication qui fournit l'information nécessaire sur la géométrie et les dimensions des produits, les tolérances, les spécifications des matériaux, etc. Il est à noter, cependant, que la CAO a besoin de cette base de données pour fonctionner et que cela demande un travail énorme.

Certains systèmes de CAO permettent aux concepteurs d'effectuer des analyses d'ingénierie et des analyses des coûts sur les conceptions proposées. Par exemple, l'ordinateur peut déterminer le poids et le volume d'une pièce et faire les analyses des caractéristiques de l'objet. Lorsqu'il existe plusieurs conceptions possibles, l'ordinateur peut rapidement les parcourir et définir la meilleure selon les critères du concepteur.

4.7.7 Conception modulaire

La conception d'unités modulaires est une autre forme de standardisation. Les modules sont constitués de regroupements de pièces en sous-montages, habituellement au moment où les pièces perdent leur identité. Le téléviseur doté de panneaux de contrôle facilement retirables est un exemple courant de conception d'unités modulaires. Les ordinateurs possèdent également des unités modulaires que l'on peut remplacer si elles sont défectueuses. En organisant les modules selon des configurations différentes, on obtient diverses fonctionnalités d'ordinateur. On trouve aussi des conceptions d'unités modulaires dans l'industrie de la construction. Une entreprise de Rochester, dans l'État de New York, construit dans son usine des chambres d'hôtel préfabriquées complètes, dotées des fils électriques, de la plomberie et même des décorations, et les déménage ensuite par chemin de fer jusqu'au site de construction, où on les intègre à la structure.

La conception d'unités modulaires pour le matériel a comme avantage, par rapport à la conception non modulaire, qu'il est généralement plus facile de diagnostiquer les problèmes et d'y remédier parce qu'il y a moins de pièces à analyser. Elles sont également plus faciles à réparer et à remplacer; il est facile de retirer le module défectueux et de le remplacer par un nouveau. La fabrication et le montage des modules sont généralement simplifiés: avec moins de pièces, l'achat et le contrôle des stocks deviennent plus routiniers, la fabrication et les opérations de montage sont plus normalisées et les coûts de formation sont souvent moins élevés.

La conception d'unités modulaires a pour principal inconvénient une diminution de la variété: le nombre de configurations possibles des modules est beaucoup plus petit que le nombre de configurations basées sur des composantes individuelles. Elle a également pour désavantage le fait qu'il est impossible de démonter un module afin de remplacer une pièce défectueuse. On doit éliminer le module en entier, et il s'agit habituellement d'une procédure coûteuse.

4.8 LA CONCEPTION DU SERVICE

Dans plusieurs secteurs de l'économie, le produit (bien tangible) et le service (bien intangible) sont inséparables. Prenons l'exemple de la vidange d'huile d'une voiture. Cette opération comprend un service, vidanger l'huile et changer le filtre, et deux produits, le nouveau filtre et la nouvelle huile. Même chose pour l'installation d'un tapis, qui comporte un service (l'installation) et un bien (le tapis). Mais il arrive parfois que le client ne reçoive qu'un service: une coupe de cheveux, des conseils juridiques, une consultation médicale, la tonte de sa pelouse etc. Cependant, dans la majorité des cas, il y a combinaison de biens et de services.

De nos jours, une entreprise ne peut plus concevoir un produit sans penser à offrir en même temps un service après-vente. Elle doit également assurer d'autres services: la formation des employés, l'inspection, la sécurité, etc. Il existe une multitude de combinaisons intermédiaires entre un service pur et un produit pur. La figure 4.3 représente les deux extrêmes: d'un côté, des produits manufacturiers et, de l'autre côté, des biens où la composante service prédomine. La figure illustre également quelques situations intermédiaires. De plus, puisque les biens et les services interfèrent, le gestionnaire doit,

Figure 4.3

La gamme des biens et services

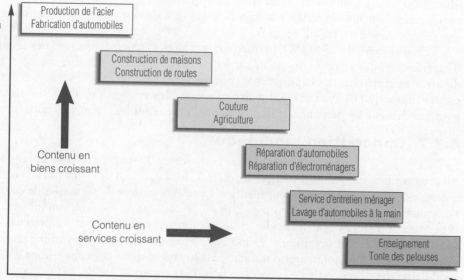

pour bien les gérer, connaître leurs caractéristiques propres. Dans les sections suivantes, nous nous pencherons sur la conception et l'offre de produits où le service joue un rôle prédominant.

4.8.1 Distinctions entre conception de services et conception de produits

1) Les produits sont des biens dits tangibles ; les services sont habituellement intangibles. Par conséquent, la conception des services tient compte de facteurs intangibles (par exemple la tranquillité d'esprit, l'ambiance).

2) Les services sont créés et livrés en même temps (par exemple une coupe de cheveux, un lavage d'automobile). Dans ce cas, il est moins facile de trouver et de corriger les erreurs avant que le client ne les découvre. Par conséquent, la formation et l'entraînement de la main-d'œuvre, les méthodes d'opération, le processus de conception et les relations avec la clientèle sont particulièrement importants.

3) Les services ne sont pas entreposables. Toute la gestion des opérations s'en trouve affectée, car le producteur ne peut prendre de l'avance et préparer des services en réserve.

4) Les services sont placés à la vue du client.

5) Les services sont très visibles pour les consommateurs. On doit donc les concevoir en tenant compte de cette composante, qui ajoute une dimension supplémentaire à la conception des processus et des méthodes de travail. Cette composante est absente de la conception des produits.

6) La création de services rencontre peu d'obstacles. Il est relativement facile de démarrer une entreprise de services, les investissements initiaux étant relativement faibles ; il est donc aussi facile de se retirer du marché. Par conséquent, la conception des services subit des pressions supplémentaires pour être innovatrice et rentable.

7) Il faut tenir compte de la localisation au moment de la conception des services[8]. L'accès au service est un facteur important. La conception des services et le choix de l'emplacement sont étroitement reliés.

Voyons maintenant en détail certaines de ces différences.

Dans la conception des services, il est nécessaire de tenir compte du niveau de contact avec les clients, qui peut être nul ou très fréquent. Lorsqu'il y a peu de contacts, la conception des services peut être très similaire à la conception des produits. Cependant, plus le niveau de contact avec la clientèle est élevé, plus la différence entre la conception des services et celle des produits est grande, et plus la conception des services devient complexe. Le contact avec les clients fait en sorte que la conception des services doit intégrer la conception de processus lorsqu'il y a contact avec le client, le processus est le service. Bien qu'il soit souhaitable de considérer la manufacturabilité d'un produit à sa conception, le produit et le processus restent néanmoins des entités distinctes, ce qui n'est pas le cas pour les services.

Si un fabricant de réfrigérateurs modifie les méthodes de production des appareils (le processus), ces changements seront difficilement perceptibles par le consommateur dans la mesure où le produit comble ses besoins. Par contre, si une compagnie de transport en commun change ses itinéraires ou ses horaires (processus ou méthodes de travail), le client verra la différence et réagira en conséquence. De toute évidence, on ne peut faire ce remaniement du service de manière réaliste sans considérer le processus de prestation du service.

---

8. Voir chapitre 8

4.8.2 Étapes préliminaires à la conception des services

Avant de procéder à la conception proprement dite du service à offrir au client, on doit préalablement :

1) choisir une stratégie de service ;
2) identifier les attentes des clients ;
3) concevoir le système de l'offre et de la prestation du service.

Choisir une stratégie de service

À cette étape, on détermine la nature et l'orientation du service ainsi que le marché ciblé. Cela exige une évaluation par les cadres supérieurs du marché potentiel, de la rentabilité du projet de service que nous voulons offrir ainsi qu'une évaluation de la capacité de l'entreprise à fournir le service. Dans le cas des organismes sans but lucratif, gouvernements, fondations, congrégations, sociétés scientifiques, cette étape équivaut à identifier leur capacité à répondre à un besoin, d'où la notion de réponse au besoin.

Identifier les attentes des clients

Ayant étudié d'une façon globale le service à offrir[9], nous passons à l'identification plus spécifique des attentes et des exigences du marché cible et du client auquel nous nous adressons.

Concevoir le système de l'offre et de la prestation du service

En se basant sur les informations recueillies précédemment et à l'intérieur du cadre stratégique déterminé par les cadres supérieurs, on conçoit le système opérationnel nécessaire pour créer, offrir et fournir le service. On définit alors les besoins au niveau du processus d'opération, du choix des installations et de la main-d'œuvre. Par exemple, dans un service de messagerie (transfert de messages), on décidera d'utiliser soit le courrier postal, soit le téléphone, le télécopieur, Internet ou l'ensemble.

Les deux facteurs clés de la conception du service sont :

a) le niveau de variation des exigences du client ;

b) le niveau de contact avec la clientèle et de participation du client au système de prestation.

Ces deux facteurs ont un impact sur le service, qui peut être standardisé ou personnalisé (sur commande). Plus le contact avec la clientèle et la variabilité des exigences en matière de service sont faibles, plus le service peut être standardisé. La conception du service est alors similaire à celle des produits. Inversement, une forte variabilité et un contact élevé avec la clientèle demandent généralement un service très personnalisé. La figure 4.4 illustre ces notions.

Une considération connexe sur la conception des services concerne les occasions de ventes : plus le contact avec la clientèle est grand, plus les occasions de ventes sont importantes.

4.8.3 Lignes directrices

On utilise souvent plusieurs règles simples mais très efficaces pour faire la mise au point des systèmes de services. Voici les principales.

1. Choisissez un seul thème global et unificateur comme l'aspect pratique ou la vitesse. Cela aidera le personnel à travailler dans le même sens.

2. Assurez-vous que le système a la capacité de gérer la variabilité des exigences concernant le service.

3. Identifiez clairement les caractéristiques du produit et vérifiez la fiabilité du service et le niveau de qualité (uniformité).

---

9. Voir les notions de niveau de qualité et de politique de qualité au chapitre 11.

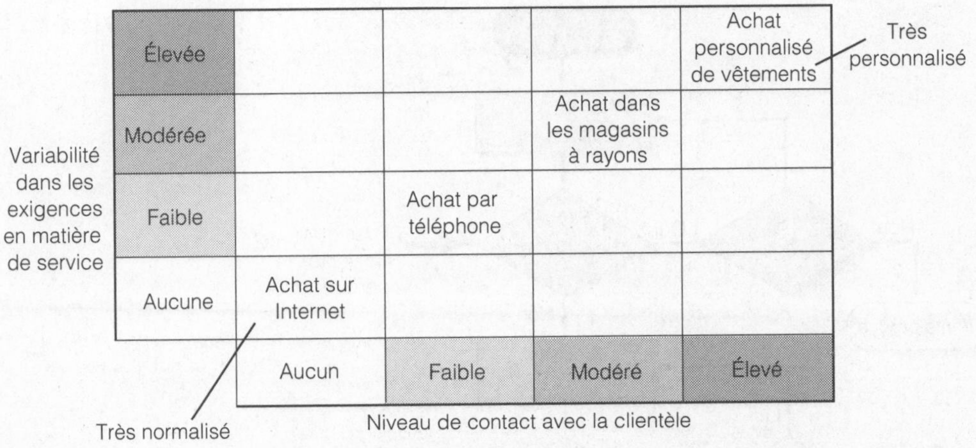

Figure 4.4

Variabilité du service et influence du contact avec la clientèle sur la conception des services

4. Concevez le système pour qu'il soit convivial. Cela s'applique tout particulièrement aux systèmes de libre-service.

4.8.4 Plans et devis des services

Un outil utile pour la conception des services est le **plan de service**, qui sert à décrire et analyser un service ou une proposition de service. L'élément clé du plan de service est l'organigramme du service. Les principales étapes sont les suivantes :

1. Établissez des limites quant au processus et déterminez le niveau de détail nécessaire.

2. Cernez les étapes requises et décrivez-les. S'il s'agit d'un processus existant, obtenez l'aide de ceux qui le font.

3. Préparez un organigramme des principales étapes du processus.

4. Cernez les échecs potentiels. Intégrez les éléments qui minimisent les risques d'échecs.

5. Établissez un échéancier pour l'exécution du service et évaluez le temps de traitement requis et sa variabilité. Le temps est un facteur déterminant du point de vue du coût ; il est donc très important d'établir des limites de temps pour le service. Les clients considèrent le temps comme primordial. Plus le temps nécessaire pour assurer le service est court, plus le client est satisfait. Cependant, il y a des exceptions, comme dans le cas d'un repas dans un restaurant de fine cuisine ou d'une consultation chez un médecin qui prend le temps d'écouter plutôt que de se dépêcher de prescrire un traitement.

6. Analysez la rentabilité. Déterminez quels facteurs peuvent influer de manière positive ou négative sur la rentabilité et comment. Par exemple, le temps d'attente du client est souvent un facteur clé. Concentrez les efforts de conception sur les facteurs clés. Établissez les caractéristiques de conception qui protègent contre les conséquences négatives et augmentez au maximum les influences positives.

La figure 4.5 illustre l'organigramme de la réception d'une commande téléphonique par catalogue. La figure montre les principaux échecs potentiels.

plan de service
Méthode utilisée dans la conception des services pour décrire un service proposé et l'analyser.

Figure 4.5

*Organigramme d'une
commande téléphonique
(catalogue)*

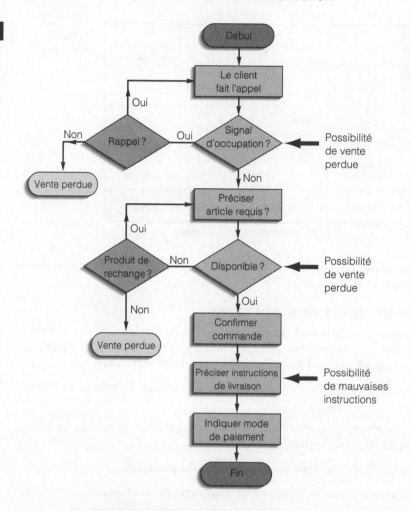

4.9   LE DÉPLOIEMENT DE LA FONCTION QUALITÉ (DFQ)

**déploiement de la
fonction qualité**

Approche structurée et
systématique qui intègre
les besoins du client au
moment de la conception
et de la mise au point du
produit et du processus.

Le **déploiement de la fonction qualité (DFQ)** est une approche structurée qui intègre le point de vue du client dans le processus de mise au point du produit ou du service. Elle a pour but de s'assurer que l'on tient compte des exigences du client au moment de la conception du produit et du processus. L'écoute et la compréhension du client sont les caractéristiques clés du DFQ. Les exigences prennent souvent la forme d'un énoncé général tel que: «Il devrait être facile d'ajuster la hauteur de tonte de la tondeuse.» Une fois les exigences connues, il faut les traduire en adaptations techniques. Par exemple, un énoncé portant sur le changement de hauteur de tonte de la tondeuse implique le mécanisme utilisé pour l'accomplir, sa position, les instructions d'utilisation, l'étanchéité du ressort qui contrôle le mécanisme ou les matériaux nécessaires. En ce qui concerne la fabrication, les énoncés doivent être relatifs aux matériaux, aux dimensions et à la machinerie utilisée pour le traitement.

La structure du DFQ est constituée d'un ensemble de matrices. La matrice principale concerne les exigences des clients (le «quoi») et leurs spécifications techniques correspondantes (le «comment»). La figure 4.6 illustre cette notion.

Des caractéristiques supplémentaires sont ajoutées à la matrice initiale pour élargir l'analyse. Celles-ci comprennent une évaluation pondérée, aussi bien des caractéristiques désirées que de celles de la concurrence. Une matrice corrélationnelle est habituellement construite pour les exigences techniques; elle peut révéler des exigences techniques conflictuelles. Avec ces fonctions additionnelles, l'ensemble de matrices a la forme illustrée à la figure 4.7. On la nomme souvent la **maison de la qualité** en raison de sa ressemblance avec une maison. La figure 4.8 présente une analyse effectuée avec cet ensemble de matrices. Les données concernent un imprimeur (client) et l'entreprise qui fournit le papier. Au premier coup d'œil, le graphique semble complexe. Il contient une quantité considérable d'informations sur la planification du produit et du processus. Par conséquent, nous le diviserons en parties distinctes et le considérerons une partie à la fois. Pour commencer, la partie clé est la liste des exigences du client du côté gauche du graphique. Puis, notez les exigences techniques énumérées verticalement, en haut. Les relations importantes et leur degré d'importance se trouvent au centre de la figure.

Le cercle contenant un point indique la relation positive la plus forte ; autrement dit, il indique les exigences techniques les plus importantes pour satisfaire aux exigences du client. Maintenant, observez les chiffres de l'«importance pour le client» qui sont présentés à côté de chacune des exigences du client (3 étant la plus importante). Les concepteurs tiendront compte des valeurs d'importance et de la force de la corrélation pour déterminer où il convient de déployer le plus d'efforts.

Ensuite, considérez la matrice de corrélation en haut de la «maison». Il existe une forte corrélation négative entre «l'épaisseur du papier» et la «rondeur du rouleau». Les concepteurs devront trouver des manières de l'éliminer ou de faire des compromis.

Du côté droit de la figure se trouve une évaluation compétitive qui compare la performance du fournisseur par rapport aux exigences du client avec celle de chacun des deux compétiteurs clés A et B. Par exemple, le fournisseur X est le moins satisfaisant quant à la solidité du papier, la première caractéristique recherchée par le client,

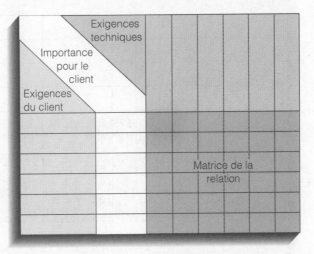

Figure 4.6

La principale matrice du DFQ

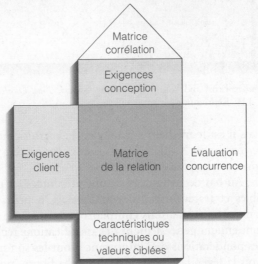

Figure 4.7

La maison de la qualité

Source : V. Daniel Hunt, *Quality in America* (Homewood, Ill. : Business One Irwin, 1992), p. 270. Reproduit avec autorisation.

Figure 4.8

Exemple de maison de la qualité

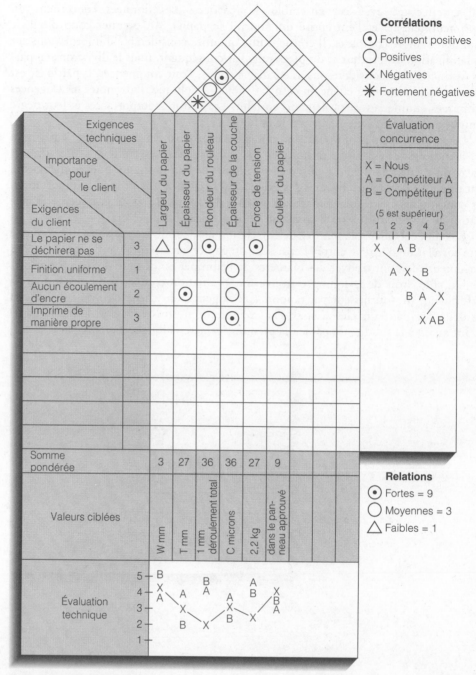

Source: Ernst and Young Consulting Group, *Total Quality* (Homewood, Ill.: Dow-Jones Irwin, 1991), p. 121. Reproduit avec autorisation.

mais il est le meilleur sur le plan de la troisième exigence du client. La droite relie les performances X. Idéalement, la conception fera en sorte que tous les X se trouvent aux positions les plus élevées.

Au bas de la figure 4.8 sont présentées les pondérations d'importance, les valeurs cibles et les évaluations techniques. On peut interpréter les évaluations techniques comme les évaluations compétitives (notez que la droite relie les X). Les valeurs cibles contiennent généralement des spécifications techniques dont nous ne discuterons pas. Les pondérations de l'importance sont les sommes des valeurs attribuées aux relations (voir la légende en bas, à droite de la figure, pour les pondérations de la relation). Le 3 de la première colonne est le produit de l'importance pour le client = 3 et de la pondération plus petite (symbole) = 1. Les pondérations d'importance et les évaluations cibles aident les concepteurs à se concentrer sur les objectifs visés. Dans cet exemple, la première exigence technique a la pondération d'importance la plus faible, tandis que les quatre exigences techniques suivantes ont toutes des pondérations d'importance relativement élevée. On y concentrera alors notre attention.

4.10 LA FIABILITÉ

La **fiabilité** est la capacité d'un produit, d'une pièce ou d'un système d'effectuer la fonction prévue dans des conditions spécifiques.

L'importance de la fiabilité est soulignée par les acheteurs potentiels, qui la comparent avec celle des produits de rechange, et par les vendeurs, qui la considèrent comme un facteur déterminant du prix. La fiabilité peut également avoir des conséquences sur les ventes à répétition, se refléter sur l'image du produit et, si elle est trop faible, avoir des conséquences légales.

On utilise le terme **défaillance** pour décrire une situation dans laquelle un article ne remplit pas sa fonction dans les conditions spécifiées. Il comprend non seulement les cas dans lesquels l'article ne fonctionne pas du tout, mais aussi ceux où la performance de l'article se situe en dessous des normes ou ne fonctionne pas de la manière spécifiée. Par exemple, un détecteur de fumée peut ne pas réagir à la présence de fumée (ne pas fonctionner du tout), il peut sonner trop faiblement pour fournir un avertissement adéquat (performance en dessous des normes) ou peut se déclencher même s'il n'y a pas de fumée (réaction imprévue).

On précise toujours le degré de fiabilité en fonction de certaines conditions, qui constituent ce qu'on appelle l'«**état normal de fonctionnement**», c'est-à-dire le respect des procédures d'opération et d'entretien. Le manquement à ces conditions par l'utilisateur donne souvent lieu à la défaillance prématurée des pièces ou du système complet. Par exemple, si on utilise une voiture de passagers pour transporter de lourdes charges, on peut trop user la transmission ou provoquer des dommages ; le fait d'entrer dans des nids-de-poule ou d'exécuter un virage à grande vitesse entraîne souvent une défaillance anormale des pneus. Utiliser une calculatrice pour enfoncer des clous pourrait avoir des conséquences sérieuses sur son efficacité à effectuer des opérations mathématiques.

4.10.1 L'amélioration de la fiabilité

On peut améliorer la fiabilité de plusieurs manières, dont certaines sont énumérées dans le tableau 4.2.

Puisque la fiabilité globale du système est fonction de la fiabilité des composantes individuelles, en améliorant celles-ci, on peut accroître la fiabilité globale du système. Malheureusement, des procédures de production ou d'assemblage inappropriées peuvent avoir des conséquences négatives sur les meilleures conceptions et sont souvent sources d'échec. On peut améliorer la fiabilité d'un système en utilisant des composantes de secours. On peut réduire les erreurs d'utilisation en améliorant la formation des utilisateurs ainsi que les recommandations d'entretien ou les procédures. Finalement, il est possible d'accroître la fiabilité globale d'un système en le simplifiant (ce qui réduit le nombre de composantes qui pourraient le faire tomber en panne) ou

fiabilité
Capacité d'un produit, d'une pièce, d'un procédé ou d'un système à effectuer la fonction visée en fonction d'un ensemble prescrit de conditions, cet ensemble étant l'état normal de fonctionnement.

défaillance
Situation dans laquelle un produit, une pièce ou un système ne remplit pas la fonction spécifiée.

état normal de fonctionnement
Ensemble de conditions d'utilisation prescrites lors de la définition de la fiabilité.

1. Améliorer la conception des composantes.
2. Améliorer les procédés de production ou d'opération.
3. Améliorer les tests.
4. Utiliser des composantes de secours.
5. Améliorer les procédures d'entretien préventif.
6. Améliorer la formation des utilisateurs.
7. Améliorer la conception du système.

TABLEAU 4.2

Manières potentielles d'améliorer la fiabilité

en alternant la relation entre les composantes (par exemple, en améliorant la fiabilité des interfaces).

Il reste une question fondamentale concernant l'amélioration de la fiabilité : de quel degré de fiabilité avons-nous besoin ? De toute évidence, la fiabilité nécessaire pour une ampoule ne se situe pas dans la même catégorie que celle qui est requise pour un avion. Il faut avant tout considérer les avantages potentiels liés à l'amélioration et les coûts qui y sont reliés. Généralement, les améliorations apportées au niveau de la fiabilité deviennent de plus en plus coûteuses, et l'opposé finit par être vrai. Le niveau optimal de fiabilité est le point où l'avantage incrémentiel obtenu est égal au coût incrémentiel nécessaire pour l'obtenir. À court terme, cette compensation se fait dans un contexte de paramètres relativement fixes (par exemple les coûts). Cependant, à plus long terme, les efforts déployés pour améliorer la fiabilité et réduire les coûts mèneront à des niveaux optimaux de fiabilité plus élevés.

4.11 STRATÉGIES OPÉRATIONNELLES

Dans le domaine de la conception des produits et services, quatre recommandations principales en matière de stratégies opérationnelles peuvent améliorer la compétitivité de l'entreprise :

1. Investir davantage dans la recherche et le développement ;
2. Mettre l'accent sur la performance à long terme plutôt que sur la performance à court terme ;
3. Privilégier l'amélioration continue (graduelle) plutôt que l'approche à grand éclat. (Nous verrons plus loin dans ce livre les notions d'amélioration continue – *Kaïzen* en japonais) ;
4. Travailler pour réduire le cycle de mise au point des produits.

Kaïzen
Amélioration continue des produits et des services

Les dollars investis dans la recherche et le développement peuvent avoir des conséquences considérables sur la compétitivité future d'une entreprise, sur la qualité et la fiabilité, l'innovation technologique et l'amélioration des produits. L'entreprise japonaise moyenne investit beaucoup plus d'argent dans la recherche et le développement que sa contrepartie occidentale typique. Les gestionnaires occidentaux devraient, au départ, sacrifier la performance à court terme à la recherche et au développement, qui mèneront à la fois à une meilleure performance à long terme et à court terme. Cependant, pour cela, il faut adopter une attitude différente de celle qui prévaut encore dans plusieurs entreprises.

Une des causes du succès des Japonais est l'amélioration continue des produits et des processus, appelée *Kaïzen*. À l'opposé, plusieurs gestionnaires occidentaux semblent tenir à l'approche à grand éclat – le lièvre et la tortue ? De petites choses comme les améliorations au niveau de la fiabilité des produits peuvent avoir des effets à long terme sur les attitudes des consommateurs et les structures de consommation.

La mise en marché de produits avant la compétition donne habituellement lieu à des profits considérables. Au cours de la dernière décennie, les producteurs japonais d'automobiles et d'électroménagers ont introduit leurs produits et innovations en moyenne un an plus tôt que les Occidentaux. Les conclusions sont claires : pour être compétitifs, les gestionnaires occidentaux doivent écourter les cycles de mise au point des produits.

4.12 Conclusion

La conception des produits et services est un facteur clé de la satisfaction de la clientèle. Pour réussir dans la conception des produits et services, les entreprises doivent être continuellement conscientes des exigences des clients, des activités de la concurrence ainsi que des lois gouvernementales et des nouvelles technologies disponibles.

Le processus de conception comporte la motivation, les idées d'améliorations, les capacités de l'entreprise et la prévision. En plus des cycles de vie des produits, les considérations d'ordre légal et réglementaire influent sur les choix de conception. Le niveau de normalisation que les concepteurs doivent intégrer à leurs conceptions est également important. Les concepteurs ont pour principal objectif de répondre aux attentes des clients ou de les dépasser, de respecter les coûts ou le budget et de tenir compte des capacités des opérations. La conception des produits et celle des services est différente malgré quelques points communs.

Une conception efficace intègre plusieurs principes de base : déterminer les exigences du client comme point de départ ; réduire au minimum le nombre de pièces requises pour fabriquer un article ou le nombre d'étapes nécessaires pour fournir un service ; simplifier le montage ou le service, normaliser le plus possible le produit ou le service et rendre la conception robuste. Les compromis sont chose courante dans la conception et comportent des éléments comme le temps et les coûts de mise au point, les coûts du produit ou du service, les fonctions spéciales ou la performance, la complexité du produit ou du service.

Les efforts de recherche et de développement peuvent jouer un rôle important dans l'innovation au niveau des produits et des processus, mais ils sont parfois si coûteux que seules les grandes entreprises ou les gouvernements peuvent les soutenir.

La fiabilité d'un produit ou d'un service est souvent un aspect déterminant pour le client. La mesure et l'amélioration de la fiabilité sont des composantes importantes de la conception des produits et services, bien que d'autres aspects de l'entreprise aient aussi une influence.

Terminologie

Biens tangibles	Défaillance
Biens intangibles	Déploiement de la fonction qualité (DFQ)
Code commercial uniforme	État normal de fonctionnement
Conception assistée par ordinateur (CAO)	Fiabilité
Conception d'unités modulaires	Ingénierie simultanée
Conception en vue d'assemblage (CVA)	Maison de la qualité
Conception en vue de la fabrication (CVF)	Manufacturabilité
Conception en vue des opérations (CVO)	Normalisation
Conception en vue du désassemblage (CVD)	Plan de service
Conception en vue du recyclage (CVR)	Recherche et développement (R-D)
Conception paramétrique	Refabrication
Conception robuste	Remise à neuf
Cycle de vie	Rétroconception
Cycle de vie du produit	Standardisation

Questions de discussion et de révision

1. Quels sont les facteurs qui incitent les entreprises à remanier leurs produits ou services ?

2. Comparez la recherche appliquée et la recherche fondamentale.

3. Qu'est-ce que la CAO ? Décrivez de quelle façon un concepteur de produits peut y recourir.

4. Nommez les principaux avantages et inconvénients de la normalisation.

5. Qu'est-ce que la conception d'unités modulaires ? Quels sont ses avantages et ses inconvénients ?

6. Expliquez l'expression «conception en vue de la fabrication» et expliquez brièvement pourquoi elle est importante.

7. Quels sont les avantages concurrentiels de l'ingénierie simultanée ?

8. Expliquez ce qu'est le déploiement de la fonction qualité et comment il peut être utile.

9. Qu'entend-on par l'expression «cycle de vie du produit»? Pourquoi doit-on en tenir compte dans la conception des produits?

10. Pourquoi la recherche et le développement sont-ils des facteurs clés dans l'amélioration de la productivité? Dites de quelle façon la recherche et le développement contribuent à améliorer la productivité.

11. Qu'est-ce que le plan de service? Pourquoi est-il valable dans la conception des services?

12. Nommez deux facteurs qui font en sorte que la conception des services est différente de la conception des produits.

13. Expliquez l'expression «conception robuste».

14. Qu'est-ce que l'«ingénierie simultanée» et pourquoi est-elle importante?

15. Expliquez l'expression «remise à neuf» et faites la distinction avec la refabrication.

16. Distinguez les notions de standardisation et de normalisation.

17. Dans les entreprises que vous connaissez, identifiez le degré d'amélioration des produits et des services offerts, ainsi que la procédure utilisée pour la réaliser.

Problèmes

1. Préparez un tableau semblable à celui de la figure 4.4. Ensuite, placez chacune des opérations bancaires suivantes dans la cellule appropriée:
   a) un retrait dans un guichet automatique;
   b) un dépôt dans un compte d'épargne avec un caissier;
   c) un dépôt direct par l'employeur;
   d) l'ouverture d'un compte d'épargne;
   e) la demande d'un prêt de transformation de l'avoir financier.

2. Préparez un tableau semblable à celui de la figure 4.4. Ensuite, placez chacune de ces opérations bancaires dans la cellule appropriée:
   a) l'achat de timbres dans une machine;
   b) l'achat de timbres auprès d'un commis du service des postes;
   c) l'envoi d'un colis en première classe, comportant des tarifs express;
   d) le dépôt d'une plainte.

3. Construisez un organigramme décrivant le fait de mettre de l'essence dans une voiture dans chacun des cas énumérés ci-après. Supposez que le paiement comptant est un mode de paiement. Pour chaque organigramme, cernez les problèmes potentiels et indiquez un problème probable.
   a) libre-service;
   b) service complet.

4. Construisez un organigramme correspondant à un retrait dans un guichet automatique. Supposez que le processus débute au guichet avec votre carte bancaire en main. Ensuite, cernez les problèmes potentiels (là où il pourrait y avoir des problèmes dans le processus). Pour chaque secteur névralgique, énoncez un problème probable.

5. a) Reportez-vous à la figure 4.8. Quelles exigences techniques ont le plus de conséquences sur l'exigence du client selon laquelle le papier ne doit pas se déchirer?
   b) Le tableau suivant présente les exigences techniques et les exigences du client concernant l'impression d'une imprimante à laser. Premièrement, déterminez si une des exigences techniques est connexe aux exigences du client. Déterminez quelle exigence technique, le cas échéant, a le plus de conséquences sur celle du client.

	Exigences techniques		
Exigences du client	**Type de papier**	**Alimentation interne du papier**	**Élément de l'impression**
Le papier ne se froisse pas			
Imprime de manière propre			
Facile à utiliser			

6. Préparez un tableau similaire au tableau du problème 5. b) pour des biscuits vendus dans une pâtisserie. Dressez la liste de ce qui, selon vous, constitue les trois principales exigences du client (ne comprenant pas les coûts) et les trois exigences techniques les plus pertinentes (n'incluant pas les conditions sanitaires). Ensuite, cochez les exigences du client et les exigences techniques connexes.

Bibliographie

BAILLARGEON, G. *Méthodes Taguchi, détermination des paramètres,* Trois-Rivières, éditions SMG, 1993, 249 p.

BENEDETTI, C. *Introduction à la gestion des opérations,* 3e édition, Études Vivantes, 1991, 496 p.

COHEN, Morris A. et Uday M. APTE. *Manufacturing Automation,* McGraw-Hill, 1997.

CUSCELA, Kristin N. «Kaïzen Blitz», *Solutions,* avril 1998, p. 29-31, Industrial Engineering Atlanta, Ga.

DAVIDOW, William H. et Bru UTTAL. «Service Companies: Focus or Falter», *Harvard Business Review,* juillet-août 1989, p. 77-85.

DEAN, James W. Jr. et Gerald SUSMAN. «Organizing for Manufacturing Design», *Harvard Business Review,* janvier-février 1989, p. 28-36.

GROOVER, Mikell P. *Automation, Production Systems and Computer-Aided Manufacturing,* Englewood Cliffs, NJ, Prentice Hall, 1990.

GROOVER, Mikell et E. W. ZIMMERS, Jr. *CAD/CAM: Computer-Aided Design and Manufacturing,* Englewoods Cliffs, NJ, Prentice Hall, 1984.

HESKETT, James L., W. Earl SASSER, Jr. et Leonard A. SCHLESINGER. *The Service Profit Chain,* New York, The Free Press, 1997.

IMAI, Masaaki. *Gemba Kaïzen,* New York, McGraw-Hill, 1997, 354 p.

LOVELOCK, Christopher. *Managing Services: Marketing, Operations and Human Resources,* Englewood Cliffs, NJ, Prentice Hall, 1988.

PRASAD, Biren. *Concurrent Engineering Fundamentals: Integrated Product Development,* Englewood Cliffs, NJ, Prentice Hall, PTR, 1997.

ROSENTHAL, Stephen R. *Effective Product Design and Development,* Burr Ridge, IL, Richard D. Irwin, 1992.

ROSS, Philip J. *Taguchi Techniques for Quality Engineering,* NY, McGraw-Hill, 1988, 279 p.

SHAW, John C. *The Service Focus,* Burr Ridge, IL, Richard D. Irwin, 1990.

SHOSTACK, G. Lynn. «Designing Services that Deliver», *Harvard Business Review,* janvier-février 1984, p. 133-139.

ULRICH, Karl T. et Steven D. EPPINGER. *Product Design and Development,* New York, McGraw-Hill, 1995.

OBJECTIFS D'APPRENTISSAGE

Après avoir terminé l'étude de ce chapitre, vous pourrez :

1. Expliquer l'importance du choix du processus.

2. Expliquer l'interdépendance du choix du processus et de la conception des produits et services.

3. Être conscient de l'importance du choix du processus et de la planification des besoins en fait de capacité.

4. Décrire les divers types de processus.

5. Décrire les processus automatisés.

6. Expliquer pourquoi la gestion de la technologie est nécessaire.

7. Expliquer l'importance de la planification des besoins en fait de capacité.

8. Discuter des méthodes de définition et de mesure de la capacité de production.

9. Décrire les facteurs qui définissent les capacités de production.

10. Discuter de l'élaboration des options de capacité de production.

11. Décrire brièvement les méthodes utilisées dans l'évaluation des processus et des options de capacité de production.

Chapitre 5

LA SÉLECTION ET LA PLANIFICATION DES PROCESSUS

5.1 INTRODUCTION

Les cadres sont souvent appelés à prendre des décisions vitales ayant des répercussions à long terme sur l'entreprise. Parmi celles-ci, mentionnons le choix des produits ou services (chapitre 4), la sélection des processus, la détermination et la planification des besoins en fait de capacité (chapitre 5), le choix d'un emplacement ou localisation (chapitre 8) et l'aménagement des locaux et des postes de travail (chapitre 6).

Rappelons qu'au cours d'un processus, les intrants (matière première, main-d'œuvre et machines, communément appelées facteurs de production) sont transformés en produits et services finis. C'est pourquoi les processus sont au cœur de la gestion des opérations. Pour remplir avec succès sa mission, l'entreprise doit donc accorder une place prépondérante à la gestion des processus opérationnels.

Dans ce chapitre, nous étudierons la sélection des processus et la planification des besoins en fait de capacité. Choisir un processus est une tâche à la fois difficile et pleine de défis ; les progrès technologiques sur le plan de la fabrication offrent bon nombre d'avantages concurrentiels, mais ils peuvent représenter des risques imprévus pour le décideur imprudent. Dans la première partie du chapitre, nous aborderons la sélection des processus et, pour terminer, la planification des besoins en fait de capacité.

5.2 LA SÉLECTION DES PROCESSUS

La sélection ou le choix des processus est la procédure suivie par une entreprise pour décider de la méthode à utiliser pour produire ses biens et services. Dans le système des 5 M (matière, main-d'œuvre, machine, méthode et milieu) présenté au chapitre 1, le choix du processus définit la méthode. Cette décision concerne tout d'abord les choix technologiques et son impact est considérable sur la planification des besoins en fait de capacité, sur l'aménagement des installations et du matériel, et sur la conception des systèmes de travail.

Le choix du processus ou de la méthode de production se fait en deux étapes, en fonction de l'évolution de l'entreprise :

- au moment de la conception du processus ;

- au moment de l'amélioration du processus.

Au moment de la conception, l'entreprise doit décider quel processus adopter pour lancer sur le marché un nouveau produit. Le choix de la méthode à utiliser se fait en fonction des quantités à offrir et des technologies disponibles.

Mais l'entreprise, avec le temps, l'expérience accumulée, l'évolution des marchés et de la technologie, doit aussi se poser des questions sur son processus actuel et son éventuelle amélioration. Dans ce cas, les entreprises ont malheureusement tendance à traîner avant de décider de changer leurs habitudes. Prendre une décision est alors très long et difficile.

La figure 5.1 donne un aperçu des interactions entre la sélection des processus et la conception d'un système.

Par *stratégie des processus,* on entend la méthode adoptée par une entreprise pour choisir un processus, qu'il s'agisse d'un nouveau processus ou bien de l'amélioration du processus existant.

Par exemple, certaines entreprises ont comme stratégie de réviser systématiquement leur processus à périodes fixes : un budget est prévu et réservé à sa mise à jour.

Parmi les points clés d'une stratégie, mentionnons :

- La décision achat-fabrication : la proportion de biens ou services fabriqués par l'entreprise par rapport aux achats extérieurs.

- L'importance du capital : la combinaison de matériel et de main-d'œuvre utilisée par l'entreprise.

- La souplesse sur le plan des processus : le niveau d'adaptabilité du système existant face aux changements dans les exigences de traitement, et ce, en raison de facteurs comme des modifications dans la conception des biens ou services, dans le volume de la production ou dans la technologie.

À la prochaine section, nous étudierons la décision achat-fabrication.

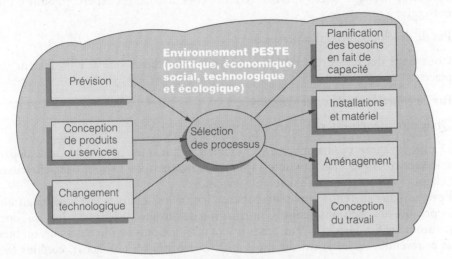

Figure 5.1

La sélection d'un processus et la conception d'un système

5.2.1 La décision achat-fabrication

Dans la planification des processus, la toute première étape consiste à déterminer si on choisit la fabrication ou l'achat de quelques produits ou de tous les produits et si on donne en sous-traitance quelques services ou leur totalité. Dans certains cas, un fabricant décide d'acheter des composantes plutôt que de les fabriquer lui-même; dans d'autres cas, il achète toutes les pièces et ne fait que les assembler. Dans le secteur des services, on parlera d'impartition. Plusieurs entreprises impartissent les services de conciergerie, et d'autres, les services de réparation. Parmi les services le plus souvent confiés en impartition, on note les services de sécurité et d'informatique. La décision d'achat ou d'impartition réduit ou élimine la sélection des processus. La notion d'**impartition**[1] fait l'objet aujourd'hui de grands débats et son impact social est important. C'est un secteur en pleine croissance. En effet, de grandes entreprises ont un besoin temporaire d'équipes multidisciplinaires hautement qualifiées pour créer un nouveau produit, implanter un nouveau système d'opération, négocier des contrats de travail avec leurs employés, etc. Elles font appel à des firmes-conseils en génie, en informatique, à des bureaux d'avocats ou à toute autre firme d'experts. Moyennant un certain montant et pour une période plus ou moins longue, les firmes-conseils prêteront leurs employés. Ceux-ci seront affectés et localisés temporairement chez le client. Une fois le mandat terminé, ils retournent à leurs postes initiaux auprès de la firme-conseil.

Parmi les avantages importants de l'impartition pour l'entreprise cliente, mentionnons les faits suivants :

- Elle apporte à l'entreprise des ressources hautement qualifiées dans des secteurs que celle-ci ne connaît pas totalement.

- Elle offre une expertise en ressources humaines temporaires que l'entreprise ne pourrait pas se permettre autrement.

- Elle permet à l'entreprise acheteuse de se concentrer sur sa mission principale.

- Elle libère l'entreprise de la gestion de ce type d'employés.

- Elle permet de convertir des dépenses fixes en dépenses variables.

---

1. CHEBAT, FILIATRAULT, HARVEY. *La gestion des services*, Montréal, Chenelière/McGraw-Hill, 1999, chapitre 1.

Les principaux inconvénients :

- Expertise du personnel pas toujours disponible sur place.

- Risque de partager cette expertise avec des concurrents, les experts passant d'une entreprise à une autre.

- Pas de développement d'expertise sur place.

- Coût élevé des ressources utilisées, toujours plus chères que si elles étaient sur place.

- Pas de contrôle total sur ces employés.

- Obligation de respecter la durée du contrat.

D'autres avantages et inconvénients s'ajoutent selon la fonction dont on se départit et le service requis. La fonction « approvisionnement de l'entreprise acheteuse » (voir chapitre 16) sera en cause dans cette décision.

Revenons aux entreprises manufacturières, lesquelles, à part le fait qu'elles auront aussi à prendre des décisions quant à l'impartition de certains de leurs services ou fonctions, auront aussi à décider si leur produit sera fabriqué puis vendu au client, ou bien acheté et revendu. Au moment du choix entre la fabrication ou l'achat, certains facteurs sont généralement pris en considération :

1. *La capacité disponible.* Il est souvent plus logique de fabriquer un article ou d'offrir un service à l'interne quand l'entreprise dispose déjà du matériel, des compétences et du temps nécessaires. Les coûts supplémentaires sont faibles par rapport aux coûts engagés pour l'achat d'articles ou l'impartition de services.

2. *Les compétences.* Si l'entreprise ne possède pas les compétences requises pour mener une tâche à bien, l'achat peut être une option valable.

3. *La question de la qualité.* Bien souvent, les entreprises spécialisées offrent une qualité supérieure à celle qu'une organisation non spécialisée est en mesure d'offrir. À l'inverse, une entreprise peut décider d'effectuer elle-même une tâche si celle-ci comporte des exigences précises sur le plan de la qualité ou si elle exige une supervision étroite de la qualité.

4. *La nature de la demande.* Il peut être plus avantageux pour une entreprise d'exécuter elle-même une tâche quand la demande pour un article est forte et stable. Toutefois, si la demande connaît d'importantes fluctuations ou si les commandes sont petites, il peut être préférable de recourir à des spécialistes capables de combiner diverses commandes, en provenance de plusieurs sources, pour obtenir un plus fort volume ou équilibrer les fluctuations des commandes d'acheteurs individuels.

5. *Le coût.* Il faut évaluer toutes les épargnes réalisées dans le cas de l'achat ou de la fabrication maison, et ce, par rapport à tous les facteurs mentionnés plus haut. Ces épargnes peuvent provenir d'un seul article ou des frais de transport. L'analyse doit tenir compte des coûts fixes associés à la fabrication d'un article s'il n'est pas possible de répartir de nouveau ces coûts s'il y a achat.

Dans certains cas, une entreprise peut décider d'effectuer le traitement en totalité ou en partie et de laisser le reste à d'autres dans le but de conserver une certaine flexibilité et de se protéger contre la perte d'un sous-traitant. De plus, cela constitue un outil de négociation avec les fournisseurs ou donne une longueur d'avance à l'entreprise si elle décide par la suite de reprendre toute l'opération. Si l'entreprise décide d'accomplir le traitement en totalité ou en partie, la question de la sélection des processus devient alors importante. Sur ce plan, les décisions sont souvent d'ordre économique. Le problème n°1, à la page 175, en est une bonne illustration. Les gestionnaires procèdent à une évaluation des coûts de fabrication, qui sont ensuite comparés aux coûts d'achat. Ils retiendront la solution la moins chère. La fonction approvisionnement est, à ce moment-là, très importante dans la prise de décision (voir chapitre 16). Malheureusement, les entreprises omettent souvent de considérer d'autres facteurs comme la qualité du service offert par le fournisseur, sa fiabilité quant au respect des délais de livraison et les caractéristiques du produit (la qualité), les frais de transport et de livraison et tous les autres frais cachés. De plus, le fait, pour l'entreprise, d'acheter de plus en plus les produits crée un effet pervers. Elle se transforme petit à petit en entreprise de distribution plutôt qu'en entreprise créatrice de produits à valeur ajoutée.

«On peut toujours trouver quelqu'un qui soit capable de fournir le produit de sorte que cela coûte moins cher que si nous le fabriquions.» En poussant ce principe à l'extrême, on transforme l'économie en une économie de distribution sans valeur ajoutée. La question que l'on doit se poser est : «Comment se fait-il que notre processus n'est pas bon et que faut-il faire pour le rendre compétitif?» Remarquons que nous parlons de **processus compétitif**. Cela veut dire que nous ne considérons pas seulement le caractère économique, l'objectif coût tel qu'il a été défini au chapitre 1, mais l'ensemble des cinq objectifs, à savoir : quantité, qualité, temps, lieu et coût. Un processus compétitif est un processus capable de fournir en temps et lieu le bon objet, en quantité suffisante et au coût le plus juste.

5.3 La typologie des processus opérationnels

La gestion des opérations et de la production diffère en fonction des types de produits offerts et des **processus** ou **méthodes de production** utilisés.

Nous avons vu au chapitre 4 les différents types de produits ou services offerts et leur influence sur la gestion des opérations. Rappelons-les brièvement.

Tous les produits (biens ou services) offerts se subdivisent en deux grandes catégories : produits sur commande et produits standard ; des produits intermédiaires peuvent exister. Il est difficile de prévoir la demande pour les produits standard, d'où l'importance d'avoir une grande flexibilité pour s'adapter à la demande du client.

Un produit standard doit être bien conçu pour répondre aux besoins de l'ensemble des clients ; il faut donc faire de bonnes prévisions et bien définir les besoins. On peut créer les produits, aussi bien standard que sur commande, selon différents processus ou méthodes de production. C'est ce qu'on appelle la typologie des processus.

Le choix du processus d'opération dépend surtout de la quantité que l'on doit offrir et de la flexibilité désirée. Il existe trois principaux types de processus, définis en fonction du flux :

- Processus à l'unité
  On crée les produits un à un. On termine le premier avant de commencer le deuxième, et ainsi de suite.

- Processus en interrompu
  On crée les produits par lots. On fait la première opération sur l'ensemble du lot avant de passer à la deuxième opération, et ainsi de suite.

- Processus en continu
  On crée les produits en une chaîne ininterrompue d'activités, l'une à la suite de l'autre.

Des nuances et subdivisions seront ensuite apportées aux types principaux : nous les analysons ci-dessous.

5.3.1 La production à l'unité

On entend par **production à l'unité** le processus de production selon lequel chaque unité de bien produit ou chaque service rendu est une entité bien spécifique.

La méthode artisanale, utilisée depuis des siècles, en est la meilleure illustration et elle n'est pas près de disparaître. La fabrication d'une turbine pour une centrale hydroélectrique et la construction de navires ou de maisons unifamiliales sont des exemples de production unitaire, bien que tous ces produits soient faits selon des méthodes et des plans identiques.

Dans le domaine des services, la mise à jour d'un réseau informatique, l'installation d'un nouveau système téléphonique ou l'élaboration d'un plan d'avantages sociaux pour les employés sont d'autres exemples de production à l'unité. Dans de telles situations, le travail est en fait organisé sous forme de projet.

Un **projet** est un ensemble d'activités dirigées vers un seul but. Au chapitre 18, nous aborderons exclusivement le sujet des projets.

Énumérons quelques caractéristiques de cette méthode de production :

- Tout produit ou service peut être fabriqué à l'unité ; ce processus est donc utilisé dans tous les secteurs de l'activité humaine.

- Les délais de fabrication et de livraison sont longs et difficiles à préciser.

- La capacité et les quantités fabriquées sont limitées.

- Le temps d'apprentissage est long.

- Elle requiert un minimum d'installation ou d'équipement, d'où les coûts de démarrage faibles (coûts fixes peu élevés).

- Les coûts d'opération sont élevés (les coûts variables).

- Il est difficile d'assurer une uniformité des produits.

- Il y a possibilité de s'ajuster aux exigences des clients, donc flexibilité.

- Il y a peu ou pas de circulation du produit fabriqué, d'où la notion d'aménagement stationnaire ou d'implantation stationnaire (voir chapitre 6).

Analysons le cas suivant. Une équipe de recherche en biotechnologie expérimente un nouveau vaccin. C'est un projet réalisé en laboratoire avec des capitaux de départ relativement restreints (les coûts fixes), abstraction faite des heures passées en études et en expérimentation (les coûts variables). Une fois le vaccin au point, la production de tout autre vaccin identique en laboratoire entraînera des coûts prohibitifs que la société ne peut se permettre. On est obligé de trouver d'autres processus opérationnels permettant d'accroître les quantités et de baisser les coûts. On développe alors les processus de production décrits aux sections 5.3.2 et 5.3.3.

5.3.2 La production interrompue

On entend par **production interrompue,** ou production intermittente, le processus de production grâce auquel on détermine l'aménagement des locaux. On regroupe les ressources d'opération par fonctions. L'aménagement des locaux sera alors de type aménagement procédé, appelé aussi aménagement fonctionnel (voir chapitre 6).

Le processus de travail sera intermittent et exécuté par lots plus ou moins grands.

On utilise la production interrompue lorsque les systèmes prennent en charge une variété de demandes de traitement. Le volume est alors beaucoup plus faible et les ressources et les équipements flexibles et universels permettent de s'adapter à plusieurs types de produits, aussi bien standard que sur commande. Des travailleurs, qualifiés ou non, font fonctionner le matériel avec une supervision bien moindre que pour la plupart des systèmes continus.

production par lots
Appelée aussi production multigamme, elle est utilisée pour les petites séries de production.

Les entreprises fonctionnant selon cette méthode produisent des quantités moyennes de biens similaires ; elles ont recours au traitement par lots ou **production par lots** ou **petites séries.** Les producteurs d'aliments (comme les produits de boulangerie ou les conserves) produisent d'habitude par lots. Un producteur de crème glacée fera, par exemple, un lot de crème glacée à la vanille, puis un lot à la fraise, et ainsi de suite. Les exigences et le matériel ne varient pas pendant le traitement ; seuls quelques ingrédients changent d'un lot à l'autre. De même, une conserverie peut traiter une variété de légumes : des carottes tranchées pour la première séquence, puis des haricots verts et ensuite du maïs ou des betteraves. Tous les légumes sont traités de façon similaire pour le lavage, le tri, la coupe, la cuisson et l'emballage, mais le matériel doit être nettoyé et ajusté à chaque changement. La production en lots peut être standardisée (peinture, crème glacée, légumes en conserve) ou fabriquée sur commande. L'impression de magazines, de journaux ou de manuels scolaires est un exemple de production par lots interrompue sur commande.

Une variante de la production interrompue est l'**atelier multigamme**[2]. Un atelier multigamme peut effectuer une plus grande variété de tâches que le traitement par lots. Si les capacités de production sont plus restreintes, la flexibilité des ressources de production est par contre plus grande.

Voici quelques exemples de secteurs utilisant les ateliers multigammes : services de réparation (appareils électroménagers, automobiles), services de santé, ateliers d'outillage et de teinture, etc. La taille des lots varie de grande à petite, ou se résume même à un seul article. La différence entre un atelier multigamme et le traitement par lots est que les exigences varient souvent considérablement d'une tâche à l'autre. Par conséquent, la séquence des étapes du traitement et le contenu des emplois varient aussi énormément. Prenons l'exemple de l'atelier de réparation d'automobiles. Chaque automobile est un cas à part. Certains grands ateliers possèdent des spécialistes (des freins, par exemple), mais les automobiles sont traitées individuellement. Lorsqu'il s'agit du traitement d'une grande quantité d'un seul article ou d'un groupe d'articles, les tâches successives sont si variées que le traitement par lots, décrit pour la conserverie, serait trop restrictif. L'acheminement et l'organisation des tâches deviennent plus difficiles lorsque des traitements différents sont nécessaires pour accomplir des tâches successives ; il faut constamment ajuster le matériel ou effectuer d'autres changements. Le coût de traitement unitaire est souvent plus élevé que pour le traitement par lots.

Dans le domaine des services, les systèmes de santé, les campagnes de collecte de sang dans les institutions, le transport en commun et l'enseignement constituent d'autres exemples de traitement interrompu par petits lots.

5.3.3 La production continue

Quand les lots à produire augmentent encore plus et que les produits offerts sont de plus en plus standard, on doit trouver des moyens pour diminuer les coûts variables de production : on adoptera alors la production continue. C'est d'ailleurs la méthode utilisée par Henry Ford pour le modèle de la Ford T, produit très standard fabriqué à grande échelle sur une chaîne continue, au début du siècle.

On entend par **production continue** le processus de production grâce auquel on conçoit l'aménagement des postes de travail et les ressources utilisées en fonction du produit particulier à fabriquer.

Les ressources d'opération sont alors regroupées en fonction du produit offert, d'où la notion d'aménagement-produit (voir chapitre 6).

5.3.4 Les processus continu et semi-continu

Un produit ou service très uniforme exige un **processus continu** ou une méthode de production continue. On peut subdiviser la production continue en production continue proprement dite et en production semi-continue. En production continue, on trouve, entre autres, les produits chimiques, les pellicules photographiques, le papier journal, les produits pétroliers, les raffineries de sucre, les sidérurgies, les brasseries, les fabricants de câblages électriques, de détergents liquides et en poudre et les usines de traitement des eaux. Ces produits sont fabriqués sur une base continue plutôt qu'en séries discrètes. Les secteurs qui utilisent le processus continu sont aussi appelés industries de traitement[3]. Afin d'éviter les arrêts et les remises en marche coûteux, les opérations de ces industries se poursuivent sans interruption. La production de ces systèmes

---

2. Appelé en anglais *job shop*.
3. Appelé en anglais *process*.

est très standardisée. Les systèmes de traitement semi-continu permettent une certaine variété dans la production : les lots produits se ressemblent, sans être obligatoirement identiques. Les biens fabriqués dans ces systèmes incluent, entre autres, les automobiles, les téléviseurs, les ordinateurs, les calculatrices, les appareils photo et les appareils vidéo. Généralement, on fabrique ces produits par séries discrètes ou lots. Dans le secteur des services, les programmes de vaccination à grande échelle, les lave-autos, les services postaux et la restauration rapide en sont des exemples. Dans le secteur des services, les applications sont moindres, car les services tendent à être personnalisés sur une base unitaire. Pour bien illustrer la différence entre production continue et production interrompue dans les services, considérons le cas suivant. Si, dans une aérogare, les passagers se dirigeant de l'avion aux douanes arrivent par tapis roulant, c'est un procédé continu. Par contre, s'ils arrivent par navette, chaque navette correspond à un lot interrompu. La gestion de ces deux modèles est fondamentalement différente.

La production continue se prête bien aux produits standard et utilise des ressources conçues en fonction du produit. Mais ces ressources sont peu flexibles et peuvent difficilement être utilisées à d'autres fins. Les coûts fixes de démarrage, de mise en route, de changement et d'arrêt de production sont alors très élevés ; par contre, les coûts variables sont réduits au minimum.

5.3.5 L'automatisation

Indépendamment du type de processus adopté, les entreprises se demandent souvent si elles doivent fonctionner de façon artisanale et manuelle ou bien si elles doivent se moderniser et utiliser de l'équipement permettant d'accroître leur capacité (en termes de quantité, de qualité, de service au client) tout en diminuant les temps de production. Elles se posent la question : doit-on automatiser notre processus ?

Par « automatisation », on entend l'exécution totale ou partielle des opérations par des machines fonctionnant sans intervention humaine.

Si une entreprise décide d'automatiser, la question suivante est : dans quelle proportion ?

Le tableau 5.1 A résume les caractéristiques propres aux types d'opérations. On peut organiser les processus selon des matrices de traitement de produits, comme l'illustre le tableau 5.1 B, où on voit les liens entre les quantités à fabriquer et les méthodes de production à utiliser. Les combinaisons idéales sont identifiées en caractères gras. Par exemple, si les quantités à fabriquer sont élevées, on choisira le processus en continu comme méthode de production.

Pour choisir un processus, il faut établir une concordance entre les exigences du produit et les capacités du processus. En production, le choix d'un processus peut parfois faire la différence entre le succès et l'échec.

Maintenant, voyons un autre point important.

Les cycles de vie que traversent souvent les produits et les services débutent par un faible volume qui augmente à mesure que ces produits deviennent populaires. Un gestionnaire doit savoir à quel moment passer d'un type de processus à un autre. Évidemment, certaines opérations restent stables (comme la publication de magazines), tandis que d'autres augmentent (ou diminuent à la saturation des marchés) au fil du temps. Un gestionnaire doit donc mettre l'accent sur l'évaluation des produits et services pour décider d'un éventuel changement de processus. Le graphique d'optimisation des coûts présenté à la section 5.5 illustre le phénomène, (voir figure 5.8).

Le travail humain et manuel a comme principal avantage une grande capacité à s'ajuster aux cadences de travail et à la variabilité d'un produit à l'autre en fonction des clients. Par contre, l'être humain est sensible à la monotonie, d'où les erreurs, l'absentéisme, les accidents. En outre, sa capacité à produire de grandes séries est très limitée.

L'automatisation, quant à elle, présente les avantages suivants : grande capacité de production, uniformité des produits, coûts variables faibles pour les grandes séries, aucune distraction au cours de travaux monotones. Par contre, elle s'ajuste difficilement aux différentes exigences des clients.

TABLEAU 5.1

A. Comparaison des différents processus opérationnels

	À L'UNITÉ	INTERROMPUE Lots	CONTINUE Chaînes d'assemblage	CONTINUE Industries de traitement
Description	Produit créé sur une base unitaire	Produits créés par petits lots, opération par opération	Opérations de production placées en fonction des besoins du produit	Transformation continue de la matière
Exemples du processus :				
Manufactures	Chantiers	Boulangerie	Chaîne d'assemblage	Sidérurgie
Services	Salons de coiffure	Salles de classe	Cafétéria	Système de climatisation central
Exemples de produits :				
Manufactures	Navires	Boulangerie	Automobiles	Acier, lingots
Services	Coiffure	Éducation	Lave-auto	Climatisation
Volume	Petit, unitaire	Petit à moyen	Grand	Très élevé
Variété des produits créés	Très grande	Moyenne	Restreinte	Très restreinte
Flexibilité du processus	Très élevée	Moyenne	Rigide	Très rigide
Avantages	Capable de s'ajuster à la demande	Flexible dans son secteur particulier	Coûts bas et haute efficacité	Très efficace et très grandes quantités
Inconvénients	Lent, coût unitaire élevé	Gestion complexe en raison d'ajustements constants	Peu flexible et coûts élevés des arrêts de production	Très peu flexible et arrêts très chers

B. Tableau relationnel processus-ressources

	À L'UNITÉ	INTERROMPUE Lots	CONTINUE Chaînes d'assemblage	CONTINUE Industries de traitement
Variété des produits	Grande	Moyenne	Faible	Très faible
Flexibilité des ressources	Très grande	Grande	Faible	Très faible
Volume	Très faible (à l'unité)	Moyen(s) par lots	Par grands lots	Très grand, flux continu

Sources: adaptation de l'article de Robert H. Hayes et Stephen C. Wheelwright, « Link Manufacturing Product and Process Life Cycles », *Harvard Business Review*, janvier-février 1979, p. 133-140 et Irwin Operations Management Video Series.

En définitive, plus les produits sont standard, plus l'automatisation est essentielle.

Par ailleurs, on dit souvent que l'automatisation est une stratégie essentielle à la compétitivité. Par exemple, l'usine de Nucor Steel située à Crawfordsville, en Indiana, peut produire 800 000 tonnes finies de bandes d'acier par jour. Cette usine automatisée produit en un seul processus continu de l'acier, du métal fondu ainsi que du métal en feuilles, ce qui lui donne un avantage concurrentiel important.

Mais par rapport au travail humain, l'automatisation présente des inconvénients et des limites. Premièrement, la technologie est coûteuse; en règle générale, de forts volumes de production sont nécessaires pour en amortir les coûts élevés. L'automatisation est aussi beaucoup moins souple que le travail humain. Lorsqu'un processus est automatisé, il vaut mieux ne plus le changer. De plus, les travailleurs craignent parfois que l'automatisation entraîne la perte de leurs emplois. Ce facteur peut être néfaste sur le moral des employés et sur la productivité.

Donc, il est important que les décideurs étudient attentivement les motifs d'une automatisation et le degré de celle-ci afin d'en percevoir clairement toutes les implications. Pour intégrer l'automatisation à un système de production avec succès, beaucoup de réflexion et une prudente planification s'imposent. Sinon, cela peut engendrer d'énormes problèmes. Ainsi, GM a investi de façon massive dans l'automatisation au cours des années 1980, pour constater finalement que ses coûts avaient augmenté tandis que sa flexibilité et sa productivité étaient en chute libre. Au moment précis où GM accroissait sa capacité, son marché avait rétréci!

De façon générale, il y a trois sortes d'automatisation: fixe, programmable et flexible.

L'automatisation fixe est le type le plus rigide. Ce concept a été la pierre angulaire de la production en série dans l'industrie de l'automobile. L'automatisation fixe utilise un matériel spécialisé très coûteux pour une séquence fixe d'opérations. Un faible coût et un volume élevé sont ses principaux avantages; une variété réduite et le coût élevé des changements majeurs apportés au produit ou au processus sont ses principaux inconvénients.

À l'opposé se trouve l'automatisation programmable. Elle exige un matériel universel à coût élevé, commandé par un logiciel qui détermine la séquence et le détail de chaque opération. La modification du processus est aussi facile (ou difficile) que le changement du logiciel. De plus, le changement du logiciel comporte un arrêt de la production. Il est possible, avec ce type d'automatisation, de produire à peu de frais une assez grande variété de produits à faible volume, en petits lots. Exemples: les machines-outils à commande numérique (MCN) et les robots.

L'utilisation des ordinateurs dans le contrôle d'un processus est appelée **fabrication assistée par ordinateur (FAO)**, laquelle englobe aussi bien les robots que le contrôle de la qualité automatisé. Les **machines-outils à commande numérique (MCN)** suivent une série de directives de traitement provenant de calculs mathématiques grâce auxquels elles réalisent les détails de l'opération. Des dispositifs, comme une disquette, un ruban magnétique ou un microprocesseur, contiennent les instructions à suivre. Utilisées depuis bon nombre d'années, les MCN sont maintenant une composante importante des nouvelles approches en matière de fabrication. Lorsque des machines possèdent leur propre ordinateur, on parle de commande numérique assistée par ordinateur (CNAO). Un ordinateur peut aussi contrôler plusieurs MCN: on parle alors de contrôle numérique direct (CND).

Il faut envisager l'utilisation de MCN dans les cas suivants: pièces fabriquées souvent et en petits lots, géométrie complexe d'une pièce, niveau infime de tolérance, erreurs coûteuses et changements fréquents (dessin industriel). Les compétences techniques très avancées nécessaires à leur programmation et leur inaptitude à déceler l'usure de l'outillage et les variations dans les matériaux sont les principaux inconvénients des MCN.

Voyons maintenant quelques notions concernant les robots.

FAO: fabrication assistée par ordinateur
Utilisation de l'informatique pour planifier, compiler et contrôler les fabrications.

MCN
Machine à contrôle numérique.

Pour bénéficier d'une flexibilité accrue dans la fabrication, l'usage de robots est parfois la solution. Un robot se compose de trois parties :

- le système mécanique, qui constitue le squelette du robot, sa structure et ses bras ;

- le système moteur, qui correspond à ses muscles, ses mouvements et sa puissance ;

- le système électronique et informatique, qui constitue son cerveau et qui coordonne ses mouvements selon les besoins. Ces données sont fournies par des capteurs électroniques qui jouent le rôle des sens pour lui permettre de voir, toucher, entendre, sentir.

Les robots peuvent accomplir une grande variété de tâches, incluant la soudure, l'assemblage, le chargement et le déchargement des machines, la peinture et la mise à l'essai. Ils dégagent les humains des travaux lourds ou sales et éliminent souvent des corvées.

Quelques utilisations des robots sont plutôt simples, d'autres sont beaucoup plus complexes. Au premier niveau, on trouve les robots qui suivent un ensemble fixe d'instructions. Ensuite viennent les robots programmables, qui répètent une série de mouvements après en avoir appris la séquence. Ces robots « rejouent » une séquence mécanique, un peu comme le magnétoscope rejoue une séquence visuelle. Au niveau suivant se trouvent les robots qui obéissent à des instructions provenant d'un ordinateur. Les robots capables de reconnaître des objets et de prendre quelques décisions simples sont au sommet de l'échelle.

Il existe deux types de mouvements pour un robot. Les robots à commande point à point bougent vers un point déterminé et accomplissent une opération précise ; ils se rendent ensuite au point suivant et exécutent une autre opération. Les robots à trajectoire continue bougent selon une trajectoire prédéterminée pour exécuter une opération.

Les robots peuvent fonctionner de manière pneumatique (à l'air), hydraulique (des liquides sous pression) ou électronique. La figure 5.2 illustre un robot.

L'automatisation programmable a donné naissance à l'automatisation flexible, qui recourt à un matériel plus personnalisé et qui exige une période de transition beaucoup plus courte. L'automatisation flexible permet en outre le fonctionnement presque continu du matériel et une variété de produits sans qu'on ait à produire par lots.

Figure 5.2

Robot industriel

www.milacron.com

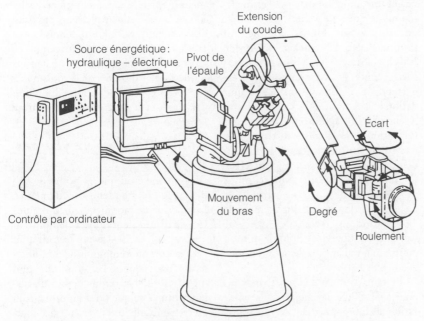

Système de robot de Milacron, à Cincinnati

Source : Cohen, Morris et Uday M. Apte, *Manufacturing Automation*, Burr Ridge, IL., Irwin/McGraw-Hill, 1997, p. 138.

LECTURE
DU SUR MESURE, DIRECTEMENT DE L'USINE
Par Otis Port, à New York

Lla nouvelle tendance en matière de fabrication allie une fabrication de pointe et des technologies de livraison de produits avec la traditionnelle volonté de plaire de l'artisan.

Nous sommes en 2010 et vous désirez acquérir un nouveau complet sur-le-champ pour un voyage d'affaires à l'étranger. Rien de plus simple. Vous allez au magasin à rayons du centre commercial. Vous pénétrez dans un engin ressemblant à un kiosque où un lecteur optique prend vos mesures de façon automatique. Quelques secondes plus tard, vous inscrivez vos choix de tissu et de modèle, et l'information est transmise à l'usine, où un faisceau laser coupe les tissus selon vos mesures exactes. Quelques jours après, le complet est prêt.

Ce type de couture de haute technologie sera peut-être au point plus tôt que vous ne le pensez. La fabrication entre dans un nouvel âge d'excellence industrielle: la fabrication sur mesure en série. Les vêtements, ainsi qu'une grande variété de marchandises allant des automobiles aux ordinateurs, seront fabriqués sur mesure pour chaque consommateur, selon ses goûts, ses exigences et son budget. La fabrication en série sur mesure marquera l'apogée et fera la synthèse de la fabrication flexible, des entreprises virtuelles et de la gestion intégrale de la qualité. Si l'expression «glissement de paradigme» est tout à fait appropriée, «c'est bien dans ce cas», affirme Roger N. Nagel, directeur adjoint de l'Institut Iacocca à l'Université Lehigh de Bethlehem, en Pennsylvanie, berceau du concept de la fabrication flexible, qui y a été créé il y a déjà trois ans.

On fabriquera les produits personnalisés aussi rapidement et économiquement que les produits de masse. «Les usines ne vendront pas des choses – elles vendront, au client, la satisfaction», poursuit Nagel. La somme du savoir-faire et des services offerts par une entreprise dans le but de satisfaire le client déterminera le prix, plutôt que l'addition des coûts des pièces d'un produit fini. «Le prix n'est plus un facteur», explique David L. Ross,

L'ÉVOLUTION DE L'USINE

Les usines feront bientôt concurrence aux boutiques d'artisans dans la fabrication sur mesure.

ORIENTATION	PRODUCTION DE MASSE	PRODUCTION FLEXIBLE	FABRICATION DE MASSE SUR MESURE
	1900 À 1970	1971 À 2000	2001 À 2020
NOMBRE HABITUEL DE:			
Machines-outils	150	de 50 à 30	de 25 à 20
Produits fabriqués	de 10 à 15	de 100 à 1000	Quantité illimitée
PRODUITS REMIS EN FABRICATION POUR QUALITÉ MÉDIOCRE	25 % ou plus	0,02 % ou moins	Moins de 0,0005 %

directeur de la mise en marché chez Ross Operating Valve Co. (Troy, au Michigan), un fabricant privé de valves pneumatiques qui emploie 350 personnes, «c'est vraiment le dernier point dont on discute». Les consommateurs comprendront bientôt que les fournisseurs flexibles peuvent livrer le produit désiré en un temps record, tout en éliminant les coûts associés au maintien d'un stock de pièces.

Ce n'est pas un rêve. Plus de 200 entreprises ont joint les rangs du Agile Manufacturing Enterprise Forum dont Nagel est le cofondateur. Parmi les membres de l'AMEF, on trouve quelques poids lourds comme Air Products & Chemicals, Chrysler, FMC, Honeywell, Milliken, Texas Instruments et Westinghouse. L'été dernier, la National Science Foundation et la Advanced Research Projects Agency du Pentagone ont participé à la formation de trois instituts de recherche en fabrication flexible, à l'Université de l'Illinois, à l'Université du Texas et à l'Institut polytechnique de Rensselaer. Le consortium de recherche de l'industrie du vêtement, le Textile/Clothing Technology Corp. de Cary, N.C., supervise de plus la mise au point du «tailleur» à lecteur optique décrit plus haut.

Le taux d'embauche aux États-Unis pourrait profiter davantage de la fabrication flexible que du travail post-industriel, censé supplanter la fabrication industrielle. Une portion des emplois du secteur de la production qui avait gagné l'étranger dans les années 1980 est revenue au pays dans les années 1990. Un facteur important de cette tendance est la longueur du cycle de production – la période qui se déroule entre la réception d'une commande et la livraison des marchandises. Les entreprises visant la flexibilité doivent couper dans ce cycle et, souvent, elles constatent que le temps nécessaire à la circulation des marchandises dans un circuit international dépasse de beaucoup les économies réalisées quant au coût de la main-d'œuvre. Les aspirants à la flexibilité ont ainsi récupéré plusieurs produits, allant d'énormes engins de terrassement fabriqués depuis un certain temps en Corée, chez Caterpillar inc., jusqu'aux modems d'ordinateurs de U.S. Robotics inc., dont la production de pièces détachées était faite en impartition au Mexique.

L'obtention des valves par téléphone

Personne ne croit que les postes de cols bleus vont se maintenir ou augmenter. Les travaux de pionnier d'Allen Bradley Co. et d'autres entreprises démontrent que les usines de l'avenir seront plus petites, compteront moins de machines-outils mais que celles-ci seront plus intelligentes et n'auront besoin d'assistance humaine que pour la forme, tout en produisant une variété de marchandises beaucoup plus grande. À cet égard, les emplois du secteur de la fabrication suivent la pente du travail agricole. La technologie flexible, par ailleurs, crée de nouveaux emplois de cols blancs dans le secteur des services, comme l'agriculture moderne a créé une multitude d'emplois dans la conception des emballages, la création de nouveaux produits, la mise en marché et autres services.

Les entreprises flexibles paient cependant le prix de cette croissance accélérée. Prenons l'exemple de Ross Operating Valve Co. «Je ne peux former le personnel assez rapidement pour profiter de ces occasions», dit Ross. À l'usine Ross/Flex de Lavonia, en Georgie, les clients appellent pour décrire leurs besoins en valves et parlent aux ingénieurs de l'entreprise, surnommés «intégrateurs». On inscrit les spécifications dans un système CAD/CAM pour concevoir une valve sur mesure, et des machines-outils automatisées fabriquent les pièces de métal en une journée. Au coût d'environ 3000 $, on livre les valves finies en moins de 72 heures. Les procédés de fabrication traditionnels prennent à peu près cent fois plus de temps et coûtent dix fois plus cher.

Richard K. Dove, un expert en fabrication flexible d'Oakland, en Californie, croit que ce nouveau procédé pourrait permettre de surpasser les Japonais. Il croit que les États-Unis profiteront dans l'avenir de leur avance en technologie informatique. «Le miracle japonais misait sur le raffinement exquis de la fabrication»,

note Steven L. Goldman, professeur de sciences humaines de Lehigh, spécialisé en histoire des technologies. «Cependant, la flexibilité en fabrication fait en sorte que le débat ne porte plus sur la fabrication en elle-même. Le logiciel et les connaissances priment désormais – et le Japon ne possède pas ces compétences.»

Des robots rotatifs

Le but recherché est de joindre les clients, les fournisseurs et les fabricants dans une espèce de confédération hyperefficace. Les ventes au détail de la veille détermineront la production du jour, à moins que ce ne soit un bon de commande reçu quelques minutes avant d'un partenaire en ligne. Au XXIe siècle, affirme Carl P. McCormick, président de la société électronique Group Technologies Corp., plusieurs usines seront reliées étroitement entre elles par des réseaux nationaux comme l'Enterprise Integration Network. Micro-electronics & Computer Technology Corp. (MCC), un consortium d'entreprises de haute technologie situé au Texas, met au point le EINet. Les fabricants en ligne pourront inscrire leurs commandes directement dans les ordinateurs de l'usine de leurs fournisseurs et, à leur tour, ceux-ci achemineront leurs commandes de matériaux vers leurs propres fournisseurs.

Finalement, ce réseau de communications pourrait relier même les machines individuelles de l'usine. Les

chercheurs du Massachusetts Institute of Technology et de l'Université Purdue se sont déjà associés pour concevoir des logiciels de machines-outils intelligentes. Les plans des chercheurs MIT-Purdue prévoient des robots mobiles transportant les pièces dans l'atelier. Le robot diffuserait aux machines-outils le travail à effectuer sur ces pièces, tout en se déplaçant dans l'atelier. Les machines en cause consulteraient alors leurs échéanciers de production pour connaître leur disponibilité et les ordinateurs calculeraient tous ensemble quelles machines feraient le travail requis de la façon la plus efficace.

Des ordinateurs qui négocient les échéanciers de production avec d'autres ordinateurs, prenant en charge des transactions d'affaires routinières et se programmant l'un l'autre: ce monde flexible demandera quelques efforts d'adaptation. Et il arrivera plus tôt que quiconque ne l'avait prévu. «Les transformations profondes au niveau des méthodes commerciales se sont toujours mesurées en décennies», dit Goldman, de l'Université Lehigh. «En 1991, je croyais que la fabrication flexible serait couramment utilisée dans 15 ans, mais désormais, j'estime qu'elle le sera dans 5 ans.»

Article tiré de l'édition du 18 novembre 1994 de *Business Week* et reproduit avec la permission de l'éditeur. © McGraw-Hill Companies inc., 1994.

Il existe plusieurs types d'automatisation flexible:

- la cellule de fabrication;
- le système de fabrication flexible;
- la fabrication assistée par ordinateur (FAO).

Une **cellule de fabrication** est composée d'un petit nombre de MCN qui fabriquent une série de pièces similaires. Ces machines peuvent être reliées à des mécanismes automatiques de manutention des pièces.

Un **système de fabrication flexible** (SFF) se compose d'un ensemble de machines assorti d'un contrôle informatique de supervision, d'une manutention automatique du matériel ainsi que de robots ou de tout autre matériel de traitement automatisé. Des contrôleurs programmables permettent à ces systèmes de produire un éventail de produits similaires. Dans un tel système, il peut y avoir de deux à trois machines, ou plus d'une douzaine. Il s'adapte aux exigences du traitement intermittent, possède quelques-uns des avantages de l'automatisation et la flexibilité des machines individuelles ou autonomes (les MCN, par exemple). Le système de fabrication flexible

cellule de fabrication
Une ou plusieurs MCN qui fabriquent une grande variété de pièces.

système de fabrication flexible
Groupe de machines adaptées aux exigences du traitement intermittent et qui produisent une variété de produits similaires.

réduit les coûts de main-d'œuvre et permet un niveau de qualité plus constant que les procédés de fabrication plus traditionnels. Il demande moins d'investissement en capital, offre une flexibilité supérieure à l'automatisation « rigide » et réduit de beaucoup la période de transition. Le système de fabrication flexible a la faveur des dirigeants qui espèrent obtenir la flexibilité du traitement en atelier multigamme et la productivité des systèmes de traitement répétitif.

Malgré ses nombreux avantages, un SFF possède aussi ses limites, dont la variété réduite de pièces qu'un tel système peut prendre en charge. On doit donc s'en servir dans les cas où une série de pièces similaires exige le même usinage pour chaque pièce. En outre, la complexité de ce système et ses coûts plus élevés demandent une période de planification et de mise au point plus longue que le matériel de traitement plus traditionnel. Les entreprises préfèrent parfois adopter une approche graduelle vers l'automatisation et ce type de système représente une bonne solution transitoire.

fabrication intégrée par ordinateur
Système qui relie un large éventail d'activités manufacturières au moyen d'un système informatique.

La **fabrication intégrée par ordinateur (FIO)** est un système informatique intégré reliant un large éventail d'activités manufacturières incluant la conception technique, des systèmes de fabrication flexible ainsi que le contrôle et la planification de la production. Il n'est cependant pas nécessaire de disposer de tous ces éléments. La FIO peut être aussi simple que la liaison de deux systèmes de fabrication flexible au moyen d'un ordinateur. D'autres systèmes plus sophistiqués peuvent traiter l'organisation des tâches, les achats, le contrôle des stocks, la supervision d'atelier et la distribution. En fait, un système FIO intègre l'information provenant d'autres secteurs d'une entreprise de fabrication.

Le système FIO a pour objectif global de relier divers secteurs d'une entreprise pour répondre rapidement aux commandes des clients et/ou aux modifications de produits, accélérer la production et réduire les coûts indirects de main-d'œuvre.

Un bon exemple de l'importance du choix d'un processus pour la compétitivité est celui du processus de fabrication intégrée par ordinateur chez Allen-Bradley de Milwaukee, au Wisconsin. L'entreprise a converti une partie de son usine en micro-usine entièrement automatisée pour l'assemblage des relais et des contacts de moteurs électriques. Bien qu'une commande, une fois entrée dans le système, soit exécutée presque entièrement par les machines, y compris l'emballage, l'expédition et le contrôle de la qualité, une poignée d'employés gèrent la production. Tout article non conforme est retiré de la chaîne de montage et des pièces de remplacement sont automatiquement commandées et prévues pour remplacer les articles défectueux. Les êtres humains programment les machines, supervisent les opérations et s'occupent de tous les problèmes signalés par un système de voyants lumineux.

À mesure que les commandes arrivent à l'usine, les ordinateurs déterminent les demandes et les horaires de production, et ils commandent les pièces requises. Des étiquettes à **code à barres** contenant des instructions de traitement sont collées automatiquement sur les pièces détachées. Au moment où les pièces s'approchent d'une machine, un mécanisme de lecture lit le code à barres et transmet les instructions de traitement à la machine. L'usine peut fabriquer 600 unités à l'heure.

L'entreprise a tiré d'importants avantages concurrentiels de ce système. À partir de leur inscription dans le système, les commandes sont exécutées et expédiées en 24 heures. Les coûts de main-d'œuvre et de maintien de stocks directs ont diminué considérablement et le niveau de qualité s'est nettement accru.

5.4 LES FACTEURS À CONSIDÉRER POUR DÉTERMINER LA CAPACITÉ DE PRODUCTION

Dans cette section, nous verrons l'importance des décisions concernant la capacité de production, la mesure de la capacité, la détermination des besoins en fait de capacité, ainsi que l'élaboration et l'évaluation des options de capacité.

Dans toutes les entreprises, à tous les niveaux de l'organisation, les questions de capacité de production sont primordiales.

On entend par **capacité de production** ou **capacité** la limite de la charge d'une unité de production[4]. Elle est définie en termes de quantité par unité de temps. L'unité de production peut être une usine, un service, une machine, un magasin ou un travailleur.

La capacité de production d'une unité d'exploitation est importante pour la planification : les gestionnaires s'en servent pour évaluer la capacité de production en termes d'intrants et d'extrants (hommes, machines, etc.). Cette dernière évaluation faite, les gestionnaires sont en mesure de calculer la capacité de production d'une unité d'exploitation. Pour toute planification des besoins en fait de capacité, les questions suivantes sont fondamentales :

Quel type de capacité de production est requise ?

Quelle est la quantité requise ?

À quel moment est-elle requise ?

Le type de capacité de production requise dépend des produits et des services que la direction souhaite produire ou offrir. Ainsi, dans la réalité, les objectifs de l'entreprise déterminent sa capacité de production.

Pour toutes les entreprises, les décisions les plus fondamentales concernent les produits ou services offerts. Presque toutes les autres décisions relatives à la capacité, aux installations, à l'emplacement et autres sont dictées par le choix des produits ou des services. Ainsi, la décision de produire de l'acier de première qualité demandera un certain type de matériel de traitement, des compétences particulières et certains types d'aménagement des installations. Elle déterminera la taille, le genre de bâtiment et l'emplacement de l'usine.

Notez à quel point chacun de ces facteurs serait différent s'il s'agissait d'exploiter un restaurant familial ou un hôpital.

Les choix en matière de capacité sont parfois faits de façon sporadique et, d'autres fois, sur une base régulière, car ils s'inscrivent dans le cadre d'un processus continu. Les facteurs qui déterminent généralement cette fréquence sont la stabilité de la demande, le rythme des progrès technologiques sur le plan du matériel et de la conception des produits ainsi que la concurrence. Le type de produit ou de service et l'importance des tendances (comme dans les industries de l'automobile et du vêtement) constituent encore d'autres facteurs. Finalement, la direction doit réévaluer périodiquement ses choix de produits ou de services pour faire les changements nécessaires sur le plan des coûts, de la compétitivité, etc.

5.4.1 L'importance des décisions en matière de capacité

Les décisions en matière de capacité de production sont les décisions les plus importantes que les gestionnaires doivent prendre.

En voici les raisons.

1. La capacité d'une entreprise à remplir les futures demandes de produits et services dépend en grande partie des décisions concernant la capacité, car celle-ci limite le potentiel de production. Une entreprise ayant la capacité nécessaire pour satisfaire à la demande peut profiter de formidables occasions. Prenons un exemple. En 1997, en pleine saison des rhumes et des grippes, les pastilles d'acide gluconique de zinc fabriquées par la Quigley Corporation et distribuées sous la marque de commerce Cold-Eze™ ont été découvertes par le public, ce qui entraîna une pénurie de stocks dans les pharmacies et les supermarchés. L'entreprise ne pouvait répondre à la demande de ce produit très prisé. À cause de cela, elle ne put profiter pleinement de cette forte demande.

2. Les décisions concernant la capacité influent sur les coûts d'exploitation. De façon idéale, la capacité et la demande sont égales, ce qui réduit les coûts d'opération.

capacité de production
Quantité de biens ou services créée dans une période donnée par un centre d'opération.

www.quigleyco.com

---
4. Voir les notions de vitesse et de cadence de production au chapitre 2.

En pratique, la demande réelle diffère de la demande prévue ou subit des variations (cycliques, par exemple). On peut alors tenter d'équilibrer les coûts de surcapacité et de sous-capacité.

3. En grande partie, la capacité détermine généralement le coût initial. Plus la capacité d'une unité de production est grande, plus les coûts seront élevés. Ce n'est pas un rapport proportionnel; en proportion, les grosses unités semblent coûter moins cher que les petites.

4. Les décisions en matière de capacité de production comportent souvent un engagement des ressources à long terme et la difficulté ou l'impossibilité d'effectuer par la suite des changements sans entraîner des frais importants.

5. La compétitivité découle parfois des décisions en matière de capacité. Une capacité excédentaire ou une augmentation rapide de la capacité peuvent fermer le marché à d'autres entreprises.

5.4.2 La détermination et la mesure de la capacité

La capacité désigne souvent la limite supérieure du taux de production[5]. Même si cette notion semble simple, de subtiles difficultés surgissent dans certains cas lorsqu'on mesure la capacité de production. Les diverses interprétations accordées au mot « capacité » et la difficulté de prendre les mesures appropriées pour une situation donnée sont à l'origine de ces problèmes.

Lorsqu'on choisit une mesure de capacité, il convient d'en prendre une n'exigeant pas de mise à jour. Ainsi, des sommes en dollars représentent souvent une mauvaise mesure de capacité (une capacité de 30 millions de dollars par année, par exemple), car les changements de prix exigent une mise à jour continue de cette mesure.

On peut mesurer la capacité d'une unité de production en fonction d'un article, s'il n'y a qu'un seul produit ou service. Par contre, s'il y a une variété de produits ou de services, ce qui est fréquent, le choix d'une mesure de la capacité basée seulement sur les unités de production peut conduire à l'erreur. Un fabricant d'électroménagers peut produire aussi bien des réfrigérateurs que des congélateurs. Si les taux de production pour ces deux articles diffèrent, il serait insensé de mesurer la capacité en se basant sur les unités sans en préciser la nature. Si l'entreprise fabrique d'autres produits, le problème s'aggrave. L'une des solutions possibles consiste à établir la capacité pour chaque produit. Ainsi, l'entreprise peut avoir une capacité de 100 réfrigérateurs ou de 80 congélateurs par jour. Si cette méthode s'avère quelquefois utile, parfois elle ne l'est pas. Prenons l'exemple d'une entreprise qui offre plusieurs produits ou services différents : il pourrait être fastidieux de dresser la liste de toutes les capacités disponibles, ce qui est tout particulièrement vrai lorsqu'il y a de fréquents changements dans la combinaison de production. Il faudrait alors utiliser un index composite de capacité qui change continuellement. Dans de tels cas, il est préférable d'adopter une mesure de capacité rattachée à la disponibilité des intrants. Par exemple, un hôpital dispose d'un certain nombre de lits, une usine[6], d'une certaine quantité de machines-heures et un autobus, d'un nombre précis de sièges ou de places debout.

Si une seule mesure de capacité ne peut convenir à toute situation, elle doit cependant être adaptée à chacune. Le tableau 5.2 présente quelques exemples de mesures de capacité fréquemment utilisées.

Jusqu'à présent, nous avons défini la capacité de façon fonctionnelle. On peut la subdiviser en deux catégories :

Capacité de conception : la production optimale possible, théorique.

Capacité réelle : la production optimale réalisée compte tenu d'une combinaison de produits et de problèmes d'ordonnancement, d'entretien des machines, de facteurs de qualité, etc.

---

5. Voir note 3.
6. Voir note 3.

TABLEAU 5.2
Mesures de la capacité

Type d'entreprise	Facteurs de production (Intrants)	Produits finis (Extrants)
Industrie de l'automobile	Hommes-heures, machines-heures	Nombre de voitures par quart de travail
Industrie sidérurgique	Taille des fourneaux	Tonnes d'acier par jour
Industrie pétrolière	Taille de la raffinerie	Gallons de combustible par jour
Agriculture	Nombre d'acres, nombre de vaches	Boisseaux de céréales par acre, par année ; gallons de lait par jour
Restauration	Nombre de tables, capacité de clientèle	Nombre de repas servis par jour
Théâtre	Nombre de sièges	Nombre de billets vendus à chaque représentation
Ventes au détail	Mètres carrés de superficie	Volume des ventes quotidien

La capacité de conception est le taux maximal de production réalisé dans des conditions idéales. La capacité réelle est souvent inférieure à la capacité de conception (elle ne peut être supérieure) à cause de changements dans la combinaison de produits, de l'entretien périodique des machines, des heures de repas, des pauses-café, des problèmes d'ordonnancement et d'équilibre des opérations, etc. La production réelle ne peut surpasser la capacité réelle et, bien souvent, elle est inférieure à cause du bris des machines, de l'absentéisme, des problèmes d'approvisionnement ou de qualité ainsi qu'en raison de facteurs qui échappent au contrôle des gestionnaires des opérations.

On mesure la capacité par différents outils appelés **indices de mesure de capacité**. Nous en avons exploré quelques-uns au chapitre 2. Ces diverses mesures de capacité servent à déterminer l'efficacité et le taux d'utilisation d'un système. L'efficacité est le rapport entre la production réelle et la capacité réelle. Le taux d'utilisation est le rapport entre la production réelle et la capacité de conception.

$$\text{Efficacité} = \frac{\text{Production réelle}}{\text{Capacité réelle}} \qquad (5\text{-}1)$$

$$\text{Taux d'utilisation} = \frac{\text{Production réelle}}{\text{Capacité de conception}} \qquad (5\text{-}2)$$

Les gestionnaires se concentrent bien souvent sur l'efficacité uniquement, mais cela peut induire en erreur dans certains cas, par exemple quand la capacité réelle est faible par rapport à la capacité de conception. On pourrait croire que le haut niveau d'efficacité indique un usage adéquat des ressources, mais ce n'est pas le cas. L'exemple suivant illustre ce propos.

Exemple 1

À partir des données fournies, calculez l'efficacité et le taux d'utilisation de l'atelier de réparation mécanique :

Capacité de conception = 50 camions par jour
Capacité réelle = 40 camions par jour
Production réelle = 36 camions par jour

Solution

$$\text{Efficacité} = \frac{\text{Production réelle}}{\text{Capacité réelle}} = \frac{36 \text{ camions par jour}}{40 \text{ camions par jour}} = 90\%$$

$$\text{Taux d'utilisation} = \frac{\text{Production réelle}}{\text{Capacité de conception}} = \frac{36 \text{ camions par jour}}{50 \text{ camions par jour}} = 72\%$$

Ainsi, comparativement à la capacité réelle de 40 unités par jour, le nombre de 36 unités par jour semble assez acceptable. Cependant, si on compare ces 36 mêmes unités par jour avec la capacité de conception de 50 unités par jour, la mesure est moins favorable, bien que sans doute plus significative.

Puisque la capacité réelle freine la production réelle, la solution pour améliorer le taux d'utilisation de la capacité consiste à hausser la capacité réelle en corrigeant les problèmes de qualité, en entretenant le matériel, en formant le personnel et en utilisant de manière optimale le matériel qui se trouve dans les goulots d'étranglement.

L'augmentation du taux d'utilisation dépend donc de l'aptitude à augmenter la capacité réelle et, pour ce faire, il faut savoir ce qui restreint celle-ci.

Dans la section suivante, nous explorons certains des principaux facteurs déterminants de la capacité réelle. Vous devez savoir qu'un usage intense est nécessaire uniquement s'il y a demande. Dans le cas contraire, il peut être néfaste de se concentrer seulement sur le taux d'utilisation, car l'excédent de production génère non seulement des coûts additionnels variables, mais aussi des coûts de gestion des stocks et de production. L'usage optimal amène un autre inconvénient : il peut faire accroître les coûts d'opération liés aux périodes d'attente croissantes dues aux goulots d'étranglement. N'oublions pas la définition de la production : créer des biens et services **utiles**.

5.4.3 Les facteurs déterminants de la capacité réelle

Les principaux facteurs déterminants de la capacité réelle concernent les éléments suivants :

1. les installations ;
2. les produits ou services ;
3. les processus ;
4. les facteurs humains ;
5. les opérations ;
6. les forces extérieures.

Les facteurs liés aux installations La conception des installations, de même que la taille et les dispositions en vue d'un agrandissement, est primordiale. Nous examinerons cette question plus en détail dans des chapitres ultérieurs. À cela s'ajoutent d'autres facteurs liés à la localisation, comme les coûts du transport, la distance par rapport aux marchés, la disponibilité de la main-d'œuvre, des ressources énergétiques et des espaces dans le cas d'un éventuel agrandissement. L'aménagement de l'aire de travail peut faciliter le travail, tandis que des facteurs environnementaux comme le chauffage, l'éclairage et la ventilation ont un impact important sur la facilité ou la difficulté avec laquelle le personnel surmontera la faiblesse des caractéristiques d'une conception.

Les facteurs associés aux produits ou aux services La conception des produits ou services a une grande influence sur la capacité. Par exemple, le système peut produire des articles plus facilement s'ils sont similaires. Un restaurant au menu restreint peut souvent préparer et servir les repas plus vite qu'un restaurant avec menu plus complet. En général, une production plus standard exige des méthodes et des matériaux standardisés, ce qui accroît la capacité. Il faut aussi tenir compte de la combinaison particulière de produits ou de services offerts, car des articles différents n'auront pas tous le même taux de production.

Les facteurs liés au processus Un facteur important pour déterminer la capacité est le volume offert par un processus de production. Un facteur plus subtil encore concerne la qualité de la production. Si on choisit un processus de production avec lequel on a de la difficulté à atteindre les normes de qualité, on prendra plus de temps pour recommencer le travail ou pour fabriquer des produits de remplacement : dans ce cas, les capacités de production ne seront pas respectées et des inconvénients en découleront.

A. Les installations
La conception
L'emplacement
L'aménagement
L'environnement

B. Le produit ou service
La conception
La combinaison de produits ou services

C. Le processus (économie)
Les capacités en termes de volume
Les capacités en termes de qualité
Les capacités en termes de délais

D. Les facteurs humains (social)
Le contenu des emplois
La conception des emplois
La formation et l'expérience
La motivation

La rémunération
La vitesse d'apprentissage
L'absentéisme et la rotation du personnel

E. Les facteurs reliés aux opérations (technologie)
L'ordonnancement
La gestion des matériaux
L'assurance-qualité
Les règles d'entretien
Le bris du matériel

F. Les facteurs externes (politique et écologie)
Les normes sur les produits
Les règlements concernant la sécurité des travailleurs
Les syndicats
Les normes sur le contrôle de la pollution

TABLEAU 5.3

Les facteurs qui détermi-nent la capacité réelle

Les facteurs humains La production potentielle et réelle est influencée par les tâches formant un emploi, la série d'activités qu'il contient (contenu de travail), la formation, les compétences et l'expérience nécessaires pour accomplir ce travail. La capacité dépend aussi directement de la motivation des employés, du taux d'absentéisme et de la rotation du personnel.

Les facteurs reliés aux opérations Des problèmes d'ordonnancement peuvent survenir lorsqu'il existe des écarts entre les capacités des machines à adapter diverses pièces du matériel ou des différences dans les exigences des tâches. La capacité réelle peut également être modifiée par les décisions concernant les stocks, les livraisons tardives, l'acceptabilité des pièces et des matériaux acquis, l'inspection de la qualité et les procédures de contrôle.

Les facteurs externes Une entreprise peut éprouver des difficultés à augmenter ou à respecter la capacité à cause des normes gouvernementales sur les produits ou des normes de qualité et de performance minimales. Les normes antipollution imposées sur les produits et sur le matériel ainsi que la rédaction de formulaires gouvernementaux occupent des employés à des tâches non productives, qui souvent réduisent la capacité réelle de l'entreprise. Une convention collective limitant le nombre d'heures et le type de travail qu'un employé peut effectuer a généralement le même effet.

Le tableau 5.3 résume tous ces facteurs. De plus, une mauvaise planification est un autre facteur qui réduit la capacité réelle.

5.4.4 La détermination des besoins en fait de capacité

Les décisions touchant à la planification des besoins en fait de capacité tiennent compte de considérations à moyen et à court terme. Le niveau de la capacité (comme la taille de l'usine) est inclus dans les considérations à long terme; les variations possibles sur le plan des besoins en fait de capacité, créées par les fluctuations saisonnières de la demande, aléatoires ou irrégulières, sont des considérations à court terme. D'une industrie à l'autre, les intervalles de temps couverts par chacune de ces catégories peuvent varier considérablement et on ne peut en fixer la durée. Cette distinction servira néanmoins de base pour planifier les besoins en matière de capacité.

On détermine les besoins en termes de capacité à long terme en prévoyant la demande sur une certaine période et en convertissant ces prévisions en besoins en fait de capacité. La figure 5.3 illustre quelques modèles de demandes typiques déterminées

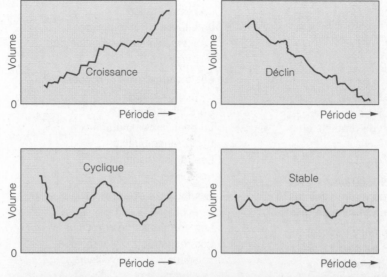

Période	Articles
Année	Ventes de bière, ventes de jouets, trafic aérien, vêtements, vacances, tourisme, consommation d'électricité, consommation d'essence, sports et loisirs, éducation
Mois	Chèques d'aide sociale, transactions bancaires
Semaine	Ventes au détail, repas au restaurant, circulation automobile, location de véhicules, occupation des chambres d'hôtel
Jour	Appels téléphoniques, consommation d'électricité, circulation automobile, transport public, utilisation des salles de classe, ventes au détail, repas au restaurant

par une prévision. Toutes les notions développées au chapitre 3 nous fourniront les informations nécessaires pour établir la capacité de production dont nous aurons besoin.

Lorsqu'on cerne une tendance, il faut se poser deux questions fondamentales :

1. Combien de temps peut-elle durer, toute chose ayant une fin ?

2. Quelle est la pente de la tendance ?

Lorsqu'on observe des cycles, il faut déterminer :

1. leur durée approximative ;

2. leur amplitude (comme les écarts par rapport à la moyenne).

Les variations saisonnières et autres écarts par rapport à la moyenne influent davantage sur les besoins en matière de capacité à court terme que les cycles ou les tendances. Extrêmement importants, ces variations et écarts peuvent à certains moments imposer une tension énorme sur la capacité d'un système à répondre à la demande ou donner lieu, à d'autres moments, à une surcapacité.

Une entreprise peut définir des modèles saisonniers de demande grâce aux techniques habituelles de prévision. Bien que considérées comme des fluctuations annuelles, les variations saisonnières influencent également les exigences mensuelles, hebdomadaires ou même quotidiennes en fait de capacité. Le tableau 5.4 donne quelques exemples d'articles qui tendent à suivre des modèles de demande saisonnière.

Lorsque les intervalles de temps sont trop courts pour comporter des variations saisonnières de la demande, l'analyste peut décrire ces variations en utilisant les fonctions de distribution statistiques classiques telles que la distribution normale ou de Poisson. Nous pourrions par exemple définir la quantité de café servie au repas du midi dans une cafétéria à l'aide de la distribution normale et le nombre de clients entrant dans la succursale d'une banque les lundis matin, à l'aide de la distribution de Poisson. Chaque cas de variabilité aléatoire dans les besoins en fait de capacité ne se prêtera pas nécessairement à une description selon les répartitions statistiques habituelles. Cela est particulièrement vrai dans le cas des services, car ceux-ci peuvent connaître d'énormes variations sur le plan des besoins en matière de capacité, à moins qu'on ne puisse prévoir la demande. Les systèmes de fabrication sont moins sujets aux variations parce qu'ils sont habituellement isolés de leur clientèle et que la nature de leur production est plus uniforme. Pour l'analyse des systèmes de services, les modèles de file d'attente et les simulations peuvent être utiles. Nous décrirons ces modèles dans le chapitre 19.

Les variations irrégulières sont les plus difficiles à déceler, car on ne peut les prévoir : bris de matériel majeurs, tempêtes soudaines qui perturbent la routine, remous politiques pouvant causer des pénuries de pétrole, découverte de risques pour la santé (accidents nucléaires, sols contaminés par des produits chimiques nocifs, éléments carcinogènes dans la nourriture ou les boissons).

Dans tous les cas, pour déterminer les besoins en fait de capacité avec précision, le lien entre les services du marketing et des opérations est primordial. Au moyen des relations avec la clientèle, des analyses démographiques et des prévisions, le service de marketing peut fournir aux opérations des renseignements essentiels pour établir les besoins en termes de capacité, que ce soit à court ou à long terme.

5.4.5 L'élaboration des options de capacité

1. **Concevoir des systèmes flexibles** Considérons d'autres points importants dans l'élaboration des options de capacité. Étant donné le long terme de plusieurs décisions liées à la capacité et les risques des prévisions à long terme, concevoir des systèmes flexibles peut être avantageux. Par exemple, dans la conception initiale, il est moins coûteux de prévoir l'expansion future d'une structure que de remodeler une structure existante. Ainsi, dans l'optique de l'expansion d'un restaurant, on peut prévoir des conduites d'eau, des prises électriques et des lignes pour les broyeurs d'ordures. On réduit ainsi le nombre de changements futurs. Dans les chapitres suivants, nous discuterons de l'aménagement du matériel, de l'emplacement, du choix du matériel, de la planification de la production, de l'ordonnancement et des stratégies de gestion de stocks ; tous ces éléments sont influencés par la flexibilité.

2. **Garder une vue globale des changements de capacité** Lorsqu'on élabore les options de capacité, il est important de tenir compte de l'interaction des composantes d'un système. Si on décide, par exemple, d'augmenter le nombre de chambres d'un hôtel, il faut considérer aussi l'accroissement de la demande de stationnement, de divertissements, de restauration et d'entretien. Il s'agit d'une approche globale.

3. **S'apprêter à gérer des accroissements importants de la capacité** Comme l'accroissement de la capacité se fait souvent par à-coups plutôt que progressivement, il devient difficile d'ajuster la capacité souhaitée à la capacité possible. Par exemple, prenons le cas où un entrepreneur souhaite une capacité de 55 unités à l'heure pour une opération ; supposons que les machines utilisées pour cette opération produisent 40 unités à l'heure. Si nous considérons les besoins, nous voyons qu'une simple machine causerait une pénurie de 15 unités à l'heure et que deux machines auraient une capacité excédentaire de 25 unités à l'heure.

4. **Viser un nivelage des besoins en capacité** Certains problèmes peuvent provenir de fluctuations dans les besoins en fait de capacité. L'achalandage des transports en commun, par exemple, tend à augmenter substantiellement par mauvais temps. Par conséquent, le système alterne entre des périodes d'achalandage insuffisant et excessif. Pendant les périodes de pointe, l'ajout d'autobus ou de wagons de métro allégera le fardeau mais, en cas de capacité excédentaire, les frais d'opération du

système pèseront plus lourd dans le budget. Il n'existe malheureusement aucune solution facile à ces problèmes.

Les fluctuations de la demande pour un produit ou service ont plusieurs causes. L'achalandage du transport par autobus est attribuable au mauvais temps dans une certaine mesure, mais on pourrait considérer que la demande est en partie aléatoire (les variations étant le fruit du hasard). La saisonnalité est une autre source de variation de la demande. Les variations saisonnières sont en général plus faciles à gérer que les variations aléatoires, car elles sont prévisibles. La direction peut donc tenir compte de ces variations dans la planification des tâches et des échéanciers de production ainsi que des stocks. Cependant, les variations saisonnières peuvent être problématiques à cause des demandes inégales qu'elles imposent au système : celui-ci sera parfois surchargé et, à d'autres moments, sous-employé. Une façon d'aborder ce problème consiste à déterminer les produits ou services qui peuvent être complémentaires. Par exemple, on peut compenser pour la demande de skis alpins par la demande de skis nautiques : durant le printemps et l'été, la demande pour des skis nautiques est plus importante, tandis que la demande pour des skis alpins augmente à l'automne et pendant les mois d'hiver. Cet exemple s'appliquerait également au matériel de climatisation et de chauffage. Le cas idéal est celui où des modèles de demande complémentaires pour des produits ou services utilisent les mêmes ressources, pendant des périodes différentes, pour stabiliser les besoins globaux en fait de capacité. La figure 5.4 illustre la complémentarité des modèles de demande.

Les variations de la demande peuvent poser des problèmes aux gestionnaires. La meilleure solution ne consiste pas toujours à augmenter la taille de l'opération (agrandir l'usine, accroître la main-d'œuvre ou la quantité de matériel de traitement), car cela provoque une baisse de la flexibilité et une hausse des coûts fixes. C'est pourquoi les gestionnaires choisissent souvent d'autres méthodes pour répondre aux demandes plus élevées que la moyenne. Les heures supplémentaires sont un de ces moyens. Un autre moyen est de donner une partie du travail à contrat. Épuiser les stocks dans les périodes de forte demande pour les regarnir pendant les périodes tranquilles est une autre option. Le chapitre 12, qui porte sur la planification globale, explique les moyens suggérés et détaille d'autres options.

5. **Déterminer le niveau optimal d'exploitation** En général, les unités de production présentent un niveau d'exploitation idéal ou optimal, exprimé en coût unitaire de production. Au niveau idéal, le coût unitaire sera le plus faible ; des quantités produites inférieures ou supérieures feront augmenter ce coût unitaire. La figure 5.5 illustre cette notion. Notez que les coûts unitaires augmentent à mesure que le taux de production varie par rapport au niveau optimal.

La forme de la courbe des coûts s'explique par le fait que lorsqu'on produit de petites séries de production, le coût des installations et de la mise en route des machines est absorbé (payé) par un faible nombre d'unités fabriquées. Ainsi, le coût par unité est très élevé. Lorsque le volume de la production augmente, un plus grand nombre d'unités absorbent les coûts « fixes » des installations et du matériel, ce qui réduit le coût unitaire. Cependant, passé un certain stade, les coûts unitaires recommenceront à grimper : plus les quantités continuent à augmenter, plus l'apparition d'autres facteurs causera l'augmentation du prix unitaire de production. En effet, la fatigue des travailleurs, les bris de matériel, la perte de souplesse qui réduit la marge d'erreur et, de façon générale, une plus grande difficulté à coordonner les opérations contribuent à la hausse des coûts.

Il reste que le volume optimal d'exploitation et le coût unitaire sont tributaires de la capacité de production générale de l'unité d'exploitation. À mesure que la capacité générale de l'usine augmente, le volume optimal de production s'accroît et le coût minimum du taux optimal décroît. Par conséquent, les usines plus grandes tendent à avoir des quantités optimales de production plus élevées et des coûts minimums plus faibles que les usines plus petites. La figure 5.6 illustre ces faits.

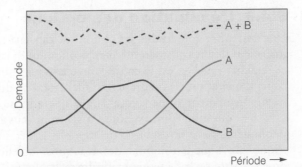

Figure 5.4

A et B présentent des modèles de demande complémentaires.

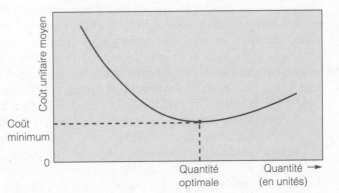

Figure 5.5

Les unités de production ont un taux optimal de production pour un coût minimum.

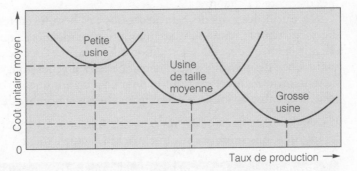

Figure 5.6

Le coût minimum et le taux optimal d'exploitation dépendent de la taille d'une unité de production.

Dans le choix de la capacité d'une unité d'exploitation, la direction doit tenir compte de ces relations ainsi que des ressources financières ou autres à sa disposition et des prévisions de la demande.

Il revient aux gestionnaires d'explorer les coûts unitaires de production à des volumes différents d'unités de production, de tenir compte de tous les paramètres en jeu pour finalement décider de la bonne quantité d'unités à produire et de la taille idéale du centre d'exploitation. La simulation devient alors un excellent outil de prise de décisions.

BULLETIN DE NOUVELLES
La rationalisation pourrait poser problème

Les entreprises ayant utilisé des stratégies de réduction des coûts lors de la dernière période de crise économique ne peuvent sans doute pas y recourir de nouveau, car elles ne peuvent plus couper dans les dépenses. Autrement dit, à moins de trouver de nouvelles façons de contrer une chute de la demande, elles auront une capacité excédentaire qui grugera leurs profits. Les industries à forts besoins de capital pourraient être les plus sensibles, car leurs coûts fixes sont élevés et elles n'ont pas la possibilité de modifier rapidement leur capacité de production. Le problème provient partiellement de la tendance des entreprises à réinvestir les capitaux quand l'argent coule à flots, en oubliant de tenir compte des fluctuations de la demande.

Source: «In Some Industries, Executives Foresee Tough Times Ahead», *The Wall Street Journal*, 7 août 1997, p. A1.

5.4.6 L'évaluation des options

Une entreprise doit étudier les options de capacité future sous plusieurs angles. En premier lieu, il faut considérer le plan économique : cette option est-elle réalisable financièrement ? Quel en est le coût ? Pouvons-nous l'obtenir sous peu ? Quels en seront les coûts d'opération et d'entretien ? Quelle sera sa durée de vie ? Pourra-t-elle s'intégrer harmonieusement au personnel et aux opérations existantes ?

Une question plus subtile, mais tout aussi importante, concerne l'opinion publique. Est-elle favorable ? Par exemple, la décision de construire une centrale électrique provoquera toujours des réactions, qu'elle fonctionne au charbon, à l'hydroélectricité ou à l'énergie nucléaire. Chaque fois qu'une option risque de déranger des gens ou de toucher à la propriété, il y aura des réactions négatives. Construire de nouvelles installations peut signifier le transfert de personnel vers ce nouvel emplacement. Adopter de nouvelles technologies peut comporter le besoin de former les employés actuels ou de mettre à pied du personnel. Changer l'emplacement d'une usine peut soulever des protestations, surtout si la région où elle est implantée perd un employeur important. À l'inverse, si la présence de l'entreprise est perçue comme nuisible (bruit, circulation, pollution), la communauté exercera des pressions.

L'évaluation financière des options de capacité peut se faire de plusieurs façons. L'analyse des coûts en fonction du volume, l'analyse financière, la théorie décisionnelle et l'analyse des files d'attente sont toutes des techniques fréquemment utilisées. Dans ce chapitre, nous décrivons l'analyse des coûts par rapport au volume et nous abordons brièvement l'analyse financière ; nous décrivons l'analyse décisionnelle et l'analyse des files d'attente au chapitre 19.

Le calcul des exigences du processus Les besoins en termes de capacité des produits qui seront traités suivant une option particulière constituent une information essentielle lorsqu'on évalue les options de capacité. Pour cela, certains renseignements sont requis : des prévisions de la demande assez précises pour chaque produit, la période de traitement habituelle par unité pour chaque produit sur chaque machine additionnelle, le nombre de jours de travail par année et le nombre de quarts de travail par jour.

Exemple 2

Un service travaille pendant un quart de 8 heures, 250 jours par année, et il possède les informations suivantes sur une machine actuellement à l'étude :

Produit	Demande annuelle	Période de traitement standard par unité (heures)	Période de traitement requise (heures)
n° 1	400	5,0	2000
n° 2	300	8,0	2400
n° 3	700	2,0	<u>1400</u>
			5800

Travailler pendant un quart de travail de 8 heures, 250 jours par année, produit une capacité annuelle de $8 \times 250 = 2000$ heures par année. Pour produire le volume requis, 3 de ces machines seraient donc nécessaires.

$$\frac{5800 \text{ heures}}{2000 \text{ heures/machine}} = 2,90 \text{ machines}$$

5.5 L'ANALYSE COÛT-VOLUME

Indépendamment du processus et de la technologie qui y est associée, tout processus d'opération est évalué en fonction du coût de production de l'unité produite.

Les coûts totaux de production CT, qui représentent la somme des coûts fixes CF et des coûts variables CV, varient en fonction des quantités produites :

CT = CF + CV

où CF = coûts fixes

CV = cv $*$ Q = coûts variables totaux
cv = coûts variables unitaires
Q = quantité produite
cu = coût unitaire de production = CT/Q

Les produits créés rapportent un revenu à l'entreprise. Le revenu total (RT) escompté de la vente d'une quantité Q d'unités est calculé de la façon suivante :

RT = r $*$ Q
où r = revenu unitaire en $/unité

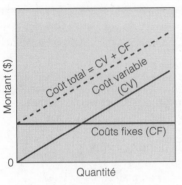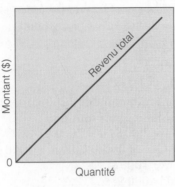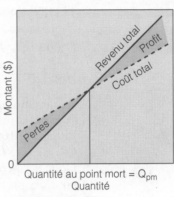

Figure 5.7
Évolution du coût et du revenu en fonction de la quantité

A. Coûts fixes, variables et totaux

B. Augmentation linéaire du revenu

C. Profit = R – CT

Les graphiques 5.7 A, B et C illustrent la relation entre les coûts fixes, les coûts variables, les coûts totaux de production et les quantités produites, à savoir l'évolution de CT (coûts totaux de production) en fonction de Q (quantité). En supposant que le prix de vente de chaque unité vendue (r constant) ne change pas avec les quantités, l'évolution des revenus RT en fonction des quantités Q apparaît au graphique 5.7 B. En superposant ces deux graphiques, nous arrivons au graphique 5.7 C, où nous remarquons que la droite représentant les coûts totaux croise la droite représentant les revenus totaux au point d'intersection défini par la quantité Q_{pm}.

Q_{pm} représente alors la quantité au **point mort**.
Au point mort Q_{pm}, on aura l'équation suivante :
RT = CT = CV + CF
$r * Q_{pm} = cv * Q_{pm} + CF$

En solutionnant l'équation ci-dessous par rapport à l'inconnue Q_{pm}, on pourra déterminer le point mort.
Si le point mort est au niveau Q_{pm}, alors :

pour tout $Q < Q_{pm}$, il y a une perte ;
pour tout $Q > Q_{pm}$, il y a un profit ;
si RT – CT < 0, on génère des pertes ;
si RT – CT > 0, on réalise des profits ;
Profits = RT – CT > 0.

On entend par **point mort** ou **seuil de rentabilité** la quantité ou le volume de production nécessaire pour que les revenus puissent couvrir au moins les coûts totaux d'exploitation.

Parfois, il est préférable de calculer les profits en termes de **marge de profits**, habituellement définie en pourcentage, où :

$$MP = \frac{\text{profits}}{CT} = \frac{\text{revenu} - \text{Coûts de production}}{\text{Coûts de production}}$$

Exemple 3

On désire ajouter une ligne de produits dont les coûts fixes, dans l'entreprise, sont de 6000 $ par mois. Les coûts de matière première, de main-d'œuvre, de machines et d'énergie associés à la fabrication d'une unité ont été évalués à 2,00 $/unité. Le produit se vend sur le marché 7,00 $/unité. On désire déterminer :

a) le nombre d'unités qu'il faut fabriquer pour couvrir les frais mensuels ;

b) les profits ou les pertes si les prévisions indiquent des ventes possibles de 1000 unités par mois ;

c) le nombre d'unités à vendre pour réaliser un profit de 4000 $ et la marge de profit associée ;

d) le prix de vente du produit si on désire réaliser une marge de profit de 25 % et que le niveau d'activités est de 1000 unités par mois.

Solution

a) au point mort : $r * Q_{pm} = cv * Q_{pm} + CF$

$$7,00 \$/u * Q_{pm} = 2,00 \$/u * Q_{pm} + 6000$$

$$(7,00 \$/u - 2,00 \$/u) * Q_{pm} = 6000 \$$$

$$Q_{pm} = \frac{6000 \$}{(7,00 \$/u - 2,00 \$/u)} = 1200 \text{ unités}$$

Il faut fabriquer un minimum de 1200 unités par mois pour couvrir les frais.

b) Pour 1000 unités, les revenus sont de :

Revenus = 1000 u * 7,00 $/u = 7000 $

CT = 2,00 $/u * Q + 6000 $ = 2,00 u. * 1000 u. + 6000 $ = 8000 $

Donc des pertes de : 1000 $

c) pour des profits de 4000 $:

$$RT - CT = 4000 \$$$

$$
\begin{aligned}
RT = CT + 4000 \$ &= (cv * Q + CF) + 4000 \$ \\
&= (2,00 \$/u * Q + 6000 \$) + 4000 \$ \\
r * Q &= (2,00 \$/u * Q + 6000 \$) + 4000 \$
\end{aligned}
$$

$$7,00 \$/u * Q = 2,00 \$/u * Q + 10\,000 \$$$

$$5,00 \$/u * Q = 10\,000 \$$$

$$Q = 2000 \text{ unités à fabriquer pour réaliser un profit de 4000 \$}$$

La marge de profits sera alors de :

$$MP = \frac{profit}{CT} = \frac{4000 \$}{2,00 \$ u./2000 u + 6000 \$} = \frac{4000 \$}{10\,000 \$} = 40 \%$$

d) avec 1000 unités et une marge de profit de 25 %, il faudra vendre l'unité à :

coûts de production = coûts fixes + coûts variables = CT ;

= 6000 $ + 2,00 $/u * 1000 u = 8000 $

cu = coût unitaire de production = CT/Q = 8000 $/1000 unités = 8,00 $/u

Pour réaliser une MP de 25 %, on vendra l'unité avec un incrément de 25 % du prix de production, ou plus simplement, on majorera le coût de production de 1,25.

prix de vente = cu * 1,25 = 8,00 $/u * 1,25 = 10,00 $/unité

Il faudra vendre l'unité 10,00 $, soit plus cher que les prix du marché, ce qui crée une situation problématique.

Revenons maintenant aux coûts des différents processus de production.

Pour fin de simplification, analysons et comparons les coûts de production d'un même produit selon les trois procédés de base : à l'unité, interrompu et continu.

Nous avons vu tout au long du chapitre que plus la technologie adoptée est simple, plus les coûts d'implantation du procédé et de mise en route, à savoir les coûts fixes, sont faibles. Par contre, les coûts variables rattachés à la création de chaque unité seront élevés. D'autre part, plus les capacités de production sont grandes, plus l'automatisation est élevée. Les coûts d'implantation et de mise en route sont également élevés, mais les coûts variables sont faibles. Le tableau 5.5 illustre ce phénomène.

| | À L'UNITÉ | INTERROMPUE Lots | CONTINUE | |
			Chaînes d'assemblage	Industries de traitement
Coûts fixes	Faibles	Moyens	Élevés	Très élevés
Coûts variables	Élevés	Moyens	Faibles	Très faibles
Volume	Limité	Moyen	Grand	Très grand

TABLEAU 5.5

Tableau relationnel processus-ressources

L'évolution comparative des coûts de production en fonction des quantités produites est illustrée par le graphique suivant, où :

$CT_1 = CF_1 + CV_1$: coûts totaux de production selon le processus à l'unité
$CT_2 = CF_2 + CV_2$: coûts totaux de production selon le processus interrompu
$CT_3 = CF_3 + CV_3$: coûts totaux de production selon le processus continu

Figure 5.8

A. *Évolution comparée des coûts d'exploitation*

B. *Graphique d'optimisation des coûts ou du choix de la méthode*

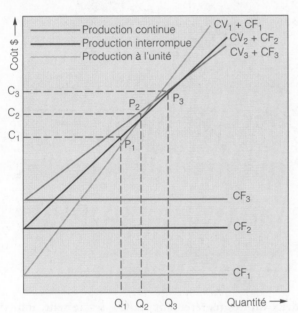

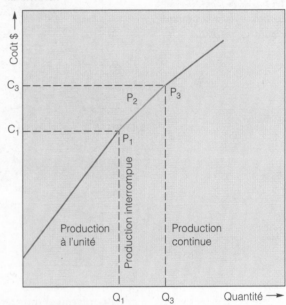

Source : C. Benedetti, *Introduction à la gestion des opérations,* Laval, Éditions Études Vivantes, 1991, chapitre 2, p. 49-50.

Le point P_1 du graphique nous indique le niveau d'indifférence entre la production à l'unité et la production interrompue.

Par **niveau d'indifférence,** on entend le niveau d'activités où les coûts de production de deux procédés différents à l'unité (interrompu ou continu) sont identiques.

Pour des quantités à produire inférieures à Q_1, on préférera la production à l'unité. Pour des quantités à produire supérieures à Q_1, on utilisera la production interrompue. Le même raisonnement s'applique au point P_3, niveau d'indifférence entre CT_2 et CT_3. Le graphique d'optimisation des coûts 5.8 B), qui résume les points saillants de cette analyse, indiquera au gestionnaire à quel moment il est important de changer de processus de travail.

La notion de niveau d'indifférence est un excellent outil de prise de décisions. Elle peut aussi être utilisée pour décider quelle technologie adopter (voir exemple solutionné 4). Par contre, il ne faut pas oublier qu'elle ne tient compte que du point de vue économique, et que, comme nous l'avons vu, d'autres facteurs plus qualitatifs doivent appuyer le choix du processus à adopter.

niveau d'indifférence
Niveau d'activité où les coûts totaux de deux méthodes de production différentes sont identiques.

Exemple 4

Supposons que nous ayons à comparer les deux méthodes de production de l'exemple précédent :[7]

Coûts	1re méthode	2e méthode
variables	5,00 $/u	4,00 $/u
fixes	2000 $	4000 $

Le coût total de production (CT) pour chacune de ces méthodes est exprimé par :
$CT_1 = 5,00 \, \$/u \times Q + 2000 \, \$$
$CT_2 = 4,00 \, \$/u \times Q + 4000 \, \$$

Rappelons-nous que ces deux expressions représentent des droites de la forme :
$y = m * x + b$
où m = pente de la droite ; elle correspond aux coûts variables en $/u
b = point d'intersection de la droite avec l'ordonnée, soit les CF en $

La figure 5.9 illustre l'évolution des coûts totaux (CT) pour chacune des deux méthodes considérées.

Figure 5.9

Évolution des coûts totaux selon deux méthodes

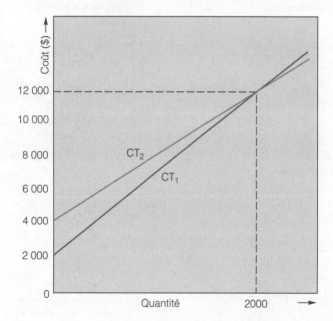

Au niveau d'indifférence, les deux droites représentant les CT se croisent, indiquant que les deux méthodes sont équivalentes (coûts d'exploitation identiques).

$$CT_1 = CT_2$$
$$\text{ou } y_1 = y_2$$
$$\text{ou } m_1 * x + b_1 = m_2 * x + b_2$$
$$5 \times Q + 2000 = 4 \times Q + 4000$$
$$Q = 2000$$

Exemple 5

Un entrepreneur doit décider de l'acquisition d'une, deux ou trois machines pour augmenter ses capacités de production. Les coûts fixes et les volumes potentiels pour chaque machine apparaissent dans le tableau ci-dessous.

Nombre de machines	CF annuel	Capacité potentielle en unités
1	9600 $	0 à 300
2	15 000 $	301 à 600
3	20 000 $	601 à 900

7. Voir BENEDETTI, C. *Introduction à la gestion des opérations,* Laval, Éditions Études Vivantes, 1991, chapitre 3, p. 90.

Les coûts variables sont de 10 $/unité et les revenus, de 40 $/unité vendue. Déterminez le point mort pour chaque option. Si les prévisions nous indiquent une possibilité de marché de 580 à 660 unités, quelle est l'option à retenir ?

Solution

a) Calcul du point mort Q_{pm} à l'aide de l'équation ci-dessous :

$$r * Q_{pm} = cv * Q_{pm} + CF$$

$$40 \$/u * Q_{pm} = 10 \$/u * Q_{pm} + CF$$

$$(40 \$/u - 10 \$/u) * Q_{pm} = CF$$

$$Q_{pm} = \frac{CF}{r - cv} = \frac{9600 \$}{40 \$/u - 10 \$/u} = 320 \text{ unités, option 1 machine}$$

$$Q_{pm} = \frac{CF}{r - cv} = \frac{15\,000 \$}{40 \$/u - 10 \$/u} = 500 \text{ unités, option 2 machines}$$

$$Q_{pm} = \frac{CF}{r - cv} = \frac{20\,000 \$}{40 \$/u - 10 \$/u} = 667 \text{ unités, option 3 machines}$$

Solution sans modulation

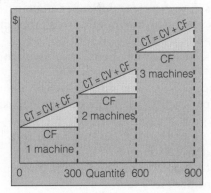

A. Étape avec variations de coûts fixes

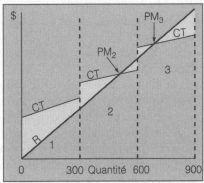

B. Plusieurs points morts

Figure 5.10

Point mort avec variations de coûts fixes

CF	= Coûts fixes
CVU	= Coût variable unitaire
CT	= Coût total
R	= Revenu total
r	= Revenu unitaire
Q	= Quantité
Q_{pm}	= Quantité au point mort
P	= Profit

b) L'option 1 est à rejeter, car le point mort (320 unités) est à l'extérieur de la capacité (0 à 300 unités). En comparant les 2 options restantes, on se rend compte que le seul point mort se trouvant dans la zone prévisionnelle (580 à 660 unités) est l'option à 2 machines (point mort de 500 unités). Si la demande chute en dessous des 580 unités prévues, on se trouve au-dessus du Q_{pm} de 500 unités ; on continue donc de réaliser des profits, ce qui n'est pas le cas avec 3 machines, où il faut fabriquer au minimum 667 unités. Les figures 5.10 A et 5.10 B illustrent le phénomène.

Une analyse coût-volume pose les hypothèses suivantes :

1. Il n'y a qu'un produit en cause.

2. Tout ce qui est produit se vend.

3. Le coût unitaire variable est stable, peu importe le volume.

4. Les coûts fixes ne changent pas en fonction des changements de volume ou changent par étapes.

5. Le profit unitaire reste le même, peu importe le volume.

Pour comparer les options de capacité, l'analyse coût-volume peut s'avérer un outil précieux. Pour tout instrument quantitatif comme celui-ci, il faut vérifier si, dans une situation donnée, les hypothèses qui le sous-tendent sont suffisamment respectées. Les profits unitaires ou les coûts variables unitaires, par exemple, ne sont pas constants. De plus, les coûts fixes peuvent varier pour toute la gamme de produits possibles. Si la demande subit des variations aléatoires, il faut en tenir compte dans l'analyse. Par ailleurs, l'analyse coût-volume demande la séparation des coûts fixes et des coûts variables, ce qui est parfois extrêmement difficile à réaliser.

L'analyse coût-volume est plus efficace si on ne considère qu'un seul produit ou que quelques produits ayant les mêmes caractéristiques sur le plan des coûts. Malgré tout, elle a un avantage remarquable : elle offre un cadre conceptuel pour intégrer les coûts, les volumes de ventes et les possibilités de profits dans les décisions relatives à la capacité.

Après l'analyse coût-volume, il faut élaborer des modèles de flux de trésorerie pour voir si cette option fonctionne avec des critères de temps et de coûts plus souples.

5.5.1 L'analyse financière

Dans le monde entier, les gestionnaires éprouvent des difficultés à allouer des fonds. L'analyse financière est une méthode très populaire pour évaluer des propositions d'investissements.

Le flux de trésorerie et la valeur actualisée sont deux notions importantes en analyse financière.

Le **flux de trésorerie** est la différence entre les liquidités provenant des ventes (de biens ou services) et d'autres sources (par exemple, la vente de matériel usagé) et les décaissements en main-d'œuvre, en matériel, en frais fixes et en impôts.

La **valeur actualisée** est la somme, au loyer actuel de l'argent, de tous les flux de trésorerie futurs pour une proposition d'investissement.

Les trois méthodes les plus courantes d'analyse financière sont la récupération, la valeur actualisée et le taux de rendement interne.

La récupération est une méthode brutale mais très répandue, axée sur le temps nécessaire pour qu'un investissement se rembourse de lui-même. Par exemple, un investissement de 6000 $, avec une rentrée nette de fonds mensuelle de 1000 $, a une période de récupération de six mois. La récupération ignore la valeur temporelle de l'argent. L'usage de cette méthode est plus approprié pour des projets à court terme que pour des projets à long terme. Cependant, à son discrédit, certains critiques croient que cette méthode a été un des facteurs qui ont empêché les États-Unis d'accroître leur production au même niveau que les entreprises étrangères.

La méthode de la valeur actualisée (VA) regroupe le coût initial d'un investissement, sa rentrée nette de fonds estimée sur une base annuelle et toute valeur de récupération prévue en un seul montant, appelé valeur actualisée équivalente, en tenant compte de la valeur temporelle de l'argent (par exemple les taux d'intérêt).

Le taux de rendement interne (TRI) rassemble le coût initial, la rentrée nette de fonds estimée sur une base annuelle et la valeur de récupération estimée d'une proposition d'investissement avec un taux d'intérêt équivalent. En d'autres mots, cette méthode détermine le taux de rendement équivalant aux rendements estimés futurs et au coût initial.

Ces techniques sont valables si on peut évaluer les flux de trésorerie futurs avec certitude. Pourtant, les directeurs des opérations doivent bien souvent composer avec des situations risquées ou incertaines. On utilise fréquemment la théorie décisionnelle lorsque les conditions sont risquées ou incertaines.

5.5.2 L'analyse des files d'attente

L'analyse des files d'attente est souvent très utile pour concevoir des systèmes de services. Des files d'attente semblent se former dans une grande variété de systèmes de services (les aérogares, les comptoirs de billetteries, les appels téléphoniques vers une entreprise de câblodistribution ou les salles d'urgence des hôpitaux). Les files d'attente

---

flux de trésorerie
Différence entre les liquidités provenant des ventes (de biens ou services) et d'autres sources (la vente de matériel usagé, par exemple) et les décaissements en main-d'œuvre, en matériel, en frais fixes et en impôts.

valeur actualisée
Somme, au loyer actuel de l'argent, de toutes les rentrées de fonds futures pour une proposition d'investissement.

indiquent des goulots d'étranglement dans les opérations. L'analyse permet aux gestionnaires de choisir un niveau de capacité de production économique en opposant les coûts des files d'attente aux coûts d'un accroissement de capacité. Elle peut aider à évaluer les coûts prévus pour divers niveaux de capacité de services.

Nous étudions ce sujet au chapitre 19.

5.5.3 Stratégies opérationnelles

La sélection d'un processus exige bien souvent des compétences en ingénierie. Pourtant, nombreux sont les gestionnaires chargés de la sélection d'un processus ayant très peu de connaissances techniques. Ils peuvent donc avoir le réflexe de déléguer aux ingénieurs toute décision d'ordre technique. En ingénierie, il y a beaucoup de projets non rentables ainsi que des systèmes conçus selon des perceptions erronées des problèmes et de leur solution.

Idéalement, il faudrait promouvoir la formation de gestionnaires ayant aussi bien des compétences techniques que des aptitudes administratives. À court terme, les gestionnaires doivent collaborer avec les techniciens, en leur posant des questions et en les aidant à améliorer les possibilités et les limites du matériel, et finalement prendre les décisions. Un réel besoin de gestion des technologies se fait donc sentir.

L'usage croissant de l'automatisation en fabrication modifie la structure des coûts d'une entreprise. La proportion des coûts fixes augmente, tandis que celle des coûts variables diminue. Cela veut donc dire que le volume de la production réduit le coût global, une situation vraiment pénible dans les périodes de faible production. L'automatisation crée de nouveaux besoins d'entretien et de réparation pour du matériel très spécialisé. Les gestionnaires doivent user de prudence en choisissant l'automatisation, et peser le pour et le contre avant de prendre cet engagement à long terme.

Dans ce manuel, nous mettons l'accent sur l'importance de la souplesse en tant qu'avantage concurrentiel. Or, à long terme, les systèmes flexibles sont souvent plus chers et moins efficaces que les options rigides. Dans certains cas, lorsque les produits sont rendus à leur maturité, la souplesse est inutile, parce que les changements seront peu fréquents et le volume de production stable. Ce genre de situation exige, en général, un matériel de traitement spécialisé rigide. Les conclusions sont évidentes : on devrait utiliser la souplesse avec un soin extrême et seulement lorsque la situation l'exige.

Dans la réalité, les décideurs choisissent un système souple dans les cas où les demandes sont variées ou incertaines. Cette dernière situation peut être maîtrisée par l'amélioration des prévisions de ventes.

5.6 Conclusion

La sélection des processus de production est un aspect important de la conception d'un système de production, et ses répercussions sur la productivité, les coûts, la compétitivité et la souplesse peuvent être considérables. Les entreprises doivent choisir un processus lorsqu'elles envisagent la production de nouveaux produits ou services, des changements dans les produits ou services, ou des changements technologiques.

Un aspect central de la sélection des processus de production est le choix de la méthode : production continue, à fort volume ; interrompue, à faible volume ; à l'unité, projets uniques de grande envergure. Il faut tenir compte du niveau d'automatisation ou de fabrication (assistée par ordinateur ou autre), du niveau de souplesse souhaité et des coûts rattachés à la méthode choisie.

La capacité désigne le potentiel de production de biens ou de fourniture de services d'un système sur une période donnée. Les décisions liées à la capacité sont primordiales parce que la capacité est un plafond de production et qu'elle détermine en grande partie les coûts d'opération.

La capacité réelle est généralement inférieure à la capacité de conception parce que plusieurs facteurs peuvent influer sur l'usage de la capacité : la conception des installations et l'aménagement, les facteurs humains, la conception des biens ou services, les bris du matériel, les problèmes d'ordonnancement et les questions relatives à la qualité.

L'établissement des besoins en matière de capacité exige de faire des évaluations à court et à long terme. Les évaluations à long terme touchent le niveau global de la capacité ; celles qui sont à court terme concernent les variations dans les besoins en fait de capacité (fluctuations saisonnières, aléatoires ou irrégulières de la demande). Idéalement, la capacité de production est égale à la demande. Par conséquent, les prévisions et la planification des besoins en fait de capacité sont étroitement liées, particulièrement à long terme. À court terme, la description des variations de la demande et les moyens d'y répondre deviennent primordiaux.

Il est plus facile d'élaborer les options de capacité en adoptant une approche systémique de la planification, en reconnaissant que les accroissements de la capacité s'effectuent souvent par à-coups, en concevant des systèmes souples et en considérant des produits ou services complémentaires pour répondre à divers modèles de demande.

Un gestionnaire doit évaluer à la fois les aspects quantitatifs et qualitatifs des options de capacité. L'analyse quantitative reflète souvent les facteurs économiques, tandis que les aspects qualitatifs incluent des facteurs aussi intangibles que l'opinion du public et les goûts personnels des gestionnaires. L'analyse coût-volume peut être utile dans l'analyse des options.

Terminologie

Achat-fabrication	Machine-outil à commande numérique (MCN)
Atelier multigamme	Marge de profits
Automatisation	Niveau d'indifférence
Capacité de conception	Point mort
Capacité de production	Production continue
Capacité réelle	Production interrompue
Cellule de fabrication	Production par lots
Efficacité	Projet
Fabrication assistée par ordinateur (FAO)	Robot
Fabrication intégrée par ordinateur (FIO)	Système de fabrication flexible (SFF)
Flux de trésorerie	Taux d'utilisation
Graphique d'optimisation	Valeur actualisée
Impartition	

Problèmes résolus

Problème 1

Décision achat-fabrication.

On doit prendre une décision quant à l'option achat-fabrication suivante :

	Fabrication	Achat
Coûts fixes annuels ($)	150 000 $	0
Coûts variables ($/unité)	60 $/u	80 $/u
Volume annuel (unités)	12 000 u	12 000 u

a) Conseillez l'entreprise dans son choix.

b) En tenant compte d'une possibilité de variation dans la demande future, déterminez le niveau d'indifférence entre l'achat et la fabrication.

Solution

a) Coût total annuel par unité :

CT = CF + CV

Fabrication : 150 000 $ + 12 000 u * 60 $/u = 870 000 $

870 000 $ / 12 000 u = 72,50 $/unité

Achat :   80 $/unité

L'option fabrication est retenue.

b) Déterminer le niveau d'indifférence Q_i.

Au niveau d'indifférence, CT achat = CT fabrication ;

$80\,\$/u * Q_i = 150\,000\,\$ + 60\,\$/u * Q_i$

$Q_i = 7500$ unités

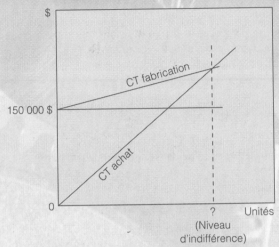

En dessous de 7500 unités, il faudrait choisir l'option achat. Au-dessus de 7500 unités, la fabrication est préférable.

Une PME faisant affaire dans cinq provinces désire réunir en un même lieu ses activités d'assemblage, dont les coûts fixes sont de 42 000 $ et les coûts variables, de 3 $ par unité. L'unité produite se vend 7 $ sur le marché.

Problème 2

a) Déterminez le point mort.

b) Faites une analyse économique pour des productions annuelles prévues de 10 000, 12 000 et 15 000 unités, dont les probabilités de se réaliser sont respectivement de 90 %, 75 % et 60 %.

a) Calcul du point mort Q_{pm} à l'aide de l'équation ci-dessous :

Solution

$r * Q_{pm} = CVU * Q_{pm} + CF$

$7\,\$/u * Q_{pm} = 3\,\$/u * Q_{pm} + 42\,000\,\$$;

$(7\,\$/u - 3\,\$/u) * Q_{pm} = 42\,000\,\$$

$Q_{pm} = \dfrac{CF}{r - CVU} = \dfrac{42\,000}{7\,\$/u - 3\,\$/u} = 10\,500$ unités/mois

b) Faisons une analyse pour 10 000 unités que nous appliquerons ensuite aux deux autres productions prévues. Les résultats apparaissent dans le tableau suivant.

$CT = CF + CV = 42\,000\,\$ + 10\,000\,u * 3\,\$/u = 72\,000\,\$$

Coûts de fabrication unitaire : $72\,000\,\$/10\,000\,u = 7,20\,\$/$unité ;

Ce coût est un coût déterministe, qui ne tient pas compte des probabilités de 90 %.

Le coût probabiliste = coût déterministe ÷ probabilités

Coût probabiliste = $7,20\,\$/u \div 0,90 = 8,00\,\$/u$

Quantité prévue	Revenu ($/u)	CT ($/u) déterministe	Profit ($/u)	Probabilités prévues	CT ($/u) probabiliste
10 000	7	7,20	− 0,20	0,90	8,00
12 000	7	6,50	0,50	0,75	8,67
15 000	7	5,80	1,20	0,60	9,67

De façon déterministe, il est plus avantageux de fabriquer 15 000 unités, car le profit à l'unité est de 1,20 $ et la marge de profit MP = 1,20/5,80 = 20,67 %, tandis qu'à 12 000 unités, le profit n'est que de 0,50 $/unité avec une MP de 7,69 %. Si on tient compte des probabilités, le choix de 12 000 unités est préférable, car le prix de revient de l'unité est inférieur.

Questions de discussion et de révision

1. Expliquez l'importance de la sélection des processus dans la conception d'un système.

2. Qu'est-ce que l'impartition ? En observant une entreprise que vous connaissez, décrivez les avantages et les inconvénients de l'impartition.

3. Quels sont les effets pervers de la décision achat-fabrication ?

4. Décrivez brièvement le processus continu, le processus interrompu ou intermittent et les projets, et indiquez dans quel type de situation chacun d'eux est approprié.

5. Discutez brièvement des avantages et des inconvénients de l'automatisation.

6. Parlez succinctement des méthodes de production assistée par ordinateur.

7. Qu'est-ce qu'un système de fabrication flexible et dans quelles circonstances doit-on l'utiliser ?

8. Pourquoi la gestion de la technologie est-elle importante ?

9. Pourquoi le choix de matériel permettant de la flexibilité dans la gestion peut-il parfois être considéré comme une fuite de la direction ?

10. Comparez la capacité de conception à la capacité réelle.

11. Nommez les trois facteurs qui peuvent nuire à la capacité de production et expliquez-les brièvement.

12. Les considérations concernant la capacité à long terme et à court terme ne sont pas les mêmes. Expliquez.

13. Illustrez chacun de ces modèles saisonniers de la demande au moyen d'un produit et d'un service :
    a) annuel
    b) mensuel
    c) hebdomadaire
    d) quotidien

14. Donnez quelques exemples d'ajouts de souplesse dans la conception d'un système.

15. Pourquoi la planification des besoins en fait de capacité demande-t-elle une vue d'ensemble ?

16. Qu'est-ce qu'un niveau d'indifférence ? un graphique d'optimisation des coûts ? À quoi servent-ils ? Donnez des exemples du domaine des services et du domaine manufacturier où on peut utiliser ces notions.

17. Les écoles élémentaires et secondaires ont périodiquement des problèmes de capacité. Quels sont-ils ? Nommez quelques façons de régler ces problèmes.

18. Comment peut-on améliorer la planification des besoins en matière de capacité par une approche systémique ?

19. Quelle est l'influence des décisions en matière de capacité sur la production ?

20. Nommez d'autres exemples de produits et services utilisant un des processus de production suivants : continu, chaîne de montage, par lots, atelier multigamme et projet.

21. Pourquoi faut-il adapter les capacités d'un processus aux exigences d'un produit ?

22. Expliquez brièvement comment l'incertitude influe sur la sélection des processus et les décisions liées à la capacité.

23. De quelle manière la sélection d'un processus est-elle influencée par le volume et la souplesse ? Comment le volume influence-t-il le degré d'automatisation ?

Problèmes

1. Un producteur de poteries pense construire une nouvelle usine pour absorber les demandes en retard. Le premier emplacement qu'il considère aura des coûts fixes de 9200 $ par mois et des coûts variables de 70 cents par unité produite. Chaque article est vendu aux détaillants à un prix moyen de 90 cents.
    a) Quel volume mensuel est requis pour que cette usine soit rentable ?
    b) Quel profit serait retiré d'un volume mensuel de 61 000 unités ? de 87 000 unités ?
    c) Quel volume est nécessaire pour obtenir un profit de 16 000 $ par mois ?

d) Quel volume est nécessaire pour produire des bénéfices de 23 000 $ par mois ?

e) Tracez sur un graphique les lignes du coût total et des bénéfices totaux.

2. Une petite entreprise a l'intention d'accroître la capacité du goulot d'étranglement d'une opération en ajoutant une nouvelle machine. Elle a déterminé deux options, A et B, et estimé les coûts et les bénéfices connexes. Les coûts fixes annuels s'élèveraient à 40 000 $ pour l'option A et à 30 000 $ pour l'option B ; les coûts unitaires variables seraient de 10 $ pour A et de 12 $ pour B et les revenus unitaires s'établiraient à 15 $ pour A et à 16 $ pour B.

a) Déterminez le seuil de rentabilité de chaque option en unités.

b) Pour quel volume de production les deux options engendreraient-elles le même profit ?

c) Si la demande annuelle anticipée est de 12 000 unités, quelle option produirait le profit le plus élevé ?

3. Un producteur de crayons-feutres a obtenu du service du marketing une prévision de la demande de 30 000 crayons pour le mois à venir. Des coûts fixes de 25 000 $ par mois ont été alloués à l'opération de fabrication et les coûts variables sont de 37 cents par crayon.

a) Déterminez le seuil de rentabilité si les crayons se vendent 1 $ chacun.

b) À quel prix les crayons doivent-ils se vendre pour produire un profit mensuel de 15 000 $, en supposant que la demande anticipée se concrétise ?

c) Déterminez la marge de profit à ce moment (profit de 15 000 $).

d) Si on désire réaliser une marge de profit de 25 % pour un volume mensuel de 30 000 unités, déterminez le prix de vente à l'unité.

4. Un agent immobilier pense installer un téléphone cellulaire dans sa voiture. Il a le choix entre trois plans de facturation, qui comportent tous des frais hebdomadaires de 20 $. Le plan A coûte 0,45 $ la minute pour les appels effectués durant le jour et 0,20 $ la minute pour les appels effectués en soirée. Le plan B comporte des frais de 0,55 $ la minute pour les appels en journée et de 0,15 $ la minute pour les appels en soirée. Le plan C a des frais fixes de 80 $ pour 2000 minutes d'appels par semaine et des frais de 0,40 $ par minute excédentaire, le jour comme le soir.

a) Déterminez les frais totaux pour chacun des plans dans le cas suivant : 120 minutes d'appels pendant la journée et 40 minutes d'appels en soirée pendant une semaine.

b) Préparez un diagramme qui représente les frais hebdomadaires totaux pour chacun des plans par rapport aux minutes d'appels pendant le jour.

c) Si l'agent utilise ce service pour les appels pendant le jour, avec combien de minutes d'appels chacun des plans sera-t-il optimal ?

5. Reportez-vous au problème 4. Supposez que l'agent prévoit faire des appels le jour et le soir. À quel point (c'est-à-dire à quel pourcentage de minutes d'appels durant la journée) serait-il indifférent aux plans A et B ?

6. Un gestionnaire a le choix d'acheter un composant nécessaire au produit fini offert ou bien de le fabriquer à l'interne. À l'achat, l'unité coûte 7 $. Si on fabrique à l'interne le composant, deux options (A et B) sont disponibles. L'option A coûte 160 000 $ en coûts fixes et 5 $ par unité en coûts variables. L'option B a des CF de 190 000 $ et des cv de 4 $/u. Déterminez les marges idéales en termes de quantité pour chacune de ces trois options. Tracez le graphique d'optimisation des coûts correspondant.

7. Un directeur tente de déterminer s'il doit acheter une certaine pièce ou la produire à l'interne. La production interne pourrait utiliser l'un ou l'autre des processus suivants. Le premier comporterait des coûts variables de 17 $ l'unité et des coûts annuels fixes de 200 000 $; l'autre, des coûts variables de 14 $ l'unité et des coûts annuels fixes de 240 000 $. Trois fournisseurs sont prêts à fournir la pièce. Le fournisseur A propose un prix de 20 $ l'unité pour un volume allant jusqu'à 30 000 unités. Le fournisseur B offre un prix de 22 $ l'unité pour une demande de 1000 unités ou moins et de 18 $ l'unité pour des quantités plus grandes. Le fournisseur C propose un prix de 21 $ l'unité pour les 1000 premières unités et de 19 $ l'unité pour les unités supplémentaires.

a) Si le directeur prévoit une demande annuelle de 10 000 unités, quelle option devrait-il choisir ? Pour 20 000 unités, quelle option serait préférable ?

b) Déterminez la marge d'unités ou l'étendue des unités, soit la quantité pour laquelle l'option serait préférable. Y a-t-il des options qui ne présentent jamais de situation optimale ? Lesquelles ?

8. Une entreprise fabrique un produit en utilisant deux cellules de machine. Chaque cellule a une capacité de conception de 250 unités par jour et une capacité réelle de 230 unités par jour. À l'heure actuelle, la production effective est de 200 unités par cellule en moyenne,

mais le directeur estime que les améliorations au niveau de la production feront bientôt accroître la production à 225 unités par jour. La demande annuelle se chiffre actuellement à 50 000 unités. On prévoit que, d'ici deux ans, la demande annuelle triplera. La société pourrait produire 4000 unités par jour en utilisant la capacité disponible. Combien de cellules l'entreprise doit-elle prévoir pour répondre à la demande anticipée dans ces conditions? Calculez 240 journées de travail par année.

9. Un gestionnaire doit choisir parmi les options suivantes:

Machine	Coût
A	40 000 $
B	30 000 $
C	80 000 $

Les prévisions quant à la demande des produits et les temps de traitement sur les machines sont les suivantes:

Produits	Demande annuelle	Temps de traitement unitaire (minutes)		
		A	B	C
1	16 000	3	4	2
2	12 000	4	4	3
3	6 000	5	6	4
4	30 000	2	2	1

Supposez que l'on tienne compte uniquement des coûts d'achat. Quelle machine aurait les coûts totaux les plus faibles et combien de machines seraient nécessaires? Les machines fonctionnent 10 heures par jour, 250 jours par année.

10. Reportez-vous au problème 9. Tenez compte des données suivantes: les machines diffèrent sur le plan des coûts d'opération horaires: la machine A a des coûts d'opération horaires de 10 $, la machine B, de 11 $ et la machine C, de 12 $. Quelle option serait sélectionnée et combien de machines seraient nécessaires pour réduire au minimum les coûts totaux tout en répondant aux exigences en termes de capacité?

11. Un gestionnaire doit déterminer combien de machines d'un certain type il doit acheter. Chaque machine peut traiter 100 clients à l'heure. Une machine entraînera des coûts fixes de 2000 $ par jour, tandis que deux machines produiront des coûts fixes de 3800 $ par jour. Les coûts variables seront de 20 $ par client et les revenus, de 45 $ par client.
Déterminez le seuil de rentabilité pour chaque option.
Si la demande estimée est de 90 à 120 clients à l'heure, combien de machines devrait-on acheter?

12. Le directeur d'un lave-auto doit décider s'il doit y avoir un centre (ou baie) de lavage ou deux. Un centre a des coûts fixes de 6000 $ par mois et deux centres, de 10 500 $ par mois. Chaque centre pourrait traiter environ 15 automobiles à l'heure. Les coûts variables sont de 3 $ par automobile et les recettes, de 5,95 $ par automobile. Le directeur prévoit une demande moyenne de 14 à 18 automobiles à l'heure. Recommanderiez-vous un ou deux centres? Le lave-auto est ouvert 300 heures par mois.

13. Une entreprise qui prévoit accroître sa ligne de produits doit décider entre construire une petite ou une grande installation pour fabriquer les nouveaux produits. Si elle construit une petite installation et que la demande est faible, la valeur actualisée nette après déduction des coûts de construction s'élèvera à 400 000 $. Si la demande est élevée, l'entreprise peut conserver la petite installation ou prendre de l'expansion. L'expansion aurait une valeur actualisée nette de 450 000 $ et l'entretien de la petite installation, une valeur actualisée nette de 50 000 $.
Si on construit une grande installation et que la demande est élevée, la valeur actualisée nette estimée est de 800 000 $. Si la demande s'avère faible, la valeur actualisée nette sera de −10 000 $.
On estime la probabilité d'une demande élevée à 69 % et faible, à 40 %.
Analysez ce problème à l'aide d'un arbre de décision.

UNE TOURNÉE DES OPÉRATIONS
MORTON SALT

www.mortonintl.com
www.mortonsalt.com

Introduction

Morton Salt est une filiale de Morton International, un fabricant de produits chimiques spécialisés, de coussins gonflables et de produits du sel. L'usine de production de sel de Silver Springs, dans l'État de New York, est l'une des six usines semblables de production de sel aux États-Unis. L'usine de Silver Springs a environ 200 personnes à son emploi, dont certaines sont spécialisées et d'autres pas. Elle fabrique des produits du sel pour les marchés du traitement de l'eau, de l'épicerie et pour les secteurs industriels et agricoles. Pour le marché de l'épicerie, l'entreprise produit des boîtes de conserve rondes de 780 g (26 oz). Le marché de l'épicerie représente 15 % de la production globale et est le plus lucratif.

La production de sel

On obtient le matériau brut de base, le sel, par l'injection d'eau dans des cavernes salées situées à environ 730 mètres sous la terre. Les dépôts de sel se dissolvent dans l'eau. On pompe ensuite vers la surface la saumure ainsi produite et on la transforme en cristaux de sel. On fait bouillir l'eau salée et la plus grande partie du liquide s'évapore pour ne laisser que des cristaux de sel et un peu d'humidité, qui est retirée pendant le processus de séchage. On achemine alors le sel vers les silos de stockage. Ce processus dure environ six semaines. Au début du processus, la production de sel est de 45 tonnes à l'heure. L'accumulation progressive de tartre fait diminuer la production, qui atteint 75 % de son taux de départ à la sixième semaine. À cette étape, on arrête le processus pour nettoyer le matériel et enlever le tartre avant de reprendre la production.

Le sel reste stocké dans les silos jusqu'à son utilisation dans la production ou son expédition en vrac aux clients industriels. Des convoyeurs transportent le sel à chaque secteur de production, dont l'un est la production de boîtes de conserve rondes. (Voir le diagramme.) L'exposé suivant traite uniquement de cette production.

La production de boîtes de conserve rondes

La production annuelle de boîtes de conserves rondes est d'environ 3,8 millions d'unités. Presque 70 % de cette production est destinée à la marque de commerce Morton et le restant, à des marques privées. Deux chaînes de production parallèles à haute vitesse sont en fonction. Les deux chaînes de production empruntent les mêmes processus au début de la chaîne, puis elles se divisent en deux chaînes identiques. Chacune des chaînes de production peut fabriquer 9600 boîtes à l'heure (160 boîtes à la minute). Le taux de production est stable, car le matériel n'est pas flexible. Les opérations sont entièrement normalisées, la seule variable étant l'apposition de l'étiquette de la marque. Une chaîne de production unique demande 12 employés, tandis que les deux chaînes réunies demandent uniquement 18 employés en raison du partage du processus. Les travailleurs affectés à cette chaîne accomplissent des tâches répétitives, exigeant peu de qualifications.

L'usine fabrique aussi bien le sel que les boîtes de conserve pour l'emballage. Des cylindres fermés assortis d'un couvercle et d'un fond forment les boîtes de conserve. Les boîtes sont en carton, sauf le bec verseur du couvercle, qui est en aluminium. Deux feuilles d'aggloméré sont collées ensemble et roulées par la suite, constituant ainsi la partie cylindrique. La colle tient les matériaux ensemble et empêche aussi l'humidité de pénétrer. On coupe le tube lors d'un processus effectué en deux étapes : on le coupe premièrement en longs segments, puis ceux-ci sont découpés en morceaux de la taille d'une boîte. À partir d'un ruban continu de carton, on découpe les pièces du dessus et du dessous des boîtes. Une courroie achemine les pièces détachées vers les chaînes de montage où sont assemblées et collées les boîtes de conserve. Le sel est ensuite versé dans les boîtes de conserve et on rajoute le bec verseur. Finalement, on charge les boîtes de conserve sur des palettes et on les stocke en attendant l'expédition aux distributeurs.

La qualité

Pendant le processus de production, on vérifie la qualité à plusieurs reprises. Au début, lorsque le sel est tiré des puits, on surveille sa pureté. On y rajoute de l'iode ainsi qu'un composé anti-agglomérant et on vérifie le taux de ces produits par analyse chimique. La grosseur des cristaux est importante. Pour obtenir la grosseur désirée et enlever les morceaux plus gros, on tamise le sel, ce qui risque de mélanger au sel de très fines particules de métal. On enlève ces particules avec des aimants placés à des endroits stratégiques du processus. Si, pour quelque raison que ce soit, on pense que le sel est contaminé, on le destine alors à un produit non comestible.

On contrôle la qualité des boîtes de conserve surtout par inspection visuelle : pour vérifier l'opération d'assemblage, peser de façon exacte les boîtes pleines, constater que les étiquettes sont bien droites et que les becs verseurs de métal sont solidement attachés.

La chaîne de production est sensible aux boîtes de conserve déformées ou endommagées et s'arrête souvent, ce qui cause des retards dans la production. Cela réduit considérablement la possibilité qu'une boîte de conserve défectueuse passe à travers les mailles, mais cela diminue la productivité. En outre, le sel de ces boîtes de conserve défectueuses doit être jeté. Le coût de la qualité est assez élevé en raison de la quantité de produit jetée, du nombre élevé d'inspecteurs et des tests de laboratoire approfondis qui sont nécessaires.

La planification de la production et l'inventaire

L'usine peut vendre la totalité du sel qu'elle produit. Le chargé de production a pour tâche de distribuer le sel qui est emmagasiné dans les silos vers les diverses zones de production en tenant compte des capacités de production de chaque secteur et du niveau des stocks existants. Un point majeur : il faut s'assurer que la capacité de stockage est suffisante dans les silos pour recevoir le sel qui provient de la production de saumure.

L'entretien et la réparation du matériel

Le matériel date des années 1950 et demande un certain entretien, mais,

malgré tout, des bris surviennent. L'usine possède son propre atelier d'usinage où les machinistes réparent les pièces détachées ou en fabriquent de nouvelles, car il n'existe plus de pièces pour ce matériel vétuste.

Questions

1. Décrivez brièvement la production de sel, de la production de saumure jusqu'aux boîtes de conserve rondes finies.

2. Décrivez brièvement les procédures de contrôle de la qualité mises en œuvre dans la production de boîtes de conserve rondes.

3. Pourquoi l'entreprise voudrait-elle conserver cet ancien matériel de traitement au lieu d'en acquérir un autre, neuf et plus moderne ?

4. À quel endroit du spectre produit-processus mettriez-vous la production de sel ?

5. Calculez environ combien de tonnes de sel sont produites chaque année. Équivalences : une tonne équivaut à 2000 livres et une livre équivaut à 16 onces.

6. Quelles améliorations pourriez-vous apporter à cette usine ?

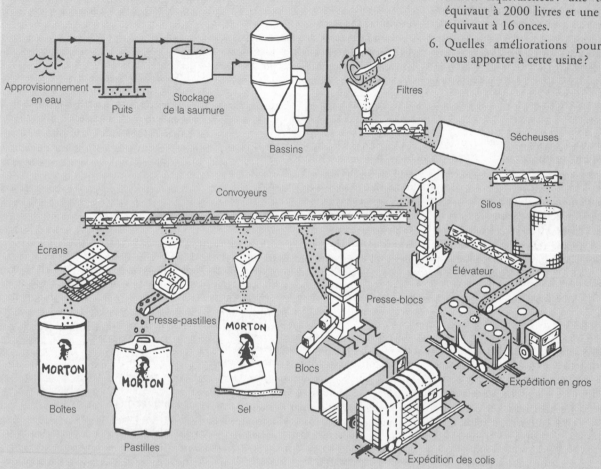

Bibliographie

BOLWIJN, P. T. et T. KUMPE. «Manufacturing in the 1990's – Productivity, Flexibility, and Innovation», *Long Range Planning*, vol. 23, n° 4, 1990, p. 44-57.

COHEN, Morris et Uday M. APTE. *Manufacturing Automation*, Burr Ridge, IL., Richard D. Irwin, 1997.

ETTLIE, John et Henry STOLL. *Managing the Design-Manufacturing Process*, New York, McGraw-Hill, 1990.

GROOVER, Mikell P. *Automation Production Systems, and Computer-Aided Manufacturing*, Englewood Cliffs, NJ, Prentice Hall, 1980.

HILL, Terry. *Manufacturing Strategy*, 2e édition, Burr Ridge, IL., Richard D. Irwin, 1994.

MONROE, Joseph. «Strategic Use of Technology», *California Management Review*, été 1989, p. 91-110.

MOORE, Franklin et Thomas E. HENDRICK. *Production / Operations Management*, 9e édition, Burr Ridge, IL., Richard D. Irwin, 1985.

NOBERT, Yves, Rock OUELLET et Régis PARENT. *La recherche opérationnelle*, 2e édition, Boucherville, Gaëtan Morin, 1999, 450 p.

SHUNK, Dan L. *Integrated Process Design and Development*, Burr Ridge, IL., Business One Irwin, 1992.

STAUFFER, Robert. «Lessons Learned in Implementing New Technology», *Manufacturing Engineer*, juin 1989.

Toward a New Era In U.S. Manufacturing: The Need for a National Vision, Washington, D.C, National Academy Press, 1986.

UPTON, David. «The Management of Manufacturing Flexibility», *California Management Review*, vol. 36, n° 2, 1994, p. 7-89.

UPTON, David. «What Really Makes Factories Flexible», *Harvard Business Review*, juillet-août 1995, p. 74-84.

OBJECTIFS D'APPRENTISSAGE

Après avoir terminé l'étude de ce chapitre, vous pourrez :

1. Identifier les limites d'un processus opérationnel.

2. Présenter les contraintes sous forme d'équations linéaires.

3. Résoudre graphiquement des systèmes d'équations linéaires.

4. Interpréter l'algorithme du simplex.

5. Interpréter les solutions du sous-programme Solveur.

Supplément au chapitre 5
PROGRAMMATION LINÉAIRE

Plan du supplément

S-5.1 INTRODUCTION

La programmation linéaire est un outil mathématique performant qui sert à trouver la solution optimale d'un problème, compte tenu d'un ensemble de conditions contraignantes. Dans le domaine de la gestion des opérations et de la production, on est souvent limité par des contraintes budgétaires, de capacité de main-d'œuvre, de disponibilité de matière première, etc. Mais malgré tout, on souhaite répondre au maximum à la demande. La programmation linéaire est alors d'une grande utilité.

On peut appliquer la programmation linéaire pour :

- déterminer le nombre optimal de machines et d'équipements de secours ;

- établir les horaires des départs d'avions, de trains, de navires, etc. ;

- développer des plans de financement optimaux ;

- trouver la meilleure combinaison de matières premières, chimiques ou autres, afin de respecter les exigences minimales de qualité du produit fini ;

- définir la taille optimale d'un entrepôt, compte tenu de la grande variété des produits entreposés.

Sans vouloir couvrir l'ensemble des techniques de programmation linéaire, nous porterons notre attention dans ce supplément sur les deux techniques les plus utilisées par les gestionnaires du domaine des opérations, soit :

- la méthode graphique ;

- la méthode du simplex.

S-5.2 LA PROGRAMMATION LINÉAIRE (PL)

Un modèle de programmation linéaire consiste en une suite d'équations linéaires mathématiques représentant des contraintes à respecter et à optimiser[1].

Le système d'équations du modèle est composé de la fonction objective à optimiser, des contraintes à respecter et des variables de décisions ou dimensions.

La **fonction objective** est une fonction mathématique qui représente l'objectif visé : par exemple maximiser les revenus, les profits, l'utilisation de l'espace, etc., ou minimiser les rejets, les coûts, les plaintes, etc. Par convention, nous la représenterons par la lettre Z.

Les **contraintes** représentent les limites quant à la disponibilité des ressources. On les exprime par des équations mathématiques égales ou inégales, c'est-à-dire :

a) ($\leq$) (plus petit que ou égal à) : l'ensemble des ressources disponibles ne doit pas dépasser la valeur maximale de la contrainte ;

b) ($\geq$) (plus grand que ou égal à) : l'ensemble des ressources utilisées doit toujours se situer au-dessus de la valeur minimale de la contrainte ;

c) (=) : cette situation est plus difficile que les précédentes, car elle exige le respect intégral de la contrainte.

Les **variables de décisions,** appelées plus couramment les **dimensions,** représentent les produits à fabriquer, ou bien les différents éléments du problème à gérer. Par convention, nous les représenterons par x_1, x_2, x_3, etc. Les paramètres représentent les données du problème.

L'exemple 1 illustre un modèle de programmation linéaire.

---

1. Il existe des ouvrages traitant de la programmation dynamique où les équations seront aussi quadratiques.

Exemple 1

Nous désirons produire : x_1 = unités du produit A
x_2 = unités du produit B
x_3 = unités du produit C

Chaque unité de A génère 5 $ de profit, une unité de B génère 8 $ et une de C, 4 $. Nous devons respecter une limite de 250 heures (h) de production, nous avons 100 kilogrammes (kg) de matière première à notre disposition et nous devons fabriquer un minimum de 10 unités du produit A. Chaque unité de A exige 2 h de travail et consomme 7 kg de matière première ; chaque unité de B, 4 h de travail et 6 kg ; chaque unité de C, 8 h de travail et 5 kg. Compte tenu de ces informations, écrire le modèle du problème en PL.

Solution

Les variables de décisions sont x_1, x_2 et x_3 et le problème est à trois dimensions. Compte tenu de tous les paramètres, la fonction objective qui, dans ce cas-ci, représente les profits à maximiser, sera :

$$Z = 5x_1 + 8x_2 + 4x_3$$

Nous devons respecter trois contraintes :

1re : temps disponible $\quad 2x_1 + 4x_2 + 8x_3 \leq 250$ h
2e : matière première $\quad 7x_1 + 6x_2 + 5x_3 \leq 100$ kg
3e : produit A $\qquad\qquad\qquad x_1 \geq 10$ unités

Il est clair que les dimensions x_2, $x_3 \geq 0$, car nous ne pouvons pas produire des quantités négatives.

Avec cet exemple, nous venons d'illustrer ce que sont une contrainte, une fonction objective et les variables de décisions. Il reste à trouver la meilleure combinaison possible des produits A, B et C, représentés par x_1, x_2 et x_3, pour maximiser les profits tout en respectant les contraintes. Cela peut se faire par la méthode graphique ou par l'algorithme du simplex.

S-5.3 LA MÉTHODE GRAPHIQUE

Cette méthode est idéale dans le cas de problèmes à deux variables (ou dimensions). Au-delà de deux dimensions, nous utiliserons la méthode du simplex, présentée plus loin.

Pour illustrer la méthode graphique, considérons l'exemple suivant.

Exemple 2

Une entreprise d'assemblage d'ordinateurs doit assembler deux modèles : le type 1 et le type 2. Chaque modèle doit être assemblé, contrôlé et ensuite entreposé. Les ressources de l'entreprise étant limitées, la directrice de la production désire savoir quelle est la meilleure combinaison de types à assembler pour maximiser les profits. Elle dispose des informations suivantes :

	Type 1	Type 2
Profit (en $/unité)	60	50
Assemblage (heures/unité)	4	10
Contrôle de la qualité (heures/unité)	2	1
Volume (litres[2])	85	85

Les ressources de l'entreprise sont limitées :

Ressources	Disponibilités
Chaîne d'assemblage	100 heures
Contrôle de la qualité	22 heures
Espace d'entrepôt	1100 litres ou 1,1 mètre cube

---

2. 1 litre de volume = 100 centimètres cubes ou 10 décimètre cube.

Pour trouver la meilleure solution, nous devons suivre quatre étapes :

1. Écrire l'équation de la fonction objective ;
2. Écrire les équations des contraintes ;
3. Délimiter la surface des solutions ;
4. Trouver la combinaison de x_1, x_2 qui optimise la fonction objective.

1. La fonction objective à maximiser s'écrit :

$$Z = 60x_1 + 50x_2$$

2. Cet objectif est soumis aux contraintes suivantes :
contrainte assemblage : $4x_1 + 10x_2 \leq 100$ heures
contrainte contrôle : $2x_1 + 1x_2 \leq 22$ heures
contrainte espace : $85x_1 + 85x_2 \leq 1100$ litres
et finalement, comme on ne peut produire de quantités négatives, x_1, $x_2 \geq 0$

3. *Limite de la surface des solutions.* Pour ce faire, commençons par reporter sur un graphique les données de la 1re contrainte, celle de l'assemblage. Si nous décidons d'utiliser la totalité des ressources disponibles pour l'assemblage du type 1, ce qui signifie qu'aucun modèle de type 2 ne sera assemblé, l'équation de la contrainte assemblage s'écrira :

$4x_1 + 0x_2 \leq 100$ heures

et $x_1 = 100$ h ÷ 4 u/h = 25 unités

Donc, le fait de ne faire aucun modèle de type 2 permet d'assembler un maximum de 25 unités du type 1.

Par contre, si nous avions axé la totalité des ressources d'assemblage sur le type 2, sans aucun type 1, la contrainte assemblage s'écrirait :

$0x_1 + 10x_2 \leq 100$ heures

et $x_2 = 100$ h ÷ 10 u/h = 10 unités

En reportant x_1 sur l'abscisse et x_2 sur l'ordonnée d'un graphique, on obtiendrait le graphique S5.1.

Graphique S5.1

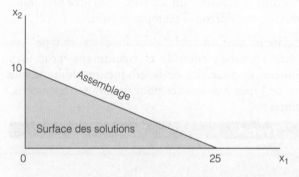

surface des solutions
Aire du polygone qui circonscrit l'ensemble des combinaisons possibles des variables de décisions, tout en tenant compte des contraintes.

Nous pourrions assembler n'importe quelle combinaison de x_1, x_2, pourvu que nous ne dépassions pas la zone ombrée. Celle-ci nous indique les combinaisons possibles d'assemblage des x_1, x_2 : c'est la **surface** ou **polygone des solutions**.

Selon cette définition, la décision d'assembler 10 unités du type 1 et 10 unités du type 2 est totalement irréalisable, car elle ne se trouve pas dans la surface des solutions limitée par l'équation de la contrainte assemblage.

Si on applique le même raisonnement à la contrainte contrôle de qualité, on obtient :

$2x_1 + 1x_2 \leq 22$ heures

si $x_2 = 0$

$2x_1 + 0x_2 \leq 22$ heures   et $x_1 = 11$ unités si $x_1 = 0$

$0x_1 + 1x_2 \leq 22$ heures   et $x_2 = 22$ unités

En reportant sur un graphique la droite de la contrainte contrôle de qualité et en la superposant à la droite de la contrainte assemblage (voir graphique S5.2), on remarque que la surface des solutions commune aux deux a rétréci. À ce stade, elle devient la surface des solutions du problème.

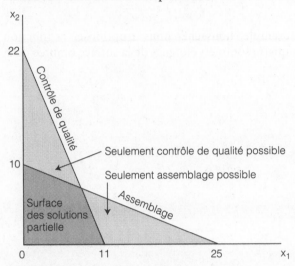

Graphique S5.2

Surface des solutions partielle : contraintes assemblage et contrôle de qualité

Finalement, en considérant la dernière contrainte du problème, soit l'entreposage, on obtient :

$85x_1 + 85x_2 \leq 1100$ litres

si $x_2 = 0$ $x_1 = 12,94 \approx 13$ unités

si $x_1 = 0$ $x_2 = 12,94 \approx 13$ unités

Le graphique S5.3 illustre cette solution.

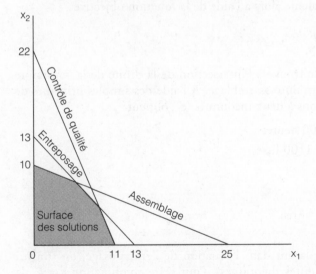

Graphique S5.3

Illustration complète : contraintes et polynôme des solutions

La surface finale des solutions du problème est représentée par la zone ombrée. On peut produire n'importe quelle combinaison de type 1 et de type 2 à l'intérieur de cette zone : elles seront toutes des solutions possibles. Mais la question est de savoir laquelle maximisera les profits, qui sont représentés par l'équation de la fonction objective. En d'autres termes, il reste à trouver la combinaison idéale, c'est-à-dire apte à optimiser le système dans son ensemble.

4. *Recherche de la combinaison optimale.* La règle suivante nous aidera à atteindre cet objectif :

a) dans le cas d'une maximisation de la fonction objective, la solution optimale se trouvera à l'un des sommets du polygone des solutions les plus éloignés de l'origine ;

b) dans le cas d'une minimisation de la fonction objective, la solution optimale se trouvera à l'un des sommets du polygone des solutions les plus rapprochés de l'origine.

Étant donné que dans notre exemple, nous cherchons à optimiser la fonction objective, nous devons explorer les quatre sommets éloignés de la surface ombrée de la figure S5.4.

Graphique S5.4

Illustration de la fonction objective « Profit »

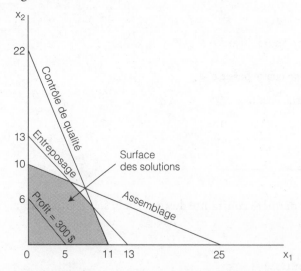

L'exemple 3 présentera une situation de minimisation. Le premier sommet du polygone (S1) se trouve à l'intersection de la droite représentant la contrainte assemblage et de l'ordonnée, x_2. À ce sommet, nous avions trouvé $x_1 = 0$ et $x_2 = 10$ unités (voir figure S5.1). Le profit se calcule alors à l'aide de la fonction objective :

$$Z = 60x_1 + 50x_2$$
$$Z = 60 * 0 + 50 * 10 = 500 \$.$$

Le deuxième sommet (S2) se trouve à l'intersection de la droite de la contrainte entreposage et de celle de la contrainte assemblage. À l'aide des simples principes de résolution des systèmes d'équations à deux inconnues, on obtient :

assemblage : $4x_1 + 10x_2 = 100$ heures

entreposage : $85x_1 + 85x_2 = 1100$ litres

$(85) * (4x_1 + 10x_2 = 100)$

$\underline{(-4) * (85x_1 + 85x_2 = 1100)}$

$\sum = 0*_1 + 510x_2 = 4100)$

$x_2 \approx 8$ unités

Si $x_2 = 8$ unités, en le remplaçant dans l'équation de l'entreposage, on trouve : $x_1 = 4$ unités complètes (4,94 unités théoriques). Pour cette combinaison x_1, x_2, la fonction objective donne un profit de :

$$Z = 60 * x_1 + 50 * x_2$$
$$Z = 60 * 4 + 50 * 8 = 640 \$$$

Cette combinaison est préférable à la précédente, S1. Continuons à explorer les autres sommets de la même façon. Le troisième sommet (S3) se trouve à l'intersection de la droite de la contrainte entreposage et de celle de la contrainte contrôle de qualité.

entreposage : $85x_1 + 85x_2 = 1100$ litres

contrôle : $2x_1 + x_2 = 22$ heures

$(2) * (85x_1 + 85x_2 = 1100$ litres$)$

$\underline{(-85) * (2x_1 + 1x_2 = 22)}$

$\Sigma = 0x_1 + 85x_2 = 330$

$x_2 = 3{,}88$ unités

La production serait approximativement de trois unités et non pas quatre, pour ne pas risquer de dépasser les limites des contraintes (voir section S-5.3.1). En remplaçant la valeur de x_2 dans l'une des deux équations, on obtient $x_1 = 9$ unités du type 1. Le profit escompté pour cette combinaison est de :

$Z = 60 * 9 + 50 * 3 = 690$ \$, ce qui est plus intéressant que la combinaison S2.

Finalement, le sommet S4 se trouve à l'intersection de la droite de la contrainte contrôle et de l'abscisse, x_1. À ce point, $x_2 = 0$, et $x_1 = 11$ unités. La fonction objective nous donne un profit de :

$Z = 60 * 11 + 50 * 0 = 660$ \$.

On conclut que la solution optimale, le sommet S3, consiste à fabriquer 9 unités du type 1, 3 unités du type 2, pour un profit Z maximal de 690 \$. Le graphique S5.5 illustre la situation.

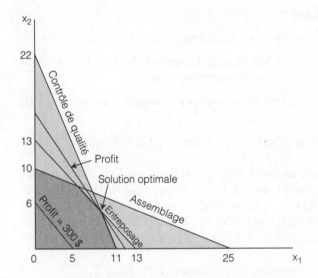

Graphique S5.5

Illustration de la solution optimale

S-5.3.1 L'analyse de sensibilité

Au problème précédent, on a dû arrondir les réponses à l'unité près, aucune réponse sous forme de fraction ne pouvant être acceptée. En effet, l'analyse du sommet S3 donne comme solution purement mathématique 3,88 ordinateurs ! Mais il peut arriver que des réponses sous forme de fractions soient acceptables, comme si nous avions à déterminer le nombre de litres d'un produit chimique à mélanger pour trouver le mélange optimal d'une solution chimique (voir exemple 3). D'autre part, au sommet S3, on aurait été tenté d'arrondir la réponse à $x_2 = 4$ ordinateurs. En remplaçant la valeur de $x_2 = 4$ dans l'équation d'entreposage, on obtient $x_1 = 8$ unités du type 1. Le profit escompté pour cette combinaison serait alors de $Z = 60 * 8 + 50 * 4 = 680$ \$, ce qui est moins intéressant que la solution initiale avec $x_1 = 9$ et $x_2 = 3$.

Nous pouvons conclure que :

a)   dans le cas d'une maximisation du système, il est suggéré d'arrondir à l'unité inférieure ;

b) dans le cas d'une minimisation du système, il est suggéré d'arrondir à l'unité supérieure.

Retournons à la solution optimale, soit le sommet S3, où $x_1 = 9$ et $x_2 = 3$ pour un profit Z de 690 $. En remplaçant x_1 et x_2 dans les équations de contraintes, on obtient :

Contrainte assemblage :
4 h/u * 9 unités + 10 h/u * 3 unités = 66 h ≤ 100 h disponibles

La limite de la contrainte assemblage est respectée et il reste un surplus de 100 – 66 heures, soit 34 heures d'assemblage non utilisées.

Contrainte contrôle de qualité :
2 h/u * 9 unités + 1 h/u * 3 unités = 21 h ≤ 22 h disponibles

Il reste une marge ou un surplus de 1 heure (22 h – 21 h) de contrôle non utilisée.

Contrainte espace :
85 l/u * 9 unités + 85 l/u * 3 unités = 1020 litres ≤ 1100 litres disponibles

On dispose donc dans l'entrepôt d'un surplus de 80 litres (1100 l – 1020 l) d'espace non utilisés.

Finalement, la contrainte x_1, $x_2 \geq 0$ est respectée.

Vous remarquerez qu'on ne peut décider de faire 9 unités du type 1 et 4 de type 2 sans compromettre les limites des contraintes.

S-5.3.2 La minimisation

Contrairement aux situations de maximisation, les situations de minimisation auront :

a) une ou plusieurs contraintes = ou ≥ aux limites. La surface des solutions se trouve alors du côté droit du graphique, en s'éloignant de l'origine ;

b) la solution optimale se trouvera à l'un des sommets de la surface des solutions les plus rapprochés de l'origine.

L'exemple suivant illustre la démarche d'un problème de minimisation.

Exemple 3

On nous demande de déterminer le meilleur mélange de deux produits chimiques de base nécessaires pour préparer un lot de solvant. Ces deux produits de base, identifiés par x_1 et x_2, sont achetés aux coûts de 8 $/litre pour x_1 et 12 $/litre pour x_2. Nous devons respecter des normes minimales, identifiées par A, B et C. Les administrateurs voudraient minimiser les coûts des produits achetés tout en respectant les normes minimales annoncées.

La norme A est identifiée par l'équation de contrainte suivante :

$5x_1 + 2x_2 \geq 20$ litres, ce qui signifie que l'on doit avoir au moins 20 litres de A dans le solvant fabriqué.

La norme B est identifiée par l'équation :
$4x_1 + 3x_2 \geq 24$ litres

La norme C est identifiée par l'équation :
$x_2 \geq 2$ litres

Dans ce cas, la norme C nous oblige à avoir un minimum de 2 litres du produit x_2 dans le lot de solution chimique finale.

L'équation objective des coûts à minimiser est :
Z minimum = $8x_1 + 12x_2$

Le problème à résoudre s'écrit ainsi :
minimiser $Z = 8x_1 + 12x_2$

Il est sujet aux contraintes suivantes :

$5x_1 + 2x_2 \geq 20$ litres

$4x_1 + 3x_2 \geq 24$ litres

$x_2 \geq 2$ litres

$x_1, x_2 \geq 0$

1. *Reporter sur un graphique les équations des contraintes.*
   a) Pour chaque contrainte, poser $x_1 = 0$ et trouver le x_2 correspondant.
      Poser $x_2 = 0$ et trouver le x_1 correspondant.
   b) Tracer la droite de chaque contrainte.
      Soulignons le fait que $x_2 = 0$ est une droite horizontale parallèle à l'axe des x_1.

2. *Identifier la surface des solutions.* Dans ce cas, la surface des solutions est représentée par la surface ombrée au graphique S5.6

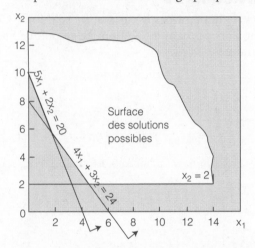

Graphique S5.6

Illustration d'un problème de minimisation

3. *Limite de la surface des solutions.* Les sommets S de la surface des solutions sont :
   S1 : où $x_2 = 10$ et $x_1 = 0$

Dans ce cas :
$Z = 8x_1 + 12x_2 = 8 * 0 + 12 * 10 = 120\,\$$

S2 : intersection de la norme A ($5x_1 + 2x_2 \geq 20$ litres) et de la norme B ($4x_1 + 3x_2 \geq 24$ litres).

$\quad (4) \; (5x_1 + 2x_2 = 20)$

$\underline{(-5) \; (4x_1 + 3x_2 = 24)}$

$\sum \quad 0x_1 - 7x_2 = 40$

$x_2 = 5,71$

En remplaçant la valeur de x_2 dans l'une des deux équations,
on obtient $x_1 \approx 1,71$ unité.

Le sommet S3 est formé des points $x_1 = 1,71$ et $x_2 = 5,71$; dans ce cas :

$Z = 8x_1 + 12x_2 = 8 * 1,71 + 12 * 5,71 = 82,20\,\$$

S3 : intersection de la norme B ($4x_1 + 3x_2 \geq 24$) et de la norme C ($x_2 = 2$).

$\quad (1) * \quad (4x_1 + 3x_2 \quad = \quad 24)$

$\underline{(-3) * (0 * x_1 + 1 * x_2 = \quad 24)}$

$\sum \quad \quad 4 * x_1 - 0 * x_2 = -40$

Le sommet S3 est formé des points $x_1 = 4,5$ et $x_2 = 2$; dans ce cas:
$Z = 8x_1 + 12x_2 = 8 * 4,5 + 12 * 2 = 60\,\$$

4. Trouver la combinaison de x_1, x_2 qui optimise la fonction objective.
La combinaison optimale, qui, dans ce cas, minimise la fonction objective représentant les coûts, est: $x_1 = 4,5$ litres, $x_2 = 2$ litres, au coût Z minimal de 60 $ par lot.

L'analyse de la sensibilité de la solution retenue indique:
Contrainte norme A:
$5x_1 + 2x_2 = 5 * 4,5 + 2 * 2 = 26,5$ litres ≥ 20 litres; contrainte respectée avec un surplus de $26,5 - 20 = 1,5$ litre.

Contrainte norme B:
$4x_1 + 3x_2 = 4 * 4,5 + 3 * 2 = 24 \geq 24$ litres; contrainte respectée minimalement.

Contrainte norme C:
$x_2 = 2 \geq 2$ litres; contrainte respectée minimalement.

S-5.3.3 Les situations particulières

Dans quelques cas, certaines contraintes ne limitent pas la surface des solutions. Ces **contraintes redondantes** n'interviennent alors pas dans la solution. Le graphique S5.7 illustre des exemples de ce type de contraintes.

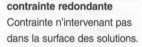

contrainte redondante
Contrainte n'intervenant pas dans la surface des solutions.

Graphique S5.7

Contrainte redondante

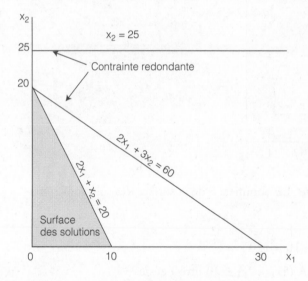

Graphique S5.8

Solutions multiples

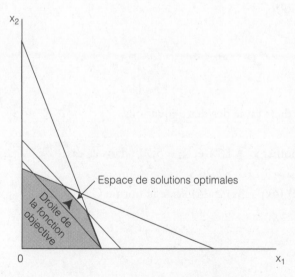

Une autre situation particulière survient quand la fonction objective est parallèle à une des contraintes, ce qui crée un espace de solutions optimales. On a non pas une mais plusieurs solutions possibles, comme l'illustre le graphique S5.8.

S-5.4 LA MÉTHODE DU SIMPLEX

Dans le cas de problèmes où le nombre de variables à optimiser est supérieur à deux, il devient difficile, voire impossible, de trouver graphiquement la solution optimale. L'algorithme du simplex s'avère alors d'une grande utilité. Plus général que la méthode graphique, l'**algorithme du simplex** permet de résoudre des problèmes de programmation linéaire indépendamment du nombre de contraintes et de variables.

La section S-5.4.1 présente les étapes principales de l'algorithme du simplex et son application. On peut trouver des ouvrages traitant exclusivement de cet algorithme (le calcul matriciel, les inversions de matrice) et qui en font étude très détaillée. D'autre part, il existe sur le marché plusieurs logiciels permettant de résoudre le simplex : les plus couramment utilisés sont les logiciels **Storm**[3] et **MS Excel**. Dans la seconde section (S-5.4.2) nous nous limiterons à l'utilisation du logiciel MS Excel pour résoudre des problèmes de programmation linéaire multidimensionnels.

méthode du simplex
Algorithme permettant de résoudre tout problème de programmation linéaire.

S-5.4.1 L'algorithme[4]

Considérons le cas d'un fabricant d'appareils électroniques qui voudrait savoir le nombre de téléviseurs, d'amplificateurs et de récepteurs à fabriquer compte tenu des stocks de composants dont il dispose, et ce, pour maximiser ses profits. Les informations concernant le nombre et le type de composants nécessaires par appareil apparaissent dans la **nomenclature**[5] du produit.

Composants	Téléviseur	Amplificateur	Récepteur
Semi-conducteurs	3 u/app.	4 u/app.	2 u/app.
Diodes	10 u/app.	8 u/app.	4 u/app.

La prise d'inventaire des stocks indique que le fabricant possède 1500 semi-conducteurs et 4000 diodes en entrepôt. Les profits réalisés grâce à la vente de ces appareils sont respectivement de 60 \$/téléviseur, 50 \$/amplificateur et 40 \$/récepteur. Toutes les informations sont représentées dans le tableau suivant :

Composants	Téléviseur	Amplificateur	Récepteur	
Semi-conducteurs	3 u/app.	4 u/app.	2 u/app.	1500 u
Diodes	10 u/app.	8 u/app.	4 u/app.	4000 u
Profits	60 \$/u	50 \$/u	40 \$/u	

Nous sommes en présence d'une situation à trois dimensions, où on a trois produits à fabriquer (téléviseur, amplificateur et récepteur) et deux contraintes (semi-conducteurs et diodes). Les équations de contraintes et la fonction objective apparaissent ci-dessous :

Contrainte semi-conducteurs :
3 u/télé. $* x_1$ télé. + 4 u/ampli. $* x_2$ ampli. + 2 u/récep. $* x_3$ récep. ≤ 1500 u
$3x_1 + 4x_2 + 2x_3 \leq 1500$

Contrainte diodes :
$10x_1 + 8x_2 + 4x_3 \leq 4000$

La fonction objective à maximiser, soit « Z », devient :
Profit = $Z = 60x_1 + 50x_2 + 40x_3$

Pour équilibrer l'inégalité ($\leq$) dans chacune des équations de contraintes, nous ajouterons une certaine quantité identifiée par « $1 \times S$ », S étant la quantité restante pour atteindre le maximum de la contrainte spécifique. Ainsi :

---

3. HAMILTON, Emmons, A. Dale FLOWERS, M. Khot CHANDRASHEKHAR et Kamlesh MATHUR. *Strom Personal Version 3.0, Quantitative Modelink for Decision Support*, Englewood Cliffs, N.J., Prentice Hall, 471 p.

4. BENEDETTI, C., *Introduction à la gestion des opérations*, 1991, p. 100-104.

5. La notion de nomenclature (*bill of materials* en anglais) est présentée au chapitre 14.

Semi-conducteurs :
$3x_1 + 4x_2 + 2x_3 + 1$ S semi-cond. $= 1500$

Diodes :
$10x_1 + 8x_2 + 4x_3 + 1$ S diodes $= 4000$

Le tableau initial peut s'écrire maintenant de la façon suivante :

Composants	Dimensions			Reste		
	x_1	x_2	x_3	S s.-c.	S d.	
Semi-conducteurs	3	4	2	1	0	1500
Diodes	10	8	4	0	1	4000
Profits	60	50	40	0	0	Z = 0

Chaque colonne représente respectivement les téléviseurs, les amplificateurs et les récepteurs, tandis que les rangées représentent les contraintes semi-conducteurs et diodes. À noter qu'au départ, le profit Z est nul (= 0).

En représentant ce tableau sous forme matricielle, on obtient :

$$\begin{array}{cccccc} 3 & 4 & 2 & 1 & 0 & 1500 \\ 10 & 8 & 4 & 0 & 1 & 4000 \\ \hline 60 & 50 & 40 & 0 & 0 & Z = 0 \end{array}$$

C'est la première matrice des solutions (matrice de départ). Les étapes de l'algorithme du simplex transformeront cette matrice pour donner la solution optimale.

Étapes du simplex

1. Choisir la colonne dont la valeur à la rangée du bas est maximale.
   Dans notre matrice de départ, c'est la première colonne avec la valeur 60.

2. Diviser chacune des valeurs de la colonne de l'extrême droite par la valeur correspondante de la colonne choisie. Choisir le dénominateur du plus petit quotient comme valeur pivot, en ne tenant compte que des valeurs positives.

$$\frac{1500}{3} = 500 \,; \ \frac{4000}{10} = 400$$

Le chiffre « 10 » est donc le pivot.

3. Diviser toute la rangée du pivot par la valeur du pivot. Nous obtiendrons une nouvelle rangée pour la nouvelle matrice des solutions.
   La deuxième rangée de la nouvelle matrice des solutions aura la forme :

   $$1 \quad 0{,}8 \quad 0{,}4 \quad 0 \quad 0{,}1 \quad 400$$

4. À tour de rôle, multiplier la nouvelle rangée, établie à la 3e étape, par le négatif des autres valeurs du pivot. Additionner le résultat aux rangées correspondantes. Nous aurons de nouvelles rangées pour la nouvelle matrice avec des 0 dans la colonne du pivot et 1 comme pivot.

$$\begin{array}{cccccc} & 3 & 4 & 2 & 1 & 0 & 1500 \\ (-3) \times [& 1 & 0{,}8 & 0{,}4 & 0 & 0{,}1 & 400] \\ \hline & 0 & 1{,}6 & 0{,}8 & 1 & -0{,}3 & 300 \end{array}$$

Voilà notre nouvelle première rangée.

$$\begin{array}{cccccc} & 60 & 50 & 40 & 0 & 0 & Z \\ (-60) \times [& 1 & 0{,}8 & 0{,}4 & 0 & 0{,}1 & 400] \\ \hline & 0 & 2 & 16 & 0 & -6 & Z - 24\,000 = 0 \end{array}$$

Voilà notre nouvelle rangée du bas.

Finalement, la deuxième matrice des solutions devient :

0	1,6	0,8	1	−0,3	300
1	0,8	0,4	0	0,1	400
0	2	16	0	−6	Z = 24 000

5. Si toutes les valeurs de la rangée du bas sont ≤ 0, c'est la solution optimale. Sinon, il faudra répéter les étapes 1 à 5.

Dans notre exemple, il faudra répéter la démarche.

Mais la deuxième matrice des solutions représente une solution intermédiaire. En effet, si on pouvait représenter graphiquement cette situation, on se trouverait à l'un des sommets du polygone des solutions : on a une solution, mais non la meilleure. Pour l'interpréter :

a) on cherche dans la rangée du bas la rencontre des 0 vis-à-vis les colonnes des dimensions (téléviseur, amplificateur ou récepteur) ;

b) puis, dans la colonne correspondante à ce 0, on cherche la rencontre du 1 avec le pivot ;

c) enfin, on lit à la colonne d'extrême droite la valeur de cette dimension (à partir de la rangée choisie à la 2e étape).

Dans notre cas, on choisit la 1re colonne, ensuite la 2e rangée et, à l'extrême droite, on lit 400. Cela signifie qu'on fabriquera 400 téléviseurs, puisque c'est la 1re colonne que nous avons choisie, et on peut s'attendre à ce que Z = 24 000 $ de profits. De plus, l'extrême droite de la rangée 1 indique qu'il reste 300 semi-conducteurs, et en fonction de la solution de la 2e rangée, aucune diode. On peut vérifier nos conclusions en remplaçant nos réponses dans les équations initiales.

En reprenant les étapes 1 à 5 à partir de la 2e matrice des solutions, on obtient :

0	2	1	1,25	−0,375	375
1	0	0	−0,5	−0,05	250
0	−30	0	−20	0	Z = 30 000

Les valeurs de la rangée du bas étant toutes ≤ 0, nous avons la solution optimale : 250 téléviseurs, 375 récepteurs et aucun amplificateur, avec des profits de 30 000 $.

S'il fallait minimiser et non maximiser les coûts, on multiplierait par (−1) la rangée du bas de la matrice des solutions initiales. Les étapes suivantes seraient identiques aux étapes 1 à 5.

S-5.4.2 L'utilisation du logiciel MS Excel

Le logiciel d'usage courant MS Excel possède un sous-programme nommé Solveur capable d'utiliser l'algorithme du simplex. Pour en faire la démonstration, retournons au problème présenté à l'exemple 2, soit la maximisation du nombre d'ordinateurs de type 1 et de type 2 à fabriquer.

Rappelons les équations du système.

La fonction objective à maximiser est :
$Z = 60x_1 + 50x_2$

Les contraintes à respecter sont :
$4x_1 + 10x_2 \leq 100$ heures

$2x_1 + 1x_2 \leq 22$ heures

$85x_1 + 85x_2 \leq 1100$ litres

$x_1, x_2 \geq 0$

Afin de simplifier la démonstration, nous allons procéder à l'entrée des données le plus simplement possible. Vous trouverez des analyses plus complètes dans les directives du logiciel, sous la rubrique « Menu » ou « Aide ». Les étapes du sous-programme Solveur sont :

1. Entrer dans les cases D1 et E1 les coefficients de la fonction objective.

   Pour D1 : 60 ; pour E1 : 50.

2. Entrer dans les cases D4 et E4 les dimensions x_1 et x_2.
   Au départ, ces dimensions sont = 0. On peut ajouter, au choix, les restrictions désirées : nombre entier, décimales, pourcentage ou autre.

   Pour D4 : 0 ; pour E4 : 0.

   Si on doit résoudre plus de dimensions, on continue : F4 = 0, etc.

3. Écrire les équations des contraintes dans les cases C7, C8, etc.

   C7 = 4 ∗ D4 + 10 ∗ E4
   C8 = 2 ∗ D4 + 1 ∗ E4
   C9 = 85 ∗ D4 + 85 ∗ E4

4. Écrire les limites des équations des contraintes dans les cases D6, D7, D8, etc.

   D7 = 100 ; D8 = 22 ; D9 = 1100.

5. Écrire la fonction objective à la « cellule cible » G4 :

   G4 = D1 ∗ D4 + E1 ∗ E4

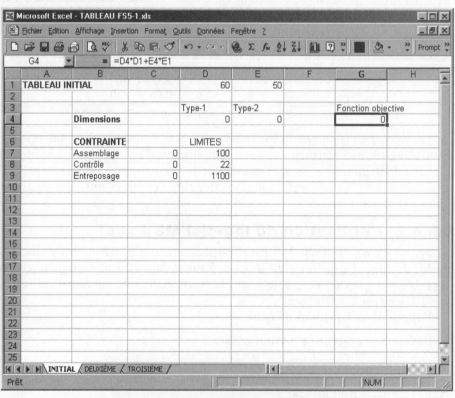

6. Dans le menu OUTILS, choisir SOLVEUR.

   Un tableau intitulé PARAMÈTRES DU SOLVEUR apparaît à l'écran.

   Entrer à la case CELLULE CIBLE la cellule G4 indiquant la fonction objective, puis entrer l'identification des dimensions : D4, E4.

En cliquant sur AJOUT, entrer les contraintes l'une après l'autre en suivant les directives du SOLVEUR et en choisissant les symboles appropriés pour chacune d'elles : ≤ ; ≥. Le tableau S5.2 illustre l'entrée des données.

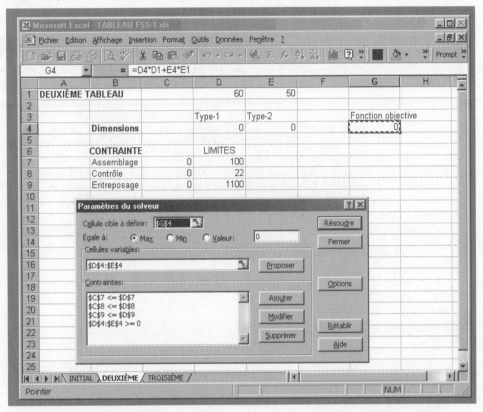

Une fois entrées toutes les contraintes, cliquer sur OK. Le tableau PARAMÈTRES DU SOLVEUR réapparaît à l'écran et si on clique sur SOLUTION, le programme procédera à la résolution du problème, comme à la figure ci-dessous.

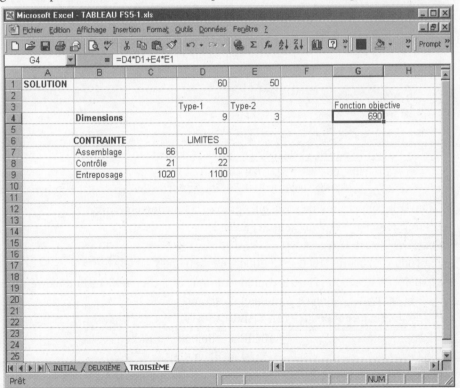

On peut à tout moment changer les coefficients de la fonction objective ou de chacune des contraintes pour simuler différentes solutions et procéder à une analyse de la sensibilité du système. Plusieurs problèmes à la fin de la section illustrent ce point.

Problèmes résolus

Problème 1

Un entrepreneur de construction de maisons unifamiliales offre à ses clients deux modèles de luxe : le type A et le type B. La maison de type A requiert 4000 heures-personnes en main-d'œuvre, 2 tonnes de briques et de matériaux divers et 2000 mètres de bois. Le modèle de type B nécessite 10 000 heures-personnes en main-d'œuvre, 3 tonnes de briques et de matériaux divers et 2000 mètres de bois. En raison de la rareté des matériaux sur le marché, de la capacité du fournisseur de bois et de la disponibilité de la main-d'œuvre spécialisée, on vous informe que l'entrepreneur ne dispose que de 400 000 heures de main-d'œuvre, de 150 tonnes de pierres, briques et autres matériaux de construction et de 200 000 mètres de bois. Sachant que chaque maison de type A vendue rapporte 1000 $ de profit net et chaque maison de type B, 2000 $, quel nombre optimal de maisons de type A et de type B lui conseilleriez-vous de construire ? Dans votre suggestion, quelles sont les ressources inutilisées ? Le marché a actuellement un besoin illimité de maisons.

Solution

1. Écrire l'équation de la fonction objective.

Z max. = 1000 A + 2000 B

2. Écrire les équations des contraintes.

Main-d'œuvre $4000 A + 10\ 000 B \leq 400\ 000$ heures-personnes

Briques, etc. $2 A + 3 B \leq 150$ tonnes

Bois $2000 A + 2000 B \leq 200\ 000$ mètres

$A, B \geq 0$

3. Délimiter la surface des solutions.

En situant le modèle de type A sur l'abscisse et celui de type B sur l'ordonnée, on obtient la représentation graphique ci-dessous. À noter que la surface des solutions et la première droite en bas à gauche représentent la fonction objective.

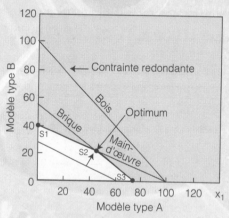

4. Trouver la combinaison de x_1, x_2 qui optimise la fonction objective.

Les trois sommets à explorer sont S1, S2 et S3.

S1 :   type B = 40 et type A = 0

Z = 1000A + 2000B = 1000 * 0 + 2000 * 40 = 80 000 $

S2 : point d'intersection entre la contrainte brique et la contrainte main-d'œuvre

Main-d'œuvre $(4000A + 10\ 000B = 400\ 000)$

Briques $(-2000) * (2A + 3B = 150)$

$\overline{}$

$\sum 4000B = 100\ 000$

B = 25 unités

En remplaçant la valeur de B dans une des deux équations, on obtient A = 37,5 unités.

On pourrait décider d'arrondir la réponse de A à l'unité unifamiliale complétée, ou bien on peut décider de construire 37 maisons complètes et la 38e à moitié. Dans le cas de ce problème, continuons l'analyse avec la deuxième hypothèse.

La fonction objective donne alors un profit escompté de :

$Z = 1000 A + 2000 B = 1000 * 37,5 + 2000 * 25 = 87\ 500\ \$$

S3 : point d'intersection entre la contrainte brique et l'abscisse

Dans ce cas, B = 0 et l'équation de la contrainte devient :

2A = 150 ; A = 75 unités

La fonction objective donne : $Z = 1000 * 75 = 75\ 000\ \$$

La solution optimale est donc :

A = 37,7 maisons ; B = 25 maisons ; Z maximum = 87 500 $

Les ressources inutilisées de la solution avancée sont :

Contrainte main-d'œuvre :

$4000 A + 10\ 000 B = 4000 * 37,5 + 10\ 000 * 25 = 400\ 000 \leq 400\ 000$ heures-personnes

Contrainte briques :

$2 A + 3 B = 2 * 37,5 + 3 * 25 = 150 \leq 150$ tonnes métriques

Contrainte bois :

$2000 A + 2000 B = 2000 * 37,5 + 2000 * 25 = 125\ 000 \leq 200\ 000$ mètres

Il restera : 200 000 − 125 000 = 75 000 mètres de bois inutilisés.

Utilisez le logiciel MS Excel ou Storm pour résoudre le problème tridimensionnel suivant :

Problème 2

Maximiser $Z = 15x_1 + 20x_2 + 14x_3$ soumis aux contraintes suivantes :

Main-d'œuvre : $5x_1 + 6x_2 + 4x_3 \leq 210$ heures

Matières premières : $10x_1 + 8x_2 + 5x_3 \leq 200$ kg

Temps machine : $4x_1 + 2x_2 + 5x_3 \leq 170$ minutes

$$x_1, x_2, x_3 \geq 0$$

Problèmes

1. Résolvez les problèmes suivants à l'aide de la méthode graphique et répondez aux questions.
   a) Maximisez $Z = 4x_1 + 3x_2$ en respectant les contraintes suivantes :
      Matières premières : $6x_1 + 4x_2 \leq 48$ kg
      Main-d'œuvre : $4x_1 + 8x_2 \leq 80$ heures
      $x_1, x_2 \geq 0$
   b) Maximisez $Z = 2x_1 + 10x_2$ en respectant les contraintes suivantes :
      Contrainte R : $15x_1 + 20x_2 \geq 40$
      Contrainte S : $1x_1 + 6x_2 \geq 24$
      Contrainte T : $1x_1 + 2x_2 \geq 14$
      $x_1, x_2 \geq 0$
   c) Maximisez $Z = 6A + 3B$ (revenu) en respectant les contraintes suivantes :
      Main-d'œuvre : $20A + 30B \leq 1200$ heures
      Matières premières : $20A + 6B \leq 600$ kg
      Machines : $25A + 20B \leq 1000$ heures
      $A, B \geq 0$
   d) Pour chaque cas étudié, déterminez s'il y a lieu les surplus et les contraintes redondantes. Expliquez.

2. Dans les deux cas présentés ci-dessous, identifiez les contraintes redondantes (si elles existent) et expliquez-les. Déterminez ensuite les solutions optimales et les surplus des contraintes.

a) Minimisez $Z = 1,80S + 2,20T$

S et T sont des produits de base (contenant des protéines, du potassium et des hydrates de carbone) soumis aux contraintes suivantes.

Contrainte potassium : $5S + 8T \geq 200$ g
Contrainte hydrates de C : $15S + 6T \geq 240$ g
Contrainte protéines : $4S + 12T \geq 180$ g
Contrainte produit T : $T \geq 10$ g
                             $S, T \geq 0$

b) Minimisez $Z = 2x_1 + 3x_2$ en respectant les contraintes suivantes :
Contrainte D : $15x_1 + 20x_2 \geq 20$
Contrainte E : $1x_1 + 6x_2 \geq 18$
Contrainte F : $1x_1 + 2x_2 \leq 12$
$x_1, x_2 \geq 0$

3. Un fabricant de fours à micro-ondes produit deux modèles : H et W. Chaque modèle requiert des activités de fabrication et d'assemblage. Chaque unité du modèle H requiert 2 heures de fabrication et 2 heures d'assemblage, tandis que le modèle W en requiert 2 pour la fabrication et 6 pour l'assemblage. Le fabricant dispose de 600 heures de fabrication et de 400 heures d'assemblage. Quelle est la meilleure combinaison de H et de W à faire, sachant que H rapporte un profit net de 40 \$/unité vendue et W, de 30 \$/unité vendue ?

4. Pour se préparer pour la période des fêtes, une confiserie veut savoir le nombre de paquets de produit « de luxe » à préparer par rapport au nombre de paquets de type « ordinaire ». Chaque paquet de luxe doit contenir 2/3 de kg de raisins et 1/3 de cacahuètes. L'ordinaire doit contenir 0,5 kg de raisins et 0,5 kg de cacahuètes. La confiserie dispose de 90 kg de raisins et de 60 kg de cacahuètes en entrepôt. Les cacahuètes coûtent 0,60 \$/kg et les raisins, 1,50 \$/kg. Le marché a une capacité maximale d'absorption de 110 paquets de chaque type. Sachant que le paquet de luxe rapporte un profit de 2,90 \$ et l'ordinaire, de 2,55 \$, déterminez le nombre idéal de paquets que la confiserie devrait préparer.

5. Un couple de fermiers à la retraite décide de vendre des tartes aux pommes et aux fraises au marché du village. De grande qualité, toute la production peut y être écoulée. La recette consiste à utiliser 150 g de sucre et 300 g de farine par tarte aux pommes, et 200 g de sucre et 300 g de farine par tarte aux fraises. Pour le mois de septembre, le couple dispose de 1200 g de sucre et de 2100 g de farine. Chaque tarte aux pommes est vendue 1,50 \$ et chaque tarte aux fraises, 1,20 \$.

a) Sachant que le couple ne veut pas travailler plus de 60 heures par semaine, que chaque tarte aux pommes prend 6 minutes à préparer contre 3 minutes seulement pour la tarte au fraises, quelle combinaison optimale de chaque type de tartes devraient-ils préparer ?

b) Déterminez la quantité inutilisée de sucre, de farine et de temps en fonction de la combinaison choisie.

6. Résolvez les deux systèmes ci-dessous.

a) Maximisez : $Z = 4x_1 + 2x_2 + 5x_3$
Contraintes :
$x_1 + 2x_2 + x_3 \leq 25$
$x_1 + 4x_2 + 2x_3 \leq 40$
$3x_1 + 3x_2 + x_3 \leq 30$
$x_1, x_2, x_3 \geq 0$

b) Maximisez : $Z = 10x_1 + 6x_2 + 3x_3$
Contraintes :
$x_1 + x_2 + 2x_3 \leq 25$
$2x_1 + x_2 + 4x_3 \leq 40$
$1x_1 + 2x_2 + 3x_3 \leq 40$
$x_1, x_2, x_3 \geq 0$

7. À la question a) du problème 6, identifiez :

a) les surplus par contrainte ;

b) la ou les contraintes qui limitent les capacités de production.

8. À la question b) du problème 6, identifiez :

a) les surplus par contrainte ;

b) la ou les contraintes qui limitent les capacités de production.

9. Une petite entreprise fabrique trois produits dont le procédé de fabrication exige trois étapes : l'usinage, le contrôle de la qualité et le perçage. Le produit A exige 12 min/u d'usinage, 5 min/u de contrôle de la qualité et 10 min/u de perçage. Le produit B requiert 10 min/u d'usinage, 4 min/u de contrôle et 8 min/u de perçage. Finalement, le produit C nécessite 8 min/u d'usinage, 4 min/u de contrôle et 16 min/u de perçage. Le service de production dispose d'un maximum de 20 h de travail pour l'usinage, 15 h pour le contrôle de la qualité et 24 h pour le perçage. Le produit A rapporte 2,40 \$/u ; B, 2,50 \$/u et C, 3 \$/u. Identifiez la combinaison optimale des produits A, B et C à produire ainsi que le nombre d'heures inutilisées par opération de production.

10. La directrice d'une entreprise produisant des jus de fruits désire maximiser ses profits compte tenu d'un ensemble de normes et de standards de production à respecter. À partir de concentré, elle produit quatre types de jus dont les prix au détail apparaissent ci-dessous.

Produit	Prix au détail
Jus d'orange	1,00 \$/litre
Jus de pamplemousse	0,90 \$/litre
Jus d'ananas	0,80 \$/litre
Tutti frutti	1,10 \$/litre

La gestionnaire dispose en entrepôt de 1600 litres de concentré de jus d'orange, 1200 litres de pamplemousse et 800 litres d'ananas. Les concentrés de jus sont achetés par contenants de 4 litres : 2 \$/4 l pour l'orange, 1,60 \$/4 l pour le pamplemousse et 1,40 \$/4 l pour l'ananas. Finalement, la directrice désire que le jus de pamplemousse ne dépasse pas 30 % des quantités vendues et que le rapport jus d'orange/jus d'ananas soit d'au moins 7/5.

11. Une menuiserie industrielle utilise les restants, les retailles et les rejets de la semaine pour faire des produits standard qu'elle garde en entrepôt, ces produits étant des planches à découper et des manches de couteaux. Ces deux produits sont découpés, collés et finis. Le service de génie industriel fournit au directeur de la production les données suivantes sur le temps de chaque opération.

Produit	Profit (\$/u)	Coupe (min/u)	Collage (min/u)	Finition (min/u)
Planche	2,00	1,4	5,0	12,0
Manche	6,00	0,8	13,0	3,0

L'entreprise réserve 56 min par semaine au débitage, 650 min au collage et 360 min à la finition.

a) Déterminez la quantité optimale de chaque produit à faire par semaine.

b) Identifiez les ressources inutilisées et les contraintes qu'on devrait accroître pour augmenter les quantités à fabriquer.

12. On annonce à la gérante d'une charcuterie qu'elle dispose de 112 kg de mayonnaise, dont 70 seront bientôt périmés. Pour écouler cette mayonnaise, elle a décidé de l'utiliser pour préparer une mousse au jambon et une autre aux épices mélangées. Les mousses sont préparées par lots. Un lot de mousse au jambon nécessite 1,4 kg de mayonnaise contre 1 kg pour une mousse aux épices. La gérante reçoit une commande de 10 lots de mousse au jambon et 8 aux épices. Elle désire garder au moins 10 lots par type pour la vente locale. Chaque lot coûte 3 \$ à faire et se vend 5 \$ le lot au jambon et 7 \$ le lot aux épices.

a) Déterminez la combinaison idéale pour minimiser les coûts de production.

b) Déterminez la combinaison idéale pour maximiser les profits.

13. Un gestionnaire désire connaître le nombre d'unités à fabriquer par produit pour maximiser les profits. Les exigences de la production apparaissent ci-dessous.

Produit	Matière 1 (kg/unité)	Matière 2 (kg/unité)	Main-d'œuvre (heures/unité)	Prix de vente (\$/unité)	Disponibilité	Coût
A	2	3	2,2	80	200 kg	5 \$/kg
B	1	5	1,5	90	300 kg	4 \$/kg
C	6	0	2,0	70	150 heures	10 \$/h

Le nombre d'unités A ne doit pas dépasser le tiers du nombre d'unités totales produites ; le rapport des unités A aux unités B doit être 3 pour 2 ; il faut produire au moins 5 unités de A par jour.

a) Écrivez les équations de contraintes de la fonction objective de la situation;

b) Déterminez la combinaison idéale et le revenu maximal escompté.

14. Un chocolatier a décidé d'ouvrir un kiosque dans un centre commercial à la mode. Pour commencer, il a décidé de limiter le choix des produits vendus. Le kiosque offrira deux mélanges en boîte de 1 kg: les mélanges R et L. Le mélange R est formé en parts égales de noisettes, de raisins, de caramel et de chocolat, tandis que le L sera constitué de 50 % de noisettes et de 50 % de chocolat. De plus, le kiosque offrira des contenants de 1 kg de noisettes, de raisins, de caramel ou de chocolat. Les espaces de rangement de ces produits sont limités (voir tableau ci-dessous):

Ingrédients	Capacité de rangement par jour en kg
noisettes	120
raisins	200
caramel	100
chocolat	160

Pour garder ces produits frais, on a décidé de préparer un maximum de 20 boîtes de 1 kg par produit et par jour. Tout ingrédient restant sera distribué gratuitement à des organismes de bienfaisance. Les profits par produit sont de 0,80 $/kg de R, 0,90 $/kg de L, 0,70 $/kg de noisettes, 0,60 $/kg de raisins, 0,50 $/kg de caramel et 0,75 $/kg de chocolat.

a) Écrivez les équations de contraintes de la fonction objective de la situation.

b) Déterminez la combinaison idéale et le revenu maximal escompté.

15. Résolvez le système suivant:

Maximisez: $Z = 12x_1 + 18x_2 + 15x_3$ soumis aux contraintes suivantes:
Main-d'œuvre: $4x_1 + 10x_2 + 4x_3 \leq 288$ h ouvrables
Matières premières: $2x_1 + 2x_2 + 4x_3 \leq 200$ kg
Temps machine: $5x_1 + 4x_2 + 3x_3 \leq 160$ min
Produit 2: $x_2 \geq 16$ unités
$x_1, x_2, x_3 \geq 0$

a) Une fois la solution identifiée, cherchez les contraintes redondantes.

b) Si le profit sur le produit 3 était de 22 $/unité, quelle serait alors la solution?

c) Si le profit sur le produit 1 était de 22 $/unité, quelle serait alors la solution?

d) Qu'adviendrait-il du système si on retirait 10 h du temps de main-d'œuvre?

e) Qu'adviendrait-il du système si on décidait de limiter le produit 2 à 2 unités minimum?

f) Si, quel que soit le produit, le profit sur chaque unité vendue augmentait de 1 $, qu'adviendrait-il du système?

16. Une pépinière doit préparer plusieurs grosseurs d'écorce de pin pour fabriquer une sorte de paillis: grands copeaux (x_1), copeaux moyens (x_2) et minicopeaux (x_3). Le procédé de préparation requiert des écorces de pin comme matière première, du temps machine, de la main-d'œuvre et de l'entreposage. Un conseiller en gestion des opérations a développé le modèle suivant pour le directeur de la pépinière:

Maximisez: $Z = 9x_1 + 9x_2 + 6x_3$ soumis aux contraintes suivantes:
Matière première: $5x_1 + 6x_2 + 3x_3 \leq 600$ kg
Temps machine: $2x_1 + 4x_2 + 5x_3 \leq 660$ min
Main-d'œuvre: $2x_1 + 4x_2 + 3x_3 \leq 480$ h
Entreposage: $x_1 + x_2 + x_3 \leq 150$ sacs
$x_1, x_2, x_3 \geq 0$

a) Déterminez la combinaison idéale et le revenu maximal escompté.

b) Identifiez les surplus pour chacune des contraintes.

c) Si, grâce à une meilleure planification, le conseiller arrive à utiliser moins de temps machine, déterminez alors le temps machine vraiment utile pour la pépinière.

d) En revenant au point de départ, on propose au gestionnaire des ressources supplémentaires soit pour l'entreposage, soit pour la matière première. Laquelle des deux propositions devra-t-il choisir?

e) Revenons au point de départ. Si le prix du sac de x_3 baissait au point de générer un profit de 7 $ par sac, quel serait alors l'impact sur les opérations de la pépinière?

f) Si le profit de x_3 passait à 7 $ par sac et que celui de x_1 baissait de 0,60 $, quelle serait alors la décision optimale à prendre ?

g) Quelle serait la solution optimale à retenir si les changements suivants étaient annoncés : la quantité de matière première disponible baisse de 15 kg, le temps machine de 27 min, et la capacité d'entreposage augmente de 5 sacs ?

Bibliographie

HAMILTON, Emmons, A. Dale FLOWERS, M. Khot CHANDRASHEKHAR et Kamlesh MATHUR. *Strom Personal Version 3.0 : Quantitative Modelink for Decision Support*, Englewood Cliffs, N.J., Prentice Hall, 471 p.

HILLIER, F. S. et G. J. LIEBERMANN. *Introduction to Operations Research*, 6e édition, McGraw-Hill, 1995.

HILLIER, HILLIER et LIEBERMANN. *Introduction to Management Science*, 2e édition, Irwin/McGraw-Hill, 1999.

NORBERT, Yves, Rock OUELLET et Régis PARENT, *La recherche opérationnelle*, 2e édition, Gaëtan Morin éditeur, 1999, 450 p.

TURBAN, Efraim et Meredith. *Fundamentals to Management Science*, 6e édition, Irwin/McGraw-Hill, 1994.

1. Dresser la liste des différentes raisons pour lesquelles on conçoit des aménagements.

2. Décrire les principaux types d'aménagement.

3. Faire la liste des principaux avantages et inconvénients des aménagements-produits ainsi que des aménagements-processus.

4. Résoudre des problèmes simples d'équilibrage de chaînes de production.

5. Concevoir des aménagements-processus élémentaires.

Chapitre 6
LA CONCEPTION DE L'AMÉNAGEMENT

Plan du chapitre

6.1 INTRODUCTION

Ce troisième chapitre d'une série portant sur la conception des systèmes de production traite de la conception de l'aménagement.

Les décisions concernant l'aménagement sont importantes pour trois raisons fondamentales : 1) elles impliquent des investissements et des efforts considérables ; 2) elles comportent des engagements à long terme, ce qui rend difficile la réparation des erreurs commises ; 3) leur impact sur les coûts et l'efficacité des opérations à court terme est immense. Nous décrivons ici les modèles utilisés pour évaluer les diverses possibilités et les principaux types de conception de l'aménagement.

On entend par aménagement (ou implantation) la fonction de la gestion de la production qui étudie et détermine la disposition des bâtiments, des locaux et des installations d'une entreprise. Cette disposition est reliée à deux autres fonctions de la gestion de la production : la manutention et la circulation.

La manutention est la fonction qui étudie et détermine les moyens de manipuler les biens et services créés par l'entreprise. Ces moyens sont reliés à deux autres fonctions de la gestion de la production : l'aménagement et la circulation.

La circulation est la fonction qui étudie et détermine le mouvement et le cheminement des biens et services à l'intérieur de l'entreprise. Ce cheminement est relié à deux autres fonctions de la gestion de la production : l'aménagement et la manutention.

Figure 6.1

Interdépendance des trois fonctions

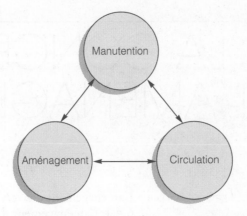

www.mspairport.com/

Pour illustrer ces définitions, prenons l'exemple de l'aéroport international de Montréal à Mirabel. Un changement récent de l'aménagement du terminal qui a consisté à faire transiter les passagers de l'avion au terminal par couloir plutôt que par navette a permis de résoudre un problème, à savoir l'attente des passagers dans l'avion. Autrement dit, les passagers n'ont plus à attendre dans l'avion l'arrivée des navettes pour aller au terminal, mais peuvent par leurs propres moyens débarquer directement et passer à la douane. Le temps d'attente des passagers, fatigués après un long voyage, a été passablement réduit, et le flot de ces mêmes passagers a la douane est plus continu. L'aéroport de Minneapolis-St. Paul a procédé à un réaménagement qui a grandement facilité la manutention des bagages et la circulation des passagers dans les aires de débarquement[1].

6.1.1 Les situations nécessitant un réaménagement

1. Inefficacité des opérations (coûts élevés, goulots d'étranglement, etc.).

2. Risques d'accidents ou manque de sécurité.

3. Changements dans la conception des produits ou services.

4. Introduction de nouveaux produits ou services.

---

1. Basé sur l'article «Airport Checkpoint Moved to Help Speed Travelers on their Way», *Minneapolis-St. Paul Star Tribune*, 13 janvier 1995, p. 1B.

5. Changements dans le volume de production ou dans la combinaison de biens et services produits.

6. Changements de méthodes ou de matériel.

7. Changements au niveau des exigences environnementales ou légales.

8. Problèmes d'ordre psychologique (par exemple, le manque de contacts individuels).

6.2 LES TYPES D'AMÉNAGEMENT

L'aménagement-produit, l'aménagement-processus et l'aménagement en position stationnaire sont les trois principaux types d'aménagement.

Les aménagements-produits sont plus appropriés pour le traitement répétitif ou en continu. Les aménagements-processus sont utilisés pour la production interrompue ou la production à l'unité ou par intermittence, tandis que les aménagements fixes ou stationnaires conviennent aux projets. Ci-dessous, nous étudions les caractéristiques, les avantages et les inconvénients de chaque type d'aménagement, et nous examinons également les aménagements hybrides (une combinaison de types).

6.2.1 L'aménagement-produit

On utilise l'**aménagement-produit** ou l'implantation-produit pour faire circuler rapidement et en douceur de grands volumes de biens ou de clients dans un système. Cette forme d'aménagement est principalement utilisée si les biens et services produits sont standardisés ou s'ils exigent des opérations répétitives. Pour cela, le travail est divisé en une série de tâches normalisées qui permettent la spécialisation de la main-d'œuvre et du matériel. Comme les volumes traités sont importants, il est économique d'investir des sommes considérables dans le matériel et la conception du travail. Dans l'aménagement-produit, les efforts portent sur le produit lui-même ou sur un groupe de produits assez similaires. L'analyse des activités nécessaires pour fabriquer le produit spécifique déterminera l'aménagement des postes de travail, des machines et des équipements. Par exemple, si les opérations de fabrication exigent une coupe, un sablage et une peinture, on disposera les équipements appropriés l'un à la suite de l'autre en fonction de la séquence des opérations. De plus, il est facile d'utiliser du matériel fixe de manutention et de circulation, comme des convoyeurs, pour assurer le transport des produits entre les opérations. L'aménagement ressemble à la chaîne illustrée à la figure 6.2. On appelle cette chaîne une **chaîne de fabrication** ou **chaîne de montage** ou **d'assemblage,** selon le type d'activité effectuée. Dans le domaine des services, il arrive qu'on utilise aussi le terme « chaîne ». Par exemple, dans une cafétéria ou un lave-auto, on ne peut pas parler de « chaîne » même si, du point de vue conceptuel, il s'agit de la même notion. La figure 6.3 illustre l'aménagement d'une « chaîne » de service dans une cafétéria. Toutefois, les exemples de ces types d'aménagement sont moins nombreux dans le milieu des services, dont les besoins sont trop différents et variables. En effet, sans normalisation, on perd bon nombre des avantages du traitement répétitif. L'utilisation d'une chaîne entraînera par ailleurs certains compromis. Par exemple, un lave-auto automatique offre le même traitement – la même quantité de savon, d'eau et de frottage – à toutes les voitures, qu'elles soient sales ou non. Il s'ensuit que les voitures très sales peuvent ne pas ressortir complètement propres et que dans le cas des voitures relativement propres, il y a perte considérable de savon, d'eau et d'énergie.

Afin de compenser pour les investissements élevés requis pour l'implantation d'une chaîne, les aménagements-produits doivent utiliser les ressources en main-d'œuvre et en matériel au maximum. Comme les articles passent rapidement d'une opération à l'autre, la quantité de travail à effectuer à chaque étape est souvent minime. Mais les opérations sont si étroitement reliées que le système est très vulnérable aux arrêts dus aux bris mécaniques ou à un taux d'absentéisme élevé. Les procédures d'entretien (voir « fonction maintenance » au chapitre 20) visent à éviter ces situations.

aménagement-produit
Les ressources nécessaires aux opérations sont installées dans la même zone et disposées dans l'ordre logique des activités de fabrication du produit.

chaîne de fabrication
Aménagement suivant un ordre fixe et défini de fabrication.

chaîne de montage
Aménagement suivant un ordre fixe et défini d'assemblage.

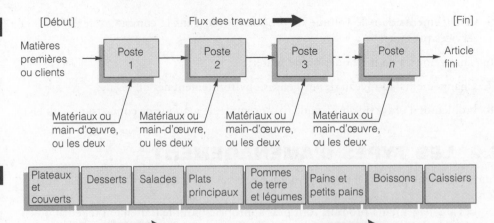

Figure 6.2

Circuit d'une chaîne de fabrication ou de services

Figure 6.3

« Chaîne » de cafétéria

L'entretien préventif, soit l'inspection périodique et le remplacement des pièces usées ou défectueuses, permet de réduire les pannes pendant les opérations. Bien entendu, aucune mesure de prévention ne peut entièrement éliminer les défaillances. La direction doit donc prendre des mesures pour être capable d'effectuer des réparations rapidement. Ces mesures comprennent le maintien d'un stock de pièces de rechange important et la disponibilité du personnel du service de réparation. Elles sont relativement coûteuses, d'autant plus que la sophistication croissante du matériel rend les problèmes de fonctionnement difficiles à diagnostiquer et à résoudre.

6.2.1.1 Les principaux avantages de l'aménagement-produit

1. Un taux de production élevé.

2. De faibles coûts unitaires en raison d'un volume élevé. Les coûts élevés du matériel spécialisé sont répartis entre plusieurs unités.

3. La spécialisation de la main-d'œuvre entraîne une diminution des coûts et du temps de formation, et permet une meilleure supervision.

4. De faibles coûts de manutention du matériel par unité. La manutention du matériel est plus simple, car les unités suivent la même séquence d'opérations.

5. Une grande utilisation de la main-d'œuvre et du matériel.

6. L'acheminement et l'ordonnancement sont établis dès la conception initiale du système et, une fois que celui-ci est en marche, ils n'exigent pas beaucoup d'attention.

7. La gestion des stocks est relativement simple.

6.2.1.2 Les principaux inconvénients de l'aménagement-produit

1. La grande division du travail crée habituellement des tâches ennuyantes et répétitives procurant peu d'occasions d'avancement. Elle peut entraîner des problèmes d'ordre psychologique ainsi que la répétition de microtraumatismes.

2. Les travailleurs peu qualifiés n'ont pas la compétence requise pour effectuer l'entretien du matériel ou pour assurer la qualité des biens et des services créés.

3. Le système est très peu flexible lorsqu'il s'agit de réagir à des changements dans le volume de production ou dans la conception des produits ou du processus.

4. Le système est très vulnérable aux fermetures provoquées par la rupture des stocks de matières premières ou par un absentéisme excessif.

5. La gestion de la maintenance, la capacité de réparer rapidement et le maintien d'un stock de pièces de rechange sont essentiels.

6. Les primes au rendement rattachées à la production individuelle sont inadéquates, car elles provoqueraient des variations dans le rendement des travailleurs. Ce facteur influerait négativement sur le déroulement des tâches.

Plusieurs modèles d'aménagement des locaux ont été conçus ; les plus connus sont :

Figure 6.4

Types d'aménagement

a) L'aménagement en ligne droite

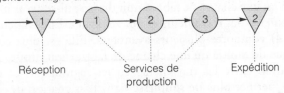

Réception   Services de production   Expédition

b) L'aménagement en serpentin

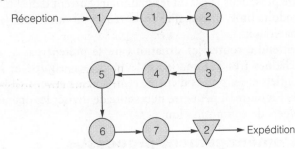

c) L'aménagement en U

d) L'aménagement circulaire

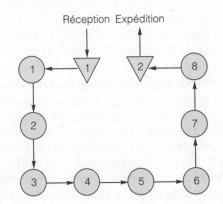

6.2.1.3 **Les modèles d'aménagement**

Il existe plusieurs configurations ou modèles d'aménagement; les principaux sont illustrés à la figure 6.4[2]. Chacune de ces configurations possède ses avantages et inconvénients; chaque entreprise choisira donc celle qui s'adapte le mieux à ses contraintes en termes d'espace. Par exemple, comparons brièvement les caractéristiques de l'aménagement en U par rapport à celles de l'aménagement en ligne droite, habituellement le plus utilisé. Bien qu'une chaîne de fabrication droite puisse avoir un certain attrait, elle nuit aux déplacements des travailleurs et des véhicules. En revanche, une chaîne en U (voir la figure 6.4) comporte plusieurs avantages. Elle est plus compacte et généralement moins longue de moitié qu'une chaîne de fabrication droite. De plus, elle améliore la communication entre les travailleurs en les regroupant, ce qui facilite le travail en équipe. Elle permet plus de souplesse dans l'assignation des tâches, car les employés peuvent travailler non seulement à des postes adjacents, mais aussi à des postes opposés. De plus, dans le cas où les matériaux entrent dans l'usine à l'endroit d'où partent les produits finis, une chaîne en U réduit au minimum les activités de manutention des matériaux.

Bien entendu, toutes les situations ne se prêtent pas à un aménagement en U. Dans les chaînes très automatisées, le travail en équipe et la communication sont moins essentiels et les points d'entrée et de sortie peuvent se trouver de part et d'autre de l'édifice. En outre, il peut être nécessaire de diviser les opérations en raison du bruit ou des dangers de contamination.

6.2.2 **L'aménagement-processus**

aménagement-processus ou implantation fonctionnelle
Aménagement capable de traiter une variété de demandes de traitement et où toutes les opérations de même nature sont groupées dans le même service.

L'**aménagement-processus**, appelé aussi implantation par type d'opérations ou implantation fonctionnelle, est conçu pour traiter les articles ou fournir des services comportant des exigences différentes sur le plan du traitement. Dans le secteur de la fabrication, l'atelier d'usinage est un exemple d'aménagement-processus: il est constitué de services distincts pour le moletage, le broyage, le forage, etc. Les articles sont déplacés par lots vers les services adéquats selon un ordre dicté par des considérations techniques. Mais des produits différents peuvent être traités de façons diverses et être soumis à plusieurs opérations. Par conséquent, du matériel de manutention flexible à parcours variable (tels les chariots élévateurs, plates-formes, diables, boîtes à transporter) est nécessaire pour traiter la grande variété de parcours et d'articles. Le recours à des machines à usage universel procure toute la souplesse indispensable. Les opérateurs de ces équipements de manutention sont habituellement qualifiés ou semi-qualifiés. La figure 6.5 illustre la disposition typique des services dans un aménagement-processus.

Les aménagements-processus sont courants dans le secteur des services: hôpitaux, collèges, universités, banques, ateliers de réparation d'automobiles et bibliothèques. Prenons l'exemple des hôpitaux: ils possèdent des services ou unités pour la chirurgie, la maternité, la pédiatrie, la psychiatrie, l'urgence et les soins gériatriques. Quant aux universités, elles sont divisées en départements qui se concentrent sur un secteur d'études particulier: affaires, ingénierie, sciences, mathématiques, etc.

Puisqu'on dispose le matériel par type plutôt que par séquence d'opérations, le système est beaucoup moins vulnérable aux arrêts provoqués par les pannes, l'absentéisme ou le manque de matière première. Dans le secteur manufacturier, on se sert habituellement des ressources inutilisées pour court-circuiter ou remplacer les machines temporairement hors service. De plus, les produits étant fabriqués par lots, il y a moins d'interdépendance entre les opérations successives que dans un aménagement-produit. Les coûts d'entretien sont réduits, car le matériel est moins spécialisé; le regroupement des machines permet au personnel de maintenance de se spécialiser dans la réparation de ce type de matériel. Les machines étant similaires, les investissements dans les pièces de rechange sont réduits d'autant. Il faut effectuer l'acheminement et l'ordonnancement sur une base continue pour pouvoir soutenir une diversité de méthodes de production. Bien que les investissements initiaux (les coûts fixes) soient passablement

2. BENEDETTI, C. *Introduction à la gestion des opérations,* 1991, chapitre 10, p. 411.

inférieurs à ceux de l'aménagement-produit, les coûts variables qui découlent de l'aménagement-processus sont plus élevés. La gestion des produits en cours (PEC) de fabrication peut être une tâche complexe en raison du traitement par lots. De plus, de tels systèmes ont généralement un taux d'utilisation du matériel inférieur à 50 % en raison de la complexité de l'acheminement et de l'ordonnancement.

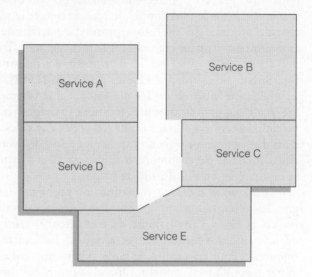

Figure 6.5

Aménagement-processus typique avec des postes de travail pour chacun des services

6.2.2.1 Les principaux avantages de l'aménagement-processus

1. Grande flexibilité de production en termes de types de produits et de volume.

2. Peu vulnérable aux défaillances des ressources, matières premières et machines.

3. Les machines et équipements d'usage courant sont moins coûteux que le matériel spécialisé utilisé dans l'aménagement-produit. De plus, leur maintenance est plus facile et moins coûteuse.

4. Il est possible d'utiliser des régimes de primes au rendement.

6.2.2.2 Les principaux inconvénients de l'aménagement-processus

1. La gestion des produits en cours de fabrication peut être considérable si le traitement par lots est utilisé.

2. L'acheminement et l'ordonnancement posent des défis continuels.

3. Le taux d'utilisation du matériel est faible.

4. La manutention des produits est lente, inefficace et plus coûteuse par unité que pour l'aménagement-produit.

5. La complexité des tâches réduit souvent l'étendue de la supervision et en augmente les coûts.

6. Une attention particulière est accordée à chaque produit ou client (comme l'acheminement, l'ordonnancement, l'installation des machines) et les faibles volumes créés donnent lieu à des coûts unitaires élevés.

7. Le rôle de la gestion des stocks et des achats est beaucoup plus important que dans l'aménagement-produit.

**aménagement
stationnaire**

Aménagement dans lequel
le produit demeure fixe ; on
déplace les travailleurs, les
matériaux et l'équipement
au besoin.

6.2.3 L'aménagement stationnaire

Dans ce type d'aménagement, l'objet (bien ou service) créé demeure stationnaire ; ce sont les travailleurs, les matières premières et l'équipement qui se déplacent. Dans presque tous les cas, la nature du produit ainsi que son poids, sa taille, ou d'autres facteurs font qu'il est non recommandable ou très difficile de le déplacer. C'est le type d'aménagement le plus simple, le plus ancien et le plus flexible et il s'applique à tout type de produit. En effet, tout prototype est fabriqué en un premier temps dans un laboratoire ou sur un établi, d'où l'aménagement fixe ou stationnaire. Si la demande des clients le justifie, on le fabriquera en interrompu (aménagement-processus) ; finalement, si la demande est très élevée, on réaménagera les installations pour passer à l'aménagement-produit. De nos jours, l'aménagement stationnaire demeure très utilisé pour les grands produits (édifices, barrages, navires, gros avions) ou pour les produits et services à usage limité, tels ceux des salles d'opération. Dans le cas des produits d'envergure, on se concentre sur les délais de livraison des équipements et des matériaux afin de ne pas encombrer le site de travail et d'éviter le déménagement des matériaux et du matériel autour du site de travail.

Le manque d'espace constitue un problème (sur les sites de construction des grandes villes, par exemple). En raison des nombreuses activités entourant les grands projets et de la vaste gamme de compétences requises, des efforts particuliers sont déployés pour coordonner les activités. Le contrôle et le suivi doivent être très rigoureux. Pour ces raisons, le fardeau administratif est souvent plus élevé que dans les autres types d'aménagement. Quand le projet comporte des biens et des matériaux, la manutention des matières se fait souvent au moyen d'équipement de type universel à parcours variable de type fonctionnel. Pour certains projets, on peut avoir recours à des engins de terrassement et à des camions pour le transport des matériaux à l'intérieur, à l'extérieur et autour du site.

L'aménagement en position stationnaire est largement utilisé en agriculture, dans la lutte contre les incendies, dans la construction des routes, dans la construction des maisons, dans la restauration et la réparation ainsi que dans le forage du pétrole. Dans chaque cas, les travailleurs se rendent à l'emplacement du produit, et on y transporte les matériaux et l'équipement. L'aménagement stationnaire est typique de la production à l'unité ou par projets. Dans ces cas, la gestion des opérations et de la production diffère des autres types utilisant l'aménagement-produit ou l'aménagement-processus. Le chapitre 19 développe l'aspect particulier de ce mode de gestion.

6.2.4 La combinaison d'aménagements

Les trois principaux types d'aménagement sont des modèles idéaux ; on peut les modifier pour satisfaire aux exigences d'une situation particulière. Il n'est pas difficile de trouver des aménagements combinant ces trois types. Par exemple, dans le secteur des services, l'aménagement d'un supermarché est essentiellement un aménagement-processus, mais la plupart des supermarchés utilisent des dispositifs de manutention des matériaux à parcours fixe comme des convoyeurs de type roulant dans les réserves et des tapis roulants sur les comptoirs-caisses. Les hôpitaux recourent également à des aménagements-processus de base, mais en ce qui concerne les soins, on observe un aménagement en position stationnaire : les infirmières et les médecins se rendent auprès des patients avec un matériel spécialisé. De la même façon, une entreprise qui fonctionne en production continue avec un aménagement-produit traitera ses produits défectueux qui nécessitent des réparations spécifiques dans des ateliers spécialisés dotés d'un aménagement fixe. On trouve également des convoyeurs en agriculture et en construction.

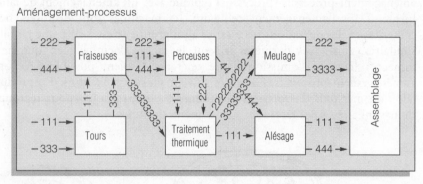

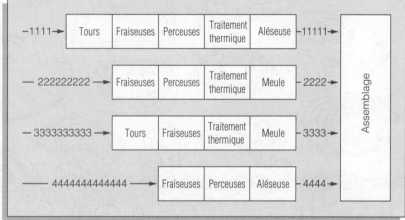

Source : Adapté de l'ouvrage de D. FOGARTY et T. HOFFMANN, *Production and Inventory Management,* Cincinnati, South-Western Publishing, 1983, p. 472.

6.3 L'AMÉNAGEMENT CELLULAIRE

L'aménagement stationnaire et l'aménagement-produit représentent les deux extrémités du spectre qui va de la production à l'unité à la production continue en passant par les petits lots ou petites séries. L'aménagement-processus mène à la production d'une plus grande gamme de produits ou services que l'aménagement-produit. Par contre, le volume d'unités fabriqué est plus restreint. Il est moins efficace et ses coûts de production unitaires sont plus élevés que ceux de l'aménagement-produit. Certains fabricants abandonnent l'aménagement-processus au profit de l'aménagement-produit et de ses avantages en y sacrifiant la flexibilité. Idéalement, un système doit être flexible et efficient, et avoir des coûts de production unitaire bas. C'est pour répondre à ces besoins que la fabrication cellulaire, la technologie de groupe et les systèmes de fabrication flexibles ont vu le jour. Dans ce type d'aménagement, la circulation des pièces peut aussi bien être assurée par des machines de transfert (convoyeurs ou autres) qu'exécutée manuellement, les différentes opérations étant assez rapprochées pour le permettre.

6.3.1 La fabrication cellulaire

La **production cellulaire** est une méthode de production qui permet de fabriquer des produits différents mais nécessitant la même séquence d'opérations sur des cellules autonomes et avec des opérateurs polyvalents ; l'aménagement qui en résulte est

aménagement cellulaire
Aménagement dans lequel les machines sont regroupées en cellules capables de traiter les articles similaires, ou familles de pièces, qui exigent un traitement identique.

l'**aménagement cellulaire.** Dans ce type d'aménagement, appelé aussi **implantation par groupes,** les moyens de production sont placés en sous-ensembles de façon que des groupes de pièces soient faits par un sous-ensemble. La figure 6.6 compare un aménagement-processus (processus) typique avec un aménagement de fabrication cellulaire. Dans l'aménagement cellulaire, les machines sont disposées de manière à traiter toutes les opérations nécessaires à un groupe (c'est-à-dire une famille) de pièces similaires. Ainsi, ces dernières suivent le même chemin, bien que des variations mineures (comme l'omission d'une opération) soient possibles. À l'opposé, dans l'aménagement-processus, les pièces suivent plusieurs chemins. En production cellulaire, on met plus d'efforts qu'en production interrompue[3] pour regrouper des produits similaires et les fabriquer sur les mêmes cellules.

Figure 6.7

Groupe de pièces ayant des caractéristiques de conception différentes mais requérant des activités de fabrication similaires

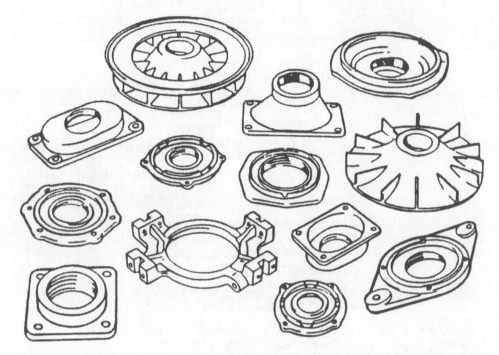

Source : Mikell P. GROOVER, *Automation, Production Systems, and Computer-Aided Manufacturing*, © 1980, p. 540. Reproduit avec l'autorisation de Prentice Hall Inc., Englewood Cliffs, New Jersey.

La fabrication cellulaire comporte plusieurs avantages : le regroupement du matériel et un temps de traitement plus rapide, une manutention des matériaux moindre, une gestion des PEC (produits en cours) moindre et des temps de mise en route plus courts.

6.3.2 La technologie de groupe

technologie de groupe
Regroupement (en familles de pièces) des articles ayant des caractéristiques de conception et de fabrication similaires.

Une fabrication cellulaire efficace doit porter sur des groupes d'articles ayant des caractéristiques de traitement similaires. Le processus de regroupement s'appelle la **technologie de groupe** et fait intervenir l'identification des articles ayant des similitudes sur le plan de la conception ou de la fabrication et leur regroupement en familles de pièces. Les caractéristiques de la conception comprennent la taille, la forme et la fonction ; les caractéristiques de la fabrication ou du traitement incluent le type et la séquence des opérations requises. Dans plusieurs cas, les caractéristiques de la conception et de la fabrication sont connexes, et les familles de conception peuvent être différentes des familles de traitement. La figure 6.7 illustre un groupe de pièces ayant des caractéristiques de traitement similaires, mais des caractéristiques de conception différentes.

---

3. Voir chapitre 5. La production interrompue utilise l'aménagement-processus.

Une fois les articles similaires identifiés, on peut les classer selon leur famille et mettre au point un système qui simplifie leur extraction d'une base de données à des fins de conception et de fabrication. Ainsi, un concepteur peut utiliser le système pour déterminer s'il existe une pièce similaire ou identique à celle qui doit être conçue. Il peut arriver que la pièce existante, avec certaines modifications, soit satisfaisante. Cela améliore nettement la productivité de la conception. De même, en planifiant la fabrication d'une nouvelle pièce, on peut juger nécessaire de la faire ressembler à une des pièces des familles existantes, ce qui allège le fardeau de l'élaboration des détails de traitement.

La conversion à la technologie de groupe et à la fabrication cellulaire exige qu'on fasse une analyse systématique des pièces en vue d'identifier les différentes familles. Il s'agit souvent d'un projet de très grande envergure, tâche ardue comportant l'analyse d'une quantité considérable de données. Il existe trois méthodes de base pour accomplir cette tâche: l'inspection visuelle, l'examen des données de conception et de production, et l'analyse du processus de production.

L'inspection visuelle est la moins précise des trois méthodes, mais aussi la moins coûteuse et la plus simple à effectuer. L'examen des données de conception et de production est plus précis, mais beaucoup plus long; il s'agit sans doute de la méthode d'analyse la plus couramment utilisée. Dans l'analyse du processus de production, on concentre notre attention sur le processus utilisé pour créer le bien ou le service (le produit) plutôt que sur la conception dudit produit. On y examine les séquences d'opérations (pour identifier les similitudes entre les produits et pour les grouper en familles) en supposant que ces séquences sont optimales, ce qui est souvent loin d'être le cas. Un effort est requis si on veut éviter ce danger.

La conversion à la fabrication cellulaire peut coûter cher en raison des réaménagements qui en résulteront. Par conséquent, un gestionnaire doit, avant le passage d'un aménagement-processus à un aménagement cellulaire, évaluer les coûts du déplacement du matériel ainsi que les coûts et le temps nécessaires pour regrouper les pièces.

6.3.3 Les systèmes de fabrication flexibles

Comme nous l'avons vu au chapitre 5, les systèmes de fabrication flexibles (SFF) sont des versions plus automatisées de la fabrication cellulaire: un ordinateur commande le transfert des pièces entre les machines et commence le travail de chaque machine. Ces systèmes sont très coûteux, mais ils permettent aux fabricants de retrouver certains avantages de l'aménagement-produit avec des lots beaucoup plus petits et une plus grande flexibilité, car ils sont en mesure de fonctionner avec une intervention humaine limitée.

6.4 L'AMÉNAGEMENT DES SERVICES

En plus des aménagements que nous avons déjà décrits, il existe d'autres formes d'aménagement typiques au secteur des services, comme l'aménagement des entrepôts, des magasins de vente au détail et des bureaux.

6.4.1 L'aménagement des entrepôts

Dans le plan d'aménagement d'un entrepôt, il faut tenir compte de facteurs différents de ceux de l'aménagement d'une usine. La fréquence des commandes est un élément important; les articles les plus courants doivent être placés près de l'entrée et les autres, à l'arrière de l'installation, et ce, selon un ordre inversement proportionnel à la demande. Toute corrélation entre les articles est également importante: par exemple, si l'article A est habituellement commandé avec l'article B, cela signifie que la proximité de ces deux articles réduirait les coûts et le temps de recouvrement. D'autres considérations entrent en ligne de compte, notamment le nombre d'allées et leur largeur, la hauteur des étagères, le type de chargement ou de déchargement (par rail ou par camion) et la fréquence de la prise d'inventaire des articles entreposés.

6.4.2 L'aménagement dans le commerce de détail

Dans le secteur de la fabrication, les facteurs qui influencent la conception d'un aménagement sont souvent la réduction des coûts et la circulation des produits. Cependant, en ce qui concerne les points de vente au détail (les magasins à rayons, les supermarchés et autres magasins), on doit tenir compte de la présence des clients et de la possibilité d'influer sur le volume des ventes et sur l'attitude de la clientèle grâce à un aménagement soigneusement conçu. La circulation et la manutention des marchandises sont des facteurs importants dont il faut tenir compte. Certaines chaînes de magasins de vente au détail recourent à des aménagements standard pour presque tous leurs magasins. L'entreprise y trouve plusieurs avantages et peut en effet épargner du temps et de l'argent en utilisant un seul aménagement plutôt que de concevoir des aménagements différents pour chaque magasin. Autre avantage : le client qui fréquente plus d'un magasin n'est pas désorienté quand il y entre. Dans les points de vente au détail de services comme les nettoyeurs à sec, les cordonneries et les centres de service pour automobiles, la conception de l'aménagement est beaucoup plus simple.

Les figures 6.8, 6.9 et 6.10 illustrent les aménagements d'un grand magasin et d'une banque.

Figure 6.8

*Deux types
d'aménagements*

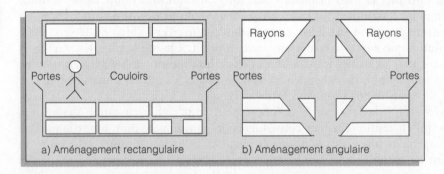

Figure 6.9

Méthode traditionnelle

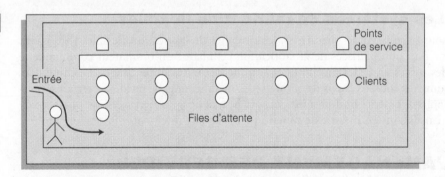

Source : BENEDETTI C., *Introduction à la gestion des opérations*, 1991, p. 438-439.

6.4.3 L'aménagement des bureaux

L'aménagement des bureaux est en train de subir des transformations en raison de l'introduction des communications électroniques. Ainsi, il est de moins en moins nécessaire de placer des employés de bureau dans un aménagement qui optimise le transfert physique d'information ou de papier. En outre, pour donner une image d'ouverture, on installe des cloisons peu élevées ou des murs de verre à la place des murs traditionnels.

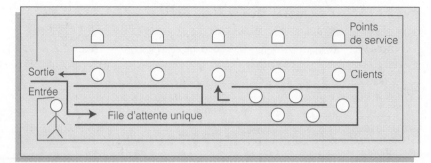

Figure 6.10

Méthode avec file unique

LECTURE
L'AMÉNAGEMENT DES SUPERMARCHÉS
Par David Schardt

Les produits frais sont là-bas, les produits laitiers sont ici. Les boissons gazeuses en promotion se trouvent à la fin de l'allée, les bonbons, à la sortie. C'est toujours la même chose...

L'installation d'un supermarché local n'est pas laissée au hasard, comme on pourrait le croire. Elle est conçue de sorte que le consommateur dépense le plus d'argent possible pour les articles que le magasin souhaite vendre. Et ce ne sont généralement pas des articles que le client avait, au départ, l'intention d'acheter.

Voici la manière dont un supermarché typique est conçu en vue d'accroître les ventes au maximum.

Les côtés
Plus le client passe de temps à se balader sur les côtés et à l'arrière du magasin, plus le détaillant fera de l'argent. Environ la moitié des profits proviennent des ventes d'articles placés en bordure du magasin, comme les fruits et légumes, le lait et le fromage, la viande, la volaille et le poisson. C'est aussi là que se trouvent la boulangerie, le buffet de salades et le comptoir de charcuteries. Si un magasin souhaite se distinguer de ses concurrents, il devra concentrer ses efforts sur ces sections.

Les aliments occupant beaucoup d'espace
Certains aliments sont si rentables qu'ils ont leurs propres allées. Les céréales pour le petit-déjeuner sont plus rentables par mètre d'espace d'étagère que tout autre produit à l'intérieur du magasin. Par conséquent, la plupart des supermarchés leur accordent beaucoup d'espace.

Les boissons gazeuses ne sont pas aussi rentables qu'on le croit... Pour cette raison, les fabricants de boissons gazeuses tentent de stimuler les ventes en offrant aux marchands des marchandises gratuites et des rabais : ces articles deviennent ainsi les plus payants du magasin.

Les viandes
Pourquoi les étalages de viande, de poulet et de fruits de mer se trouvent-ils presque toujours à l'arrière du supermarché ? Pour que le client puisse les voir chaque fois qu'il sort d'une allée. De toute façon, ce sont des produits de base, dont l'achat est récurrent. Le client doit s'y rendre et pour cela, emprunter des couloirs où on placera des marchandises offrant une marge de profit plus intéressante. De plus, au fond du magasin, il est plus facile de contrôler la température de ces aliments.

Les produits laitiers
Pourquoi les produits laitiers sont-ils situés habituellement loin de l'entrée ? Parce que la plupart des gens achètent du lait. Pour y avoir accès, ils doivent passer par une bonne partie des étalages du supermarché, souvent sur les côtés, soit là où on souhaite diriger les acheteurs.

De plus, les magasins aiment «ancrer» un étalage en plaçant des articles très en demande à chacune de ses extrémités. Par exemple, le lait se trouve souvent à une extrémité de l'étalage des produits laitiers et la margarine et le beurre, à l'autre extrémité. Ainsi, le client doit passer devant tous les fromages, les yaourts, les trempettes, etc. pour les acheter.

Les coûts de l'espace
Chaque année, on offre aux chaînes d'épiceries plus de 15 000 nouveaux produits, qui ne se vendront presque pas. Comment décider lesquels garder en stock ? Dans certains cas, c'est une question d'argent! Les grands supermarchés demandent souvent aux fabricants de payer pour l'espace d'étalage. Les coûts peuvent varier entre 5000 $ et 25 000 $ par chaîne de supermarché pour chaque nouvel aliment. Par conséquent, la petite usine locale de fabrication de tofu a rarement les moyens de s'offrir ce type de publicité.

La prison
Certains experts des supermarchés qualifient certaines allées des magasins de «prisons». Une fois que vous vous y trouvez, vous y êtes pris jusqu'à ce que vous en ressortiez à l'autre extrémité. La «prison» est l'endroit où se trouvent la plupart des marques nationales et régionales moins rentables (pour le magasin). Donc, plus vous y passez de temps, moins vous circulez sur les côtés pour acheter des articles plus rentables.

Les fruits et les légumes
Ce n'est pas par coïncidence qu'on doit passer par la section des fruits et légumes frais. Leur aspect brillant et alléchant est en fait l'une des principales raisons qui incitent les gens à faire leurs emplettes à tel ou tel endroit.

De plus, les produits frais représentent la deuxième section la plus rentable (la viande étant la première) pour un supermarché. Alors qu'ils occupent un peu plus de 10 % de la superficie, ils représentent près de 20 % des profits du magasin.

Figure 6.11

Montage des automobiles : graphique d'analyse de processus

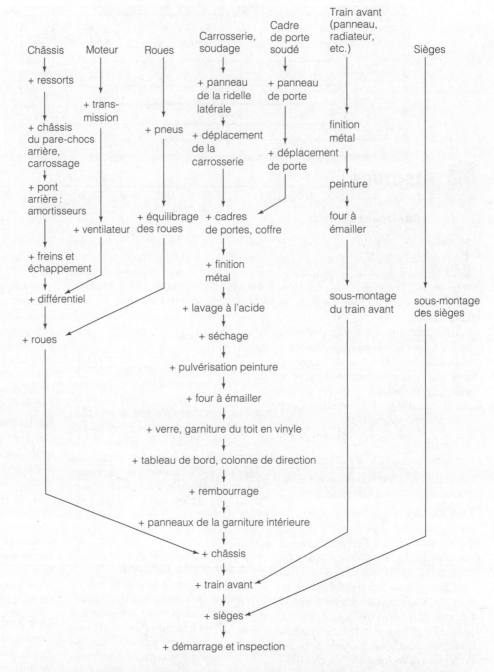

Source : « Computer Integrated Manufacturing », *Revolution in Progress series*, vol. 1, Chapman et Hall, Londres, 1990. Adapté de l'ouvrage de AYRES, R. U., Morris A. COHEN et Uday M. APTE. *Manufacturing Automation*, Burr Ridge, IL, McGraw-Hill, 1997, p. 175.

6.5 LA CONCEPTION DE L'AMÉNAGEMENT-PRODUIT : L'ÉQUILIBRAGE DES OPÉRATIONS

Les chaînes de production peuvent être courtes et ne comporter que quelques opérations ou être très longues et constituées d'un très grand nombre d'opérations. Les chaînes d'assemblage d'automobiles sont de grandes chaînes. Chez Ford, à Dearborn, au Michigan, une Mustang parcourt environ 16 kilomètres du début à la fin !

www.ford.com

La figure 6.11 illustre les principales étapes de l'assemblage d'une automobile sous forme d'un graphique d'analyse de processus.

Un des avantages d'un aménagement-produit est le fait qu'il permet de diviser le travail en une série de tâches élémentaires (assembler les pièces C et D) que des travailleurs semi-spécialisés peuvent exécuter rapidement et de manière routinière à l'aide de matériel spécialisé. La durée de ces tâches élémentaires varie généralement de quelques secondes à 15 minutes ou plus. La plupart de ces étapes sont tellement brèves qu'il ne serait pas pratique d'affecter chaque travailleur à une seule tâche. D'une part, la plupart des travailleurs s'ennuieraient en raison manque de variété. D'autre part, le nombre de travailleurs requis pour achever un simple produit ou service serait énorme. Par conséquent, on regroupe plutôt les tâches par groupes dont les postes de travail sont gérés par un ou deux opérateurs.

La méthode par laquelle on détermine comment affecter les postes de travail aux tâches s'appelle l'**équilibrage des opérations**. L'équilibrage des opérations consiste à regrouper les activités réalisées à différents postes de travail successifs de façon à s'assurer que la quantité de travail accompli y est comparable. Quand on procède à l'équilibrage des opérations, on essaie d'ajuster le temps de cycle (temps de travail) des postes de façon à satisfaire à la demande du marché. Cela réduit les périodes improductives le long de la chaîne et permet d'utiliser la main-d'œuvre et le matériel au maximum. Il y a improductivité si la durée des tâches n'est pas égale. Certains postes peuvent produire de façon plus rapide ; on dira qu'il y a déséquilibre. Ces postes « rapides » connaîtront des attentes périodiques en raison de postes plus lents, ou bien seront forcés de demeurer improductifs pour éviter des accumulations de produits en cours par les postes plus lents. Une chaîne non équilibrée entraîne une utilisation inefficace de la main-d'œuvre et du matériel et crée des problèmes de démotivation : aux postes plus lents, les employés doivent continuellement travailler pour rattraper les autres. Dans une suite de postes de travail, le plus lent constituera le **goulot d'étranglement**. Les goulots sont habituellement causés par un déséquilibre entre les charges de travail des différents postes de la chaîne d'opération. Si on extrapole ce raisonnement pour l'ensemble de l'entreprise, le goulot est le secteur dont la capacité est insuffisante et qui limitera la capacité de production globale de l'entreprise. Ce principe s'applique facilement dans le domaine des services ; c'est pour cette raison qu'on utilise de plus en plus l'expression « équilibrage des opérations », plutôt qu'« équilibrage de chaîne de production » comme dans le passé.

Les chaînes parfaitement équilibrées ont une circulation uniforme du travail : les activités sont synchronisées pour utiliser de façon optimale la main-d'œuvre et le matériel.

Le premier obstacle à l'équilibre parfait d'une chaîne de montage provient de la difficulté à former des groupes de tâches qui ont la même durée. Le deuxième obstacle vient de la difficulté à combiner certaines activités dans le même groupe, soit en raison de différences sur le plan des besoins en matériel ou parce que les activités ne sont pas compatibles (par exemple, le risque de contamination de la peinture par le sable). Enfin, un troisième obstacle tient au fait qu'une séquence technologique requise peut empêcher des combinaisons souhaitables de tâches. Considérez une série de trois opérations ayant des durées de deux, quatre et deux minutes. Idéalement, on devrait combiner la première et la troisième opération à un seul poste de travail de sorte que leur durée totale soit égale à celle de la seconde opération. Cependant, il est parfois impossible de le faire, comme dans le cas d'un lave-auto. Le frottage et le séchage ne peuvent être combinés au même poste de travail, car il faut rincer les voitures entre ces deux opérations.

L'équilibrage de la chaîne d'opérations comporte l'affectation des tâches aux postes de travail. Habituellement, un travailleur effectue toutes les tâches reliées à un poste.

équilibrage des opérations
Processus d'assignation des tâches à des postes de travail de manière que le temps d'exécution soit approximativement égal pour chaque poste.

Il serait aussi possible de faire travailler plusieurs employés à un seul poste. (Dans ce chapitre, tous les exemples et les problèmes concernent un seul travailleur par poste.)

Un gestionnaire peut décider d'utiliser de un à cinq postes pour effectuer cinq tâches. S'il utilise un seul poste, toutes les tâches y seront exécutées ; avec cinq postes, une tâche sera affectée à chaque poste. Dans le cas de deux, trois ou quatre postes, certains rempliront plusieurs tâches.

cycle d'opération ou de production « C »
Temps maximal accordé à chaque poste de travail pour l'achèvement d'un ensemble de tâches.

Le nombre de postes à utiliser est principalement fonction du cycle de production désiré qui, lui, dépend de la demande à satisfaire. Par **cycle de production « C »**, appelé aussi cycle de fabrication ou d'opérations, on entend le temps utilisé par un poste de travail pour exécuter un ensemble d'activités ou de tâches. Cette notion ne doit pas être confondue avec le **temps total de cycle**[4], ou temps total d'opération, qui est le temps total compris entre l'arrivée des matières et leur transformation en produit fini. Finalement, rappelons la notion de **cadence de production**[5], appelée aussi rythme ou vitesse, qui est la quantité d'unités produites par poste. La cadence de production est l'inverse du cycle de production.

Pour mieux comprendre la notion de regroupement des tâches et de temps de cycle, prenons un exemple simple.

Supposons que le travail nécessaire pour fabriquer un certain produit soit divisé en cinq tâches élémentaires. Le temps requis pour chaque tâche et les rapports de priorité sont présentés dans le diagramme suivant.

→ (0,1 minute) → (0,7 minute) → (1,0 minute) → (0,5 minute) → (0,2 minute)

Le cycle de production minimum est égal au temps de tâche le plus long (1,0 minute), tandis que le cycle de production maximum est égal à la somme des temps de tâches (0,1 + 0,7 + 1,0 + 0,5 + 0,2 = 2,5 minutes). Le cycle de production maximum s'applique si toutes les tâches sont exécutées à un seul poste. Le cycle de production minimum s'appliquerait dans cet exemple si on disposait d'un opérateur par tâche, ce qui impliquerait la création de cinq postes, bien que cela ne soit pas toujours très efficace. Les cycles de production minimum et maximum sont importants, car ils établissent la capacité potentielle de production de la chaîne. On peut calculer la capacité de production en utilisant la formule suivante :

$$\text{Capacité de production} = \frac{TP}{C}$$

où
TP = temps de production par quart de travail
C = cycle de production désiré pour les gestionnaires : maximum, minimum ou intermédiaire

Dans le cas du secteur des services, on préfère parler de :

$$\text{Capacité d'opération} = \frac{TO}{C} \tag{6-1}$$

où :
TO = temps d'opération par jour
C = cycle d'opération

Quel que soit le cas, le gestionnaire aura à faire en sorte que la capacité de production soit égale à la demande du marché, comme le démontre l'exemple suivant.

Supposons que la chaîne fonctionne 8 heures par jour (480 minutes). Avec un cycle de production de 1,0 minute, la capacité de production sera de :

---

4. Certains auteurs l'appellent « temps de cycle », mais nous préférons l'expression « temps total de cycle » pour éviter toute confusion.
5. Voir chapitre 2.

$$\frac{480 \text{ minutes par jour}}{1,0 \text{ minute par unité}} = 480 \text{ unités par jour}$$

Avec un cycle de production de 2,5 minutes, la production s'établit à :

$$\frac{480 \text{ minutes par jour}}{2,5 \text{ minutes}} = 192 \text{ unités par jour}$$

En supposant qu'aucune activité parallèle ne soit utilisée (comme deux chaînes), la capacité de production de la chaîne se situera entre 192 et 480 unités par jour.

Supposons maintenant que le taux de production désiré par le marché, la demande « D », soit de 480 unités. Si on le calcule avec la formule 6-2, le temps de cycle nécessaire est :

$$C = \frac{TP}{D} \tag{6-2}$$

$$\frac{480 \text{ minutes par jour}}{480 \text{ unités par jour}} = 1,0 \text{ minute par unité}$$

Le nombre de postes nécessaire est fonction de la demande et de la capacité à combiner les tâches élémentaires dans les postes. On peut déterminer le nombre minimum théorique de postes nécessaires pour produire un taux précis de production comme suit :

$$N_{\min} = \frac{\sum t}{C} \tag{6-3}$$

où

$N_{\min}$ = Nombre théorique minimum de postes
D = Taux de production demandé
$\sum t$ = Somme des temps de l'ensemble des tâches, soit le temps total de cycle

Supposons que le taux de production désiré soit le maximum, à savoir 480 unités par jour[6]. Cela exigera un cycle de production C = 1,0 minute. Le nombre minimum de postes requis pour atteindre cet objectif est :

$$N_{\min} = \frac{2,5 \text{ minutes par unité}}{1 \text{ minute par unité par poste}} = 2,5 \text{ postes}$$

Puisqu'il n'existe pas 2,5 postes, il est nécessaire d'arrondir (car 2,5 est le minimum) à 3 postes. Le nombre effectif de postes utilisés égalera ou excédera 3, selon l'efficacité avec laquelle les tâches seront regroupées.

Le **réseau** ou **diagramme d'antécédence** est un outil très efficace pour l'équilibrage des chaînes. La figure 6.12 illustre un diagramme simple des étapes. Celui-ci présente visuellement les tâches qui doivent être exécutées et leurs contraintes séquentielles, soit l'ordre dans lequel les tâches doivent être accomplies. Le diagramme se lit de gauche à droite : les tâches initiales sont à gauche et la tâche finale, à droite. Nous constatons que la seule condition pour entreprendre la tâche *b* est que la tâche *a* soit terminée. Cependant, pour commencer la tâche *d*, les tâches *b* et *c* doivent être toutes les deux terminées. Notons que les tâches élémentaires et leur durée sont les mêmes que celles qui ont été utilisées à l'exemple précédent. Par contre, nous voyons ici que les activités *a* et *b* sont indépendantes de *c* et *d*.

diagramme d'antécédence
Diagramme qui présente les tâches élémentaires et leurs contraintes en fait de priorité.

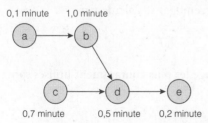

Figure 6.12

Diagramme simple des étapes

---

6. Au premier abord, il semble que la production souhaitée soit logiquement la production maximum possible. Cependant, vous verrez pourquoi ce n'est pas toujours la meilleure solution.

Voyons maintenant comment équilibrer une chaîne. Tout d'abord, il faut affecter les postes de travail aux différentes tâches. Généralement, aucune technique ne garantit une affectation optimale. Les gestionnaires emploient plutôt des règles heuristiques (intuitives) qui procurent de bons ou même d'excellents résultats. Dans les entreprises actuelles, on utilise plusieurs méthodes heuristiques d'équilibrage. Nous en décrirons deux à des fins d'illustration:

1. Affecter les tâches à des postes de travail de façon logique.

2. Affecter les tâches selon le coefficient de position le plus élevé. Le coefficient de position d'une tâche est la somme du temps de la tâche plus les temps de toutes les tâches qui la suivent dans le réseau.

Le tableau 6.1 décrit la procédure générale utilisée dans l'équilibrage des chaînes.

TABLEAU 6.1

Procédure d'équilibrage des opérations

1. S'assurer que les tâches ou activités représentent les temps élémentaires, c'est-à-dire que les tâches sont réduites à leur plus simple expression (le plus petit temps possible).

2. Déterminer le cycle de production, en fonction de la demande, et le nombre de postes minimum correspondant.

3. En respectant l'ordre chronologique d'exécution des tâches dans le réseau d'antécédence, assigner les tâches à chaque poste en commençant par le poste 1.

4. Lors de l'affectation d'un poste à une tâche, respecter les critères suivants:
   a) s'assurer que toutes les tâches préalables à celle-ci sont déjà assignées;
   b) donner priorité à la tâche ayant la durée d'exécution la plus longue; en cas d'égalité, donner priorité celle qui est suivie par le plus grand nombre de tâches[7];
   c) s'assurer que les temps totaux des tâches assignées à un poste ne dépassent pas le cycle de production; si c'est le cas, on procède à l'assignation du poste suivant.

5. Déterminer le délai (le temps mort) non utilisé par poste. Le délai est la différence entre le cycle de production et le temps total de travail du poste.

6. Continuer la procédure jusqu'à la fin des affectations.

7. Calculer les indices de performance de l'affectation proposée.

N.B.: le mot «tâche» peut être remplacé par «activité» selon les situations.

Exemple 1

Répartissez les tâches présentées à la figure 6.12 dans trois postes de travail. Utilisez un temps de cycle de 1,0 minute. Assignez les tâches dans l'ordre où le plus grand nombre de tâches possible se suivent.

Solution

Poste	Tâche	Durée totale (minutes)	Temps improductif (délai)	Taux d'occupation [1]
1	a, c	0,8	0,2	0,8 ÷ 1,0 = 80 %
2	b	1,0	0	1,0 ÷ 1,0 = 100 %
3	d, e	0,7	0,3	0,7 ÷ 1,0 = 70 %
			Total = 0,5 minute	Moyenne = 83,33 %

[1] Le **taux d'occupation** d'un poste (en pourcentage) se calcule par:

$$\text{Taux d'occupation} = \frac{\text{durée totale}}{\text{cycle de production}}$$

Les deux indices de performance de l'équilibrage les plus couramment utilisés sont:

7. Certains auteurs préfèrent donner priorité aux tâches ayant le coefficient de position le plus important.

1. **Le pourcentage de temps improductif de la chaîne,** calculé de la façon suivante :

Pourcentage de temps improductif $= \dfrac{\text{délai total}}{N_{\text{effectif}} \times \text{cycle de production}} \times 100$ (6-4)

où N_{effectif} = Nombre effectif de postes

Dans l'exemple 1, la valeur est :

Pourcentage du temps improductif $= \dfrac{0,5}{3 \times 1,0} \times 100 = 16,7\,\%$

Le pourcentage de temps improductif désigne l'inefficacité de la chaîne de production.

2. **L'efficacité d'une chaîne,** qui se calcule de la façon suivante :

Efficacité = 100 − temps improductif en pourcentage (6-5)
Efficacité = 100 % − 16,7 % = 83,3 %

Une autre façon de calculer ces paramètres consiste à se baser sur le calcul du taux d'occupation moyen (voir tableau de la solution du problème).

Le **taux d'occupation moyen** de la chaîne de production est la moyenne des taux d'occupation de chaque poste de travail.

Efficacité de la chaîne de production = taux d'occupation moyen
Le pourcentage de temps improductif = 100 % − efficacité = inefficacité

Posons-nous maintenant la question suivante : le niveau de production visé doit-il égaler la production maximum possible ? Le nombre minimum de postes de travail nécessaire est fonction du taux de production souhaité, donc du temps de cycle. Par conséquent, un taux de production plus bas (donc un temps de cycle plus long) peut exiger un moins grand nombre de postes. Ainsi, le gestionnaire doit déterminer si les épargnes potentielles réalisées par l'instauration d'un moins grand nombre de postes de travail seront supérieures à la diminution des profits découlant de la production de moins d'unités.

Les exemples précédents sont plutôt simples. Cependant, dans la plupart des situations réelles, le nombre de postes de travail et de tâches est souvent bien plus élevé. Il s'ensuit que la tâche d'équilibrage des chaînes est plus complexe. Dans plusieurs cas, le nombre de solutions possibles pour le regroupement des tâches est si grand qu'il est virtuellement impossible d'effectuer un examen exhaustif de toutes les possibilités. Pour cette raison, on résout plusieurs problèmes concrets, peu importe leur envergure, en utilisant des approches heuristiques. L'approche heuristique a pour objectif de réduire le nombre de solutions de rechange à considérer, mais elle ne garantit pas une solution optimale.

L'ensemble des activités nécessaires pour réaliser un produit est présenté au tableau suivant :

Exemple 2

Activités préalables	Activités	Durée en minutes (t)
–	a	0,2
a	b	0,2
–	c	0,8
c	d	0,6
b	e	0,3
e, d	f	1,0
f	g	0,4
g	h	0,3
		Total = Σ(t) = 3,8

Le cycle de production = $\sum(t)$ = 3,8 minutes. On vous demande :

a)   de tracer le diagramme (réseau) d'antécédence ;

b)   de calculer le cycle d'opérations pour une demande de 400 unités par jour ;

c)   d'établir le nombre minimum et le nombre effectif de postes nécessaires ;

d)   d'affecter les postes aux tâches et de calculer les indices de performance correspondants.

Solution

a)   Le réseau apparaît ci-dessous.

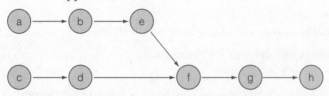

b)   Cycle d'opérations pour une demande de 400 unités par jour (un jour est constitué de 8 heures de travail ou 480 minutes). Ici, la capacité de production souhaitée est la demande.

$$\text{Capacité de production (D)} = \frac{\text{temps de production}}{\text{cycle de production}} = \frac{\text{TP}}{\text{C}}$$

$$400 \text{ u/jour} = \frac{480 \text{ minutes/quart}}{\text{C}}$$

$$\text{C} = \frac{480 \text{ minutes/quart}}{400 \text{ u/jour}} = 1,2 \text{ minutes/unités par poste}$$

c)   Le nombre minimum (N_{min}) de postes nécessaires :

$$N_{min} = \frac{\sum(t)}{\text{C}} = \frac{3,8 \text{ min/u}}{(1,2 \text{ min/u})/\text{poste}} = 3,17 \approx 4 \text{ postes}$$

N_{eff} = 4 postes (nombre effectif)

d)   Affectation des postes aux tâches.

Poste	Tâche	Durée totale (minutes)	Temps improductif (délai)	Taux d'occupation [1]
1	a, b, c	1,2	0,0	1,2 ÷ 1,2 = 100 %
2	d, e	0,9	0,3	0,9 ÷ 1,2 = 75 %
3	f	1,0	0,2	1,0 ÷ 1,2 = 83,33 %
4	g, h	0,7	0,5	0,7 ÷ 1,2 = 58,33 %
			Total = 1,0 minute	Moyenne = 79,17 %

(1) durée totale du poste ÷ cycle de production

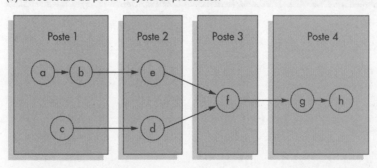

Efficacité de la chaîne de production = 79,17 %

Le pourcentage de temps improductif = 100 % − efficacité = 20,83 %.

Ces paramètres peuvent aussi se calculer par :

$$\text{Pourc. temps improd.} = \frac{\text{délai total} \times 100}{N_{\text{eff}} * \text{cycle de production}} = \frac{1,0 \text{ min} * 100}{4 * 1,2 \text{ min}} = 20,83\,\%$$

L'efficacité = 100 % − pourcentage de temps improductif = (100 − 20,83) % = 79,17 %

6.5.1 Autres facteurs influençant l'équilibrage d'une chaîne de montage

Dans l'équilibrage d'une chaîne de montage, il est important de tenir compte de certaines considérations techniques, notamment des compétences nécessaires pour exécuter les tâches. Si les exigences de certaines tâches sont très différentes les unes des autres, il est irréaliste de placer ces tâches au même poste de travail. De même, si elles sont incompatibles (par exemple, l'usage du feu et de liquides inflammables), il faut les placer à des postes éloignés. L'élaboration d'un plan réalisable pour équilibrer une chaîne doit également tenir compte des facteurs humains, du matériel et des restrictions en termes d'espace.

Bien qu'il soit pratique de traiter les opérations de montage comme si elles se produisaient toujours au même rythme de fois en fois, il est plus réaliste de supposer que lorsque des personnes participent au processus, les temps d'exécution des tâches sont variables. Ces variations découlent de nombreux facteurs : la fatigue, l'ennui et la difficulté de se concentrer sur une tâche. L'absentéisme peut également influer sur l'équilibre d'une chaîne.

Pour ces raisons, les chaînes auxquelles participent des travailleurs ne sont pas parfaitement équilibrées. Toutefois, ce déséquilibre a ses avantages, car les ralentissements le long de la chaîne peuvent éviter de brefs arrêts à certains postes de travail. De plus, les nouveaux travailleurs qui n'ont pas acquis la même vitesse de travail que les autres peuvent travailler aux postes qui connaissent certains ralentissements.

Les entreprises utilisent plusieurs autres moyens pour assurer une circulation fluide de la production. Une de ces approches consiste à utiliser des postes de travail parallèles pour démultiplier les postes goulots, car ceux-ci perturbent la circulation d'un produit dans la chaîne. Les goulots d'étranglement sont occasionnés par des tâches difficiles ou très longues à exécuter. Les postes de travail parallèles accroissent la circulation et procurent un équilibre entre les postes et la flexibilité désirée.

Prenons l'exemple suivant[8].
Un travail comporte quatre tâches : les temps des tâches sont représentés ci-dessous. Le cycle de production de la chaîne est de 2 minutes et le taux de production, de 30 unités à l'heure :

$$\frac{60 \text{ minutes l'heure}}{2 \text{ minutes par unité}} = 30 \text{ unités à l'heure}$$

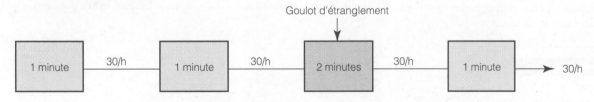

8. Adapté de l'ouvrage de Mikell P. GROOVER, *Automation, Production Systems and Computer-Aided Manufacturing*, 2ᵉ édition, Englewood Cliffs, Prentice-Hall, 1987, chapitre 6.

En utilisant un poste de travail parallèle pour la troisième tâche (le goulot) on obtient un temps de cycle de 1 minute. Cela permet une cadence de 60 unités à l'heure pour la chaîne :

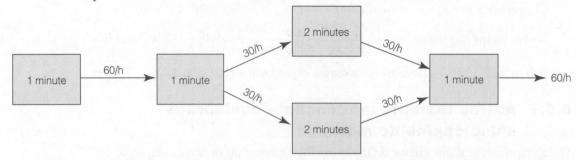

Une autre façon d'obtenir une chaîne équilibrée consiste à offrir une formation polyvalente aux travailleurs pour qu'ils soient capables d'effectuer plusieurs tâches. Ainsi, dans les situations de goulots d'étranglement, les travailleurs ayant des temps improductifs élevés peuvent aider les travailleurs temporairement surchargés, ce qui permet une circulation uniforme le long de la chaîne. On appelle parfois cette technique **équilibrage dynamique de la chaîne**; elle est souvent utilisée souvent dans les systèmes de production épurée.

Enfin, une dernière approche consiste à concevoir une chaîne en vue d'y traiter plusieurs produits. On l'appelle **chaîne à modèle mixte**. Naturellement, les produits doivent être relativement similaires, ce qui signifie que les tâches de fabrication sont à peu près les mêmes pour tous. Cette approche offre plus de flexibilité quant au volume de production.

BULLETIN DE NOUVELLES[9]
Le chevauchement des chaînes d'assemblage chez Toyota

La compagnie d'automobiles Toyota est reconnue depuis longtemps pour ses produits de qualité. Désireuse de rendre ses produits disponibles plus rapidement au client, elle a entrepris à son usine de Georgetown, au Kentucky, un projet ambitieux : produire sur la même chaîne d'assemblage aussi bien les populaires modèles Camry que les familiales Sienna. Ces deux modèles partagent la même plate-forme de base ainsi que 50 % de pièces et composants. Cependant, le modèle Sienna, 12 centimètres plus long, 8 centimètres plus large et 30 centimètres plus haut, requiert plus d'espace à certains postes de la chaîne d'assemblage, car les pièces manipulées sont plus volumineuses. Tout autre fabricant d'automobiles aurait procédé à l'implantation d'une nouvelle chaîne d'assemblage spécifiquement réservée à la Sienna. Toyota se devait d'agir rapidement et économiquement. La compagnie a remarqué que sur les 300 postes d'assemblage constituant la chaîne, la Sienna avait besoin de 26 pièces différentes, et ce, à 7 postes supplémentaires. Au lieu d'ajouter ces postes, Toyota forma deux équipes de travailleurs autonomes (une équipe par quart de travail) de formation multidisciplinaire et spécialement entraînés à l'assemblage des pièces propres à la Sienna. Simultanément, les ingénieurs, en collaboration avec les travailleurs, ont conçu des outils et gabarits pour faciliter le travail à ces postes. Dès qu'une Sienna approche d'un des sept postes identifiés, un membre de l'équipe Sienna prend en charge le véhicule. Certains de ces travailleurs sont équipés de mini-chariots, semblables au véhicule utilisé par la NASA sur la planète Mars, pour s'introduire et se mouvoir en dessous ou à l'intérieur de l'auto et procéder aux opérations qui leur incombent. D'autres opérateurs juchés sur des plates-formes assemblent les supports de toit sans se forcer. Il est estimé que Toyota a réduit de trois ans le temps nécessaire à la mise en route et à l'implantation de la chaîne d'assemblage de la nouvelle Sienna. Le temps prévu entre de la conception du produit et sa mise en marché a été réduit d'autant.

Figure 6.13

Il faut affecter des emplacements aux postes de travail.

Emplacements			Services à situer
A	B	C	1
			2
D	E	F	3
			4
			5
			6

9. «Camry Assembly Line Delivers New Minivan», *USA Today*, 1993, p. B3.

6.6 LA CONCEPTION DES AMÉNAGEMENTS-PROCESSUS

Le principal problème relatif à la conception de l'aménagement-processus concerne le positionnement des services concernés. Comme l'illustre la figure 6.13, il faut affecter des emplacements précis aux services. Il est important d'élaborer un aménagement raisonnablement efficace; certaines combinaisons d'emplacements sont préférables à d'autres. Par exemple, certains services tireront profit d'emplacements adjacents, tandis que d'autres devront être séparés. Un laboratoire équipé de matériel fragile ne doit pas être situé à proximité d'un service qui travaille avec un matériel émettant de fortes vibrations. Inversement, deux services qui partagent le même matériel tireront profit d'une certaine proximité.

Des facteurs externes peuvent également influer sur les aménagements, comme l'emplacement des entrées, des quais de chargement, des ascenseurs, des fenêtres et des zones de plancher renforcées. Le niveau de bruit, la sécurité ainsi que la taille et l'emplacement des toilettes sont également d'importants facteurs dont il faut tenir compte.

Dans quelques cas (comme les supermarchés, les stations-service et les chaînes de restauration rapide), les installations ayant des caractéristiques similaires sont suffisamment nombreuses pour justifier un aménagement normalisé. Par exemple, dans le domaine de la restauration rapide, l'uniformisation des modèles d'aménagement simplifie la construction de nouvelles structures et la formation des employés. La préparation des aliments, la prise des commandes et le service à la clientèle suivent le même modèle dans tous les établissements de la chaîne. L'installation et l'entretien du matériel sont également normalisés. Cette même formule a été employée avec succès dans le domaine de l'informatique, pour les logiciels comme les systèmes d'exploitation Microsoft Windows® et Macintosh®. Des applications sont conçues avec certaines fonctions de base communes à toutes celles de l'environnement en question, de sorte que l'utilisateur familier avec une application peut facilement en utiliser une autre sans devoir tout réapprendre.

La plupart des problèmes d'aménagement viennent du fait qu'il y a un seul emplacement plutôt que plusieurs. Les postes de travail ne se prêtent pas forcément à une normalisation. Dans ce cas, il est important de prévoir un aménagement sur commande.

Dans le cas des services, un des principaux obstacles à la création d'un aménagement efficace est le très grand nombre d'affectations possibles. Par exemple, dans le cas où les emplacements forment une seule chaîne, il existe plus de 87 milliards de manières d'affecter 14 emplacements à 14 services (14!). Différentes configurations (comme l'utilisation d'une grille de 2×7 pour l'aménagement de 14 services) et certaines exigences (le service de poinçonnage doit se trouver à un emplacement où le plancher est renforcé) réduisent souvent le nombre de possibilités. Malgré tout, le nombre possible d'aménagements est très élevé. Malheureusement, il n'existe pas de règles permettant de déterminer le meilleur aménagement dans toutes les circonstances. En général, les ingénieurs et techniciens industriels doivent utiliser des techniques heuristiques pour solutionner de façon satisfaisante chaque problème.

6.6.1 Les mesures d'efficacité

Les aménagements-processus ont pour avantage de pouvoir satisfaire à une grande variété d'exigences. Dans ces systèmes, le traitement des clients ou des matériaux exige différentes opérations et séquences d'opérations, ce qui fait en sorte que ceux-ci y suivent plusieurs chemins à l'intérieur du système. Dans un système axé sur le matériel, on a recours à un matériel de manutention à parcours variable pour déplacer le matériel d'un poste à l'autre. Encore une fois, nous remarquons l'interdépendance entre l'aménagement, la manutention et la circulation (AMC) dans les lieux de travail. Dans un système axé sur la clientèle, les gens doivent se déplacer pour passer d'un poste de travail à un autre. Dans les deux cas, les coûts ou les temps de transport peuvent être considérables. L'objectif de l'aménagement-processus est de réduire au minimum les coûts de transport, la distance ou le temps. On y parvient habituellement en localisant aussi près que possible les services qui travaillent souvent ensemble.

D'autres facteurs sont à considérer : les coûts initiaux de l'aménagement, les coûts anticipés d'opération, la capacité réelle créée et la facilité avec laquelle on peut modifier le système.

Dans les situations qui exigent une amélioration de l'aménagement existant, il faut évaluer les coûts de relocalisation d'un poste de travail en fonction des bénéfices potentiels qui en découleront.

6.6.2 Les informations nécessaires à l'entrée

Pour la conception d'un aménagement-processus, les informations suivantes sont nécessaires :

1. Une liste des services ou des postes de travail à installer, leurs dimensions approximatives et les dimensions du ou des édifices qui accueilleront les services.

2. Une prévision de la circulation du travail entre les divers postes.

3. La distance entre les emplacements et le coût unitaire du déplacement des charges entre les postes.

4. Les investissements nécessaires à l'aménagement.

5. Une liste de toutes les contraintes particulières (comme les opérations qui doivent être à proximité les unes des autres ou celles qu'il faut séparer).

Idéalement, il faut d'abord élaborer le plan d'aménagement et ensuite concevoir la structure physique qui l'entoure, ce qui permet une souplesse maximale dans la conception. On suit couramment cette procédure pour construire de nouvelles installations. Néanmoins, dans le cas de structures existantes, il faut envisager plusieurs possibilités d'aménagement ; on doit évaluer attentivement la superficie, les dimensions de l'édifice, l'emplacement des entrées, les ascenseurs et autres facteurs semblables. Notez que les structures multiniveaux posent des problèmes particuliers aux concepteurs de l'aménagement.

6.6.3 L'optimisation des coûts de transport

La conception d'un aménagement-processus a pour principal objectif de réduire au minimum les coûts de transport et les distances parcourues. Il peut donc être très utile de résumer les données nécessaires dans des diagrammes expéditeur-destinataire semblables à ceux des tableaux 6.2 et 6.3. Le tableau 6.2 indique la distance entre chacun des emplacements et le tableau 6.3, le flux des marchandises (effectif ou projeté) transportées entre chaque paire. Par exemple, le tableau d'estimation des distances (6.2) nous révèle que la distance entre l'emplacement A et l'emplacement B est de 20 mètres. On mesure souvent les distances entre les centres de services. À noter que la distance d'un déplacement entre A et B peut être différente selon la direction, en raison de la présence de voies unidirectionnelles, d'ascenseurs ou d'autres facteurs. Pour simplifier cette analyse, nous supposons à ce niveau que la distance est constante entre les deux emplacements, peu importe la direction.

TABLEAU 6.2

Distance entre des emplacements (en mètres)

| De | Vers | EMPLACEMENT | | |
		A	B	C
A		–	20	40
B		20	–	30
C		40	30	–

TABLEAU 6.3

Flux des travaux entre les services (charges par jour)

| De | Vers | SERVICES | | |
		1	2	3
1		–	10	80
2		20	–	30
3		90	70	–

Toutefois, il est irréaliste de supposer que les flux de circulation interservices sont égaux : il n'y a aucune raison de croire que le service 1 enverra autant de travail au service 2 qu'il en recevra de sa part. Par exemple, plusieurs services peuvent expédier des biens au service d'emballage, mais ce dernier peut envoyer les colis au service de l'expédition.

La circulation entre deux emplacements se mesure à l'intensité de la circulation « I »[10].

Par **intensité de circulation,** on entend la quantité transportée par unité de temps.

Ainsi, on dira que l'intensité de la circulation sur telle voie est de 200 kg/h ; 3000 m^3/jour ; 2500 unités/semaine ; 150 véhicules/h.

Intensité de circulation

$$I = \frac{\text{quantité transportée}}{\text{unité de temps}}$$

Pour illustrer la quantité de matière transportée entre différents points de l'entreprise, on a recours au diagramme de flux, qui s'applique aux matières, aux marchandises ou aux personnes.

Par **diagramme de flux,** on entend un schéma, parfois tracé à l'échelle, qui indique la quantité de matière transportée par unité de temps entre différents points de l'entreprise. C'est la représentation graphique de l'intensité « I ».

diagramme de flux
Représentation graphique de l'intensité.

Pour mesurer les efforts consacrés au transport entre la source et la destination (entre le point A et le point B), on a recours à la notion de **travail en transport** (WT).

$$WT = I * D = \frac{\text{quantité transportée} * \text{distance}}{\text{unité de temps}}$$

où
I = intensité de la circulation
D = distance entre la source et la destination
L'exemple 3 illustre toutes ces notions.

Exemple 3

En considérant les informations présentées aux tableaux 6.2 et 6.3, suggérez un aménagement optimal pour les services 1, 2 et 3.

La méthode heuristique utilisée est la suivante : aménager le plus près possible l'un de l'autre les services ayant le plus grand WT.

Solution

Le tableau ci-dessous représente les distances séparant les emplacements A, B et C. Le tableau 6.3 indique l'intensité de la circulation entre les trois services.

1. Placer les distances à parcourir entre les trois emplacements (A, B et C) par ordre croissant :

Source-destination	Distance (mètres)
A-B	20
B-A	20
B-C	30
C-B	30
A-C	40
C-A	40

2. Placer l'intensité de la circulation entre les trois services (1, 2 et 3) par ordre décroissant. Ainsi, la quantité de marchandise qui circule du service 3 vers le 1 est de 90 charges par jour et celle qui va du service 1 vers le 3 est de 80 charges par jour, pour un total de 90 + 80 = 170 charges/jour.

Service	Intensité
3-1	
1-3	90 + 80 = 170
3-2	
2-3	70 + 30 = 100
2-1	
1-2	20 + 10 = 30

3. Concevoir l'aménagement en combinant les services à intensité élevée aux emplacements rapprochés, d'où un WT (travail en transport) minimum, comme l'illustrent la figure et le tableau suivants.

---

10. C. BENEDETTI, *Introduction à la gestion des opérations,* Laval, Études Vivantes, page 428 et suivantes.

Diagramme de flux

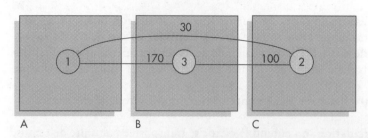

Service	Intensité I (charges/jour)	Emplacement	Distance D (mètres)	WT = I * D charges-mètres/jour
3-1	90	A-B	20	90 * 20 = 1800
1-3	80	B-A	20	80 * 20 = 1600
3-2	70	B-C	30	70 * 30 = 2100
2-3	30	C-B	30	30 * 30 = 900
2-1	20	A-C	40	20 * 40 = 800
1-2	10	C-A	40	10 * 40 = 400
				Total ΣWT = 7600

Le travail en transport de l'aménagement trouvé est optimum à 7600 charges-mètres/jour. On pourrait trouver un autre aménagement qui donnerait le même travail en transport total que celui-ci, mais il faudrait explorer les 3 (!) combinaisons possibles, soit 6. La situation se complique si nous avons « n » services différents à considérer : le nombre de combinaisons à explorer sera de n! La méthode heuristique suggérée donne une solution raisonnablement satisfaisante, compte tenu de l'effort.

6.6.4 Les méthodes relationnelles

Bien que largement utilisée, l'approche précédente reste limitée, car elle porte uniquement sur un objectif, alors que bon nombre de situations sont plus complexes. En effet, nous n'avons tenu compte que de la mesure et de l'optimisation du travail en transport (WT) pour décider de l'aménagement des services par rapport aux emplacements existants. Richard Muther a mis au point le SLP (pour *Systematic Layout Planning*)[11], une approche qui tient compte d'autres facteurs plus qualitatifs, comme la nécessité de ne pas faire passer des produits glacés près des chaufferies et autres considérations du genre. On résume ensuite ces considérations dans un tableau semblable à celui de la figure 6.14. Lisez le tableau comme s'il s'agissait du kilométrage sur une carte routière, sauf qu'à la place des distances, des lettres apparaissent aux intersections. Ces lettres représentent l'importance de la proximité interservices, A étant le code représentant la proximité la plus importante, et X, le code représentant la combinaison la moins souhaitable. Ainsi, dans le tableau, il est « absolument nécessaire » de situer 1 et 2 à proximité l'un de l'autre, car un A figure à l'intersection de ces services. C'est tout le contraire pour les services 1 et 4, car dans le tableau, leur intersection est marquée d'un X. Il en résulte la grille relationnelle illustrée à la figure 6.14. En pratique, les lettres du tableau sont souvent accompagnées de nombres qui indiquent la raison de chaque affectation : ils sont omis ici pour simplifier l'exemple.

---

11. MUTHER, Richard et John WHEELER. «Simplified Systematic Layout Planning», *Factory*, vol. 120, n°s 8, 9 et 10, août, septembre, octobre 1962, p. 68-77, 111-119, 101-113.

Muther suggère la liste suivante:

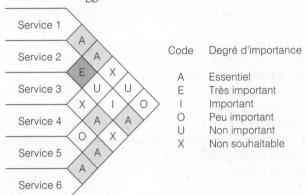

Code	Degré d'importance
A	Essentiel
E	Très important
I	Important
O	Peu important
U	Non important
X	Non souhaitable

1. Utilisation du même matériel ou des mêmes installations.
2. Partage du personnel ou des dossiers.
3. Séquences de flux des travaux.
4. Facilité de communication.
5. Conditions dangereuses ou peu agréables.
6. Travail similaire.

Figure 6.14

Grille relationnelle selon Muther

Aménagez les six services de la figure 6.14 dans un espace de 2 × 3 emplacements en utilisant la règle heuristique suivante: aménager les services importants en premier.

Exemple 4

Solution

1. Les ensembles critiques de services sont ceux dont les évaluations sont A ou X. Préparez une liste de ceux-ci en vous reportant au tableau suivant:

A	1-2	1-3	2-6	3-5	4-6	5-6
X	1-4	3-6	3-4			

2. Formez un regroupement de liens A en commençant par le service qui semble figurer le plus souvent sur la liste A (dans ce cas, le service 6). Par exemple:

3. Prenez le reste des A dans l'ordre et ajoutez-les à ce groupe lorsque c'est possible, en redisposant le groupe au besoin. Formez des groupes distincts pour les services sans lien avec le principal. Dans ce cas, tous y sont reliés.

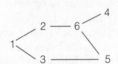

4. Illustrez les X sur un schéma:

Observez: tel qu'il est, le regroupement de A convient aussi aux séparations X. Il s'agit d'un exercice relativement simple pour insérer le regroupement dans une disposition de 2 × 3:

1	2	6
3	5	4

Notons que cette disposition convient aussi aux évaluations plus faibles, même si aucune tentative n'a été faite pour explicitement considérer les évaluations E et I. Évidemment, tous les problèmes ne donnent pas les mêmes résultats. Il peut donc être nécessaire de faire des ajustements supplémentaires pour savoir s'il est possible d'apporter des améliorations, en gardant en tête le fait que les affectations A et X méritent qu'on leur accorde plus d'attention.

Il est important de savoir que les services sont considérés comme étant à proximité les uns des autres non seulement quand ils se touchent, mais aussi quand leurs coins se touchent.

Cette méthode qualitative basée sur l'estimation des relations est valable, car elle recourt à plusieurs facteurs objectifs et subjectifs. Par contre, ses limites tiennent à l'utilisation de facteurs subjectifs en général, souvent imprécis et peu fiables.

Concluons cette section en mentionnant que la taille et la complexité des aménagements-processus ont mené à la mise au point de plusieurs progiciels informatisés. L'analyse informatisée des aménagements-processus a comme avantage de traiter d'importants problèmes et d'envisager différentes possibilités d'aménagement. Toutefois, dans certains cas, les résultats de l'analyse informatique exigent des ajustements manuels avant qu'on puisse les utiliser.

6.7 Conclusion

Les décisions en matière d'aménagement constituent un aspect important de la conception des systèmes de production, car elles influent sur les coûts et l'efficacité des opérations. On ne peut dissocier les décisions concernant la fonction d'aménagement de celles qui concernent les fonctions de manutention et de circulation, ces trois fonctions étant intimement interreliées. L'ensemble de ces décisions est lié à celles qui concernent la conception des produits et services, la sélection des processus et la capacité.

Un facteur déterminant de la conception de l'aménagement est le type de processus ou de méthode de production utilisé. La production continue ou répétitive, la production interrompue et la production à l'unité ou par projets sont les trois principales méthodes de production. La production continue permet de fournir un volume élevé de un ou de quelques produits ou services similaires. L'interrompue permet de produire une gamme plus vaste de produits ou services mais en volumes plus limités, tandis qu'à l'unité, on produit une unité à la fois. Les aménagements-produits sont généralement utilisés pour les grands lots en continu ; les aménagements-processus, pour l'interrompue en petites séries, et les aménagements en position stationnaire, pour les produits uniques ou pour les projets d'envergure.

Dans les aménagements-produits, les opérateurs et le matériel sont disposés selon la séquence technologique requise pour la fabrication du produit ou la fourniture du service. La conception met l'accent sur la circulation du travail dans un système et utilise souvent les principes de la segmentation des tâches et de la spécialisation des travailleurs et du matériel. Les aménagements-produits sont très vulnérables aux pannes et à la rupture des stocks. Un entretien préventif réduit le nombre de pannes, d'où l'importance de la fonction maintenance.

Les aménagements-processus regroupent des activités similaires dans des services ou à d'autres postes de travail. Ils peuvent offrir une vaste gamme de produits en lots plus ou moins grands et sont moins vulnérables aux pannes et aux arrêts de production. Cependant, cette variété exige beaucoup de circulation et de manutention, une révision continuelle de l'ordonnancement des travaux ainsi que le recours à un matériel de manutention à parcours variable. Le taux de production est généralement beaucoup plus faible que celui des aménagements-produits.

Le tableau 6.4 résume les caractéristiques, avantages et inconvénients des aménagements-produits et des aménagements-processus.

La production à l'unité utilisant l'aménagement fixe est intéressante dans le cas de produits uniques, tels que des prototypes, des produits fragiles, difficiles à transporter ou à manipuler, des produits de grande taille ou impossibles à transporter d'une opération à l'autre. C'est le personnel et l'équipement qui graviteront autour du produit, du chantier ou de l'établi.

Lors de la conception d'un aménagement-produit, on doit concentrer l'attention sur la segmentation du travail nécessaire à la création du produit ou du service en tâches ou activités élémentaires. On regroupera ces tâches en une série de postes à contenu similaire en termes de temps, appelée cycle de production ; le cycle est fonction de la quantité de produits à créer, elle-même définie par les besoins du marché à satisfaire. L'objectif est d'utiliser d'une façon optimale les intrants (machines, matières, main-d'œuvre et ressources diverses).

En aménagement-processus, l'attention est portée sur l'interrelation qui existe entre les différents services et sur la minimisation de la circulation et de la manutention (mesurée par le travail en transport, WT). Plusieurs techniques (tantôt basées sur des facteurs objectifs et quantifiables, tantôt subjectives) ont été développées par les ingénieurs industriels pour solutionner ce type de problèmes. Le nombre élevé de combinaisons possibles pour ce type d'aménagement requiert parfois l'utilisation de l'ordinateur, bien qu'une approche très systématique ait été développée et donne des résultats très satisfaisants.

	Aménagement-produit	Aménagement-processus
Description	La disposition séquentielle du personnel ou du matériel est conçue en vue d'une production normalisée.	Une disposition fonctionnelle du personnel ou du matériel est conçue pour traiter une grande variété de spécifications de traitement.
But de l'aménagement	Équilibrage des opérations pour éviter les goulots d'étranglement et obtenir une circulation continue.	Disposition du matériel ou des services en vue de réduire au minimum les coûts de transport ou les congestions, ou les deux.
Méthode de production	Répétitive ou continue.	Travail en atelier ou par lots.
Exemples de : biens	Automobiles, cassettes vidéo.	Meubles ou aliments préparés.
services	Lave-auto, chaîne de cafétéria.	Réparation d'automobiles, soins de santé.
Variété de produits ou services	Faible.	Modérée à élevée.
Niveaux de compétence des, travailleurs dans le secteur du traitement	Faible, semi-qualifiés.	Semi-qualifiés à très qualifiés.
Flexibilité	Très faible.	Modérée à élevée.
Volume	Élevé.	Faible à modéré.
Stock de produits en cours	Faible.	Élevé.
Manutention du matériel	Parcours fixe (assuré par des convoyeurs ou l'équivalent).	Parcours variable (par chariots élévateurs ou l'équivalent).
Maintenance	Préventive.	Au besoin.
Avantages	Faible coût par unité, forte productivité.	Grande flexibilité en termes de quantité et de produits.

TABLEAU 6.4

Comparaison des aménagements-produits et des aménagements-processus

Terminologie

Aménagement en position stationnaire	Fabrication cellulaire
Aménagement-processus	Grille relationnelle
Aménagement-produit	Implantation fonctionnelle
Aménagement stationnaire	Intensité de circulation
Chaîne d'assemblage	Technologie de groupe
Chaîne de fabrication	Temps improductifs (en pourcentage)
Coefficient de position	Temps total de cycle
Cycle d'opérations, de production, de fabrication	Travail en transport
Diagramme d'antécédence	

Problèmes résolus

Les tâches nécessaires à l'assemblage des feuilles formant un document apparaissent au diagramme d'antécédence ci-dessous. Les gestionnaires désirent satisfaire à une capacité de production de 275 unités par quart de 440 minutes.

Problème 1

a) Calculer le cycle de production (C).

b) Quel est le nombre minimum et le nombre effectif de postes nécessaires ?

c) En utilisant le principe du coefficient de position, affecter les postes aux tâches appropriées.

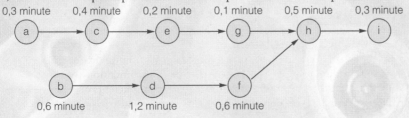

0,3 minute   0,4 minute   0,2 minute   0,1 minute   0,5 minute   0,3 minute

a → c → e → g → h → i

b → d → f → h

0,6 minute   1,2 minute   0,6 minute

Solution

a) $\text{Cycle de production} = \dfrac{\text{temps de production}}{\text{capacité de production (D)}} = \dfrac{TP}{D}$

$C = \dfrac{440 \text{ minutes/jour}}{275 \text{ u/jour}} = 1,6 \text{ minute/unités par poste}$

b) Le nombre minimum ($N_{\min}$) de postes nécessaires ;

$N_{\min} = \dfrac{\sum(t)}{C} = \dfrac{4,2 \text{ min/u}}{(1,6 \text{ min/u})/\text{poste}} = 2,625 \approx 3 \text{ postes}$

$N_{\text{eff}} = 3 \text{ postes (nombre effectif)}$

c) En ajoutant le coefficient de position à chaque tâche sur le diagramme d'antécédence, nous aurons :

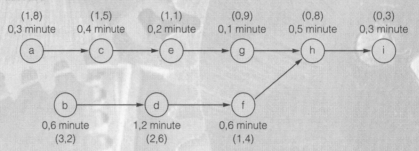

Au poste A, on commence par affecter la tâche b (coefficient 3,2 et durée de 0,6 minute). On ne peut affecter la tâche d au poste A, la deuxième plus élevée avec 2,6 de coefficient et un temps de 1,2 minute, car on dépasserait le cycle C = 1,6 min. On passe donc à la tâche suivante, soit a, et ainsi de suite, ce qui donne le tableau ci-dessous.

Poste	Tâche	Durée totale (minutes)	Temps improductif (délai)	Taux d'occupation
A	b, a, c, e, g	1,6	0,0	1,6 ÷ 1,6 = 100 %
B	d	1,2	0,4	1,2 ÷ 1,6 = 75 %
C	f, h, i	1,4	0,2	1,4 ÷ 1,6 = 87,50 %
		4,2	Total = 0,6 minute	Moyenne = 87,5 %

L'aménagement des postes et des tâches correspondantes apparaît ci-dessous.

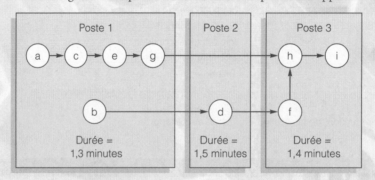

Problème 2

Nous disposons d'une surface dans un immeuble industriel de trois locaux sur trois. On nous demande d'aménager neuf services dans ces locaux à partir de la grille relationnelle AEIOUX[12] suivante. En raison d'un règlement municipal, le service 4 doit être placé dans le local situé en haut à droite.

---

12. Certains auteurs ajoutent le code Y : AEIOUXY.

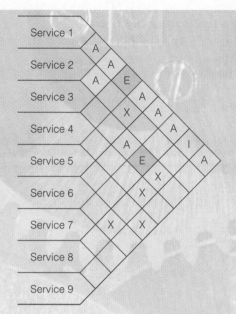

1. Le service 1 ayant le plus grand nombre de A, il sera placé au centre de l'entreprise.

Solution

2. On peut placer les autres services autour de A en respectant le code AEIOUX donné, d'où

3. Considérons maintenant les combinaisons à éviter.

Ces services seront placés en éventail autour de A et le plus loin possible des services à éviter.

4. L'aménagement résultant apparaît ci-dessous.

2	3	4
9	1	6
8	7	5

5. Vérifier si toutes les contraintes (la grille relationnelle, le code AEIOUX, les règlements municipaux) sont respectées.

Problème 3

Six services doivent être aménagés sur un plancher d'usine divisé en six locaux. Pour des raisons techniques, le service 6 doit être placé au local A. Le coût de transport des marchandises est de 2 $ par mètre. Nous désirons trouver un aménagement qui minimisera le coût du travail en transport, WT. Les informations concernant les distances séparant les locaux A, B, C, D, E et F ainsi que le nombre de voyages interservices sont données aux tableaux suivants.

Solution

Source	Destination A	B	C	D	E	F
			Distance entre les locaux (mètres)			
A	–	50	100	50	80	130
B		–	50	90	40	70
C			–	140	60	50
D				–	60	50
E					–	120
F						–

Source	Destination 1	2	3	4	5	6
			Nombre de voyages par jour entre les services			
1	–	90	25	23	11	18
2	35	–	8	5	10	16
3	37	2	–	1	0	7
4	41	12	1	–	4	0
5	14	16	0	9	–	3
6	32	38	13	2	2	–

A Service 6	B	C
D	E	F

1. Placer les distances à parcourir entre les six emplacements (A, B, C, D, E et F) par ordre croissant :

Source – Destination	Distance (mètres)
B-E	40
D-E	50
F-E	50
B-C	60
A-B	80
A-D	50
C-F	50
E-C	60
B-F	70
A-E	80
B-D	90
A-C	100
F-D	120
A-F	130
D-C	140

2. Placer l'intensité de la circulation entre les six services (1 à 3) par ordre décroissant. Par exemple, de 1 vers 2 (1-2), le flux est de 90 + 35 = 125 voyages par jour.

Service	Intensité
1-2	125
1-4	64
1-3	62
2-6	54
1-6	50
2-5	26
1-5	25
3-6	20
2-4	17
4-5	13
2-3	10
5-6	5
3-4	2
4-6	2
3-5	0

3. Concevoir l'aménagement en combinant les services à intensité élevée aux emplacements à distance faible, pour un WT minimum, comme l'illustre le tableau ci-dessous.

Service	Intensité I (charges/jour)	Emplacement	Distance D (mètres)	WT = I * D (charges-mètres/jour)
1-2	125	B-E	40	5000
1-4	64	D-E	50	3200
1-3	62	F-E	50	3100
2-6	54	B-C	60	2700
1-6	50	A-B	80	2500
2-5	26	A-D	50	1300
1-5	25	C-F	50	1250
3-6	20	E-C	60	1200
2-4	17	B-F	70	1190
4-5	13	A-E	80	1040
2-3	10	B-D	90	900
5-6	5	A-C	100	500
3-4	2	F-D	120	240
4-6	2	A-F	130	260
3-5	0	D-C	140	0
				ΣWT = 24 380

Le service 6 est aménagé d'office au local A, conformément aux exigences.

Le service 1 au local E: se référer aux trois premières lignes du tableau précédent.

Le service 2 au local B: se référer aux lignes 1 et 4 du tableau.

Le service 5 devant être proche du 1 et du 2 (lignes 6 et 7) et le 3 proche du 6 (ligne 8), on choisit de placer le service 5 au local C et le 3, au local D. Le service 4 sera finalement placé à F.

L'aménagement final est illustré à la figure suivante.

A	B	C
Service 6	Service 2	Service 5
D	**E**	**F**
Service 3	Service 1	Service 4

Remarque:

Il serait plus opportun de placer les priorités du tableau précédent par ordre décroissant de WT (travail en transport) et de procéder à l'aménagement en respectant l'ordre qui en résulte.

Vous trouverez dans la bibliographie des ouvrages traitant de cette méthode, qui déborde le cadre de ce livre.

Questions de discussion et de révision

1. Dressez la liste de certaines des raisons courantes pour lesquelles on reconçoit des aménagements.

2. Décrivez brièvement les trois principaux types d'aménagement.

3. Quels sont les principaux avantages d'un aménagement-produit? Quels sont ses principaux désavantages?

4. Quels sont les principaux avantages d'un aménagement-processus? Quels sont ses principaux désavantages?

5. Quel est l'objectif de l'équilibrage des opérations? Que se produit-il si une chaîne est déséquilibrée?

6. Pourquoi l'acheminement et l'ordonnancement sont-ils des problèmes perpétuels avec les aménagements-processus?

7. Comparez la fonction maintenance en aménagement-produit avec celle de l'aménagement-processus.

8. Décrivez brièvement les conséquences d'une séquence de tâches sur chacun des types d'aménagement.

9. Le comité de planification du transport urbain doit décider s'il entreprendra la construction d'un système de métro ou la mise à jour du système d'autobus actuel. Vous êtes un expert dans le matériel de manutention à parcours fixe et à parcours variable et le comité souhaite obtenir vos conseils. Quels sont les avantages et les inconvénients des systèmes de métro et d'autobus ?

10. Quel est le matériel de manutention à parcours fixe et à parcours variable utilisé dans les supermarchés ?

11. Qu'est-ce que l'approche heuristique ? Pourquoi l'utilise-t-on dans la conception des aménagements ?

12. Pourquoi les aménagements-produits ne sont-ils pas typiques du milieu des services ?

13. Selon une étude menée par des spécialistes en assurances, reconstruire une Chevrolet complètement démolie coûte plus de trois fois le prix d'achat initial en pièces et en main-d'œuvre. Justifiez cet important écart.

14. Comment un aménagement influence-t-il la productivité ?

15. Qu'est-ce que la fabrication cellulaire ? Quels en sont les principaux avantages et inconvénients ?

16. Qu'est-ce que la technologie de groupe ?

Problèmes

1. Une chaîne de montage comportant 17 tâches doit être équilibrée. La durée de la tâche la plus longue est de 2,4 minutes et la durée totale de toutes les tâches est de 18 minutes. La chaîne fonctionnera 450 minutes par jour.
   a) Quels sont les cycles de production minimum et maximum ?
   b) Quelle capacité de production est théoriquement possible pour la chaîne ?
   c) Quel est le nombre minimum de postes de travail nécessaire si on cherche à atteindre le taux de production maximum ?
   d) Quel cycle procurera un taux de production de 125 unités par jour ?
   e) Quel potentiel de production obtiendrez-vous si le cycle est de 9 minutes ? de 15 minutes ?

2. Un directeur veut affecter des postes de travail à des tâches le plus efficacement possible et obtenir une production horaire de 33 1/3 unités. Supposez que l'atelier travaille 60 minutes par heure. Attribuez les tâches présentées dans le diagramme d'antécédence ci-dessous (les temps sont en minutes) aux postes de travail en utilisant les règles suivantes :
   a) Dans l'ordre selon lequel la plupart des tâches se suivent. Briseur d'égalité : coefficient de position le plus élevé.
   b) Dans l'ordre du coefficient de position le plus élevé.
   c) Quelle est l'efficacité ?

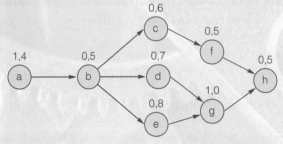

3. Un directeur souhaite affecter des postes de travail à des tâches le plus efficacement possible et obtenir une production horaire de 4 unités. Ce service utilise un temps de travail de 56 minutes par heure. Affectez les postes de travail du diagramme (les temps sont en minutes) aux tâches présentées en utilisant les règles suivantes :
   a) Dans l'ordre selon lequel la plupart des tâches se suivent (en respectant le coefficient de position le plus élevé).
   b) Quelle est l'efficacité ?

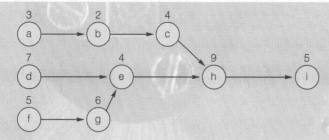

4. Un important fabricant de taille-crayons prévoit ajouter une nouvelle ligne de taille-crayons et on vous demande d'équilibrer le processus, compte tenu des temps de tâches et des rapports de priorité suivants. Supposez que le cycle de production doit être le plus bas possible.

Tâche	Durée (en minutes)	Tâche suivante
a	0,2	b
b	0,4	d
c	0,3	d
d	1,3	g
e	0,1	f
f	0,8	g
g	0,3	h
h	1,2	fin

a) Faites ce qui suit :
   i. Tracez le diagramme d'antécédence.
   ii. Affectez les postes aux tâches dans l'ordre selon lequel le plus grand nombre possible de tâches se suivent.
   iii. Déterminez le pourcentage de temps improductif.
   iv. Calculez le taux de production qui pourrait être prévu pour cette chaîne en supposant que chaque jour de travail compte 420 minutes.

b) Répondez aux questions suivantes :
   i. Quel est le cycle le plus court qui permette d'utiliser uniquement deux postes de travail ? Ce cycle est-il réalisable ? Déterminez les tâches que vous assigneriez à chaque poste.
   ii. Déterminez le pourcentage de temps improductif qui découlerait de l'installation de deux postes.
   iii. Avec un tel aménagement, quelle est la production quotidienne ?
   iv. Déterminez le taux de production avec un cycle maximum.

5. Dans le cadre d'un important projet de rénovation d'usine, on a demandé aux ingénieurs industriels d'équilibrer les opérations d'assemblage révisées pour obtenir une production de 240 unités par journée de 8 heures. Les temps de tâches et les rapports de priorité sont les suivants :

Tâche	Durée (en minutes)	Tâche suivante
a	0,2	b
b	0,4	c
c	0,2	f
d	0,4	e
e	1,2	g
f	1,2	g
g	1,0	fin

Faites ce qui suit :
a) Tracez le diagramme d'antécédence.
b) Déterminez le cycle maximum.
c) Déterminez le nombre minimum de postes nécessaires.
d) Affectez les postes aux tâches de manière que le plus grand nombre possible de tâches se suivent.
e) Calculez le pourcentage de temps improductif pour l'affectation demandée en d).

6. Douze activités, dont les contraintes de temps et de priorité sont présentées dans le tableau suivant, doivent être assignées à des postes utilisant un cycle d'opération de 1,5 minute.

Deux règles heuristiques seront mises en œuvre : 1) le coefficient de position le plus élevé et 2) le nombre le plus élevé de tâches qui se suivent.

En cas d'égalité, choisir le temps de tâche le plus court.

Activité	Durée (en minutes)	Activités précédentes (ou préalables)
a	0,1	–
b	0,2	a
c	0,9	b
d	0,6	c
e	0,1	–
f	0,2	d, e
g	0,4	f
h	0,1	g
i	0,2	h
j	0,7	i
k	0,3	j
l	0,2	k

a) Dessinez le diagramme d'antécédence des étapes de cette chaîne.
b) Affectez les postes aux tâches.
c) Calculez le pourcentage de temps improductif pour chacune des règles.

7. Pour l'ensemble des tâches présentées ci-dessous :
a) Dessinez le diagramme d'antécédence.
b) Déterminez le temps de cycle maximum en secondes pour une production souhaitée de 500 unités en 7/h jours. Pourquoi un gestionnaire utiliserait-il un temps de cycle de 50 secondes ?
c) Déterminez le nombre minimum de postes nécessaires pour une production de 500 unités par jour.
d) Équilibrez la chaîne en utilisant la règle heuristique du coefficient de position le plus élevé. Utilisez un cycle de 50 secondes.
e) Calculez le pourcentage de temps improductif de la chaîne.

Activité	Durée (en secondes)	Activités précédentes
A	45	–
B	11	A
C	9	B
D	50	–
E	26	D
F	11	E
G	12	C
H	10	C
I	9	F, G, H
J	10	I
	193	

8. Un atelier travaille 400 minutes par jour. Le directeur de l'atelier souhaite atteindre une production de 200 unités par jour pour la chaîne de montage, qui comporte les tâches élémentaires présentées dans le tableau ci-dessous.

Faites ce qui suit :
a) Dessinez le diagramme d'antécédence.
b) Assignez les tâches selon la règle heuristique selon laquelle le plus grand nombre possible de tâches se suivent.
c) Attribuez les tâches selon la règle heuristique du coefficient de position le plus élevé.
d) Calculez le pourcentage de temps improductif pour chaque règle. Dans ce cas, laquelle donne le meilleur ensemble d'affectations ?

Tâche	Tâche(s) suivante(s)	Durée
a	b, c, d	0,5
b	e	1,4
c	e	1,2
d	f	0,7
e	g, j	0,5
f	i	1,0
g	h	0,4
h	k	0,3
i	j	0,5
j	k	0,8
k	m	0,9
m	fin	0,3

9. Disposez six services dans des locaux sur une grille de 2 × 3 de manière à satisfaire aux conditions suivantes : 1 près de 2, 5 près de 2 et de 6, 2 près de 5, et 3 loin de 1 et de 2.

10. À l'aide de l'information donnée au problème précédent, élaborez un tableau relationnel selon la technique de Muther en utilisant les lettres A, O et X. Supposez que toute paire de combinaisons omise ait une évaluation de 0.

11. À l'aide de l'information donnée dans la grille suivante, déterminez si l'aménagement des

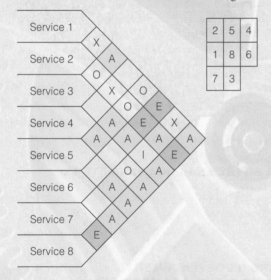

services est approprié. Sinon, modifiez les affectations pour satisfaire aux conditions.

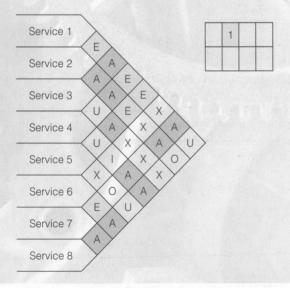

13. Disposez les services dans un format de 3×3 de manière à satisfaire aux conditions présentées dans la grille relationnelle suivante. Placez le service 5 dans le coin inférieur droit du tableau de 3×3.

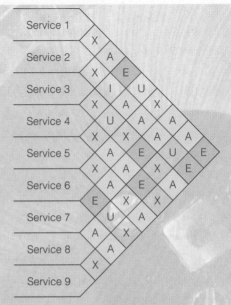

14. Pour le nouvel aménagement du siège social d'une entreprise, déterminez la position des services qui réduira au minimum les coûts de transport. Utilisez les données des tableaux suivants. Supposez que les distances sont les mêmes dans les deux sens. Le schéma présente les locaux. Calculez un coût de 1 $ par mètre de voyage.

Local A	Local B	Local C
	Local D	

		DISTANCE ENTRE LES LOCAUX (MÈTRES)		
De	**Vers**	**A**	**B**	**C**	**D**
A		–	40	80	70
B			–	40	50
C				–	60
D					–

		NOMBRE DE DÉPLACEMENTS PAR JOUR ENTRE LES SERVICES			
De	**Vers**	**1**	**2**	**3**	**4**
1		–	10	20	30
2			–	40	40
3				–	25
4		50	50	30	–

15. On veut aménager huit cellules de travail dans un édifice en forme de L. Les emplacements des cellules 1 et 3 sont affectés selon les tableaux suivants. En supposant que les coûts de transport sont de 1 $ par charge par mètre, élaborez, à l'aide de l'information donnée, un aménagement qui réduira au minimum les coûts de transport. Calculez les coûts totaux. (On suppose que les distances sont les mêmes dans les deux sens.)

A 1	B	
C	D	E 3
F	G	H

DISTANCE (EN MÈTRES)

De	Vers	A	B	C	D	E	F	G	H
A		–	40	40	60	120	80	100	110
B			–	60	40	60	140	120	130
C				–	45	85	40	70	90
D					–	40	50	40	45
E						–	90	50	40
F							–	40	60
G								–	40
H									–

CHARGES PAR JOUR

De	Vers	1	2	3	4	5	6	7	8
1		–	10	5	90	365	135	125	0
2		0	–	140	10	0	35	0	120
3		0	220	–	110	10	0	0	200
4		0	110	240	–	10	0	0	170
5		5	40	100	180	–	10	40	10
6		0	80	40	70	0	–	10	20
7		0	45	20	50	0	40	–	20
8		0	0	0	20	0	0	0	–

16. Concevez un aménagement-processus qui réduira au minimum la distance parcourue par les patients d'une clinique médicale en utilisant l'information suivante sur les visites projetées dans les différents services par les patients et les distances entre les locaux. Calculez une distance de 10 mètres entre l'aire de réception et chaque emplacement potentiel. Utilisez le format présenté.

DISTANCE ENTRE LES LOCAUX (EN MÈTRES)

De	Vers	A	B	C	D	E	F
A		–	40	80	100	120	160
B			–	40	60	80	120
C				–	20	40	80
D					–	20	40
E						–	40
F							–

DÉPLACEMENTS ENTRE LES SERVICES (PAR JOUR)

De la réception	Vers	1	2	3	4	5	6	Réception
réception		10	10	200	20	0	100	–
1		–	0	0	80	20	40	10
2		0	–	0	0	0	20	40
3		40	0	–	10	190	10	10
4		30	50	0	–	10	70	0
5		60	40	60	30	–	20	10
6		10	100	0	20	0	–	30

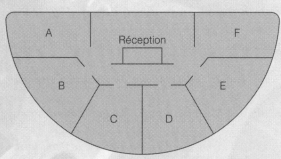

17. Dix laboratoires seront conçus selon l'aménagement circulaire illustré ci-dessus. Craignant une congestion dans l'entrée comme celle qu'il avait connue avec un aménagement similaire, le nouveau directeur du laboratoire souhaite réduire au minimum la circulation entre les bureaux. De plus, à l'entrée, les déplacements sont limités par un passage allant dans le sens contraire des aiguilles d'une montre. Élaborez un aménagement approprié.

NOMBRE DE DÉPLACEMENTS PAR JOUR ENTRE LES SERVICES										
De	**Vers**	**1**	**2**	**3**	**4**	**5**	**6**	**7**	**8**	**9**	**10**
1		–	40	1	20	20	4	0	2	6	5
2		0	–	2	15	25	10	2	12	13	6
3		50	35	–	10	13	4	0	4	7	1
4		6	1	8	–	0	14	10	20	22	11
5		3	2	7	35	–	22	5	9	19	10
6		5	5	10	0	2	–	15	0	1	20
7		20	16	50	4	9	2	–	1	3	0
8		10	6	14	2	4	44	13	–	1	25
9		5	5	18	1	2	40	30	42	–	32
10		30	30	35	20	15	5	40	10	15	–

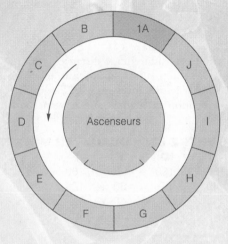

18. Rééquilibrez la chaîne d'opérations du problème 7. Cette fois, utilisez la règle du temps d'opération le plus long. En cas d'égalité, donnez priorité à la règle du plus grand nombre de tâches consécutives. Quel est le pourcentage de temps improductif de votre chaîne?

Bibliographie

APPLE, James M. *Plant Layout and Material Handling*, 3ᵉ édition, New York, J. Wiley & Sons, 1977, 600 pages.

BENEDETTI, C. *Introduction à la gestion des opérations*, Études Vivantes, 1991, chapitres 3, 10.

BUREAU INTERNATIONAL DU TRAVAIL. *Introduction à l'étude du travail*, 3ᵉ édition, Genève, 1996, 524 pages.

COHEN, Morris et Uday M. APTE. *Manufacturing Automation*, Burr Ridge, IL, McGraw-Hill, 1997.

FRANCIS, R. L. et J. A. WHITE. *Facility Layout and Location: An Analytical Approach*, Englewood Cliffs, NJ, Prentice Hall, 1987.

GERWIN, D. «Do's and Don'ts of Computerized Manufacturing», *Harvard Business Review*, mars-avril 1982, p. 107-116.

GROOVER, Mikell P. *Automation, Production Systems and Computer-Aided Manufacturing*, 2ᵉ édition, Englewood Cliffs, NJ, Prentice-Hall, 1987.

HENDRICK, T.E. et F.G. MOORE. *Production/Operations Management*, 9ᵉ édition, Burr Ridge, IL., Richard D. Irwin, 1985

KILBRIDGE, M. D. et L. WESTER. «A Heuristic Method of Assembly Line Balancing», *Journal of Industrial Engineering*, n° 12, juillet et août 1961.

MILAS, Gene H. «Assembly Line Balancing... Let's Remove the Mystery», *Industrial Engineering*, mai 1990, p. 31-36.

MUTHER, Richard. *Systematic Layout Planning*, Boston, Cahner's Book, 1973.

MUTHER, R. et K. MCPHERSON. «Four Approaches to Computerized Layout Planning», *Industrial Engineering*, n° 2, 1970, p. 39-42.

TOMPKINS, J. A. et J. A. WHITE. *Facilities Planning*, New York, John Wiley, 1984, 675 pages.

OBJECTIFS D'APPRENTISSAGE

Après avoir terminé l'étude de ce chapitre, vous pourrez :

1. Expliquer l'importance de l'organisation scientifique du travail.

2. Connaître les deux principales approches de l'étude du travail.

3. Connaître les avantages et les inconvénients de la spécialisation.

4. Expliquer l'expression *rémunération fondée sur le savoir*.

5. Expliquer l'objectif de l'étude des méthodes de travail et décrire ses étapes.

6. Décrire les techniques couramment utilisées pour l'étude des temps et des mouvements.

7. Analyser les conséquences des conditions de travail sur la conception des tâches.

8. Définir la notion de temps standard.

9. Décrire et comparer les différentes méthodes de mesure du travail.

10. Décrire l'échantillonnage du travail et effectuer des calculs.

11. Comparer l'étude par chronométrage avec l'échantillonnage du travail.

12. Comparer les systèmes de rémunération au temps et les systèmes de rémunération au rendement.

Chapitre 7
L'ORGANISATION SCIENTIFIQUE DU TRAVAIL

Ce chapitre est consacré à l'organisation scientifique du travail, appelée aussi l'étude du travail : elle inclut la conception des tâches, la mesure du travail, l'établissement de standards de temps ainsi que la rémunération des employés.

Au fil de votre lecture, vous constaterez que les décisions concernant la conception du travail ont des conséquences sur d'autres secteurs. Par exemple, les décisions en matière de conception des produits ou services (comme exploiter une mine de charbon, offrir un service de rencontres informatisé, vendre du matériel sportif) déterminent, dans une large mesure, le type d'activités auxquelles les travailleurs participeront. De même, les décisions en matière d'aménagement influent souvent sur la conception des tâches. Ainsi, les aménagements-processus exigent un élargissement de la tâche. En raison de ces corrélations, il est essentiel d'adopter une approche systémique au moment de la conception.

7.1 INTRODUCTION

L'importance de la conception des postes de travail est amplifiée par la dépendance de l'entreprise par rapport aux efforts humains (comme le travail) pour l'atteinte de ses objectifs. La conception des postes de travail et des tâches à accomplir est un des aspects les plus anciens de la gestion des opérations. On l'a souvent délaissée dans l'enseignement de la gestion des opérations au profit d'autres domaines plus à la mode. Cependant, au cours des dernières années, ce domaine a connu un intérêt renouvelé : en effet, des études ont révélé une insatisfaction générale chez plusieurs travailleurs à l'égard de leur emploi. De plus, le souci grandissant des gestionnaires pour la productivité a fait de ce secteur une clé pour l'amélioration de la productivité et l'amélioration continue.

Il est essentiel pour les gestionnaires de faire de la conception des systèmes de travail une composante à part entière de la stratégie opérationnelle. En dépit des progrès considérables de l'informatique et de la technologie de la fabrication, les personnes demeurent le cœur de l'entreprise ; elles sont responsables de sa prospérité ou de sa faillite, peu importe la technologie utilisée. Évidemment, la technologie est importante, mais elle ne suffit pas.

Les sujets que nous abordons dans ce chapitre — la conception des tâches, l'analyse des méthodes de travail, la mesure du travail, l'étude des mouvements, les normes de travail et les mesures incitatives — ont tous des conséquences sur la productivité. Ils n'ont pas l'éclat de la haute technologie ; ils se rapprochent davantage des fondements de l'étude du travail (ÉT) ou bien de l'organisation scientifique du travail (OST).

Précisons d'emblée que les travailleurs constituent un apport précieux et sont source de créativité, car ils effectuent les tâches et connaissent les problèmes qui se présentent. Trop souvent, les gestionnaires ne tiennent pas compte de la contribution potentielle des employés, parfois par ignorance et parfois en raison d'un orgueil mal placé. Les discordes entre les syndicats et la direction représentent un autre obstacle. En revanche, les entreprises tentent de plus en plus de susciter la collaboration entre les employés et les gestionnaires en prenant exemple sur les entreprises japonaises.

En outre, un nombre croissant d'entreprises se concentrent sur l'amélioration de la qualité de vie au travail et tentent d'inculquer la fierté et le respect aux travailleurs. Plusieurs entreprises tirent des gains étonnants de l'habilitation des travailleurs à prendre davantage de décisions.

Les gens travaillent pour diverses raisons. Les besoins financiers en constituent la principale. Cependant, ils travaillent aussi pour entretenir des relations sociales, donner un sens à leur vie, avoir un certain niveau de vie, assurer leur croissance personnelle, et pour d'autres raisons encore. Ces motivations jouent un rôle déterminant dans la vie des travailleurs ; la direction doit donc leur accorder une place particulière dans la conception des systèmes de travail.

7.2 L'ÉTUDE DU TRAVAIL[1]

L'étude du travail est la fonction de la gestion des opérations qui vise à tirer le meilleur parti possible des ressources humaines, financières et techniques de l'entreprise nécessaires à la création des biens et services[2].

Par cette définition, nous voyons que les ressources de l'entreprise se subdivisent principalement en trois types : les ressources humaines, les ressources techniques et les ressources financières ou économiques. Il convient d'insister sur l'importance de l'intégration de ces trois types de ressources. En effet, un des problèmes éprouvés par les entreprises est le fait que les gestionnaires, qui en apparence afficheront des visions généralistes, tendent parfois à privilégier l'un ou l'autre des facteurs mentionnés, selon leur formation ou leurs croyances. Ceux qui sont de type « technique » privilégieront les ressources techniques et choisiront des projets, concevront des postes de travail où le côté technique sera mis en valeur. Les gestionnaires plus « financiers » placeront les objectifs économiques en premier, sans se soucier de l'impact de leurs décisions sur l'humain, en les justifiant ainsi : « c'est une décision économique ». Les « humanistes » pencheront pour l'aspect humain, bien que cela puisse parfois mener à la perte de l'ensemble des emplois de l'entreprise.

Encore une fois, nous voulons souligner l'importance de l'intégration de l'ensemble. Le vrai défi qui attend le gestionnaire est l'utilisation judicieuse et optimale de ces trois facteurs. N'oublions jamais que l'humain est techniquement économique.

Cette phrase illustre bien l'intégration des trois facteurs.

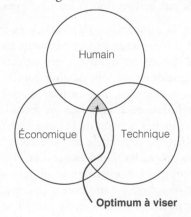

Optimum à viser

Figure 7.1

Interdépendance des trois facteurs

L'organisation scientifique du travail (OST) peut se faire selon deux approches :

1) l'approche conceptuelle, où on est appelé à concevoir un système de travail à partir du néant ;

2) l'approche amélioration, qui consiste à étudier les systèmes déjà en place pour mettre au point des systèmes plus commodes et efficaces.

Il va sans dire que ces deux approches ont chacune leurs caractéristiques et qu'elles posent des défis différents aux gestionnaires.

Indépendamment de l'approche retenue, l'étude du travail (ou OST) comprend l'étude des méthodes, l'étude des mouvements, la mesure du travail, l'ergonomie et la rémunération. Ces notions seront étudiées plus en profondeur dans les sections appropriées.

Finalement, nous désirons souligner que des professionnels se sont consacrés au domaine de l'étude du travail. Ces personnes sont connues aujourd'hui dans l'entreprise

1. BENEDETTI, C. *Introduction à la gestion des opérations,* 3ᵉ édition, Laval, Éditions Études Vivantes, 1991, p. 360.
2. KANAWATY, G. *Introduction à l'étude du travail,* Genève, Bureau international du travail (BIT), 1993, 524 p.

sous divers titres, en fonction de l'envergure du travail à effectuer et du secteur, (produits ou services) où elles œuvrent. Leurs principaux titres sont les suivants : ingénieurs industriels, spécialistes en organisation et méthodes, agents d'étude. Quel que soit leur titre, l'important est qu'elles possèdent des connaissances d'ordre technique, économique et humain et qu'elles les appliquent.

7.3 L'ÉTUDE DES MÉTHODES : L'APPROCHE CONCEPTION

étude des méthodes
Analyse systématique des méthodes de travail pour les améliorer ou en concevoir de nouvelles.

L'**étude des méthodes** de travail selon l'approche conception (ÉM-C) inclut la définition du contenu d'un emploi et des méthodes de travail. Elle a généralement pour objectif de créer un système de travail productif et efficace. Les concepteurs des tâches à exécuter à un poste de travail se posent trois questions : qui exécutera la tâche ? Comment sera-t-elle effectuée ? Où sera-t-elle accomplie ?

Pour réussir, la conception d'une étude des méthodes doit :

1) être effectuée par un personnel expérimenté qui possède la formation et l'expérience appropriées ;

2) concorder avec les objectifs de l'entreprise ;

3) être présentée sous forme écrite ;

4) être comprise et adoptée par la direction et les employés.

conception des tâches
Action de définir le contenu des emplois et les méthodes de travail.

Les facteurs influençant la **conception des tâches** et les conséquences des différentes options sont parfois si complexes qu'une personne ne possédant pas une solide expérience dans le domaine risque fort d'oublier des aspects importants. Il faut consulter les travailleurs et les gestionnaires afin de tirer profit de leurs connaissances et les informer des démarches entreprises. Les employés sont une source d'idées fort intéressantes quant aux améliorations à apporter au travail. Le soutien offert par la direction aux concepteurs des tâches dépend de l'engagement et de la participation des gestionnaires. Il est habituellement plus facile de faire accepter un concept à ces deux groupes s'ils ont pris part au processus. Finalement, l'établissement d'un dossier écrit concernant les tâches à accomplir à un poste de travail peut servir de base de référence si une polémique employeur-employé est soulevée à ce sujet.

Actuellement, la conception des méthodes de travail se base sur deux écoles de pensée fondamentales. La première pourrait s'appeler l'école du rendement parce qu'elle met l'accent sur une approche systématique et logique de la définition des tâches ; l'autre est connue sous le nom d'école du comportement parce qu'elle s'appuie sur la satisfaction des désirs et des besoins.

Dans le passé, on a accordé beaucoup d'importance à l'approche basée sur le rendement, qui est en fait une version améliorée des notions de gestion scientifique établies par Frederick Winslow Taylor. Mais l'approche comportementale, apparue dans les années 1950, continue d'influencer plusieurs aspects de l'étude des méthodes (ÉM). Elle a notamment rappelé aux gestionnaires la complexité des êtres humains. De plus, elle a souligné le fait que l'approche basée sur le rendement n'est pas toujours appropriée.

Toutefois, le point de vue comportemental a été discrédité dans les années 1970 à la suite de la publication d'un rapport faisant état des problèmes qui existent dans les systèmes de travail[3]. Ce rapport révélait une insatisfaction apparemment généralisée chez les travailleurs. Deux points ont attiré l'attention des concepteurs professionnels de l'ÉM : le premier, c'est que plusieurs travailleurs estimaient que leur emploi était inintéressant ; le second, c'est que les travailleurs voulaient avoir plus de contrôle sur leur emploi. La question centrale semblait être le degré de spécialisation ou de segmentation des tâches lié à l'emploi : une forte spécialisation semblait engendrer beaucoup d'insatisfaction. Il est

---

3. UPJOHN INSTITUTE FOR EMPLOYMENT RESEARCH, *Work in America*, Cambridge, Mass., MIT Press, 1973.

intéressant de noter que la spécialisation des postes de travail est l'une des principales sources de conflits entre les défenseurs de l'approche basée sur le rendement et les défenseurs de l'approche comportementale.

7.3.1 La spécialisation

La **spécialisation** consiste à cantonner un poste de travail dans un domaine bien limité. L'ensemble des tâches nécessaires à l'exécution d'un travail est segmenté en plusieurs postes spécialisés, chaque poste se voyant confier des tâches définies à exécuter. Les professeurs d'université se spécialisent dans l'enseignement de certaines matières; des médecins, des avocats, des chercheurs se consacrent exclusivement à une spécialité; quelques mécaniciens d'automobiles se spécialisent dans la réparation des transmissions et des cuisiniers, dans la préparation de gâteaux de mariage. On retrouve les travailleurs des chaînes d'assemblage au bas de cette échelle; leurs emplois sont spécialisés, mais moins prestigieux. La spécialisation a pour principal avantage de permettre à une personne de se concentrer et, dans l'accomplissement d'une tâche particulière, d'y devenir efficace.

spécialisation
Poste de travail comportant l'exécution d'un nombre limité de tâches.

Parfois, la quantité de connaissances ou le degré de formation que doit posséder un spécialiste ainsi que la complexité de son poste laissent supposer que cette personne est très satisfaite de son travail. Cela semble particulièrement vrai dans le cas des «professionnels». Mais on trouve aussi des travailleurs spécialisés au travail beaucoup moins prestigieux. Les emplois qu'ils occupent ont pour principal avantage d'engendrer une grande productivité et de faibles coûts unitaires. On leur doit également le niveau de vie élevé que connaissent aujourd'hui les pays industrialisés.

Malheureusement, bon nombre de ces emplois, qu'on peut qualifier de monotones, voire d'ennuyeux, constituent aujourd'hui une source d'insatisfaction chez les travailleurs industriels. Cependant, il serait erroné de conclure que tous les travailleurs s'opposent à ce type de travail. Certains préfèrent en effet un emploi dont les exigences et les responsabilités en matière de prise de décisions sont limitées. D'autres sont tout simplement incapables d'occuper des emplois d'un niveau plus élevé. Néanmoins, plusieurs travailleurs sont frustrés, et cette frustration se manifeste de diverses façons. Le taux de rotation du personnel et l'absentéisme sont souvent élevés; dans l'industrie de l'automobile, par exemple, l'absentéisme grimpe jusqu'à 20%, bien que tous les absents ne soient pas des travailleurs frustrés. Les travailleurs peuvent également recourir à des tactiques de ralentissement délibéré ou porter peu d'attention à la qualité des produits pour exprimer leur insatisfaction.

La gravité de ces problèmes a amené les **agents d'étude des méthode**s et d'autres spécialistes à chercher des solutions. Nous en discuterons dans les sections suivantes. Le tableau 7.1 résume les avantages et les inconvénients de la spécialisation.

Avantages	
Pour la direction:	Pour la main-d'œuvre:
1. Formation simplifiée	1. Faibles exigences en matière d'éducation et de compétences
2. Productivité élevée	2. Responsabilités minimales
3. Faibles coûts salariaux	3. Effort mental minime
Inconvénients	
Pour la direction:	Pour la main-d'œuvre:
1. Difficulté à inculquer le souci de la qualité	1. Travail monotone
2. Insatisfaction des travailleurs, ce qui peut entraîner de l'absentéisme, une forte rotation du personnel, des tactiques de perturbation, une faible attention accordée à la qualité	2. Occasions d'avancement limitées
	3. Peu de contrôle sur le travail
	4. Peu d'occasions d'autosatisfaction

TABLEAU 7.1

Principaux avantages et inconvénients de la spécialisation en affaires

7.3.2 L'approche comportementale de l'organisation du travail

En vue de rendre les tâches plus intéressantes, les concepteurs de tâches tiennent souvent compte de l'élargissement des tâches, de la rotation des postes de travail, de l'enrichissement des tâches et d'un recours accru à la mécanisation.

L'**élargissement des tâches** consiste à donner aux travailleurs une plus grande partie de la tâche à effectuer. Il s'agit d'un accroissement horizontal : le travail supplémentaire se situe au même niveau de compétence et de responsabilité que la tâche première. Il vise à rendre le travail plus intéressant en accroissant la variété des compétences requises et en permettant au travailleur de participer davantage à la production globale. Par exemple, on peut élargir la tâche d'un travailleur de la fabrication en le rendant responsable d'une séquence d'activités plutôt que d'une seule activité.

La **rotation des postes de travail** désigne l'échange périodique des tâches entre les travailleurs. Une entreprise peut adopter cette approche pour éviter que certains employés soient contraints d'effectuer des tâches monotones. Cette approche fonctionne bien quand il est possible de transférer les travailleurs à des postes plus intéressants ; il est peu avantageux de demander aux travailleurs d'échanger leurs tâches quand elles sont toutes aussi monotones les unes que les autres. La rotation des postes de travail permet aux travailleurs d'améliorer leur expérience d'apprentissage et de remplacer des travailleurs en cas de maladie ou d'absentéisme.

L'**enrichissement des tâches** signifie une augmentation du niveau de responsabilités en matière de planification et de coordination. On parle parfois d'accroissement vertical des tâches. Par exemple, quand on demande à un commis aux stocks d'un supermarché de commander les biens qui ne sont plus en stock, on accroît ses responsabilités. L'approche basée sur l'enrichissement des tâches est axée sur le potentiel de stimulation liée à la satisfaction des travailleurs.

Ces approches augmentent la motivation et la satisfaction des travailleurs, notamment en améliorant la **qualité de vie au travail** (QVT). Plusieurs entreprises participent actuellement à des programmes visant à améliorer la qualité de vie au travail ou pensent sérieusement à le faire. En plus des approches mentionnées plus haut, les entreprises doivent également prendre des décisions concernant le choix des emplacements des postes de travail, l'endroit où elles sont s'implanter (voir chapitre 8), les heures de travail flexibles et les équipes.

7.3.3 Les équipes de travail

Les efforts des entreprises afin de devenir plus efficaces et de mieux servir le client les ont amenées à repenser la manière dont le travail est accompli. Des changements importants dans la structure de certains milieux de travail ont augmenté le recours au travail en équipe et ont modifié la manière dont on rémunère les employés, particulièrement dans les systèmes de **production épurée** (*lean manufacturing*).

Auparavant, les emplois non routiniers, comme ceux qui consistent à répondre aux plaintes des clients ou à améliorer un processus, étaient généralement assignés à une ou plusieurs personnes qui dépendent du même directeur. Plus récemment, on a affecté à ces postes des équipes qui conçoivent et mettent en œuvre des solutions aux problèmes. Les responsabilités sont partagées entre les membres des équipes, qui décident souvent entre eux de la manière d'accomplir le travail.

Les équipes autonomes, ou **équipes autogérées,** sont constituées en vue d'améliorer le travail en équipe et la participation des travailleurs. Bien que de telles équipes ne possèdent pas une autorité absolue pour la prise de décisions, elles sont généralement habilitées à apporter des changements dans les méthodes de travail qu'elles dirigent. Le principe sous-jacent à la notion d'équipe est le suivant : les employés, qui connaissent mieux que quiconque le processus de travail, sont plus en mesure que la direction d'apporter des changements susceptibles de l'améliorer. Parce qu'ils sont personnellement intéressés et qu'ils participent aux changements, ils tendent à travailler plus efficacement pour s'assurer d'obtenir les résultats souhaités. Pour que ces équipes

élargissement des tâches
Action de donner à un travailleur une part plus grande de l'ensemble de la tâche par un accroissement horizontal des tâches.

rotation des postes de travail
Échange périodique des tâches entre les travailleurs.

enrichissement des tâches
Accroissement des responsabilités en matière de planification et de coordination par un accroissement vertical des tâches.

QVT

équipe autogérée
Équipe habilitée à apporter certains changements dans les processus de travail.

fonctionnent adéquatement, chaque membre doit posséder une formation relative à la qualité, à l'amélioration des processus et au travail en équipe. La mise sur pied d'équipes autogérées présente plusieurs avantages. Tout d'abord, l'entreprise a moins besoin de gestionnaires ; en général, un seul gestionnaire peut s'occuper de plusieurs équipes. De plus, les équipes autonomes sont plus en mesure de répondre aux problèmes ; les travailleurs ont intérêt à faire fonctionner le processus et prennent moins de temps à suggérer et à appliquer les améliorations nécessaires.

En outre, le travail en équipe fournit généralement un produit de plus grande qualité, donne une meilleure productivité à l'entreprise et une plus grande satisfaction aux travailleurs. Cette satisfaction accrue réduit la rotation de personnel et le taux d'absentéisme. Par conséquent, on observe une baisse des frais de formation des nouveaux travailleurs et du nombre de postes à combler. Mais cela n'empêchera pas les entreprises d'avoir de la difficulté à adopter la notion d'équipe. Les directeurs, surtout les cadres intermédiaires, se sentent souvent menacés par les équipes, car elles assument de plus en plus les fonctions traditionnelles des gestionnaires.

7.3.4 Les étapes de l'étude des méthodes

L'étude des méthodes consiste à analyser de façon systématique les méthodes actuellement utilisées afin de mettre au point et d'implanter des méthodes plus commodes et plus efficaces[4]. Dans l'étude des méthodes, on se concentre sur la disposition du lieu de travail ainsi que sur le mouvement des matériaux et des travailleurs.

L'analyse des méthodes de travail constitue une excellente source d'amélioration de la productivité.

Elle est très utile quand on se trouve face à :

1) des changements dans les outils et le matériel ;

2) des changements dans la conception des produits ou l'élaboration de nouveaux produits ;

3) des changements dans les matériaux ou les procédures ;

4) des changements dans les règlements gouvernementaux ou les ententes contractuelles ;

5) d'autres facteurs (comme les accidents et les problèmes de qualité).

On effectue une analyse des méthodes de travail pour des emplois existants (approche amélioration) ou pour de nouveaux emplois (approche conception). Pour un emploi existant, la procédure consiste habituellement à demander à l'analyste d'observer le travail en cours d'exécution et ensuite à faire des améliorations. Pour un nouvel emploi, il est nécessaire d'établir une méthode de travail. L'analyste doit se fier à une description des tâches et doit être capable de visualiser l'opération.

La procédure de base de l'ÉM, appelée communément « démarche fondamentale de l'ÉM », comprend les étapes suivantes :

1. Choisir.
2. Enregistrer.
3. Examiner.
4. Mettre au point.
5. Faire adopter.
6. Implanter.
7. Assurer le suivi.

1. *Le choix de la méthode à étudier.* On décide du poste, de la méthode ou du processus de travail à étudier en tenant compte des considérations techniques, économiques et humaines. Le choix du projet se fait en collaboration avec les opérateurs et le superviseur ou gestionnaire concernés.

---

4. BENEDETTI, C. *Introduction à la gestion des opérations*, 3e édition, Laval, Éditions Études Vivantes, 1991, p. 355.

Parfois, un contremaître ou un superviseur exigera qu'on se penche sur certaines opérations. À d'autres moments, l'analyse des méthodes de travail s'inscrira dans le cadre d'un programme global mis en œuvre en vue d'accroître la productivité et de réduire les coûts. On choisit généralement d'étudier celles qui :

a) nécessitent beaucoup de main-d'œuvre ;
b) sont fréquemment exécutées ;
c) sont dangereuses, fatigantes, désagréables ou bruyantes ;
d) sont problématiques (problèmes de qualité, goulots d'étranglement dans l'ordonnancement, par exemple).

2. *L'enregistrement des données.* Une fois défini le poste ou le projet à étudier, il faut recueillir les données liées au projet : c'est l'étape de l'enregistrement. Les données concernant le poste doivent être validées par l'opérateur et le superviseur con-

Figure 7.2

Symboles des cinq activités principales

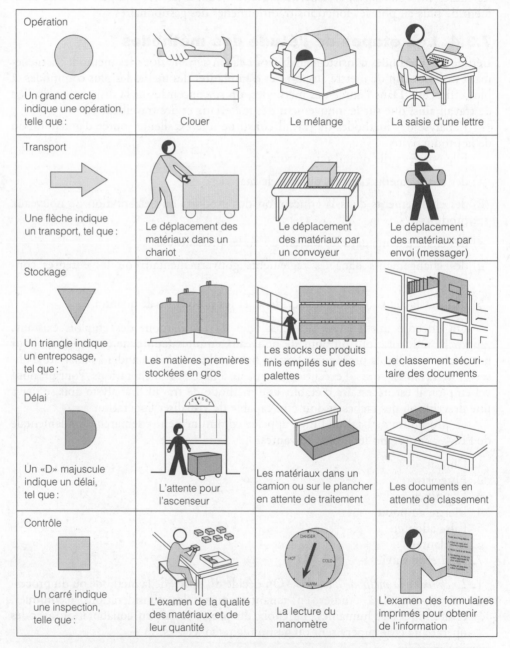

Source : Benjamin W. Niebel, *Motion and Time Study,* 8ᵉ édition, Burr Ridge, IL., Richard D. Irwin, 1988, p. 33, © 1988 par Richard D. Irwin, Inc. Reproduit avec autorisation.

cernés. L'utilisation de tableaux, de graphiques et de diagrammes conçus à cette fin aideront à illustrer les méthodes de travail. Procédons à leur présentation.

Toutes les activités requises pour l'exécution des travaux, et ce, dans tous les secteurs économiques, peuvent être représentées par cinq symboles consacrés (voir la figure 7.2). Ces activités sont les suivantes :

OPÉRATION : si l'objet est transformé ou apprêté, si des renseignements sont donnés ou reçus, si des calculs sont effectués ;

CONTRÔLE : si l'objet est vérifié en termes de qualité et de quantité ;

TRANSPORT : si l'objet est changé de place, sauf si ce transport fait partie intégrante d'une opération ;

DÉLAI : appelé aussi « attente » ou « stockage temporaire », s'il y a arrêt temporaire du produit entre deux activités successives ;

STOCKAGE : si l'objet est entreposé.

Pour décrire un procédé, aussi bien réel que proposé, on utilise des diagrammes et des graphiques. Nous en décrivons les principaux types ci-dessous.

• Le graphique d'analyse de processus (GAP) : représentation graphique de la suite des opérations et des contrôles nécessaires à l'exécution d'une tâche donnée.

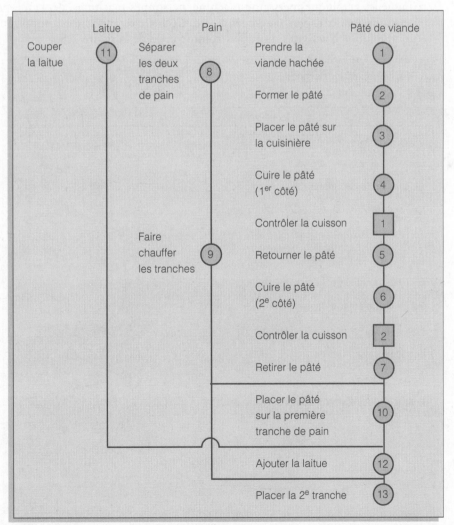

Figure 7.3

Graphique d'analyse de processus

Source : C. Benedetti, *Introduction à la gestion des opérations,* 3e édition, Éditions Études Vivantes, Laval, 1991, p. 357.

Le GAP renseigne sur les activités de base de l'exécution d'une tâche indépendamment des contraintes inhérentes au lieu et des problèmes vécus : c'est ce qui doit être fait idéalement. La figure 7.3 illustre un graphique d'analyse de processus représentant les étapes de la préparation d'un hamburger.

- Le diagramme de flux ou de cheminement : représentation graphique de la suite des activités qui entrent dans l'exécution d'une tâche donnée.

De même forme que le GAP, le diagramme de cheminement se distingue par le fait qu'il décrit toutes les activités effectuées pour boucler une tâche ; il représente donc la façon de travailler compte tenu des contraintes de l'entreprise (les délais, les transports, etc.).

- Le **graphique de déroulement** : graphique d'analyse indiquant dans l'ordre les étapes du circuit franchies par un produit, un procédé ou une personne. On retrouve le graphique de déroulement-matière, le graphique de déroulement-matériel et le graphique de déroulement-exécutant.

La figure 7.4 représente une application d'un graphique de déroulement dans le secteur des services.

- Le **graphique d'activités multiples** : graphique représentant les activités de plus d'un sujet (personne, machine, produit ou service) en regard d'une même graduation de temps pour en faire ressortir la relation d'interdépendance. On distingue les graphiques personne-machine, personnes-machines, personne-produits, personnes-patient, personne-clients, etc. L'échelle temporelle est importante dans un graphique d'activités multiples comme celui de la figure 7.5.

graphique de déroulement
Diagramme utilisé pour examiner la séquence globale des activités en se concentrant sur les mouvements de l'opérateur ou sur le flux des matériaux.

Figure 7.4

Graphique de déroulement-matière

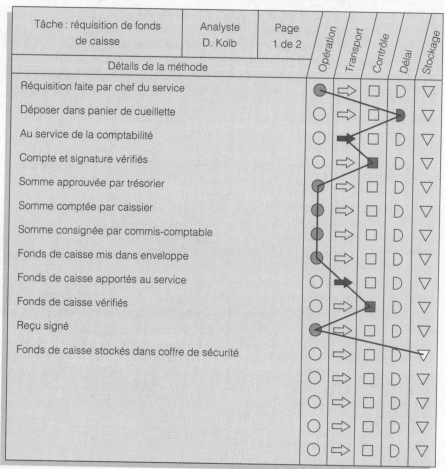

Tâche : réquisition de fonds de caisse	Analyste D. Kolb	Page 1 de 2	Opération	Transport	Contrôle	Délai	Stockage
Détails de la méthode							
Réquisition faite par chef du service			●	⇒	□	D	▽
Déposer dans panier de cueillette			○	⇒	□	●	▽
Au service de la comptabilité			○	⇒	□	D	▽
Compte et signature vérifiés			○	⇒	■	D	▽
Somme approuvée par trésorier			●	⇒	□	D	▽
Somme comptée par caissier			●	⇒	□	D	▽
Somme consignée par commis-comptable			●	⇒	□	D	▽
Fonds de caisse mis dans enveloppe			●	⇒	□	D	▽
Fonds de caisse apportés au service			○	⇒	□	D	▽
Fonds de caisse vérifiés			○	⇒	■	D	▽
Reçu signé			●	⇒	□	D	▽
Fonds de caisse stockés dans coffre de sécurité			○	⇒	□	D	▽
			○	⇒	□	D	▽
			○	⇒	□	D	▽
			○	⇒	□	D	▽
			○	⇒	□	D	▽

Source : Elias M. Awad, *Systems Analysis and Design*, 4ᵉ édition, Burr Ridge, IL., Richard D. Irwin, 1985, p. 113. © 1985 par Richard D. Irwin, Inc. Reproduit avec autorisation.

| | Produit : Aliments en vrac | | Opérateur : L.W. |
| | Processus : Poids/prix | | Tracé par : R.G. |

Étape	Employé	Temps (en secondes)	Machine
1	Recevoir sac de plastique du client et placer sur balance	0 1	
2	Entrer le prix/kg	2	
3		3	Calcule et affiche le prix total. Produit autocollant du prix
4	Obtenir autocollant du prix et retirer sac	4 5	
5	Placer autocollant du prix sur sac	6 7	
6	Remettre sac au client	8	

Résumé

	Employé		Machine	
	Temps (en secondes)	%	Temps (en secondes)	%
Travail	7	87,5	1	12,5
Improductivité	1	12,5	7	87,5

3 et 4. *L'examen et la mise au point de la nouvelle méthode.* Il s'agit ici d'examiner d'une façon logique et impartiale les données recueillies sur les activités d'un poste ou d'un lieu de travail afin de trouver une méthode d'exécution qui soit meilleure. La méthode utilisée est appelée « méthode actuelle » et la nouvelle méthode sera la « méthode proposée ».

Pour chaque activité représentée dans les graphiques de la méthode actuelle, on se posera les cinq questions suivantes :
QUOI ? : qu'est-ce qui est fait à ce poste ?
COMMENT ? : comment est exécuté le travail ?
QUAND ? : à quel moment est exécuté le travail ?
QUI ? : qui exécute le travail ?
OÙ ? : où le travail est-il exécuté ?
Ces questions visent à :
1. **éliminer** les activités moins nécessaires ;
2. **combiner** deux ou plusieurs activités en une seule ;
3. **réordonner** les activités pour simplifier la tâche globale du poste ;
4. **simplifier** les activités les plus compliquées et les plus fastidieuses.

Certains analystes expérimentés font une liste des questions qu'ils se posent afin d'apporter des idées d'améliorations. Voici, en ordre d'importance, des exemples typiques de questions :
1. Pourquoi y a-t-il un délai ou un stockage à cet endroit ?
2. Comment peut-on écourter les distances parcourues ou les supprimer ?
3. Peut-on réduire la manutention des matériaux ?
4. Un réaménagement des lieux de travail donnerait-il lieu à une plus grande efficacité ?
5. Peut-on regrouper des activités similaires ?
6. Le recours à du matériel supplémentaire ou amélioré serait-il utile ?
7. Le travailleur a-t-il de nouvelles idées d'améliorations ?

diagramme d'activités multiples
Diagramme utilisé pour déterminer les portions d'un cycle de travail durant lesquelles le ou les opérateurs et le ou les équipements sont occupés ou improductifs.

Le **diagramme ou graphique d'activités multiples** travailleur-machine, comme celui de la figure 7.5, permettra de visualiser les portions d'un cycle de travail durant lesquelles l'opérateur et le matériel sont occupés ou improductifs. L'analyste peut facilement voir quand l'opérateur et la machine travaillent de façon indépendante, quand leur travail se chevauche ou quand ils sont interdépendants. On peut utiliser ce type de diagramme pour déterminer le nombre de machines ou la quantité de matériel que peut gérer l'opérateur.

5. *Faire adopter.* Après avoir choisi la méthode améliorée, la personne responsable de l'étude des méthodes devra convaincre le personnel touché par son étude de la nécessité d'adopter cette nouvelle méthode. Elle devra « vendre » son idée et convaincre en premier lieu son propre chef et la direction du service concerné, et avoir leur plein soutien. Elle devra ensuite, et c'est le plus important, assister le directeur du service concerné, l'aider à convaincre le personnel de ce service de la valeur de la nouvelle méthode et offrir tout le soutien technique nécessaire.

6. *Implanter.* Souvent, la responsabilité de l'étude du travail s'arrête à la cinquième étape, l'implantation de la nouvelle méthode devenant la responsabilité d'autres services (par exemple le génie industriel, la maintenance ou le service visé). Il en résulte un manque de motivation du personnel responsable de l'ÉM, qui ne peut concrétiser ses propositions. Par ailleurs, il arrive que l'équipe responsable de l'implantation ne saisisse pas tout l'esprit dans lequel l'étude a été menée et omette d'appliquer ou minimise l'importance de certaines recommandations, ce qui entraîne souvent l'échec du projet. On a déjà fait remarquer que nombre d'études, pourtant valables, finissent au fond d'un tiroir, faute de temps pour en appliquer les recommandations. Il est donc très important que l'équipe qui a conçu le projet le termine.

Finalement, l'implantation doit inclure la formation du personnel qui travaillera selon la nouvelle méthode. En effet, ce personnel verra ses habitudes chambardées par une nouvelle façon de fonctionner. Il faut donc prendre le temps de lui montrer la nouvelle façon de travailler et s'assurer qu'il l'adopte.

7. *Assurer le suivi.* Cette dernière étape consiste à surveiller l'utilisation de la nouvelle méthode et à enregistrer les résultats obtenus. Cela permet de connaître les avantages et inconvénients de la nouvelle méthode, et d'avoir des informations pour l'avenir. C'est aussi l'étape de la rétroaction, qui assure de l'atteinte des objectifs fixés initialement. Il arrive souvent qu'après un certain temps, le personnel du service où l'étude a été menée soit porté à retourner à l'ancienne méthode, par habitude. Il faut alors voir à ce que la nouvelle méthode soit utilisée correctement.

Il est de plus important de revoir les membres de ce personnel pour garder avec eux un contact et créer une atmosphère de confiance en vue d'études futures. D'ailleurs, on reproche souvent à certaines firmes de conseillers en étude du travail de ne pas assurer le suivi. L'implantation ne finit pas le jour où on commence à utiliser les nouvelles méthodes ; une étude des méthodes complète implique des ajustements, des mises au point et la formation du personnel.

7.3.5 L'étude des mouvements

étude des mouvements
Étude systématique des mouvements que l'être humain utilise pour effectuer une opération.

L'**étude des mouvements** est l'étude systématique des mouvements que l'être humain utilise pour effectuer une opération. Elle a pour objectif d'éliminer les mouvements inutiles et de trouver la séquence de mouvements qui favorise une efficacité maximale. Ainsi, l'étude des mouvements peut améliorer la productivité. La pratique actuelle de l'étude des mouvements découle des recherches effectuées par Frank Gilbreth, qui a conçu cette méthode à partir de son observation du métier de maçon, au début du XXe siècle. Grâce aux techniques de l'étude des mouvements, Gilbreth a permis de multiplier par trois le nombre moyen de briques posées à l'heure, et ce, même s'il n'était pas maçon de métier. Quand on songe au fait que le briquetage est pratiqué depuis des siècles, les réalisations de Gilbreth sont encore plus remarquables.

Les analystes de l'étude des mouvements recourent à plusieurs techniques pour concevoir des procédures toujours plus efficaces. Les plus couramment utilisées sont :

1) les **principes de l'étude des mouvements** ;

2) l'analyse des therbligs (le terme sera expliqué plus loin) ;

3) l'étude des micromouvements ;

4) les diagrammes.

principes de l'étude des mouvements
Directives pour concevoir des procédures de travail efficaces sur le plan des mouvements.

Les travaux de Gilbreth ont permis à Ralph M. Barnes de définir ce qu'il convient d'appeler les principes d'économie de mouvements selon Barnes[5]. Ces principes se divisent en trois catégories : les principes de l'utilisation du corps, les principes de la disposition des lieux de travail et les principes de la conception des outils et du matériel. Le tableau 7.2 dresse une liste d'exemples de ces principes.

En élaborant des méthodes de travail efficaces sur le plan des mouvements, l'analyste vise à :

1) éliminer les mouvements superflus ;

2) combiner des activités ;

3) réduire la fatigue ;

4) améliorer la disposition des lieux de travail ;

5) améliorer la conception des outils et du matériel.

Les **therbligs** sont des mouvements élémentaires. Le mot « therblig » est l'anagramme de Gilbreth (sauf pour le « th »). Le principe de l'analyse des therbligs consiste à scinder en therbligs et à définir les mouvements effectués. En analysant ces mouvements, on essaiera, dans l'ordre, de les éliminer, de les combiner ou de les réordonner. Il en résultera des mouvements plus simples et plus productifs. Bien que nous ne puissions procéder à l'étude complète de la notion de therbligs, voici une liste des therbligs les plus courants :

therblig
Mouvement élémentaire d'une tâche.

Rechercher : rechercher un article avec les mains ou les yeux.
Sélectionner : choisir parmi un groupe d'objets.
Saisir : empoigner un objet.
Tenir : retenir un objet après l'avoir saisi.
Déplacer la charge : déplacer un objet après l'avoir tenu.
Libérer la charge : déposer l'objet.

Les therbligs comprennent aussi les actions suivantes : inspecter, positionner, planifier, reposer et retarder.

La description d'une tâche à l'aide de therbligs exige une quantité considérable de travail. Cependant, pour les tâches courtes et répétitives, l'analyse des therbligs peut être justifiée. Elle s'est entre autres avérée très utile pour la programmation des robots industriels.

On doit également à Frank Gilbreth et à sa femme, Lillian, une psychologue industrielle, l'introduction du cinéma dans l'étude des mouvements. Cette approche s'appelle l'**étude des micromouvements**. On l'a appliquée non seulement dans l'industrie de la fabrication, mais aussi dans d'autres secteurs, comme les sports et les soins de santé. Visionner la tâche au ralenti permet aux analystes d'étudier les mouvements trop rapides pour être perçus par l'œil humain. De plus, on peut consulter les films et les vidéos en permanence, non seulement pour former les travailleurs et les analystes, mais aussi pour régler les conflits portant sur les méthodes de travail.

étude des micromouvements
Recours au cinéma et à la reprise au ralenti pour étudier les mouvements trop rapides.

5. BARNES, Ralph M. *Motion & Time Study : Design and Measurement of Work,* 7e édition, N.Y., J. Wiley & Sons, 1980, 689 p.

TABLEAU 7.2

Principes de l'étude des mouvements selon Barnes

A. L'utilisation du corps humain. Exemples :
1. Les deux mains doivent commencer et terminer un geste simultanément et ne doivent pas être improductives en même temps, sauf durant les périodes de repos.
2. Les mouvements effectués par les mains doivent être symétriques.
3. Le mouvement dynamique doit aider les travailleurs quand c'est possible et être minimisé s'il doit être maîtrisé par un effort musculaire.
4. Les mouvements arrondis et continus sont préférables aux mouvements en ligne droite brisés par des changements de direction soudains et abrupts.

B. La disposition et les conditions du lieu de travail. Exemples :
1. Il faut fournir des emplacements fixes pour les outils et le matériel afin de permettre la meilleure séquence possible et d'éliminer ou de réduire la recherche.
2. Le plus souvent, utiliser la gravité pour dégager et transporter les pièces afin de réduire les temps de déplacement ; quand c'est possible, des éjecteurs doivent retirer automatiquement les pièces finies.
3. Les matériaux et les outils doivent être situés à l'intérieur de la zone de travail normale.

C. La conception des outils et du matériel. Exemples :
1. Quand c'est possible, on doit effectuer des coupes multiples en combinant deux ou plusieurs outils en un seul.
2. Les leviers, poignées, roues et autres dispositifs de commande doivent être facilement accessibles à l'opérateur et conçus afin de donner le meilleur rendement mécanique possible. Ils doivent aussi solliciter les muscles les plus forts.
3. Les pièces doivent être maintenues en position fixe par des accessoires inamovibles.

Source : Adapté de l'ouvrage de Benjamin W. Niebel, *Motion and Time Study,* Burr Ridge, IL., Richard D. Irwin, Inc., 1993, p. 206-207.

Les coûts élevés de l'étude des micromouvements limitent son application à des activités répétitives, même quand des améliorations mineures peuvent entraîner des économies considérables en raison du nombre de répétitions de l'opération ou quand d'autres considérations justifient le fait d'y recourir (par exemple dans le cas de procédures chirurgicales).

Les analystes des études des mouvements utilisent souvent des diagrammes comme outils d'analyse et pour consigner leurs résultats. Les diagrammes des activités et les graphiques d'activités multiples comme ceux qui ont été décrits plus haut peuvent être très utiles. De plus, les analystes peuvent utiliser les graphiques des mouvements simultanés, appelés aussi «graphiques des deux mains» (voir la figure 7.6), pour étudier les mouvements simultanés des deux mains. (Il est intéressant de noter que peu importe si les gens sont droitiers ou gauchers, ils n'ont aucune difficulté à utiliser les deux mains pour accomplir une tâche.) Ces diagrammes sont précieux pour l'étude des opérations comme la saisie des données, la couture, les interventions chirurgicales, les opérations dentaires et certaines opérations de montage. Comme nous l'avons déjà mentionné, la programmation des mouvements des robots industriels en fait aussi grand usage.

7.3.6 Les conditions de travail

Les conditions de travail constituent un important aspect de l'organisation scientifique du travail. Des facteurs physiques comme la température, l'humidité, la ventilation, l'éclairage, le bruit, la conception des outils et des positions de travail (hauteur des sièges, des tables et des établis, etc.) ont des conséquences directes sur le rendement des travailleurs et leur sécurité, donc sur la productivité de l'entreprise et sur l'atteinte des cinq objectifs des opérations (quantité, qualité, temps, lieux et coûts)[6]. La science qui se penche sur cet aspect de la gestion des opérations est l'**ergonomie**. Ce mot vient du mot grec *ergon,* qui signifie «travail». En effet, l'ergonomie a vu le jour par et pour

ergonomie
Étude de l'interface personne-machine-environnement.

6. Voir le chapitre 1.

Figure 7.6

Graphique des mouvements simultanés des deux mains

GRAPHIQUE D'ACTIVITÉS

OPÉRATEUR : Ken Reisch
DATE : 21 mai
OPÉRATION : Montage
PIÈCE : Doigt de laçage
MÉTHODE : Proposée
TABLEAU : Joseph Riley

ÉCHELLE TEMPORELLE (Fractions de secondes)	COMPOSANTE TEMPORELLE	DESCRIPTION DE LA MAIN GAUCHE	SYMBOLE	CLASSE DE MOUVEMENTS	SYMBOLE	DESCRIPTION DE LA MAIN DROITE	COMPOSANTE TEMPORELLE	ÉCHELLE TEMPORELLE (Fractions de seconde)
4548	12	Atteindre le doigt	RE		RE	Atteindre le doigt	12	4548
4560	19	Saisir le doigt	G		G	Saisir le doigt	19	4560
4579	31	Mouvoir le doigt	M		M	Mouvoir le doigt	31	4579
4610	75	Positionner et relâcher le doigt	P RL		P RL	Positionner et relâcher le doigt	75	4610
4685	15	Atteindre la pince	RE		RE	Atteindre la pince	15	4685
4700	15	Saisir la pince	G		G	Saisir la pince	15	4700
4715 / 7541	12	Saisir le montage	G		G	Saisir le montage	12	4715 / 7541
7559	18	Mouvoir et relâcher le montage M	M RL		M RL	Mouvoir et relâcher le montage M	18	7559

RÉSUMÉ

%	TEMPS	RÉSUMÉ DE LA MAIN GAUCHE	SYMB.	RÉSUMÉ DE LA MAIN DROITE	TEMPS	%
8,56	249	Atteindre	RE	Atteindre	245	8,4
7,49	218	Saisir	G	Saisir	221	7,6
12,16	354	Mouvoir	M	Mouvoir	413	14,2
30,47	887	Positionner	P	Positionner	1124	38,6
39,33	1145	Utiliser	U	Utiliser	876	30,1
1,03	30	Attente	I	Attente	0	0,0
,96	28	Relâcher	RL	Relâcher	32	1,1
100,0	2911	TOTAUX			2911	100,0

Source : Benjamin W. Niebel, *Motion and Time Study,* 8ᵉ édition, Burr Ridge, IL., Richard D. Irwin, 1988, p. 229, © 1988 par Richard D. Irwin, Inc. Reproduit avec autorisation.

l'étude du travail. On entend par ergonomie la science qui étudie l'interface personne-machine. Elle a pour objectif la conception et l'amélioration de l'environnement quantitatif et qualitatif du travail de l'être humain. On concevra alors des postes de travail (sièges, tables, établis, etc.), des outils (pinces, tournevis, volant, stylo, claviers, etc.) en fonction de l'utilisateur, ainsi qu'un environnement physique décent.

Analysons quelques-uns de ces facteurs ergonomiques.

La température et l'humidité. Le rendement au travail dépend des températures à l'intérieur d'une zone de confort. Cette zone de confort est fonction du degré d'effort requis par le travail : plus le travail est difficile, plus la zone de confort est petite.

Le chauffage et la climatisation sont moins problématiques dans les bureaux que dans les usines et autres milieux de travail où les plafonds sont hauts (la chaleur monte) et où il y a souvent une circulation constante de camions et d'autre matériel de déplacement et de manutention. Ces conditions font en sorte qu'il est difficile de maintenir une température constante. Les solutions à ces problèmes sont diverses : port de vêtements appropriés, chauffage de la pièce ou recours à des dispositifs de climatisation.

L'humidité constitue également une importante variable dans le maintien d'un milieu de travail confortable. En effet, il existe une relation directe entre la température et le taux d'humidité.

La ventilation. Les odeurs désagréables et les émanations de gaz nocifs dérangent les travailleurs et sont dangereuses pour eux. De plus, si la fumée et les poussières ne sont pas périodiquement retirées, l'air peut rapidement devenir vicié. Des systèmes de ventilation et de climatisation sont utilisés principalement pour changer et climatiser l'air ambiant.

L'éclairage. La quantité de lumière requise dépend largement du type de travail effectué ; plus le travail est minutieux, plus le degré d'éclairage requis est élevé. Il faut aussi éviter l'éblouissement. Du point de vue de la sécurité, il est important de s'assurer d'un bon éclairage dans les vestibules, dans les escaliers et autres zones dangereuses. Cependant, un fort niveau d'éclairage dans toutes les zones de l'entreprise n'est généralement pas souhaitable.

Parfois, la lumière du jour peut servir de source de lumière. En plus d'être gratuite, elle comporte de nets avantages psychologiques et elle est fortement recommandée par les spécialistes du domaine. Les employés qui travaillent dans des pièces sans fenêtres se sentent coupés du monde extérieur et éprouvent souvent certains problèmes psychologiques. On a qu'à penser aux sous-mariniers, aux mineurs et aux astronautes. Par ailleurs, l'incapacité à contrôler la lumière naturelle (par temps nuageux, par exemple) peut entraîner des changements considérables dans l'intensité de la lumière.

Le bruit et la vibration. Le bruit est un son indésirable. Il est provoqué par les vibrations des machines ou du matériel et par les humains. Le bruit est un grand irritant, qui risque d'entraîner des erreurs et des accidents. Il peut également endommager l'ouïe s'il est suffisamment fort. La figure 7.7 illustre les niveaux sonores de certains bruits courants.

Pour contrôler efficacement le bruit, il faut d'abord mesurer les sons incommodants à l'aide d'un **sonomètre**. L'unité de mesure du bruit est le décibel (dB). Dans le cas d'une nouvelle installation (approche conception), la sélection et la disposition du matériel peuvent éliminer ou réduire plusieurs problèmes potentiels. Dans le cas où nous désirons améliorer la situation actuelle, on devra reconcevoir ou remplacer le matériel existant. Parfois, on peut isoler la source de bruit des autres zones de travail.

Figure 7.7

Valeurs en décibels (dB) de sons typiques

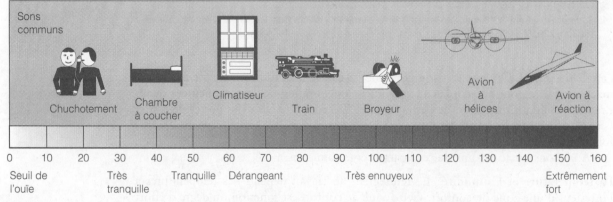

Source : Benjamin W. Niebel, *Motion and Time Study,* 8ᵉ édition, Burr Ridge, IL., Richard D. Irwin, 1988, p. 248, © 1988 par Richard D. Irwin, Inc. Reproduit avec autorisation.

Si cela n'est pas possible, les murs et les plafonds acoustiques ou des baffles qui dévient les ondes sonores peuvent s'avérer utiles. Parfois, la seule solution possible consiste à fournir des dispositifs de protection aux personnes qui travaillent dans les lieux environnants. Par exemple, le personnel qui guide les avions à réaction dans les zones d'atterrissage porte des dispositifs de protection sur les oreilles.

L'élimination des sons peut ne pas être suffisante. Il faut aussi tenir compte des vibrations dans la conception des tâches, même en l'absence de bruit. Les vibrations proviennent des outils, des machines, des véhicules, des activités humaines, des systèmes de climatisation, des pompes, etc. Les mesures de correction incluent le capitonnage, les stabilisateurs, les amortisseurs, le bourrage et les garnitures en caoutchouc. N'oublions pas que le bruit cause une perte d'audition graduelle et permanente dont l'être humain ne se rend pas compte.

Les pauses au travail. La fréquence, la longueur et le moment des pauses peuvent avoir des conséquences considérables sur la productivité et la qualité de la production. La figure 7.8 illustre la relation entre l'efficacité d'un travailleur et ses pauses. Elle révèle que l'efficacité décline généralement tout au long de la journée, mais elle montre aussi que les pauses prises à midi et durant la journée provoquent une hausse de rendement.

Le degré de difficulté mentale ou physique du travail constitue une importante variable dans le taux de déclin du rendement et a une nette influence sur la nécessité des pauses. Les travailleurs des aciéries, par exemple, doivent prendre des pauses de 15 minutes toutes les heures à cause de la difficulté de leur emploi. Mais l'effort physique n'est pas seul en jeu dans la nécessité des pauses au travail.

La sécurité. La sécurité au travail est un des points essentiels de la conception des tâches. Ce secteur requiert une attention constante de la part des gestionnaires, des employés et des concepteurs. Les travailleurs ne peuvent être motivés s'ils se sentent en danger physiquement.

Du point de vue de l'employeur, les accidents ne sont pas souhaitables, car ils sont coûteux (assurance et compensation). Ils entraînent habituellement des dommages au matériel ou aux produits, l'embauche et la formation de nouveaux travailleurs et des travaux de rattrapage. En plus, ils interrompent généralement le travail. Chez les travailleurs, les accidents peuvent engendrer des souffrances physiques, de l'angoisse, une perte potentielle de revenus et une perturbation de la routine au travail.

Les causes d'accidents. Les deux principales causes d'accidents sont la négligence des personnes et les conditions dangereuses. En ce qui concerne la négligence, mentionnons

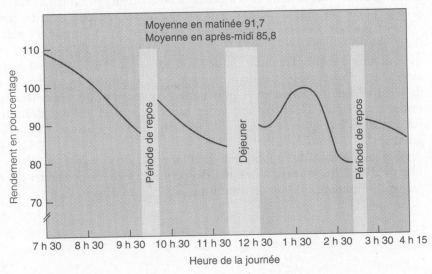

Figure 7.8

Relation typique entre le rendement du travailleur et l'heure de la journée

Source: Benjamin W. Niebel, *Motion and Time Study*, 8e édition, Burr Ridge, IL., Richard D. Irwin, 1988, p. 270. © 1988 par Richard D. Irwin, Inc. Reproduit avec autorisation.

les actions dangereuses telles que la conduite des véhicules à des vitesses élevées, l'alcool au volant, le fait de ne pas utiliser de matériel de protection, l'insouciance à l'égard des mesures de sécurité (comme presser sur les touches de commande), l'irrespect des procédures de sécurité (comme courir, lancer des objets, omettre des étapes, ne pas observer les panneaux de sens unique), le mauvais usage des outils et du matériel, et l'imprudence dans les zones dangereuses. Les conditions environnementales dangereuses comprennent : poulies, chaînes, matériel de manutention et machines non protégés ; corridors, escaliers et quais de chargement mal éclairés ; déchets toxiques, gaz, vapeurs, radiations. La protection contre ces risques environnementaux inclut le recours à un éclairage approprié, l'identification des zones dangereuses, l'utilisation de matériel de protection (casques, lunettes, cache-oreilles antibruit, gants, bottes et vêtements spéciaux), les dispositifs de protection (des protecteurs de machines, des aiguilles à double commande qui obligent l'opérateur à utiliser ses deux mains), le matériel d'urgence (des douches, des extincteurs, des sorties de secours), des procédures de sécurité comprenant des instructions détaillées. L'entretien ménager (des planchers propres, des allées dégagées et l'élimination des déchets) constitue un autre important facteur de sécurité.

Pour qu'un programme de sécurité et de prévention des accidents soit efficace, les travailleurs et la direction doivent collaborer. Les travailleurs doivent être familiarisés avec les procédures et les attitudes à adopter. Ils peuvent contribuer à réduire les dangers en les mentionnant à la direction. Celle-ci doit mettre en vigueur les procédures de sécurité et utiliser un matériel de protection. Si les superviseurs permettent aux travailleurs de passer outre aux procédures de sécurité ou ignorent les violations, les travailleurs auront moins tendance à prendre les précautions nécessaires. Certaines entreprises organisent des concours pour comparer les dossiers de sécurité dans les différents services.

Malgré tout, il est malheureusement impossible d'éliminer entièrement les accidents, qui nuisent sérieusement au moral des travailleurs et peuvent même contribuer à en provoquer d'autres. En matière de prévention, les affiches peuvent être efficaces, surtout si elles expliquent en termes précis comment éviter les accidents. C'est la responsabilité des gestionnaires de l'entreprise de créer un environnement exempt de situations potentiellement dangereuses. Mais il revient au personnel de respecter les directives et d'être conscient des problèmes que la négligence et l'insouciance peuvent entraîner.

Nous avons dans ce domaine l'exemple type de l'application de la notion de PESTE[7]. En effet, les pressions sociales (S) ont incité les pays occidentaux à promulguer des lois sur la santé et la sécurité des travailleurs en milieu de travail. La technologie (T) a alors mis au point des moyens pour assurer cette sécurité, tandis que les entreprises y ont consacré des ressources financières (E). À l'instar des pays industrialisés, le gouvernement canadien a légiféré dans ce domaine. Au Québec, c'est la **CSST** qui s'occupe d'assurer l'application de la loi sur la santé et la sécurité au travail. Elle aide les entreprises désireuses de promouvoir et d'améliorer les conditions de santé et de sécurité. Les lois fédérales et provinciales comportent des règlements précis ; des inspecteurs veillent à leur respect par des inspections effectuées soit aléatoirement, soit sur demande, à la suite de plaintes dûment déposées et signalant des conditions dangereuses.

Les responsables de l'application de la loi sur la santé et la sécurité sont habilités à émettre des avertissements, à imposer des peines et même à demander des fermetures par voie juridique en raison de conditions jugées trop dangereuses.

CSST
Commission de la santé et de la sécurité au travail du Québec

---

7. PESTE : environnement politique, économique, social, technologique et écologique (voir chapitre 1).

7.4 LA MESURE DU TRAVAIL

La conception des tâches détermine le contenu d'un emploi, tandis que l'analyse des méthodes de travail établit la manière dont un emploi est effectué. Par définition, la **mesure du travail** est une méthode qui se soucie d'établir la durée nécessaire pour accomplir une tâche selon une norme de rendement. Les temps de tâches constituent des informations précieuses pour la planification de la main-d'œuvre, l'estimation des coûts de main-d'œuvre, l'établissement des horaires et du budget, et la conception des systèmes de rémunération au rendement. De plus, les standards de temps fournissent au travailleur une indication sur la production prévue. Les standards de temps indiquent le temps nécessaire à un travailleur moyen pour exécuter une tâche donnée dans des conditions précises. Les normes incluent le temps prévu des activités plus les délais probables.

Le **temps standard** est le laps de temps qu'un travailleur spécialisé mettrait pour effectuer la tâche précisée, en travaillant à un rythme soutenu, en utilisant des méthodes, des outils, du matériel et des matières premières donnés et compte tenu des dispositions du lieu de travail. Quand on définit un standard de temps pour une tâche, il est essentiel de fournir une description complète des paramètres de la tâche, car le temps effectif nécessaire pour l'accomplir est sensible à tous ces facteurs; les changements apportés par une étude des méthodes dans l'un des paramètres peuvent influer sur les exigences temporelles. Ainsi, les changements apportés par une étude des méthodes entraînent une nouvelle étude des temps qui permettra de mettre à jour le temps standard.

Par ailleurs, sur le plan pratique, des changements mineurs ne justifient pas les dépenses occasionnées par une nouvelle étude des tâches. Par conséquent, les normes de bon nombre d'emplois peuvent être légèrement imprécises. On peut cependant utiliser des études de temps de tâches de façon périodique pour mettre les normes à jour.

Les entreprises déterminent des standards de temps de plusieurs manières. Certains petits fabricants et des entreprises de services font souvent des estimations subjectives. Les méthodes reconnues couramment utilisées pour mesurer le travail sont:

1) le chronométrage;
2) les données de référence ou des temps élémentaires;
3) les normes de temps prédéterminés;
4) les observations instantanées ou la mesure du travail par sondage.

7.4.1 Le chronométrage

Vers la fin du XIXᵉ siècle, Frederick Winslow Taylor a introduit officiellement l'utilisation du chronométrage dans la mesure du travail. À l'heure actuelle, il s'agit de la méthode la plus largement utilisée. Elle est particulièrement appropriée pour les tâches courtes et répétitives; son avantage majeur est sa flexibilité d'utilisation.

On utilise la **mesure du travail par chronométrage** pour établir un standard de temps basé sur les observations d'un ou de plusieurs travailleurs prises au cours d'un certain nombre de **cycles**. On l'applique ensuite au travail de tous les autres membres de l'entreprise effectuant la même tâche. Les étapes de base sont les suivantes:

1. Définir les tâches à étudier et prévenir les travailleurs qu'on les observera;
2. Déterminer le nombre de cycles à observer;
3. Chronométrer la tâche et le taux de rendement des travailleurs;
4. Calculer le temps standard.

On utilise pour ce faire des chronomètres spécialement gradués en centièmes de minutes afin de faciliter le calcul des moyennes.

1. L'analyste doit bien connaître la tâche étudiée, car il n'est pas inhabituel de voir les travailleurs tenter d'ajouter des mouvements durant l'étude, en vue d'obtenir une norme qui leur accorde plus de temps par pièce (autrement dit, le travailleur

mesure du travail
Détermination du temps nécessaire pour accomplir une tâche.

temps standard
Laps de temps requis pour qu'un travailleur spécialisé effectue une tâche précise, en travaillant à un rythme soutenu, en utilisant les méthodes, les outils, le matériel et les matières premières donnés dans des conditions particulières.

mesure par chronométrage
Élaboration à l'aide d'un chronomètre d'un standard de temps basé sur les observations d'un travailleur prises au cours d'un certain nombre de cycles.

cycle
Série complète d'éléments nécessaires pour effectuer un travail donné ou pour produire une unité de bien ou de service.

élément

Partie distincte d'une tâche dont le début et la fin sont clairement précisés; cette partie peut correspondre à un ou plusieurs mouvements de l'exécutant ou de la machine; elle est choisie afin de faciliter le chronométrage: le temps idéal d'un élément est compris entre 0,05 et 0,33 minute.

travailleur qualifié

Celui qui possède le savoir-faire, les connaissances et autres qualités nécessaires pour exécuter le travail selon des normes satisfaisantes de sécurité, de quantité et de qualité[8].

sera en mesure de travailler à un rythme plus lent et de satisfaire à la norme). De plus, l'analyste devra s'assurer que la tâche est effectuée de manière efficace avant d'établir le standard de temps.

Dans la plupart des cas, l'analyste divisera toutes les tâches, sauf les très petites, en mouvements élémentaires (comme «atteindre», «saisir») et calculera les temps pour chaque **élément**. Il fait cela pour plusieurs raisons: tout d'abord, certains mouvements ne sont pas effectués dans tous les cycles, et la division l'aide à obtenir une meilleure analyse. De plus, l'efficacité du travailleur n'est peut-être pas la même pour tous les éléments de la tâche. Enfin, cela lui permet d'établir un dossier des temps élémentaires dont il pourra se servir pour établir les temps des autres tâches. Nous parlerons de cette question plus loin.

Il est important d'informer les travailleurs qu'ils seront observés au cours de l'étude afin d'éviter toute forme de soupçon ou de malentendu. Les travailleurs sont parfois mal à l'aise quand on les étudie et craignent les changements qui risquent d'en découler. L'analyste doit tenter de discuter de ces questions avec eux avant de commencer en vue d'atténuer leurs craintes et d'obtenir leur collaboration.

Attardons-nous quelques instants sur le choix du travailleur à observer. Certains analystes choisissent le travailleur moyen, c'est-à-dire le plus représentatif du groupe d'employés étudié. D'autres préfèrent choisir le **travailleur qualifié**, c'est-à-dire celui qui est reconnu comme ayant les qualités physiques et intellectuelles nécessaires et qui a acquis les connaissances et habiletés requises pour effectuer la tâche selon des normes de sécurité, de qualité et de quantité. Nous voyons que ces deux notions sont passablement différentes.

2. Le nombre de cycles à chronométrer dépend de trois éléments: 1) la variabilité des temps observés, 2) l'erreur admissible et 3) l'intervalle ou le degré de confiance souhaité. Généralement, on définit la précision souhaitée par le pourcentage de la moyenne des temps observés. À titre d'exemple, on peut dire que nous sommes certains à 95% (degré de confiance) que la mesure de temps que nous venons d'effectuer produit un temps standard ayant une marge d'erreur de 10% (erreur admissible). On peut déterminer la taille de l'échantillon nécessaire pour atteindre cet objectif à l'aide de la formule suivante:

$$n = \left(\frac{zs}{a\bar{x}}\right)^2$$

(7-1)

où

z = variable aléatoire de la distribution normale nécessaire pour obtenir le degré ou l'intervalle de confiance désiré

s = écart type de l'échantillon

a = erreur admissible exprimée en pourcentage

$\bar{x}$ = moyenne de l'échantillon

Les valeurs typiques de z utilisées sont les suivantes:

Intervalle de confiance souhaité (en %)	Variable aléatoire z
90	1,65
95	1,96
95,5	2,00
98	2,33
99	2,58

---

8. BSI: *Glossary of terms used in management services*, BSI 3138, Londres, 1991.

La valeur de z s'obtient à la table de la distribution normale de la table A en annexe.

On peut également utiliser une autre formule quand l'erreur admissible ou la précision souhaitée est donnée sous forme de valeur (par exemple, à l'intérieur d'une minute de la moyenne effective) plutôt qu'en pourcentage :

$$n = \left(\frac{zs}{e}\right)^2 \qquad\qquad (7\text{-}2)$$

où

e = précision ou marge d'erreur maximale admissible

Pour faire une estimation préliminaire de la taille de l'échantillon, on prend généralement un petit nombre d'observations (entre 10 et 20, par exemple) et on calcule les valeurs de $\overline{x}$ et de s que l'on utilisera dans la formule.

L'exemple 1 illustre la procédure à utiliser pour s'assurer de la pertinence du nombre de mesures de temps par chronomètre.

Exemple 1

Un agent d'étude désire établir le temps nécessaire pour effectuer une tâche particulière.

En utilisant un chronomètre gradué en centièmes de minutes, il effectue initialement 50 lectures, dont la moyenne des temps chronométrés est de 6,4 minutes avec un écart type de 2,1 minutes. La politique de l'entreprise est d'avoir un degré de confiance (ou d'assurance) de 95 %. Combien de lectures aurait-il dû prendre si l'erreur admissible est de :

a) ± 10 % ?

b) ± 0,5 minute ?

Solution

a) s = 2,1 minutes ; $\overline{x}$ = 6,4 minutes ; z = 1,96 ; a = 10 %

La variable aléatoire z de la table normale centrée réduite nous donne, pour un intervalle de confiance de 95 %, z = 1,96

$$n = \left(\frac{zs}{a\overline{x}}\right)^2 = \left(\frac{1,96(2,1)}{0,10(6,4)}\right)^2 = 41,36 \; (\cong 42)$$

Cela signifie que le nombre de lectures initiales (50) est satisfaisant compte tenu du degré de précision désiré.

b) e = 0,50 minute

$$n = \left(\frac{zs}{e}\right)^2 = \left(\frac{1,96(2,1)}{0,5}\right)^2 = 67,77 \; (\cong 68)$$

Cela signifie que le nombre de lectures initiales (50) est insuffisant compte tenu du degré de précision désiré. Il faudra que l'analyste prenne 18 lectures supplémentaires (68 – 50 initiales), qu'il recalcule s et $\overline{x}$ pour l'ensemble des 68 lectures et qu'il revérifie la valeur de n.

La composition d'un temps standard par chronométrage

Un temps standard (TS) établi par chronométrage est composé :

a) d'un temps observé moyen ;
b) d'un facteur d'allure ;
c) du temps de base ;
d) de différentes majorations.

Les analystes et autres professionnels du domaine utilisent l'expression «temps standard, toutes majorations incluses». Cela signifie que le travailleur devrait respecter le temps standard dans 100 % des cas, et ce, durant tout le quart de travail.

La figure 7.9 illustre la composition d'un temps standard.

Figure 7.9

Composition d'un temps standard (alloué)

a) cas d'un jugement d'allure > 100 %

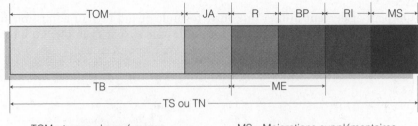

TOM : temps observé moyen
JA : jugement d'allure
R : repos
BP : besoins personnels
RI : retards inévitables

MS : Majorations supplémentaires
TB : temps de base
ME : majorations-employés
TS : temps standard
ou
TN : temps normal alloué

b) cas d'un jugement d'allure < 100 %

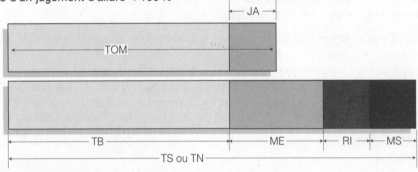

Source : C. Benedetti, *Introduction à la gestion des opérations,* 3ᵉ édition, Laval, Éditions Études Vivantes, 1991, p. 379.

a)   Le temps observé moyen (TOM) est la moyenne des temps directement observés et chronométrés.

$$TOM = \frac{\sum x_i}{n}$$

où

TOM = temps observé moyen
$\sum x_i$ = somme des temps observés

b)   Le facteur d'allure est estimé par le jugement d'allure JA, qui est une estimation subjective de la cadence du travail observé. Ainsi, par simple jugement, l'agent pourrait allouer un facteur d'allure FA de 120 % à un employé dont la cadence de travail est estimée supérieure à la moyenne, ou bien un FA de 75 % pour une cadence inférieure à la moyenne. Seuls l'expérience et un entraînement approprié pourront habiliter l'agent d'étude à utiliser correctement le jugement d'allure (JA), qui demeure une estimation subjective. Autrement, il est fortement conseillé d'utiliser un facteur d'allure (FA) neutre, soit 100 %. Les évaluations du jugement d'allure constituent une source de conflits considérable entre la direction et les travailleurs. Bien que personne n'ait pu trouver de manière de contourner ces évaluations subjectives, il n'en demeure pas moins que leur pertinence ne fait pas de doute. La formation au moyen de films tournés à différentes vitesses n'est pas suffisante. Il faut que l'analyste procède à des recyclages périodiques et à une auto-évaluation.

c)   Corriger le temps observé moyen (TOM) par le facteur d'allure (FA) et définir ainsi le temps de base TB.

TB = TOM × FA

d) Ajouter au temps de base les majorations appropriées pour obtenir le temps standard (TS).

Les majorations, exprimées en pourcentage, se divisent principalement en :

- majorations pour retards inévitables (RI) : ce sont des délais qu'on accorde pour des retards indépendants de la volonté : discussions avec ses supérieurs, entretien de l'équipement, bris de machines et autres aléas ;

- majorations pour besoins personnels (BP) : ce sont celles qui permettent aux employés de se reposer de la fatigue causée par le travail et de satisfaire leurs besoins physiologiques et psychologiques ;

- majorations supplémentaires (MS) : elles sont nécessaires dans des situations spéciales de travail (environnement spécial, type de produit manipulé, non-conformité de la matière première ou de l'état de l'équipement, etc.). Ce sont les seules qui soient entièrement à la discrétion de l'entreprise.

Les majorations peuvent être basées sur le temps de tâche ou sur le temps travaillé.

Si les majorations sont fonction du temps de tâche, le calcul du temps standard, appelé parfois temps normal, se fait par :

$$TS = TB + TB \times Maj = TB (1 + Maj)$$

où
TS = temps standard ou normal
TB = temps de base
Maj = majorations exprimées en pourcentage

On utilise cette formule quand différentes tâches ont diverses majorations.

Si les majorations sont basées sur le pourcentage du temps travaillé, le calcul se fait par :

$$\left(\frac{1}{1 - Maj} \right)$$

Exemple 2

Calculez le temps standard si le temps de base est de 1,00 minute pour les deux situations suivantes :

a) les majorations sont de 20,00 % du temps de tâche ;

b) les majorations sont de 20,00 % du temps travaillé.

Solution

a) $TS = TB (1 + Maj) = 1,00 (1 + 0,20) = 1,00 \times 1,20 = 1,20$ minute

b) $TS = TB \left(\frac{1}{1 - Maj} \right) = 1,00 \left(\frac{1}{1 - 0,20} \right) = 1,25$ minute

Le tableau 7.3 illustre certaines majorations typiques. En pratique, elles dépendent du jugement de l'analyste en ce qui concerne l'étude des temps de tâches, l'échantillonnage du travail (que nous décrirons plus loin dans le chapitre) ou les négociations entre la main-d'œuvre et la direction.

L'exemple 3 illustre le processus d'une étude des temps de tâches à partir des temps observés jusqu'aux temps standards.

Exemple 3

Une étude des temps de tâches d'une opération de montage a produit les temps observés suivants pour un élément d'un cycle auquel l'analyste a accordé un facteur d'allure (FA) ou évaluation d'efficacité de 1,10. À l'aide d'une majoration de 20 % du temps de tâche, déterminez le temps standard approprié pour cette opération.

i Observation	Temps observé (en minutes)	Observation	Temps observé (en minutes)
1	1,12	6	1,18
2	1,15	7	1,14
3	1,16	8	1,14
4	1,12	9	<u>1,19</u>
5	1,15	Total	10,35

Solution

$n = 9$ $FA = 1,13$ $M = 0,20$

a) $TOM = \dfrac{\sum xi}{n} = \dfrac{10,35}{9} = 1,15$ minute

b) $TB = TOM \times FA = 1,15\,(1,10) = 1,27$ minute

c) $TS = TB\,(1 + Maj) = 1,27\,(1 + 0,20) = 1,27 \times 1,20 = 1,52$ minute

Remarquons que si on observe un temps anormalement court, on suppose générale-ment qu'il est dû à une erreur d'observation et on l'élimine. Si une des observations de l'exemple 3 avait été de 0,10, on l'aurait éliminée. D'autre part, si on a noté un temps anormalement long, on vérifiera pour déterminer s'il est dû à un élément cyclique ou irrégulier (par exemple, récupérer un outil ou une pièce qui est tombé, procéder à un nettoyage du poste ou à un changement d'outils toutes les 0,5 heures, etc.).

Malgré l'utilité et les avantages évidents que l'on peut tirer de la mesure du travail par chronométrage, il faut souligner certaines limites. D'abord, elle ne peut étudier que les tâches observables, ce qui élimine la plupart des tâches de gestion et des tâches créatives, qui comportent des aspects mentaux difficilement mesurables au chro-nomètre. De plus, les coûts élevés de cette étude font en sorte qu'il n'est pas possible d'analyser les opérations irrégulières et les tâches rarement effectuées. Finalement, cette méthode de mesure du travail perturbe la routine normale du travail et les tra-vailleurs s'y opposent souvent, car ils se sentent épiés durant l'étude.

7.4.2 Les données de référence

Les **données de référence**, appelées aussi «temps élémentaires», proviennent des études des temps de tâches de l'entreprise. Au fil des ans, le service responsable de l'étude des temps et méthodes peut compiler les temps d'éléments communs à plusieurs tâches et constituer un catalogue. Après un certain temps, on dispose d'une banque de données de référence sur les temps élémentaires, ce qui évite à l'analyste de refaire chaque fois une étude complète.

Procédure à suivre pour établir un temps standard à partir de la méthode des don-nées de référence :

1. Analyse de la tâche en vue de définir les éléments standards ;

catalogue des temps élémentaires
Dossier consignant des temps, des éléments communs à plusieurs tâches.

2. Vérification du **catalogue des temps élémentaires** pour trouver les éléments dont les temps sont consignés. Utilisation du chronomètre pour obtenir d'autres don-nées, au besoin ;

3. Modification des temps dans le catalogue, au besoin (étape expliquée ci-dessous) ;

4. Synthèse des temps élémentaires pour obtenir le temps normal et accroissement, à l'aide des majorations pertinentes, pour obtenir le temps standard.

Dans certains cas, les temps consignés dans les dossiers peuvent ne pas s'appliquer avec exactitude à une tâche précise. Par exemple, les temps élémentaires peuvent se trouver dans un dossier concernant les mouvements «déplacer l'outil de 3 cm» et «déplacer l'outil de 9 cm», alors que la tâche en question comporte un déplacement de 6 cm. Cependant, il est souvent possible d'établir par interpolation les valeurs con-signées dans les dossiers pour obtenir une estimation du temps souhaité.

	Pourcentage
A. Majorations constantes :	
1. Majoration personnelle	5
2. Majorations pour la fatigue de base	4
B. Majorations variables :	
1. Majoration pour une position debout	2
2. Majoration pour une position anormale :	
a) Légèrement anormale	0
b) Anormale (penchée)	2
c) Très anormale (couchée, étirée)	7
3. Majoration pour effort physique et musculaire (soulever, tirer ou pousser) :	
Poids soulevé (en kg) :	
2	0
5	1
7	2
10	3
12	4
15	5
18	7
20	9
22	11
25	13
30	17
35	22
4. Majoration éclairage :	
a) Légèrement en dessous du niveau recommandé	0
b) Très en dessous	2
c) Très inapproprié	5
5. Conditions atmosphériques (chaleur et humidité) – variable	0 -10
6. Niveau d'attention :	
a) Fin : précis	0
b) Précision moyenne	2
c) Grande précision	5
7. Niveau sonore :	
a) Continu	0
b) Intermittent – fort	2
c) Intermittent – très fort	5
d) Très aigu – fort	5
8. Tension mentale :	
a) Processus relativement complexe	1
b) Complexe ou grand besoin d'attention	4
c) Très complexe	8
9. Monotonie :	
a) Faible	0
b) Moyenne	1
c) Élevée	4
10. Ennui :	
a) Plutôt ennuyant	0
b) Ennuyant	2
c) Très ennuyant	5

TABLEAU 7.3

Pourcentages de majorations typiques pour des conditions de travail

Source : Benjamin W. Niebel, *Motion and Time Study,* 8ᵉ édition, Burr Ridge, IL., Richard D. Irwin, 1988, p. 416. © 1988 par Richard D. Irwin, Inc. Reproduit avec autorisation.

Cette approche a pour principal avantage de permettre d'épargner temps et argent en supprimant l'étude des temps et la répétition du chronométrage pour chaque tâche. Le deuxième avantage est que le travail s'en trouve moins perturbé, l'analyste n'ayant pas à chronométrer toutes les tâches des travailleurs. Le troisième est qu'il n'est pas nécessaire d'effectuer le jugement d'allure, lequel a déjà été fait lors des premières mesures. D'autre part, l'inconvénient majeur de cette méthode réside dans le fait que si les données initiales consignées dans le catalogue ont été mal établies, l'erreur se répercutera sur toutes les autres études de temps que l'on fera. Pour éviter ce risque, il faut s'assurer de la pertinence de ces mesures, idéalement en les faisant valider par plusieurs spécialistes du domaine de l'étude du travail. C'est pour pallier ce problème que la méthode des normes de temps prédéterminés, expliquée ci-dessous, a été mise au point.

7.4.3 Les normes de temps prédéterminés

temps élémentaire
Durée d'éléments communs basée sur les études de temps faites par l'entreprise.

Pour établir les **temps prédéterminés**, on s'est basé sont les données publiées concernant les **temps élémentaires**. La méthode la plus souvent utilisée est la méthode MTM (**Methods-Time Measurement**), qui a été créée vers la fin des années 1940 aux États-Unis par le Methods Engineering Council. Les tableaux de MTM sont basés sur une recherche approfondie sur le temps normal des mouvements fondamentaux. Pour utiliser cette approche, l'analyste doit diviser la tâche en divers micromouvements fondamentaux, soit : atteindre, saisir, mouvoir, positionner, tourner, lâcher, mouvement du corps, etc., mesurer les distances (le cas échéant), le degré de difficulté du mouvement, et se reporter à la table de données appropriée pour obtenir les temps de ces micromouvements. On obtient le temps standard de la tâche en additionnant les temps de tous les mouvements fondamentaux. L'unité de base de la mesure du temps selon la MTM est le tmu (de l'anglais *time measurement unit*). Une tmu équivaut à un cent millième d'heure (1 tmu = 1 cmh), d'où :

1 tmu = 1 cmh = 0,0006 minute = 0,036 seconde.

Cette approche est si raffinée qu'elle a permis de mesurer le temps nécessaire à la rétine de l'œil pour focaliser un objet : 20 cmh.

Une minute de travail peut comprendre plusieurs mouvements fondamentaux ; une tâche typique peut comporter plusieurs centaines de mouvements fondamentaux. L'analyste doit donc posséder diverses compétences pour bien décrire l'opération et préparer des estimations réalistes des temps requis. Le tableau 7.4 présente un aperçu du type d'information fourni par les tables de MTM.

Établir des temps standards prédéterminés exige une grande compétence. Les analystes doivent suivre une formation et être accrédités pour pouvoir exécuter ce type d'observations.

Parmi les avantages des temps standards prédéterminés, mentionnons les suivants :

1. Ils sont basés sur les mouvements d'un grand nombre de travailleurs dans des conditions contrôlées, et ont été établis et validés par des équipes de spécialistes ;

2. L'analyste n'a pas à effectuer de jugement d'allure pour définir la norme ;

3. Les opérations des travailleurs observés ne sont pas perturbées ;

4. Les normes peuvent être établies avant qu'une tâche soit accomplie.

Bien que les défenseurs des temps prédéterminés soutiennent que la précision de cette méthode est supérieure à celle des études par chronométrage, plusieurs experts sont en désaccord. Pour certains, trop de temps d'activités sont reliés à une seule opération pour qu'on puisse les généraliser à partir des données publiées. D'autres croient que les analystes perçoivent les divisions des mouvements élémentaires de diverses manières et que cela influe négativement sur l'évaluation des temps : les estimations varient d'un analyste à l'autre. D'autres encore prétendent que les analystes ne s'entendent pas sur le degré de difficulté attribué à une tâche donnée et qu'ils obtiennent donc différents temps standards.

TABLEAU 7.4

Extrait des tables de MTM

						Mouvoir -M-			
							AVEC EFFORT		
Distance en cm	M_A	M_B	M_C	m M_B M_Bm	m (B)	Kg	Constat.	Coeff. dyna.	Description des cas
≤ 2	2,0	2,0	2,0	1,7	0,3	de 0		1	A
4	3,1	3,8	4,5	2,6	1,2	à 1,25	0		
6	4,1	5,0	5,8	3,1	1,9	> 1,25		1,04	Mouvoir un objet jusqu'à
8	5,1	6,0	7,0	3,7	2,3	à 2,5	1,9		l'autre main ou contre
10	6,1	6,9	8,0	4,2	2,7	> 2,5		1,09	une butée.
12	7,0	7,7	8,9	4,8	2,9	à 5	3,3		
14	7,7	8,5	9,6	5,4	3,1	> 5		1,15	B
16	8,3	9,2	10,3	5,9	3,3	à 7,5	5,2		
18	8,9	9,9	11,0	6,5	3,4	> 7,5		1,21	
20	9,6	10,5	11,7	7,0	3,5	à 10	7,1		Mouvoir un objet jusqu'à
22	10,2	11,1	12,3	7,6	3,5	> 10		1,27	un emplacement approxi-
24	10,8	11,7	13,0	8,2	3,5	à 12,5	9,0		matif ou indéfini.
26	11,4	12,2	13,7	8,7	3,5	> 12,5		1,34	C
28	12,1	12,7	14,4	9,3	3,4	à 15	10,9		
30	12,7	13,2	15,1	9,8	3,4	> 15		1,40	
35	14,2	14,4	16,8	11,2	3,2	à 17,5	12,8		Mouvoir un objet jusqu'à
40	15,8	15,6	18,4	12,6	3,0	> 17,5		1,46	un emplacement précis
45	17,4	16,8	20,1	14,0	2,8	à 20	14,7		ou avec précaution.
50	18,9	18,0	21,8	15,4	2,6	> 20		1,52	
55	20,5	19,2	23,5	16,8	2,4	à 22,5	16,6		
60	22,1	20,4	25,2	18,1	2,3				
65	23,6	21,6	26,9	19,5	2,1				
70	25,2	22,8	28,6	20,9	1,9				
75	26,8	24,0	30,3	22,3	1,7				
80	28,3	25,2	32,0	23,7	1,5				
par 5 en sus	1,6	1,2	1,7	1,4					

Source : Table MTM, Bureau international du travail, « Mouvoir-M (Move) », *Introduction à l'étude du travail,* Genève, 1996, p. 406.

On pourrait disserter longtemps sur les avantages et les inconvénients des **normes de temps prédéterminés**. Il n'en demeure pas moins qu'elles sont de loin plus fiables que celles de tout autre méthode de mesure de temps et qu'elles sont les seules à être reconnues par les lois sur les normes du travail des pays industrialisés. Leur véritable inconvénient réside dans le fait qu'elles sont chères à utiliser – en temps et en argent – et qu'elles ne peuvent être appliquées que par des professionnels du domaine, ingénieurs industriels et autres.

Finalement, soulignons que plusieurs autres familles de normes de temps prédéterminés ont été conçues directement à partir de la MTM. Mentionnons les MTM 2 et 3, moins précis que le premier mais plus faciles et plus généraux, le GSD (*General Sewing Data*) dans le domaine du vêtement, le MCD (*Master Clerical Data*) dans le domaine des services, et le dernier venu, le MOST et son Mini MOST[9], de plus en plus populaires.

normes de temps prédéterminés
Système de mesure du travail utilisant des temps préétablis pour chaque mouvement fondamental du corps humain afin de déterminer le temps exigé pour la réalisation d'une tâche dans des conditions définies.

---

9. *Maynard Operation Sequence Technique.*

7.4.4 La mesure du travail par sondage

La mesure du travail par sondage, appelée aussi « méthode des **observations instantanées** », est une méthode de mesure du travail qui consiste à observer et à noter à intervalles irréguliers les activités effectuées à un poste de travail. En recueillant et en compilant les observations, on peut déterminer le pourcentage d'occupation d'un employé et d'un poste de travail, et déterminer le type d'activité qui l'occupe le plus.

Contrairement à toutes les méthodes de mesure du travail vues jusqu'ici, la méthode par sondage ne requiert ni mesure directe ni observations longues, coûteuses en temps et frustrantes pour l'observateur et les personnes observées. L'observateur aura à effecteur de brèves observations au hasard, à intervalles totalement irréguliers, à différents moments de la journée. Il notera simplement et objectivement l'activité réalisée à ce moment. Le mot « objectivement » revêt une grande importance quand il s'agit d'observations instantanées, car il ne faut pas biaiser l'étude. Par exemple, l'observateur notera que la machine est en situation d'arrêt ou de délai, que le commis est en pause-café, que la secrétaire est en situation de prise de données, que le menuisier coupe ou cloue, etc. En compilant le résultat de ses observations, il est capable de savoir le pourcentage de temps consacré par l'employé à telle ou telle activité, comme le montre l'exemple ci-dessous.

Exemple

Après 300 observations effectuées en trois semaines à différents moments de la journée, on a noté que pendant une période de huit heures de travail, un agent de banque exécute les travaux suivants :

- Servir les clients à la caisse : $\dfrac{186}{300}$ = 62 %, soit approx. 5 h

- Préparer sa caisse : $\dfrac{18}{300}$ = 6 %, soit approx. 0,48 h (30 min)

- Balancer et fermer sa caisse : $\dfrac{30}{300}$ = 10 %, soit approx. 0,80 h (48 min)

- Travaux de comptabilité et tâches connexes : $\dfrac{9}{300}$ = 3 %, soit approx. 0,24 h (15 min)

- Délais : $\dfrac{1}{300}$ = 0,33 %, soit approx. 0,03 h (1,6 min)

- Repos, pauses-café, repas : $\dfrac{56}{300}$ = 18,67 %, soit approx. 1,50 h

    TOTAL : $\dfrac{300}{300}$ = 100 %, soit approx. 8,05 h

Sachant que durant la période étudiée, on a servi 34 clients par jour en moyenne, le temps nécessaire pour servir un client à la caisse est de : 5 h × 60 minutes = 300 minutes ;

300 min ÷ 34 clients = 8,82 minutes/client

Bien que la méthode par sondage puisse être utilisée pour définir les temps standards, comme l'a démontré l'exemple ci-haut, elle est très utilisée pour 1) effectuer des études sur le taux d'utilisation et d'occupation du matériel et des autres ressources de l'entreprise et 2) pour l'analyse des tâches non répétitives. Par exemple, le gestionnaire d'un hôpital aimerait connaître le taux d'utilisation de la salle de radiographie ou bien le temps passé par un préposé à l'entretien à faire autre chose que nettoyer les planchers.

Étant donné que les tâches non répétitives requièrent des connaissances et des habiletés plus grandes que les tâches répétitives, leur identification est importante pour établir la valeur du poste de travail, donc sa rémunération. Ainsi, si on se rend compte qu'une secrétaire passe la majeure partie de son temps à effectuer des travaux sur ordinateur autres que du traitement de texte, son poste aura une plus grande valeur que celui de la secrétaire qui ne fait que répondre au téléphone et dactylographier. Les observations instantanées s'avèrent être un excellent outil pour définir la description de tâches, valider celles-ci et estimer leur valeur.

Basée principalement sur des principes statistiques, la méthode par sondage comporte un pourcentage d'erreur et un intervalle de confiance de la vraie valeur p du temps passé par une personne à accomplir une activité. On dira alors que nous sommes certains avec un certain degré de certitude (ou de confiance) que la valeur de p se trouve à l'intérieur de l'intervalle ($\bar{p} \pm e$). En faisant appel aux notions de distribution normale, on peut dire que l'erreur qu'on commet en considérant $\bar{p}$ comme étant la vraie valeur de p, avec une certitude identifiée par la valeur z, est de :

$$e = z \sqrt{\frac{p(1-p)}{n}}$$

où

e = erreur réalisée admissible
z = variable aléatoire de la table normale centrée réduite nous assurant l'intervalle de confiance souhaité
n = nombre d'observations effectuées
p = pourcentage moyen de l'activité observé
  = nombre d'observations de l'activité ÷ nombre total d'obervations

Si nous voulons connaître le nombre idéal d'observations n à effectuer compte tenu d'une erreur admissible e et d'un degré de confiance défini, alors :

$$n = \left(\frac{z}{e}\right)^2 \bar{p}(1 - \bar{p})$$

Exemple 4

Le gérant d'un supermarché désire savoir le temps passé par un de ses commis à procéder aux changements de prix de la marchandise. Il souhaite être certain à 98 % que la marge d'erreur de l'estimation du temps ne dépasse pas 5 %. Combien d'observations doit-on effectuer ?

Solution

$e = 0,05$

z = dans la table normale à la fin du livre, pour un degré de confiance de 98 % = 2,33

p étant inconnu, nous procédons à 20 observations préliminaires et nous calculons le nombre d'observations où l'employé changeait de prix. Nous remarquons que sur les 20 observations, le commis changeait les prix 10 fois : donc, $\bar{p} = 10 \div 20 = 0,50$.

$$n = \left(\frac{2,33}{0,05}\right)^2 0,50\ (1 - 0,50) = 542,89$$

soit approximativement 543 lectures.

Par contre, si lors des 20 observations préliminaires on avait observé 2 changements de prix, alors : $p = 2 \div 20 = 0,10$, et

$$n = \left(\frac{2,33}{0,05}\right)^2 0,10\ (1 - 0,10) = 195,44$$

soit approximativement 196 lectures.

Supposons maintenant qu'après 100 observations, on trouve $\bar{p} = 0,11$, y compris les 20 premières, alors :

$$n = \left(\frac{2,33}{0,05}\right)^2 0,11\ (1 - 0,11) = 212,60$$

soit approximativement 213 lectures.

Figure 7.10

Un intervalle de confiance pour l'estimation de la proportion véritable est basé sur la distribution normale.

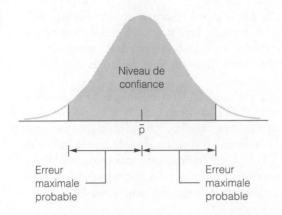

Pour mener à bien une mesure du travail par sondage, il est recommandé de suivre les étapes suivantes :

• Bien identifier le ou les travailleurs ou les machines à étudier ;

• Informer les travailleurs et leurs superviseurs des buts de l'étude afin d'éviter toute méfiance ;

• Effectuer un nombre préliminaire d'observations, habituellement $n = 50$ observations ;

• Préparer un programme d'observations aléatoires réparties sur plusieurs quarts de travail (ne jamais aller les faire au même moment) ;

• Noter les tâches effectuées lors de l'observation le plus succinctement possible (utiliser un langage télégraphique) ;

• S'assurer que le nombre n d'observations préliminaires est conforme à la marge d'erreur admissible par l'entreprise.

Soulignons à nouveau que l'étude devrait se dérouler sur une période suffisamment longue pour permettre l'observation du plus grand nombre possible de situations de travail. Si les observations sont faites à des moments trop rapprochés, l'étude ne permettra pas de déceler certaines situations qui surviennent de façon irrégulière ou cyclique. Seule l'expérience et le type de travail observé aideront l'agent d'étude à déterminer l'horizon de temps couvert par l'étude.

Pour conclure, retenons que la mesure du travail par sondage est la meilleure méthode pour étudier les tâches dans le secteur des services, où les activités des travailleurs varient énormément.

7.5 LA RÉMUNÉRATION

La rémunération est un point important à considérer lors de la conception des systèmes de travail. Les entreprises doivent établir des régimes de rémunération appropriés pour leurs employés. Si les salaires sont trop bas, les dirigeants auront de la difficulté à attirer des employés et des gestionnaires compétents et à les garder à leur emploi. Si les salaires sont trop élevés, les coûts trop grands peuvent entraîner une baisse des profits ou forcer l'entreprise à accroître ses prix, ce qui pourrait nuire à la demande pour ses produits ou services.

Les entreprises ont recours à deux systèmes de base pour rémunérer leurs employés : les systèmes de rémunération au temps et les systèmes de rémunération au rendement. Les **systèmes de rémunération au temps**, également appelés systèmes de rémunération horaire, rémunèrent les employés en fonction du temps pendant lequel ils travaillent. Les **systèmes de rémunération au rendement** rémunèrent les employés en fonction de la quantité produite pendant une période de paye, ce qui relie directement leur paye au rendement.

système de rémunération au temps
Rémunération basée sur le temps pendant lequel un employé a travaillé.

système de rémunération au rendement
Rémunération basée sur la quantité produite par un employé.

Avantages de la méthode par sondage

1. Les observations sont réparties sur une période donnée, ce qui fait que les résultats sont moins sujets à des fluctuations à court terme.
2. Le travail est peu perturbé.
3. Les travailleurs se méfient moins de cette méthode.
4. Les études sont moins longues et moins coûteuses, et les exigences concernant les compétences de l'analyste sont moins grandes.
5. Il est possible d'interrompre les études sans nuire aux résultats.
6. L'analyste peut effectuer plusieurs études et suivre plusieurs travailleurs simultanément.
7. Il ne requiert pas de chronomètre.
8. Il est approprié pour les tâches non répétitives.

Inconvénients de la méthode par sondage

1. Il y a moins de détails sur les mouvements que comporte l'exécution d'une tâche.
2. Les travailleurs peuvent modifier leurs habitudes de travail lorsqu'ils aperçoivent l'agent d'étude, ce qui invalide les résultats.
3. Dans plusieurs cas, il n'existe aucun dossier sur la méthode employée par le travailleur.
4. Les observateurs peuvent ne pas parvenir à s'entendre sur un horaire aléatoire des observations.
5. Il n'est pas approprié pour les tâches courtes et répétitives.
6. Il peut falloir beaucoup de temps pour passer d'un lieu de travail à un autre afin de respecter l'aspect aléatoire de cette étude.

TABLEAU 7.5

Comparaison de l'échantillonnage du travail et de l'étude par chronométrage

Les systèmes de rémunération au temps sont plus utilisés que les systèmes de rémunération au rendement, particulièrement pour les emplois de bureau, d'administration et de gestion, mais aussi pour les cols bleus. Le calcul des salaires est direct, et les gestionnaires peuvent facilement estimer les coûts de la main-d'œuvre pour une catégorie d'emplois donnée. C'est pourquoi on y a recours plus souvent. En outre, les employés préfèrent ce système, car leur paye est stable et ils connaissent exactement la somme de leur salaire pour chaque période de paye. Cela leur permet aussi de ne pas subir la pression exercée par l'entreprise dans le cadre d'un système de rémunération au rendement.

Par ailleurs, plusieurs emplois ne se prêtent pas bien au système de rémunération au rendement. Dans certains cas, il peut être difficile, voire impossible, de mesurer la production, par exemple dans le cas d'un travail créatif ou cérébral. D'autres emplois comportent des activités irrégulières ou revêtent des formes de production si différentes que la mesure du rendement et l'établissement de la paye sont relativement complexes. À cause de ces problèmes et d'autres inconvénients (voir le tableau 7.6), un système intermédiaire a été mis au point, où on assure le travailleur d'un salaire de base, auquel s'ajoute une **prime au rendement** en fonction du rendement supplémentaire fourni.

Dans le cas des chaînes d'assemblage, le recours à des primes individuelles pourrait perturber le flux des travaux ; c'est pourquoi on utilise alors des primes de groupe. Finalement, la qualité est aussi importante que la quantité. Par exemple, en ce qui concerne les soins de santé, on met généralement l'accent sur la qualité des soins et le nombre de patients traités.

Toutefois, il existe des cas où les primes sont souhaitables. Elles récompensent les travailleurs pour leur travail, ce qui, normalement, les encourage à produire davantage que dans un système de rémunération au temps. Les incitatifs ont comme avantage de ne faire varier que certains coûts variables malgré l'accroissement de la production, les coûts fixes demeurent inchangés de sorte que les coûts globaux par unité diminuent si la production augmente. Les travailleurs préfèrent parfois les régimes d'incitation au rendement, car il y a une relation directe entre leurs efforts et leur paye : un régime d'incitation constitue, pour eux, l'occasion de gagner plus d'argent.

système de prime au rendement
Système de rémunération combinant la rémunération au temps à une prime supplémentaire basée sur l'effort.

	Gestion	Travailleur
RÉMUNÉRATION AU TEMPS		
Avantages	1. Les coûts de la main-d'œuvre sont stables. 2. Elle est facile à gérer. 3. Le calcul de la paye est simple. 4. La production est stable.	1. La paye est stable. 2. Moins de pressions exercées sur les employés pour qu'ils produisent que dans les systèmes de rémunération au rendement.
Inconvénients	1. On ne récompense pas les travailleurs qui augmentent leur production.	1. Les efforts supplémentaires ne sont pas récompensés.
RÉMUNÉRATION AU RENDEMENT		
Avantages	1. Les coûts unitaires sont plus faibles. 2. La production est plus élevée.	1. La paye est directement proportionnelle aux efforts. 2. Il est possible de gagner plus d'argent.
Inconvénients	1. Le calcul du salaire est plus complexe. 2. Il faut mesurer la production. 3. La qualité peut en souffrir. 4. Il est difficile d'y intégrer les augmentations salariales. 5. L'établissement des horaires est plus compliqué.	1. La paye fluctue. 2. Les travailleurs peuvent être pénalisés en raison de facteurs indépendants de leur volonté (comme le bris des machines).

Par contre, les systèmes de rémunération au rendement comportent une quantité considérable de travail administratif: le calcul des salaires est plus complexe, il faut mesurer la production et établir des normes, les augmentations du coût de la vie sont difficiles à intégrer aux régimes d'incitation et il faut prévoir des dispositions pour les retards inévitables.

Le tableau 7.6 énumère les principaux avantages et inconvénients des systèmes de rémunération au temps et au rendement.

Si on veut tirer profit au maximum d'un régime d'incitation, il faut qu'il soit:

1) précis;

2) facile à appliquer;

3) uniforme;

4) facile à comprendre;

5) juste.

De plus, il devrait y avoir une relation évidente entre l'effort et la rémunération, et aucune limite salariale ne devrait être imposée. Les systèmes de rémunération au rendement peuvent être axés sur la production de chaque individu ou sur celle d'un groupe.

7.5.1   Les régimes d'incitation individuels

Les régimes d'incitation individuels peuvent revêtir plusieurs formes. Le régime le plus simple est la prime à la pièce. En vertu de ce régime, la paye d'un travailleur est directement proportionnelle à sa production. On garantit au travailleur un salaire minimum de base, peu importe son rendement. Le salaire de base est calculé à partir d'une norme de production : un travailleur dont la production est au-dessous de cette norme reçoit quand même le salaire de base, ce qui ne pénalise pas les nouveaux employés inexpérimentés. De plus, cette mesure protège les travailleurs contre les pertes salariales provoquées par des délais, des bris et des problèmes similaires.

Des primes au rendement sont versées pour les rendements supérieurs à une norme.

7.5.2   Les régimes d'incitation de groupe

On utilise actuellement une grande variété de régimes d'incitation de groupe, qui mettent l'accent sur le partage des gains de productivité avec les employés. Certains se concentrent exclusivement sur le rendement, tandis que d'autres rémunèrent les employés aussi bien pour leur rendement que pour leur contribution à la réduction des coûts des matériaux ou autres. Les quatre régimes suivants reflètent bien les principales caractéristiques de la plupart des régimes actuellement en vigueur.

Le plan Scanlon. Cette politique a pour principale caractéristique d'encourager la diminution des coûts de main-d'œuvre en permettant aux travailleurs de partager les gains qui en découlent. Le régime comprend la formation de comités de travailleurs en vue de proposer des améliorations.

Le plan Kaiser. Comme dans le régime Scanlon, des comités sont formés pour trouver des manières de réduire les coûts et il y a partage des épargnes réalisées par les employés. Mais, en plus, les travailleurs partagent les gains découlant des diminutions de coûts des matériaux et des fournitures.

Le plan Lincoln. Conçu par la Lincoln Electric Company, à Cleveland, en Ohio, ce régime comprend la participation aux bénéfices, l'élargissement des tâches et la gestion participative. Comme les autres plans, il recourt à des comités d'évaluation pour faire des suggestions. Les trois principales composantes sont un régime de salaires à la pièce, une prime de rendement annuelle et une option d'achat d'actions.

Le plan Kodak. Ce régime combine le taux de salaire majoré et une prime de rendement annuelle liée aux bénéfices de l'entreprise plutôt que des incitations plus traditionnelles. On encourage les travailleurs à se fixer des objectifs et à déterminer des niveaux de rendement raisonnables. Leur participation doit en principe les rendre plus aptes à produire à un taux majoré.

L'approche par l'équipe est une forme d'incitation de groupe que bon nombre d'entreprises utilisent à l'heure actuelle dans le cadre des programmes d'amélioration continue et pour résoudre des problèmes. Elle met l'accent sur le rendement de l'équipe et non sur celui des individus.

7.5.3   La rémunération fondée sur le savoir

Alors que les entreprises se mettent de plus en plus à adopter des systèmes de production épurée, plusieurs changements ont des conséquences directes sur le milieu de travail. Tout d'abord, les barrières qui existaient autrefois au sein de l'entreprise sont éliminées et le nombre de gestionnaires a tendance à diminuer. De plus, le fait de mettre l'accent sur la qualité, la productivité et la flexibilité valorise grandement les travailleurs pouvant effectuer plusieurs tâches. Les entreprises établissent des systèmes de rémunération pour récompenser ces employés en conséquence et encourager la formation en vue d'accroître leurs compétences. On appelle parfois ce système « rémunération fondée sur le savoir ». Les gouvernements de plusieurs pays industrialisés ont compris l'importance du phénomène et offrent, comme la France, des avantages fiscaux aux personnes et aux entreprises pour la formation de la main-d'œuvre. À cet égard, le gouvernement du Québec a adopté la loi favorisant le développement de

rémunération fondée sur le savoir
Système de rémunération qui récompense les travailleurs ayant suivi une formation en vue d'améliorer leurs compétences.

la formation de la main-d'œuvre (loi 90). On base une portion de la paye du travailleur sur ses connaissances et ses compétences. On tient compte de trois volets de compétences : les compétences horizontales reflètent la variété des tâches que le travailleur est capable d'effectuer, les compétences verticales désignent les tâches de gestion que le travailleur peut accomplir et les compétences approfondies représentent les résultats sur le plan de la qualité et de la productivité.

7.5.4 La rémunération du gestionnaire

Plusieurs entreprises qui avaient l'habitude de rémunérer leurs cadres supérieurs en fonction du rendement reconsidèrent maintenant cette politique. En raison de l'importance accordée actuellement au service à la clientèle et à la qualité, on restructure les systèmes de rémunération de façon à refléter les nouvelles caractéristiques du rendement. De plus, dans plusieurs entreprises, la rémunération des cadres est de plus en plus liée au succès de l'entreprise ou de la division dont le cadre est responsable. Cette approche diffère nettement de celle des années 1980, qui consistait à accroître la rémunération des cadres supérieurs, même quand les travailleurs étaient mis à pied et que l'entreprise perdait des sommes considérables !

7.5.5 Les nouvelles approches des régimes d'incitation[10]

Nous désirons ici soulever quelques réflexions sur les idées préconçues qui circulent dans ce domaine.

Le client paye son fournisseur en fonction du rendement du bien ou service rendu, et ce, en respectant les cinq objectifs de base : les quantités requises, les spécifications établies (qualité), les délais prévus, les lieux de livraison précisés et les prix convenus. De plus, l'ensemble des professionnels de ce qu'il convient d'appeler les fonctions libérales (médecins, avocats, ingénieurs, entrepreneurs, etc.) sont payés en fonction de l'acte posé : ils sont payés au rendement, pour peu qu'ils respectent les cinq objectifs énumérés plus haut. Il est impensable qu'un fournisseur de biens et de services soit payé s'il ne satisfait pas le client.

Si nous transposons ce principe dans la relation employeur-employé, on ne peut prétendre que le système de prime au rendement favorisera les quantités au détriment de la qualité. Le travailleur doit être rémunéré en fonction du respect des cinq objectifs. Donnons un exemple. Il y a quelques années, on a découvert que l'assemblage d'une automobile de marque Lada, qui accusait des problèmes de qualité sérieux, exigeait 450 heures, tandis que celui d'une Toyota du même type ne prenait que 15 heures ! On est donc capable de produire mieux tout en allant plus vite. Chez Toyota, la fonction étude des méthodes de travail avait joué pleinement son rôle. Même si on lui donne tout le temps voulu, une personne qui n'a pas reçu la formation adéquate, qui ne dispose pas des outils appropriés et de bonnes conditions ne peut rivaliser avec son vis-à-vis qui jouit de toute l'infrastructure nécessaire à son travail. On voit que l'expression : « Si tu veux un travail de qualité, donne-moi le temps » ne s'applique pas littéralement, surtout si on ne sait pas comment travailler.

---

10. BENEDETTI, C. *Infoproductivité*, 4ᵉ trimestre 2000, SCGI.

7.6 Conclusion

L'organisation scientifique du travail (ou étude du travail) s'occupe principalement de l'étude des mouvements, de l'étude des méthodes, de la mesure du travail, de l'ergonomie et de la rémunération.

La conception des postes de travail, qui avait autrefois tendance à se concentrer sur l'efficacité, se soucie du contenu des emplois et des méthodes de travail, notamment de l'aspect comportemental des tâches et de la satisfaction des travailleurs. L'intérêt grandissant pour la production a suscité la révision de la conception des tâches. Cependant, les tâches habituellement associées à une forte productivité sont souvent celles qui constituent la plus grande source d'insatisfaction chez les travailleurs, une situation paradoxale pour les concepteurs des tâches.

Les analystes utilisent souvent l'analyse des méthodes de travail et les techniques d'étude des mouvements pour améliorer l'efficacité des tâches, sans aborder directement les aspects comportementaux des tâches. Les conditions de travail et l'ergonomie sont également des aspects essentiels de l'OST, non seulement à cause des facteurs comportementaux et du rendement, mais aussi en raison des préoccupations concernant la santé et la sécurité des travailleurs.

La mesure du travail consiste à définir le temps nécessaire pour effectuer une tâche. Cette information est cruciale pour l'embauche du personnel, l'estimation des coûts, l'établissement du budget, la prévision et la planification des ressources, l'ordonnancement des tâches et la rémunération des travailleurs. Les méthodes les plus utilisées sont l'étude par chronométrage et les temps prédéterminés. L'étude par sondage du travail est une technique très flexible, que l'on peut aussi bien utiliser dans le secteur manufacturier que dans celui des services pour obtenir des données sur les temps des activités. On se sert souvent de cette méthode pour estimer la proportion de temps passée par un travailleur à effectuer un aspect précis d'une tâche. Le tableau 7.7 résume les formules utilisées pour la mesure du travail.

Les entreprises peuvent choisir parmi une variété de régimes de rémunération. Il est important de le faire rigoureusement car, une fois adopté par l'entreprise, il est habituellement difficile à modifier.

Avant de terminer, revenons brièvement sur le rôle de l'agent d'étude et sur sa place au sein de l'entreprise. Les agents d'étude sont des spécialistes qui ont reçu une formation adéquate et sérieuse sur le plan technique et surtout sur le plan humain. Plusieurs facteurs font toutefois en sorte qu'il ne leur est pas facile de donner leur pleine mesure. Ainsi, au moment des premières études du travail, plusieurs personnes se sont improvisées agents d'étude sans vraiment connaître les principes de base de la discipline. De plus, on continue malheureusement trop souvent à utiliser l'ÉT comme outil de contrôle des employés en ne faisant appel qu'à la mesure de temps. On se permet parfois de diminuer les standards en augmentant les vitesses, sans changer les méthodes de travail, en s'appuyant sur la seule impression que les employés sont inefficaces. Ces abus, souvent attribuables à l'ignorance de la véritable fonction de l'ÉT, ont donné naissance a des sentiments hostiles de la part des employés envers les études ; ces préjugés étaient justifiés, mais ils ont fait oublier les avantages qu'on peut retirer de l'ÉT. En plus d'être confronté à ces préjugés, l'agent d'étude doit faire face à un autre problème, celui de la **résistance au changement**.

résistance au changement
Toute personne, quelle que soit sa formation, sera toujours réticente à voir une tierce personne changer ses habitudes, ses façons de travailler et de fonctionner. L'agent d'étude doit être conscient de ces problèmes et agir avec beaucoup de finesse et de diplomatie pour convaincre les personnes touchées par l'étude du bien-fondé de la nouvelle méthode proposée. Il doit prendre le temps qu'il faut pour répondre à leurs questions et ne rien leur cacher. Pour réussir dans sa tâche, l'agent doit également jouir de la confiance et de l'appui total des gestionnaires de l'entreprise. C'est seulement à ce moment que l'étude du travail, première responsable de l'accroissement de la productivité, aura atteint son objectif : être au service de la production.

Terminologie

Conception des tâches	Graphique d'analyse de processus	Plan Scanlon
CSST		Primes au rendement
Diagramme d'activités multiples	Graphique de déroulement	Rémunération au rendement
Diagramme travailleur-machine	Graphique des deux mains	Rémunération au temps
Données de référence	Graphique des mouvements simultanés	Rémunération fondée sur le savoir
Élargissement des tâches		
Enrichissement des tâches	Jugement d'allure	Rotation des postes de travail
Équipe autogérée	Majoration	Sonomètre
Étude des méthodes	Mesure du travail	Spécialisation
Étude des micromouvements	Mesure du travail par sondage	Système d'incitation
Étude des mouvements	Observations instantanées	Temps de base
Étude du travail	OST	Temps élémentaire
Étude par chronométrage	Plan Kaiser	Temps prédéterminé
Facteur d'allure	Plan Kodak	Temps standard
	Plan Lincoln	Therblig

TABLEAU 7.7

Résumé des formules

Mesure du travail

A. Taille de l'échantillon

$$n = \left(\frac{zs}{ax}\right)^2 \tag{7-1}$$

$$n = \left(\frac{zs}{e}\right)^2 \tag{7-2}$$

B. Temps observé moyen

$$TOM = \frac{\sum x_i}{n} \tag{7-3}$$

C. Temps de base
$$TB = TOM \times FA \tag{7-4}$$

D. Temps standard $\tag{7-5}$
$$TS = TB\,(1 + Maj)\,;\ (Maj = \text{majorations en temps de tâche}) \tag{7-6}$$

$$TS = TB\left(\frac{1}{1 - Maj}\right);\ (Maj = \text{majoration en temps travaillé}) \tag{7-7}$$

Observations instantanées ou par sondage

A. Erreur maximale

$$n = \left(\frac{z}{e}\right)\bar{p}\,(1 - \bar{p}) \tag{7-8}$$

B. Taille de l'échantillon

$$e = z\sqrt{\frac{\bar{p}\,(1 - \bar{p})}{n}} \tag{7-9}$$

a = erreur exprimée en pourcentage
e = erreur maximum acceptable
FA = facteur d'allure
n = nombre d'observations
TB = temps de base
TOM = temps observé moyen
TS = temps standard ou normal
s = écart type

Problèmes résolus

Problème 1

Un agent d'étude des temps de tâches a chronométré une opération de montage pendant 30 cycles : le temps moyen observé est de 18,75 minutes par cycle. Il a estimé que le facteur d'allure est à 96 % et qu'une majoration de 15 % est suffisante. En supposant que le facteur de majoration est fonction du temps de travail, déterminez le temps observé moyen, le temps de base et le temps standard.

Solution

TOM = temps moyen = 18,75 minutes

TB = TOM × FA = 18,75 minutes × 0,96 = 18 minutes

$$TS = TB\left(\frac{1}{1 - Maj}\right) = 18\left(\frac{1}{1 - 0,15}\right) = 18 \times 1,176 = 21,17\ \text{min}$$

Problème 2

Un analyste en génie industriel souhaite estimer le nombre d'observations nécessaires pour obtenir une erreur maximale précisée, avec une confiance de 95,5 %.

Une étude préliminaire a donné un TOM de 5,2 minutes avec un écart type de 1,1 minute. Déterminez le nombre total d'observations nécessaires si :

a) une erreur maximale de ±6 % de la moyenne de l'échantillon est acceptée ;

b) une erreur maximale de 0,40 minute est acceptée.

a) $x = 5,2$ minutes; $z = 2,00$ pour 95 %
   $s = 1,1$ minute; $a = 0,06$

$$n = \left(\frac{zs}{ax}\right) = \left(\frac{2,00\,(1,1)}{0,06\,(5,2)}\right)^2 = 49,72\ (\approx 50 \text{ observations})$$

b) $e = 0,40$

$$n = \left(\frac{zs}{e}\right)^2 = \left(\frac{2,00\,(1,1)}{0,40}\right)^2 = 30,25\ (\approx 31 \text{ observations})$$

Mesure par sondage. On a demandé à un analyste de préparer une estimation de la proportion de temps que passe un opérateur d'un tour industriel à ajuster la machine, avec un degré de confiance de 90 %.

En se fiant à son expérience antérieure, l'analyste croit que la proportion sera de 30 % approximativement (p).

a) Si l'analyste effectue 400 observations, quelle erreur maximale pourra-t-on associer à l'estimation ?

b) De quelle taille devrait être l'échantillon pour que l'analyste obtienne une erreur maximale de ±5 % ?
   $\overline{P} = 0,30$;

Pour un intervalle de confiance de 90 %

$Z = 1,65$

a) $\quad e = z\sqrt{\dfrac{\overline{p}\,(1 - \overline{p})}{n}} = 1,65\sqrt{\dfrac{0,3(0,7)}{400}} = 0,038$

b) $\quad n = \left(\dfrac{z}{e}\right)^2 = \overline{p}(1 - \overline{p}) = \left(\dfrac{1,65}{0,05}\right)^2 (0,3)(0,7) \approx 228,69$ ou 229

Questions de discussion et de révision

1. Qu'est-ce que l'OST et quel est son rôle ?

2. Quels sont les principaux avantages et inconvénients de la spécialisation du point de vue de la direction ? du point de vue du travailleur ?

3. Comparez les termes suivants : élargissement des tâches et enrichissement des tâches.

4. Quels sont les objectifs de l'élargissement des tâches et de l'enrichissement des tâches ?

5. Expliquez l'expression «système de rémunération fondée sur le savoir».

6. En quoi consistent des équipes de travail autogérées ? Quels en sont les avantages potentiels ?

7. Certaines entreprises japonaises ont adopté une politique de rotation des gestionnaires entre les différents postes de gestion. À l'opposé, les gestionnaires américains se spécialisent dans certains secteurs (comme les finances ou la gestion des opérations). Discutez des avantages et des inconvénients de chacune de ces approches. Laquelle préférez-vous ? Pourquoi ?

8. Sur quels principes s'appuie l'étude des méthodes ? Comment les classe-t-on ?

9. Dans quels cas l'étude des méthodes de travail est-elle nécessaire ? De quelle façon améliore-t-elle la productivité ?

10. En quoi des outils comme le graphique d'analyse de processus d'implantation et les diagrammes d'activités multiples travailleur-machine sont-ils utiles ?

11. Qu'est-ce qu'un temps standard ? De quoi est-il composé ?

12. Quelles sont les principales utilisations de la mesure du travail et des temps standards qui en découlent ?

13. Peut-on éviter l'évaluation du jugement d'allure en étudiant un groupe de travailleurs et en calculant la moyenne de leurs temps ? Expliquez brièvement.

14. Énumérez les différences entre le travailleur moyen et le travailleur qualifié.

15. Quelles sont les principales limites du chronométrage ?

16. Commentez l'énoncé suivant: «À tout moment donné, les temps standards de plusieurs emplois ne seront pas rigoureusement exacts».
    a) Pourquoi?
    b) Cela veut-il dire que ces standards sont inutiles? Expliquez.

17. Pourquoi les travailleurs s'opposent-ils parfois à la mesure du travail?

18. Quels sont les principaux avantages et inconvénients des:
    a) systèmes de rémunération au temps?
    b) régimes d'incitation?

19. Qu'est-ce que la méthode des observations instantanées? En quoi diffère-t-elle des autres méthodes de mesure du travail?

20. Qu'est-ce que l'ergonomie et comment influence-t-elle le travail?

Problèmes

1. Un analyste a chronométré une opération de coupe de métal pendant 50 cycles. Le temps moyen par cycle était de 10,40 minutes et l'écart type, de 1,20 minute pour un travailleur ayant un facteur d'allure de 120 %. En supposant une majoration de 16 % du temps de tâche, trouvez le temps standard pour cette opération.

2. Une tâche chronométrée pendant 60 cycles avait une moyenne de 1,2 minute par pièce. Le facteur d'allure était de 95 % et les majorations pour la journée de travail étaient de 10 %. Déterminez chacun des temps suivants:
    a) Temps observé moyen;
    b) Temps de base;
    c) Temps standard.

3. Une étude des temps de tâches a été effectuée pour une tâche qui comporte quatre mouvements. Les temps observés et les facteurs d'allure pour les six cycles sont présentés dans le tableau suivant.

Élément	FA	1	2	3	4	5	6
		OBSERVATIONS (MINUTES)					
1	90 %	0,44	0,50	0,43	0,45	0,48	0,46
2	85	1,50	1,54	1,47	1,51	1,49	1,52
3	110	0,84	0,89	0,77	0,83	0,85	0,80
4	100	1,10	1,14	1,08	1,20	1,16	1,26

   a) Déterminez le temps observé moyen pour chacun des éléments.
   b) Trouvez le temps de base par élément.
   c) En supposant une majoration de 15 % du temps de tâche, calculez le temps standard par cycle.

4. À partir des temps observés (en minutes) pour quatre éléments d'un cycle, déterminez le temps observé (TOM) pour chaque élément.

   Remarque: le deuxième élément ne se produit que tous les deux cycles.

	1	2	3	4	5	6
			CYCLE			
Élément 1	4,1	4,0	4,2	4,1	4,1	4,1
Élément 2	–	1,5	–	1,6	–	1,4
Élément 3	3,2	3,2	3,3	3,2	3,3	3,3
Élément 4	2,7	2,8	2,7	2,8	2,8	2,8

5. À partir des temps observés (en minutes) pour cinq mouvements d'une tâche, déterminez le temps observé (TO) pour chaque mouvement.

   Remarque: certains des mouvements ne se font que périodiquement.

	1	2	3	4	5	6
			TEMPS OBSERVÉ			
Élément 1	2,1	2,0	2,2	2,1	2,1	–
Élément 2	–	1,1	–	1,0	–	1,2
Élément 3	3,4	3,5	3,3	3,5	3,4	3,3
Élément 4	4,0	–	–	4,2	–	–
Élément 5	1,4	1,4	1,5	1,5	1,5	1,4

6. À l'aide du tableau 7.3, trouvez un pourcentage de majoration pour un mouvement qui requiert que le travailleur : 1) soulève un poids de 5 kg tout en se tenant debout dans une position légèrement étrange, 2) travaille sous un éclairage légèrement au-dessous des normes recommandées et 3) soit entouré de bruits forts et intermittents. Ce mouvement est très monotone. Incluez une majoration personnelle de 5 % et une majoration de fatigue de base de 4 % du temps de tâche.

7. Au cours d'une étude de 40 cycles, une opération travailleur-machine comporte 3,3 minutes de temps-machine par cycle. Le temps du travailleur était en moyenne 1,9 minute par cycle et le travailleur a obtenu un facteur d'allure de 120 % (la machine est à 100 %). À mi-chemin au cours de l'étude, le travailleur a pris une pause de 10 minutes. En supposant un facteur de majoration de 12 %, déterminez le temps standard pour cette tâche.

8. Un contrat syndical récemment négocié accorde aux travailleurs d'un service de livraison 24 minutes de repos (soit 10 minutes pour les besoins personnels et 14 minutes pour les délais inévitables) à toutes les 4 heures de travail. L'agent d'étude a observé un temps moyen de 6,0 minutes par cycle pour un travailleur à qui il a attribué un facteur d'allure de 95 %. Quel temps standard s'applique à cette opération ?

9. Les données du tableau ci-dessous représentent les observations d'une étude de temps effectuée dans une menuiserie.
   a) D'après les observations, déterminez le temps standard pour l'opération, en supposant une majoration de 15 %.
   b) Combien d'observations seraient nécessaires pour estimer le temps moyen pour l'élément 2 en acceptant une erreur de ±1 % de sa valeur réelle avec un degré de confiance de 95,5 % ?
   c) Calculez le nombre d'observations nécessaires pour une erreur de 0,01 minute et un degré de certitude de 95,5 % pour l'élément.

Mouvement	Évaluation d'efficacité	OBSERVATIONS (MINUTES PAR CYCLE)					
		1	2	3	4	5	6
1	110 %	1,20	1,17	1,16	1,22	1,24	1,15
2	115	0,83	0,87	0,78	0,82	0,85	1,32*
3	105	0,58	0,53	0,52	0,59	0,60	0,54

*Délai inhabituel ; ne pas en tenir compte.

10. Combien d'observations un analyste d'une étude des temps de tâches prévoit-il pour une opération qui a un écart type de 1,5 minute par pièce, si l'objectif consiste à estimer le temps moyen par pièce à l'intérieur de 0,4 minute, avec un intervalle de confiance de 95,5 % ?

11. Combien de cycles de travail faut-il chronométrer pour estimer le temps de cycle moyen à l'intérieur de 2 % de la moyenne de l'échantillon, avec un degré de certitude de 99 %, si une étude pilote a produit ces temps (en minutes) : 5,2 ; 5,5 ; 5,8 ; 5,3 ; 5,5 et 5,1 ?

12. Lors d'une enquête menée pour estimer le pourcentage de temps morts des chargeurs de fret des messageries aériennes, un analyste a découvert que les chargeurs étaient improductifs dans 6 des 50 observations.
    a) Quel est le pourcentage approximatif de temps improductif ?
    b) D'après les résultats initiaux, combien d'observations seraient requises, approximativement, pour estimer le pourcentage effectif de temps improductif à l'intérieur de 5 %, avec un degré de confiance de 95 % ?

13. Un emploi dans un bureau d'assurances nécessite qu'on ait des conversations téléphoniques avec les détenteurs de polices. Le directeur du bureau estime que les employés passent environ la moitié de leur temps au téléphone. Combien d'observations sont nécessaires dans une étude du travail par sondage pour estimer le pourcentage de temps passé au téléphone à l'intérieur de 6 % d'erreur et d'un intervalle de confiance de 98 % ?

Bibliographie

BARNES, Ralph M. *Motion and Time Study : Design and Measurement of Work,* 8ᵉ édition, New York, John Wiley & Sons, 1980, 689 p.

BENEDETTI, Claudio. *Introduction à la gestion des opérations,* 3ᵉ édition, Laval, Éditions Études Vivantes, 1991, chapitre 9.

CARLISLE, Brian. « Job Design implications for Operations Managers », *International Journal of Operations and Production Management,* vol. 3, nº 3, 1983, p. 40-48.

CUNNINGHAM, J. Barton et Ted EBERLE. « A Guide to Job Enrichment and Redesign », *Personnel,* février 1990, p. 56-61.

DUMAINE, Brian. « Who Needs a Boss ? », *Fortune,* 7 mai 1990, p. 52-60.

HODSON, William K. *Maynards Industrial Engineering Handbook,* 4ᵉ édition, New York, McGraw-Hill, 1992.

HUTCHINSON, R. D. *New Horizons for Human Factors in Job Design,* New York, McGraw-Hill, 1981.

KANAWATY, Georges. *Introduction à l'étude du travail,* 3ᵉ édition, Genève, BIT, 1996, 524 p.

KONZ, S. *Work Design : Industrial Ergonomics,* 2ᵉ édition, New York, John Wiley & Sons, 1981.

LARSON, Carl E. et Frank M. LOFASTO. *Teamwork : What Must Go Right/What Can Go Wrong,* Newbury Park, CA, Sage, 1989.

MUNDEL, Marvin E. *Motion and Time Study,* 5ᵉ édition, Englewood Cliffs, NJ, Prentice Hall, 1978.

NADLER, G. *Work Design,* édition revue, Burr Ridge, IL., Richard D. Irwin, 1970.

NIEBEL, B. et A. FREIVALDS. *Methods Standards & Work Design,* 10ᵉ édition, New York, McGraw-Hill, 1999, 727 p.

OSBORN, Jack D., Linda MORAN, Ed MUSSLEWHITE et John H. ZENGER. *Self-Directed Work Teams,* Burr Ridge, IL., Richard D. Irwin, 1990.

SAKAMOTO, Shigeyasu. « Key to Productivity : Work Measurement, An International Survey Report », *MTM Journal of Methods – Time Measurement,* vol. 13, 1987, p. 68-75.

OBJECTIFS D'APPRENTISSAGE

À la fin de ce supplément, vous pourrez :

1. Comprendre les concepts de courbes d'apprentissage et leurs applications.

2. Faire des évaluations de temps d'opérations en tenant compte du phénomène d'apprentissage.

3. Connaître les limites de la loi de Wright.

4. Connaître les possibilités d'applications de la loi de Caquot.

Supplément du chapitre 7
LES COURBES D'APPRENTISSAGE

Plan du supplément

S-7.1 LA NOTION DE COURBES D'APPRENTISSAGE

La notion de courbes d'apprentissage, appelées aussi « courbes expérientielles », est basée sur le principe que toutes les activités humaines s'améliorent avec l'expérience. Ainsi, plus on effectue une tâche, plus on acquiert de connaissances et d'expérience : le temps nécessaire pour l'effectuer diminue en conséquence. Ce principe se reflète sur les cinq objectifs de la production. En effet, avec l'expérience, on produit plus (quantité), on se trompe moins (meilleure qualité), on prend moins de temps à produire (délais de production plus courts). Résultat : les coûts unitaires diminuent.

Le degré d'apprentissage varie en fonction de plusieurs facteurs : l'environnement de travail, la capacité et les connaissances des travailleurs, le temps investi dans leur formation, le nombre de mises en route, le choix de l'équipement, des outils et des gabarits disponibles, la conception du produit et les méthodes de travail. Mais le plus important de ces facteurs est la complexité de la tâche à effectuer : plus la tâche est simple et répétitive, plus le temps nécessaire à l'apprentissage sera court et plus le temps requis pour atteindre un rythme de croisière stable sera court. À l'inverse, plus la tâche est complexe, plus le temps d'apprentissage sera long ; l'écart entre le temps d'exécution de la première unité et le temps d'exécution d'une unité après qu'on a acquis l'expérience pertinente sera grand[1].

En 1936, T. P. Wright a été le premier à mesurer et à modéliser la notion de courbes d'apprentissage au cours de ses observations portant sur la fabrication des carlingues dans l'industrie aéronautique[2]. Il a énoncé ce qu'on appelle la loi de Wright. Plus tard, le Français Caquot formulera une loi complémentaire à celle de Wright (voir section S-7.3), mais qui s'appliquera surtout à la fabrication en très grandes séries, comme dans l'industrie du vêtement[3].

Loi de Wright

À chaque dédoublement de la tâche exécutée (nombre de fois où on l'exécute) ou des produits fabriqués, le temps de l'opération décroît selon le coefficient (ρ).

La figure S-7.1 illustre la courbe d'apprentissage classique.

Effet de l'apprentissage : le temps/unité diminue en fonction du nombre d'exécutions.

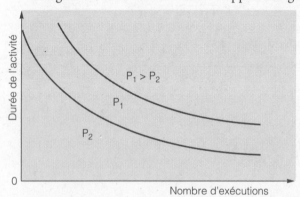

Dans ce graphique, on remarque que la courbe d'apprentissage varie en fonction de (ρ), qui est défini en pourcentage. Plus ρ est petit, plus la courbe est abrupte. Cette courbe est logarithmique. On dira que :

Le temps de la n^e fois qu'on exécute une tâche est égal au temps de la première fois multiplié par un facteur F1, fonction de (ρ).

$$Tn^e = T_1^e \times F_1$$

---

1. Voir la notion de travailleur qualifié au chapitre 7, section 7.4.1.
2. WRIGHT, T. P., « Factors Affecting the Cost of Airplanes », *Journal of Aeronautical Sciences,* n° 3, février 1936.
3. BENEDETTI, C. et J. GUILLAUME, *La gestion des approvisionnements et des stocks,* 1992, Laval, Éditions Études Vivantes, p. 179 et 181.

où

$T_{n^{ième}}$ = temps de la n^e fois qu'on exécute la tâche.

$T_{1^{ième}}$ = temps de la première fois qu'on exécute la tâche.

$F_1 = (n^e)^{(\ln\rho/\ln 2)}$

Le facteur F_1, fonction du coefficient d'apprentissage (ρ), se trouve à la table B, à la fin du livre.

Parfois, on désire connaître le temps cumulatif des N unités (ou tâches).

On calcule le temps nécessaire pour faire les N unités par : $TN = T_{1^{ième}} \times F_2$

où TN = temps cumulatif de l'ensemble des N unités
$T_{1^{ième}}$ = temps de la première fois qu'on exécute la tâche
F_2 = facteur cumulatif des F_1, se trouvant à la table B, à la fin du livre, fonction du coefficient d'apprentissage ρ

D'autres facteurs externes influencent les courbes d'apprentissage. Entre alors en jeu la notion d'**apprentissage de l'organisation**[4]. En effet, l'entreprise aussi apprend de meilleures méthodes de planification et d'ordonnancement des travaux, de motivation, de contrôle et d'amélioration continue, ce qui se traduit par de meilleures façons de faire. Des spécialistes se sont penchés sur la notion d'organisation apprentie et sur ses effets sur les temps et les coûts de fabrication. Si des interventions managériales surviennent durant l'apprentissage (amélioration des méthodes de travail, de gestion ou autres) on observera des soubresauts, comme on peut le voir à la figure S-7.2.

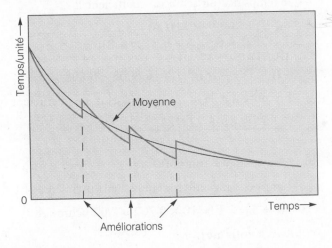

Figure S-7.2

Effet des améliorations sur le processus d'apprentissage

Notons que comme les courbes d'apprentissage sont d'origine logarithmique, on peut les tracer sur des feuilles logarithmiques, comme l'illustre la figure S-7.3, à la page suivante.

Un employé a pris 10 heures pour exécuter une tâche pour la première fois. La 2e fois, 8 heures ; la 4e fois, 6,5 heures ; la 8e fois, 5,12 heures et la 16e fois, 4,096 heures.

Exemple 1

a) Déterminez le coefficient P (ρ).

b) Vous connaissez le coefficient (ρ). Combien de temps prendra l'employé pour exécuter la tâche la troisième fois ?

c) S'il faut au moins 15 unités pour qu'un employé prenne un rythme stable de travail, déterminez le temps d'apprentissage nécessaire pour former un nouvel employé.

---

4. « The learning organisation », *Infoproductivité*, SCGI.

Figure S-7.3

*Représentation
logarithmique de la
courbe d'apprentissage*

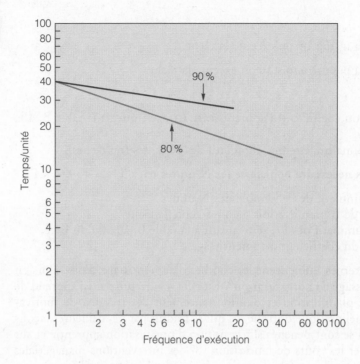

Solution

a) Selon le principe de la courbe d'apprentissage, à chaque dédoublement de la tâche, le temps décroît selon un coefficient P.

T2 / T1 = 8 / 10 = 0,80 = 80 %
T4 / T2 = 6,5 / 8 = 0,8125 = 81,25 %
T8 / T4 = 5,12 / 6,5 = 0,7877 = 78,77 %
T16 / T8 = 4,1 / 5,12 = 0,8008 = 80,08 %

En moyenne, la durée décroît selon un coefficient (ρ) de :

$$\frac{(0,80 + 0,8125 + 0,7877 + 0,8008)}{4} = 0,80025 \approx 80 \%$$

b) Avec la table B, on obtient :

Temps de la 3e unité = temps de la première × F1

$Tn^e = T_1e \times F1 = 10 \times 0,702 = 7,02$ heures

Avec la formule :

$Tn^e = T_1e \times F1 = T_1e \times (n^e)^{(\ln\rho/\ln2)} = 10 \times 3^{(\ln 0,80/\ln2)} = 10 \times 0,702 = 7,02$ heures

c) $TN = T_1e \times F_2$; $F2$ se lit à la table B

$T15 = 10 \times 8,511 = 85,11$ heures.

Il faut donc calculer près de 85 heures de formation pour que chaque nouvel employé puisse prendre un rythme de travail normal.

Exemple 2

La compagnie Biplan aéronautique reçoit un contrat de 20 appareils à livrer dans les meilleurs délais. On a pris 400 heures pour assembler le premier appareil. On vous demande d'estimer le temps nécessaire pour assembler (ρ = 80) :

a) le 20e appareil ;

b) l'ensemble des 20 appareils ;

c) le temps moyen par appareil pour cette commande.

a) temps nécessaire pour assembler le 20e appareil

Avec la table B, on obtient :
$T20^e = T_{1e} \times F_1 = 400 \times 0,381 = 152,4$ heures

b) temps nécessaire pour produire l'ensemble de la commande

$TN = T_{1e} \times F_2$
$T15 = 400 \times 10,485 = 4194$ heures

c) temps moyen par appareil pour cette commande

4194 h ÷ 20 appareils = 209,7 h/appareil

Le directeur de la production croit que des problèmes imprévus ont affecté l'assemblage de la première unité et que le temps de 400 heures n'est pas représentatif. Il estime que la 3e unité, dont le temps d'assemblage est de 276 heures, est plus représentative. En vous basant sur ces données, calculez le temps que la première unité aurait dû prendre.

$T3^e = T_{1e} \times F_1$

Dans la table B, la valeur de F1 (au coefficient (ρ) de 80,00 % pour la 3e unité) est de 0,702.

276 heures $= T_{1e} \times 0,702$

$T_{1e} = 276$ h ÷ 0,702 = 393,2 heures (temps estimé de la première unité)

S-7.2 LES APPLICATIONS ET LES LIMITES DE LA COURBE D'APPRENTISSAGE

La courbe d'apprentissage s'avère très utile dans les situations suivantes :

1. La planification et l'ordonnancement de la main-d'œuvre.

2. L'approvisionnement et la négociation des contrats d'achat.

3. L'estimation des prix de revient des nouveaux produits.

4. La prévision, la planification et le contrôle des temps de formation des nouveaux employés (voir figure S-7.4).

La figure S-7.4 représente, à titre indicatif, l'utilité des courbes d'apprentissage pour évaluer la capacité des nouveaux employés à effectuer une tâche, par rapport au temps standard de la tâche. Nous voyons dans cet exemple que par rapport à un temps

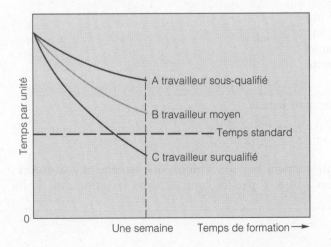

de formation d'une semaine, le travailleur C effectue la tâche en dessous du temps standard moyen, ce qui n'est pas le cas pour le travailleur A.

Lorsqu'il utilise les courbes d'apprentissage, le gestionnaire doit :

1. Savoir que les coefficients d'apprentissage diffèrent d'une entreprise à l'autre et, à l'intérieur d'une même entreprise, d'un type de tâche ou produit à un autre.

2. Faire attention à la généralisation et à l'extrapolation ; une courbe d'apprentissage atteindra tôt ou tard sa limite, c'est-à-dire son plateau ou l'état stable.

3. Évaluer le temps de la première unité avec beaucoup de rigueur ; son estimation gagnerait à être révisée avant d'être établie définitivement.

4. Savoir que les courbes d'apprentissage sont pertinentes au moment du lancement ou de la mise en route de nouveaux procédés ou produits ; dans le cas de la production de masse où un plateau est atteint, les gains sont minimes (voir figure S-7.5).

5. Tenir compte du fait que les petites séries, les interruptions fréquentes et les grandes variations dans la conception des produits altèrent grandement les coefficients (ρ).

Figure S-7.5

Les courbes d'apprentissage sont utiles pour les petites séries

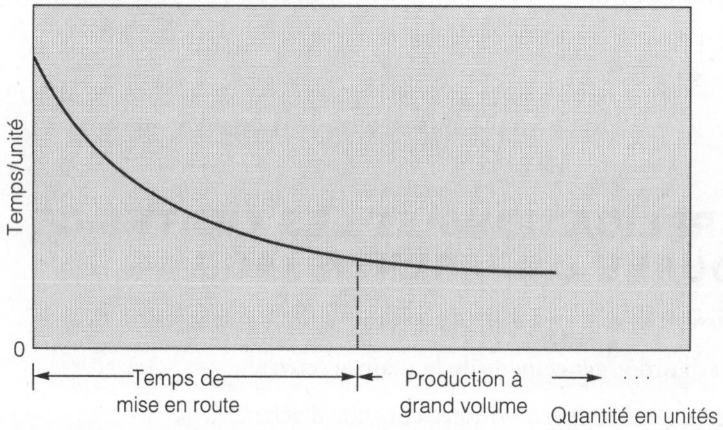

S-7.3 LA LOI DE CAQUOT

Dans le cas de la fabrication de grandes séries, où la segmentation des tâches est poussée à l'extrême, la loi de Wright devient inapplicable. La loi de Caquot prend alors le relais. Cette loi se base sur le principe suivant :

$$Tn = Ti \left(\frac{Qi}{Qn}\right)^{1/4}$$

où : Tn = temps de la n^e unité
Ti = temps de la i^e unité
Qn = rang de la n^e unité
Qi = rang de la i^e unité
$n > i$

L'intérêt de cette loi réside dans le fait :

– qu'il n'est pas nécessaire de faire l'hypothèse du dédoublement du volume de production ;

– qu'elle peut s'appliquer directement aux coûts plutôt que seulement aux durées ; on a juste à remplacer les temps T par les coûts C dans la formule de la loi de Caquot ;

- qu'elle tient compte des économies d'échelle relatives aux coûts d'approvisionnement, de contrôle, de mise en route, etc. ;

- qu'elle porte sur de très grandes séries de production.

Nous voyons que la loi de Wright et celle de Caquot sont complémentaires.

Exemple

Les coûts de fabrication de la 6000e unité ont été évalués à 1,25 $. Nous recevons une commande de 1000 unités à faire, ce qui fait passer la production à 7000 unités.

Calculez les coûts de la 7000e unité.

En remplaçant la valeur des temps T dans la formule par la valeur des coûts C, on obtient :

$$Cn = Ci \left(\frac{Qi}{Qn}\right)^{(1/4)} = Cn = 1,25 \left(\frac{6000}{7000}\right)^{(1/4)} = 1,20 \text{ \$/u}$$

Problèmes résolus

Problème 1

Une chaîne d'assemblage fonctionne avec un ρ de 90 %. Ayant commencé un nouveau produit, on a mesuré un temps d'assemblage de 28 heures.

Estimez :

a) le temps nécessaire pour assembler 5 unités ;

b) le temps nécessaire pour assembler les unités 20 à 25 inclusivement.

Solution

a) selon la table B, pour l'ensemble des 5 unités à ρ = 90 %

$TN = T_1e \times F2$
$T5 = 28 \times 4,339 = 121,49$ heures

b) le temps des unités 20 à 25 inclusivement se calcule par :

$TN = T_1e \times F_2$
$T25 - T19 = (T_1e \times F_2)$ pour 25 $- (T_1e \times F_2)$ pour 19, car la 20e unité est incluse
$= 28 \times 17,713 - 28 \times 13,974 = 28 \times (17,713 - 13,974) = 28 \times 3,739 = 104,692$ heures

Problème 2

Ayant mesuré les temps de fabrication des six premières unités, un gestionnaire aimerait établir le coefficient ρ de son entreprise.

Unité n°	Durée de fabrication en heures
1	15,9
2	12,0
3	10,1
4	9,1
5	8,4
6	7,5

Solution

À chaque dédoublement de la tâche, le temps de l'opération décroît selon un coefficient ρ.

$$\frac{\text{Unité 2}}{\text{Unité 1}} = \frac{12}{15,9} = 0,755 \; ; \; \frac{\text{Unité 4}}{\text{Unité 2}} = \frac{9,1}{12} = 0,758 \; ; \; \frac{\text{Unité 6}}{\text{Unité 3}} = \frac{7,5}{10,1} = 0,743$$

Bien qu'il y ait une légère différence entre les rapports, nous pouvons conclure qu'en moyenne, un coefficient ρ de 75 % est une bonne évaluation.

Problèmes

1. Une entreprise se spécialisant dans la remise à neuf des cabines d'avions reçoit 18 appareils à rénover. Un coefficient ρ = 80 % est jugé acceptable. Le technicien en génie industriel a estimé qu'il faut 300 heures pour rénover le premier appareil. Déterminez le temps nécessaire pour terminer le 5e appareil, les 5 premiers appareils et l'ensemble de la commande.

2. Calculez le temps nécessaire pour terminer la 4e unité d'un lot de 12, sachant que la 1re unité a pris 80 heures. Vous simulerez des ρ de 72 %, 87 % et 95 %.

3. Un petit entrepreneur aimerait soumissionner pour un projet d'installation de 30 piscines. Sachant qu'un ρ de 85 % est valable et que son équipe prendrait 8 jours pour installer la première piscine, combien de jours doit-il prévoir pour l'installation des 10 premières ? 10 du milieu ? 10 dernières ?

4. On a mis 20 heures à terminer une tâche. Calculez le temps nécessaire pour terminer la troisième et la quatrième avec un ρ de 82 %.

5. La directrice d'un service de production aimerait connaître le coefficient d'apprentissage de son service. Elle dispose des informations suivantes :

Unité	Durée en minutes
1º	46
2º	39
3º	35
4º	33
5º	32
6º	30

a) déterminez ρ ;
b) calculez le temps moyen par unité nécessaire pour exécuter une commande de 30 unités.

6. Des étudiants en gestion des opérations ont à faire quatre exercices du même niveau de difficulté. Un étudiant a réussi à faire le premier travail en 50 minutes. En supposant qu'un ρ de 70 % est acceptable, en combien de temps pourra-t-il terminer les autres travaux ?

7. Un sous-traitant a terminé en 600 heures le calibrage de 4 satellites de télécommunications sur un lot de 6. Si vous utilisez un coefficient d'apprentissage de 75 %, en combien de temps pourra-t-il terminer les deux autres ?

8. La 5e unité d'un lot de 25 unités a été faite en 14,5 heures. Si un ρ de 90 % est la norme, établissez :
a) le temps nécessaire pour la 10e unité ;
b) le temps nécessaire pour atteindre le plateau, c'est-à-dire la 25e unité ;
c) le temps standard des unités fabriquées en situation stable.

9. Le coût de production d'un objet est de 8,50 $/h en main-d'œuvre ; coût de matière première : 20 $/u ; coût de mise en route : 50 $. Les frais généraux de fabrication équivalent à 50 % des coûts de production. Le coefficient d'apprentissage utilisé est de 90 %. Le produit peut être acheté au coût de 88,50 $/u.
a) établissez le coût unitaire pour un lot de 20 unités ;
b) déterminez le niveau d'indifférence entre l'option achat et l'option fabrication.

10. Une entreprise suit rigoureusement le programme de formation de ses nouveaux employés. Ce programme stipule qu'un employé devrait atteindre son niveau de compétence acceptable pour une certaine tâche quand il l'exécute pour la 6e fois en 6 heures ou moins ; les travailleurs ne pouvant respecter cette norme minimale sont affectés à d'autres postes. Trois employés (A, B et C) sont actuellement en formation. A a exécuté la tâche la première fois en 9 heures et la deuxième fois, en 8 heures. B a effectué le même travail en des temps de 10 heures et de 8 heures, et C, en 12 heures et 9 heures. Selon vous, lequel est le plus habilité à occuper ce poste et pourquoi ?

11. Le temps nécessaire pour fabriquer la 5000e unité a été de 2,45 minutes. Déterminez le temps nécessaire pour fabriquer la 5500e et la 6000e unité. Estimez le temps moyen qu'il faut pour fabriquer un lot de production compris entre la 5000e et la 6000e unité.

12. Le coût de production de la 8000e unité a été évalué à 4,50 $/u. Quel est le coût de la 10 000e unité, si le système atteint son état stable à la 10 000e ? Quel est le coût de la 15 000e unité ?

13. Une tâche possède un ρ de 0,82 %. Les quatre premières fois qu'on a exécuté la tâche, on a noté des temps de 30,5 ; 28,4 ; 27,2 et 27 minutes. Le coefficient d'apprentissage utilisé est-il valable ? Pourquoi ?

14. La 5e unité d'un lot de 10 unités a nécessité 5 heures de travail. La 6e unité est rendue à sa 2e heure de travail, mais elle n'est pas encore terminée. Calculez le temps de travail nécessaire pour terminer l'ensemble de la commande.

1. Connaître les raisons incitant les entreprises à prendre des décisions en matière de localisation.

2. Comprendre l'importance des décisions en matière de localisation.

3. Discuter des options dont disposent les entreprises pour prendre des décisions en matière de localisation.

4. Décrire les principaux facteurs qui influent sur les décisions de localisation.

5. Définir le processus décisionnel nécessaire pour prendre ce type de décisions.

6. Utiliser les techniques présentées pour résoudre des problèmes types de localisation.

Chapitre 8
LA LOCALISATION

Plan du chapitre

8.1 INTRODUCTION

Les entreprises actuelles doivent prendre des décisions en matière de localisation ou d'emplacement. Les entreprises de services comme les banques, les chaînes de restauration rapide, les supermarchés et les magasins de vente au détail considèrent le choix de l'emplacement comme faisant partie de la stratégie marketing et recherchent donc des points de services qui les aideront à élargir leur marché. Dans ces cas, les décisions en matière de localisation se traduisent essentiellement par l'ajout de nouveaux emplacements à un système existant.

La question de la localisation se pose pour une entreprise quand la demande pour ses produits ou services s'accroît et qu'elle ne peut y répondre en prenant de l'expansion à l'emplacement actuel. L'ajout d'un nouvel emplacement constitue alors souvent une option réaliste.

Dans les secteurs primaires de l'économie, certaines entreprises doivent se préoccuper de leur localisation en raison de l'épuisement des intrants de base. Par exemple, les entreprises de pêche et d'exploitation forestière doivent souvent se relocaliser à cause de l'épuisement temporaire des poissons ou des forêts à un emplacement donné. Les exploitations minières et les sites de forage de pétrole font également face à ce type de situation, bien que le temps d'exploitation soit habituellement plus long.

Dans le secteur secondaire, outre les considérations énumérées ci-haut, on doit tenir compte de la disponibilité et des coûts des ressources de production telles que l'énergie, les capitaux, la matière première, la formation de la main-d'œuvre, la proximité des marchés et des fournisseurs potentiels, les politiques des différents paliers de gouvernements, les taxes, les réseaux de communication et de transport, etc.

Finalement, les entreprises doivent aussi considérer la relocalisation en cas de changements au niveau du marché ou lorsque les coûts d'exploitation de l'emplacement actuel atteignent des niveaux inacceptables.

Dans le présent chapitre, nous étudions les différentes étapes de l'analyse de localisation. Nous commençons par un bref aperçu des raisons pour lesquelles les entreprises doivent prendre des décisions en matière de localisation. Nous abordons ensuite la nature de ces décisions et une procédure générale pour la mise au point et l'évaluation des choix en matière de localisation.

Dans un premier temps, nous adoptons une approche qualitative de la prise de décisions concernant le choix d'une localisation, pour ensuite développer une approche plus quantitative.

8.2 LA NATURE DES DÉCISIONS DE LOCALISATION

Plusieurs entreprises prennent rarement des décisions en matière de localisation ; pourtant, cette situation peut avoir de sérieuses répercussions sur leurs activités et sur leur entreprise. Dans cette section, nous examinons l'importance des décisions en matière de localisation, les objectifs habituels des gestionnaires lors de leurs choix d'emplacements et certaines des options dont ils disposent.

8.2.1 L'importance des décisions de localisation

Il y a deux raisons principales pour lesquelles les décisions concernant la localisation revêtent une importance considérable lors de la conception des systèmes de production. La première est qu'elles impliquent un engagement à long terme ; les erreurs commises deviennent donc difficiles à corriger. La deuxième est que ces décisions ont souvent des conséquences sur les besoins en investissements, les coûts d'exploitation, les recettes ainsi que sur les activités d'exploitation. Un mauvais choix de localisation peut entraîner des coûts de transport excessifs, une pénurie de main-d'œuvre qualifiée, une perte de l'avantage concurrentiel, un approvisionnement inapproprié en matières premières ou une situation dommageable aux opérations. Au niveau des services, un mauvais emplacement peut occasionner la perte de clients ou des coûts d'exploitation élevés. Le choix de la localisation a un impact certain sur la compétitivité de l'entreprise.

8.2.2 Les objectifs des décisions de localisation

En général, les organismes à but lucratif fondent leurs décisions sur le potentiel de profit à faire, tandis que les entreprises sans but lucratif tentent de trouver un équilibre entre les coûts et le niveau de service à la clientèle. Logiquement, toutes les entreprises devraient choisir le meilleur emplacement possible, mais cela ne se passe pas toujours ainsi.

Dans plusieurs cas, aucun emplacement précis n'est supérieur à un autre ; plusieurs sont acceptables, comme l'illustre la grande variété des emplacements où se trouvent des entreprises prospères. De plus, le nombre d'emplacements qu'il faut examiner pour trouver le meilleur semble être trop grand pour qu'une recherche exhaustive soit faisable. Ainsi, la plupart des entreprises ne visent pas à trouver le meilleur choix ; elles espèrent trouver un certain nombre d'emplacements acceptables parmi lesquels choisir.

8.2.3 Les choix de localisation

Les gestionnaires ont généralement le choix entre quatre options lors de la prise de décisions en matière de localisation.

La première consiste à développer l'installation existante. C'est une option attrayante, surtout si l'emplacement comporte des caractéristiques favorables que l'entreprise ne trouve pas ailleurs. Les coûts d'expansion sont souvent inférieurs à ceux qu'entraînent les autres options.

La deuxième option consiste à ajouter de nouveaux locaux tout en conservant ceux qui existent déjà, comme le font plusieurs entreprises de vente au détail. Dans de tels cas, il est essentiel de tenir compte des conséquences de cette option sur l'ensemble du système. L'ouverture d'un nouveau magasin dans un centre commercial peut simplement attirer des clients qui utilisent déjà un autre magasin de la même chaîne plutôt que d'accroître la part de marché : c'est ce qu'on appelle le phénomène du cannibalisme. Par ailleurs, l'ajout d'un emplacement peut constituer une stratégie défensive conçue pour conserver sa part de marché ou empêcher les compétiteurs de pénétrer le marché.

La troisième option consiste à déménager à un autre emplacement. Dans un tel cas, on doit évaluer les coûts d'un déménagement et les avantages qui en découlent par rapport aux coûts et aux avantages du maintien dans les locaux actuels. Ce sont les changements au niveau du marché, l'épuisement des matières premières et des ressources, ainsi que des coûts d'exploitation élevés qui amènent les entreprises à considérer cette option.

Finalement, si une analyse détaillée des emplacements potentiels ne révèle aucun avantage à une relocalisation, une entreprise peut choisir le *statu quo,* du moins pendant un certain temps.

8.3 LA PROCÉDURE GÉNÉRALE DE PRISE DE DÉCISIONS DE LOCALISATION

La manière dont une entreprise aborde la prise de décisions en matière de localisation est fonction de sa taille ainsi que de la nature et de l'ampleur de ses activités. Les nouvelles entreprises et les PME (petites et moyennes entreprises) tendent à adopter une approche plutôt informelle. Les nouvelles entreprises s'installent généralement dans une région donnée simplement parce que ses propriétaires y vivent. De même, les gestionnaires de PME souhaitent souvent travailler près de leurs familles, c'est pourquoi ils ont tendance à localiser leurs entreprises près de leurs communautés d'origine. Les grandes entreprises, surtout celles qui exploitent plusieurs emplacements, adoptent généralement une approche plus formelle. Elles envisagent habituellement une vaste gamme d'emplacements géographiques. Dans ce chapitre, nous nous intéressons surtout aux approches formelles.

La procédure générale est habituellement constituée des étapes suivantes :

1. Déterminer les critères à utiliser pour évaluer les options de localisation : accroissement des profits, disponibilité des services communautaires, etc.

2. Déterminer les facteurs importants, comme la proximité des marchés ou des matières premières.

3. Élaborer des solutions de rechange :
   a) circonscrire la région entourant l'emplacement choisi ;
   b) définir un petit nombre de communautés ;
   c) déterminer les possibilités de sites parmi ces communautés.

4. Évaluer les solutions de rechange et faire une sélection.

La première étape dépend simplement des préférences de la direction. Les étapes 2 à 4 exigent un examen plus approfondi.

8.4 LES FACTEURS INFLUANT SUR LES DÉCISIONS DE LOCALISATION

Plusieurs facteurs, qui peuvent varier selon la nature de l'entreprise, influent sur les décisions en matière de localisation. Ainsi, dans le secteur de la fabrication, les facteurs dominants sont habituellement la disponibilité d'une source abondante d'énergie, l'approvisionnement en eau et la proximité des matières premières. Les centrales hydroélectriques exigent de grandes quantités d'eau ; les industries lourdes, comme les aciéries et les alumineries, ont besoin de grandes quantités d'électricité, et ainsi de suite. Les coûts de transport peuvent être un autre facteur important. Pour ce qui est des services, les facteurs dominants ont rapport au marché : trafic, aspect pratique, emplacement des compétiteurs, proximité du marché. Par exemple, les entreprises de location de voitures s'installent près des aéroports et du centre des villes, là où se trouvent leurs clients.

Lorsqu'une entreprise a déterminé les facteurs les plus importants pour elle, elle réduit le nombre de solutions possibles de localisation et cerne un emplacement géographique précis. Ensuite, elle définit un petit nombre de possibilités de sites et de communautés et effectue une analyse détaillée. Les facteurs liés à la communauté et au site sont souvent interreliés. Il est donc logique de les considérer en même temps.

8.4.1 Les facteurs régionaux

Les principaux facteurs régionaux concernent les matières premières, les marchés et la main-d'œuvre.

L'emplacement des matières premières. Les entreprises s'établissent à proximité ou à la source même des matières premières pour trois raisons principales : la nécessité, la nature périssable des ressources et les coûts de transport. Pour les exploitations minières, l'agriculture, la foresterie et les pêches, la nécessité entre en ligne de compte. Par contre, les entreprises du secteur de la mise en conserve ou de la congélation des fruits et des légumes frais, du traitement des produits laitiers, de la boulangerie, etc., doivent considérer la nature périssable de leurs produits et s'approcher des clients. Enfin, les industries où le traitement de la matière première élimine une bonne part du volume et du poids des produits (ce qui les rend beaucoup moins coûteux à transporter après traitement) seront plus sensibles aux coûts de transport. C'est le cas, entre autres, de l'électrolyse de l'aluminium, de la fabrication de fromage et de la production de papier. Quand les facteurs de production (intrants) proviennent de différents endroits, certaines entreprises choisissent de s'installer près du centre géographique des diverses sources d'approvisionnement. Par exemple, les aciéries utilisent de grandes quantités de charbon et de fer ; plusieurs sont situées à égale distance des terrains houillers et des mines de minerai de fer. Les coûts de transport sont souvent la raison principale pour laquelle les fournisseurs s'implantent à proximité de leurs clients. Pour leur part, les supermarchés et autres entreprises de vente au détail recourent à des entrepôts régionaux pour desservir ensuite plusieurs points de vente au détail. La localisation de ces entrepôts supplémentaires est fonction de l'emplacement des entrepôts et des points de vente au détail existants ainsi que des changements démographiques.

L'emplacement des marchés. Dans le cadre de leur stratégie concurrencielle, les entreprises à but lucratif s'installent près des marchés à servir tandis que les entreprises sans but lucratif choisissent des emplacements en fonction des besoins des utilisateurs de leurs services. Les autres facteurs à considérer sont les coûts de distribution ou la nature périssable des produits finis.

Les magasins de vente au détail et les services se trouvent habituellement près du centre des marchés qu'ils servent. Pensons notamment aux établissements de restauration rapide, aux stations-service, aux nettoyeurs à sec et aux supermarchés. En général, leurs produits et ceux de leurs compétiteurs sont si similaires que la commodité d'accès est le seul moyen d'attirer les clients. Ainsi, les entreprises cherchent des emplacements caractérisés par de fortes densités de population ou un trafic élevé. Les facteurs que constituent la concurrence ou la commodité d'accès sont également importants pour déterminer l'emplacement des banques, des hôtels, des ateliers de réparation d'automobiles, des pharmacies, des kiosques de vente de journaux et des centres commerciaux. De même, les médecins, les dentistes, les avocats, les coiffeurs et les esthéticiennes servent généralement des clients habitant dans une région bien délimitée.

Les pressions exercées par la concurrence sur les opérations de vente au détail peuvent être des facteurs extrêmement cruciaux. Dans certains cas, un marché peut être trop petit pour justifier la présence de deux ou plusieurs compétiteurs (une franchise de vente de hamburgers par quartier est suffisante, par exemple). Dans ce cas, la recherche d'un emplacement potentiel se limite à un territoire où il n'y a pas de compétiteurs. Le contraire s'applique également ; il pourrait être souhaitable pour certaines entreprises de se localiser près des compétiteurs. Les grands magasins se situent souvent les uns près des autres et les petits aiment s'installer dans les centres commerciaux qui ont comme piliers de grands magasins, car ceux-ci exercent un pouvoir d'attraction considérable. La complémentarité joue alors un grand rôle dans ces situations.

Certaines entreprises (par exemple les boulangeries, les fleuristes et les poissonneries) doivent se situer à proximité de leur marché à cause de la nature périssable de leurs produits. Dans d'autres situations, les coûts de manutention et de distribution sont déterminants. On décidera alors de limiter la zone desservie. C'est le cas des fournisseurs de sable, de gravier, de bois de chauffage, etc. Enfin, d'autres entreprises exigent un contact étroit avec la clientèle et tendent donc, elles aussi, à s'installer à l'intérieur de la région qu'elles prévoient servir. Entrent dans cette catégorie les couturiers, les rénovateurs de maisons, les services de réparation à domicile, les ébénistes, les nettoyeurs de tapis, les services d'entretien de pelouses et de jardins, etc.

Les emplacements de plusieurs services gouvernementaux se trouvent à proximité des marchés auxquels ils s'adressent. Ainsi, les bureaux de poste sont généralement répartis partout dans les régions métropolitaines. Quant à la police et aux services de soins de santé d'urgence, ils répondent aux besoins de la population ; les services de police sont souvent concentrés dans les régions où le taux de criminalité est élevé ou à proximité des citoyens et les soins de santé d'urgence, à des emplacements centraux qui faciliteront l'accès aux populations des régions environnantes.

Les facteurs concernant la main-d'œuvre. Les principaux facteurs concernant la main-d'œuvre sont les coûts et la disponibilité de la main-d'œuvre qualifiée.

Ces coûts sont très importants pour les entreprises dont les coûts de production ont un fort contenu en main-d'œuvre. La délocalisation qu'ont subie les industries du textile et du vêtement est partiellement attribuable aux coûts élevés de la main-d'œuvre dans les pays industrialisés. À un certain moment, ce secteur de l'économie, sous la pression de la mondialisation de l'économie, s'est déplacé dans des régions du monde où le coût de la main-d'œuvre est faible : Amérique centrale, Asie du Sud-Est, Europe de l'Est. Dans de tels cas, il faut fabriquer de grands lots pour bénéficier des économies d'échelle et du transport par grands lots. Actuellement, on assiste à une relocalisation vers les grands centres de consommation. Cela est dû à de nouvelles tendances du milieu manufacturier qui favorisent les politiques de stock zéro, de réponse rapide et de « juste-à-temps »[1]. De plus, bien que les coûts unitaires initiaux soient moins élevés dans les pays de relocalisation, les coûts finaux (qui incluent le transport, le dédouanement, les pertes et le gaspillage dans le transport, la faible productivité des travailleurs) ont dans plusieurs cas annulé les avantages initiaux du coût de la main-d'œuvre.

La compétence des futurs employés peut être un facteur à considérer, bien que certaines entreprises préfèrent former de nouveaux employés plutôt que de dépendre uniquement de la main-d'œuvre disponible, surtout depuis l'accroissement de la spécialisation dans plusieurs industries. Bien que la plupart des entreprises recherchent des ouvriers non qualifiés, certaines, qui emploient du personnel scientifique et technique, désirent s'établir dans les endroits où il y a une forte densité de ce type de travailleurs.

Les attitudes des travailleurs (rotation de personnel, absentéisme, etc.) peuvent différer d'un endroit à l'autre — les travailleurs des grands centres urbains et ceux des petites villes des régions rurales ont des attitudes différentes, de même que les travailleurs venant de diverses régions du pays ou de différents pays.

Lorsqu'il s'agit d'une relocalisation, quelques entreprises offrent à leurs employés le maintien de leur poste actuel s'ils acceptent de déménager. Cependant, dans plusieurs cas, les employés hésitent, surtout s'ils doivent quitter leur famille et leurs amis. De plus, dans un couple dont les deux conjoints travaillent, l'un des deux doit quitter son emploi et tenter d'en trouver un autre.

Autres facteurs. Le climat et les impôts jouent parfois un rôle important dans les décisions en matière de localisation. Par exemple, après plusieurs hivers rigoureux consécutifs, les entreprises songent parfois à déménager leurs installations dans des endroits où le climat est plus doux, surtout si les retards de livraison et les perturbations provoqués par l'incapacité des travailleurs à se rendre au travail ont été fréquents. C'est le cas aussi pour les entreprises dont le procédé de production (utilisation de grands fours de séchage pour la peinture, pour la cuisson des émaux etc.) est très énergivore. Une hausse de 1 °C de la température extérieure moyenne d'une région se traduit par une réduction énorme des coûts annuels de fonctionnement des fours industriels, donc par une pollution et une émanation de gaz à effet de serre moindres.

De même, l'instabilité politique et l'impôt sur le revenu (des particuliers et des entreprises) poussent certaines entreprises à se relocaliser. Certains pays offrent des incitatifs financiers aux entreprises afin qu'elles créent des emplois pour leurs habitants. D'autre part, les pays en voie de développement imposent parfois des tarifs pour protéger leurs jeunes entreprises de la compétition extérieure, ce qui réduit la compétition « étrangère » à laquelle doit faire face une entreprise. À titre d'exemple, avant que l'Accord de libre-échange nord-américain (ALÉNA) n'élimine les restrictions, l'usine de la compagnie américaine Fisher-Price Toy Company située à Matamoros, au Mexique, n'avait pas le droit de vendre dans ce pays les jouets Muppet qu'elle y fabriquait. Les entreprises américaines ayant des usines au Mexique pouvaient importer des matières premières sans payer de frais de douane, mais elles devaient exporter toute leur production.

En Allemagne, les coûts de production élevés ont poussé plusieurs entreprises à relocaliser une partie de leurs installations dans des pays où les coûts sont bas. Parmi

---

1. Voir chapitres 13 et 15.

ces entreprises, mentionnons le géant des produits industriels Siemens (une usine de semi-conducteurs située en Grande-Bretagne), les compagnies de produits pharmaceutiques Bayer (une usine au Texas), Hoechst (une usine en Chine) et les fabricants d'automobiles Mercedes (des usines en Espagne, en France et aux États-Unis) et BMW (à Spartansburg, en Caroline du Sud).

À la lumière de ces exemples, la situation de l'industrie de l'automobile mérite d'être analysée plus particulièrement. Les compagnies œuvrant dans cette industrie doivent tenir compte de nombreux facteurs : la disponibilité de la main-d'œuvre qualifiée, l'infrastructure de transport, la présence de fournisseurs de composants et de pièces de rechange pour les machines, la présence de services (conseillers techniques dans tous les domaines du génie, de l'informatique, du marketing, du droit), la proximité des marchés et leur capacité à consommer le produit fabriqué, les règles gouvernementales et les accords commerciaux. Parmi tous les secteurs industriels étudiés, l'industrie de l'automobile est le plus sensible au phénomène PESTE[2]. Pour toutes ces raisons, plusieurs entreprises ont décidé de s'installer au Canada (entreprises nippones et américaines), aux États-Unis (japonaises et allemandes) et au Mexique (allemandes), ce qui a eu un impact énorme sur le développement des régions touchées.

La plus grande usine de Volkswagen au monde est située à Puebla, au Mexique. Plusieurs entreprises françaises et italiennes ont aussi des installations en Amérique du Sud.

Une entreprise qui envisage s'installer à l'étranger doit attentivement évaluer les avantages et les inconvénients potentiels. Parmi ceux-ci, mentionnons la stabilité du gouvernement du pays et son attitude envers les entreprises étrangères. Les restrictions sur les importations peuvent constituer un obstacle à la réception du matériel et des pièces de rechange. Certains problèmes peuvent aussi découler des différences linguistiques et culturelles. Les entreprises étrangères trouvent souvent nécessaire de recourir à du personnel technique du siège social. Or, il est souvent difficile de convaincre les travailleurs de déménager à l'étranger, surtout s'il doivent quitter leur famille, de vivre dans des communautés différentes et de placer leurs enfants dans des écoles qui ne correspondent pas à leurs normes. Les entreprises déploient des efforts supplémentaires pour éliminer ces obstacles. Certaines fournissent des primes d'éloignement, des allocations de logement et des écoles pour les enfants de leurs employés à l'étranger. Elles déploient de plus des efforts pour que ces employés soient familiers avec les us et coutumes de l'endroit et en connaissent la langue parlée.

8.4.2 Les considérations communautaires

Plusieurs communautés cherchent à attirer de nouvelles entreprises, car elles sont sources d'emplois, de recettes fiscales et de développement. Par contre, en général, les régions ne veulent pas des entreprises qui créent des problèmes de pollution ou amoindrissent leur qualité de vie. Les associations locales combattent alors activement leur implantation. Une entreprise peut avoir à faire d'énormes efforts pour convaincre les représentants locaux qu'elle sera un « citoyen responsable ». De plus, certaines compagnies découvrent que même si la communauté leur est en général favorable, les résidants vivant à proximité de leurs installations peuvent s'opposer à leur implantation en raison du niveau accru de bruit, de circulation ou de pollution. Mentionnons, par exemple, la résistance des communautés à l'expansion des aéroports, aux changements de zonage, à la construction d'installations nucléaires et à la construction d'autoroutes.

Du point de vue de l'entreprise, plusieurs facteurs déterminent le choix d'une communauté : la disponibilité d'infrastructures dans les domaines de l'éducation, de la consommation, de la culture et des loisirs, du transport, de la religion ; la qualité des services de police et de pompiers ainsi que des soins médicaux ; l'attitude de la population envers l'entreprise et la taille de la communauté. Ce dernier facteur peut être particulièrement important si une entreprise devient le principal employeur de la

2. Voir chapitre 1 : politique, économique, social, technologique et écologique.

communauté ; la décision future de mettre fin à ses activités, ou de les réduire, pourrait avoir des conséquences économiques sérieuses sur une petite communauté.

Les autres facteurs concernant la communauté sont les coûts et la disponibilité des services publics, les règlements environnementaux, les taxes (impôts, taxes municipales, directes ou indirectes) et souvent, une liste d'attraits offerts par l'État ou les gouvernements locaux comme des émissions d'obligations, des exonérations d'impôts, des prêts à faible taux d'intérêt, des subventions et la formation des travailleurs.

8.4.3 Les facteurs concernant le site

Les principaux éléments à considérer lors du choix du site sont le terrain, le transport et le zonage.

L'évaluation des sites potentiels gagnerait à être faite par des ingénieurs, surtout dans le cas de l'industrie lourde, la construction de grands édifices ou d'installations comportant des exigences particulières. Les conditions du sol, les facteurs de charge et les taux de drainage sont des éléments exigeant souvent une expertise certaine en évaluation.

En raison de l'engagement à long terme habituellement requis, les coûts concernant le terrain peuvent être secondaires comparativement à d'autres facteurs, comme les possibilités d'expansion, les services publics, les systèmes d'égouts — et toute restriction quant à ces facteurs qui pourrait influencer négativement la croissance — et un espace de stationnement suffisant pour les employés et les clients. De plus, pour plusieurs entreprises, les voies d'accès par camion ou voie ferrée sont importantes.

TABLEAU 8.1

Facteurs influant sur les décisions en matière de localisation

Niveau	Facteurs	Considérations
Régional	Localisation des matières premières ou des fournitures	Proximité, modes et coûts de transport, quantité disponible
	Localisation des marchés	Proximité, coûts de distribution, marchés ciblés, pratiques et restrictions commerciales
	Main-d'œuvre	Disponibilité (générale et compétences précises), démographie de la main-d'œuvre, attitudes face au travail, taux de syndicalisation, productivité, échelles salariales, lois sur le chômage
Communautaire	Qualité de vie	Écoles, églises, centres commerciaux, logement, transport, divertissement, activités récréatives, coût de la vie
	Services	Soins médicaux, sécurité publique, service de pompiers
	Attitudes	Pour et contre
	Impôts	Fédéral, provincial, municipal/local, direct et indirect
	Règlements environnementaux	Fédéraux, provinciaux, municipaux
	Services publics	Coûts et disponibilité
	Soutien au développement	Émissions d'obligations, exonérations d'impôts, prêts à faible taux d'intérêt, subventions
Site	Terrain	Coûts, niveau de développement requis, caractéristiques du sol et drainage, possibilités d'expansion, stationnement
	Transport	Routier, fluvial, ferroviaire, aérien
	Environnementaux/ juridiques	Restrictions de zonage

Les parcs industriels peuvent représenter des solutions valables pour les entreprises dont les activités se situent dans le secteur de la fabrication légère ou les assemblages, de l'entreposage ou du service à la clientèle. Généralement, les infrastructures (réseaux électrique, téléphonique, de distribution du gaz naturel, d'aqueduc et d'égout) et les restrictions de zonage n'exigent pas une attention particulière. Souvent, ces parcs industriels réglementent les types d'activités qu'une entreprise peut effectuer, ce qui peut limiter les possibilités d'expansion. Parfois, des règlements sévères régissent la taille, la forme et les caractéristiques architecturales des édifices, ce qui réduit les choix en matière de gestion et d'expansion.

Pour les entreprises dont les cadres, représentants, personnels technique et administratif voyagent souvent, la diversité et la qualité de l'infrastructure des moyens de transport (aéroport, chemin de fer, autoroutes, horaires, possibilité de combiner plusieurs moyens de transport, etc.) revêtent une grande importance.

Le tableau 8.1 résume certains des facteurs qui influent sur la prise de décisions en matière de localisation.

En dernier lieu, signalons que les télécommunications ont eu, depuis la dernière décennie, un impact de plus en plus grand sur les décisions se rapportant à la localisation. La transmission de données de toutes sortes (voix, sons, images) a littéralement explosé. Pour cela, les entreprises recherchent des sites qui offrent des réseaux de télécommunications abondants et de qualité (lignes téléphoniques, fibres optiques, câblodistribution). Les régions ou les pays où de longs délais sont nécessaires pour l'obtention de lignes téléphoniques sont désavantagés à cet égard. Ce dernier facteur peut contribuer à relativiser d'autres facteurs comme le faible coût de la main-d'œuvre ou les aides financières accordées par les divers paliers de gouvernements.

8.4.4 Les stratégies des entreprises à sites multiples

Le phénomène de la mondialisation des marchés conduit de plus en plus d'entreprises à se doter d'installations dans plusieurs pays. Ces entreprises adoptent différentes stratégies, dont les principales sont :

a) la stratégie usine-produit ;
b) la stratégie usine-marché ;
c) la stratégie usine-procédé.

Analysons chacune de ces stratégies et leurs impacts sur le mode de fonctionnement.

La stratégie usine-produit. Cette politique de fonctionnement consiste à centraliser la production dans des usines spécialisées. Par exemple, une entreprise fabriquant des électroménagers centralisera la fabrication des laveuses pour l'ensemble de son marché dans une seule usine ; elle fera de même pour la fabrication des réfrigérateurs, etc. Chaque usine peut alors se concentrer sur l'amélioration du produit dont elle a la responsabilité et s'assurer d'une standardisation du produit. Cette spécialisation encourage le développement d'une main-d'œuvre compétente à tous les niveaux, ce qui permet des économies d'échelle substantielles. C'est cette approche plutôt économique que Bombardier a adoptée en centralisant le bureau de recherche sur les motomarines au sud des États-Unis et celui qui se spécialise dans les motoneiges au Québec.

La stratégie usine-marché. Selon cette politique, chaque usine est conçue pour servir une zone géographique particulière. Elle doit alors fabriquer presque tous les produits offerts par l'entreprise et approvisionner la région qui lui est assignée. Cette approche exige une coordination centralisée des activités si on veut s'assurer d'une certaine uniformité de la qualité des produits. Elle est intéressante dans l'industrie alimentaire, où la notion de biens périssables est centrale, ou quand les coûts de livraison sont élevés en raison de la taille des produits. Bien que les coûts tendent à être plus élevés avec cette stratégie, on peut réaliser des épargnes considérables sur les coûts de livraison et d'entreposage. De plus, l'entreprise peut être plus compétitive car elle est plus proche de son marché et répond plus rapidement à ses besoins. Cette approche est plutôt axée sur le marketing.

La stratégie usine-procédé. Selon cette stratégie, chaque usine se concentrera sur un ou plusieurs aspects du processus de fabrication. Par exemple, dans l'industrie chimique, une usine se spécialisera dans la fabrication de l'acide sulfurique nécessaire à l'ensemble des autres usines de l'entreprise. Dans l'industrie aérospatiale, Airbus a adopté cette approche : ses installations en Espagne et en Allemagne se spécialisent dans la fabrication d'éléments du fuselage, de la voilure, de la carlingue, etc., tandis que l'assemblage final est effectué en France[3]. On développe ainsi une compétence hors pair du point de vue du procédé. Cette approche est également intéressante quand la matière première utilisée est fournie par la nature (mines, foresterie, etc.). On doit alors s'approcher le plus possible de la matière pour procéder au traitement initial et la distribuer ensuite aux autres usines de transformation. Cette approche est plutôt technique.

L'industrie de l'automobile combine les stratégies usine-procédé et usine-produit. En effet, certaines usines se spécialisent dans la fabrication de moteurs, d'alternateurs, d'éléments de carrosserie, alors que d'autres se spécialisent dans la fabrication du produit final : modèle sport concentré au Québec, modèle familial en Ontario, camions légers en Alabama, etc.

8.4.5 La localisation des entreprises de services

Les entreprises de services et de vente au détail ont des préoccupations différentes de celles des entreprises de fabrication en ce qui concerne la localisation. D'une part, la proximité des matières premières n'a habituellement pas d'importance, pas plus que tout ce qui concerne les exigences relatives à la transformation de la matière. En revanche, la proximité du client est primordiale.

Les entreprises de vente au détail et de services accordent beaucoup d'importance au volume du trafic et à la facilité d'accès. Certaines peuvent accorder plus d'attention à certains facteurs à cause de la nature de leur entreprise ou de leurs clients. Si une entreprise est unique, la proximité du marché a peu d'importance. Cependant, les entreprises de vente au détail préfèrent habituellement les emplacements qui se trouvent à proximité d'autres détaillants (mais pas nécessairement près des compétiteurs) en raison du volume de trafic élevé et, pour les clients, de la commodité que représente l'accès aux autres services. Par conséquent, tous les grands magasins ont tendance à s'établir les uns près des autres, souvent en tant que magasins piliers dans les centres commerciaux ; les petits détaillants, eux, occupent l'espace restant. Dans certains cas, les entreprises souhaitent se localiser à proximité des compétiteurs pour tirer profit de la concentration de clients potentiels. Les magasins des centres commerciaux et les concessionnaires d'automobiles en sont de bons exemples. Et, parfois, il est essentiel de ne pas se trouver près de la compétition (une autre franchise de la même chaîne de restauration rapide, par exemple). Les restaurants et les boutiques spécialisées se situent souvent à l'intérieur et aux alentours des centres commerciaux pour tirer profit du trafic élevé.

Les services médicaux connexes se trouvent souvent à proximité des hôpitaux pour la commodité des patients. Les cabinets de médecins peuvent également se situer près des hôpitaux ou être regroupés dans des cliniques spécialisées dans d'autres centres.

Toutes les entreprises dont nous venons de parler doivent tenir compte de l'efficacité des services de transport. De plus, le stationnement est crucial pour le secteur de la vente au détail. Les centres-villes ont un désavantage concurrentiel pour ce qui est d'attirer les clients par rapport aux centres commerciaux, car ceux-ci offrent beaucoup d'espace de stationnement et se trouvent à proximité des secteurs résidentiels.

---

3. Depuis juin 2000, le Royaume-Uni a adhéré activement au consortium.

En outre, dans les régions urbaines, la sécurité des clients peut être un facteur clé pour les entreprises de services qui accueillent les clients (contrairement aux services à domicile comme les services de réparation et de nettoyage de tapis).

8.5 LA LOCALISATION AU NIVEAU INTERNATIONAL

Les tendances récentes quant à la localisation, particulièrement celles du secteur de la fabrication, englobent des facteurs d'ordre compétitif et technologique. Une de ces tendances est née à l'étranger, surtout chez les fabricants d'automobiles : ils ont décidé de localiser des usines en Amérique du Nord, parce qu'il s'agit d'un énorme marché pour les automobiles, les camions et les véhicules de plaisance et que la main-d'œuvre qualifiée y est abondante. Ces entreprises ont pu dès lors écourter les délais de livraison, réduire les frais de livraison et éviter les tarifs douaniers ou les quotas susceptibles de frapper les importations.

L'adoption de l'ALÉNA (voir chapitre 1) en 1994 a influencé les décisions en matière de localisation en raison de la réduction et de l'élimination de divers tarifs ainsi que de la stabilité politique qu'il engendre.

La fabrication « juste-à-temps » (voir chapitre 15), qui encourage les fournisseurs et les clients à s'installer à proximité les uns des autres pour réduire les délais de livraison, est une autre tendance. Dans les secteurs de fabrication légère (comme l'électronique), la main-d'œuvre bon marché joue un moins grand rôle que la proximité des marchés ; les utilisateurs de composantes électroniques souhaitent que les fournisseurs se trouvent le plus près possible de leurs installations de fabrication. Par conséquent, dans l'avenir, il sera fréquent de voir de petites usines s'implanter à proximité des marchés. Dans certaines industries, des **micro-usines** automatisées produisant seulement quelques produits se localiseront à proximité des marchés pour réduire les délais de livraison.

micro-usine
Petite usine qui fabrique quelques produits seulement et qui est située à proximité des principaux marchés.

Il est possible que les progrès réalisés au niveau des technologies de l'information permettent un jour aux entreprises de fabrication de recueillir, de retrouver et de distribuer l'information qui relie les services des achats, du marketing et de la distribution à ceux de la conception, de l'ingénierie et de la fabrication. Par conséquent, tous les services auront moins besoin d'être situés à proximité les uns des autres, et les installations de production pourront s'installer près des principaux marchés.

Le tableau 8.2 dresse la liste des facteurs importants à considérer lors de la prise de décisions en matière de localisation internationale.

Deux autres raisons incitent les entreprises à localiser leurs installations de fabrication dans les pays où se trouve leur marché. Tout d'abord, cela permet de réduire les sentiments négatifs de la population à l'égard de l'entreprise étrangère. Ainsi, les usines japonaises installées au Canada ou aux États-Unis produisent des voitures faites par des travailleurs locaux. La deuxième raison concerne la fluctuation et la dépréciation des devises. Ces changements peuvent avoir des conséquences considérables sur la demande, donc sur les bénéfices. La fluctuation de la valeur de la devise entraîne une variation du prix des biens étrangers, mais pas de celui des biens produits au pays. Par exemple, si la valeur de la devise d'un pays chute par rapport à celle d'autres pays, les prix ne varieront pas dans ce pays, mais les biens produits à l'étranger deviendront plus coûteux. Si la demande est élastique, la demande pour des biens fabriqués à l'étranger diminuera. De plus, les fluctuations du taux de change entre les différentes devises peuvent entraîner une hausse du coût des pièces fournies par les producteurs étrangers. En s'implantant dans un pays donné et en s'approvisionnant auprès des fournisseurs de ce pays, les fabricants peuvent éviter les conséquences des fluctuations de la devise.

Gouvernement étranger	a) Politiques sur la propriété étrangère d'installations de production
	Exigences locales en fait de contenu
	Restrictions sur les importations
	Fluctuation du taux de change
	Règlements environnementaux
	Normes locales sur les produits
	b) Questions relatives à la stabilité
Différences culturelles	Conditions de vie pour les travailleurs étrangers et leurs personnes à charge
	Vacances et traditions religieuses
Préférences des clients	Loyauté envers les produits fabriqués localement
Main-d'œuvre	Niveau de formation et d'éducation des employés
	Lois du travail
	Règlements limitant le nombre d'employés étrangers
	Différences linguistiques
Ressources	Disponibilité et qualité des matières premières, de l'énergie, de l'infrastructure et du transport

8.6 L'ÉVALUATION DES CHOIX DE LOCALISATION

Comme nous pouvons le voir, le choix d'une localisation dépend d'un plus ou moins grand nombre de facteurs dont l'importance varie selon la nature de l'entreprise et selon ses objectifs. Il existe plusieurs méthodes pour évaluer le choix d'une localisation : l'analyse économique de la localisation, la cote attribuée au facteur et la méthode du centre de gravité.

8.6.1 L'analyse économique de la localisation

Il est plus simple d'effectuer une comparaison financière des options de localisation en recourant à une analyse économique.

L'analyse économique d'une localisation comporte trois étapes :

1. Déterminer les coûts fixes et les coûts variables liés à chaque option de localisation.

2. Sur un même graphique, tracer les droites des coûts totaux pour toutes les options de localisation.

3. Déterminer quel emplacement impliquera le coût total le plus bas pour le niveau prévu de production ou déterminer quel emplacement engendrera le profit le plus élevé.

Cette méthode suppose ce qui suit :

1. Les coûts fixes sont constants pour toute la période de production.

2. Les coûts variables sont linéaires pour toute la production.

3. Le plan prévisionnel des volumes de production est fixé.

4. Un seul produit est pris en compte.

Pour une analyse des coûts, calculez le coût total pour chaque emplacement :

$$\text{Coût total} = CF + CV \times Q \tag{8-1}$$

où :

CT = coûts totaux
CF = coûts fixes
CV = coûts variables par unité
Q = quantité ou volume de production

On propose quatre sites à une entreprise pour sa prochaine expansion. Les coûts fixes et variables de chaque emplacement apparaissent au tableau ci-dessous :

Exemple 1

Site	Coûts fixes annuels (CF)	Coûts variables unitaires (CVU)
A	250 000 $	11 $/u
B	100 000 $	30 $/u
C	150 000 $	20 $/u
D	200 000 $	35 $/u

a) Tracez sur un graphique l'évolution des coûts des quatre choix possibles.

b) Pour chaque localisation, déterminez la zone idéale d'activités.

c) Si la fonction prévision assure des ventes de 8000 unités par année, quel est le choix optimal de localisation ?

L'approche à utiliser pour solutionner ce type de problème s'apparente à la notion de niveau d'indifférence[4].

Solution

a)

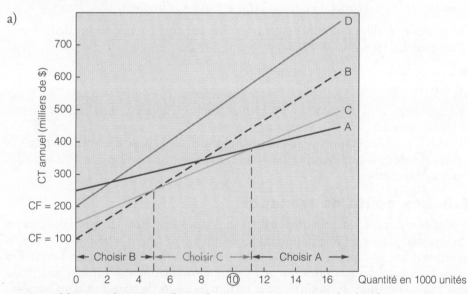

Le tableau ci-dessous indique les coûts totaux annuels de chacune des options pour une quantité annuelle de 10 000 unités.

Site	Coûts fixes CF	Coûts variables CV	Coûts totaux (CT) CT = CF + CV
A	250 000 $	11 $/u * 10 000 u	= 360 000 $
B	100 000 $	30 $/u * 10 000 u	= 400 000 $
C	150 000 $	20 $/u * 10 000 u	= 350 000 $
D	200 000 $	35 $/u * 10 000 u	= 550 000 $

Pour chacune des options présentes, joindre le point des CF sur l'ordonnée au point correspondant au CT à une quantité de 10 000 unités. L'analyse du graphique montre que le choix du site D n'est jamais intéressant. En effet, les coûts fixes et les coûts variables de ce site sont plus élevés que ceux des trois autres choix.

---

4. Voir la notion de niveau d'indifférence, chapitre 5.

b) Pour trouver les zones où les coûts sont les plus bas de chacune des options restantes (A, B et C), calculons les niveaux d'indifférence des CT : B par rapport à C, C par rapport à A, B par rapport à A.

Niveau d'indifférence entre B et C implique que : CT de B = CT de C
100 000 \$ + 30 \$/u * Q = 150 000 \$ + 20 \$/u * Q ; Q = 5000 unités/an ;
cela signifie qu'en dessous de 5000 unités, le site B est préférable et qu'à un niveau d'activité supérieur à 5000 unités, le choix C s'impose.

Niveau d'indifférence entre C et A implique que : CT de C = CT de A

150 000 \$ + 20 \$/u * Q = 250 000 \$ + 11 \$/u * Q ; Q = 11 111 unités/an ;
cela signifie qu'en dessous de 11 111 unités, le site C est préférable et qu'à un niveau d'activité supérieur, le choix A s'impose.

Niveau d'indifférence entre B et A implique que : CT de B = CT de A

100 000 \$ + 30 \$/u * Q = 250 000 \$ + 11 \$/u * Q ; Q = 7895 unités/an ;
cela signifie qu'en dessous de 7895 unités, le site B est préférable à A et qu'à un niveau d'activité supérieur, le choix A s'impose.

En analysant ces données et en les reportant sur le graphique, on peut conclure que :
de 0 à 5000 unités : B est le meilleur choix ;
de 5000 à 11 111 unités : C est le meilleur choix ;
plus de 11 111 unités : A est le meilleur choix.

c) Pour un volume annuel de 8000 unités, le choix C s'impose.

Si on désire évaluer les profits escomptés avec le choix retenu, on le calcule par :
Profit total = Q(R − CV) − CF   (8-2)

où :
R = revenu par unité

Le problème 2 de la section « Problèmes résolus », à la fin du chapitre, illustre l'analyse des profits.

D'autres paramètres quantitatifs viennent influer sur la prise de décisions relatives aux choix de localisation. Parmi ceux-ci, une attention particulière doit être accordée aux coûts de transport.

8.6.2 Les coûts de transport

Les coûts de transport, qui sont attribuables au déplacement des matières premières ou des biens finis, jouent un rôle important en ce qui a trait à la localisation. En effet, la localisation d'une entreprise, la manutention et la circulation des ressources nécessaires à ces activités sont des décisions intégrées. Si une installation est l'unique source ou destination de livraison, l'entreprise peut inclure les coûts de transport dans l'analyse économique de la localisation en intégrant les coûts de transport par unité expédiée aux coûts variables par unité. S'il y a des matières premières, elle convertit les coûts de transport en coûts par unité de production afin d'établir une correspondance avec d'autres coûts variables.

Si, par contre, il y a livraison de biens entre plusieurs points d'envoi et plusieurs points de réception et qu'il faille ajouter un nouvel emplacement (point d'envoi ou de réception) au système, l'entreprise doit entreprendre une analyse distincte des coûts du transport. Dans de tels cas, le modèle de transport de la programmation linéaire est très utile. Il s'agit d'un algorithme spécialisé qu'on utilise pour déterminer les coûts de transport minimums connexes à l'ajout d'un nouvel emplacement à un système existant. On peut également y recourir si on construit plusieurs installations ou si on met au point un système entièrement nouveau. On utilise ce modèle pour analyser les configurations considérées en estimant les coûts minimums relatifs à chacune. On inclut alors cette information dans l'évaluation des options de localisation. La solution du problème 1 illustre une application combinant les résultats d'une analyse de transport à ceux de l'analyse économique de la localisation (voir problèmes résolus).

8.6.3 La technique des pondérations

Une décision de localisation typique comporte des données qualitatives et quantitatives, qui tendent à varier d'une situation à l'autre, selon les besoins de chaque entreprise. On utilise alors une des techniques les plus populaires de prise de décisions pour comparer plusieurs possibilités, soit la technique des pondérations. Cette technique a l'avantage de fournir une base pour l'évaluation et la comparaison des différentes options de localisation en établissant une valeur composite pour chaque option. Son avantage principal réside dans le fait qu'elle quantifie des opinions personnelles qualitatives et qu'elle les intègre dans un ensemble.

Procédure pour établir une cote attribuée au facteur :

1. Déterminer les facteurs pertinents (comme l'emplacement du marché, l'approvisionnement en eau, l'espace de stationnement, le potentiel de revenu).

2. Attribuer une pondération à chaque facteur : ces pondérations ou poids indiquent l'importance relative d'un facteur par rapport aux autres. Généralement, la somme des pondérations est égale à 1,00.

3. Décider d'une échelle commune à tous les facteurs (de 0 à 100, par exemple).

4. Pour chaque option de localisation, coter les différents facteurs selon l'échelle définie en 3.

5. Multiplier la pondération du facteur par le résultat obtenu en 4 et faire la somme pondérée des facteurs.

6. Choisir l'option qui a les résultats combinés les plus élevés.

L'exemple suivant illustre cette procédure.

Une entreprise de développement de photos a l'intention d'ouvrir une nouvelle succursale. Le tableau ci-dessous contient de l'information sur deux emplacements potentiels.

Exemple 2

Solution

		Résultats (sur 100)		Résultats pondérés	
Facteur	**Pondération**	**Option 1**	**Option 2**	**Option 1**	**Option 2**
Proximité du magasin actuel	0,10	100	60	0,10(100) = 10,0	0,10(60) = 6,0
Circulation	0,05	80	80	0,05(80) = 4,0	0,05(80) = 4,0
Loyer	0,40	70	90	0,40(70) = 28,0	0,40(90) = 36,0
Taille	0,10	86	92	0,10(86) = 8,6	0,10(92) = 9,2
Aménagement	0,20	40	70	0,20(40) = 8,0	0,20(70) = 14,0
Coûts d'exploitation	0,15	80	90	0,15(80) = 12,0	0,15(90) = 13,5
	1,00			70,6	82,7

L'option 2 est supérieure, car elle possède la valeur pondérée la plus élevée.

8.6.4 La méthode du centre de gravité

La **méthode du centre de gravité** permet de déterminer l'emplacement d'un centre de distribution qui réduira au minimum les coûts de distribution. Elle traite les coûts de distribution comme une fonction linéaire de la distance et de la quantité livrée. Les coûts ne sont pas nécessairement financiers, mais peuvent être évalués en termes de travail en transport[5] pour chacune des coordonnées (x) et (y), comme cela est indiqué aux équations 8.4 et à l'exemple 4 de la présente section. La quantité à livrer à chaque destination est considérée comme étant fixe dans le temps.

méthode du centre de gravité
Méthode de localisation d'un centre de distribution qui réduit les coûts de distribution.

---

5. Voir la notion de « travail en transport » (WT) au chapitre 6.

Figure 8.1

*Méthode du centre
de gravité*

a) Carte montrant la destination

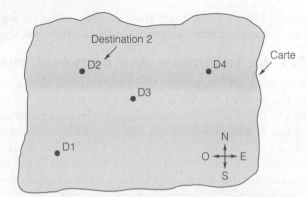

b) Ajouter un système
   de coordonnées

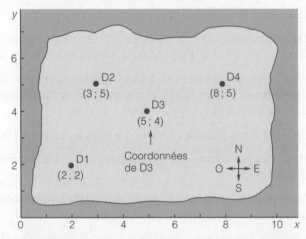

c) Centre de gravité

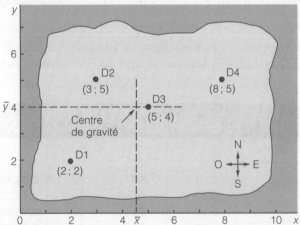

Avec cette méthode, il faut utiliser une carte indiquant les emplacements des destinations. Celle-ci doit être précise et dessinée à l'échelle. Un système de coordonnées est placé sur la carte pour déterminer les emplacements possibles. L'emplacement du point d'origine (0 ; 0) du système de coordonnées n'a pas d'importance. Une fois le système de coordonnées en place, on détermine les coordonnées de chaque destination. (Voir la figure 8.1, parties a et b.)

Si les quantités à livrer à chaque emplacement sont égales, on obtient les coordonnées du centre de gravité (soit la localisation du centre de distribution) en calculant la moyenne des coordonnées x et la moyenne des coordonnées y (voir la figure 8.1) avec les formules suivantes :

$$\bar{x} = \frac{\sum x_i}{n} \qquad\qquad (8\text{-}3)$$

$$\bar{y} = \frac{\sum y_i}{n}$$

où
x_i = coordonnée x de la destination i
y_i = coordonnée y de la destination i
n = nombre de destinations

Habituellement, le nombre d'unités à manutentionner n'est pas le même pour toutes les destinations. On utilise alors la moyenne pondérée pour déterminer le centre de gravité.

Voici les formules :

$$\bar{x} = \frac{\sum x_i Q_i}{\sum Q_i} \tag{8-4}$$

$$\bar{y} = \frac{\sum y_i Q_i}{\sum Q_i}$$

où
Q_i = quantité à livrer à la destination
x_i = coordonnée x de la destination i
y_i = coordonnée y de la destination i

Déterminez les coordonnées du centre de gravité pour le problème illustré à la figure 8.1c. Supposez que les livraisons entre le centre de gravité et chacune des quatre destinations sont de quantités égales.

Exemple 3

Solution

On peut obtenir les coordonnées des destinations à partir de la figure 8.1b :

$$\bar{x} = \frac{\sum x_i}{n} = \frac{18}{4} \quad ; \quad \bar{y} = \frac{\sum y_i}{n} = \frac{16}{4}$$
$$= 4,5 \quad ; \qquad\qquad = 4$$

Destination	x ; y
D1	2 ; 2
D2	3 ; 5
D3	5 ; 4
D4	8 ; 5
	18 ; 16

Ainsi, le centre de gravité est en (4,5 ; 4), ce qui le situe un peu à l'ouest de la destination D3 (voir la figure 8.1).

Supposez que les quantités livrées pour le problème illustré à la figure 8.1a ne sont pas égales, mais plutôt les suivantes :

Exemple 4

Destination	x ; y	Quantité hebdomadaire
D1	2 ; 2	800
D2	3 ; 5	900
D3	5 ; 4	200
D4	8 ; 5	100
		2000

Déterminez le centre de gravité.

Puisque les quantités à livrer diffèrent selon les destinations, on utilise la notion de travail en transport moyen par coordonnées x et y.

Solution

$$\bar{x} = \frac{\sum x_i Q_i}{\sum Q_i} = \frac{2(800) + 3(900) + 5(200) + 8(100)}{2000} = \frac{6100}{2000} = 3,05 \text{ [arrondir à 3]}$$

$$\bar{y} = \frac{\sum y_i Q_i}{\sum Q_i} = \frac{2(800) + 5(900) + 4(200) + 5(100)}{2000} = \frac{7400}{2000} = 3,7$$

Ainsi, les coordonnées du centre de gravité sont approximativement (3 ; 3,7), ce qui le situe au sud de la destination D2, qui a les coordonnées (3 ; 5). (Voir la figure 8.2.)

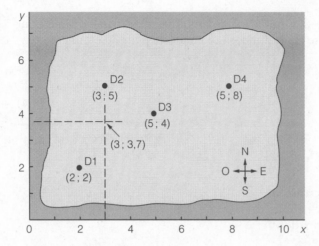

8.7 Conclusion

Toute entreprise, qu'elle soit nouvelle ou déjà établie et sans égard à sa nature, doit prendre des décisions de localisation, notamment en raison de problèmes d'expansion, de changements au niveau du marché, de l'épuisement des matières premières et de l'introduction de nouveaux produits et services. L'importance des choix de localisation ou de relocalisation est amplifiée par l'engagement à long terme que comportent ces décisions ainsi que par leurs conséquences potentielles sur le système en exploitation.

Les principales options de localisation qui sont à la disposition des entreprises existantes sont les suivantes : faire prendre de l'expansion à un emplacement actuel, déménager à un nouvel emplacement, conserver les installations en place tout en ajoutant une autre installation dans un nouvel emplacement ou ne rien faire.

Les principaux facteurs à considérer lors d'une étude de localisation sont l'emplacement des matières premières, la disponibilité de la main-d'œuvre, le marché, la communauté, le site et le climat. Les emplacements à l'étranger peuvent être intéressants sur le plan des coûts de main-d'œuvre, de l'abondance des matières premières ou en tant que marchés potentiels pour les produits ou services d'une entreprise. Les entreprises éprouvent parfois des problèmes au niveau international, surtout à cause des différences linguistiques et culturelles, des préjugés et de l'instabilité politique.

Une approche communément adoptée pour réduire le nombre d'options de localisation consiste d'abord à repérer un pays ou une région qui semble satisfaire aux besoins globaux et ensuite à choisir un site pour en faire une analyse plus approfondie.

On utilise plusieurs méthodes pour évaluer ces options. Celles qui sont décrites dans ce chapitre comprennent l'analyse économique de la localisation, la technique des pondérations et la méthode du centre de gravité. Nous avons brièvement fait mention du modèle de transport.

Il existe plusieurs progiciels permettant d'analyser la localisation. En plus de procéder aux analyses dont nous avons parlé, ils emploient la programmation linéaire ou les algorithmes de programmation en numérotation mixte et des approches heuristiques pour obtenir des solutions raisonnables aux problèmes de localisation.

Terminologie

Localisation	Stratégie : usine-marché
Méthode du centre de gravité	usine-produit
Micro-usine	usine-procédé
Relocalisation	

Problèmes résolus

Analyse des coûts. Un concessionnaire de machines agricoles cherche un quatrième entrepôt. Il dispose de trois choix d'emplacements : Granby, Sherbrooke et Cowansville. Granby comporterait des coûts fixes de 4000 $ par mois et des coûts variables de 4 $ l'unité ; Sherbrooke aurait des coûts fixes de 3500 $ par mois et des coûts variables de 5 $ l'unité et Cowansville, des coûts fixes de 5000 $ par mois et des coûts variables de 6 $ l'unité. L'emplacement de Granby ferait augmenter les coûts de transport de 19 000 $ par mois, ceux de Sherbrooke, de 22 000 $ et ceux de Cowansville, de 18 000 $. Quel emplacement entraînerait les coûts totaux les plus bas pour traiter 800 unités par mois ?

Problème 1

Volume donné = 800 unités par mois

Solution

	CF par mois	CV à l'unité	Coûts de transport par mois
Granby	4000 $	4 $	19 000 $
Sherbrooke	3500 $	5 $	22 000 $
Cowansville	5000 $	6 $	18 000 $

Coûts totaux mensuels = CF + CV + coûts de transport
Granby : 4000 $ + 4 $ l'unité × 800 unités + 19 000 $ = 26 200 $
Sherbrooke : 3500 $ + 5 $ l'unité × 800 unités + 22 000 $ = 29 500 $
Cowansville : 5000 $ + 6 $ l'unité × 800 unités + 18 000 $ = 27 800 $
Le choix de Granby se traduirait par les coûts totaux les plus bas pour ce volume mensuel.

Analyse des profits. Un fabricant d'agrafeuses doit déménager à un autre emplacement. Il considère actuellement deux sites. Les coûts fixes seraient de 8000 $ par mois pour le site A et de 9400 $ par mois pour le site B. Les coûts variables à l'unité sont de 5 $ pour le site A et de 4 $ pour le site B. La production mensuelle est stable à 8800 unités depuis quelques années et ne devrait pas bouger dans un avenir rapproché. Supposez que les agrafeuses se vendent 6 $ l'unité. Déterminez l'emplacement où, dans ces conditions, le profit sera le plus élevé.

Problème 2

Profit = Q(R − CV) − CF

Solution

Site	Revenu	CF	CV	Profit mensuel
A	52 800 $	8000 $	44 000 $	800 $
B	52 800 $	9400 $	35 200 $	8200 $

Le site B produira le profit mensuel le plus élevé.

Application de la technique des pondérations. Déterminez quel emplacement est préférable étant donné l'information suivante :

Problème 3

		EMPLACEMENT	
Facteur	Pondération	A	B
Coûts de la main-d'œuvre	0,50	20	40
Coûts du matériel	0,30	10	30
Disponibilité des fournisseurs	0,20	50	10
	1,00		

En combinant les pondérations des résultats des emplacements, on constate que l'emplacement B offre les résultats les plus élevés.

Solution

		EMPLACEMENT		RÉSULTATS COMBINÉS	
Facteur	Pondération	A	B	A	B
Coûts de la main-d'œuvre	0,50	20	40	0,50(20) = 10	0,50(40) = 20
Coûts du matériel	0,30	10	30	0,30(10) = 3	0,30(30) = 9
Disponibilité des fournisseurs	0,20	50	10	0,20(50) = 10	0,20(10) = 2
	1,00			23	31

Questions

1. Comment la fonction localisation peut-elle influer sur le système de production ?

2. Commentez l'énoncé suivant : « On accorde souvent trop d'importance aux décisions relatives à la localisation ; le fait que presque tous les types d'entreprises se trouvent partout au pays signifie que la recherche d'un emplacement approprié ne représente pas un problème. »

3. Quels facteurs liés à la communauté influent sur les décisions en matière de localisation ?

4. Décrivez les similitudes et les différences en matière de localisation pour ce qui est du secteur manufacturier et des deux autres secteurs.

5. Quels sont les avantages d'une localisation au niveau international ? les inconvénients ?

6. Définissez et expliquez les stratégies envisageables pour les entreprises à sites multiples.

7. Pourquoi l'industrie du vêtement a-t-elle changé deux fois de stratégie de localisation ? Quelles sont ses tendances actuelles ?

8. Qu'est-ce qui caractérise l'industrie automobile en matière de localisation au niveau international ?

9. Discutez des tendances récentes concernant la localisation et les stratégies futures possibles.

Problèmes

1. Une nouvelle entreprise doit déterminer l'emplacement de son usine. Elle dispose de deux options : se situer à proximité des principales matières premières ou près de ses principaux clients. La localisation à proximité des matières premières donnerait lieu à des coûts fixes et variables plus bas qu'une localisation près des marchés, mais les propriétaires estiment que le volume des ventes diminuerait, car les clients tendent à favoriser les fournisseurs locaux. Les revenus par unité seraient de 185 $ dans chaque cas. À l'aide des données suivantes, déterminez l'endroit où les profits seraient les plus élevés.

	Chicoutimi	Montréal
Coûts annuels fixes (en millions de $)	1,2 $	1,4 $
Coûts variables par unité	36 $	47 $
Demande annuelle prévue (en unités)	8000	12 000

2. La propriétaire de Sous-marins inc. souhaite faire prendre de l'expansion à son entreprise en ajoutant un nouveau point de vente. Elle a considéré trois emplacements. Chacun aurait les mêmes coûts de main-d'œuvre et de matériaux (nourriture, contenants de service, serviettes, etc.) de 1,76 $ par sandwich. Les sandwichs se vendent 2,65 $ chacun dans tous les points de vente. Les coûts de la location et du matériel seraient de 5000 $ par mois pour l'emplacement A, de 5500 $ par mois pour l'emplacement B et de 5800 $ par mois pour l'emplacement C.

a) Pour chacun de ces emplacements, déterminez le volume nécessaire pour produire un profit mensuel de 10 000 $.

b) Si les ventes prévues en A, en B et en C sont respectivement de 21 000 $, de 22 000 $ et de 23 000 $ par mois, où les profits seraient-ils les plus élevés ?

3. Un petit producteur de machines-outils souhaite déménager dans un édifice plus grand. Deux options s'offrent à lui. L'emplacement A entraîne des coûts annuels fixes de 800 000 $ et des coûts variables de 14 000 $ l'unité ; l'emplacement B, des coûts annuels fixes de 920 000 $ et des coûts variables de 13 000 $ l'unité. Les articles finis se vendent 17 000 $ chacun.

a) À quel volume de production les deux emplacements coûteraient-ils le même prix ?

b) De quelle marge de volume de production le choix A serait-il supérieur ? le choix B ?

4. Une entreprise qui fabrique des bateaux a décidé d'accroître une de ses lignes de produits. Les installations actuelles étant limitées, l'entreprise considère trois options : A : relocalisation, B : sous-traitance et C : agrandissement des installations actuelles.

L'option A comporterait des coûts fixes considérables, mais des coûts variables relativement faibles : les coûts fixes totaliseraient 250 000 $ par année et les coûts variables, 500 $ par bateau. Pour la sous-traitance, les coûts par bateau s'élèveraient à 2500 $. L'agrandissement exigerait des coûts annuels fixes de 50 000 $ et des coûts variables de 1000 $ par bateau.

a) Pour chaque option, trouvez l'étendue du volume de production optimum.

b) Quelle option impliquerait le coût total le plus bas pour un volume annuel prévu de 150 bateaux ?

c) De quels autres facteurs doit-on tenir compte si on choisit entre l'expansion et la sous-traitance ?

5. Reprenez le problème 4 en utilisant l'information supplémentaire suivante : l'expansion entraînerait une augmentation des coûts de transport de 70 000 $ par année, la sous-traitance, une hausse de 25 000 $ par année et l'ajout d'un nouvel emplacement, un accroissement de 4000 $ par année.

6. Une entreprise montréalaise qui a récemment connu un fort taux de croissance cherche à louer une petite usine soit à Halifax, à Winnipeg ou à Toronto. Préparez une analyse financière pour les trois emplacements, sachant que les coûts annuels de l'édifice, du matériel et de l'administration s'élèveraient à 40 000 $ pour Halifax, à 60 000 $ pour Winnipeg et à 100 000 $ pour Toronto. La main-d'œuvre et les matériaux devraient totaliser 8 $ l'unité à Halifax, 4 $ l'unité à Winnipeg et 5 $ l'unité à Toronto. L'emplacement de Halifax ferait augmenter les coûts de transport de 50 000 $ par année, l'emplacement de Winnipeg, de 60 000 $ par année et l'emplacement de Toronto, de 25 000 $ par année. Le volume annuel prévu est de 10 000 unités.

7. Un mécanicien à la retraite aimerait ouvrir un atelier de traitement antirouille pour les automobiles. Les clients seraient des concessionnaires de voitures locaux. Deux garages sont envisagés, un dans le centre-ville et l'autre, en banlieue. L'emplacement du centre-ville entraînerait des coûts mensuels fixes de 7000 $ et des coûts de main-d'œuvre, de matériaux et de transport de 30 $ par voiture. L'emplacement situé en banlieue comporterait des coûts mensuels fixes de 4700 $ et des coûts de main-d'œuvre, de matériaux et de transport de 40 $ par voiture. Le prix à demander au concessionnaire, dans les deux cas, serait de 90 $ par voiture.

   a) À quel emplacement le profit serait-il le plus élevé si la demande mensuelle est de 200 voitures ? 300 voitures ?

   b) À quel volume de production les deux sites auraient-ils le même profit mensuel ?

8. Pour chacun des quatre types d'entreprises présentés ci-dessous, évaluez l'importance de chaque facteur à considérer lors de décisions relatives à la localisation en utilisant les cotes suivantes : F = importance faible, M = importance modérée et E = importance élevée.

Facteur	Banque locale	Aciérie	Entrepôt d'aliments	École publique
Attrait de l'édifice	_____	_____	_____	_____
Commodité d'accès pour les clients	_____	_____	_____	_____
Coûts de la construction	_____	_____	_____	_____
Coûts de main-d'œuvre et disponibilité	_____	_____	_____	_____
Coûts de transport	_____	_____	_____	_____
Équipements antipollution	_____	_____	_____	_____
Grande quantité d'électricité	_____	_____	_____	_____
Proximité des matières premières	_____	_____	_____	_____

9. En utilisant la technique des pondérations, déterminez quel emplacement vous choisiriez (A, B ou C) en vous basant sur les résultats combinés maximaux.

Facteur (100 points chacun)	Coefficient de pondération	A	B	C
			EMPLACEMENT	
Commodité d'accès	0,15	80	70	60
Stationnements	0,20	72	76	92
Zone d'information	0,18	88	90	90
Trafic de clients	0,27	94	86	80
Coûts d'exploitation	0,10	98	90	82
Voisinage	0,10	96	85	75
	1,00			

10. Désirant choisir le site du nouveau siège social, un gestionnaire a commandé l'évaluation des facteurs considérés comme étant importants, et ce, pour plusieurs villes. Les données (10 points maximum) sont les suivantes :

Facteur	EMPLACEMENT		
	A	B	C
Services commerciaux	9	5	5
Services communautaires	7	6	7
Coûts des propriétés	3	8	7
Coûts de construction	5	6	5
Coût de la vie	4	7	8
Impôts	5	5	4
Transport	6	7	8

a) Si le gestionnaire évalue les facteurs de façon identique, quel serait le classement des villes ? (Considérez des coefficients de pondération de 1 pour tous les facteurs.)

b) Si les services commerciaux et les coûts de construction sont des pondérations équivalant au double des pondérations des autres facteurs, quel serait le classement des villes ?

11. Un fabricant de jouets produit des jouets dans cinq usines au pays. Il faut déterminer la localisation d'un nouvel entrepôt centralisé d'où seront expédiées les matières premières (des barils de plastique en poudre). Les quantités mensuelles à livrer à chaque usine sont les mêmes. Le tableau suivant présente le système de coordonnées qui a été établi. Déterminez les coordonnées de l'entrepôt centralisé.

Emplacement	$(x ; y)$
A	3 ; 7
B	8 ; 2
C	4 ; 6
D	4 ; 1
E	6 ; 4

12. Un fabricant de vêtements pour dames dispose de quatre usines au Mexique. Les coordonnées $(x ; y)$ de chaque usine apparaissent ci-dessous. On veut déterminer l'emplacement idéal du nouvel entrepôt de matières premières (rouleaux de tissus) qui minimiserait les coûts de distribution. Les quantités hebdomadaires à livrer à chaque usine sont indiquées ci-dessous.

Emplacement	$(x ; y)$	Quantité hebdomadaire
A	5 ; 7	15
B	6 ; 9	20
C	3 ; 9	25
D	9 ; 4	30

13. Une entreprise se spécialisant dans l'enfouissement de déchets dangereux souhaite réduire les coûts de manutention vers ses cinq centres d'enfouissement. Elle doit décider du site du nouveau centre de traitement de déchets avant enfouissement. Étant donné les emplacements des centres de réception et les volumes à expédier quotidiennement, déterminez l'emplacement optimal du centre de traitement.

Emplacements des centres d'enfouissement $(x ; y)$	Volume (tonnes par jour)
10 ; 5	26
4 ; 1	9
4 ; 7	25
2 ; 6	30
8 ; 7	40

14. Déterminez le centre de gravité des destinations présentées sur la carte suivante. Les quantités expédiées mensuellement sont indiquées dans le tableau.

Destination	Quantité
D1	900
D2	300
D3	700
D4	600
D5	800

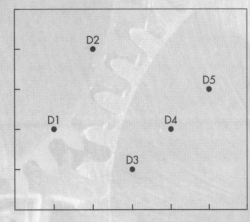

www.gm.com

LECTURE
STRATÉGIE MONDIALE : GM CONSTRUIT SES USINES DANS DES PAYS EN VOIE DE DÉVELOPPEMENT POUR CRÉER DE NOUVEAUX MARCHÉS
Par Rebecca Blumenstein

Rosario, en Argentine – Dans la banlieue de la ville qui se situe à plus de 10 000 kilomètres de Detroit, des bulldozers travaillent 24 heures sur 24 pour déplacer la terre fertile en vue de construire une usine de montage d'automobiles pour General Motors Corp.

L'usine moderne, située sur une route déserte autrefois totalement éloignée du monde de l'automobile, est au cœur de la politique de localisation énergique de GM qui consiste à installer des usines au niveau international. GM construit tranquillement un nombre si élevé d'usines dans un si grand nombre de pays que le chef de file de l'industrie automobile a décidé d'épargner de l'argent en construisant simultanément et selon le même modèle des usines en Argentine, en Pologne, en Chine et en Thaïlande.

Cette « stratégie des quatre usines », l'expansion internationale la plus importante que GM ait connue, est réalisée au coût d'au moins 2,2 milliards de dollars. La société a conçu les usines pour qu'elles se ressemblent toutes, au point où les ingénieurs pourraient oublier dans quel pays ils se trouvent. Et les chaînes de montage sont établies de telle sorte qu'un bris de robot en Thaïlande, qui aurait pu constituer un problème d'ingénierie

coûteux et exiger le recours à un expert, peut se résoudre par un simple coup de fil à Rosario, en Argentine, ou à Shanghai, en Chine.

Possibilité d'expansion et efficacité
Les nouvelles usines de GM comportent une autre caractéristique tout aussi essentielle. Elles sont construites pour qu'il soit facile de les agrandir lorsque la demande en provenance des marchés que constituent les pays en voie de développement s'accroîtra. De plus, elles sont construites en forme de U géant pour que les fournisseurs puissent y transporter une gamme croissante de modules et de sections du produit fini déjà montés pour réduire les coûts, ce que GM ne peut faire aux États-Unis à cause des revendications syndicales.

Les nouvelles usines illustrent, plus que tout, comment la nature des multinationales est en train de changer au moment où le marché actuel se mondialise. Il y a quelques années seulement, les usines de GM en Amérique du Sud produisaient à la chaîne des Chevy Chevette, qui n'avaient pas été fabriquées aux États-Unis depuis plusieurs années. L'industrie de l'automobile en général percevait les petits pays comme un dépotoir de l'ancienne technologie et des modèles désuets.

Maintenant, elle cherche des possibilités de croissance future en concentrant ses investissements dans les pays en voie de développement et en les transformant en salles d'exposition pour la technologie de pointe et la fabrication épurée. GM poursuit cette stratégie mondiale plus vigoureusement que ses rivaux, même si tous les autres fabricants d'automobiles savent qu'il est nécessaire de pénétrer les marchés naissants : il est à noter que certains ont déjà une présence étrangère considérable. Personne, cependant, ne construit des usines à l'échelle de GM, qui a récemment annoncé son intention de construire une cinquième usine encore plus évoluée dans le sud du Brésil.

L'usine complète de Rosario est conçue en vue d'être épurée. Le coût total, 350 millions de dollars, est un des plus bas parmi les nouvelles usines de GM, qui avait l'habitude de débourser 1 milliard de dollars pour une nouvelle usine, quelle qu'en fût la taille. De plus, l'investissement couvre les frais encourus pour des presses géantes modernes qui emboutiront les tôles plus rapidement que toute autre presse de GM, et une usine de moteurs qui livrera sur la chaîne d'assemblage des moteurs dotés de modules de climatisation, de transmissions et de courroies déjà installés.

Les travailleurs accompliront plusieurs tâches – un des principes clés de la fabrication épurée – et seront affectés à des équipes travaillant de manière autonome. Tous les travailleurs seront responsables d'un processus complet de l'opération de montage, incluant le nettoyage et l'entretien de base des machines. Au Japon, cette façon de faire est normale, mais elle est inconcevable dans une usine de GM en Amérique du Nord en raison des règles de travail établies par le syndicat, selon lesquelles seules des catégories précises de travailleurs qualifiés peuvent réparer et entretenir les machines.

Bien que les quatre usines soient conçues pour être identiques, elles ont quand même quelques différences, comme la protection antirouille des machines en fonction du climat humide de la Thaïlande et des façons de contourner le mauvais système de transport en Chine. « Nous ferons livrer les pièces à l'usine de Shanghai par bicyclette », fait remarquer un des cadres de l'entreprise.

Source : Reproduction de *The Wall Street Journal* © 1997 avec l'autorisation de Dow Jones & Company inc. Tous droits réservés mondialement.

Questions

1. Décrivez brièvement la stratégie des quatre usines de GM au niveau international.

2. Quels signes révèlent que GM a adopté une approche de mondialisation ?

3. Dressez la liste des composantes de la fabrication épurée de l'usine de Rosario.

4. Quelles sont les conditions (non liées à la main-d'œuvre) dont GM a dû tenir compte en concevant chacune des usines ?

Bibliographie

BALLOU, Ronald H. *Business Logistics Management : Planning and Control,* 2e édition, Englewood Cliffs, NJ, Prentice Hall, 1985.

BUFFA, E. S. *Meeting the Competitive Challenge,* Burr Ridge, IL., Richard D. Irwin, 1994, p. 65-82.

FRANCIS, R. L., J. A. WHITE et L. McGINNISS. *Facilities Layout and Location : An Analytical Approach,* 2e édition, Englewood Cliffs, NJ, Prentice Hall, 1991.

HAYES, Robert H. et Stephen WHEELRIGHT. *Restoring Our Competitive Edge : Competing through Manufacturing,* New York, John Wiley & Sons, 1984.

LYNE, Jack. « Quality-of-Life Factors Dominate Many Facility Location Decisions », *Site Selection Handbook,* août 1988, p. 868-870.

SCHMENNER, R. W. *Making Business Location Decisions,* Englewood Cliffs, NJ, Prentice Hall, 1982.

TOMPKINS J. A., WHITE J. A., *Facilities Planning,* John Wiley, 1984, 675 p.

Toward a New Era in U.S. Manufacturing : The Need for a National Vision, Washington, National Academy Press, 1986.

OBJECTIFS D'APPRENTISSAGE

Après avoir étudié ce supplément, vous pourrez :

1. Décrire les paramètres du modèle de transport.

2. Reporter sur un graphique les données d'un algorithme du transport.

3. Résoudre intuitivement un problème de transport.

4. Appliquer l'algorithme du cycle de changement (*stepping-stone*).

5. Appliquer l'algorithme de la méthode des potentiels (MODI).

6. Justifier l'emploi de ce que vous considérez comme étant les solutions optimales.

Supplément du chapitre 8

LE MODÈLE DE TRANSPORT

Plan du supplément

S-8.1 INTRODUCTION

Le **modèle de transport** est un outil de programmation linéaire appliqué à des problèmes de gestion de localisation.

Il consiste à modéliser une situation où des **points fournisseurs en amont**, appelés aussi « sources », doivent approvisionner des **points clients en aval**, appelés aussi « destinations ». Il s'agit de trouver la meilleure stratégie pour servir les clients en minimisant les coûts de transport du point de départ au point d'arrivée.

Prenons l'exemple d'une entreprise œuvrant dans l'industrie de la bière. Elle peut compter un certain nombre d'usines, qui approvisionnent des entrepôts répartis sur un territoire donné. Ces entrepôts fournissent la marchandise aux points de vente destinés aux consommateurs. Vu le nombre d'usines et de points de vente, cette entreprise voudra savoir quel point fournisseur approvisionnera tel ou tel point client afin de maximiser le service à la clientèle tout en minimisant les coûts de distribution et de transport, et ce, pour l'ensemble d'un territoire. Ces coûts de distribution dépendent des distances à parcourir et de la quantité de marchandise transportée par unité de temps, c'est-à-dire du travail en transport[1].

Voici une autre application du modèle de transport. Certaines usines d'automobiles réparties dans le monde entier approvisionnent des centres de distribution de pièces pour les concessionnaires locaux. Pour satisfaire les clients, le gestionnaire devra déterminer quels points fournisseurs (sources) approvisionneront les points de destination. Les points fournisseurs peuvent être des usines, des entrepôts ou des centres de distribution, comme l'illustre la figure S-8.1. Ces mêmes points fournisseurs servent également de points clients à d'autres points fournisseurs, et ainsi de suite. Vu de cette façon, ce modèle peut s'appliquer à une multitude de secteurs industriels.

Figure S-8.1

Point fournisseur (source) ;
point client (destination)

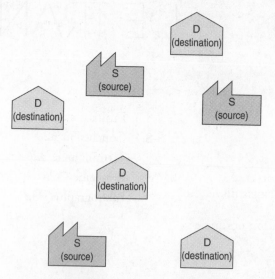

S-8.2 LES DONNÉES DU PROBLÈME

Pour appliquer le modèle de transport, il faut tenir compte des intrants et des hypothèses, et suivre des étapes.

Les intrants

1. La liste des points fournisseurs (S = source), leurs frais d'exploitation pour la période considérée et leur capacité à répondre à la demande.

2. La liste des points clients (D = destination) et les quantités à produire.

3. Les coûts d'approvisionnement de chaque source en amont à chaque destination en aval.

---

1. Voir la notion de travail en transport (WT) au chapitre 5.

Les hypothèses

1. Les coûts unitaires de transport et d'exploitation sont fixes, et il n'y a pas de rabais sur les quantités transportées.

2. On utilise une seule route entre la source et la destination.

3. Tous les produits transportés sont de même nature.

Les étapes

1. Trouver une solution initiale.

2. Vérifier sa validité.

3. Chercher la solution optimale.

S-8.2.1 L'algorithme du transport

Un fois défini le modèle de transport, l'**algorithme du transport** aidera à trouver la stratégie de distribution optimale.

Considérons la situation suivante.

1. Données du problème
   a) Nous disposons de trois usines (usine 1, usine 2 et usine 3) capables de produire respectivement 100 u/période, 200 u/période et 150 u/période. Les usines sont les sources ou les points fournisseurs situés en amont ;
   b) Nous devons approvisionner les entrepôts A, B, C et D, dont les besoins pour la période considérée sont respectivement de 80, 90, 120 et 160 unités ;
   c) Si l'usine 1 approvisionne l'entrepôt A, il en coûtera 4 \$/unité en frais de transport et de manutention ; le gestionnaire peut inclure d'autres coûts en fonction de son modèle. Si l'usine 1 approvisionne l'entrepôt B, les frais sont de 7 \$/u, etc. Tous ces coûts unitaires apparaissent au tableau suivant.

	Usine		
Entrepôt	**1**	**2**	**3**
A	4 \$/u	12 \$/u	8 \$/u
B	7 \$/u	3 \$/u	10 \$/u
C	7 \$/u	8 \$/u	16 \$/u
D	1 \$/u	8 \$/u	5 \$/u

Afin d'équilibrer les quantités à transporter entre les sources (usines) et les destinations (entrepôts), nous adoptons un tableau de la forme ci-dessous (voir tableau S-8.1).

TABLEAU S-8.1

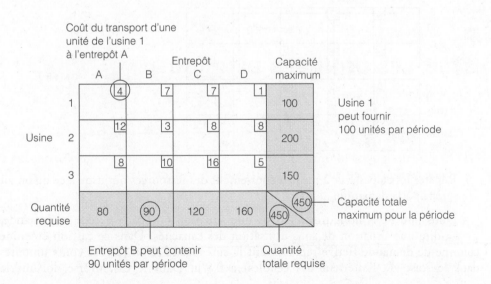

S-8.2.2 La solution initiale de l'algorithme du transport

En suivant les étapes décrites ci-dessous, on peut établir la solution initiale de l'algorithme du transport d'une façon intuitive :

1. Pour chacune des rangées, choisir la cellule dont le coût unitaire est minimum ; dans notre exemple, pour la rangée 1, il s'agit de la cellule de l'entrepôt D ;

2. Satisfaire au maximum les besoins de cette destination (colonne) par la source (rangée) correspondante ;

L'entrepôt D ayant besoin de 160 unités et l'usine 1 ne pouvant lui fournir qu'un maximum de 100 unités, la source (usine 1) fournira toute sa production à l'entrepôt D, comme cela est illustré au tableau S-8.2. Notez la façon de déterminer les quantités requises restantes (60 unités pour D).

TABLEAU S-8.2

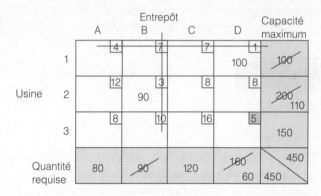

TABLEAU S-8.3

TABLEAU S-8.4

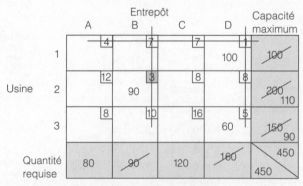

3. Répéter les étapes 1 et 2 jusqu'à épuisement des ressources ou jusqu'à ce qu'on ait satisfait à la demande.

Nous pourrions nous trouver dans une situation où l'offre excède la demande, c'est-à-dire une situation de sous-utilisation des capacités. Dans ce cas, on crée une colonne de **demande fictive** représentant la surcapacité et on fixe les coûts unitaires dans les cases (à l'intérieur des cellules) à 0 \$/u. Dans le cas inverse, lorsque la

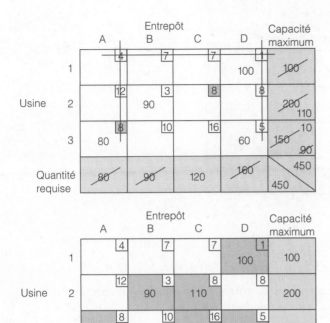

demande excède l'offre, on crée une rangée fictive avec des coûts unitaires hypothétiquement très élevés, par exemple 1000 $/u.

Revenons à l'exemple précédent. Les tableaux S-8.3 à S-8.6 illustrent les différentes étapes qui permettent d'équilibrer l'offre et la demande.

Dans notre exemple, le coût d'une telle affectation source-destination sera :

$\sum$ [(quantités fournies) × (coûts unitaires)]
= 100 u * 1 $/u + 90 u * 3 $/u + 110 u * 8 $/u + 80 u * 8 $/u + 10 u * 16 $/u + 60 u * 5 $/u = 2350 $

S-8.2.3 La recherche de la solution optimale : le cycle de changement (*stepping-stone*)

Plusieurs algorithmes se basent sur les principes de la recherche opérationnelle pour améliorer la solution initiale et déterminer la solution optimale. Nous examinons ici la méthode la plus commune, soit la **méthode du cycle de changement** (*stepping-stone*).

Cette méthode consiste à évaluer les possibilités de réduire les coûts en transférant des unités des cellules utilisées dans les cellules non utilisées de la solution de départ.

Selon cette méthode, on doit vérifier toutes les possibilités de transferts d'unités provenant de cellules voisines pleines vers des cellules vides. Dans notre exemple, il faut vérifier six cellules : A-1, A-2, B-1, B-3, C-1, D-2.

cycle de changement (*stepping-stone*)
Méthode de recherche de la solution optimale d'un modèle de transport.

Cellule A-1
En y transférant une unité, on augmente (+4 $/u) la valeur unitaire de cette cellule. Pour ce faire, on retire des unités de la cellule voisine utilisée, soit D-1 ; cela diminue le tout de –1 $/u. Pour équilibrer la demande de la colonne D, il faut transférer des unités de la cellule voisine utilisée, soit D-3 (+5 $/u), ce qui entraîne un transfert de la cellule utilisée de la rangée 3, A-3 (–8 $/u). La boucle est alors fermée et le rapport entre la demande et l'offre demeure équilibré, comme l'illustre le tableau S-8.7.

On a donc : 4 – 1 + 5 – 8 = 0 $/u,

ce qui indique que cette démarche ne changera pas les coûts actuels et ne vaut pas la peine d'être entreprise. On vérifie maintenant les autres possibilités.

TABLEAU S-8.7

Cellule A-1

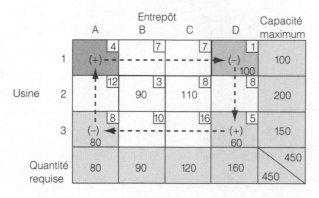

Cellule A-2

En raisonnant de la même façon que précédemment, on obtient :

A-2 (+12) vers C-2 (−8) vers C-3 (+16) vers A-3 (−8) = +12.

Cette démarche augmenterait la valeur totale de la solution initiale de 12 $ par unité transférée, ce qui n'est pas souhaitable (voir tableau S-8.8).

TABLEAU S-8.8

Cellule A-2

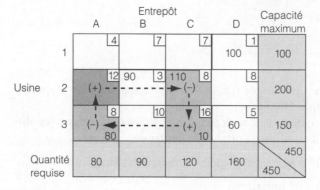

Cellule B-3

B-3 (+10) vers B-2 (−3) vers C-2 (+8) vers C-3 (−16) = −1.

Cette démarche diminuerait la valeur totale de la solution initiale de 1 $ par unité transférée, ce qui est souhaitable (voir tableau S-8.9).

TABLEAU S-8.9

Cellule B-3

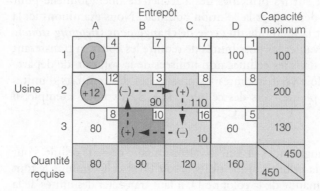

Cellule D-2

D-2 (+8) vers D-3 (−5) vers C-3 (+16) vers C-2 (−8) = +11.

Cette démarche permettrait d'augmenter la valeur totale de la solution initiale de 11 $ par unité transférée, ce qui n'est pas souhaitable (voir tableau S-8.10).

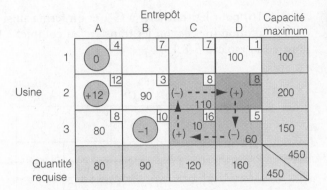

Cellule B-1

B-1 (+7) vers D-1 (−1) vers D-3 (+5) vers C-3 (−16) vers C-2 (+8) vers B-2 (−3) vers B-1 (+7) = 0.

Cette démarche ne permettra pas de modifier les coûts actuels (voir tableau S-8.11)

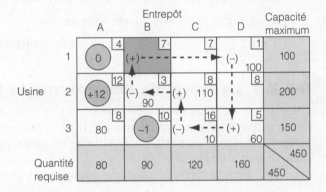

Cellule C-1

C-1 (+7) vers D-1 (−1) vers D-3 (+5) vers C-3 (−16) = −5.

Cette démarche permettrait de diminuer la valeur totale de la solution initiale de 5 $ par unité transférée, ce qui est souhaitable (voir tableau S-8.12).

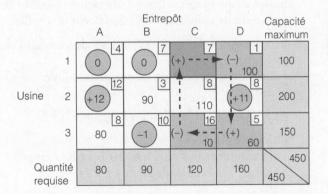

En conclusion, nous avons :

Cellules	A-1	A-2	B-3	D-2	B-1	C-1
Réduction ($/unité transférée)	0	+12	*−1*	+11	0	*−5*

Nous voyons que le meilleur choix consiste à transférer le plus possible vers la cellule C-1 et, en deuxième lieu, vers la cellule B-3. En choisissant la cellule C-1, on ajoute des unités à C-1 (+7), on en retire à D-1 (−1), on en ajoute à D-3 (+5) et on en retire à C-3 (−16) pour les transférer à C-1 et on ferme ainsi la boucle. C-3 ayant 10 unités dans la solution initiale, on les transfère au complet à C-1, d'où la solution optimale illustrée au tableau S-8.13.

TABLEAU S-8.13

Solution optimale

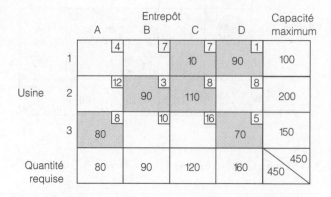

Le coût d'une telle affectation source-destination sera alors :

$\sum$ [(quantités fournies) × (coûts unitaires)] =

10 u * 7 \$/u + 90 u * 1 \$/u + 90 * 3 \$/u + 110 u * 8 \$/u + 80 u * 8 \$/u + 70 u * 5 \$/u = 2300 \$

S-8.2.4 La méthode des potentiels (MODI)

méthode des potentiels (MODI)

Méthode de recherche de la solution optimale d'un modèle de transport.

L'algorithme de la **méthode des potentiels** (MODI[2]) est un autre algorithme utilisé pour trouver la solution optimale à partir de la solution initiale. Bien qu'*a priori*, elle paraisse plus difficile à saisir, cette méthode est plus rapide que la méthode du cycle de changement (*stepping-stone*).

Cette méthode exige le calcul des paramètres suivants :

- les indices rangées (IR) ;
- les indices colonnes (IC) ;
- l'évaluation des cellules.

1. En ne considérant que les cellules pleines, on fait le calcul des indices de la façon suivante :
indice d'une rangée = coût de la cellule − indice de la colonne ; IR = coût − IC ;
indice d'une colonne = coût de la cellule − indice de la rangée ; IC = coût − IR.

2. En ne considérant que les cellules vides, on fait l'évaluation des cellules de la façon suivante :
évaluation d'une cellule = coût de la cellule − (indice colonne + indice rangée) de la cellule.

Appliquons cette méthode à l'exemple initial.

1) **Calcul des indices**
On commence toujours par attribuer à la rangée 1 l'indice (0).
En allant à la cellule pleine de cette rangée (D-1), on calcule l'indice de la colonne 4 par :
IC = coût − IR = 1 − 0 = 1 (indice de la colonne D) ; en allant à la cellule pleine de la colonne 4 (D-3), on calcule l'indice de la rangée 3 par :
IR = coût − IC = 5 − 1 = 4 (indice de la rangée 3) ; en allant à la cellule pleine de la rangée 3 (C-3 ou A-3, selon notre choix), on aura :
IC = coût − IR = 16 − 4 = 12 (indice de la colonne C) ;
IC = coût − IR = 8 − 4 = 4 (indice de la colonne A) ; finalement, on peut calculer

---

2. MODI : *Modified Distribution Method.*

la rangée restante (2) de plusieurs façons, qui toutes donneront le même résultat. En passant par la colonne C, on obtient :

IR = coût – IC = 8 – 12 = – 4 (indice de la rangée 2).

L'identification des indices apparaît au tableau S-8.14 ci-dessous.

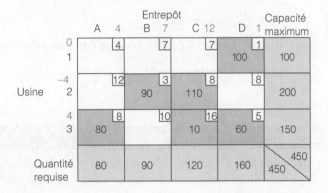

TABLEAU S-8.14

Indices MODI

2) **Évaluation des cellules**

En utilisant la formule, on obtient les résultats apparaissant au tableau S-8.15.

Évaluation des cellules vides = coût de la cellule – (IC + IR)

Cellule	Évaluation
A-1	4 – (0 + 4) = 0
B-1	7 – (0 + 7) = 0
C-1	7 – (0 + 12) = –5
A-2	12 – (–4 + 4) = 12
D-2	8 – (–4 + 1) = 11
B-3	10 – (4 + 7) = –1

TABLEAU S-8.15

Nous voyons que le résultat est le même que celui de la méthode du changement de cycle (*stepping-stone*) (voir section S-8.2.3), à savoir qu'il faudrait transférer des unités vers la cellule C-1 pour bénéficier d'une diminution de –5 pour chaque unité transférée.

S-8.3 L'UTILISATION DU LOGICIEL MS EXCEL

On peut résoudre des problèmes de transport en utilisant l'algorithme du simplex et le sous-programme Solveur de Microsoft Excel[3].

Pour cela, il faut tenir compte des remarques suivantes :

1. Les variables (x_1 à x_n) sont représentées par le nombre de cellules possibles ; dans notre exemple, nous aurons 12 dimensions ;

2. La fonction objective à optimiser est représentée par les coûts unitaires multipliés par les variables ;
   Dans notre exemple :
   Coûts minimums = $4x_{a1} + 7x_{b1} + 7x_{c1} + x_{d1} + 12x_{a2} + 3x_{b2} + 8x_{c2} + 8x_{d2} + 8x_{a3} + 10x_{b3} + 16x_{c3} + 5x_{d3}$;

3. Les contraintes à respecter sont représentées aussi bien par les sources que par les destinations ;
   Contraintes sources (rangée)

   $x_{a1} + x_{b1} + x_{c1} + x_{d1} = 100$

   $x_{a2} + x_{b2} + x_{c2} + x_{d2} = 200$

   $x_{a3} + x_{b3} + x_{c3} + x_{d3} = 150$

---
3. Voir supplément du chapitre 5.

Contraintes destination (colonne)

$$x_{a1} + x_{a2} + x_{a3} = 80$$

$$x_{b1} + x_{b2} + x_{b3} = 90$$

$$x_{c1} + x_{c2} + x_{c3} = 120$$

$$x_{d1} + x_{d2} + x_{d3} = 160$$

À noter le signe d'égalité dans les équations de contraintes.

À partir d'ici, on suit les étapes décrites dans le supplément du chapitre 5 relativement à l'utilisation du Solveur de Excel.

S-8.4 Conclusion

On peut utiliser la méthode du transport et son algorithme dans plusieurs autres situations, telles que la planification et l'ordonnancement (chapitres 12 et 17), en logistique et dans les chaînes d'approvisionnement, pour n'en nommer que quelques-unes. On peut aussi simuler l'implantation d'un nouveau site dans le réseau déjà établi et évaluer son impact sur l'ensemble du système de l'entreprise. Dans certains cas, le gestionnaire souhaitera accroître ses profits plutôt que de minimiser les coûts. On placera alors les profits unitaires dans les cases à l'intérieur des cellules et on solutionnera en conséquence.

Terminologie

Algorithme de la méthode des potentiels (MODI)

Algorithme du changement de cycle (*stepping-stone*)

Algorithme du transport

Solution intuitive

Problèmes

1. En utilisant la méthode intuitive, trouvez une solution au modèle ci-dessous et évaluez ses coûts. En utilisant la méthode du changement de cycle (*stepping-stone*), trouvez la solution optimale.

2. À partir des informations ci-dessous,
   a) déterminez la solution optimale en utilisant la méthode des potentiels (MODI) ;
   b) évaluez le coût total ;
   c) indiquez s'il y a une autre solution. Si oui, quel en est le coût total ?

Destination	1	2	3	Capacité maximum
Source 1	3	6	2	40
2	3	1	3	50
3	7	6	4	65
Quantité requise	55	55	45	

3. À partir des informations ci-dessous :
   a) déterminez une solution en utilisant l'approche intuitive ;
   b) déterminez la solution optimale en utilisant le changement de cycle (*stepping-stone*) ;
   c) déterminez la solution optimale en utilisant la méthode des potentiels (MODI).
   d) évaluez la solution optimale.

Destination	A	B	C	D	Capacité maximum
Source 1	18	12	14	16	40
2	23	24	27	33	80
3	42	34	31	26	130
Quantité requise	90	80	30	50	

4. Déterminez la stratégie de distribution optimale pour la situation suivante en utilisant l'algorithme de la méthode des potentiels (MODI).

Destination	A	B	C	D	Capacité maximum
Source 1	14	24	18	28	48
2	17	18	25	16	56
3	30	16	22	30	32
Quantité requise	41	34	35	20	

5. Reprenez le problème 3 en tenant compte du fait que la source 3 subit une diminution temporaire de ses capacités de 20 unités par période. Utilisez une approche intuitive pour suggérer une solution temporaire qui minimise les coûts de distribution.

6. Reprenez le problème 4 en tenant compte du fait que la destination D enregistre une augmentation de 60 unités par périodes. On pense à deux localités (4 et 5) pour construire un nouveau centre de distribution d'une capacité de 50 unités. Les coûts de distribution vers chacune de ces localités apparaissent ci-dessous. En utilisant la méthode des potentiels (MODI), déterminez quel emplacement serait le meilleur.

De 4 vers	Coûts à l'unité	De 5 vers	Coûts à l'unité
A	18 $	A	31 $
B	16 $	B	25 $
C	28 $	C	19 $
D	27 $	D	20 $

7. En vous référant aux informations apparaissant ci-dessous, répondez aux questions suivantes :
   a) Selon la méthode des potentiels, quelle est la solution optimale ?
   b) Quel est le coût total associé à votre solution ?
   c) Y a-t-il une autre solution ? Si oui, quelle est-elle ?

Source \ Destination	Winnipeg	Montréal	Toronto	Capacité maximum
Sudbury	6	4	8	100
Québec	7	2	7	100
Moncton	4	4	5	80
Quantité requise	70	90	120	

8. Une chaîne nationale de distribution aux consommateurs voudrait déterminer l'emplacement d'un nouvel entrepôt de distribution. On pense à deux localités : N1 et N2. Les coûts de distribution aux magasins A, B et C à partir de l'entrepôt N1 sont respectivement de 6 $, 7 $ et 8 $; l'approvisionnement de ces mêmes magasins à partir de l'entrepôt N2 coûterait respectivement 10 $, 6 $ et 4 $ (voir tableau ci-dessous). Lequel des deux emplacements choisiriez-vous ? Soutenir quantitativement votre choix.

Source \ Destination	Magasin A	B	C	Capacité maximum (unités/semaine)
Entrepôt 1	8	3	7	500
2	5	10	9	400
Quantité requise (unités/semaine)	400	600	350	

9. Une multinationale qui a déjà une usine à Toronto envisage la construction d'une nouvelle usine au Canada. Cette usine pourrait se situer dans la région de Montréal ou de Winnipeg. Elle aura une capacité de production hebdomadaire de 160 unités. Les coûts de distribution aux différents points de vente à partir des nouvelles localités ont été estimés et retranscrits dans le tableau suivant. Quel serait, du point de vue économique, le choix le plus judicieux pour l'ensemble de l'entreprise ?

De Montréal vers	Coût à l'unité	De Winnipeg vers	Coût à l'unité
A	18 $	A	7 $
B	8 $	B	17 $
C	13 $	C	13 $

	A	B	C	Capacité maximum (unités/semaine)
1	10	14	10	210
2	12	17	20	140
3	11	11	12	150
Quantité requise (unités/semaine)	220	220	220	

10. Une chaîne de magasins de vente au détail envisage d'ouvrir un nouveau point de vente qui s'ajoutera aux deux points de vente existants (A et B). Trois centres commerciaux sont à l'étude : R-S Plaza (RS) ; La Mode (LM) et Pointe Rose aubaines (PR). Les données concernant les coûts de transport vers les nouveaux centres ainsi que les capacités en matière de transport, la demande actuelle, les coûts actuels d'exploitation et les nouveaux coûts estimés apparaissent ci-dessous. Déterminez le meilleur emplacement pour le nouveau magasin, soit celui qui permettra d'optimiser les activités de l'ensemble de l'entreprise.

À partir des entrepôts	Vers RS	Vers LM	Vers PR
1	4 \$/u	7 \$/u	5 \$/u
2	11 \$/u	6 \$/u	5 \$/u
3	5 \$/u	5 \$/u	6 \$/u

Capacité maximum (unités/semaine)

	A	B	Capacité maximum (unités/semaine)
1	15	9	660
2	10	7	340
3	14	18	200
Quantité requise (unités/semaine)	400	500	

11. Écrivez les données du problème 1 sous forme d'équation de programmation linéaire (contraintes et fonction objective).

12. Écrivez les données du problème 3 sous forme d'équation de programmation linéaire (contraintes et fonction objective).

13. Un embouteilleur de jus de fruits négocie avec des agents industriels pour l'implantation de son nouveau centre de distribution. Avant de prendre cette décision, il désire connaître la situation de son entreprise (1 k = 1000).

Actuellement, l'entreprise possède trois usines d'embouteillage (U1 à U3) dont les capacités sont les suivantes : usine 1 = 40 k caisses/semaine ; usine 2 = 30 k caisses/semaine ; usine 3 = 25 k caisses/semaine. Les cinq entrepôts actuels (E1 à E5) ont besoin d'être approvisionnés de la façon suivante : E1 = 24 k caisses/semaine ; E2 = 22 k caisses/semaine ; E3 = 23 k caisses/semaine ; E4 = 16 k caisses/semaine ; E5 = 10 k caisses/semaine. Les coûts de transport et de distribution par caisse des différentes sources vers les différentes destination apparaissent ci-dessous :

De	Vers E1	Vers E2	Vers E3	Vers E4	Vers E5
U1	0,80 \$/caisse	0,75 \$/caisse	0,60 \$/caisse	0,70 \$/caisse	0,90 \$/caisse
U2	0,75 \$/caisse	0,80 \$/caisse	0,85 \$/caisse	0,70 \$/caisse	0,85 \$/caisse
U3	0,70 \$/caisse	0,75 \$/caisse	0,70 \$/caisse	0,80 \$/caisse	0,80 \$/caisse

Déterminez la meilleure stratégie de distribution ainsi que les coûts qui y sont associés dans les conditions suivantes :
a) la route U2 vers E4 n'est pas acceptable ;
b) toutes les routes sont permises.

14. Solutionnez ce problème de programmation linéaire en utilisant le modèle de transport et trouvez la solution optimale. Les points sources sont 1, 2 et 3, et les points destinations sont 1, 2 et 3.
Coûts minimums = $8x_{11} + 2x_{12} + 5x_{13} + 2x_{21} + x_{22} + 3x_{23} + 7x_{31} + 2x_{32} + 6x_{33}$
Contraintes :
$x_{11} + x_{12} + x_{13} = 90$
$x_{21} + x_{22} + x_{23} = 105$
$x_{31} + x_{32} + x_{33} = 105$
$x_{11} + x_{12} + x_{13} = 150$
$x_{12} + x_{22} + x_{32} = 75$
$x_{13} + x_{23} + x_{33} = 75$
Toutes les variables sont ≥ 0.

15. Écrivez les données du problème 2 sous forme d'équation de programmation linéaire (contraintes et fonction objective) et solutionnez-la.

Bibliographie

BALLOU, Ronald H. *Business Logistics Management: Planning and Control*, 2e édition, Englewood Cliffs, NJ, Prentice Hall, 1985.

BUFFA, E. S. *Meeting the Competitive Challenge*, Burr Ridge, IL., Richard D. Irwin, 1984, p. 65-82.

FRANCIS, R. L., J. A. WHITE et L. McGINNISS. *Facilities Layout and Location: An Analytical Approach*, 2e édition, Englewood Cliffs, NJ, Prentice Hall, 1991.

HAYES, Robert H. et Stephen WHEELRIGHT. *Restoring Our Competitive Edge: Competing through Manufacturing*, New York, John Wiley & Sons, 1984.

LYNE, Jack. « Quality-of-Life Factors Dominate Many Facility Location Decisions », *Site Selection Handbook*, août 1988, p. 868-870.

SCHMENNER, R. W. *Making Business Location Decisions*, Englewood Cliffs, NJ, Prentice Hall, 1982.

Toward a New Era in U.S. Manufacturing: The Need for a National Vision, Washington, National Academy Press, 1986.

Partie IV

LA QUALITÉ

Cette partie comporte trois chapitres et traite de la qualité:

CHAPITRE 9 Introduction à la qualité

CHAPITRE 10 Le contrôle de la qualité

CHAPITRE 11 La gestion intégrale de la qualité (GIQ)

Dans le chapitre 9, nous présentons les notions relatives à la qualité ainsi que la philosophie des maîtres à penser de ce domaine. Dans le chapitre 10, nous expliquons les procédures de contrôle de la qualité. Dans le chapitre 11, nous décrivons la gestion intégrale de la qualité, la résolution de problèmes et l'amélioration des processus.

Chapitre 9
INTRODUCTION À LA QUALITÉ

9.1 INTRODUCTION

Dans ce chapitre, vous étudierez l'évolution de la gestion de la qualité, les définitions de la qualité, les coûts reliés à la qualité et les conséquences d'une piètre qualité. Vous apprendrez également en quoi consistent les prix accordés aux entreprises pour la qualité remarquable de leurs affaires, ainsi que les normes de qualité.

En général, le mot « qualité » désigne la capacité d'un produit ou service à satisfaire ou à surpasser de manière régulière les attentes des clients. Pour le client, la qualité se définit par le taux de satisfaction à l'égard d'un produit ou service par rapport au prix déboursé pour ce dernier. Avant l'intensification de la concurrence étrangère sur le marché nord-américain dans les années 1970 et 1980, les clients se retrouvaient souvent avec des produits fabriqués localement qui étaient de qualité insatisfaisante par rapport à leur coût. La qualité n'était pas la préoccupation première des entreprises nord-américaines, qui se concentraient davantage sur les coûts et les profits.

En raison de cette manière de penser, les entreprises étrangères, principalement japonaises, se sont emparées d'une importante part du marché. Dans le secteur de l'automobile, les principaux fabricants, dont Honda, Nissan, Volkswagen, Volvo et Toyota, sont devenus d'importants acteurs de l'industrie automobile. Honda et Toyota se sont bâti une bonne réputation quant à la qualité et la fiabilité de leurs voitures. Dans l'électronique, dans les télécommunications et dans plusieurs autres secteurs, le scénario s'est répété.

www.honda.com
www.nissanmotors.com
www.toyota.com

Plusieurs entreprises américaines ont alors été contraintes de changer leur manière de percevoir la qualité. Dépassées, elles se sont mises à valoriser la qualité. Elles ont embauché des consultants, fait participer leur personnel (notamment des cadres supérieurs) à des séminaires et ont mis en œuvre une vaste gamme de programmes d'amélioration de la qualité. Ces entreprises ont clairement reconnu que la qualité n'est pas liée à une fonction particulière de l'entreprise : elle fait partie intégrante du produit ou du service. Dans les années 1990, les industriels nord-américains ont commencé à réduire le fossé qui les séparait des entreprises étrangères.

9.2 L'ÉVOLUTION DE LA GESTION DE LA QUALITÉ

Avant la révolution industrielle, des artisans spécialisés effectuaient toutes les étapes de la production. La fierté et la réputation enviable qui découlaient d'une exécution soignée constituaient leur motivation principale à faire un travail soigné. Des confréries, des associations et des corporations de professionnels permettaient de transmettre cette mentalité par le biais de stages d'apprentissage destinés aux nouveaux travailleurs. Une personne ou un petit groupe de personnes était responsable de l'ensemble du produit.

La division du travail a modifié cette façon de fonctionner ; chaque travailleur devenait responsable d'une petite portion du produit. La fierté découlant d'une exécution soignée était alors moins importante, car les travailleurs ne pouvaient plus s'identifier au produit final. L'atteinte de l'objectif qualité (voir le chapitre 1) incombait au contremaître. Le contrôle de la qualité devenait totalement aléatoire : tantôt inexistant ou fortuit, tantôt complet.

Frederick Winslow Taylor, le « père de l'OST » (voir le chapitre 7), a introduit la mesure et le contrôle de la qualité des produits dans sa liste de priorités en matière de gestion de la fabrication. G. S. Radford a amélioré les méthodes de Taylor. Il a introduit les notions selon lesquelles il faut tenir compte de la qualité très tôt dans la phase de conception de la production et établir des liens entre une qualité supérieure, une productivité accrue et des coûts moins élevés.

qualité
Capacité d'un produit ou service à satisfaire ou à surpasser de manière continue les attentes des clients.

On peut donc définir la **qualité** comme l'ensemble des caractéristiques d'un objet ou d'un service qui lui permettent de satisfaire les besoins exprimés par la clientèle et de remplir les promesses du producteur.

En 1924, W. Shewhart, de Bell Telephone Laboratories, a introduit les cartes de contrôle statistique (voir le chapitre 10). Vers 1930, H. F. Dodge et H. G. Romig, également de Bell Telephone Laboratories, ont mis au point les plans d'échantillonnage (voir le chapitre 10). Malgré tout, le contrôle statistique de la qualité n'a été largement utilisé qu'après la Seconde Guerre mondiale, quand les gouvernements l'ont imposé à tous leurs fournisseurs.

Au moment de la Seconde Guerre mondiale, on a accordé une importance accrue au contrôle de la qualité. Les belligérants ont appliqué et amélioré les techniques d'échantillonnage pour traiter les importantes livraisons d'armes en provenance de différents fournisseurs. À la fin des années 1940, les principales facultés de génie apprenaient aux professionnels et aux cadres des entreprises à utiliser les techniques d'échantillonnage statistique. En même temps, des organisations professionnelles de promotion de la qualité ont vu le jour partout aux États-Unis, dont l'American Society for Quality Control (ASQC, maintenant appelée ASQ). Au Québec, l'Association québécoise de la qualité (AQQ) et le Mouvement québécois de la qualité (MQQ) virent le jour respectivement à la fin des années 1980 et au début des années 1990. Au fil des ans, ces associations ont fait la promotion de la qualité par le biais de leurs publications, leurs séminaires, leurs conférences et leurs programmes de formation.

La révolution française a permis l'implantation du système métrique, appelé aujourd'hui système international (SI). En normalisant la façon de mesurer les objets, ce système permet aux fournisseurs et aux clients de mieux communiquer les spécifications des produits offerts ou recherchés (poids, taille, mesures, etc.). La notion de calibrage était née, et les armées napoléoniennes l'appliquèrent à tout leur armement. Elles pouvaient donc bénéficier d'un approvisionnement fiable, ce qui leur a procuré pendant longtemps un avantage sur leurs adversaires. L'application de la mesure et le calibrage des produits ont contribué à l'essor et à l'avancement considérable de l'Europe durant tout le XIXᵉ siècle.

Pendant ce temps, comme nous l'avons mentionné précédemment, d'autres pionniers, dont Taylor et Shewhart, essayaient de promouvoir leur vision de la qualité. Or, au cours des années 1950, la notion de qualité a évolué pour devenir l'assurance de la qualité. W. Edwards Deming fut le premier à introduire les méthodes de contrôle statistique de la qualité chez les fabricants japonais, leur permettant de reconstruire leurs industries ravagées par la Seconde Guerre mondiale. Avant cette période, la qualité des produits nippons souffrait d'une piètre renommée.

À peu près en même temps, un autre expert de la qualité, Joseph Juran, a élaboré l'approche « coût-qualité », qui mettait l'accent sur la détermination et la mesure précises et complètes du coût de la qualité. Il souhaitait obtenir une diminution des coûts grâce à la prévention et prônait le recours aux techniques de contrôle de la qualité pour y parvenir.

Dans le milieu des années 1950, Armand Feigenbaum proposait la maîtrise totale de la qualité. Il a élargi la notion de qualité, jusque-là axée sur la fabrication, pour l'inclure dans la conception des produits et dans le choix des matières premières. L'engagement de la haute direction dans le rehaussement de la qualité est une des principales retombées des travaux de Feigenbaum, qui ont donné naissance à la notion de gestion de la qualité (voir le chapitre 11).

Durant les années 1960, la notion de « zéro défaut » a acquis de plus en plus de popularité. Mise de l'avant un autre pionnier de la qualité, Philip Crosby, cette approche se concentrait sur la motivation et la conscience des employés en vue d'une recherche de la perfection. Elle découle du succès qu'a connu la Martin Company avec sa production d'un missile « parfait » pour l'armée américaine.

Vers la fin des années 1970, les principes de l'assurance de la qualité se sont introduits dans le secteur des services, notamment dans les secteurs gouvernemental, de la santé, des services bancaires et du tourisme.

La qualité a rapidement évolué pour passer de l'assurance de la qualité à l'adoption d'une approche stratégique. Jusque-là, on se concentrait surtout sur la recherche et la correction des défectuosités avant que les produits soient offerts sur le marché. Il s'agissait d'une approche réactive. L'approche stratégique, formulée par David Garvin, un professeur de Harvard, et d'autres, est dynamique : elle est axée sur la prévention des erreurs. Elle postule que la qualité, la productivité et les profits sont plus étroitement reliés. Malheureusement, il existe encore trop de personnes qui ne croient pas que qualité et productivité vont de pair. Selon l'approche stratégique, on met l'accent sur la satisfaction de la clientèle et on fait intervenir tous les échelons de la direction ainsi que les travailleurs dans un effort continu en vue d'accroître la qualité.

9.3 LES NOTIONS DE BASE DE LA QUALITÉ

Pour pouvoir déployer un effort sérieux en vue de gérer la qualité, il faut d'abord clairement comprendre la signification du mot « qualité ».

9.3.1 Les dimensions de la qualité

Le mot « qualité » revêt plusieurs sens. Ce mot désigne parfois la catégorie d'un produit, comme les catégories de viande, d'œufs ou de légumes : catégorie A, etc. À d'autres moments, il fait référence aux matériaux, à la main-d'œuvre et à des caractéristiques particulières comme « à l'épreuve de l'eau », ou « arôme subtil ». Et, d'autres fois, le mot « qualité » concerne le prix : « bon marché » ou « coûteux ».

On voit donc par ces exemples que les caractéristiques d'un objet, c'est-à-dire sa qualité, peuvent être soit d'ordre quantitatif et mesurable (le prix, la taille, le poids, etc.) ou d'ordre qualitatif (l'arôme, le goût, etc.). De plus, la notion de qualité variera en fonction du type de client : client consommateur, client industriel. Le client consommateur choisit la qualité des produits en fonction de leur disponibilité : l'image d'une télévision perfectionnée de grande qualité des années 1970 n'est plus comparable avec la notion que nous avons aujourd'hui d'une image haute définition. Le client industriel, quant à lui, définira la qualité attendue de son fournisseur en fonction des spécifications du produit désiré. Le client industriel ne veut pas forcément la meilleure qualité, mais la qualité spécifiée, ni plus ni moins.

En fait, il est évident que du point de vue du client, la qualité ne concerne pas un seul aspect d'un produit ou service, mais plusieurs dimensions.

En général, bien que la notion de qualité puisse varier d'un produit à l'autre ou d'un type de client à l'autre, les **dimensions de la qualité** comprennent[1] :

La performance : principales caractéristiques du produit ou service.
L'esthétique : apparence, impression, parfum, arôme, goût.
Les caractéristiques spéciales : caractéristiques supplémentaires.
La conformité : réponse satisfaisante aux attentes des clients.
La sécurité : risques de blessures ou de dommages.
La fiabilité : performance stable, pas de variabilité.
La durabilité : vie utile du produit ou service.
La qualité perçue : évaluation indirecte de la qualité (comme la réputation).
Le service après-vente : traitement des plaintes ou suivi de la satisfaction de la clientèle.

dimensions de la qualité
Selon Garvin, performance, esthétique, caractéristiques particulières, conformité, sécurité, fiabilité, durabilité, qualité perçue et service après-vente.

9.3.2 Les phases décisionnelles de la qualité

La définition de la qualité d'un bien ou service offert par une entreprise passe par les deux étapes ou phases de décisions principales suivantes :

*   la décision concernant le niveau de qualité ;

*   la décision concernant la politique de qualité.

Le **niveau de qualité** est une décision stratégique : il s'agit ici de définir le type de marché auquel on s'adresse et le degré de qualité, la disponibilité, les délais de livraison et les prix que nous pouvons assurer au client. Par exemple, un stylo Bic et un

niveau de qualité
Décision stratégique définissant le degré de qualité à promettre au client.

---

1. Adapté de l'article de David Garvin, « What does quality really mean ? », *Sloan Management Review*, vol. 26, n° 1, 1984, p. 25-43.

politique de qualité

Décision tactique établissant les caractéristiques des ressources (5 M) à utiliser pour atteindre le niveau de qualité désiré.

Mont Blanc n'auront pas le même niveau de qualité, bien qu'ils remplissent la même fonction de base : écrire. Ils satisferont des clientèles et des besoins différents. Il revient à la haute direction de définir le niveau de qualité à offrir. Une fois le niveau de qualité arrêté, on définira la **politique de qualité**. Il s'agit ici de définir les ressources utilisées, les 5 M (voir le chapitre 1) utilisés pour créer les biens et les services selon le niveau de qualité défini.

D'une façon succincte, la phase de décisions sur la politique de qualité couvre les choix suivants :

1er M : Matières premières achetées : le choix des matières à utiliser et des fournisseurs attitrés (voir les chapitres 14, 15 et 16) ;

2e M : Main-d'œuvre : les personnes de métier à embaucher, leur niveau de formation et la mise à jour de leurs compétences ;

3e M : Machines et équipement : le type d'équipement, son niveau de complexité et de flexibilité, la remise à neuf périodique nécessaire pour assurer son bon fonctionnement ;

4e M : Méthodes : types de procédés et de méthodes de travail à adopter (voir le chapitre 7) ;

5e M : Milieu : la localisation, l'aménagement des postes de travail, l'éclairage, la ventilation et la sécurité des travailleurs en milieu de travail (voir le chapitre 8).

Toutes les directives de fonctionnement fixées à la phase de décisions sur la politique de qualité seront énoncées par écrit dans un document appelé **Manuel de qualité**.

N'oublions pas que la meilleure qualité obtenue au stade de l'extrant est fonction de la plus faible qualité des éléments utilisés (les 5 M). Ainsi, on ne pourra pas avoir un produit fini dont la qualité dépasse la qualité de la matière première utilisée. Tout au long des chapitres concernant la qualité, nous examinerons les différentes politiques de qualité qui aident à atteindre le niveau de qualité désiré. La section 9.3.3 présente les facteurs qui déterminent le niveau de qualité.

9.3.3 Les facteurs déterminants de la qualité

Quatre facteurs déterminent le degré de satisfaction envers un produit ou service :

1. La conception ou le design (les spécifications).

2. Le degré de conformité par rapport à la conception.

3. La facilité d'utilisation.

4. Le service après-vente.

qualité de conception

Intention des concepteurs d'inclure ou d'exclure des caractéristiques dans un produit ou service.

La phase de la conception constitue le point de départ du niveau de qualité final. C'est à la conception que sont précisées les caractéristiques du produit ou du service : sa taille, sa forme et son créneau dans le marché. La **qualité de conception** désigne l'intention des concepteurs d'inclure ou d'exclure certaines caractéristiques dans un produit ou service. Par exemple, on trouve aujourd'hui sur le marché plusieurs modèles d'automobiles. Ils diffèrent sur le plan de la taille, de l'apparence, de l'espace, de la consommation de carburant, du confort et des matériaux utilisés. Ces différences reflètent les choix des concepteurs qui déterminent la qualité de conception. Les décisions en matière de conception doivent tenir compte des attentes des clients, des fonctions de la production ou du service, de la sécurité, de la responsabilité (durant la production et après la livraison), des coûts et d'autres facteurs semblables.

groupe de discussion

Dans l'étude de marché, groupe de consommateurs qui expriment leurs opinions sur un produit ou service.

Les concepteurs peuvent déterminer les attentes des clients à partir de l'information fournie par le service marketing, à l'aide d'études de marché menées auprès des consommateurs. Le marketing peut organiser des **groupes de discussion** de consommateurs pour obtenir leurs points de vue sur un produit ou service (ce qu'ils aiment ou non, ce qu'ils aimeraient).

Les designers doivent travailler en étroite collaboration avec les représentants des opérations pour s'assurer de la « manufacturabilité » des produits ; autrement dit, pour savoir si le service de fabrication dispose du matériel, de la capacité et des habiletés nécessaires pour produire ou fabriquer un produit particulier.

Une mauvaise conception peut parfois entraîner des problèmes de production ou de service. Par exemple, il peut être difficile d'obtenir les matériaux, de satisfaire aux spécifications ou de suivre les procédures.

Si la conception est inappropriée au départ, aucun procédé de fabrication ne suffira à donner la qualité souhaitée au produit. De plus, on ne peut s'attendre à ce qu'un travailleur produise de bons résultats si les outils ou les procédures fournis sont inadéquats. Enfin, une conception de qualité supérieure ne peut habituellement pas compenser une mauvaise fabrication. Le lien entre le niveau de qualité et la politique de qualité est plus qu'évident.

La qualité de conformité désigne le degré de qualité des biens par rapport aux fins visées par les concepteurs. Résultant de la politique de qualité adoptée, elle est influencée par les facteurs de production (intrants) tels que la capacité des machines, les compétences, la formation et la motivation de la main-d'œuvre, l'engagement de la conception dans la production, le processus de contrôle et des opérations, et finalement les mesures correctives (résolution de problèmes, par exemple).

La qualité ne s'arrête pas au moment où le produit ou le service est vendu ou livré. La facilité d'utilisation et les instructions destinées aux utilisateurs y contribuent également. Ces deux éléments font en sorte — mais ne garantissent pas — que le produit sera utilisé de la bonne façon et qu'il continuera de fonctionner de manière appropriée et sûre. (Les entreprises impliquées dans des litiges de responsabilité civile soutiennent souvent que les blessures et les dommages ont été provoqués par un mauvais emploi du produit par l'utilisateur.) Ce raisonnement s'applique aussi au secteur des services. Les clients doivent être clairement informés de ce qu'ils doivent ou ne doivent pas faire, sinon ils risquent d'effectuer une action qui nuira à la qualité du service. Donnons simplement l'exemple du médecin qui oublie de préciser au patient de prendre le médicament avant les repas et non avec un jus ou celui de l'avocat qui omet d'informer son client du délai prescrit pour déposer une plainte.

Une bonne part de l'éducation des consommateurs prend la forme de directives ou d'étiquettes imprimées. Ainsi, les fabricants doivent s'assurer que les instructions de déballage, de montage, d'utilisation, d'entretien et de réglage du produit — sans oublier le mode d'emploi en cas de problèmes (se rincer les yeux à l'eau, appeler un médecin, provoquer le vomissement, ne pas le provoquer, débrancher l'appareil immédiatement, etc.) — sont clairement visibles et faciles à comprendre.

Pour plusieurs raisons, les produits ne fonctionnent pas toujours comme on le prévoyait et les services ne produisent pas toujours les résultats souhaités. Quelle que soit la raison, il est important, du point de vue de la qualité, de remédier à la situation — par le rappel ou la réparation des produits, l'ajustement, le remplacement, le rachat ou la réévaluation d'un service — et de faire le nécessaire pour que le produit ou service satisfasse à la norme prescrite.

9.3.4 Les conséquences de la non-qualité

Reconnaître la portée de la qualité des produits ou services sur l'entreprise et en tenir compte dans l'élaboration et le maintien d'un programme d'assurance qualité est capital pour la direction. Une piètre qualité affecte l'entreprise sur plusieurs plans, principalement en ce qui concerne :

1. La perte de parts de marché.
2. La responsabilité civile.
3. La productivité.
4. Les coûts.

Une mauvaise conception et des produits ou services défectueux peuvent entraîner la perte de parts de marché. Dans le cas d'une organisation à but lucratif, si on ne porte pas suffisamment attention à la qualité, on risque de détruire l'image de l'entreprise, ce qui entraîne une diminution de la part de marché. Dans le cas d'organisations

sans but lucratif, on s'expose aux critiques et aux contrôles des organismes gouvernementaux.

Une conséquence potentiellement nuisible pour l'entreprise est la réaction des
consommateurs qui reçoivent des pièces défectueuses ou des produits ou services
insatisfaisants. Une étude récente révélait que s'il est vrai qu'un client satisfait parle
de son expérience à quelques personnes, un client insatisfait en parlera en moyenne à
19 autres personnes!

Malheureusement, l'entreprise est habituellement la dernière à être informée de
cette insatisfaction. Les gens se plaignent rarement au fournisseur de la mauvaise qualité d'un bien. En fait, selon des études, ils se plaignent généralement à leurs contacts
les plus immédiats (un vendeur ou un gérant, par exemple), et ces plaintes sont
rarement transmises aux échelons supérieurs. La réaction la plus commune consiste
simplement à acheter les produits ou services d'un compétiteur. En général, moins de
5 % des clients insatisfaits formulent des plaintes formelles[2].

Les entreprises doivent accorder une attention particulière à leur responsabilité
civile en cas de dommages ou de blessures provoqués par une conception défectueuse
ou une mauvaise fabrication. Cela s'applique tant aux produits et qu'aux services.
Ainsi, un levier de commande de direction mal conçu ou le montage incorrect du levier peut entraîner une perte de contrôle du véhicule par le conducteur. Donnons un
autre exemple. Si on demande à un émondeur d'attacher avec un câble une branche
maîtresse au tronc d'un arbre et que, par la suite, cette branche tombe et endommage
la voiture d'un voisin, on pourrait rendre l'émondeur responsable de l'accident (procédure de raccordement mal conçue ou exécution professionnelle inappropriée). Les
responsabilités civiles concernant des produits de mauvaise qualité ont été établies par
voie juridique. Pour une entreprise, les coûts associés à la responsabilité civile peuvent
parfois être considérables, surtout s'il y a un grand nombre d'articles en circulation,
comme dans le cas de l'industrie automobile, ou encore si une bonne partie de la
population risque de subir des blessures ou des dommages (accidents dans les centrales
nucléaires). Les garanties écrites explicites ainsi que les garanties générales implicites
assurent la sûreté du produit s'il est utilisé convenablement. Le producteur n'a pas à
spécifier toutes les conditions et caractéristiques d'un produit pour assurer la garantie
de son bon fonctionnement dans des conditions normales. Par contre, il a à spécifier
certaines caractéristiques spéciales et les conditions auxquelles elles s'appliquent. Une
porte est censée permettre ou empêcher l'accès à un lieu : on n'a pas à le spécifier. Une
porte coupe-feu est censée protéger les lieux contre un incendie à l'intérieur de certaines limites d'installation et d'utilisation à spécifier. Les tribunaux ont eu tendance
à étendre la portée de ces garanties à d'autres utilisations, même si celles-ci n'avaient
pas été prévues par le producteur dans les garanties de base. Leurs interventions ont
des répercussions à un niveau international. En effet, le cas du fabricant automobile
japonais Mitsubishi, qui est sous enquête à la suite de plaintes de clients, en est un
exemple[3]. Mentionnons aussi le cas du fabricant automobile Ford et du fabricant de
pneus Firestone, qui font présentement l'objet d'une enquête dans de nombreux pays
à la suite de plaintes initialement déposés en Arabie Saoudite. Le Sénat américain est
en voie de légiférer pour permettre les poursuites au criminel contre les gestionnaires
d'entreprises ayant mis consciemment sur le marché des produits dangereux[4]. Dans le
secteur des soins de la santé, les réclamations pour erreurs médicales ainsi que les frais
d'assurances ont contribué à la hausse vertigineuse des coûts et constituent maintenant
un problème généralisé.

La productivité et la qualité sont étroitement reliées. Une mauvaise qualité affecte
la productivité durant le processus de fabrication si les pièces sont défectueuses et qu'il
faille les modifier, ou si un monteur doit essayer plusieurs pièces avant de trouver celle

2. The Ernst & Young Quality Improvement Consulting Group. *Total Quality: An Executive's Guide
for the 1990s,* Burr Ridge, IL., Irwin Professional Publishing, 1990, p. 6-7.
3. Kunii, Irene M. «Was there a cover-up at Mitsubishi?», Business Week, 9 octobre 2000, p. 68.
4. *Business Week,* «Did Ford mislead Congress?», 2 octobre 2000, p. 50.

qui s'insère correctement. De plus, une piètre qualité des outils et du matériel peut entraîner des blessures et une production défectueuse, qu'il faut alors refabriquer ou éliminer, ce qui réduit la production utilisable pour une quantité donnée de facteurs de production (intrants). C'est la même chose pour un service : s'il est mauvais, il faut le fournir de nouveau, ce qui réduit la productivité. Inversement, l'amélioration et le maintien d'une bonne qualité peuvent avoir un effet positif sur la productivité.

Une qualité non conforme accroît certains coûts encourus par l'entreprise. Dans la section suivante, nous décrirons plus en détail les coûts-qualité.

9.3.5 Les coûts-qualité

Toute tentative pour régler les problèmes de qualité doit tenir compte des coûts associés à la qualité. On peut classer ces coûts en deux grandes classes, chacune divisée en deux catégories :

1. Coûts de la non-qualité :
   a) coûts de défaillance interne ;
   b) coûts de défaillance externe.

2. Coûts de la qualité :
   a) coûts de contrôle ;
   b) coûts de prévention.

Catégorie	Description	Exemples
Coûts de défaillance interne	Coûts relatifs aux produits ou services défectueux avant que ceux-ci soient livrés aux clients.	Coûts de la remise en fabrication, de la résolution des problèmes, des pertes de matériaux et de produits, des débris, des temps de pannes.
Coûts de défaillance externe	Coûts liés à la livraison au client de produits ou services ne respectant pas les normes établies.	Biens retournés, coûts de la remise en fabrication, coûts de la garantie, perte d'achalandage, réclamation pour responsabilité civile et pénalités.
Coûts de contrôle ou d'évaluation	Coûts connexes à la mesure, à l'évaluation et à la vérification des matériaux, des pièces, des produits et services afin d'évaluer leur conformité aux normes de qualité définies.	Matériel d'inspection, vérification, laboratoires, inspecteurs et interruption de la production pour le prélèvement d'échantillons.
Coûts de prévention	Coûts relatifs à la diminution des problèmes potentiels de qualité.	Programmes d'amélioration de la qualité, formation, surveillance, collecte et analyse des données et coûts de conception.

TABLEAU 9.1

Résumé des coûts-qualité

Les **coûts de défaillance** sont engendrés par les pièces ou les produits défectueux. Les **défaillances internes** sont celles que l'on découvre dans le processus de production ; les **défaillances externes** sont celles que l'on trouve après avoir livré le produit aux clients.

Les défaillances internes se produisent pour diverses raisons : matériel défectueux livré par les fournisseurs, réglage imprécis des machines (mauvaise mise en route), méthodes de travail inappropriées, insouciance, mauvaise manutention des matières, maintenance insuffisante des équipements et entretien inapproprié de l'infrastructure (bâtisse, terrain). Les coûts de défaillance interne comprennent les pertes de temps de production, les rejets, le réusinage et la remise en fabrication, les coûts liés aux enquêtes, les dommages subis par le matériel et les blessures subies par les employés.

coûts de défaillance
Coûts engagés pour les pièces ou produits défectueux, ou pour les mauvais services.
défaillance interne
Défaillance découverte durant la production.
défaillance externe
Défaillance découverte après la livraison aux clients.

Les coûts de la remise en fabrication comprennent les salaires des employés et les ressources supplémentaires nécessaires pour effectuer le travail (le matériel, l'énergie et les matières premières, par exemple). En plus de ces coûts, mentionnons des éléments comme la réinspection des pièces remises en fabrication, la perturbation des horaires, les coûts supplémentaires engagés pour garder les pièces et les matériaux en stock et toute la paperasserie nécessaire pour comptabiliser les articles jusqu'à ce qu'on les réintègre aux processus.

Les défaillances externes comprennent les pièces défectueuses ou une piètre qualité de service que le producteur ne perçoit pas. Les coûts qui en découlent comprennent les travaux couverts par les garanties, l'instruction des plaintes, les remplacements, les responsabilités civiles et les litiges, les dédommagements versés aux clients ou les rabais utilisés pour compenser une qualité inférieure, la perte d'achalandage et de ventes. Le tableau 9-1 résume les coûts de défaillance.

Les **coûts de contrôle** concernent l'inspection, la vérification et d'autres activités visant à découvrir les produits ou services défectueux, ou à s'assurer qu'il n'y a pas de pièces défectueuses. Ils comprennent les coûts des inspections, de la vérification, du matériel d'essai, des laboratoires, des vérifications de la qualité et des essais sur le terrain.

Les **coûts de prévention** concernent toutes les tentatives entreprises pour éliminer les anomalies: systèmes de planification et d'administration, relations avec les fournisseurs, formation, procédures de contrôle de la qualité et soin supplémentaire accordé à la conception et à la production en vue de réduire les probabilités de malfaçons.

Nombreux sont ceux qui pensent que la gestion des coûts totaux de la qualité consiste à équilibrer les coûts de la non-qualité et ceux de la qualité et à trouver le niveau optimum entre les deux. Le graphique 9.1 illustre l'évolution des coûts totaux de la qualité en fonction de l'effort consenti à la recherche de la qualité. On y voit que les coûts totaux de la qualité ou coûts-qualité sont la somme des coûts de la non-qualité plus les coûts de la qualité.

CT Qualité ou coût-qualité = coûts de la non-qualité + coûts de la qualité.

Plus l'effort est axé sur la recherche de la qualité, plus les coûts de la non-qualité baissent mais, par contre, plus les coûts de la qualité augmentent.

Certains pensent que les coûts nécessaires pour obtenir un niveau de qualité plus élevé dépasseraient les avantages qui s'y rattachent. Cela est vrai tant que la concurrence est inexistante. Or, avec l'éveil du client (industriel ou consommateur), les coûts de la non-qualité sont beaucoup plus élevés que les coûts associés à une bonne politique de qualité. On ne devrait viser qu'un seul niveau de qualité: le niveau de qualité à **zéro défaut**. Selon cette philosophie, peu importe le niveau de qualité défini, les produits et services offerts ne doivent comporter aucune défaillance quant à la qualité annoncée: les coûts requis pour atteindre un niveau de qualité encore plus élevé sont inférieurs aux bénéfices à réaliser. Axée sur le long terme, cette philosophie comporte la mise en œuvre, d'une façon continue, d'un ensemble de processus intégrant toutes les fonctions de l'entreprise.

9.4 LES MAÎTRES À PENSER DU DOMAINE DE LA QUALITÉ

Un noyau d'experts de la qualité ont créé les pratiques modernes visant l'atteinte de l'objectif qualité. Parmi les plus connus, mentionnons Deming, Juran, Feigenbaum, Ishikawa, Taguchi et Crosby. Ensemble, ces grands penseurs ont eu un impact considérable sur la gestion, l'assurance et le contrôle de la qualité ainsi que sur la manière de gérer l'entreprise moderne.

coûts de contrôle ou d'évaluation
Coûts des activités visant à évaluer la conformité du produit aux normes établies afin de déterminer les écarts et de les corriger.

coûts de prévention
Coûts liés à la prévention des défectuosités.

zéro défaut
Philosophie d'entreprise visant à offrir au client aucun bien ni service défectueux.

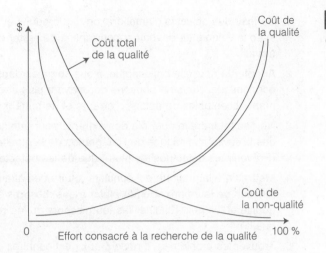

Graphique 9.1

Coûts-qualité

9.4.1 W. Edwards Deming

Edwards Deming a été le premier maître à penser dans le domaine de la gestion de la qualité. Professeur de statistiques à l'Université de New York dans les années 1940, il s'est installé au Japon après la Seconde Guerre mondiale pour aider les Japonais à améliorer la qualité et la productivité de leurs entreprises. Les Japonais ont été si impressionnés que, dès 1951, après une série de conférences données par Deming, ils ont créé le **prix Deming,** récompense remise annuellement aux entreprises qui se distinguent des autres au moyen de programmes de gestion de la qualité.

Vénéré au Japon, Deming était rejeté aux États-Unis par les gens d'affaires, qui le trouvaient trop franc et direct. En fait, il a travaillé avec les Japonais pendant près de 30 ans avant d'être reconnu dans son propre pays. Avant son décès à l'âge de 93 ans, en décembre 1993, les entreprises américaines se sont tournées vers lui, adhérant à sa philosophie et lui demandant de l'aide pour établir des programmes d'amélioration de la qualité.

Deming a compilé une liste de quatorze points qu'il estimait nécessaires pour atteindre la qualité dans une entreprise (voir le tableau 9.2). Selon lui, les employés ne sont pas à la source de l'inefficacité et de la piètre qualité d'un système. La direction est responsable, et c'est à elle de corriger le système pour obtenir les résultats souhaités. En plus de sa démarche en quatorze points, Deming a insisté sur la nécessité de réduire la variation de la production (l'écart par rapport à la moyenne), qu'on peut régler en distinguant entre les causes particulières de la variation (rectifiables) et celles communes de la variation (aléatoires).

Les composantes clés des quatorze points de Deming sont la constance des objectifs, l'amélioration continue et une connaissance approfondie. La connaissance approfondie comporte : 1) la connaissance du processus, 2) une théorie des variations, 3) une théorie de la connaissance et 4) la psychologie. Elle intègre aussi les croyances et les valeurs concernant l'apprentissage qui ont permis au Japon de devenir une puissance économique mondiale.

Point de départ de l'approche de Deming : la connaissance du système et du processus s'adresse à tous les membres de l'entreprise qui travaillent en vue d'atteindre l'optimisation. À cette fin, la direction doit éliminer la concurrence interne. La réduction des variations est une clé importante de l'amélioration de la qualité ; elle nécessite la distribution entre les variations aléatoires et celles attribuables à des situations spéciales pour se concentrer sur ces dernières. Ces deux types de variations seront étudiés en profondeur au chapitre 10.

Selon Deming, la connaissance provient de la théorie, et l'apprentissage ne peut se faire au sein d'une entreprise sans théorie de la connaissance. Il estime, en outre, que la psychologie est la composante la plus puissante d'une connaissance approfondie. Les travailleurs souhaitent créer et apprendre, mais la direction fait souvent des choses,

prix Deming

Prix institué par les Japonais et remis annuellement aux entreprises qui se distinguent des autres à l'aide de programmes de gestion de la qualité.

TABLEAU 9.2

Les quatorze points de Deming[5]

1. Se fixer des objectifs d'amélioration des produits et services qui soient cohérents avec la volonté de devenir concurrentiel, de rester en affaires et de fournir du travail.

2. Adopter la nouvelle philosophie. Nous sommes dans une nouvelle ère économique. Nous ne pouvons dorénavant plus vivre avec les niveaux communément acceptables de délais, d'erreurs et de matériel défectueux.

3. Ne pas attendre le contrôle des extrants pour atteindre la qualité. Demander plutôt des preuves statistiques de l'intégration de la qualité au produit ou service. (Prévenir les défectuosités plutôt que de les détecter.)

4. Mettre fin à la pratique qui consiste à faire des affaires avec des entreprises en fonction de leurs prix. Se fier plutôt à des mesures significatives concernant la qualité et les prix. Éliminer les fournisseurs qui ne répondent pas aux normes de qualité.

5. Trouver les problèmes. Il revient aux gestionnaires de travailler continuellement à l'amélioration des systèmes (conception, matières premières ou intrants, composition du matériel, maintenance, amélioration des machines, formation, supervision, perfectionnement).

6. Instituer des méthodes modernes de formation sur les lieux de travail.

7. Développer chez les superviseurs un esprit de meneurs et une aptitude à aider le personnel dans son travail et à mieux faire fonctionner l'équipement. La responsabilité des contremaîtres doit viser la qualité plutôt que la quantité, [...] ce qui améliorera automatiquement la productivité. La direction doit se préparer à donner suite immédiatement aux rapports présentés par les contremaîtres et faisant état d'obstacles tels que des défectuosités intrinsèques, de machines mal entretenues, de mauvais outils et d'une définition floue des opérations.

8. Éliminer les craintes de sorte que tous les travailleurs puissent travailler efficacement pour l'entreprise.

9. Abattre les barrières entre les services. Les employés de la R/D, de la conception, des ventes et de la production doivent former une équipe.

10. Éliminer les affiches, slogans, objectifs de quantité, de qualité ou de productivité. Les ressources affectées à ces campagnes seraient plus profitables à la formation du personnel, à l'élimination des causes de non-amélioration ou de faiblesse des résultats.

11. Éliminer les normes de travail qui recommandent des quotas.

12. Rapprocher les travailleurs et leur rendre leur fierté face au travail.

13. Instituer un vigoureux programme d'éducation et de formation.

14. Créer une structure au sein de la direction supérieure pour l'amener à travailler en respectant les treize points susmentionnés.

Source: W. Edwards Deming, *Quality, Productivity, and Competitive Position,* Cambridge, MA, MIT, Center for Advanced Engineering Study, 1982, p. 16-17.

inconsciemment, comme établir des systèmes d'évaluation, qui les dépouillent de leur motivation interne. Pour atteindre la qualité, la direction doit, au contraire, motiver les travailleurs pour qu'ils regroupent leurs efforts afin d'atteindre un objectif commun. Finalement, toujours d'après Deming, il est nécessaire d'embrasser la notion de connaissance approfondie dans son ensemble pour en tirer profit.

5. BENEDETTI, C. et J. GUILLAUME. *Gestion des approvisionnements et des stocks,* Laval, Éditions Études Vivantes, 1992, p. 95.

9.4.2 Joseph M. Juran

Joseph M. Juran, comme Deming, a appris aux fabricants japonais à améliorer la qualité de leurs biens. On peut aussi le considérer comme un des principaux responsables du succès des Japonais. Il a fait son premier voyage au Japon quelques années après la publication de son livre, *Quality Control Handbook,* en 1951. Parmi tous les maîtres à penser de la qualité, Juran est le plus près de Deming, bien que son approche diffère quant à l'importance des méthodes statistiques et des actions que doivent mettre en œuvre les entreprises pour atteindre la qualité. Alors que l'approche de Deming est axée sur la «transformation», Juran estime qu'une entreprise est en mesure de gérer la qualité. Il ne croit pas que la gestion de la qualité soit aussi difficile que l'estimait Deming, même s'il admet que la plupart des programmes de qualité échouent parce que les entreprises ne savent pas à quel point il est difficile d'élaborer de nouveaux processus. Il croit que la qualité débute par la connaissance des besoins des clients.

De plus, Juran estime que la qualité est l'aptitude à l'usage. Cette notion consiste à assurer qu'un produit, un service ou une structure possède l'aptitude à remplir son rôle convenablement selon des conditions indiquées. Selon lui, la direction est en mesure de résoudre environ 80 % des problèmes de qualité; par conséquent, c'est à elle de les corriger. Il décrit la gestion de la qualité comme une trilogie constituée de la planification de la qualité, du contrôle de la qualité et de l'amélioration de la qualité[6]. Juran soutient qu'il est nécessaire de planifier la qualité pour établir des processus capables de répondre à des normes de qualité. Le contrôle de la qualité est essentiel pour quiconque veut savoir quand une mesure de correction s'impose, et l'amélioration de la qualité permet de trouver de meilleures manières de faire les choses. Le point principal de la philosophie de Juran est l'engagement de la direction dans l'amélioration continue.

On attribue à Juran le mérite d'avoir été l'un des premiers à mesurer les coûts de la qualité et d'avoir démontré les possibilités d'accroissement des profits par une diminution des coûts qu'entraîne une piètre qualité.

Il a réalisé une série de vidéos intitulée *Juran on Quality,* que l'on peut se procurer au Juran Institute, situé à Wilton, au Connecticut.

Les dix étapes que Juran a proposées pour améliorer la qualité sont présentées au tableau 9.3.

TABLEAU 9.3

Les dix étapes de Juran en vue de l'amélioration de la qualité

1. Sensibiliser les gens à la nécessité de l'amélioration et aux occasions d'amélioration.
2. Établir des objectifs d'amélioration.
3. Organiser les gens pour atteindre ces objectifs.
4. Fournir de la formation continue à tous les membres de l'entreprise.
5. Mener à bien des projets destinés à résoudre les problèmes.
6. Faire mention des progrès.
7. Accorder de la reconnaissance.
8. Communiquer les résultats.
9. Tenir compte des résultats.
10. Préserver la dynamique de l'entreprise en intégrant les améliorations annuelles dans ses systèmes et ses processus.

Source: Joseph M. Juran, *Quality Control Handbook,* New York, McGraw-Hill, 1951.

---

6. JURAN, Joseph M. «The Quality Trilogy», *Quality progress,* vol. 10, n° 8, août 1986, p. 19-24.

9.4.3 Armand Feigenbaum

Feigenbaum a soutenu la théorie des «coûts de non-conformité» pour expliquer pourquoi la direction doit s'engager dans la qualité. À l'âge de 24 ans, il était le principal expert de la qualité chez General Electric. Il a reconnu le fait que la qualité n'était pas simplement un ensemble d'outils et de techniques, mais un «domaine complet». Il a constaté que lorsque des améliorations étaient apportées à un processus, d'autres secteurs de l'entreprise s'en trouvaient également améliorés.

Sa compréhension de la théorie des systèmes lui a permis de créer un environnement dans lequel les gens peuvent apprendre à partir des succès des autres. Grâce à son leadership et à son idée de milieu de travail ouvert, il a instauré le travail en équipe interfonctionnel.

En 1961, on publiait son manuel, *Total Quality Control*, où il étayait les principes de la qualité en quarante étapes. Le tableau 9-4 dresse la liste des principales notions qui le distinguent des autres maîtres à penser.

D'après Feigenbaum, c'est le client qui définit la qualité, ce avec quoi Deming était en total désaccord. Les entreprises doivent apprendre à connaître leurs clients à un point tel qu'elles sont en mesure d'anticiper leurs besoins.

9.4.4 Philip Crosby

Crosby a travaillé chez Martin Marietta dans les années 1960. C'est à ce moment-là qu'il a mis au point la notion de «zéro défaut» et a popularisé la phrase «Faites-le bien dès la première fois». Il a mis l'accent sur la prévention et s'est objecté à l'idée qu'«il y aura toujours un certain niveau de défectuosités». Vice-président de la qualité chez ITT dans les années 1970, il a contribué à faire de la qualité une préoccupation pour les cadres de l'entreprise. Dans son livre *Quality is Free,* paru en 1979, il explique les notions de qualité en termes simples.

Crosby estime que tout niveau de défectuosités est trop élevé et que la direction doit instaurer des programmes qui l'aideront à atteindre l'objectif zéro défaut. Parmi les principaux points, mentionnons les suivants[7].

1. La haute direction doit prouver son engagement dans la qualité et montrer sa volonté d'obtenir une bonne qualité.

2. La direction doit persévérer dans ses efforts en vue d'atteindre une bonne qualité.

3. La direction doit clairement établir le niveau de qualité désiré et ce que les travailleurs doivent accomplir pour l'atteindre.

4. Faites-le bien dès la première fois.

Contrairement aux autres maîtres à penser, Crosby soutient que l'atteinte de la qualité peut être relativement simple. En 1984, on publiait son livre intitulé *Quality without Tears : The art of Hassle-Free Management.*

La notion de «qualité gratuite» est basée sur l'affirmation de Crosby selon laquelle les coûts d'une piètre qualité sont beaucoup plus élevés qu'on ne les définit, à un point tel que les coûts des améliorations de la qualité se paieront d'eux-mêmes.

9.4.5 Kaoru Ishikawa

Cet expert japonais de la qualité a été fortement influencé par Deming et Juran, bien qu'il ait lui-même grandement contribué à la gestion de la qualité. Parmi ses principales contributions, mentionnons l'élaboration du diagramme cause-effet (également appelé diagramme en arêtes de poisson ou diagramme d'Ishikawa) pour la résolution des problèmes et pour la mise en place des cercles de qualité, qui font participer les travailleurs à l'amélioration de la qualité. Il a été le premier expert de la qualité à attirer l'attention sur le client interne — la personne suivante dans le processus. Il a aussi

---

7. CROSBY, Philip. *Quality without Tears : The Art of Hassle-Free Management,* New York, McGraw-Hill, 1984.

1. La maîtrise totale de la qualité est un système qui intègre l'élaboration, le maintien et les efforts en vue de l'amélioration de la qualité dans une entreprise. Ce système permettra à l'ingénierie, au marketing, à la production et au service après-vente de fonctionner à des niveaux économiques optimaux tout en satisfaisant la clientèle.

2. L'aspect « maîtrise » du contrôle de la qualité doit comporter l'établissement de normes de qualité, l'évaluation de la performance par rapport à ces normes, l'adoption de mesures de correction, le cas échéant, et la planification de l'amélioration des normes.

3. On peut diviser les facteurs qui influent sur la qualité en deux principales catégories : technologiques et humains. Les facteurs humains sont les plus importants.

4. On peut diviser les coûts d'opération de la qualité en quatre catégories : les coûts de prévention, d'évaluation, de défaillance interne et de défaillance externe.

5. Il est important de contrôler la qualité à la source.

Source : Adapté de l'ouvrage de Peter Capezio et Debra Morehouse, *Taking the Mystery Out of TQM*, 2e édition, Franklin Lakes, NJ, Career Press, © 1995, p. 100-101.

été un des premiers à encourager les entreprises à réunir tous leurs travailleurs pour atteindre un objectif commun. De plus, il est largement reconnu pour ses efforts en vue de rendre « convivial » le contrôle de la qualité pour les travailleurs. Des plans orthogonaux d'expérience portent son nom.

9.4.6 Genichi Taguchi

Taguchi est reconnu pour l'élaboration de « la fonction de perte », formule qui détermine les coûts d'une piètre qualité. Selon lui, l'écart d'une pièce par rapport à une norme cause une perte, et l'effet combiné des écarts de toutes les pièces par rapport à la norme définie peut être important, même si chaque écart est petit. À l'opposé, Deming croyait qu'il était impossible de déterminer les coûts effectifs du manque de qualité, et Crosby estimait qu'il serait difficile d'appliquer cette notion à la plupart des entreprises américaines. Néanmoins, la méthode de Taguchi a aidé la Ford Motor Company à réduire les pertes au niveau des réclamations sous garanties par une diminution des variations dans la production des transmissions.

Le tableau 9-5 présente un résumé des principales contributions des maîtres à penser de la gestion de la qualité moderne.

9.5 LES PRIX DE LA QUALITÉ

Pour motiver les entreprises à la recherche continue de la qualité et de l'excellence, la majorité des pays industriels ont suivi l'exemple du Japon, qui fut le premier à instaurer une reconnaissance annuelle des entreprises ayant le plus performé en termes de qualité et de productivité. En effet, le prix Deming fut établi par la JUSE (Japanese Union of Scientists and Engineers) en 1951. En France, Jean-Marie Gogue[8] instaura en novembre 1980 le Prix Industrie et Qualité selon le modèle précité. Aux États-Unis, en 1987, le Congrès adoptait le Malcolm Baldrige National Quality Improvement Act. Cette loi a été conçue pour inciter les entreprises américaines à améliorer la qualité de leurs produits et services. Nommé ainsi en l'honneur de Malcolm Baldrige, un industriel et ancien secrétaire du commerce, le prix Baldrige est géré par la National Institute of Standards and Technology.

Ce prix a pour objectif d'inciter les entreprises à améliorer la qualité, à reconnaître les réalisations des entreprises américaines sur le plan de la qualité et à faire connaître les programmes efficaces. On décerne deux prix au maximum par année dans chacune des trois catégories suivantes : grand fabricant, grande entreprise de services et petite entreprise (500 employés ou moins).

8. Ingénieur civil des mines, spécialiste international du domaine de la qualité.

TABLEAU 9.5

Les principaux maîtres à penser de la gestion de la qualité

Contributions principales	
Deming	14 points ; causes particulières et causes communes de la variation
Juran	La qualité, c'est l'aptitude à l'usage ; la trilogie de la qualité
Feigenbaum	La qualité est un champ complet ; le client définit la qualité
Crosby	La qualité est gratuite ; zéro défaut
Ishikawa	Les diagrammes cause-effet, les cercles de qualité
Taguchi	Plan d'expérience

Au Canada, l'Institut national de la qualité (INQ)[9] a instauré en 1983 le Prix Canada pour l'excellence. Ce prix, qui comporte sept critères principaux, subdivisés en plusieurs sous-critères, tend à reconnaître l'excellence des entreprises canadiennes aussi bien dans le domaine manufacturier (IBM Canada, INCO, Telus Mobilité sont quelques-uns un des lauréats) que dans celui des services (Banque Royale, Flemington Public School). Même de petites entreprises du domaine des services ont été primées, telles que la Trade Electric de Concord, en Ontario. Depuis 1999, l'INQ offre aussi le Prix de la qualité de vie au travail (Healthy Workplace Award), qui vise à reconnaître les efforts en vue de la promotion de la qualité de vie au travail. En s'inspirant du modèle canadien, le ministère de l'Industrie et du Commerce du Québec[10], en collaboration avec le Mouvement québécois de la qualité[11], a lancé en 1998 les **Grands Prix québécois de la qualité** pour reconnaître les efforts fournis par les entreprises québécoises, et ce, dans tous les domaines d'activité : manufacturier, services privés et publics, etc. Au Québec, le mois d'octobre est le mois consacré à la qualité et les activités débutent par la remise des Grands Prix par le premier ministre du Québec. Les entreprises participantes sont regroupées en cinq catégories :

PME manufacturière (moins de 240 employés) ;
PME de services (moins de 250 employés) ;
Grande entreprise manufacturière (250 employés et plus) ;
Grande entreprise de services (250 employés et plus) ;
Organisme public.

En 1999, la compagnie Baxter, de Sherbrooke, catégorie PME manufacturière, Harris Canada, catégorie Grande entreprise manufacturière, et la municipalité de Saint-Augustin-de-Desmaures, catégorie PME de services, ont été primés.

Vous trouverez le modèle d'évaluation au graphique 9.2 et les critères d'évaluation des concurrents au tableau 9.6. L'outil qui est au cœur de l'évaluation a reçu le nom de **QUALImètre**.

QUALImètre

Procédure permettant d'évaluer la performance des entreprises québécoises en termes de qualité.

Les entreprises qui souhaitent poser leur candidature doivent soumettre une demande dans laquelle elles décrivent leurs systèmes de qualité. Les entreprises qui franchissent l'étape de la sélection initiale subissent une évaluation plus poussée de la part d'examinateurs du gouvernement et de l'industrie ainsi que de consultants. L'examen inclut une visite des lieux. On évalue les candidats dans sept principaux secteurs : le leadership, l'information et l'analyse, la planification stratégique, la gestion des ressources humaines, l'assurance qualité des produits et services, les résultats de la qualité et la satisfaction de la clientèle. Notez que la satisfaction de la clientèle est récompensée par un nombre élevé de points.

Les examinateurs vérifient jusqu'où la direction intègre les valeurs reliées à la qualité dans la gestion quotidienne ; si les produits ou services sont aussi bons que ceux des compétiteurs ; si les employés obtiennent une formation en techniques de qualité ; si l'entreprise travaille avec les fournisseurs pour améliorer la qualité ; si les clients sont

---

9. www.nqi.ca : www.quality.nist.gov
10. www.mic.gouv.qc.ca : prix.qualite@mic.gouv.qc.ca
11. www.qualite.qc.ca : mqq@qualite.qc.ca

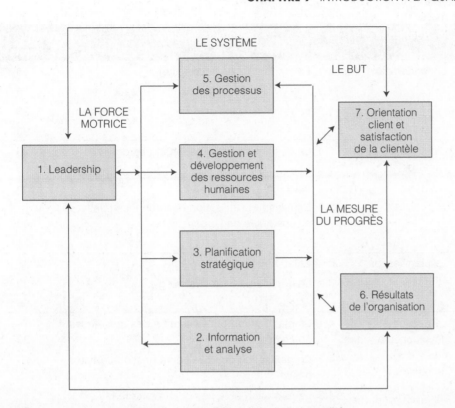

Extrait de la brochure : MQQ et MIC, Grands Prix québécois de la qualité

Graphique 9.2

Modèle d'évaluation des Grands Prix québécois de la qualité

satisfaits. Tous les candidats reçoivent un résumé écrit des forces et des faiblesses de leur gestion de la qualité ainsi que des suggestions d'améliorations.

Ce concours a été à la fois louangé et critiqué[12]. Parmi les louanges, mentionnons les points suivants : il a permis de sensibiliser les entreprises à l'importance de la qualité ; celles qui y participent trouvent le processus motivant ; certains des participants ont fait des pas de géant sur le plan de l'amélioration de la qualité et de la compétitivité. Ses détracteurs soutiennent que le processus de participation au concours exige des quantités considérables de temps et d'efforts de la part des employés et des cadres supérieurs, et des coûts excessifs (des milliers de dollars) ; tous les candidats soumettent eux-mêmes leur candidature (plutôt que d'être sélectionnés par des clients satisfaits) ; le fait de remporter le prix ne signifie pas qu'une entreprise possède des produits de qualité supérieure ou qu'elle a résolu tous ses problèmes de qualité ; l'entreprise, après une victoire, peut se laisser aller, pensant qu'elle « a réussi ».

9.6 LA CERTIFICATION DE LA QUALITÉ : LES NORMES ISO

Plusieurs entreprises qui font des affaires sur le plan international reconnaissent l'importance de la certification de la qualité afin d'ouvrir et de pénétrer plus facilement de nouveaux marchés. Plusieurs nations ont alors senti le besoin de reconnaître des normes essentielles d'opérations communes.

L'Organisation internationale de normalisation ou International Organization for Standardization (ISO) a pour objectif de promouvoir des normes communes à l'échelle mondiale qui facilitent les échanges commerciaux et permettent d'utiliser une langue commune en matière d'opérations et de productivité ainsi que de réduction des coûts. L'ISO est constituée des corps de normalisation nationaux de quatre-vingt-onze

---

12. « Is the Baldrige Overblown ? », *Fortune,* 1er juillet 1991, p. 61-65 ; « Does the Baldrige Award Really Work ? », *Harvard Business Review,* janvier et février 1992, p. 126-147.

TABLEAU 9.6

Critères d'évaluation des Grands Prix québécois de la qualité

Sections	Éléments évalués	Nombre de points
1. Le leadership	1.1 Le leadership de la direction	45
	1.2 Le système et l'organisation du leadership	25
	1.3 La responsabilité et la notion de bon citoyen	20
		90
2. L'information et l'analyse	2.1 La gestion de l'information et des données	20
	2.2 Les comparaisons avec la concurrence et le balisage (*benchmarking*)	15
	2.3 L'analyse et l'utilisation des données relatives à l'ensemble de l'organisation	40
		75
3. La planification stratégique	3.1 L'élaboration de la stratégie	35
	3.2 Le déploiement de la stratégie	20
		55
4. La gestion et le développement des ressources humaines	4.1 La planification et l'évaluation des ressources humaines	20
	4.2 L'organisation du travail et la gestion participative	45
	4.3 La formation et le perfectionnement des employés	50
	4.4 Le bien-être et la satisfaction des employés	25
		140
5. La gestion des processus	5.1 La conception et le développement des produits et services	40
	5.2 La production ou la commercialisation des produits et services	40
	5.3 Les services de soutien : administration, finances, communications, informatique et autres	30
	5.4 Les fournisseurs	30
		140
6. Les résultats de l'organisation	6.1 Les résultats de la qualité des produits et services	75
	6.2 Les résultats financiers et opérationnels de l'organisation	175
		250
7. L'orientation client et la satisfaction de la clientèle	7.1 La connaissance de la clientèle et du marché	30
	7.2 La gestion de la relation avec la clientèle	30
	7.3 L'évaluation de la satisfaction de la clientèle	30
	7.4 Les résultats de la satisfaction de la clientèle	100
	7.5 La comparaison des niveaux de satisfaction de la clientèle	60
		250
		Total 1000

Extrait : MQQ et MIC, Grands Prix québécois de la qualité

pays. Le corps des représentants au Canada est l'Association canadienne de normalisation et le Quality Management Institute. Notons que le Canada fut le premier pays à élaborer et à publier des normes sur les systèmes de qualité à des fins civiles, et ce, dès 1975. Le travail de l'ISO est effectué par 180 comités techniques. Parmi les différentes normes établies par l'ISO, les plus répandues sont celles de la famille ISO 9000.

9.6.1 ISO 9000

ISO 9000 est le travail du comité des normes sur la gestion de la qualité et l'assurance de la qualité.

La série **ISO 9000** est une convention internationale et comprend un ensemble de normes concernant la gestion de la qualité et l'assurance de la qualité. Ces normes sont essentielles pour faire des affaires internationalement, surtout en Europe. Les entreprises doivent passer par un processus qui comporte une étude des procédures de qualité et une évaluation sur les lieux appelée «**audit**». L'ensemble du processus, de la demande à l'enregistrement, prend environ de 12 à 18 mois. Avec l'enregistrement vient l'inscription à un répertoire ISO. Les entreprises cherchant des fournisseurs peuvent y trouver une liste des entreprises enregistrées, auxquelles la préférence est généralement accordée par rapport à celles qui ne sont pas inscrites. Plus de 40 000 entreprises du monde entier y sont répertoriées, dont les trois quarts se trouvent en Europe.

Pour être enregistrées, les entreprises doivent réviser, améliorer et définir des fonctions telles que le contrôle des processus, l'inspection, les achats, la formation, l'emballage et la livraison. Le processus de révision comporte une autoévaluation en profondeur, qui donne lieu à la détermination et à l'atténuation des problèmes. Les entreprises inscrites doivent subir une série de vérifications internes sur une base continue approximativement tous les six mois et une autre par des «auditeurs» externes tous les trois ans.

En plus des avantages évidents d'un enregistrement pour les entreprises qui cherchent à travailler avec l'Union européenne, ISO 9000 est aussi très utile pour les entreprises qui ne possèdent pas de système de gestion de la qualité en donnant des directives pour établir un tel système.

Or, actuellement, les entreprises enregistrées le sont sous la norme ISO 9000 édition 1994. En décembre 2000, ces normes ont été revues pour être en fonction à partir de janvier 2001. Les entreprises disposent d'un maximum de trois ans pour s'y conformer. Pour vous aider à saisir les points communs, les nuances et les divergences de l'édition 1994, actuellement en vigueur, et de la version 2000, nous procédons ci-dessous à la description des deux éditions et de leurs correspondances.

Les normes ISO 9001 : 1994 sont des normes d'assurance de la qualité tandis que ISO 9001 : 2000 est constituée des normes d'un système de gestion de la qualité basé sur le processus.

L'édition 1994 se subdivise en 4 familles, comme l'illustre le tableau 9.7. Le tableau 9.8 représente les 20 éléments de ISO 9001 : 1994. Nous attirons l'attention sur le fait que ISO 9002 : 1994 contient 19 éléments et ISO 9003 : 1994, 16 éléments seulement.

ISO 9000
Ensemble de normes internationales concernant la gestion de la qualité et l'assurance de la qualité essentielles au commerce international.

ISO 9001	Donne des directives aux entreprises qui s'engagent dans la conception, la mise au point, la production, l'installation et le service après-vente de produits ou services (prestations associées).
ISO 9002	Similaire à ISO 9001, mais exclut les entreprises engagées dans la conception et le développement.
ISO 9003	Concerne les entreprises engagées dans le contrôle et les tests finaux.
ISO 9004	Directives pour appliquer les éléments d'un système de gestion de la qualité.

TABLEAU 9.7
Série ISO 9000, édition 1994

TABLEAU 9.8

Contenu des normes ISO (version1994)

Le contenu des normes ISO (version1994)			
EXIGENCES	ISO 9001	ISO 9002	ISO 9003
1 Responsabilité de la direction	●	●	◐
2 Système qualité	●	◐	●
3 Revue de contrat	●	●	◐
4 Maîtrise de la conception	●		
5 Maîtrise des documents et des données	●	●	●
6 Achats	●	●	
7 Maîtrise du produit fourni par le client	●	●	◐
8 Identification et traçabilité du produit	●	●	◐
9 Maîtrise des processus	●	●	
10 Contrôles et essais	●	●	◐
11 Maîtrise des équipements de contrôle	●	●	◐
12 État des contrôles et des essais	●	●	◐
13 Maîtrise du produit non conforme	●	●	◐
14 Actions préventives et correctives	●	●	◐
15 Manutention, stockage, conditionnement, préservation, livraison	●	●	◐
16 Maîtrise des enregistrements relatifs à la qualité	●	●	◐
17 Audits qualité internes	●	●	◐
18 Formation	●	●	◐
19 Prestations associées	●	●	
20 Techniques statistiques	●	●	◐

L'édition 2000[13] s'intéresse au processus de l'entreprise nécessaire à la satisfaction des exigences du client. Le processus regroupe cinq classes interdépendantes.

1. Processus de gestion (*management*) : détermination des priorités, des objectifs, des méthodes de communication dans l'entreprise (SIA)[14], des méthodes de traitement de l'information et des méthodes de contôle des opérations.

2. Processus de mise en place des ressources humaines et matérielles.

3. Processus de relations avec les clients, processus de détermination de la satisfaction des clients.

4. Processus de réalisation des produits ou services.

5. Processus d'amélioration continue (audits, actions correctives et préventives, analyse des mesures adoptées).

---

13. Par Suzanne Tassé.
14. SIA : système d'information administratif.

En d'autres termes, l'entreprise doit décrire comment la main-d'œuvre, les ressources et les processus sont organisés de manière à permettre la satisfaction des clients en s'améliorant continuellement.

Cette norme va beaucoup plus loin que l'«assurance qualité» d'ISO 9000 : 1994, où il suffisait de démontrer un fonctionnement conforme à un modèle pré-établi. En regard de la norme ISO 9000 : 2000, on entend par processus un «système d'activités qui utilise des ressources pour transformer des éléments de sortie» (ISO 9000). Les entrées peuvent être :

- du matériel (processus de transformation industrielle) ;

- de l'information (processus de définition d'une commande, processus de développement logiciel) ;

- de la main-d'œuvre (processus de formation).

Après un certain nombre d'étapes, les entrées (intrants) sont transformées en extrants et dotées de caractéristiques différentes.

Un processus devrait être insensible aux frontières crées par l'organigramme ou par les hiérarchies, et aux frontières entre fournisseurs et utilisateurs.

Un processus a des objectifs, et des mesures et/ou indicateurs associés permettant d'évaluer ses sorties par rapport aux objectifs attendus.

Un processus consomme des ressources : la combinaison de ces ressources permet de créer le résultat attendu, avec un rendement qui doit être mesuré.

Pour ce qui est de ISO 9000 : 2000, nous insistons pour distinguer procédure et processus.

Une procédure est «une manière spécifiée d'effectuer une activité ou un processus» (ISO 9000).

Une procédure est essentiellement une séquence de tâches comportant aussi des entrées et des sorties, et pour laquelle on s'est efforcé de décrire COMMENT et dans quel ORDRE on fait les choses, et QUI les fait. Une procédure n'a pas d'objectif ni de mesures associées ; elle n'a pas de ressources associées. Elle peut avoir des mesures associées relatives à la réalisation d'une tâche, mais elle n'a normalement pas de mesure d'efficacité associée.

Un processus peut englober des procédures ; l'inverse n'est pas vrai.

Le tableau 9.9 présente les correspondances détaillées entre ISO 9001 : 1994 et ISO 9001 : 2000.

ISO/DIS 9001 : 2000		ISO 9001 : 1994
1	Domaine d'application	1
1.1	Généralités	
1.2	Exclusions autorisées	
2	Références normatives	2
3	Termes et définitions	3
4	Système de management de la qualité	
4.1	Exigences générales	4.2.1
4.2	Exigences générales relatives à la documentation	4.2.2
5	Responsabilité de la direction	
5.1	Engagement de la direction	4.1 + 4.1.2.2 + 4.2.1
5.2	Écoute client	
5.3	Politique qualité	4.1.1
5.4	Planification	
5.4.1	Objectifs qualité	4.1.1 + 4.2.1
5.4.2	Planification de la qualité	4.2.3
5.5	Gestion	
5.5.1	Généralités	

TABLEAU 9.9

Correspondance entre ISO/DIS 9001 : 2000 et ISO 9001 : 1994

TABLEAU 9.9

Correspondance entre ISO/DIS 9001 : 2000 et ISO 9001 : 1994

http://ourworld. compuserve.com/ homepages/qualazur

5.5.2	Responsabilité et autorité	4.1.2 + 4.1.2.1
5.5.3	Représentant de la direction	4.1.2.3
5.5.4	Communication interne	
5.5.5	Manuel de qualité	4.2.1
5.5.6	Maîtrise des documents	4.5
5.5.7	Maîtrise des enregistrements relatifs à la qualité	4.16
5.6	Revue de direction	4.1.3
5.6.1	Éléments d'entrée de la revue	4.1.3
5.6.2	Données de sortie de la revue	4.1.3
6	Management des ressources	4.1.2.2
6.1	Mise à disposition des ressources	4.1.2.2
6.2	Ressources humaines	
6.2.1	Affectation du personnel	4.1.2.1
6.2.2	Formation, sensibilisation et compétences	4.18
6.3	Installations	4.9
6.4	Environnement de travail	4.9
7	Réalisation du produit	
7.1	Planification des processus de réalisation	4.2.3 + 4.9 + 4.10 + 4.15 + 4.19
7.2	Processus relatifs aux clients	
7.2.1	Identification des exigences des clients	
7.2.2	Revue des exigences relatives au produit	4.3
7.2.3	Communication avec les clients	
7.3	Conception et développement	
7.3.1	Planification de la conception et du développement	4.4.2 + 4.4.3
7.3.2	Éléments d'entrée de la conception et du développement	4.4.4
7.3.3	Éléments de sortie de la conception et du développement	4.4.5
7.3.4	Revue de la conception et du développement	4.4.6
7.3.5	Vérification de la conception et du développement	4.4.7
7.3.6	Validation de la conception et du développement	4.4.8
7.3.5	Maîtrise de la conception et du développement	4.4.9
7.4	Achats	
7.4.1	Processus d'achat	4.6.2
7.4.2	Informations relatives aux achats	4.6.3
7.4.3	Vérification du produit acheté	4.6.4 + 4.10.2
7.5	Production et préparation du service	
7.5.1	Maîtrise de la production et préparation du service	4.9 + 4.15.6 + 4.19
7.5.2	Validation des processus de production et préparation du service	4.9
7.5.3	Identification et traçabilité	4.8 + 4.10.5 + 4.12
7.5.4	Propriété du client	4.7
7.5.5	Préservation du produit	4.15.2 à 4.15.5
7.6	Maîtrise des dispositifs de surveillance et de mesure	4.11.1 + 4.11.2
8	Mesures, analyses et amélioration	
8.1	Généralités	
8.2	Surveillance et mesures	
8.2.1	Satisfaction du client	
8.2.2	Audit interne	4.17
8.2.3	Surveillance et mesure des processus	4.17 + 4.20.1 + 4.20.2
8.2.4	Surveillance et mesure du produit	4.10.2 à 4.10.5 + 4.20.1 + 4.20.2
8.3	Maîtrise du produit non conforme	4.13.1 + 4.13.2
8.4	Analyse des données	4.20.1 + 4.20.2
8.5	Amélioration	
8.5.1	Amélioration continue	4.1.3
8.5.2	Action corrective	4.14.1 + 4.14.2
8.5.3	Action préventive	4.14.1 + 4.14.3

9.6.2 ISO 14 000

À la suite de la catastrophe nucléaire de Tchernobyl en Ukraine, en 1986, l'Organisation internationale de normalisation a introduit un nouvel ensemble de normes en 1996 : **ISO 14 000**. Il vise à évaluer le rendement d'une entreprise sur le plan de sa responsabilité à l'égard de l'environnement. Au départ, ISO 14 000 était un programme volontaire de directives et de certification. Les normes de certification couvrent trois plans principaux :

Les systèmes de gestion : développement et intégration de systèmes de responsabilités environnementales dans la planification des affaires.

Les opérations : consommation des ressources naturelles et de l'énergie.

Les systèmes environnementaux : mesure, évaluation et gestion des émissions de déchets.

Les partisans de ces nouvelles normes espèrent qu'elles seront aussi populaires que les normes ISO 9000 dans la communauté des affaires internationale et que les entreprises accorderont plus d'attention à leurs responsabilités environnementales.

9.7 Conclusion

Le succès des entreprises étrangères sur les marchés nord-américains a démontré qu'elles sont d'impressionnants compétiteurs. Elles se sont bâti une enviable réputation pour la grande qualité de leurs produits. Leur succès est dû aussi à l'utilisation de techniques de gestion très différentes de celles qui sont habituellement employées en Amérique du Nord. Les gestionnaires nord-américains ont été amenés à réexaminer et à modifier leurs propres approches afin d'améliorer la qualité et de rester compétitifs.

On définit la qualité en fonction de la satisfaction de la clientèle. Les conséquences d'une piètre qualité sont la perte de parts de marché, des réclamations en responsabilité civile, une diminution de la production et un accroissement des coûts. Les facteurs déterminants de la qualité sont la conception, la conformité à la conception, la facilité d'utilisation et le service après la livraison.

La gestion moderne de la qualité vise à prévenir les erreurs plutôt que de les découvrir plus tard. Actuellement, la communauté des affaires s'intéresse à l'amélioration de la qualité et à la compétitivité.

Dans ce chapitre, nous vous avons présenté les principaux facteurs clés de la gestion de la qualité et nous avons mentionné les normes de qualité internationales ISO 9000.

Des prix sont décernés annuellement aux entreprises qui se sont distinguées sur le plan de la gestion de la qualité, dans tous les pays industrialisés, pour souligner et promouvoir la recherche de l'excellence.

Terminologie

ACNor (Association canadienne de normalisation)

Audit

Client consommateur

Client industriel

Coût d'évaluation

Coûts de défaillance

Coûts de défaillance externe

Coûts de défaillance interne

Coûts de prévention

Coût-qualité

Crosby Philip B.

CSA (Canadian Standardization Association)

Deming W. Edwards

Dimensions de la qualité

Feigenbaum Normand

Grands Prix québécois de la qualité

Groupe de discussion

INQ (Institut national de la qualité)

Ishikawa Kaoru

ISO (Organisation internationale de normalisation)

ISO 14 000

ISO 9000

Juran Joseph

JUSE (Japanese Union of Scientists and Engineers)

Manuel de qualité

MQQ (Mouvement québécois de la qualité)

Niveau de qualité

Politique de qualité

Prix Baldrige

Prix Deming

QMI (Quality Management Institute)

QUALImètre

Qualitatif

Qualité

Qualité de conception

Qualité de conformité

QVT (qualité de vie au travail)

Tagushi Genichi

Zéro défaut

Questions de discussion et de révision

1. Distinguez la vision de la qualité qu'ont les clients consommateurs de celle des clients industriels.

2. Quels sont les liens entre le niveau de qualité et la politique de qualité?

3. Comment le secteur juridique intervient-il dans le domaine de la qualité? Donnez-en un exemple.

4. À quoi servent les différents prix institués pour reconnaître la qualité?

5. Nommez les sept sections que comporte le Grand Prix de la qualité.

6. Dressez une liste des dimensions de la qualité et expliquez-les.

7. Expliquez les expressions «qualité de conception» et «qualité de conformité».

8. Quelles sont certaines des conséquences d'une piètre qualité?

9. Utilisez les dimensions de la qualité pour décrire les caractéristiques des produits et services suivants:
   a) Un téléviseur.
   b) Un repas au restaurant (produit).
   c) Un repas au restaurant (service).
   d) Faire peindre une maison.

10. Dressez la liste des quatre facteurs déterminants de la qualité.

11. En quoi la gestion moderne de la qualité se distingue-t-elle de l'approche par «contrôle de qualité»?

12. Sélectionnez un des maîtres à penser de la qualité et décrivez brièvement ses principales contributions à la gestion de la qualité.

13. Qu'est-ce que l'ISO 9000? Quelle est l'importance de l'enregistrement à l'ISO 9000 pour les entreprises internationales?

14. Expliquez brièvement comment une entreprise peut réduire ses coûts de production en améliorant la qualité de ses produits ou services.

Bibliographie

CAPEZIO, Peter et Debra MOREHOUSE. *Taking the Mystery Out of TQM: A Practical Guide to Total Quality Management,* 2e édition, Franklin Lakers, NJ, National Press Publications, 1995.

CARTIN, Thomas J. *Principles and Practices of TQM,* Milwaukee, Wisc., ASQC Press, 1993.

CROSBY, Philip B. *Quality without Tears: The Art of Hassle-Free Management,* New York, McGraw-Hill, 1984.

DEMING, W. E. *Out of Crises,* Cambridge, Mass., MIT Center for Advanced Engineering Study, 1982.

GARVIN, David A. *Managing Quality,* New York, Free Press, 1988.

GITLOW, Howard S. et Shelly J. GITLOW. *The Deming Guide to Quality and Competitive Position,* Englewood Cliffs, NJ, Prentice Hall, 1987.

HALL, Robert. *Attaining Manufacturing Excellence,* Burr Ridge, IL., Dow-Jones Irwin, 1987.

HUNT, V. Daniel. *Quality in America,* Burr Ridge, IL., Business One Irwin, 1992.

«Is the Baldrige Overblown?», *Fortune,* 1er juillet 1991, p. 61-65: «Does the Baldrige Award Really Work?», *Harvard Business Review,* janvier et février 1992, p. 126-147.

JOHNSON, Richard S. *TQM: Leadership for the Quality Transformation,* vol. 1-4, Milwaukee, Wisc., ASQC Press, 1993.

JURAN, J. M. «The Quality Trilogy», *Quality Progress,* vol. 19, n° 8, août 1986, p. 19-24.

MQQ et MIC, Grands Prix québécois de la qualité.

SHORES, Richard A. *Reengineering the Factory: A Primer for World-Class Manufacturing,* Milwaukee, Wisc., ASQC Press, 1994.

WEIMERSHIRCH, Arnold et Stephen GEORGE. *Total Quality Management: Strategies and Techniques Proven at Today's Most Successful Companies,* New York, John Wiley & Sons, 1994.

1. Identifier et décrire les différents éléments du processus de contrôle de la qualité (les tenants et les aboutissants).

2. Définir les étapes du contrôle de la qualité.

3. Expliquer comment les cartes de contrôle permettent de suivre l'évolution des procédés de production et des opérations.

4. Utiliser et interpréter les cartes de contrôle.

5. Expliquer le rôle des plans d'échantillonnage.

6. Utiliser et interpréter des courbes d'efficacité.

7. Utiliser des plans d'échantillonnage ISO 2859 ou Mil-Std105E.

Chapitre 10
LE CONTRÔLE DE LA QUALITÉ

Plan du chapitre

10.1 INTRODUCTION

Généralement, toute entreprise moderne et structurée utilise des procédés et des ressources pour assurer la qualité[1] du produit ou du service offert. Pour que le client reçoive un produit conforme aux spécifications, elle doit procéder à un suivi des opérations : c'est le rôle du contrôle de la qualité. Avec un bon système de contrôle de la qualité, même une entreprise ayant des méthodes de travail discutables peut offrir aux clients des produits de qualité. Toutefois, cette façon de faire peut lui coûter très cher. En effet, un bon système de contrôle de la qualité rejettera tous les mauvais produits et seuls les bons seront livrés : les plaintes des clients seront réduites au minimum, mais le pourcentage de produits défectueux par rapport aux produits livrables sera inacceptable. Nous voyons donc l'importance du contrôle de la qualité. De plus, le fait de contrôler et de mesurer la qualité des extrants permet de connaître le niveau de qualité offert par l'entreprise, et de là, d'améliorer les opérations et les produits offerts. N'oublions pas que l'on ne peut améliorer que ce que l'on peut mesurer. Le contrôle de la qualité est à la base de l'**amélioration continue**, notion que nous développerons au chapitre 11.

La figure 10-1 illustre l'évolution du contrôle de la qualité.

Figure 10.1

Évolution du contrôle de la qualité

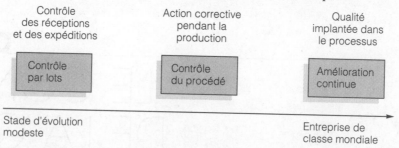

Dans ce chapitre, nous étudions les différents systèmes de contrôle de la qualité, contrôle qui peut s'effectuer à tous les niveaux et à toutes les étapes du processus opérationnel.

10.2 LE CONTRÔLE DE LA QUALITÉ : DÉFINITIONS

Rappelons brièvement les différentes notions concernant le contrôle de la qualité.

Le **contrôle de la qualité** est la vérification de la conformité d'un bien ou d'un service par rapport aux spécifications.

Comme toutes les fonctions de contrôle, le contrôle de la qualité est une fonction qui sert *a posteriori* à fournir de l'information sur un état de fait : le produit fini ou le service offert répond-il aux normes promises ? Dans le cas de produits finis ou de services offerts directement au client, il est souvent trop tard pour réagir : on essayera par la suite de ne pas répéter l'erreur. Dans le cas de produits en cours de fabrication et de matières premières, on procède parfois à leur **mise en quarantaine** s'ils ne répondent pas aux normes. Les lots de produits n'ayant pas passé les tests de contrôle de la qualité sont mis de côté en attendant leur **inspection** exhaustive : les produits récupérables et réparables sont remis en production, les autres sont rejetés.

L'**assurance de la qualité**[2] est l'ensemble des activités (prévues et systématiques) nécessaires pour qu'on puisse utiliser un produit, un service ou une structure en toute confiance. Antérieure à la création du produit, elle consiste à définir des moyens et des techniques pour détecter les déviations dans les caractéristiques du produit par rapport aux spécifications établies. Elle permet d'apporter des corrections avant qu'il soit trop

contrôle de la qualité
Vérification de la conformité d'un bien ou d'un service par rapport aux spécifications.

inspection
Vérification exhaustive des lots de produits ayant échoué le contrôle de la qualité dans le but de les trier et d'en récupérer certains.

---

1. Voir les cinq objectifs des opérations, chapitre 1.
2. Voir chapitre 9.

tard. Pour améliorer la qualité, les responsables se serviront des informations fournies par le contrôle de la qualité.

Finalement, **la gestion de la qualité**[3] est l'ensemble des activités de planification, d'organisation, de direction et de contrôle destinées à établir, à améliorer et à maintenir la qualité des biens et services produits de la façon la plus économique qui soit tout en tenant compte des désirs de l'utilisateur.

Au même titre que toutes les activités de gestion, la gestion de la qualité comprend des étapes *a priori* et *a posteriori*. Elle englobe l'assurance de la qualité qui, elle, englobe le contrôle de la qualité. Grâce à la gestion de la qualité, l'entreprise émet des directives et fixe des objectifs, définit le niveau de qualité[4], les contraintes opérationnelles et budgétaires, qu'elle transmet ensuite au responsable de l'assurance de la qualité qui, à son tour, spécifiera au responsable du contrôle combien de tests il faut faire, où et comment. En suivant ces directives, le gestionnaire du contrôle informe celui de l'assurance de la qualité du nombre et du type de défauts observés et des conditions qui existaient au moment de l'observation. Ce dernier analyse ces informations, puis fait un rapport au responsable de la gestion de la qualité en le sensibilisant à la nécessité ou non de réviser les directives. La figure 10.2 illustre le transfert d'informations et de directives entre ces trois intervenants.

gestion de la qualité
Planification, organisation, direction et contrôle (PODC) de l'objectif qualité.

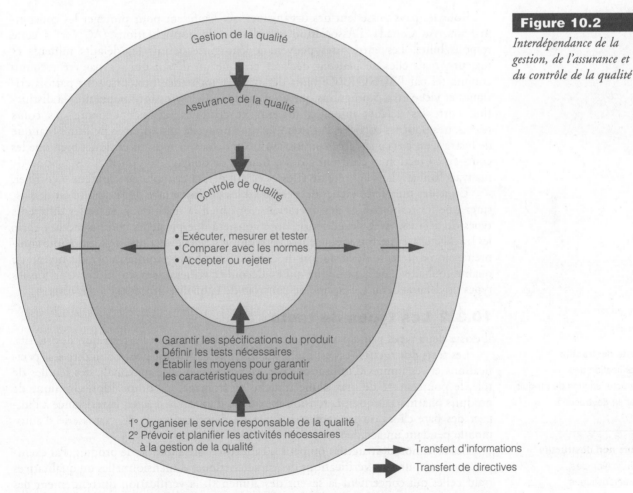

Figure 10.2

Interdépendance de la gestion, de l'assurance et du contrôle de la qualité

Source : C. Benedetti, *Introduction à la gestion des opérations*, Éditions Études Vivantes, Laval, 2000, p. 312.

3. Voir chapitre 11.
4. Voir chapitre 9.

10.3 LA CLASSIFICATION DES TESTS

Le rôle principal du contrôle de la qualité est de permettre de vérifier les caractéristiques du produit créé, de les évaluer par rapport aux normes à l'aide de tests, et d'accepter le produit ou de le rejeter.

Nous avons vu que les caractéristiques des produits peuvent être d'ordre quantitatif (mesurable) ou qualitatif (non mesurable). Tout écart par rapport à ces normes préétablies sera considéré comme un défaut, mais tous les défauts n'ont pas la même importance.

10.3.1 Les types de défauts

On classe les défauts en trois catégories :

a) Défauts mineurs : ceux qui n'altèrent pas la raison d'être du produit ou le rôle qu'il a à jouer, ou qui ne nuisent pas à son fonctionnement. Les défauts mineurs sont surtout des défauts d'apparence.

b) Défauts majeurs : ceux qui altèrent la raison d'être du produit ou qui réduisent son utilisation. Les défauts majeurs sont surtout d'ordre fonctionnel.

c) Défauts critiques : ceux qui nuisent à la sécurité des utilisateurs directement ou indirectement.

Tous les pays possèdent des organismes qui légifèrent pour protéger les consommateurs. Au Canada, l'Association canadienne de normalisation[5] (ACNor) a cette responsabilité. Les entreprises peuvent à leur guise définir les défauts mineurs et majeurs, mais elles ne peuvent déclarer critique un défaut qui n'a pas été reconnu comme tel par l'ACNOR. Certains défauts, en apparence mineurs, sont parfois critiques et vice-versa. Soulignons que contrairement à la croyance populaire, la distinction entre les défauts mineurs, majeurs et critiques est indépendante des coûts nécessaires pour les corriger. Par exemple, une nouvelle auto dont la peinture manque de lustre n'est pas considérée comme ayant un défaut majeur ou critique, bien que les coûts de correction se chiffrent à des centaines de dollars. Par contre, l'installation de mauvais fusibles dans la boîte de vitesses est un défaut critique peu coûteux à corriger.

L'une des premières tâches des responsables de l'assurance de la qualité est de s'assurer que les responsables des opérations font bien la distinction entre les différents types de défauts. Avec l'expérience, on a constaté que plusieurs conflits stériles entre les travailleurs, et parfois même entre les membres de la direction, sont dus à une compréhension différente de la notion de défauts. Une bonne connaissance du niveau de qualité souhaité et de la politique qui en découle clarifierait ces situations. Une fois les types de défauts définis, l'équipe de contrôle de la qualité procédera à des tests.

10.3.2 Les types de tests

Il existe deux types principaux de tests : les tests destructifs et les tests non destructifs.

tests destructifs
Vérification des caractéristiques du produit par sa destruction.

Les **tests destructifs** : on est obligé de détruire le produit pour connaître ses spécifications et ses limites d'utilisation, par exemple la solidité maximale des feuilles de tôle, le pourcentage de gras d'une tranche de fromage, la composition chimique de produits pharmaceutiques, la tension maximale d'un câble d'acier, la résistance à l'impact des pare-chocs ou les caractéristiques de déformation d'une carrosserie d'automobile pendant un accident.

tests non destructifs
Vérification des caractéristiques dimensionnelles sans altération du produit.

Les **tests non destructifs** : on peut les effectuer sans modifier le produit. Par exemple, presque toutes les vérifications des caractéristiques dimensionnelles ou qualitatives (sauf celles qui concernent la saveur des aliments), la vérification du rendement des circuits électroniques et celles qui se rapportent au domaine des services sont des tests majoritairement non destructifs.

---

5. En anglais : CSA (Canadian Standardization Association).

10.4 LE PLAN DE TRAVAIL D'UN SYSTÈME DE CONTRÔLE DE LA QUALITÉ

Pour qu'un système de contrôle de la qualité soit efficace, le gestionnaire doit répondre minimalement aux six questions suivantes :

QUOI contrôler ?
COMMENT contrôler ?
QUI contrôle ?
OÙ contrôler ?
COMBIEN contrôler ?
QUAND contrôler ?

Analysons chacune de ces questions.

10.4.1 Quoi et comment contrôler ?

On commence par déterminer quelles sont les caractéristiques importantes à vérifier et les paramètres à utiliser. Les sept dimensions de la qualité (voir le chapitre 9) sont alors très utiles : performance, esthétique, caractéristiques spéciales, conformité, sécurité, fiabilité et durabilité.

On détermine ensuite la manière de les mesurer et le type d'équipement ou d'outils mathématiques dont on se servira pour évaluer la qualité des biens ou des services offerts. Toute la science de la **métrologie** est alors exploitée : on décidera quels poids et mesures utiliser, quels sondages et indicateurs, le calibrage des équipements, etc.

métrologie
Science des mesures : traité sur les poids et mesures.

10.4.2 Qui contrôle ?

À cette étape, on décide qui procédera au contrôle de la qualité. Dans le cas de production à l'unité et de production interrompue, quand les quantités produites sont faibles et que l'entreprise utilise des travailleurs de métier, il n'est pas rare qu'on confie la responsabilité de la vérification aux employés. Par contre, l'arrivée des chaînes d'assemblage et de la segmentation des tâches a favorisé la création d'une nouvelle classe d'employés : les contrôleurs de la qualité et les inspecteurs. Actuellement, avec la robotisation et l'automatisation massive, on a de moins en moins besoin d'opérateurs chargés de la fabrication du produit. On tend plutôt à les responsabiliser à l'égard de la qualité grâce à des programmes de formation soutenue. Ils ont le pouvoir d'intervenir sur le procédé si le produit ne répond plus aux normes de qualité initiales. Toutefois, des contrôleurs de la qualité attitrés sont responsables de tests plus poussés qui exigent l'utilisation d'équipement ou de laboratoires et qui sont conduits sur de longues périodes. Par exemple, ce sont eux qui vérifient la résistance d'un produit aux hautes températures, en laboratoire. Par ailleurs, la vérification des caractéristiques dimensionnelles de ce même produit sera faite directement sur la chaîne par l'opérateur.

10.4.3 Où contrôler ?

Avec les produits et les services qui exigent une multitude d'activités de transport, de manipulation ou d'entreposage, les possibilités d'altération de la qualité sont plus nombreuses : bris lors du transport ou de la manipulation, mauvaise opération, etc. Or, étant donné que chaque contrôle augmente le prix de revient de l'objet, il est important de réduire le nombre d'interventions. Les étapes de contrôle sont illustrées de façon succincte à la figure 10-3. On remarque que les étapes principales ont lieu à l'entrée, en cours de fabrication et à la sortie. Le contrôle des intrants et des extrants se fait par lots et à partir des mêmes principes de contrôle de la qualité. Le contrôle de la fabrication est différent car, au cours de ce procédé continu, le produit subit des transformations. Nous y reviendrons plus loin.

Figure 10.3

Il existe des techniques mathématiques et statistiques qui permettent de déterminer le lieu idéal pour implanter un contrôle. L'étude de ces techniques déborde le cadre de ce manuel. Néanmoins, voici une approche intuitive relativement valable qui consiste à procéder à des contrôles :

1. À la réception. On gagnerait à contrôler à l'entrée toutes les matières premières et tous les éléments acquis par l'entreprise. Bien que cela paraisse *a priori* logique, peu d'entreprises appliquent ce principe rigoureusement et de façon précise.

2. À l'expédition. C'est la dernière chance offerte à l'entreprise de s'assurer de la qualité de ses produits. Elle peut ainsi éviter beaucoup de conflits avec les clients et

TABLEAU 10.1

Exemples de points de contrôle de la qualité dans les services

Types d'entreprises	Points de contrôle	Caractéristiques à contrôler
Restauration minute	Caissiers	Précision
	Employés au comptoir	Attitude, apparence, productivité
	Salle à manger	Apparence, propreté
	Terrains et immeubles	Sécurité, éclairage, disponibilité, entretien, conditions sanitaires
	Cuisines	Propreté, entreposage des aliments, respect des normes sanitaires
Hôtellerie	Facturation	Précision, ponctualité, assiduité
	Terrains et immeubles	Apparence et sécurité
	Réception	Apparence, langage, file d'attente, courtoisie
	Service ménager	Rigueur, rapidité et productivité
	Personnel	Apparence, attitude attentionnée
	Réservations	Respect : surréservation vs sous-réservation, taux d'occupation
	Restauration	Cuisine, menus variés, qualité des repas, facturation
	Service aux chambres	Ponctualité, courtoisie
	Approvisionnement	Commandes, réception, stocks
Supermarché	Caissiers	Précision, courtoisie, productivité
	Livraisons	Respect des délais et de la marchandise
	Fruits et légumes	Fraîcheur, variété, disponibilité, rotation
	Allées et entrepôts	Dégagement
	Gestion des stocks	Pas de ruptures de stocks
	Étalages	Apparence, disponibilité des produits
	Paniers à provisions	État, propreté, disponibilité, vol et vandalisme
	Stationnement	Sécurité, éclairage
	Personnel	Apparence, attitude, courtoisie

supprimer des coûts de transport et de manipulation en vérifiant la qualité avant l'expédition.

3. Avant une opération coûteuse. Le principe est simple : ne pas ajouter de valeur à un produit déjà défectueux.

4. Avant une opération irréversible. Après cette opération, aucune correction n'est possible.

5. Avant une opération de finition. Ces opérations (par exemple : peinture, vernissage et même assemblage) masquent les défauts.

Dans le secteur des services, le contrôle de la qualité porte sur les intrants : les services requis (nettoyage, déneigement), les matières utilisées, le personnel embauché, et sur les extrants : réparations d'automobiles ou d'autres types d'appareils, coupes de cheveux, soins de beauté et de santé, etc. Le tableau 10.1 illustre le contrôle de la qualité dans le secteur des services.

10.4.4 Combien contrôler ?

Les produits de faible valeur et fabriqués en grande quantité exigeront peu de contrôle, car les coûts attribuables à un manque de qualité sont très faibles et le procédé de fabrication est très fiable, puisqu'il est extrêmement rodé. En outre, l'apprentissage et l'expérience acquise réduisent au minimum les erreurs possibles : c'est le cas pour la fabrication des clous, des feuilles de papier, des trombones. Ces types de produits ne requièrent pas beaucoup de contrôle. Par contre, les produits de grande valeur, fabriqués en petites séries et dont la mauvaise qualité entraîne des coûts élevés, exigeront un processus de contrôle de la qualité exhaustif. On parle alors de **contrôle à 100 %**.

C'est le cas des moteurs d'avions, des équipements de guidage et autres. De leur côté, les produits vitaux et fabriqués en grande quantité, tels que les produits alimentaires et pharmaceutiques, ou bien les produits devant subir un contrôle destructif, ne pourront être contrôlés à 100 % car ils le seront soit automatiquement, soit par échantillonnage. Or, plus la taille de l'échantillon est grande, plus les informations fournies par les tests sont valables, et plus les coûts du contrôle de la qualité sont élevés, surtout si on procède à un contrôle destructif. L'inverse est aussi vrai : de petits échantillons sont peu coûteux, mais ils donnent aussi peu d'information. Ces notions relèvent du domaine du contrôle statistique des procédés. Nous les analyserons plus en profondeur aux sections 10.5 et suivantes.

contrôle à 100 %
Contrôle de la totalité des biens et des services créés.

10.4.5 La cadence des prélèvements

Nous abordons ici une question rarement soulevée : à quelle fréquence doit-on procéder à un prélèvement ? René Cavé, ingénieur militaire en chef de l'armée française, mit au point une méthode simple et efficace, dont voici les principes.

Pour déterminer, en cours de production, la fréquence ou la cadence des prélèvements C d'échantillons à des fins de contrôle de la qualité, on a besoin de connaître préalablement :

v : la cadence ou la vitesse de production par unité de temps (voir l'OST, chapitre 7)

n : la taille des échantillons prélevés

L : le nombre d'unités ou la taille du lot à fabriquer

$$C = \frac{\sqrt{n * L}}{v}$$

Soit n = 10 unités ; v = 40 u/min ; L = 10 000 unités

Exemple 1

Alors $C = \dfrac{\sqrt{n * L}}{v} = \dfrac{\sqrt{10\,u * 10\,000\,u}}{40\,u/min}$ = 8 min approx.

Cela signifie que nous allons prélever des échantillons de taille 10 toutes les huit minutes.

La proportion q d'unités prélevées et contrôlées par lots L se calcule par :

$$q = \sqrt{\frac{n}{L}}$$

En appliquant cette formule à l'exemple ci-dessus, on obtient :

$$q = \sqrt{\frac{n}{L}} = \sqrt{\frac{10\,u}{10\,000\,u}} = 3,2\,\%$$

Cela signifie que 3,2 % du lot de 10 000 unités sera contrôlé.

En effet, pour un lot de 10 000 unités, 320 unités seront contrôlées (10 000 * 0,032), et elles seront prélevées à une cadence de 10 unités toutes les huit minutes.

10.5 LE CONTRÔLE STATISTIQUE DES PROCÉDÉS

Nous avons vu que le contrôle de la qualité peut se faire soit par lots, dans le cas des produits reçus et livrés, soit en cours de fabrication. On effectue le **contrôle des procédés** de fabrication au fil de la création des produits ou des services. On prélève des échantillons à intervalles réguliers en fonction de la cadence des opérations ; on fait les tests, on mesure les échantillons et on rapporte les observations sur des cartes appelées « cartes de contrôle ». Si les mesures respectent les normes définies, on continue la production ; sinon, on arrête, on procède aux corrections qui s'imposent et on inspecte la production défectueuse pour récupérer les bons produits.

Ce contrôle en cours de fabrication diffère du contrôle par lots du fait qu'on introduit une dimension supplémentaire, soit le moment où le test est effectué. Un échantillon de cinq unités, prélevé par exemple à 8 h, renseigne sur la production de 8 h, mais non sur celle de 7 h 59 ni sur celle de 8 h 01.

Dans ce domaine, l'utilisation des méthodes statistiques devient primordiale ; on parlera alors de la **maîtrise statistique des procédés de fabrication**. Ces méthodes permettent de limiter la proportion de produits non conformes et visent un objectif de **zéro défaut**.

maîtrise statistique des procédés
Utilisation de méthodes statistiques pour s'assurer de la stabilité de la production conformément aux normes.

Les étapes du contrôle des procédés se résument donc à :

- Définir.
- Mesurer.
- Comparer avec les normes.
- Évaluer.
- Prendre des actions correctives (au besoin).
- Évaluer les actions correctives.

10.5.1 La variabilité d'un procédé

Toute activité humaine, qu'elle soit manuelle, automatisée ou autre, comporte naturellement un certain taux de variabilité : elle ne peut être parfaitement stable. Les variations naturelles qui l'influencent sont appelées **variations aléatoires** et elles sont dues à un ensemble de facteurs qui interagissent. Elles diffèrent d'un milieu à un autre et elles sont fonction de la variation des 5 M : matières premières, machines, main-d'œuvre, méthodes et milieu.

variations aléatoires
Variations naturelles subies par un procédé.

Mais il existe un autre type de variations : les **variations spéciales** ou causes spéciales. Ainsi, l'état des machines, leur âge et leur entretien peuvent causer de grandes variations dans la qualité des produits finis, variations qui auraient pu être évitées. La fatigue des travailleurs, la monotonie des tâches, l'usure des outils, le manque d'entretien périodique, le bruit, la température, un fournisseur négligent sont autant de causes de variations spéciales.

variations spéciales
Variations dues à des causes particulières.

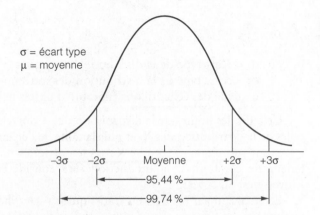

En prélevant des échantillons aléatoirement et en reportant sur un graphique les deux paramètres statistiques de l'échantillon, la moyenne et l'écart type, nous pouvons observer qu'ils sont statistiquement distribués, approximativement selon la distribution normale. Tant que les échantillons se situent dans la moyenne, au sens statistique, et ce, à l'intérieur de deux bornes ou limites définies, on parle de **procédé sous contrôle statistique** ou bien de **procédé stable**.

Au sens statistique, un procédé est considéré comme stable quand :

95,44 % des valeurs se trouvent entre la moyenne (μ) et ±2 écarts types (σ) ;

99,74 % des valeurs se trouvent entre la moyenne (μ) et ±3 écarts types (σ).

On peut l'écrire différemment :

95,44 % des valeurs sont comprises entre μ et ±2σ ;

99,74 % des valeurs sont comprises entre μ et ±3σ.

La figure 10.4 illustre ces notions.

Or, on peut créer des limites pour les unités produites ou pour des moyennes d'échantillons prélevés. La distribution des unités est identifiée par la distribution des $\underline{X}$, tandis que celle des moyennes des échantillons sera identifiée par la distribution des $\overline{X}$. Dans le domaine de la production manufacturière à grande échelle, pour obtenir une meilleure information, on préfère prélever, à la place d'une seule unité, des échantillons de plusieurs unités à intervalles réguliers. Par contre, les caractéristiques du produit annoncées au client concernent l'unité produite et non celles des échantillons prélevés. Les manufacturiers doivent donc bien comprendre cette nuance et en tenir compte au moment d'annoncer au client les caractéristiques du produit. La figure 10.5 fait voir l'interdépendance d'une distribution des X et de celle des $\overline{X}$ pris à même la production.

Plus le nombre d'unités prises par prélèvement, appelé la taille de l'échantillon n, est grand, plus la distribution est centrée réduite. Plus la taille de l'échantillon n tend vers 1, plus la distribution des X sera identique à celle des $\overline{X}$. La relation entre les deux distributions respecte l'équation suivante :

procédé sous contrôle statistique ou maîtrisé statistiquement
Procédé dont la variabilité, comprise entre deux limites définies, est totalement aléatoire. Ces limites sont établies selon des critères statistiques.

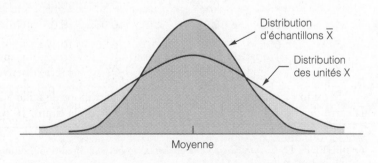

Figure 10.5

Relation entre la distribution d'unités X et celle de moyennes de prélèvements $\overline{X}$ pris dans une même production

$$\sigma_{\bar{x}} = \frac{\sigma_x}{\sqrt{n}}$$

où : σ_x = écart type de la distribution des unités

$\sigma_{\bar{x}}$ = écart type de la distribution des moyennes des échantillons de taille n

n : taille des échantillons (nombre d'unités par prélèvement)

Cela dit, les limites de la distribution des $\bar{X}$ doivent toujours être plus étroites que celles de la distribution des X, et plus la taille de l'échantillon est grande, plus ces limites seront restreintes. Tant que les caractéristiques des échantillons se situent à l'intérieur de ces limites, la production sera considérée comme étant sous contrôle. L'inverse est aussi vrai.

En se basant sur ces notions statistiques, W. A. Shewhart développa, en 1931, une méthode pour suivre les variations de la production dans le temps. Il ajouta une dimension chronologique aux distributions statistiques : les cartes de contrôle étaient nées.

cartes de contrôle
Représentation graphique de l'évolution des caractéristiques des biens et des services produits, et ce, en fonction du temps.

Outil principal du contrôle de la qualité des procédés de fabrication, les **cartes de contrôle** sont des représentations graphiques des caractéristiques des échantillons produits en fonction du temps ; on y trouve une limite supérieure et une limite inférieure à ne pas dépasser. Habituellement, on calculera ces limites en fonction d'un intervalle de confiance de ±3 écarts types, bien que parfois, on établisse des limites plus restreintes de ±2 et ±1 écarts types pour suivre de plus près l'évolution du procédé.

Il existe deux grandes familles de cartes de contrôle, qui se subdivisent elles-mêmes en divers types :

a) par mesure ou variables ($\bar{X}$ et R) ;

b) par calibre ou attributs.

10.6 LES CARTES DE CONTRÔLE PAR MESURES OU VARIABLES[6]

Ces cartes suivent l'évolution des caractéristiques mesurables du produit : sa longueur, son poids, sa résistance ohmique, son voltage, etc.

Pour illustrer le principe, considérons le cas où nous devons couper des tiges de métal d'une longueur définie, soit entre 10,00 cm ±0,10 cm. Ces limites sont des **limites de tolérance** qui indiquent les spécifications du produit : toutes les unités produites doivent s'y conformer. Dans notre exemple, la limite de tolérance supérieure (LTS) est de 10,10 cm et la limite de tolérance inférieure (LTI), de 9,90 cm. Nous prélevons six échantillons contenant 5 unités (6 prélèvements de taille 5) chacun à intervalles réguliers de 60 min. Les données sont représentées dans le tableau ci-dessous :

TABLEAU 10.2

Éch.	Heures de prélèv.	Mesure (en cm)					Moyenne $\bar{X}$
1	8 h 00	10,07	10,04	10,00	9,60	9,91	9,92
2	9 h 00	9,68	10,03	9,92	10,07	10,04	9,95
3	10 h 00	10,02	10,00	10,04	10,08	10,06	10,04
4	11 h 00	10,07	10,26	10,03	9,8	10,04	10,04
5	12 h 00	10,13	10,10	10,05	10,12	10,15	10,11
6	13 h 00	9,94	9,87	9,84	10,03	9,92	9,92

Si on fixe les limites à respecter pour les échantillons de taille 5 à 10,00 cm ±0,10 cm, la carte de contrôle pour les $\bar{X}$ ressemble à celle de la figure 10.6.

---

6. BENEDETTI, C. *Introduction à la gestion des opérations*, 3e édition, Éditions Études Vivantes, 1991, chapitre 8.

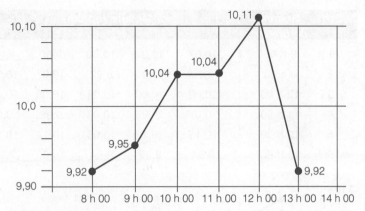

Figure 10.6

Carte de contrôle pour les $\overline{X}$

Source : Benedetti, C., *Introduction à la gestion des opérations,* Éditions Études Vivantes, Laval, 1991, p. 328.

La carte de contrôle pour les grandeurs mesurables indique que l'échantillon 5 ($\overline{X}$ = 10,11 cm) est hors limites. Deux questions se posent alors :

À quel moment la production est-elle sortie des limites (devenue hors contrôle) ?

Quelle est la qualité des tiges fabriquées entre 11 h et 13 h (l'intervalle hors normes) ?

À ce moment-là, il faut :

- arrêter la production pour rectifier le procédé ;

- contrôler à 100 % la production entre 11 h et 13 h.

Pour cela, l'entreprise doit posséder un bon système de « **retraçabilité** » pour être en mesure d'isoler les lots produits entre les prélèvements ; si on place les mauvaises productions avec les bonnes, on ne pourra plus les reconnaître à moins de procéder à une inspection exhaustive. Une politique de retraçabilité évite la contamination des lots.

On a étendu l'inspection des lots jusqu'à 13 h, moment où on est certain que la production se situe dans les limites. Or, en analysant le tableau des mesures, on se rend compte que bien que les échantillons 3 et 4 aient la même moyenne acceptable (10,04 cm), certaines tiges de l'échantillon 4 sont hors normes (10,26 et 9,80 cm). La situation se répète pour les échantillons 1, 2 et 6. Cela est dû au fait que :

1. On a placé des $\overline{X}$ sur une carte de contrôle ayant des limites pour chaque tige X.

2. Contrairement aux unités X, un échantillon est identifié par sa moyenne et son écart type (défini par l'étendue R).

Donc, un système de cartes de contrôle par mesure est constitué :

a) d'un contrôle des moyennes $\overline{X}$;

b d'un contrôle des **étendues** R, parfois identifié par l'expression *range* ;

R = Xmax – Xmin ;

c) de **limites de contrôle** à ±3σ que les $\overline{X}$ doivent respecter ; ces limites sont plus sévères que les limites de tolérance afin qu'on puisse s'assurer que toutes les unités X seront conformes aux limites de tolérance ;

d) un échantillon est considéré bon et la production dont il provient est acceptée si, et seulement si, les deux paramètres de l'échantillon ($\overline{X}$ et R) sont à l'intérieur des limites de contrôle $\overline{X}$ et R.

Appliquons ces notions au cas des tiges de métal. Le calcul des R et la carte de contrôle pour les étendues apparaissent au tableau 10.3 et à la figure 10.7.

« retraçabilité »
Méthode d'identification des lots entre les prélèvements.

étendue ou *range (R)*
Différence entre la plus grande et la plus petite valeur d'un échantillon.
limites de contrôle
Limites établies à ±3σ qui assurent un intervalle de confiance de 99,74 %.

TABLEAU 10.3

Éch.	Heures de prélèv.	Mesure (en cm)					Étendue R
1	8 h 00	10,07	10,04	10,00	9,60	9,91	0,47
2	9 h 00	9,68	10,03	9,92	10,07	10,04	0,39
3	10 h 00	10,02	10,00	10,04	10,08	10,06	0,08
4	11 h 00	10,07	10,26	10,03	9,98	10,04	0,46
5	12 h 00	10,13	10,10	10,05	10,12	10,15	0,10
6	13 h 00	9,94	9,87	9,84	10,03	9,92	0,19

Figure 10.7

Carte de contrôle de l'étendue

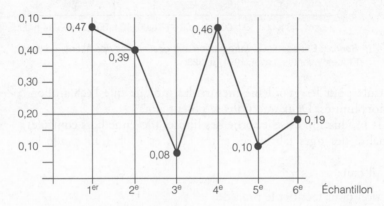

Dans notre exemple, la limite maximale des étendues peut se calculer de la façon suivante : limite maximale = limite de tolérance supérieure – limite de tolérance inférieure.

LTS – LTI = 10,10 – 9,90 = 0,20 cm

L'analyse de la carte de contrôle des étendues indique que les échantillons 1, 2 et 4 sont inacceptables. Donc, dans ce cas, seule la production de 10 h et de 13 h est acceptée. Le cinquième échantillon étant rejeté sur la carte $\overline{X}$. Les cartes de contrôle des $\overline{X}$ indiquent la tendance, soit l'orientation qu'une production tend à prendre, tandis que la carte des R indique la variabilité, le manque de constance entre les différentes unités produites.

Dans les sections suivantes, nous développons une procédure permettant d'établir les limites de contrôle par variables ou mesure. On présente deux façons de faire :

a)   en fonction des fabrications ;

b)   en fonction des spécifications.

10.6.1 Les cartes de contrôle en fonction des fabrications (±3σ)

En Amérique du Nord, les cartes de contrôle en fonction des fabrications ($\overline{X}$ et R) sont les plus utilisées et souvent les seules connues. Si les cartes de contrôle appropriées existent déjà pour un procédé de production, les gestionnaires auront simplement à s'assurer que le procédé s'y conforme. Par contre, si l'on n'a pas de limites établies ni de cartes de contrôle pour suivre l'évolution du procédé, et si on désire mettre en place un contrôle statistique par mesure en fonction des fabrications, il faut respecter les étapes suivantes.

Étapes pour la construction des cartes de contrôle en fonction des fabrications

1. Faire un minimum de 20 prélèvements de taille n = 5 chacun (ou 25 de taille 4).

2. Calculer $\overline{X}$ et R de chaque prélèvement.

3. Calculer $\overline{\overline{X}}$ et $\overline{R}$.

$$\overline{\overline{X}} = \frac{\sum \overline{X}}{k} \text{ ; moyenne des moyennes } \overline{X}$$

$$\overline{R} = \frac{\sum R}{k} \text{ ; moyenne des étendues R}$$

k = nombre de prélèvements

4. Calculer les limites de contrôle provisoires par :

Limites pour les $\overline{X}$

$LCS = \overline{\overline{X}} + A_2 * \overline{R}$

$LCI = \overline{\overline{X}} - A_2 * \overline{R}$

Limites pour les R

$LCS = D_4 * \overline{R}$

$LCI = D_3 * \overline{R}$ (très peu utilisé et souvent proche de 0)

Les facteurs A_2, D_4 et D_3 se trouvent à la table C, à la fin du livre (Facteurs des cartes de contrôle en fonction des fabrications) ; ils sont fonction de la taille n des échantillons prélevés et sont conçus pour un intervalle de confiance de $\pm 3\sigma$. On y présente aussi des facteurs pour des intervalles de confiance de $\pm 2\sigma$ et de $\pm 1\sigma$.

5. Placer les points $\overline{X}$ et R prélevés au début dans les cartes de contrôle et vérifier s'ils respectent les limites provisoires établies à l'étape 4.

Si tous les points sont à l'intérieur et distribués aléatoirement autour de la moyenne, ces limites seront déclarées officielles et toutes les productions futures devront s'y conformer. Sinon, le procédé est considéré comme instable et on reprendra la procédure en rejetant les prélèvements hors limites.

Pour fin d'illustration, et bien que le nombre d'observations soit insuffisant, nous allons considérer cinq prélèvements de taille n = 4.

Exemple 2

Un contrôleur a mesuré les délais nécessaires pour accorder un prêt dans cinq succursales bancaires. Dans chaque succursale, il a noté le temps en heures nécessaire pour l'octroi de quatre prêts. Il veut mettre en place un système de contrôle des délais de négociation des prêts.

Succursale	Prélèvements				$\overline{X}$	R
	x_1	x_2	x_3	x_4		
1	12,11	12,10	12,11	12,08	*12,10*	*0,03*
2	12,15	12,12	12,10	12,11	*12,12*	*0,05*
3	12,09	12,09	12,11	12,15	*12,11*	*0,06*
4	12,12	12,10	12,08	12,10	*12,10*	*0,04*
5	12,09	12,14	12,13	12,12	*12,12*	*0,05*
					$\overline{\overline{X}} = 12,11 h$	$\overline{R} = 0,046$

Solution

Les observations apparaissent au tableau en caractères romains et les calculs de $\overline{X}$ et de R, en italique. La taille des échantillons est n = 4 et le nombre de prélèvements est k = 5.

$$\overline{\overline{X}} = \frac{\sum \overline{X}}{k} = \frac{12,10 + 12,12 + 12,11 + 12,10 + 12,12}{5} = 12,11 \text{ h}$$

$$\overline{R} = \frac{\sum R}{k} = \frac{0,03 + 0,05 + 0,06 + 0,04 + 0,05}{5} = 0,046 \text{ h}$$

Les facteurs A_2 et D_4 se trouvent à la table C.

Carte $\overline{X}$:   LCS = $\overline{\overline{X}} + A_2 * \overline{R}$ = 12,11 + 0,729 * 0,046 = 12,14 h

LCI = $\overline{\overline{X}} - A_2 * \overline{R}$ = 12,11 − 0,729 * 0,046 = 12,08 h

Carte $\overline{R}$:   LCS = $D_4 * \overline{R}$ = 2,282 * 0,046 = 0,10 h

Donc, pour l'ensemble de l'entreprise, il faut entre 12,08 et 12,14 heures pour accorder un prêt et l'écart maximum entre les succursales est de 0,10 h, soit près de 6 minutes (60 min * 0,10 h = 6 min). Toutes les succursales devraient être capables de respecter ces normes.

Exemple 3

On a prélevé 20 échantillons de taille n = 8, chacun représentant les temps requis pour un nettoyage. Le calcul de la moyenne des échantillons ($\overline{X}$) et de la moyenne des étendues ($\overline{R}$) donne respectivement 3 minutes et 0,016 minute. On vous demande de construire des limites de contrôle de ±3σ.

Solution

n = 8 ; k = 20 ; $\overline{\overline{X}}$ = 3 min ; $\overline{R}$ = 0,016

Les facteurs A_2, D_3 et D_4 pour n = 8 se trouvent à la table 3.

Carte $\overline{X}$:   LCS = $\overline{\overline{X}} + A_2 * \overline{R}$ = 3 + 0,373 * 0,016 = 3,006 min

LCI = $\overline{\overline{X}} - A_2 * \overline{R}$ = 3 − 0,373 * 0,016 = 2,994 min

Carte $\overline{R}$:   LCS = $D_4 * \overline{R}$ = 1,864 * 0,016 = 0,03 min

LCI = $D_3 * \overline{R}$ = 0,136 * 0,016 = 0,002 min (tend vers 0).

La figure 10.8 A illustre comment une variation des moyennes (tendance due à un désalignement possible du procédé dans le présent cas) se perçoit sur une carte $\overline{X}$. La figure 10.8 B illustre un haut taux de variabilité, lequel se perçoit sur la carte R.

Les cartes de contrôle par mesure en fonction des fabrications présentent une lacune : elles établissent des limites de contrôle en fonction de la capacité de production et non pas en fonction des spécifications. Mais, au moins, elles nous informent sur notre capacité de travail (voir notion de capabilité, section 10.8). Une approche plus originale est présentée ci-dessous.

10.6.2 Les cartes de contrôle en fonction des spécifications

Les cartes de contrôle par mesure ou variables en fonction des spécifications ont été créées par René Cavé en 1956. Au cours des ans, cette approche a subi plusieurs modifications. Les limites de contrôle sont établies *a priori* en partant des spécifications demandées, soit par le client, soit par le service de conception, de design ou d'ingénierie. Cela rend plus facile le calcul des limites, mais il est plus difficile de faire respecter cette approche par les services de production. Elle exige en effet un effort de la part de tous les intervenants pour changer les façons de faire habituelles et pour répondre aux exigences du client, qu'il soit externe ou interne, c'est-à-dire d'un autre service de la même entreprise. Si on se rend compte que les facteurs actuels de production ne permettent pas de satisfaire le client, on devra travailler sur les 5 M pour contenter les clients, de plus en plus éveillés et sensibilisés à la qualité. L'entreprise moderne ne peut plus se reposer sur ses lauriers ; elle doit s'améliorer continuellement. Cette méthode est à la base des nouvelles approches d'**amélioration continue** ou *kaïzen* (voir aussi section 10.7.3) et de celle de ±6σ, conçue par Motorola dans les années 1990 (voir section 10.8).

Décrivons maintenant les étapes de la construction des cartes de contrôle en fonction des spécifications.

1. À partir des limites de tolérance supérieure et inférieure spécifiées (LTS et LTI) par le requérant, calculer la moyenne visée μ_0 et l'écart type visé σ_0.

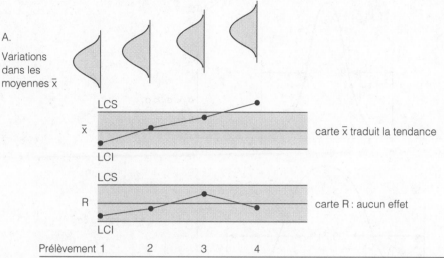

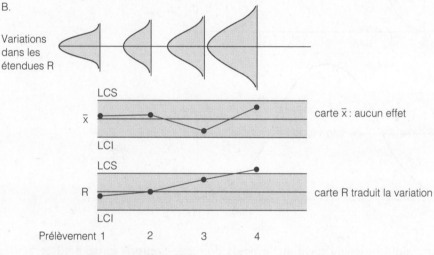

$$\mu_0 = \frac{LTS + LTI}{2}; \ \sigma_0 = \frac{LTS - LTI}{8}$$

Pour calculer σ_0, on ne devrait jamais utiliser un dénominateur inférieur à 6, où l'écart entre LTS et LTI serait de $6\sigma_0$; le σ_0 ainsi calculé sera trop grand et on risque de ne pas respecter les spécifications requises. La figure 10.9 illustre l'effet d'écarts types calculés avec 6, 8 ou $12\sigma_0$.

2. Calculer les limites de contrôle de $\pm 3\sigma$ pour les échantillons prélevés :

pour les moyennes $\overline{X}$: LCS = $\mu_0 + A'_2 * \sigma_0$

LCI = $\mu_0 - A'_2 * \sigma_0$

pour les étendues R : LCS = $D'_4 * \sigma_0$

LCI = $D'_3 * \sigma_0$

Le facteur A'_2, que l'on trouve à la table C, est fonction de la taille des échantillons prélevés. On le calcule par :

$$A'_2 = \frac{3}{\sqrt{n}}$$

Le gestionnaire peut aussi établir des limites de surveillance de $\pm 2\sigma$ et de $\pm 1\sigma$; ces facteurs, identifiés par A'_{2b} et A'_{2c}, apparaissent à la table C. Ils permettront de définir des **limites de surveillance** qui serviront de repères pour signaler des situations potentiellement dangereuses.

Figure 10.9

Comparaison des distributions à ±3σ, ±4σ, ±6σ

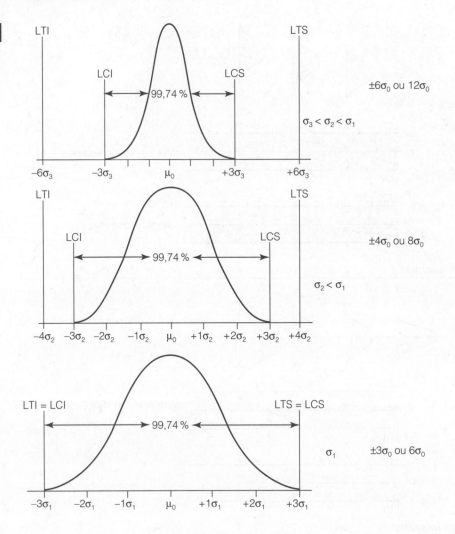

Exemple 4

On veut produire des unités dont le poids doit être compris entre 5,40 et 5,50 g. Déterminez les limites de cartes de contrôle pour des échantillons de taille n = 4.

Solution

$$\mu_0 = \frac{LCS + LCI}{2} = \frac{5,50 + 5,40}{2} = 5,45 \ g$$

$$\sigma_0 = \frac{LCS - LCI}{8} = \frac{5,50 - 5,40}{8} = 0,0125 \ g$$

$LCS = \mu_0 + A'_2 * \sigma_0 = 5,45 + 1,500 * 0,0125 = 5,469 \ g$

$LCI = \mu_0 - A'_2 * \sigma_0 = 5,45 - 1,500 * 0,0125 = 5,431 \ g$

$LCS = D'_4 * \sigma_0 = 4,699 * 0,0125 = 0,059 \ g$

$LCI = D'_3 * \sigma_0 = 0$

Les valeurs A'_2, D'_4 et D'_3 sont à la table C à la fin du livre pour n = 4 (Facteurs des cartes de contrôle en fonction des spécifications)

10.7 LES CARTES DE CONTRÔLE PAR CALIBRE OU ATTRIBUTS

Le contrôle par attributs, appelé aussi par calibre, est le plus ancien système de contrôle des spécifications. Les armées napoléoniennes ont été les premières à l'utiliser pour s'assurer de l'uniformité de leurs approvisionnements, d'où l'emploi de l'expression de «calibre» pour l'armement. Le principe de base est fort simple. Supposons qu'on veuille contrôler le diamètre des billes d'un roulement à billes. On crée deux tamis: le premier avec des trous de la dimension du diamètre supérieur des billes et un deuxième avec des trous de dimension inférieure. On tamise toutes les billes: les unités trop grandes restent dans le tamis supérieur (rejet pour excès) et les trop petites traversent le tamis inférieur (rejet pour défaut). Celles qui ont passé à travers le tamis supérieur et qui sont restées sur l'inférieur seront les bonnes unités. L'expression *go, no go* est couramment utilisée pour désigner le contrôle par attributs. Ce système peut s'appliquer à 100 %, car il est peu coûteux et son automatisation est fort simple. De la même façon et tout en adaptant le système, on pourrait contrôler par attributs les égratignures sur des bouteilles, le nombre de bactéries présentes dans l'eau ou le nombre de crimes commis dans un secteur de la ville pendant une période donnée. Le contrôle par attributs s'applique très bien dans le domaine des services, comme nous le verrons plus loin.

Il existe plusieurs types de cartes de contrôle par attributs. Les plus connues sont:

$n\bar{p}$: carte en fonction du nombre de mauvaises unités;

$\bar{p}$: carte en fonction du pourcentage de mauvaises unités;

$\bar{c}$: carte en fonction du nombre de défauts par unité.

Le tableau 10.4 compare les cartes de contrôle par attributs.

TABLEAU 10.4

Carte $n\bar{p}$[7]: nombre de mauvaises unités par prélèvement

1. Quand la caractéristique à contrôler est «bon», «pas bon» (pas de situation intermédiaire). Exemple: une ampoule fonctionne ou non.

2. Quand les observations concernent un nombre k d'échantillons de taille n chacun.

Carte $\bar{p}$[7]: pourcentage de mauvaises unités par prélèvement

Même chose que $n\bar{p}$, mais les tailles des échantillons n varient d'un prélèvement à un autre à l'intérieur de la limite de ± 25 %[8]. Exemple: plus petit échantillon n = 75; plus grand échantillon n = 125.

Carte $\bar{c}$[9]: nombre de défauts par unité prélevée

1. Égratignures, bosses, écailles, erreurs par dossier.

2. Nombre d'erreurs par dossier, nombre de plaintes par client, nombre d'appels par jour.

3. Bactéries par litre, défauts par mètre de tissu ou de tapis, ou par mètre carré de plancher.

10.7.1 La construction des cartes de contrôle par attributs: $n\bar{p}$ et $\bar{p}$

Le principe des cartes de contrôle par attributs ou calibre est le même que par variables, à savoir:

Les limites de contrôle (LC) sont établies selon le principe suivant: moyenne ±3σ

$$LC = \mu \pm 3\sigma$$

---

7. Le lecteur trouvera dans la bibliographie des ouvrages traitant de situations différentes.
8. Ibid.
9. Ibid.

Des limites de surveillance (LS) de ±2 écarts types peuvent être utilisées au besoin :

$$LS = \mu \pm 2\sigma$$

Contrairement aux cartes par variables, qui sont basées sur la loi normale, les cartes $\bar{p}$ et $n\bar{p}$ obéissent à une distribution statistique binomiale. Si les limites sont déjà établies, les gestionnaires n'auront qu'à s'assurer que le procédé respecte les normes. Par contre, si on doit établir les limites, la procédure à suivre pour la construction des cartes de contrôle est semblable à celle qui est suivie pour les cartes par mesure ou variables.

Carte de contrôle $n\bar{p}$ (nombre de mauvaises unités)

1. Faire un minimum de k = 20 prélèvements de taille n chacun.

2. Établir le nombre de défauts par prélèvement.

3. Calculer le pourcentage moyen de défauts $\bar{p}$.

$$\bar{p} = \frac{\sum de\ défauts}{nombre\ total\ d'observations} = \frac{\sum D}{k * n}$$

4. Calculer les limites de contrôle provisoires par :

$$LCS = n\bar{p} + 3\sqrt{n\bar{p}(1 - \bar{p})}\ ;\ LCI = n\bar{p} - 3\sqrt{n\bar{p}(1 - \bar{p})}\ ;$$

5. Placer les défauts observés à l'étape 2 sur les cartes de contrôle et vérifier s'ils respectent les limites provisoires établies à l'étape 4.

Si tous les points sont à l'intérieur des limites provisoires et distribués aléatoirement autour de la moyenne, ces limites seront déclarées officielles et toutes les productions futures devront s'y conformer. Sinon, le procédé est considéré comme instable et on devra reprendre la procédure en rejetant les prélèvements hors limites.

Carte de contrôle $\bar{p}$ (pourcentage de mauvaises pièces par prélèvement)

1. Prélever un minimum de k = 20 prélèvements de taille n.

2. Pour chaque prélèvement, calculer p, le pourcentage de mauvaises pièces par prélèvement.

$$p = \frac{d}{n}$$

d = défauts observés lors du prélèvement
n = taille de l'échantillon prélevé

3. Calculer le pourcentage moyen de défauts $\bar{p}$.

$$\bar{p} = \frac{\sum p}{k}$$

$\bar{p}$ peut aussi se calculer de la façon suivante :

$$\bar{p} = \frac{\sum de\ défauts}{nombre\ total\ d'observations} = \frac{\sum D}{k * n}$$

4. Calculer les limites de contrôle provisoires selon le principe de LC = $\mu \pm 3\sigma$:

$$LCS = \bar{p} + 3\sqrt{\frac{\bar{p}(1 - \bar{p})}{n}} \qquad LCI = \bar{p} - 3\sqrt{\frac{\bar{p}(1 - \bar{p})}{n}}$$

5. Placer le pourcentage de défauts calculé à l'étape 2 sur les cartes de contrôle et vérifier s'il respecte les limites provisoires établies à l'étape 4.

Si tous les points sont à l'intérieur des limites provisoires et distribués aléatoirement autour de la moyenne, ces limites seront déclarées officielles et toutes les productions futures devront s'y conformer. Sinon, le procédé est considéré comme instable et on devra reprendre la procédure en rejetant les prélèvements hors limites.

La responsable d'une entreprise fabriquant des composants électroniques aimerait mesurer la qualité des microprocesseurs produits. Elle prélève 20 échantillons de taille 100 chacun (voir les observations ci-dessous) et vérifie si le courant passe ou non. On vous demande de construire une carte de contrôle pour le nombre de défauts de cette production.

Exemple 5

Échantillon	Nombre de défauts	Échantillon	Nombre de défauts
1	14	11	8
2	10	12	12
3	12	13	9
4	13	14	10
5	9	15	11
6	11	16	10
7	10	17	8
8	12	18	12
9	13	19	10
10	10	20	16

Solution

$$\bar{p} = \frac{\sum de\ défauts}{nombre\ total\ d'observations} = \frac{\sum D}{k * n} = \frac{220}{20 * 100} = 0,11$$

Limite de contrôle supérieure

$$LCS = n\bar{p} + 3\ \sqrt{n\bar{p}(1-\bar{p})} = 100 * 0,11 + 3\sqrt{100 * 0,11\ (1-0,11)}$$

$$= 11 + 3 * 3,13 = 20,4$$

Limite de contrôle inférieure

$$LCI = n\bar{p} - 3\ \sqrt{n\bar{p}(1-\bar{p})} = 100 * 0,11 - 3\sqrt{100 * 0,11\ (1-0,11)}$$

$$= 11 - 3 * 3,13 = 1,6$$

En reportant les points sur la carte de contrôle ci-dessous, on voit que tous les points sont dans les limites. Ces limites seront déclarées officielles et toutes les productions futures devront respecter ces normes.

Or, qu'advient-il, dans le cas précédent, si un prélèvement se situe en dessous de la limite inférieure? Devrions-nous le rejeter? Cet échantillon est exceptionnellement bon: on ne le rejette pas. Alors à quoi cela sert-il de calculer les limites inférieures pour les cartes par attributs? À identifier les productions exceptionnellement bonnes et à déterminer les conditions qui avaient cours à ce moment-là afin de toujours les reproduire.

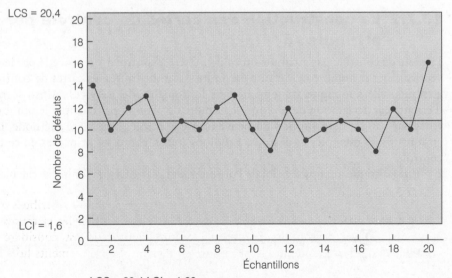

Figure 10.10

Carte n$\bar{p}$

LCS = 20,4 LCI = 1,60;
n$\bar{p}$ = nombre de mauvais échantillons

Exemple 6

Établissez, pour la situation suivante, des limites de contrôle et de surveillance pour la fraction de défauts. On a calculé le nombre de mauvaises pièces par échantillon de 50 unités prélevées.

Échantillon	Nombre de défauts	Échantillon	Nombre de défauts
1	2	11	3
2	5	12	6
3	6	13	4
4	6	14	6
5	5	15	5
6	6	16	6
7	5	17	3
8	7	18	4
9	5	19	5
10	6	20	8

Solution

Échantillon	Fraction de p défectueux	Échantillon	Fraction de p défectueux
1	p = 2 / 50 = 0,40	11	0,06
2	0,10	12	0,12
3	0,12	13	0,08
4	0,12	14	0,12
5	0,10	15	0,10
6	0,12	16	0,12
7	0,10	17	0,06
8	0,14	18	0,08
9	0,10	19	0,10
10	0,12	20	0,16

$$\bar{p} = \frac{\sum p}{k} = \frac{2,06}{20} = 0,103$$

$$\sigma = \sqrt{\frac{\bar{p}(1-\bar{p})}{n}} = \sqrt{\frac{0,103(1-0,103)}{50}} = 0,043$$

LCS = $\mu + 3\sigma$ = 0,103 + 3 * 0,043 = 0,231 96 = 23,19 %
LCI = $\mu - 3\sigma$ = 0,103 − 3 * 0,043 = −0,026 = 0
LSS = $\mu + 2\sigma$ = 0,103 + 2 * 0,043 = 0,188 97 = 18,90 %
LSI = $\mu - 2\sigma$ = 0,103 − 2 * 0,043 = 0,0170 = 1,70 %

10.7.2 La construction des cartes de contrôle par attributs : $\bar{c}$

La carte de contrôle par attributs ou calibre $\bar{c}$ sert à contrôler un procédé par lequel on veut calculer le nombre de défauts par unité. Comme toutes les cartes de contrôle par attributs, elle s'applique facilement dans le domaine des services. Ainsi, le nombre d'erreurs par déclaration de revenus, le nombre de plaintes par client et le nombre d'erreurs par patient dans un hôpital peuvent être contrôlés avec cette méthode, comme en font foi les exemples ci-dessous. Étudions tout d'abord les principes de ce type de contrôle.

En statistique, on utilise la loi de Poisson pour la carte $\bar{c}$ et les limites se calculent par :

$$LCS = \bar{c} + 3\sqrt{\bar{c}}$$

$$LCI = \bar{c} - 3\sqrt{\bar{c}}$$

où $\bar{c} = \dfrac{\sum c}{n}$

n = nombre d'unités observées

c = nombre de défauts par unité

Des limites de surveillance de ±2σ peuvent être utilisées au besoin.

Si les limites sont déjà établies, les gestionnaires n'auront qu'à s'assurer qu'elles sont respectées : sinon, ils devront les établir en suivant la même procédure que pour les cartes $\bar{p}$ et $n\bar{p}$, à savoir : observer un certain nombre d'échantillons, déterminer les défauts par échantillon c, calculer le $\bar{c}$ et les limites provisoires, reporter les points c sur les cartes provisoires et s'assurer qu'on les respecte avant de les adopter officiellement (voir exemple ci-dessous).

On détermine le nombre de fautes d'orthographe par page d'un rapport judiciaire. Les données apparaissent ci-dessous :

Exemple 7

Échantillon (page)	Erreurs	Échantillon (page)	Erreurs
1	3	10	1
2	2	11	3
3	4	12	4
4	5	13	2
5	1	14	4
6	2	15	2
7	4	16	1
8	1	17	3
9	2	18	1

Établissez les limites d'une carte de contrôle par attributs.

Solution

$$\bar{c} = \frac{\sum c}{n} = \frac{45}{18} = 2,5$$

$$LCS = \bar{c} + 3\sqrt{\bar{c}} = 2,5 + 3 * \sqrt{2,5} = 7,24$$

$$LCI = \bar{c} - 3\sqrt{\bar{c}} = 2,5 - 3 * \sqrt{2,5} = -2,24 = 0$$

donc 0, puisque nous ne pouvons pas avoir d'erreurs négatives.

La carte de contrôle c apparaît ci-dessous. Étant donné que tous les points sont à l'intérieur des limites, nous pouvons en déduire que le procédé est stable, c'est-à-dire que la façon actuelle de travailler produit en moyenne 2,5 fautes par page ; le gestionnaire peut s'attendre à observer jusqu'à 7,24 fautes d'orthographe par page.

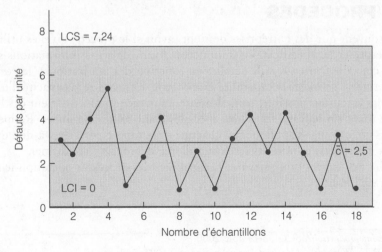

Finalement, avant de procéder à l'implantation d'une carte de contrôle c̄, il est important de classifier les types de défauts selon qu'ils sont mineurs, majeurs et critiques ; en effet, ces types n'ont pas la même importance. Dans certaines entreprises, on voit parfois une carte pour les défauts mineurs, une pour les défauts majeurs et une dernière pour les défauts critiques. Une autre façon de faire consiste à pondérer différemment les défauts : par exemple, un défaut mineur vaut 1 point, un défaut majeur vaut 5 mineurs et un défaut critique, 10 mineurs ou plus : c'est le système de **points de démérite**.

10.7.3 Les applications en amélioration continue[10]

amélioration continue
Amélioration continuelle des processus permettant d'atteindre et de dépasser les objectifs.

Les cartes de contrôle par calibre sont à la base de la philosophie de l'**amélioration continue** (voir chapitre 11). L'amélioration continue (*kaïzen* en japonais) est une philosophie d'entreprise qui prône l'amélioration continue des opérations pour permettre d'atteindre et de dépasser les objectifs de qualité, de quantités, de délais, de coûts et de service promis aux clients.

Or, nous ne pouvons pas améliorer ce que nous ne pouvons pas mesurer. Selon Deming[11], la première étape de l'amélioration continue consiste donc à connaître l'état actuel des opérations et à le faire connaître à l'ensemble des employés en l'affichant. Le contrôle de la qualité a longtemps visé le *statu quo* : on établissait des normes de qualité, les limites des cartes, et on s'assurait de les respecter. Deming, lui, propose de les rendre publiques. L'affichage des cartes de contrôle par calibre (sur le nombre de rejets np̄, sur le pourcentage p̄ ou sur le nombre de défauts par unité c) aura un effet direct sur le personnel de l'entreprise. Les gestionnaires pourront visualiser périodiquement la qualité de leurs opérations, tandis que les travailleurs s'efforceront, par fierté, d'abaisser le nombre de rejets. Effectivement, dans les jours suivant l'affichage, on note une stabilisation du nombre de rejets à l'intérieur des limites établies, ce qui, *a priori,* n'est pas une mauvaise chose, puisque, au pire, la situation de rejet se stabilise et on connaît le niveau de qualité. Après un certain temps, il n'est pas rare qu'on voie le nombre moyen de défauts décroître tout naturellement pour se restabiliser à un niveau inférieur au précédent. Il est alors temps de refaire les cartes en fonction de la nouvelle situation, c'est-à-dire avec des limites inférieures, et de s'assurer de stabiliser statistiquement le processus. À ce stade, s'il n'est plus possible d'abaisser naturellement le nombre de défauts, de rejets ou de plaintes, ce qui signifie qu'avec le processus actuellement utilisé, on ne peut faire mieux : pour toute amélioration supplémentaire, le gestionnaire devra passer par l'amélioration du processus lui-même, soit les 5 M. Il devra reconsidérer le choix de la matière première, de la main-d'oeuvre, des machines, des méthodes et du milieu environnant.

10.8 LA MESURE DE LA CAPABILITÉ DES PROCÉDÉS

capabilité
Capacité d'un processus de produire des biens et des services à l'intérieur de limites de tolérance spécifiées, appelées spécifications.

Il arrive souvent que des entreprises désirent savoir si le procédé qu'elles utilisent permet de respecter les spécifications annoncées. Ayant déjà des informations sur les limites de contrôle (cartes X̄ et R établies en fonction des fabrications), le gestionnaire désire mesurer *a posteriori* la **capabilité** du procédé, c'est-à-dire la capacité d'un processus dont les variations possibles sont aléatoires et demeurent à l'intérieur des limites de tolérance (dans un tel cas), les causes spéciales étant toutes éliminées. Rappelons que les limites de tolérance s'appliquent à chacune des unités créées, c'est-à-dire que toutes les unités fabriquées, et non pas les échantillons, devront s'y conformer.

Il exite des indices pour mesurer la capabilité des processus opérationnels ; le plus commun est l'indice Cp[12].

---

10. Revue *Infoproductivité*, SCGI, décembre 2000.
11. DEMING, W.E. *Hors de la crise*, Paris, Economica, 1991, 352 p.
12. Le lecteur trouvera dans la bibliographie des ouvrages traitant des indices Cpu, Cpl et Cpk.

Pour le contrôle de la qualité par variables (ou mesure), l'indice Cp se calcule par :

$$Cp = \frac{LTS - LTI}{6 * \hat{\sigma}}$$

où LTS et LTI sont les limites de tolérance spécifiées.

$\hat{\sigma}$ = estimation de l'écart type de la production à partir de $\bar{R}$

$$\hat{\sigma} = \frac{\bar{R}}{d_2}$$

d_2 se trouve dans la table C et il est fonction de la taille des échantillons prélevés.

Le tableau 10.5 nous guidera dans l'interprétation des indices.

Indice Cp	Interprétation
Cp < 1,00	Processus incapable de respecter les spécifications ; équivaut à un intervalle de confiance de ±3σ.
1,00 < Cp < 1,33	Capacité minime à respecter les spécifications ; équivaut à un intervalle de confiance de ±3σ et plus.
1,34 < Cp < 2,00	Processus capable de respecter les spécifications ; équivaut à un intervalle de confiance de ±4σ et plus.
2,00 < Cp	Processus capable de respecter les spécifications et de les dépasser ; équivaut à un intervalle de confiance de ±6σ et plus.

TABLEAU 10.5
Interprétation des indices

Soulignons que l'indice Cp n'indique que la capacité du processus à respecter les écarts, c'est-à-dire à ne pas subir de grande variabilité qui le rende incapable de respecter les limites de tolérance. La figure 10.11 illustre ce phénomène.

Figure 10.11

A. Processus à peine capable de respecter les spécifications : 1,00 < Cp < 1,33

B. Processus capable de respecter les spécifications : 1,34 < Cp < 2,00

C. Processus incapable de respecter les spécifications : Cp < 1,00

L'indice de capabilité Cp n'indique pas l'alignement du procédé à l'intérieur des limites, c'est-à-dire son ajustement par rapport à la moyenne désirée. Il existe d'autres indices nous permettant de le mesurer, bien que la lecture de la carte de contrôle puisse l'illustrer facilement.

Pour mesurer la capabilité d'un processus de contrôle par attributs, l'indice Cp se calcule de la façon suivante :

Cp = n$\bar{p}$ (contrôle du nombre de défauts)
Cp = $\bar{p}$ (contrôle du pourcentage de défauts)
Cp = $\bar{c}$ (contrôle du nombre de défauts par unité)

Exemple 8

La responsable d'un service de production a le choix entre trois machines pour produire un objet dont les spécifications fournies par le service d'ingénierie sont : LTI = 1,00 mm ; LTS = 1,60 mm. Les estimés des écarts types de la production de chaque machine sont de :

Machine	$\hat{\sigma}$ = écart type
A	0,10 mm
B	0,08 mm
C	0,13 mm

Déterminez la capabilité de chaque machine et choisissez la plus apte à respecter les spécifications.

Solution

Machine A : $\quad Cp = \dfrac{LTS - LTI}{6\hat{\sigma}} = \dfrac{1,60 - 1,00}{6 * 0,10} = 1,00$

Machine B : $\quad Cp = \dfrac{LTS - LTI}{6\hat{\sigma}} = \dfrac{1,60 - 1,00}{6 * 0,08} = 1,25$

Machine C : $\quad Cp = \dfrac{LTS - LTI}{6\hat{\sigma}} = \dfrac{1,60 - 1,00}{6 * 0,13} = 0,78$

On voit que la machine C (Cp < 1,00) ne pourra jamais respecter les spécifications désirées, quoi que fasse le gestionnaire. La machine A est à peine capable de respecter les spécifications (Cp = 1,00), et encore faut-il qu'elle soit bien ajustée.

Contrairement à la croyance populaire, ce n'est pas dans le domaine médical que le taux de qualité est le plus élevé (des taux d'erreurs dépassent 30 %), et surtout pas dans le domaine des services, financiers ou autres, mais plutôt dans le secteur de l'électronique, comme l'atteste le développement du principe de ±6σ. En se basant sur la notion de Cp, le manufacturier en électronique Motorola (www.motorola.com) a élaboré l'**approche ±6σ** ou 12σ. Cela signifie qu'il y a 12 écarts types entre la limite de tolérance inférieure et la limite de tolérance supérieure. Si on la compare avec l'approche ±3σ, ou 6σ, où l'intervalle de confiance est de 99,74 % (voir table de la loi statistique normale), l'approche ±6σ, avec un écart type beaucoup plus petit, permet d'assurer un intervalle de confiance beaucoup plus grand, comme le démontre la figure 10.12.

Figure 10.12

Comparaison des approches ±3σ et ±6σ

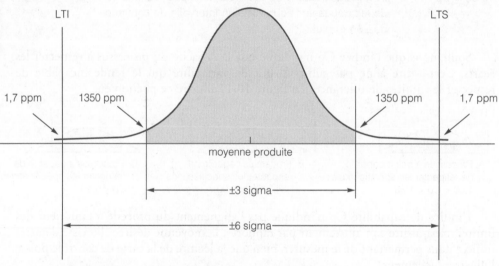

Avec l'approche ±3σ, le procédé risque de générer :

100 % – 99,74 % = 0,26 % de mauvaises pièces ou

1350 ppm (parties par million) d'unités rejetées par excès (LTS non respectée) et 1350 ppm rejetées par défaut (LTI non respectée).

1 ppm = 1 / 1 000 000 = (1 / 10 000) % = 0,0001 %

Selon l'approche ±6σ, le procédé risque de générer :

100 % – 99,99966 % = 0,00034 % de mauvaises pièces (1,7 ppm d'unités en excès et 1,7 ppm par défaut). Le tableau 10.6 résume les données comparatives des deux approches.

TABLEAU 10.6

Comparaison des approches ±3σ et ±6σ

Comparaison	Approche ±3σ LTS – LTI = 6σ	Approche ±6σ LTS – LTI = 12σ
Intervalle de confiance	99,74 %	99,999 66 %
Rejets pour excès > LTS	0,13 % = 1350 ppm	0,000 17 % = 1,7 ppm
Rejets pour défauts < LTI	0,13 % = 1350 ppm	0,000 17 % = 1,7 ppm

10.9 LE CONTRÔLE DES LOTS : PLANS D'ÉCHANTILLONNAGE

Jusqu'à maintenant, nous avons analysé les procédures de contrôle des processus, aussi bien pour les biens tangibles que pour les biens intangibles (les services). Dans cette section, nous analyserons les méthodes de contrôle des lots de marchandises reçues ou expédiées au client. Avec cette approche, nous nous prononçons sur la qualité d'un lot au complet, reçu ou expédié, et non pas sur la production à un moment donné de la journée ; c'est pour cela, d'ailleurs, que le **contrôle par lots** est parfois appelé contrôle des réceptions ou contrôle des expéditions[13].

Quand on reçoit un lot de produits, on peut procéder à un contrôle exhaustif à 100 % dans la mesure où :

- le nombre d'unités reçues est relativement restreint ;

- le contrôle est non destructif.

Supposons qu'une quincaillerie reçoive une grande quantité de boulons. Elle ne contrôlera pas toutes les boîtes reçues pour s'assurer de la qualité. On suggère plutôt la procédure suivante :

1. Recevoir le lot global de N unités.

2. Prélever aléatoirement n unités à même N.

3. Vérifier les n unités ; si on note c mauvaises unités ou moins dans n, on accepte le lot N, sinon on le rejette.

Il revient au gestionnaire de décider de la taille n de l'échantillon à prélever, qui peut même être exhaustif selon les besoins, et le **nombre d'acceptation c**, c'est-à-dire la quantité maximum de mauvaises unités permise dans n pour qu'il puisse accepter N. La figure 10.13 illustre la procédure.

Mais si on base le sort d'un lot N sur les résultats d'un échantillon n, il y a risque d'erreur. Si le lot reçu est petit et que l'on procède à une vérification exhaustive, le risque de se tromper est presque inexistant : par contre, si le lot est très grand, même une vérification à 100 % comporte un risque d'erreur de la part du contrôleur de la qualité. Pour illustrer la situation, supposons qu'un accord entre le client et le fournisseur stipule que les lots N sont déclarés valables dans la mesure où ils ne dépassent pas p_0 = pourcentage de mauvaises unités. Tant et aussi longtemps que le fournisseur livre des lots N dont le pourcentage p de mauvais est tel que $p \leq p_0$, N sera déclaré bon et la probabilité que le client l'accepte sera : Pa = 100 %. Si $p > p_0$, la probabilité qu'il l'accepte tombera à Pa = 0. À titre indicatif, et bien que les pourcentages de mauvaises

contrôle par lots
Procédure de contrôle de la qualité d'un lot N fini et délimité.

nombre d'acceptation c
Nombre maximum de défauts permis dans l'échantillon n pour qu'on puisse accepter le lot N.

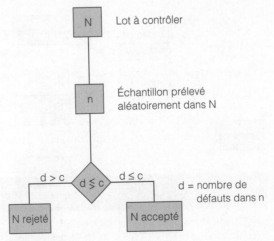

Figure 10.13

Procédure de contrôle par lots

Figure 10.14

Courbe d'efficacité idéale

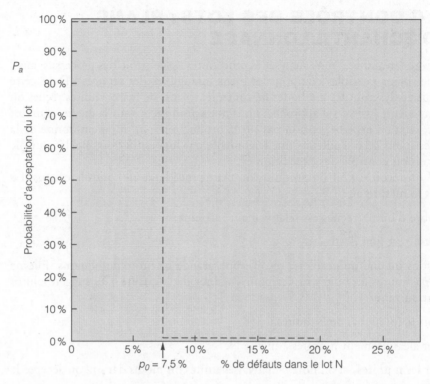

unités soient volontairement élevés pour mieux illustrer le phénomène, la figure 10.14 représente un p_0 convenu de $p_0 = 7,50\,\%$ entre le fournisseur (l'expéditeur) et le client (le destinataire).

Or, comme il existe un risque d'erreur, la situation décrite à la figure 10.15 est plus susceptible de se produire :

d = nombre de défauts observé dans n

c = nombre d'acceptation fixé

risque du fournisseur (α)
Risque, pour le fournisseur, de se faire refuser un lot de qualité acceptable (NQA).

On voit dans cette figure que si on rejette un lot N dont le pourcentage de mauvaises unités est acceptable, le fournisseur se verra injustement puni. C'est ce qu'on appelle le **risque du fournisseur** ou **risque α**, c'est-à-dire le risque de se voir refuser un lot dont le pourcentage de mauvaises unités est acceptable ; ce pourcentage est défini

Figure 10.15

Procédure de contrôle par lots avec risque d'erreur

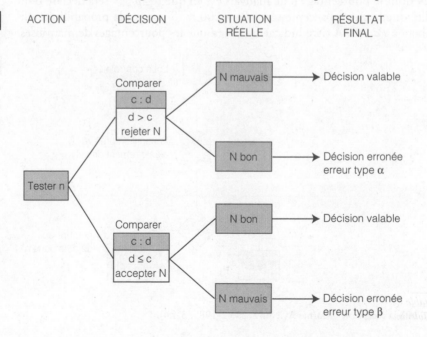

par la notion de **niveau de qualité acceptable** (NQA), souvent désigné aussi par l'expression AQL[14]. Par contre, si, après vérification, il accepte des lots mauvais en pensant qu'ils sont bons, le client sera en en mauvaise posture : c'est le **risque β du client**. Le risque du client est d'accepter un lot comportant un niveau à peine tolérable de mauvaises unités ; ce niveau est appelé **niveau de qualité tolérable** (NQT), désigné aussi par l'expression LTPD[15].

Compte tenu de toutes ces situations possibles, le gestionnaire doit définir un **plan d'échantillonnage**. C'est une procédure qui permet de définir la taille de l'échantillon n et le nombre d'acceptation c afin de minimiser les risques α du fournisseur et β du client. Chaque plan d'échantillonnage est représenté par une courbe appelée courbe d'efficacité, où l'ordonnée représente la probabilité d'acceptation P_a et l'abscisse, la qualité effective du lot, c'est-à-dire le pourcentage p de mauvaises unités présentes :

$$P_a = \text{Fonction } (p).$$

La figure 10.16 illustre une **courbe d'efficacité** représentant un plan d'échantillonnage et ses paramètres : risque α avec son NQA correspondant, risque β avec son NQT correspondant. Comparez avec la courbe idéale illustrée à la figure 10.14.

Mais en variant les paramètres n et c, on rend les plans d'échantillonnage plus ou moins discriminatoires. Ainsi, pour la même taille d'échantillons, par exemple n = 100, un nombre d'acceptation c = 2 donnera un plan d'échantillonnage plus sévère que c = 4. Et pour un même nombre d'acceptation, par exemple c = 2, un plan d'échantillonnage avec n = 100 sera plus discriminatoire qu'avec n = 80. La notion de sévérité n'est pas une fonction linéaire entre n et c, mais plutôt exponentielle : on ne peut pas conclure que le plan (n, c) (100, 2) est deux fois plus discriminatoire que (100, 4). La figure 10.17 illustre l'effet d'une variation de la taille de l'échantillon n sur la courbe d'efficacité.

risque du client β
Risque, pour le client, de recevoir un lot d'une qualité à peine tolérable (NQT).

plan d'échantillonnage
Modalité de prélèvement permettant de fournir des informations en vue de l'acceptation ou du rejet d'un lot N.

courbe d'efficacité
Courbe représentant la probabilité d'acceptation d'un lot reçu en fonction du pourcentage p de mauvaises unités (qualité effective du lot).

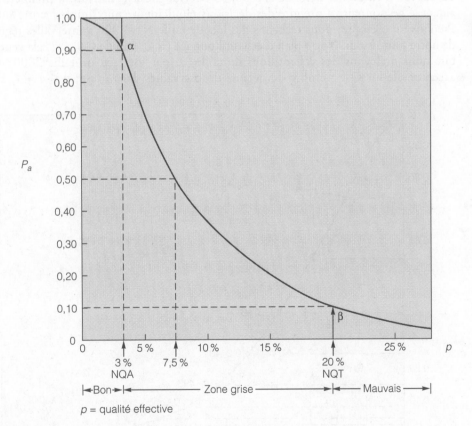

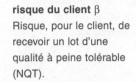

Figure 10.16

Courbe d'efficacité

---

14. AQL : *Acceptable Quality Level.*
15. LTPD : *Lot Tolerance Percent Defective.*

Figure 10.17

*Effets de la variation
de n sur la courbe
d'efficacité Pa*

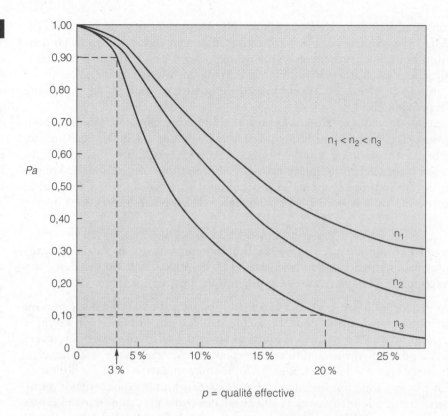

p = qualité effective

10.9.1 L'utilité de la courbe d'efficacité

La courbe d'efficacité, bien qu'elle puisse être longue à construire à première vue,
aidera le gestionnaire à prendre des décisions rapidement : une simple lecture suffira.
Prenons un exemple : nous recevons des lots de taille N = 2000 à intervalles réguliers
de notre fournisseur. Notre plan d'échantillonnage (n, c) stipule (10, 1) : cela veut dire
que nous prélevons des échantillons de taille 10 par lot reçu de taille 2000 : nous
acceptons le lot si le nombre de défauts d observables dans n est : d ≤ c = 1. Étant

Figure 10.18

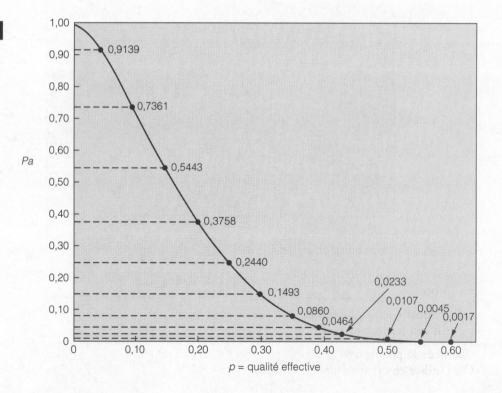

p = qualité effective

		\multicolumn{12}{c}{p = qualité effective}										
n	x	,05	,10	,15	,20	,25	,30	,35	,40	,45	,50	,55	,60
10	0	,5987	,3487	,1969	,1074	,0563	,0282	,0135	,0060	,0025	,0010	,0003	,0001
c = 1	1	,9139	,7361	,5443	,3758	,2440	,1493	,0860	,0464	,0233	,0107	,0045	,0017
	2	,9885	,9298	,8202	,6778	,5256	,3828	,2616	,1673	,0996	,0547	,0274	,0123
	3	,9990	,9872	,9500	,8791	,7759	,6496	,5138	,3823	,2660	,1719	,1020	,0548

donné que le rapport n/N < 5 %, on utilise la loi binomiale pour calculer nos probabilités d'acceptation des lots ; sinon, on utilisera la loi hypergéométrique. Le tableau ci-dessus reproduit une partie des probabilités de la loi binomiale ; le lecteur pourra trouver dans les livres de statistiques des tables exhaustives de la loi binomiale.

Grâce à la table, on s'aperçoit que pour c = 1, si nous recevons des lots de p = 0,05 (5 %) de mauvaises unités, la probabilité qu'on accepte le lot est : P_a = 0,9139 ou 91,39 %. Pour un lot de p = 10 % de qualité effective, P_a = 0,7361, et ainsi de suite. Tandis que si nous avions décidé d'un nombre d'acceptation de c = 3, la probabilité qu'on accepte un lot ayant une qualité effective p = 5 % aurait été P_a = 99,9 % et pour un p = 10 %, P_a = 98,72 %. Nous serons alors plus permissifs. La figure 10.18 illustre la courbe d'efficacité pour cette situation. Sans la calculer, mais en lisant directement le graphique, nous pouvons prédire que si le fournisseur livre un lot comportant 22 % de défauts, les chances que nous l'acceptions sont de 30 % approximativement.

Quand les lots sont très grands (5000 ou plus) par rapport aux échantillons prélevés, on utilise la loi de Poisson à la place de la loi binomiale. La moyenne µ de la loi de Poisson est alors exprimée par :

$$\mu = np = \lambda$$

et la probabilité d'acceptation est calculée par :

$$P(acc) = e^{-\mu} \frac{\mu^x}{x!}$$

10.9.2 Le plan d'échantillonnage Mil-Std105E ou ISO 2859

Les plans d'échantillonnage sont d'une grande utilité pour les gestionnaires, qu'ils soient fournisseurs ou clients. Lors de la Seconde Guerre mondiale, les belligérants développèrent des plans simples destinés à faciliter l'acceptation ou le rejet des marchandises transigées. Par la suite, ces plans subirent plusieurs modifications afin de s'adapter au domaine civil ; c'est ainsi que sont nés les plans ISO 2859 (International Standardization Organisation) 2859, ANSI/ASQC Z1.4 (American National Standard Institute/American Standard Quality Control), AFNOR NFX06-022. Le plus répandu de ces plans est le plan d'échantillonnage Mil Standard 105-E.

Le plan Mil-Std105E est d'une grande simplicité d'utilisation. Il existe en plusieurs versions. Le gestionnaire doit décider :

- des modalités ou des niveaux de contrôle désirés ;

- du plan souhaité.

Les niveaux de contrôle

Il existe trois modalités ou niveaux de contrôle :

- normal : quand il n'y a aucune raison de se méfier du fournisseur, car il contrôle son procédé ;

- réduit : quand le fournisseur a fait ses preuves en produisant au moins 10 lots consécutifs qui respectaient les paramètres désirés ;

- renforcé : le plus sévère et le plus coûteux en termes de temps et de vérification. On l'utilise en cas de situation critique.

Les plans disponibles

Les plans d'échantillonnage Mil-Std105E (ISO 2859) offrent trois plans au gestionnaire :

- **Plan simple :** on prélève un échantillon à des fins de vérification avec le nombre d'acceptation c ; on accepte ou on rejette.

- **Plan double :** on prélève un premier échantillon de taille réduite, on compare avec le c correspondant : on accepte, on rejette ou on prélève un deuxième échantillon pour vérification. Le plan double permet de prendre des décisions à partir d'échantillons de plus petite taille.

- **Plan multiple :** prélèvement d'une succession de petits échantillons si les précédents sont refusés. Le plan multiple permet de faire jusqu'à sept prélèvements successifs, chacun étant de petite taille, ce qui est moins coûteux. Toutefois, l'ensemble des sept prélèvements est plus grand que l'échantillon du plan simple.

Les tables des plans simple, double et multiple à contrôle normal sont présentées à la table D, à la fin du livre.

Maintenant, illustrons le fonctionnement des plans Std-105E. Supposons que nous recevons des lots de 5000 unités et que le niveau de qualité[16] acceptable (NQA) est de 1,5 %. En consultant la table 4, vis-à-vis des lots de N = 3201 à 10 000 unités, nous lisons la lettre-code L à la colonne hachurée, la plus commune.

Plan simple : selon la table 5, à la lettre-code L, nous devons prélever des échantillons de taille n = 200. Vis-à-vis de la rangée du haut se trouvent les NQA possibles. Au croisement de la colonne 1,5 % et de la rangée de la lettre-code L, nous lisons :

Ac = 7 : on accepte jusqu'à sept défauts.

Re = 8 : huit ou plus, on rejette.

Plan double : vis-à-vis de la lettre-code L, on lit :

Premier n = 125 : Ac = 3, Re = 7. Si le nombre de défauts est de 4, 5 ou 6, on prélève un deuxième échantillon de 125.

Total vérifié : n = 250 : Ac = 8 ; Re = 9.

À noter que dans ces tables, les NQA possibles sont exprimés en pourcentages de mauvaises unités par lot. À partir de la colonne 15 inclusivement et jusqu'à 1000, on voit apparaître le nombre de défauts sur 100 unités et non pas le pourcentage de mauvaises unités. Les flèches indiquent les données pertinentes.

 LECTURE
QUALITÉ SIX-SIGMA (6σ)

La compagnie américaine Motorola (www.motorola.com) fut la première à développer et à implanter l'approche six-sigma (6σ). Cette approche signifie que le procédé génère un taux d'erreur possible de 3,4 erreurs (pièces défectueuses, retards dans les livraisons ou autres types d'erreurs) par million d'unités. En d'autres mots, le pourcentage d'unités qui se trouve à ±6 écarts-types de la moyenne n'est que de 0,0003 % ! À titre indicatif, mentionnons que pour plusieurs entreprises très

performantes, un taux d'erreur de 1,00 % est considéré comme excellent (99,00 % de bons produits). Or, pour des entreprises à haut taux de production (à ne pas confondre avec la notion de haut taux de productivité) tels les services postaux, qui manipulent près de 1 000 000 de colis par jour, un taux d'erreur acceptable de 1,00 % se traduit par 10 000 colis perdus ou endommagés par jour. Dans le cas des services de santé, un taux d'erreur de 1,00 % signifierait que nous acceptons que pour

100 patients traités, un patient risque d'être mal diagnostiqué ou de recevoir le mauvais traitement. Soulignons que dans la grande majorité des industries manufacturières, celles qui ont adopté un contrôle de la qualité formel fonctionnent à ±3σ, avec un intervalle de confiance de 99,74 % ; dans ces cas, on peut s'attendre à un taux de défauts ou d'erreurs de près de 2600 défauts par million (2600 ppm) comparativement à 3,4 ppm selon l'approche six-sigma (±4,5σ plus ±1,5σ par sécurité, d'où

±6σ). Le fait de passer de ±3σ, avec 2600 ppm, à six-sigma, avec 3,4 ppm, se traduit par une amélioration de la qualité de 800 %, ce qui ne s'implante pas du jour au lendemain. Bombardier, l'entreprise canadienne qui a le plus réussi dans ce domaine, a adopté une approche par étapes, d'une façon sectorielle, en commençant par l'aérospatiale, les trains et wagons, les motoneiges et motomarines et finalement l'équipement récréatif. La General Electric Co a adopté une approche plus draconienne en investissant, en 1997 seulement, 400 M$ en formation, afin de devenir pour l'année 2001 une entreprise six-sigma dans tous ses secteurs d'activités, des plastiques au secteur financier.

10.10 Conclusion

Tout au long de ce chapitre, nous avons vu que le contrôle de la qualité sert de base à la recherche et à l'atteinte de l'objectif qualité, un des cinq objectifs de la gestion des opérations. Sans contrôle, on ne peut assurer la qualité au client. Mais l'entreprise moderne ne peut en rester là si elle veut s'améliorer et demeurer concurrentielle. L'assurance et la gestion de la qualité doivent suivre. D'où la nécessité de l'amélioration continue, le *kaïzen*. Nous avons ensuite exploré les outils de contrôle en cours d'opération et ceux qui s'effectuent par lots. Les cartes de contrôle représentent l'outil principal pour surveiller le processus opérationnel, tandis que les plans d'échantillonnage servent au contrôle des réceptions et des expéditions. Nous vous avons présenté les différentes cartes de contrôle, par variables et par attributs, en fonction des fabrications, ainsi qu'une approche originale en fonction des spécifications. Puis, nous avons appliqué les cartes de contrôle par attributs au domaine des services, domaine où les techniques statistiques de contrôle des procédés tardent à s'implanter. En effet, il reste beaucoup de travail à faire dans ce secteur, même au Japon, où la notion de qualité est pourtant omniprésente dans l'industrie manufacturière. En ce qui concerne le contrôle par lots, différents plans d'échantillonnage ont été explorés. Nous avons insisté sur le principal, le plan Std-105E, en raison de sa simplicité d'application.

Terminologie

ACNor	ISO 2859
AFNOR NFX06-022	Maîtrise statistique des procédés
Amélioration continue	Métrologie
ANSI/ASQC Z1.4	Mil-Std-105E
Approche ±6σ	Niveau de qualité acceptable
Assurance de la qualité	Niveau de qualité tolérable
Capabilité (indices)	Nombre d'acceptation c
Cartes de contrôle : par mesure, par calibre	Plan d'échantillonnage
Cartes $\bar{X}$, R, n$\bar{p}$, $\bar{p}$, $\bar{c}$	Points de démérite
Contrôle de la qualité	*Range*
Contrôle des procédés	Retraçabilité
Contrôle par échantillonnage	Risque α du fournisseur
Contrôle par lots : réceptions, expéditions	Risque β du client
Courbe d'efficacité	Tests destructifs
Défauts majeurs, mineurs et critiques	Tests non destructifs
Étendue	Variations aléatoires
Gestion de la qualité	Variations spéciales
Go, no go	Zéro défaut

TABLEAU 10.7
Résumé des formules

Paramètre	Symbole	Formule
Moyenne	μ ou $\overline{\overline{X}}$	$X = \dfrac{\sum X}{k}$
Étendue	R	$Xmax. - Xmin.$
Écart type estimé du processus	$\hat{\sigma}$	$\hat{\sigma} = \dfrac{R}{d_2}$
Limite de contrôle par variables	LCS ; LCI	$LCS = \overline{X} + A_2 * \overline{R}$ $LCI = \overline{X} - A_2 * \overline{R}$ $LCS = D_4 * \overline{R}$
Pourcentage moyen de défauts	$\overline{p}$	$\overline{p} = \dfrac{\sum D}{k * n}$
Limite de contrôle par nombre de défauts	$n\overline{p}$	$LCS = n\overline{p} + 3\sqrt{n\overline{p}(1-\overline{p})} \qquad LCI = n\overline{p} - 3\sqrt{n\overline{p}(1-\overline{p})}$
Limite de contrôle par pourcentage de défauts	$\overline{p}$	$LCS = \overline{p} + 3\sqrt{\dfrac{\overline{p}(1-\overline{p})}{n}} \qquad LCI = \overline{p} - 3\sqrt{\dfrac{\overline{p}(1-\overline{p})}{n}}$
Limite de contrôle par nombre d'erreurs par unité	$\overline{c}$	$\overline{c} = \dfrac{\sum c}{n} \qquad LCS = \overline{c} + 3\sqrt{\overline{c}}$ $LCI = \overline{c} - 3\sqrt{\overline{c}}$
Indice de capabilité	Cp	$Cp = \dfrac{LTS - LTI}{6\hat{\sigma}}$

Problèmes résolus

Problème 1

Carte de contrôle par variables. Des manches de chaudrons en fer forgé doivent avoir une épaisseur au centre de 10 mm ± 0,8 mm. Cinq prélèvements de taille 4 ont été pris à intervalles réguliers, et les données sont présentées ci-dessous. On vous demande de calculer les limites de cartes de contrôle en fonction des fabrications. Est-ce que le procédé est sous contrôle statistique ?

Prélèvement	X_1	X_2	X_3	X_4
1	10,2	9,9	9,8	10,1
2	10,3	9,8	9,9	10,4
3	9,7	9,9	9,9	10,1
4	9,9	10,3	10,1	10,5
5	9,8	10,2	10,3	9,7

Solution

a) Calcul de la moyenne $\overline{X}$ et de l'étendue R.

Prélèvement	X_1	X_2	X_3	X_4	$\overline{X}$	R
1	10,2	9,9	9,8	10,1	*10,0*	*0,4*
2	10,3	9,8	9,9	10,4	*10,1*	*0,6*
3	9,7	9,9	9,9	10,1	*9,9*	*0,4*
4	9,9	10,3	10,1	10,5	*10,2*	*0,6*
5	9,8	10,2	10,3	9,7	*10*	*0,6*
					$\overline{X} = 10,04$	$\overline{R} = 0,52$

Moyenne des $\overline{X}$: $X = \dfrac{\sum X}{k} = \dfrac{10,0 + 10,1 + 9,9 + 10,2 + 10,0}{5} = 10,04$ mm

Moyenne des R : $R = \dfrac{\sum R}{k} = \dfrac{0,4 + 0,6 + 0,4 + 0,6 + 0,6}{5} = 0,52$ mm

b) **Calcul des limites**

Les facteurs A_2, D_3 et D_4 pour n = 4 se trouvent à la table 3.

Carte $\overline{X}$: LCS = $\overline{\overline{X}}$ + A_2 * $\overline{R}$ = 10,04 + 0,729 * 0,52 = 10,42 mm
       LCI = $\overline{\overline{X}}$ − A_2 * $\overline{R}$ = 10,04 − 0,729 * 0,52 = 9,66 mm

Carte $\overline{R}$: LCS = D_4 * $\overline{R}$ = 2,282 * 0,52 = 1,19 mm
       LCI = D_3 * $\overline{R}$ = 0 * 0,52 = 0

c) Toutes les valeurs étant à l'intérieur des limites provisoires, on peut conclure à la présence d'un procédé contrôlé statistiquement, bien que le traçage des points sur la carte de contrôle s'impose toujours. De plus, le nombre de prélèvements n'est pas suffisant puisqu'il est < 20.

Problème 2

Carte en fonction des spécifications. En vous basant sur les données du problème précédent, établissez des cartes de contrôle et de surveillance en fonction des spécifications pour des prélèvements de taille n = 4.

Solution

Les tolérances sont 10,00 mm ± 0,8 mm ; LTS = 10,80 mm ; LTI = 9,20 mm.

$$\mu_0 = \frac{LTS + LTI}{2} = \frac{10,80 + 9,20}{2} = 10,00 \text{ mm}$$

$$\sigma_0 = \frac{LTS - LTI}{8} = \frac{10,80 - 9,20}{8} = 0,20 \text{ mm}$$

Les facteurs A'_2, D'_3 et D'_4 pour n = 4 se trouvent à la table 3.

Les limites de contrôle

Pour les moyennes $\overline{X}$: LCS = μ_0 + A'_2 * σ_0 = 10,00 + 1,500 * 0,20 = 10,30 mm

LCI = μ_0 − A'_2 * σ_0 = 10,00 − 1,500 * 0,20 = 9,70 mm

Pour les étendues R :   LCS = D'_4 * σ_0 = 4,699 * 0,20 = 0,94 mm
          LCI = D'_3 * σ_0 = 0 * 0,2 = 0,00 mm

Les limites de surveillance à ±2σ

Pour les moyennes $\overline{X}$: LCS = μ_0 + A'_{2b} * σ_0 = 10,00 + 1,000 * 0,20 = 10,20 mm

LCI = μ_0 − A'_{3b} * σ_0 = 10,00 − 1,000 * 0,20 = 9,80 mm

Pour les étendues R :   LCS = D'_{4b} * σ_0 = 3,819 * 0,20 = 0,76 mm
          LCI = D'_{3b} * σ_0 = 0,299 * 0,2 = 0,06 mm

Problème 3

Carte par attributs. On vous demande de construire un contrôle statistique approprié à ±2σ pour les processus suivants :

À l'expédition, un contrôleur de la qualité a mesuré une moyenne de 3,9 égratignures de la même importance sur les carrosseries des automobiles.

Un contrôle du démarrage de tondeuses à gazon indique que sur 100 unités, quatre n'ont pas démarré du premier coup.

Solution

a) La première situation concerne le contrôle du nombre de défauts par unité. Le contrôle $\overline{c}$ s'impose.

$$\overline{c} = \frac{\sum c}{n} = 3,9$$

LCS = $\overline{c}$ + 3 $\sqrt{\overline{c}}$ = 3,9 + 3 $\sqrt{3,9}$ = 7,85 égratignures
LCI = $\overline{c}$ − 3 $\sqrt{\overline{c}}$ = 3,9 − 3 $\sqrt{3,9}$ = −0,05 = 0

b) La deuxième situation concerne le pourcentage d'unités défectueuses. On utilisera ici un contrôle $\overline{p}$, bien que le contrôle $n\overline{p}$ puisse aussi être utilisé.

$\overline{p}$ = 0,04

$$LCS = \overline{p} + 3 \sqrt{\frac{\overline{p}(1 - \overline{p})}{n}} = 0,04 + 3 \sqrt{\frac{0,04\,(1 - 0,04)}{100}} = 0,0988 = 9,88\,\%$$

$$LCS = \overline{p} - 3 \sqrt{\frac{\overline{p}(1 - \overline{p})}{n}} = 0,04 - 3 \sqrt{\frac{0,04\,(1 - 0,04)}{100}} = -0,0188 = -1,88\,\% = 0$$

Problème 4

Cadence des prélèvements. Un procédé fabrique des lots de 150 000 unités à la fois, à une cadence de fabrication de 144 unités à la minute. Sachant que l'on prélève des échantillons de quatre unités à la fois, déterminez la cadence des prélèvements.

Solution

$L = 150\,000$; $n = 4$; $v = 144$ unités

$$C = \sqrt{\frac{n * L}{v}} = \sqrt{\frac{4\,u * 150\,000\,u}{144\,u/\text{min}}} = 5,4 \text{ min approx.}$$

On doit prélever des échantillons de taille 4 toutes les cinq minutes.

Questions

1. Indiquez quelles questions concernent l'implantation d'un système de contrôle de la qualité.

2. À quoi servent les cartes de contrôle?

3. Quels sont les types de défauts?

4. Nommez les différents types de cartes de contrôle et décrivez leur utilité.

5. Quelle différence y a-t-il entre les limites de tolérance, de contrôle et de surveillance? À quoi servent-elles?

6. Pourquoi les limites de contrôle sont-elles plus restreintes que les limites de tolérance?

7. Un de vos clients vous informe de son intention de modifier les spécifications du produit que vous lui fournissez. Les nouvelles spécifications sont plus sévères que la capacité de votre procédé. Expliquez brièvement les possibilités dont vous disposez pour résoudre cette situation.

8. Expliquez la différence entre les cartes de contrôle en fonction des fabrications et celles qui sont en fonction des spécifications.

9. Qu'est-ce qu'un plan d'échantillonnage et à quoi sert-il?

10. Qu'est-ce qu'un nombre d'acceptation?

11. Quels sont les paramètres principaux d'une courbe d'efficacité?

12. Vous désirez rendre votre plan d'échantillonnage plus discriminatoire. Quelles actions pourriez-vous prendre?

Questions de discussion et de révision

1. Un procédé de moulage de pièces pour des blocs-moteurs doit respecter les tolérances suivantes: 24 kg et 25 kg. La distribution de la production suit une loi normale, avec un écart type de 0,2 kg. Quel est le pourcentage de la production qui ne respectera pas les limites de tolérance?

2. Une embouteilleuse fonctionne avec une moyenne de 1 l et un écart type de 0,01 l. Déterminez les limites de contrôle pour les bouteilles avec un intervalle de confiance de 99,74 %.

   Placez les données suivantes sur le graphique délimité par les limites de contrôle établies précédemment et interprétez: 1,05; 1,01; 0,99; 1,02; 0,99; 1,00. Y a-t-il une tendance?

   Le procédé est-il sous contrôle statistique?

3. On désire contrôler le produit fabriqué par une fraiseuse. On prélève six échantillons de taille 10 chacun; les moyennes et les étendues apparaissent ci-dessous.

Prélèvement	$\overline{X}$	R
1	3,06	0,42
2	3,15	0,50
3	3,11	0,41
4	3,13	0,46
5	3,06	0,46
6	3,09	0,45

   Déterminez les limites de contrôle et de surveillance pour ce procédé.

   Le procédé est-il sous contrôle statistique? Expliquez.

4. On veut contrôler un procédé de coupe de tubes de plastique, d'une longueur nominale de 80 cm. On fait six prélèvements de taille 5 chacun (voir tableau). Calculez les limites de

contrôle pour ce procédé, placez les points en conséquence et déterminez si le procédé est sous contrôle.

Prélèvement	X_1	X_2	X_3	X_4	X_5
1	79,2	78,8	80,0	78,4	81,0
2	80,5	78,7	81,0	80,4	80,1
3	79,8	79,4	80,4	80,3	80,8
4	78,9	79,4	79,7	79,4	80,6
5	80,5	79,6	80,4	80,8	78,8
6	79,7	80,6	80,5	80,0	81,1

5. Un contrôleur de la qualité prélève des échantillons de 200 unités et observe le nombre de mauvaises pièces suivantes.

Échantillon :	1	2	3	4
Nombre de défauts :	4	2	5	9

   a) Déterminez le pourcentage de défauts par prélèvement.
   b) Quelle est votre estimation du pourcentage de défauts pour ce procédé ?
   c) On vous informe que les limites à respecter pour ce procédé sont de 4,7 % et 0,3 %.
   d) Est-ce que le procédé est contrôlé statistiquement ?
      Plusieurs semaines plus tard, on vous informe que le procédé produit, en moyenne, 2 % de mauvaises pièces. Calculez les limites de contrôle à respecter.
   e) Placez les données ci-dessus sur la carte de contrôle établie en d).Le procédé est-il sous contrôle ?

6. Établissez une carte de contrôle à deux écarts types pour le nombre de mauvaises pièces, sachant que vous prélevez des échantillons de taille 200 et que le nombre de défauts observé sur 13 prélèvements est de : 1, 2, 2, 0, 2, 1, 2, 0, 2, 7, 3, 2, 1. Si des échantillons ne respectent pas les limites provisoires, procédez aux ajustements qui s'imposent pour établir les limites officielles.

7. Calculez les limites à deux écarts types pour le problème précédent en utilisant une carte $\bar{p}$.

8. La gérante d'un bureau de poste reçoit des plaintes concernant le service postal. Pour obtenir des données quantifiables sur la situation, elle procède au décompte du nombre de plaintes sur une période de 14 jours ouvrables. Le nombre de plaintes recueillies est le suivant : 4, 10, 14, 8, 9, 6, 5, 12, 13, 7, 6, 4, 2, 10. Elle vous demande d'établir les limites d'une carte de contrôle appropriée pour son procédé. Celui-ci est-il sous contrôle ?

9. Calculez les limites d'une carte de contrôle à 3σ pour le nombre de défauts par bobine de câble d'acier. Est-ce que le procédé est sous contrôle ?

Bobine	Nombre d'erreurs	Bobine	Nombre de défauts
1	2	8	0
2	3	9	2
3	1	10	1
4	0	11	3
5	1	12	1
6	3	13	2
7	2	14	0

10. En révisant des déclarations de revenus reçues, on note le nombre d'erreurs suivant dans chaque rapport. À l'aide d'une carte de contrôle à 2σ, déterminez si le procédé est sous contrôle.

Déclaration	Nombre d'erreurs	Déclaration	Nombre d'erreurs
1	5	9	5
2	3	10	8
3	6	11	3
4	7	12	4
5	4	13	5
6	6	14	6
7	8	15	6
8	4	16	7

11. On vous informe que les spécifications pour les tubes de plastique du problème 4 sont de : 78 cm – 81 cm. En vous basant sur les informations disponibles, estimez le pourcentage de tubes de plastique qui respecteront les limites annoncées.

12. On veut contrôler l'épaisseur de barres de métal. On sait que le procédé a un écart type de 0,146 cm. On a prélevé 39 échantillons de taille n = 5 chacun.

Éch.	$\overline{X}$	Éch.	$\overline{X}$	Éch.	$\overline{X}$
1	3,86	14	3,81	27	3,81
2	3,90	15	3,83	28	3,86
3	3,83	16	3,86	29	3,98
4	3,81	17	3,82	30	3,96
5	3,84	18	3,86	31	3,88
6	3,83	19	3,84	32	3,76
7	3,87	20	3,87	33	3,83
8	3,88	21	3,84	34	3,77
9	3,84	22	3,82	35	3,86
10	3,80	23	3,89	36	3,80
11	3,88	24	3,86	37	3,84
12	3,86	25	3,88	38	3,79
13	3,88	26	3,69	39	3,85

À l'aide de cartes de contrôle par mesure à 2σ et à 3σ, déterminez si le procédé est sous contrôle.

13. On vous informe que le procédé mis en œuvre pour fabriquer des barres de métal doit respecter les spécifications suivantes : LTS = 4,24 ; LTI = 3,36. Calculez l'indice Cp du procédé utilisé. Que concluez-vous ? En établissant des limites de contrôle en fonction des fabrications et en plaçant les $\overline{X}$ des données du problème 12, que peut-on conclure ?

14. Une entreprise assure le service sous garantie d'un de ses produits. On veut contrôler statistiquement les dépenses du service après-vente. On a calculé, sur une période de 60 jours ouvrables, les coûts en milliers de dollars (k $) (voir tableau). Construisez les limites d'un contrôle statistique pour cette situation. Que peut-on conclure ?

Jour	Coûts (k $)	Jour	Coûts (k $)	Jour	Coûts (k $)
1	27,69 $	21	28,60 $	41	26,76 $
2	28,13	22	20,02	42	30,51
3	33,02	23	26,67	43	29,35
4	30,31	24	36,40	44	24,09
5	31,59	25	32,07	45	22,45
6	33,64	26	44,10	46	25,16
7	34,73	27	41,44	47	26,11
8	35,09	28	29,62	48	29,84
9	33,39	29	30,12	49	31,75
10	32,51	30	26,39	50	29,14
11	27,98	31	40,54	51	37,78
12	31,25	32	36,31	52	34,16
13	33,98	33	27,14	53	38,28
14	25,56	34	30,38	54	29,49
15	24,46	35	31,96	55	30,81
16	29,65	36	32,03	56	30,60
17	31,08	37	34,40	57	34,46
18	33,03	38	25,67	58	35,10
19	29,10	39	35,80	59	31,76
20	25,19	40	32,23	60	34,90

15. Une fois le problème 2 résolu, on vous informe que les limites de tolérance sont de : LTS = 9,65 et LTI = 10,35 cm. Établissez les limites d'une carte de contrôle en fonction des spécifications selon l'approche $\pm 3\sigma$, pour des échantillons de taille n = 4.

16. Dans le problème précédent, recalculez les limites de la carte de contrôle selon l'approche $\pm 6\sigma$, pour des échantillons de taille n = 4.

17. Un fabricant de microprocesseurs observe, depuis quelque temps, une moyenne de 0,03 mauvaise unité par quart de travail avec un écart type de 0,003. Les limites ont été établies depuis longtemps à : LTS = 4 % et LTI = 2 %. Le procédé actuel est-il sous contrôle ?

18. Nous possédons les informations suivantes sur les capacités de cinq machines, ainsi que sur les spécifications du client. Déterminez quelles machines sont capables de satisfaire à ses exigences.

Machine	Écart type	Tolérances requises
1	0,02	±0,05 g
2	0,04	±0,07 g
3	0,10	±0,18 g
4	0,05	±0,15 g
5	0,01	±0,04 g

19. Une entreprise reçoit des lots de 4000 disjoncteurs à la fois. Sa politique d'échantillonnage consiste à prélever des échantillons de n = 20 et à vérifier les dommages dus au transport. Si une unité de l'échantillon est défectueuse, le lot est soumis à un contrôle à 100 %. Tracez une courbe d'efficacité pour cette situation en utilisant des qualités effectives des lots de p = 0,05, 0,10, 0,15, 0,20, etc.

20. Des vérificateurs financiers prélèvent des échantillons de comptes de crédit sur un lot de 8000 comptes. En cas d'erreur, ils procèdent à une vérification exhaustive de l'entreprise.

    Tracez une courbe d'efficacité pour des échantillons de 15 comptes en utilisant p = 0,1 %, 0,2 %, 0,3 %, etc.

    Tracez une courbe d'efficacité pour des échantillons de 150 comptes, en utilisant les mêmes valeurs de p.

21. Avant de livrer des lots de 3000 livres, une imprimerie veut procéder à un contrôle par échantillonnage en utilisant le plan Std-105E. Si le niveau de qualité acceptable est de 0,1 % de défauts, déterminez les paramètres n et c à utiliser.

    Déterminez les mêmes paramètres si le NQA est de 0,4 %.

    Déterminez les mêmes paramètres si l'entreprise adopte un plan double et si le NQA est de 0,1 % et de 0,4 %.

    Déterminez les mêmes paramètres si l'entreprise adopte un plan multiple et si le NQA est de 0,1 % et de 0,4 %.

22. En adoptant le plan double avec un NQA = 0,45 %, l'imprimeur du problème 21 découvre une mauvaise unité au premier prélèvement. Que doit-il faire ?

    Au deuxième prélèvement, il observe une autre mauvaise unité : quelle sera sa décision ?

CAS
LES OUTILS LETIGRE

Madame Michelle Philippe, vice-présidente à l'exploitation de la compagnie « Les outils Letigre », reçoit le mandat de lancer la production d'un nouveau produit. Elle demande alors à son technicien industriel, Jim Pierre, de vérifier la capabilité du procédé du four utilisé dans le procédé de corroyage. Pour ce faire, Jim procède de la façon suivante : il prélève 18 échantillons aléatoires contenant chacun 20 unités ; il mesure la caractéristique de cuisson pertinente au four ; il calcule les moyennes et l'étendue de chaque prélèvement (voir tableau).

Échantillon	Moyenne	Étendue	Échantillon	Moyenne	Étendue
1	45,01	0,85	10	44,97	0,91
2	44,9	0,89	11	45,11	0,84
3	45,02	0,86	12	44,96	0,87
4	45	0,91	13	45	0,86
5	45,04	0,87	14	44,92	0,89
6	44,98	0,9	15	45,06	0,87
7	44,91	0,86	16	44,94	0,86
8	45,04	0,89	17	45	0,85
9	45	0,85	18	45,03	0,88

En se basant sur ses observations, Jim conclut que le procédé est incapable de respecter la spécification relative à l'épaisseur désirée (1,20 cm).

Madame Philippe est alors très déçue des résultats, car elle espérait que le lancement de ce nouveau produit permettrait à son usine de fonctionner à pleine capacité. De plus, les propriétaires de l'entreprise ont décrété un gel des investissements de plus de 10 000 $; l'acquisition d'un nouveau four représenterait au moins quatre fois cette limite.

De son côté, Jim, en collaboration avec les équipes techniques et les opérateurs du four, a procédé à plusieurs modifications pour voir si des améliorations pouvaient être apportées qui permettraient le respect de la spécification : malheureusement, toutes ses tentatives sont restées vaines. Ne pouvant se résigner à l'échec, Michelle contacta un de ses anciens professeurs et lui soumit le problème. Celui-ci lui suggéra alors de procéder à de nouvelles observations en prenant des échantillons de plus petite taille mais plus souvent. D'un commun accord, Michelle et Jim prélevèrent 27 échantillons de taille 5 chacun (voir données ci-contre).

En tant que stagiaires chez Letigre, Michelle et Jim vous demandent de préparer un rapport sur ce problème en répondant aux questions suivantes :

1. Comment Jim a-t-il pu conclure que le procédé est incapable de respecter les spécifications ?

   (suggestion : estimer l'écart type σ avec $A_2 R3 \simeq 3\sigma/\sqrt{n}$)

2. La deuxième série d'observations fournit-elle de nouvelles informations ? Développer.

3. En supposant que le problème peut être résolu techniquement, quel serait alors l'impact sur l'indice de capabilité du procédé ? (Évaluer).

4. Si les prélèvements de petite taille fournissent des informations différentes de celles que fournissent les prélèvements de grande taille, pourquoi alors ne pas les prendre toujours de petite taille ?

Échantillon	Moyenne	Étendue	Échantillon	Moyenne	Étendue
1	44,96	0,42	15	45	0,39
2	44,98	0,39	16	44,95	0,41
3	44,96	0,41	17	44,94	0,43
4	44,97	0,37	18	44,94	0,4
5	45,02	0,39	19	44,87	0,38
6	45,03	0,4	20	44,95	0,41
7	45,04	0,39	21	44,93	0,39
8	45,02	0,42	22	44,96	0,41
9	45,08	0,38	23	44,99	0,4
10	45,12	0,4	24	45	0,44
11	45,07	0,41	25	45,03	0,42
12	45,02	0,38	26	45,04	0,38
13	45,01	0,41	27	45,03	0,4
14	44,98	0,4			

Bibliographie

BAILLARGEON, G. *Maîtrise statistique des procédés,* 4e édition, Trois-Rivières, éditions SMG, 1995, 361 p.

BAILLARGEON, G. *Plans d'échantillonnage en contrôle de la qualité,* 4e édition, Trois-Rivières, éditions SMG, 291 p.

BENEDETTI, C. *Introduction à la gestion des opérations,* 3e édition, Laval, Éditions Études Vivantes, 1991, chapitre 8.

CAVÉ, René. *Le contrôle des fabrications,* 3e édition, Paris, Eyrolles, 1966, 543 p.

DEMING, W. E. *Hors de la crise,* Paris, Economica, 1991, 352 p.

DUNCAN, A.J. *Quality Control and Industrial Statistics,* 5e édition, R. D. Irwin, 1986, 1100 p.

GRANT, E. L. et R. S. LEAVENWORTH. *Statistical Quality Control,* 7e édition, New York, McGraw-Hill, 1996, 764 p.

HARRY M. et R. SCHROEDER. *Six Sigma, the Breakthrough,* Doubleday Random House, 2000, 300 p.

JURAN, J. M. et F. M. GRYNA. *Quality Planning and Analysis,* 3e édition, McGraw-Hill, 1993, 634 p.

MONTGOMERY, D. C. *Introduction to Statistical Quality Control,* 2e édition, J. Wiley, 1991, 674 p.

OBJECTIFS D'APPRENTISSAGE

Après avoir terminé l'étude de ce chapitre, vous pourrez :

1. Décrire la gestion intégrale de la qualité (GIQ).

2. Présenter un panorama de la résolution de problèmes.

3. Offrir une vue d'ensemble de l'amélioration des processus.

4. Décrire les divers outils de gestion de la qualité et les utiliser.

CHAPITRE 11
LA GESTION INTÉGRALE DE LA QUALITÉ (GIQ)

Les gestionnaires ont pour principal rôle de gérer les opérations quotidiennes d'une entreprise et d'assurer sa survie en tant qu'entité. La qualité est devenue un facteur de succès important de cette responsabilité stratégique.

Bien qu'en affaires, elle ait toujours été un objectif évident, la satisfaction du client est devenue un but en soi à la fin des années 1980. Offrir un haut niveau de qualité était considéré comme un élément capital du succès de l'entreprise. La plupart des grandes entreprises qui l'ont fait ont réussi. Elles ont d'abord survécu à la forte compétition étrangère qui avait établi un haut niveau de qualité, puis reconquis quelques-uns de leurs anciens marchés. Par ailleurs, des entreprises plus petites adoptent également des buts semblables. La Xerox Corporation a occupé 85 % du marché des photocopieurs jusqu'en 1979, moment où sa part de marché est tombée à 15 %. Ses concurrents japonais pouvaient vendre une machine semblable, mais de meilleure qualité et pour le même coût de fabrication. Xerox était presque vaincue. Heureusement, grâce à sa filiale japonaise, elle a découvert que l'application de la gestion intégrale de la qualité (GIQ) faisait toute la différence. Elle l'a alors mise en œuvre et a récupéré jusqu'à 60 % du marché du photocopieur après de dures années de travail. Dans ce cas, la direction avait joué un rôle important : cette nouvelle approche consiste tout d'abord à effectuer des changements clairs de politiques. La philosophie d'opération de la Ford Motor Company en est un bon exemple : « La philosophie d'opération de la Ford Motor Company consiste à répondre aux besoins et aux attentes du client en créant un environnement qui encourage tous les employés à rechercher une amélioration continuelle de la qualité et de la productivité des produits et des services dans toute l'entreprise, chez ses fournisseurs et ses concessionnaires[1] ».

Vers la fin du XXe siècle, les entreprises commerciales se sont engagées dans ce qui est devenu une « révolution de la qualité ». Celle-ci a débuté au Japon et s'est répandue en Amérique du Nord et dans d'autres parties du monde. Elle comporte une toute nouvelle façon d'envisager et de gérer la qualité qui englobe l'entreprise en entier. Cette approche a reçu plusieurs noms mais dans le cadre de cet ouvrage, nous parlerons de gestion intégrale de la qualité ou GIQ.

11.1 INTRODUCTION

L'expression **gestion intégrale de la qualité (GIQ)**, ou qualité totale, traduction de l'anglais *Total Quality Management (TQM)*[2], fait référence à une recherche de qualité qui met à contribution tous les membres de l'entreprise. Deux concepts de base sous-tendent cette approche : un effort incessant d'amélioration appelé **amélioration continue** ou *Kaïzen*[3] et un objectif de satisfaction de la clientèle, qui consiste à répondre aux attentes du client ou à les surpasser.

Nous pouvons décrire l'approche GIQ comme suit :

1. Découvrir les attentes du client.
   Pour cela, on se sert de sondages, de groupes de discussion, d'interviews ou de toute autre technique qui tient compte des désirs du client dans le processus de prise de décisions. Il ne faut pas oublier d'inclure le client interne (la personne suivante dans le processus de fabrication), de même que le client externe (le client ultime à qui est destiné le produit).

2. Concevoir un produit ou un service qui comblera ou dépassera les attentes du client.
   Il faut faire en sorte qu'il soit facile à utiliser et à produire.

gestion intégrale de la qualité
Philosophie de gestion qui fait appel à la participation de tous les membres de l'entreprise à un effort continuel en vue d'améliorer la qualité et de donner satisfaction à la clientèle.

amélioration continue
Philosophie en vertu de laquelle on cherche à améliorer continuellement le processus de transformation des facteurs de production en produits finis.

Kaïzen
Terme japonais qui désigne l'amélioration continue.

---

1. *Source* : Reproduit avec l'autorisation de Thomas J. Cartin, *Principles and Practices of TQM*, ASQC Press, 1993, p. 29.
2. Voir ACGPS, *Dictionnaire de la gestion de la production et des stocks,* Montréal, Éditions Québec/ Amérique, 1993, p. 228.
3. *Kaïzen* est un mot japonais qui signifie « amélioration graduelle et continue ».

3. Concevoir un processus opérationnel qui donnera de bons résultats du premier coup.
   On doit découvrir à quel moment les erreurs risquent de se produire et tenter de les prévenir. Le cas échéant, il faut en trouver la cause afin de réduire leur fréquence. On doit s'efforcer de rendre le processus « exempt de toute erreur ».

www.trekbikes.com

4. Vérifier les résultats et s'inspirer de cette information pour l'amélioration du système.
   On ne doit jamais mettre fin aux efforts déployés en vue d'obtenir une amélioration.

5. Appliquer ces mêmes notions à l'ensemble de la chaîne d'approvisionnement[4], des fournisseurs aux clients en passant par la distribution.
   Les programmes de GIQ réussissent grâce au dévouement et aux efforts combinés de tous les membres de l'entreprise. Comme nous l'avons mentionné, les cadres supérieurs doivent s'engager et participer, sinon la GIQ ne sera qu'une autre tendance passagère.

La description précédente est un bon résumé de ce qu'est la GIQ, mais plusieurs autres éléments en font partie :

1. *L'amélioration continue (Kaïzen)*. Elle consiste à améliorer tous les facteurs reliés au processus de transformation des facteurs de production (intrants) en produits finis (extrants) sur une base continue, soit le matériel, les méthodes, les matériaux et les gens.
   Bien que le concept d'amélioration continue ne soit pas nouveau, peu d'entreprises l'ont adopté rigoureusement en Amérique du Nord. Au Japon, où il est utilisé depuis des années sous le nom de *Kaïzen,* il est devenu la pierre angulaire de l'approche de la production[5]. Devant le succès de l'industrie japonaise, plusieurs entreprises ont révisé leurs approches et se sont intéressées à l'amélioration continue.

2. *L'analyse comparative ou balisage (benchmarking[6])*. Elle comprend l'identification des entreprises ou des autres organisations qui sont les meilleures dans leur domaine, celles qui représentent la référence optimale, et l'étude de la méthode qu'elles emploient, tout cela en vue d'apprendre comment on peut améliorer une opération. Il n'est pas nécessaire que cette entreprise soit dans le même domaine. Par exemple, Xerox s'est servie de la manière de remplir les commandes de l'entreprise de commandes par correspondance L. L. Bean comme référence optimale.

3. *L'autonomisation* (empowerment) *des employés*. Le fait de donner aux employés la responsabilité des améliorations et l'autorité nécessaire pour effectuer des changements en ce sens les motive fortement. La prise de décisions est ainsi entre les mains de ceux qui sont le plus près de la tâche et qui possèdent la meilleure compréhension des problèmes et des solutions.

4. *Le travail en équipe*. L'utilisation d'équipes pour résoudre des problèmes et atteindre un consensus permet de bénéficier de la synergie de groupe, favorise la participation, l'esprit de coopération et le partage des valeurs entre les employés.

5. *Les décisions basées sur les faits plutôt que sur les opinions*. La direction recueille et analyse l'information pour la prise de décisions.

6. *La connaissance des outils*. Les employés et les directeurs sont formés à l'utilisation des outils (généralement sous forme de contrôle statistique) de gestion de la qualité.

---

4. Voir chapitre 16.
5. MASAAKI, Imaï, *Kaïzen : The Key To Japanese Competitive Success*, New York, McGraw-Hill, 1989 ; *Gemba Kaïzen : A Commonsense Low-Cost Approach To Management*, New York, McGraw-Hill, 1997, 354 p.
6. De *benchmark,* référence optimale, voir 11.5.4.

7. *La qualité des fournisseurs.* Les fournisseurs doivent participer aux efforts en vue de l'atteinte des normes de qualité et de l'amélioration de la qualité afin de pouvoir livrer des pièces et des matériaux de qualité dans des délais opportuns.

qualité à la source
Philosophie qui rend chaque employé responsable de la qualité de son travail.

L'expression **qualité à la source** signifie que chaque employé est responsable de la qualité de son travail. Elle inclut les notions de « faites-le bien » et de « si c'est brisé, réparez-le ». On demande aux employés de fournir des biens ou des services qui satisfont aux normes ainsi que de trouver et de corriger les erreurs qui se produisent. En fait, chaque employé devient le contrôleur de la qualité de son travail. Lorsque le travail passe à l'opération suivante du processus (le client interne) ou lorsque cette étape est la dernière du processus (client ultime), l'employé « certifie » que son travail répond aux normes de qualité.

Ce processus a plusieurs effets : 1) il donne la responsabilité de la qualité à la personne directement concernée, 2) il supprime le rapport conflictuel qui existe souvent entre les contrôleurs de la qualité et les employés de la production et 3) il motive les employés qui, ayant le plein contrôle de leur travail, en retirent de la fierté. Les contrôleurs de la qualité reviennent alors à leur rôle initial : celui de conseillers.

Les fournisseurs sont des partenaires faisant partie du processus et il est important d'entretenir avec eux des relations à long terme. Ils sont ainsi plus intéressés à offrir des biens et des services de qualité. On attend des fournisseurs qu'ils procurent également une qualité à la source, ce qui réduit ou élimine le besoin d'inspecter leurs livraisons.

Il serait erroné de considérer la GIQ comme un amas de techniques. Au contraire, elle suppose avant tout une toute nouvelle attitude envers la qualité, car elle est au cœur même de la culture d'une entreprise. Pour vraiment récolter les fruits de la GIQ, c'est la culture de l'entreprise qu'il faut changer.

Le tableau 11.1 montre la différence qui existe entre une entreprise appliquant la GIQ et les entreprises plus traditionnelles.

On vante les programmes de GIQ auprès des entreprises en les décrivant comme des façons de retrouver leur compétitivité, ce qui est un objectif très valable.

TABLEAU 11.1

Tableau comparatif des modes de gestion : gestion traditionnelle et GIQ

Aspect	Gestion traditionnelle	GIQ
Mission globale	Accroître au maximum le rendement du capital investi	Atteindre et surpasser la satisfaction du client
Objectifs	Accent mis sur court terme	Équilibre entre long terme et court terme
Direction	Pas toujours ouverte ; objectifs pas toujours cohérents	Ouverte ; encourage participation des employés ; objectifs cohérents
Rôle du directeur	Donner des ordres ; les faire respecter	Guider, éliminer les obstacles, bâtir la confiance
Exigences du client	Non prioritaires ; peuvent être confuses	Priorité ultime ; définies et comprises par l'ensemble des intervenants
Problèmes	Blâmer quelqu'un ; punir	Les cerner et les résoudre
Résolution de problèmes	Non systématique ; individuelle	Systématique ; effectuée par des équipes
Amélioration	Sporadique	Continue
Fournisseurs	Concurrents	Associés
Emplois	Limités, spécialisés ; beaucoup d'efforts individuels	Étendus, plus généraux ; beaucoup de travail en équipe
Accent	Sur les produits	Sur les processus

Cependant, ces programmes font aussi l'objet de certaines critiques. Les principales ont trait aux points suivants :

1. La mise en œuvre aveugle des programmes de GIQ : les partisans trop zélés risquent de ne concentrer leurs efforts que sur la qualité alors qu'il y a d'autres priorités, comme le fait de réagir prestement à la progression d'un compétiteur.

2. Les programmes peuvent ne pas être reliés de façon claire aux stratégies de l'entreprise.

3. Les décisions ayant trait à la qualité peuvent n'avoir aucun lien avec la performance. Par exemple, on peut rechercher la satisfaction de la clientèle à un point tel que les coûts engendrés par cette recherche dépassent nettement ses avantages directs ou indirects.

4. Un programme mal planifié peut entraîner de faux départs, une certaine confusion chez les employés et des résultats futiles.

Notez que ce n'est pas la GIQ qui est problématique, mais plutôt la manière inappropriée dont certaines personnes ou entreprises l'appliquent. À présent, examinons les étapes de la résolution de problèmes et de l'amélioration des processus.

11.2 LA PROCÉDURE DE RÉSOLUTION DE PROBLÈMES

La résolution de problèmes est l'une des étapes fondamentales de la GIQ. Elle est fortement inspirée par l'étude des méthodes[7]. Pour être couronnés de succès, les efforts de résolution de problèmes devraient respecter une méthode standard. Le tableau 11.2 décrit les étapes de base du processus de résolution de problèmes de la GIQ.

TABLEAU 11.2

Étapes de base de la résolution de problèmes

Étape 1 Définir le problème et fixer un objectif d'amélioration.
Définissez attentivement le problème ; n'allez pas trop vite à cette étape, car elle servira de point de départ à la résolution du problème.

Étape 2 Recueillir les informations.
La solution doit être basée sur des faits. Le graphique d'analyse de processus (GAP), le diagramme de Pareto, l'histogramme, les cartes de contrôle, les graphiques chronologiques, le diagramme d'Ishikawa et autres sont des outils qui permettent d'enregistrer objectivement le processus actuel d'opération. Ces outils sont étudiés plus loin dans le chapitre.

Étape 3 Analyser le problème.
Les outils disponibles sont encore une fois le diagramme de Pareto et le diagramme d'Ishikawa.

Étape 4 Rechercher des solutions possibles.
Les méthodes appropriées comprennent les séances de remue-méninges, les interviews, les enquêtes et autres.

Étape 5 Choisir une solution.
Assurez-vous que les critères de choix de la solution sont clairs. (Reportez-vous à l'objectif fixé à l'étape 1.) Appliquez ces critères aux solutions possibles et choisissez la meilleure.

Étape 6 Appliquer la solution.
Informez tout le monde.

Étape 7 Assurer le suivi de la solution pour voir si elle atteint son objectif.
Si la réponse est non, modifiez la solution ou retournez à l'étape 1. Les outils disponibles sont les différentes cartes[8] de contrôle et les graphiques chronologiques.

---

7. Voir chapitre 7.
8. Voir chapitre 10.

Un aspect important de la résolution de problèmes propre à l'approche de la GIQ consiste à éliminer la cause du problème afin que celui-ci ne se reproduise pas. C'est pourquoi les utilisateurs de l'approche de la GIQ aiment souvent considérer les problèmes comme des « occasions d'améliorations ».

11.3   L'AMÉLIORATION DES PROCESSUS

amélioration du processus

Approche systématique comprenant le recueil, la mesure et l'analyse des informations du processus en vue d'amélioration.

L'**amélioration des processus** est une approche systématique qui comprend la documentation, la mesure et l'analyse d'un processus dans le but d'améliorer son fonctionnement. Les objectifs typiques de l'amélioration d'un processus sont la satisfaction du client, l'atteinte d'une qualité supérieure, la diminution du gaspillage, la réduction des coûts, l'augmentation de la productivité, l'accroissement des cadences, à savoir l'atteinte et l'amélioration des cinq objectifs des opérations : la quantité, la qualité, les délais, les lieux et les coûts[9].

Le tableau 11.3 offre un survol de l'amélioration des processus.

TABLEAU 11.3

Vue d'ensemble de l'amélioration des processus

A. La représentation du processus[10]

1. Recueillir de l'information sur le processus ; définir chaque étape du processus.
    À chaque étape, déterminer :
    – les facteurs et les résultats ;
    – les gens qui y participent ;
    – toutes les décisions qui sont prises.
    S'informer sur le temps, le coût, l'espace utilisé, le gaspillage, le moral et le taux de roulement des employés, le taux d'accidents de travail, les conditions de travail et l'application des normes de santé et de sécurité, les ventes et l'état des profits et pertes, la qualité et la satisfaction des clients.

2. Tracer le graphique d'analyse de processus qui décrit de façon précise les méthodes de travail. Il est à noter que le manque de détails empêchera la production d'une analyse significative et que l'excès de détails dérangera les analystes, ce qui irait à l'encontre du but visé. S'assurer que les activités, les décisions et les opérations importantes sont représentées.

B. L'analyse du processus

1. Se poser les questions suivantes :
    – La suite est-elle logique ?
    – Quelles étapes ou activités a-t-on oubliées ?
    – Y a-t-il des dédoublements ?

2. À chaque activité, se poser, dans l'ordre, les questions suivantes :
    – Cette étape crée-t-elle de la valeur ajoutée[11] ?
    – Y a-t-il du gaspillage à cette étape ?
    – Pourrait-on l'éliminer, la combiner, la coordonner ou la simplifier ?
    – Pourrait-on réduire le temps ?
    – Pourrait-on réduire les coûts de cette étape ?

C. La reconception du processus

Au moyen des résultats de cette analyse, reconcevez le processus ; c'est ce qu'il convient d'appeler la réingénierie du processus. Dans le secteur des services, principalement dans l'administration de l'entreprise, on parle de réingénierie de processus administratif (RPA). Dans quelque contexte que ce soit, la réingénierie du processus consiste à préciser les améliorations possibles grâce à la réduction du temps, des coûts, de l'espace, du gaspillage, du roulement de personnel, des accidents ou des problèmes de sécurité ainsi qu'au rehaussement du moral des employés et des conditions de travail, des ventes et des profits, de la qualité et de la satisfaction du client.

---

9. Voir chapitre 1.
10. Voir chapitre 7, section 7.3.4.
11. Voir notion de PVA (production à valeur ajoutée).

11.3.1 Le cycle de Shewhart

Le **cycle de Shewhart** ou cycle **penser/démarrer/contrôler/agir** (PDCA; en anglais *Plan*, *Do*, *Act*, *Check*) sert de base conceptuelle à l'amélioration continue. Quelques années après la création de ce cycle par Shewhart, son collègue Deming, pour faire ressortir la dimension continue du cycle, le représenta sous forme de spirale. La figure 11.1 A illustre le cycle de Shewhart et la figure 11.1 B, la spirale de Deming.

Ce cycle comprend quatre étapes.

cycle de Shewhart (penser/démarrer/contrôler/agir)
Cadre délimitant les activités d'amélioration.

Penser. Commencer par étudier le processus en cours. Recueillir ensuite de l'information pour définir les problèmes. Par la suite, examiner l'information et élaborer un plan d'amélioration. Préciser les mesures d'évaluation du plan.

Démarrer. Mettre en œuvre le plan, à petite échelle si possible. Relever tous les changements effectués durant cette étape. Recueillir systématiquement de l'information pour l'évaluation.

Contrôler. Évaluer la collecte d'informations de l'étape « démarrer ». Vérifier si les résultats correspondent étroitement aux buts initiaux de l'étape « penser ».

Agir. Si les résultats sont bons, normaliser la nouvelle méthode et la communiquer à toutes les personnes participant au processus. Entreprendre la formation en vue de la mise en œuvre de la nouvelle méthode. Si les résultats sont mauvais, réviser le plan et répéter le processus ou mettre fin à ce projet.

En utilisant cette approche d'une façon systématique dans toutes les situations où des problèmes ont été soulevés, l'entreprise adoptera une politique d'amélioration continue. Dans plusieurs entreprises, celle-ci s'est traduite par une philosophie de gestion applicable à tous les niveaux hiérarchiques et à tous les secteurs administratifs.

11.4 LES OUTILS FONDAMENTAUX DE L'AMÉLIORATION CONTINUE

Il existe de nombreux outils applicables pour la résolution de problèmes et l'amélioration de processus. Ils sont utiles pour la collecte et l'interprétation de l'information et servent de base à la prise de décisions. Nous présentons ici les principaux.

On appelle souvent les sept premiers outils « les sept outils de base de la qualité ». La figure 11.2 en présente un survol rapide.

Ces outils sont :

a) la feuille de relevés ou de vérification ;

b) l'ordinogramme et le GAP (graphique d'analyse de processus) ;

c) le diagramme de dispersion (corrélation) ;

d) l'histogramme ;

e) le diagramme et l'analyse de Pareto ;

f) les cartes de contrôle ;

g) les diagrammes d'Ishikawa (cause-effet).

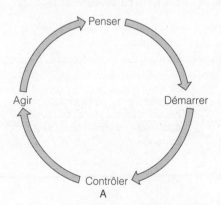

A

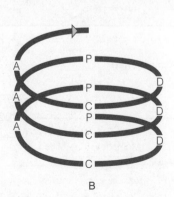

B

Figure 11.1

A. *Le cycle de Shewhart*
B. *La spirale de Deming*

Figure 11.2

Les sept outils de base de la qualité

Feuille de relevés ou de vérification

Défectuosité	Jour			
	1	2	3	4
A	///		////	/
B	//	/	//	///
C	/	////	//	////

Outil facilitant l'organisation et la collecte d'information; consiste en un pointage des problèmes ou autres événements selon leur catégorie.

Organigramme fonctionnel

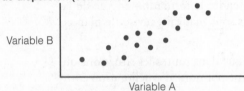

Diagramme des étapes d'un processus ou ordinogramme-graphique d'analyse de processus.

Diagramme de dispersion (corrélation)

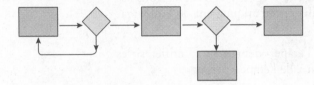

Variable B

Variable A

Graphique qui montre le degré et la direction de la dépendance entre deux variables.

Histogramme

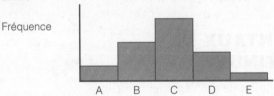

Fréquence

A   B   C   D   E

Graphique qui montre une distribution de fréquence empirique.

Diagramme de Pareto

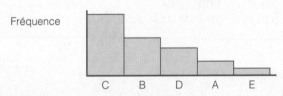

Fréquence

C   B   D   A   E

Classification des caractéristiques d'un produit, d'un service ou d'un processus par ordre décroissant d'importance.

Carte de contrôle

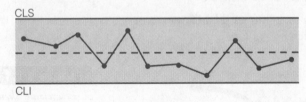

CLS

CLI

Graphique qui représente chronologiquement les caractéristiques des biens ou des services produits.

Diagramme d'Ishikawa (cause-effet)

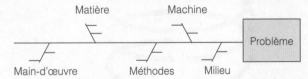

Matière   Machine

Problème

Main-d'œuvre   Méthodes   Milieu

Diagramme qui sert à circonscrire les causes d'un problème; on l'appelle également «diagramme en arêtes de poisson».

11.4.1 Les feuilles de vérification (ou de relevés)[12]

Une **feuille de vérification** est un outil simple, utilisé fréquemment pour définir un problème. La présentation des feuilles de relevés facilite la consignation et l'organisation de l'information en vue de la collecte et de l'analyse ; cette information peut se résumer à de simples marques de vérification. Ces feuilles sont conçues en fonction d'aider les utilisateurs dans leur cueillette d'information.

Il existe divers types de feuilles et plusieurs présentations. Les plus fréquemment utilisées sont celles qui permettent de noter le genre de défectuosité et l'emplacement des défectuosités. Les figures 11.3 et 11.4 illustrent ces modèles de feuilles de vérification.

La figure 11.3 montre des pointages qui décrivent le type de défectuosité et le moment où elle s'est produite. Le problème d'étiquettes manquantes tend à se produire tôt dans la journée et celui d'impression sale, plus tard, tandis que celui des étiquettes décentrées a lieu tout au long de la journée. En repérant les types de défectuosités et le moment où elles ont lieu, on peut plus facilement en trouver les causes.

En se reportant à la figure 11.4, on peut facilement déterminer l'endroit où se produit la défectuosité. Dans ce cas, les défectuosités semblent se produire au bout du pouce et de l'index, dans la zone située entre les doigts (particulièrement entre le pouce et l'index) et au centre des gants. Une fois de plus, ce modèle peut aider à déterminer la cause de la défectuosité et à trouver une solution.

feuille de vérification
Outil servant à consigner et organiser l'information en vue de cerner un problème.

11.4.2 Les ordinogrammes[13]

Un **ordinogramme** ou **organigramme fonctionnel** est un diagramme qui représente visuellement le processus utilisé par l'entreprise. Il existe plusieurs façons de représenter les procédés utilisés mais le plus rigoureux demeure le graphique d'analyse de processus (GAP), décrit au chapitre 7 (section 7.3.4). En tant qu'outil de résolution de problèmes, il peut aider les enquêteurs à trouver les endroits où le problème se produit. Les figures 11.5 A et 11.5 B présentent un ordinogramme.

Les losanges de l'organigramme fonctionnel représentent les moments de prise de décisions survenus dans le processus et les rectangles, les procédés. Les flèches indiquent la direction du « courant » caractérisant les étapes du processus.

ordinogrammes fonctionnels
Diagrammes des activités d'un processus.

Figure 11.3

Exemple de feuille de vérification

Jour	Heure	Type de défectuosité					Total
		Étiquette manquante	Étiquette décentrée	Impression sale	Étiquette détachée	Autres	
M	8-9	IIII	II				6
	9-10		III				3
	10-11	I	III	I			5
	11-12		I		I	I(Déchirée)	3
	1-2		I				1
	2-3		II	III	I		6
	3-4		II	HHI			8
Total		5	14	10	2	1	32

Figure 11.4

Feuille de vérification à objectif particulier

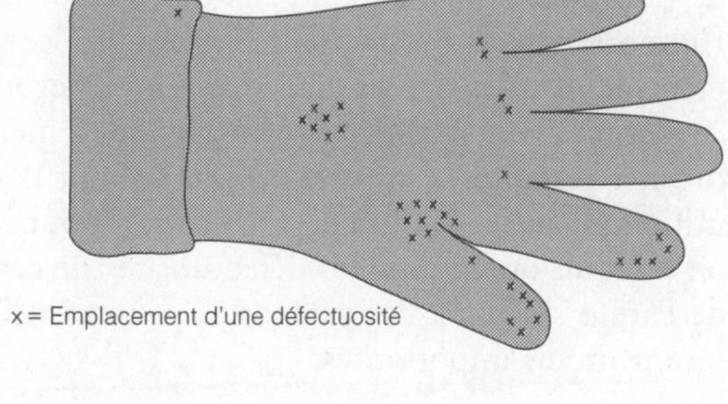

x = Emplacement d'une défectuosité

---

12. Appelées aussi feuilles de relevés.
13. En anglais, *flow chart*.

Pour construire un organigramme fonctionnel simple, commencez par énumérer les étapes d'un processus. Classez ensuite chaque étape en tant que procédé ou moment de décision (vérification). Tentez de ne pas trop détailler cet organigramme, ce qui pourrait le rendre incompréhensible. Toutefois, soyez certain de n'omettre aucune étape.

11.4.3 Les diagrammes de dispersion[14]

diagramme de dispersion
Graphique qui montre le degré et la direction de la relation entre deux variables.

Un **diagramme de dispersion** peut être utile pour déterminer s'il existe une corrélation entre les valeurs de deux variables. Une corrélation peut révéler la cause d'un problème. La figure 11.6 montre un exemple de diagramme de dispersion. Dans ce cas particulier, il y a une relation positive (pente croissante) entre l'humidité et le nombre d'erreurs à l'heure. De hauts degrés d'humidité correspondent à un taux élevé d'erreurs, et vice versa. Une relation négative (pente décroissante) signifierait que lorsque les valeurs d'une des variables sont basses, les valeurs de l'autre variable sont élevées, et vice versa.

Plus la corrélation entre les deux variables est grande, moins les points seront dispersés ; ils tendront à s'aligner. Inversement, s'il y avait peu ou pas de relation entre les deux variables, les points seraient complètement dispersés. Ici, la corrélation entre l'humidité et les erreurs semble forte, car les points semblent se disperser le long d'une droite invisible.

11.4.4 Les histogrammes

Histogramme
Graphique de la distribution fréquentielle d'une caractéristique.

Un **histogramme** est un graphique qui permet de visualiser la distribution fréquentielle d'une caractéristique du produit pour obtenir des informations sur la fréquence des valeurs observées. On peut aussi voir la symétrie de la distribution, l'échelle des valeurs et des valeurs inhabituelles.

La figure 11.7 illustre un histogramme. Remarquez les deux sommets. Ils suggèrent la possibilité de deux distributions ayant des centres différents. Les causes peuvent être deux employés ou deux types de travail différents.

11.4.5 La loi de Pareto

Loi de Pareto
Classification de données par ordre d'importance. Près de 20 % des problèmes causent 80 % des plaintes et des rejets.

La **loi de Pareto**, appelée aussi la classification ABC ou du 80-20, est une technique qui vise à attirer l'attention sur les plus importants problèmes. Selon cette loi, qui emprunte son nom à un économiste italien du XIXe siècle, Vilfredo Pareto, un nombre plutôt restreint de facteurs est généralement responsable d'un grand pourcentage des cas totaux (plaintes, défectuosités, problèmes, par exemple). Il s'agit de classer les cas selon leur degré d'importance et de s'attacher à résoudre les plus importants, ceux qui sont classifiés A, en laissant de côté ceux qui sont classifiés C. Selon cette règle, environ 80 % des problèmes proviennent de 20 % des articles. Par exemple, environ 80 % des bris de machines découlent de 20 % des machines, et 80 % des défectuosités de produits proviennent de 20 % des causes de défectuosité. La loi de Pareto consiste à classifier par ordre décroissant d'importance les caractéristiques analysées. Une autre application de cette loi est effectuée en détail au chapitre 13.

Il est souvent utile de tracer un graphique qui montre les défectuosités par catégories, organisées par ordre décroissant d'importance. La figure 11.8 illustre ce genre de graphique : il correspond aux données de la feuille de vérification de la figure 11.3. L'importance du problème d'étiquettes décentrées devient apparente. Vraisemblablement, le directeur et les employés s'attacheront à résoudre ce problème.

Après avoir réussi, ils pourront, de la même manière, se concentrer sur les défectuosités restantes, « impression sale » étant la catégorie suivante, et ainsi de suite. On utilisera d'autres feuilles de vérification pour recueillir l'information visant à vérifier si on a réduit ou éliminé les défectuosités de ces catégories. Donc, dans les diagrammes de Pareto suivants, des catégories comme « décentré » pourront apparaître, mais elles seront moins importantes.

---

14. Voir chapitre 3 : « Régression linéaire et coefficient de corrélation x ».

A.

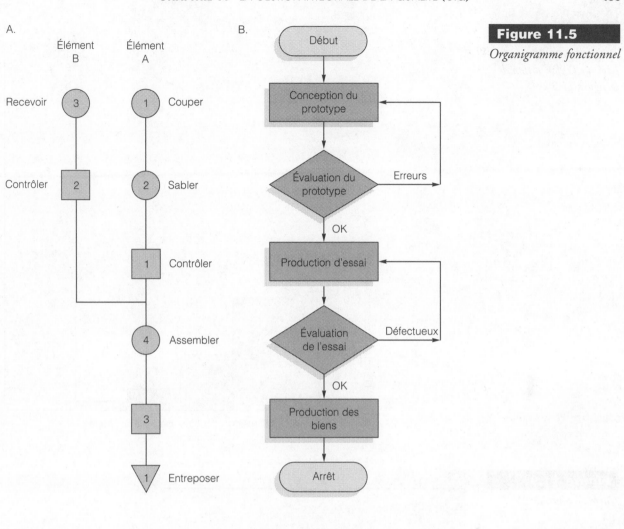

B.

Figure 11.5
Organigramme fonctionnel

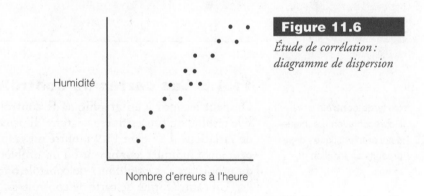

Figure 11.6
*Étude de corrélation:
diagramme de dispersion*

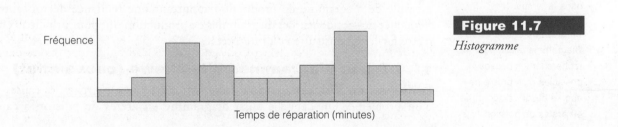

Figure 11.7
Histogramme

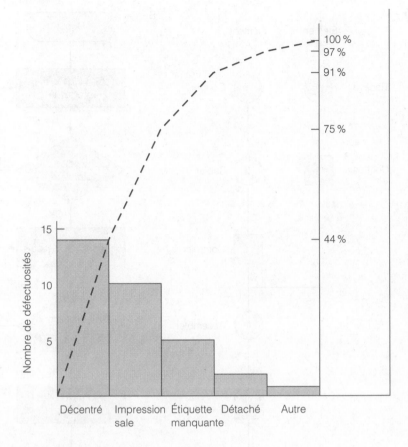

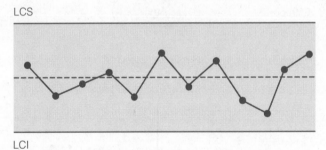

11.4.6 Les cartes de contrôle

On peut recourir à un **graphique de contrôle** pour surveiller un processus et vérifier si le résultat du processus est aléatoire. Il peut détecter la présence de causes rectifiables de variations. La figure 11.9 montre un graphique de contrôle. Ce type de graphique peut aussi indiquer le moment où un problème s'est produit et renseigner sur la cause du problème. Les graphiques de contrôle ont été décrits en détail au chapitre 10.

Une autre forme de carte de contrôle est illustrée à la figure 11.12. Cette variante des cartes de contrôle, parfois appelée **diagramme de production**, sert, comme les cartes de contrôle, à faire le suivi des valeurs d'une variable dans le temps. Elle cerne les tendances ou autres modèles qui peuvent se produire. La figure 11.12 présente un exemple de diagramme de production montrant une tendance décroissante dans la fréquence des accidents. Les diagrammes de production ont pour principaux avantages d'être faciles à construire et à interpréter.

11.4.7 Les diagrammes d'Ishikawa (cause-effet)

Le **diagramme d'Ishikawa** est une façon structurée de rechercher les causes possibles d'un problème. On l'appelle aussi **diagramme en arêtes de poisson** à cause de sa

carte de contrôle
Représentation graphique des caractéristiques des produits en fonction du temps.

diagramme de production
Outil utilisé pour effectuer un suivi des résultats dans le temps.

diagramme cause-effet
Diagramme utilisé pour rechercher les causes possibles d'un problème, appelé aussi « diagramme en arêtes de poisson ».

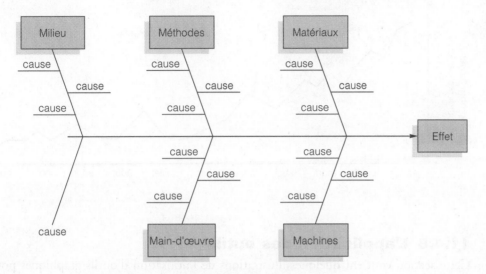

Figure 11.10

Un format de diagramme (cause-effet)

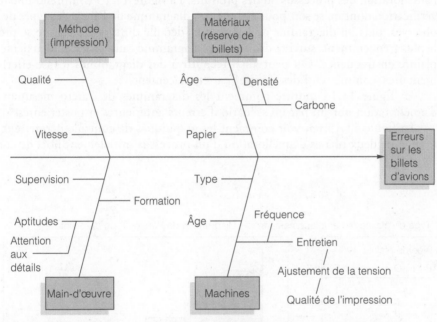

Figure 11.11

Diagramme cause-effet relatif aux erreurs sur les billets d'avions

Source : Reproduit avec autorisation à partir de l'ouvrage de Howard Gitlow, Shelly Gitlow, Alan Oppenheim et Rosa Oppenheim, *Tools and Methods for Improvement of Quality*. Burr Ridge, IL., Richard D. Irwin, 1989, p. 384.

forme. Ishikawa l'a conçu afin d'aider les travailleurs dépassés par la quantité de sources possibles de problèmes à résoudre. Cet outil aide à organiser les efforts de résolution de problèmes en déterminant des catégories de facteurs pouvant causer les problèmes. On utilise fréquemment cet outil après les séances de remue-méninges pour organiser les idées. La figure 11.10 montre la forme du diagramme d'Ishikawa (cause-effet).

La figure 11.11 présente un exemple d'application d'un tel diagramme (erreurs sur les billets d'avions). Chacun des facteurs énumérés dans le diagramme est une source potentielle d'erreurs. Certaines causes sont plus vraisemblables que d'autres, selon la nature de l'erreur. Si, à ce point, la cause n'est toujours pas trouvée, il peut être nécessaire d'effectuer une recherche supplémentaire de la cause première, donc de faire une analyse plus poussée. Bien souvent, on peut obtenir de l'information plus précise en posant les questions suivantes : « qui », « quoi », « où », « quand », « pourquoi » et « comment »[15] ; on se limite ainsi aux facteurs qui semblent être les sources de problèmes les plus plausibles.

---

15. Voir chapitre 10, section 4.

Figure 11.12

Un diagramme de production montre la performance dans le temps.

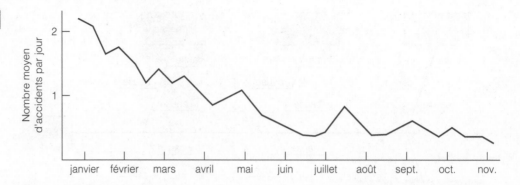

11.4.8 L'application des outils

Cette section contient quelques illustrations de l'utilisation d'outils graphiques pour l'amélioration des processus ou des produits. La figure 11.13 comprend une feuille de vérification dont on se sert pour élaborer un diagramme de Pareto des types de plaintes observés, puis un diagramme de Pareto plus détaillé du type de plainte se produisant le plus fréquemment, suivi (à droite) d'un diagramme cause-effet du deuxième type de plainte en fréquence. On peut aussi recourir à des diagrammes (cause-effet) supplémentaires, comme celui des plaintes par emplacement.

La figure 11.14 montre comment les diagrammes de Pareto mesurent le taux d'amélioration obtenu par un scénario d'erreurs antérieures et postérieures.

La figure 11.15 fait voir comment les graphiques de contrôle permettent de faire le suivi de deux phases d'amélioration d'un processus initialement hors de contrôle.

Figure 11.13

Emploi d'outils graphiques pour la résolution de problèmes

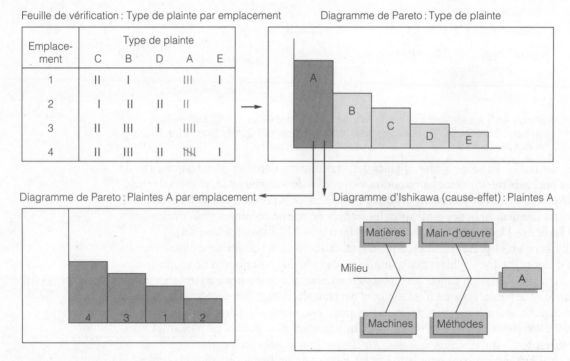

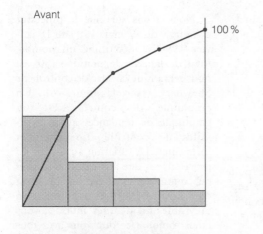

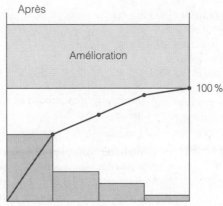

Figure 11.14

Comparaison : avant et après l'usage des diagrammes de Pareto

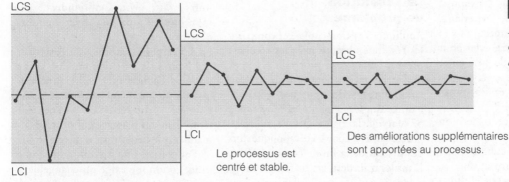

Figure 11.15

Emploi d'un graphique de contrôle pour faire le suivi des améliorations

LCS = Limite de contrôle supérieure   LCI = Limite de contrôle inférieure

---

LECTURE

L'AMÉLIORATION CONTINUE SUR LA LIGNE DE LANCER LIBRE

Par Timothy Clark et Andrew Clark

En 1924, Walter Shewhart élabora une méthode de résolution de problèmes permettant d'améliorer continuellement la qualité tout en réduisant l'écart (la différence) entre le résultat idéal et la situation présente. Pour soutenir les efforts d'amélioration, Shewhart conçut un processus appelé « cycle penser/démarrer/contrôler/agir (PDCA) ». Le cycle PDCA, combiné aux concepts traditionnels de prise de décisions et de résolution de problèmes, est la méthode que mon fils et moi avons utilisée pour améliorer continuellement son lancer libre au basket-ball.

Reconnaître le problème

Cerner les faits. Pendant trois ans, de 1991 à 1993, j'avais observé que le pourcentage de réussite des lancers libres de mon fils Andrew dans les matchs de basket-ball tournait autour de 45 % à 50 %.

Déterminer le problème et le définir. Le processus d'Andrew pour les lancers libres était simple : se rendre à la ligne des lancer libre, faire rebondir quatre fois le ballon, viser et lancer.

Le résultat visé : un pourcentage plus élevé de lancers libres réussis. Le résultat idéal ou parfait serait que 100 % des lancers tombent au milieu de l'anneau puis au sol, à la même place chaque fois, et que le ballon roule directement vers le lanceur après avoir touché le sol.

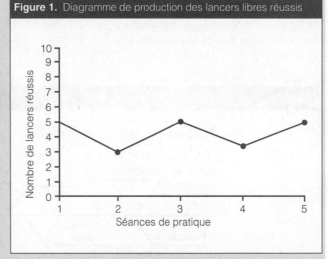

Figure 1. Diagramme de production des lancers libres réussis

Tracer les points. Pour confirmer mes observations sur le processus actuel, nous sommes allés au YMCA et Andrew a lancé cinq séries de 10 lancers libres, pour un total de 50 lancers. Sa moyenne était de 42 %. J'ai inscrit les résultats sur un diagramme de production (voir la figure 1). En me basant sur cette information, ainsi que sur mes observations antérieures, j'ai conclu que le processus était stable.

La prise de décisions

Cerner les causes. On peut classer les causes de variations dans tout processus parmi les catégories suivantes : main-d'œuvre, matériel, matériaux, méthodes, milieux et mesure. On utilise un diagramme cause-effet pour illustrer graphiquement le lien entre l'effet – un pourcentage faible de lancers libres réussis – et les causes principales (voir la figure 2).

En analysant le processus de mon fils, j'ai remarqué qu'il ne se tenait pas à la même place sur la ligne de lancer libre chaque fois. Je croyais que sa position changeante affectait la direction du lancer. Si le lancer va vers la gauche ou la droite, la probabilité que la balle ait un rebond chanceux et tombe dans le panier est plus mince. J'ai aussi remarqué qu'il ne semblait pas avoir un point constant pour focaliser son tir.

Élaborer, analyser et choisir des options. Les options choisies par Andrew, un lanceur droitier, étaient les suivantes : mettre son pied droit sur la ligne de lancer libre, se concentrer sur le bord du panier et visualiser le lancer parfait avant de lancer le ballon.

Le processus proposé est le suivant :

1. Se tenir au centre de la ligne de lancer libre.
2. Faire rebondir le ballon quatre fois.
3. Se concentrer sur le milieu de la partie avant du rebord et visualiser un lancer parfait.
4. Lancer.

Élaborer un plan d'action. À ce moment-là, la voie à suivre pour Andrew était de lancer cinq séries supplémentaires de 10 lancers libres pour vérifier l'efficacité des changements.

La résolution de problèmes

Appliquer l'option choisie et comparer les résultats obtenus avec les résultats prévus. Le nouveau processus a permis une amélioration moyenne de 36 % au lancer libre lors des pratiques de basket-ball, ce qui a augmenté sa moyenne à 57 % (voir la figure 3). Le nouveau processus a d'abord été appliqué lors des matchs de la fin de la saison 1994. Dans les trois derniers matchs, Andrew a réussi neuf de ses 13 lancers libres, soit une moyenne de réussite de 69 %.

Pendant la saison 1995, Andrew a réussi 37 de ses 52 lancers libres pour une moyenne de 71 %. Dans un match extrêmement serré, où l'autre équipe a dû cumuler les fautes pour récupérer le ballon, Andrew a réussi ses sept lancers coup sur coup. Aux pratiques, les entraîneurs demandaient aux joueurs d'effectuer deux lancers libres, puis de faire une rotation. Sur l'ensemble des pratiques de la saison, Andrew a réussi 101 de ses 169 lancers libres, soit une moyenne de 60 %.

Nous avons surveillé le processus d'Andrew du 17 mars 1994 au 18 janvier 1996 et déterminé un nombre total de lancers de pratique (50) en nous servant de la carte de contrôle de Shewhart (voir la figure 4). Un graphique de contrôle est un graphique de tendances avec des limites de contrôle supérieures et inférieures. La variation au niveau du processus est due aux causes normales ou communes de variation. On peut donc savoir si le processus est stable ou prévisible. En d'autres mots, si vous faites toujours ce que vous avez toujours fait, vous obtiendrez, en moyenne, ce que vous avez toujours obtenu.

Si des points se situent à l'extérieur des limites, la variation est due à une cause particulière qui rend le processus instable ou imprévisible. Une cause particulière peut être un événement temporaire ou passager qui peut ne demander que peu ou pas d'intervention.

Par contre, une variation due à une cause commune exige un changement permanent dans le processus. Dans ce cas, le processus est stable, ce qui simplifiera la validation des efforts d'amélioration.

À la fin de l'été 1995, Andrew s'est rendu dans un camp de basket-ball où on lui a conseillé de changer sa technique de lancer. Ce changement a ramené son taux de succès à 50 % au cours de la saison 1996, ce qui lui a fait perdre confiance en sa capacité de lancer. Par conséquent, il a effectué moins de lancers.

Nous avons ensuite réinstauré son ancien processus et son pourcentage

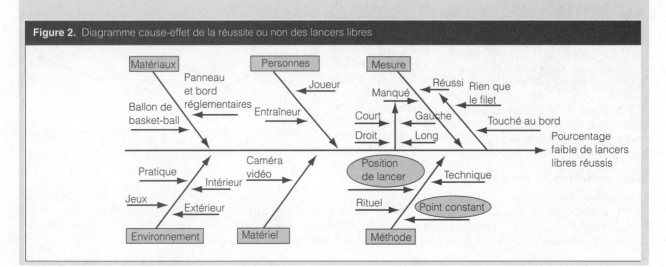

Figure 2. Diagramme cause-effet de la réussite ou non des lancers libres

de tirs réussis est revenu au niveau précédent. Dans une série de 50 lancers libres de pratique, il a réussi 35 de ses 50 lancers, soit une moyenne de 70 %, et, une autre fois, il en a réussi 32 sur 50, soit une moyenne de 64 %. Pendant les autres pratiques de l'équipe, Andrew a réussi 14 de ses 20 lancers libres, soit une moyenne de 70 %. Durant les trois derniers matchs, il a réussi deux lancers sur trois, soit une moyenne de 67 %.

Pendant les saisons 1996 et 1997, Andrew était joueur de pointe et il était responsable du contrôle et de la distribution du ballon. À cette position, il avait peu d'occasions d'effectuer des lancers libres. C'est pourquoi, durant la saison 1997, il a effectué seulement 12 lancers libres, mais il en a réussi 9, soit une moyenne de 75 %.

Les avantages globaux. En plus des avantages concrets, comme l'amélioration du taux de réussite des lancers libres, les avantages intangibles ont été aussi très importants. Par exemple, Andrew est devenu plus confiant et il a appris à déterminer quand des changements dans sa technique de lancer améliorent sa performance. W. Edwards Deming a qualifié ce type de connaissance de « connaissance profonde ».

L'amélioration continue

Agir de façon appropriée selon les résultats de la recherche. En se préparant pour sa saison 1998, Andrew avait comme priorités de continuer à surveiller sa technique de lancer libre afin de s'assurer qu'elle demeure stable et d'améliorer le pourcentage de réussite de ses lancers de deux et de trois points.

Les connaissances changent la façon de voir le monde

La méthodologie de Shewhart exige un changement fondamental de la pensée. Les personnes sont habituellement formées à prendre des décisions de façon intuitive. Le processus PDCA exige qu'on détermine tout d'abord si le résultat du processus dépend d'une cause ordinaire ou d'une cause particulière. Ce savoir devient la base de la prise de décisions, qui ne peut être obtenue qu'à l'aide de graphiques.

Le fait de connaître et de comprendre les variations change à jamais notre façon de percevoir le monde et amène des niveaux de qualité inégalés.

Source: American Society for Quality © 1997. Reproduit avec autorisation.

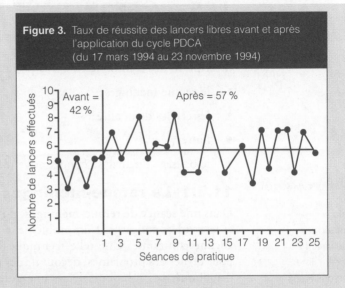

Figure 3. Taux de réussite des lancers libres avant et après l'application du cycle PDCA (du 17 mars 1994 au 23 novembre 1994)

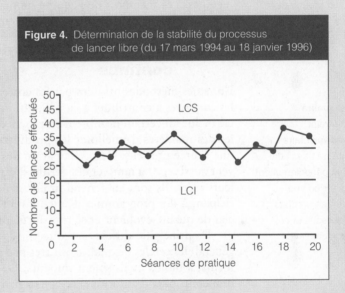

Figure 4. Détermination de la stabilité du processus de lancer libre (du 17 mars 1994 au 18 janvier 1996)

11.5 LA RECHERCHE DE SOLUTIONS

La quatrième étape de la démarche de résolution de problèmes (voir section 11.2) consiste à «rechercher des solutions possibles». Dans cette section, nous procédons à la description des techniques les plus populaires pour établir ces solutions possibles:

- le remue-méninges;
- les cercles de qualité;
- l'interview;
- le balisage ou analyse comparative (*benchmarking*).

11.5.1 Le remue-méninges

séance de remue-méninges
Technique visant à encourager la libre circulation des idées au sein d'un groupe de personnes.

Dans une **séance de remue-méninges**, un groupe de personnes partagent leurs pensées et leurs idées concernant un problème, et ce, dans une atmosphère de détente et sans aucune contrainte. Une telle technique vise à stimuler la libre circulation des idées pour cerner des problèmes, découvrir des causes, rechercher des solutions et des façons d'appliquer ces solutions. Dans une authentique séance de remue-méninges, on ne juge pas. Les membres de l'équipe ne peuvent pas imposer de solutions ni de points de vue et toutes les idées sont les bienvenues. On laisse libre cours à l'imagination.

11.5.2 Les cercles de qualité et l'amélioration continue

cercle de qualité
Groupe restreint d'employés volontaires d'une unité de travail qui se rencontrent périodiquement pour discuter en vue d'améliorer les produits ou les processus et ce, d'une façon continue.

L'une des méthodes utilisées par les entreprises à partir des années 1970 pour amener les employés à contribuer à l'amélioration de la qualité est le **cercle de qualité**. Le cercle inclut un certain nombre d'employés qui se rencontrent périodiquement pour parler des manières d'améliorer les produits et les processus. Les cercles de qualité sont une source précieuse de participation des employés et, s'ils sont bien dirigés, ils peuvent aussi servir à motiver ces derniers, car ils démontrent l'intérêt de la direction pour leurs idées. Ils sont en général moins structurés et plus informels que les équipes participant à des programmes d'amélioration continue du type *Kaïzen*. Souvent, les cercles de qualité évoluent et se transforment en équipes d'amélioration continue.

La principale différence concerne le niveau d'autorité accordé aux équipes. En général, les cercles de qualité ont très peu d'autorité pour mettre en œuvre des changements, à moins qu'ils soient mineurs. Les équipes d'amélioration continue possèdent beaucoup plus d'autorité. Par conséquent, l'autonomie dont elles disposent est une motivation supplémentaire. Leur point commun réside dans l'engagement des équipes de travail.

Voyons maintenant en quoi consiste la méthode des équipes.

La méthode des équipes est efficace, car les décisions sont basées sur le consensus. On peut appliquer une ou plusieurs des méthodes suivantes:

1. La méthode de réduction s'applique à une liste de problèmes identifiés ou possibles et à leurs solutions. Elle a pour but de réduire la liste d'éléments identifiés en nous amenant à nous poser des questions sur leur faisabilité, leur accessibilité financière et leur capacité de résoudre le problème.

2. Avec la méthode du bilan, on énumère les forces et les faiblesses de chaque solution retenue et on centre la discussion sur les sujets importants.

TABLEAU 11.4

Méthode d'analyse comparative ou balisage

1. Quelle entreprise est le chef de file (la référence optimale)?
2. Comment fonctionne-t-elle?
3. Quelle est notre méthode actuelle?
4. Que pouvons-nous changer pour égaler ou dépasser le chef de file?

3. La méthode de comparaisons par paires consiste à comparer chaque solution de la liste initiale avec toutes les autres, deux par deux. Pour chaque paire, les membres d'une équipe choisissent la solution qu'ils préfèrent. Cette méthode oblige à choisir entre les solutions retenues. Elle est plus efficace lorsqu'il n'y en a pas beaucoup (cinq ou six, par exemple).

11.5.3 L'interview

C'est une autre technique mise à la disposition des entreprises pour cerner des problèmes ou recueillir de l'information sur un problème. Des problèmes internes peuvent amener à interviewer les employés ; des problèmes externes peuvent conduire à interviewer des clients. On peut utiliser l'approche de la méthode Delphi[16] pour recueillir les informations le plus objectivement possible.

Il est clair que les idées d'améliorations peuvent provenir de sources diverses : service de recherche et développement, clients, concurrents ou employés. Toutefois, la satisfaction de la clientèle est le but ultime des activités d'amélioration, et les clients peuvent faire plusieurs suggestions précieuses sur les produits et les services, mais pas sur les processus de fabrication.

interview
Technique visant à déterminer la nature des problèmes et à recueillir l'information.

11.5.4 Le balisage ou analyse comparative

L'**analyse comparative** est une méthode qui peut injecter une énergie nouvelle dans les efforts d'amélioration. Résumée au tableau 11.4, la méthode du balisage est le processus de mesure de la performance d'une entreprise en regard d'un besoin primordial des clients par rapport à la meilleure performance de l'industrie ou de quelque autre industrie. Elle a pour objectif d'établir une norme destinée à nous permettre de mesurer la performance et d'élaborer un modèle pour nous améliorer. Lorsqu'une

analyse comparative ou balisage
Processus de mesure de la performance par rapport au chef de file, la référence optimale, qu'il soit de la même industrie ou d'une autre industrie.

TABLEAU 11.5

La méthode des sept questions fondamentales : « quoi », « pourquoi », « où », « quand », « qui », « comment », « combien »

Catégorie	Sept questions fondamentales	Questions types	Objectif
Sujet	Quoi ?	Que fait-on ?	Définir l'objet de l'analyse.
But	Pourquoi ?	Pourquoi est-ce nécessaire ?	Éliminer les tâches inutiles.
Lieu	Où ?	Où est-ce accompli ? Pourquoi est-ce fait ici ? Serait-il préférable de le faire ailleurs ?	Améliorer l'endroit.
Séquence	Quand ?	Quand est-ce accompli ? Serait-il préférable de le faire à un autre moment ?	Améliorer la séquence.
Main-d'œuvre	Qui ?	Qui le fait ? Quelqu'un d'autre le ferait-il mieux ?	Améliorer la séquence ou la production.
Méthode	Comment ?	Comment est-ce fait ? Existe-t-il une meilleure méthode ?	Simplifier les tâches, améliorer la production.
Coût	Combien ?	Combien cela coûte-t-il actuellement ? Quel serait le nouveau coût ?	Choisir une méthode supérieure.

Source : Adapté de l'ouvrage d'Alan Robinson, *Continuous Improvement in Operations, A Systematic Approach to Waste Reduction*, Cambridge, Mass., Productivity Press, 1991, p. 246.

---

16. Voir chapitre 3.

référence optimale a été définie, on cherche à l'égaler ou à la surpasser en améliorant les processus appropriés.

Généralement, le processus de balisage comporte les étapes suivantes :

1. Déterminer le processus critique qu'il faut améliorer (par exemple l'enregistrement des commandes, la distribution, le service après-vente).

2. Trouver une entreprise qui excelle dans ce processus, si possible la meilleure.

3. Communiquer avec l'entreprise de référence optimale, s'y rendre et étudier l'activité de référence optimale.

4. Analyser l'information.

5. Améliorer le processus critique de l'entreprise.

Le fait de choisir un chef de file de l'industrie, la référence optimale, fournit des renseignements sur les activités d'un concurrent. Ainsi, celui-ci peut être réticent à donner cette information. Plusieurs entreprises contournent le problème en faisant des études de référence optimale et en donnant cette information par la suite à d'autres entreprises, sans en révéler la source.

La sélection d'entreprises qui sont les chefs de file mondiaux dans diverses industries constitue une autre option. Par exemple, la Xerox Corporation se sert de plusieurs références optimales : Procter & Gamble pour la participation des employés ; Florida Power and Light, Toyota et Fuji Xerox pour le processus de qualité ; Kodak et Cannon pour la production à fort volume ; American Express pour le recouvrement des factures ; AT&T et Hewlett-Packard pour la recherche et le développement ; L. L. Bean et Hershey Foods pour la distribution et Cummings Engine pour la planification quotidienne des horaires.

méthode des sept questions fondamentales
Manière de poser des questions sur un processus : « quoi ? », « pourquoi ? », « où ? », « quand ? », « qui ? », « comment ? » et « combien ? ».

11.5.5 La méthode des sept questions fondamentales

La remise en question du processus en cours fournit d'importantes indications sur les raisons pour lesquelles le processus actuel ne fonctionne pas aussi bien qu'il le devrait. La **méthode des sept questions** est une des méthodes de remise en question (voir le tableau 11.5).

11.6 Conclusion

La gestion intégrale de la qualité (GIQ) ou qualité totale consiste à mettre à contribution toutes les fonctions de l'entreprise pour satisfaire le client à tous les niveaux : quantité, qualité, délais, services et coûts. Elle mobilise tous les employés de l'entreprise à tous les niveaux. Elle a pour force motrice la poursuite incessante de la satisfaction du client, et sa philosophie de base est l'amélioration continue. La formation des cadres et des employés concernant les concepts, les outils et les procédés de gestion de la qualité est une importante facette de cette approche. Les équipes font partie intégrante de la GIQ.

Les deux principaux aspects de l'approche par la GIQ sont la résolution des problèmes et l'amélioration des processus.

La réussite de l'implantation de la GIQ ne peut être assurée à moins que la haute direction (niveau stratégique) ne s'approprie la philosophie de la GIQ et que la grande majorité des employés (niveau tactique) en soit convaincue. Dans le cas contraire, si un des groupes n'est pas « vendu » à l'idée, la GIQ demeurera un concept vidé de son sens. Les entreprises ayant échoué lors de l'implantation ont toutes en commun le manque de conviction d'un des deux groupes, pour des raisons diverses. Malgré tout, la responsabilité première revient au niveau stratégique. N'oublions jamais le principe suivant : on délègue l'autorité, jamais la responsabilité.

Terminologie

Amélioration continue

Amélioration continue des processus (*Kaïzen*)

Analyse comparative (balisage)

Automatisation

Balisage

Carte de contrôle

Cercle de qualité

Cycle de Shewhart
(penser/démarrer/contrôler/agir)

Cycle penser/démarrer/contrôler/agir (PDCA)

Diagramme de dispersion

Diagramme d'Ishikawa ou en arêtes de poisson
(cause-effet)

Feuille de relevés ou de vérification

Gestion intégrale de la qualité (GIQ)

Graphique chronologique

Graphique d'analyse de processus

Histogramme

Kaïzen

Loi de Pareto

Méthode des sept questions fondamentales

Ordinogramme (organigramme fonctionnel)

Qualité à la source

Qualité totale

Référence optimale (balise)

Réingénierie du processus administratif

Remue-méninges

Séance de remue-méninges

Spirale de Deming

Questions de discussion et de révision

1. Quels sont les principaux éléments de l'approche par la GIQ? Quelle est la force motrice de la GIQ (qualité totale)?

2. Décrivez brièvement chacun des sept outils de qualité.

3. Définissez ou expliquez chacun de ces outils:
   a) séance de remue-méninges;
   b) référence optimale;
   c) diagramme de dispersion;
   d) GAP.

4. Expliquez les méthodes suivantes:
   a) le cycle penser/démarrer/contrôler/agir;
   b) la méthode des sept questions fondamentales.

4. Décrivez les diverses étapes de la résolution de problèmes.

5. Choisissez quatre outils et décrivez comment on les utilise pour résoudre des problèmes.

6. Décrivez les diverses étapes de l'amélioration des processus.

7. Choisissez quatre outils et décrivez comment on les utilise pour améliorer des processus.

Problèmes

1. Rédiger une feuille de relevés et classifier les données suivantes (qui concernent un atelier de réparation d'automobiles) selon la loi de Pareto.

Numéro de ticket	Tâche	Numéro de ticket	Tâche
1	Pneus	16	Pneus
2	Changement d'huile et lubrification	17	Changement d'huile et lubrification
3	Pneus	18	Freins
4	Batterie	19	Pneus
5	Changement d'huile et lubrification	20	Freins
6	Changement d'huile et lubrification	21	Changement d'huile et lubrification
7	Changement d'huile et lubrification	22	Freins
8	Freins	23	Transmission
9	Changement d'huile et lubrification	24	Freins
		25	Changement d'huile et lubrification
		26	Batterie

10	Pneus	27	Changement d'huile
11	Freins	28	et lubrification
12	Changement d'huile		Batterie
	et lubrification	29	Freins
13	Batterie	30	Pneus
14	Changement d'huile		
	et lubrification		
15	Changement d'huile		
	et lubrification		

2. Le directeur d'un service de réparation de matériel de climatisation a compilé les 41 appels de demandes de services reçus la semaine précédente, comme le montre le tableau. Avec cette information pour chaque type de client, préparez une feuille de vérification des problèmes et construisez ensuite un diagramme de Pareto.

Numéro de la tâche	Problème/ Type de client	Numéro de la tâche	Problème/ Type de client	Numéro de la tâche	Problème/ Type de client
301	D/R	315	D/C	329	O/C
302	O/R	316	O/C	330	B/R
303	B/C	317	C/C	331	B/R
304	B/R	318	B/R	332	C/R
305	C/C	319	O/C	333	O/R
306	B/R	320	D/R	334	O/C
307	D/R	321	D/R	335	B/R
308	B/C	322	O/R	336	C/R
309	C/R	323	D/R	337	O/C
310	B/R	324	B/C	338	O/R
311	B/R	325	D/R	339	D/R
312	D/C	326	O/R	340	B/R
313	B/R	327	C/C	341	O/C
314	C/C	328	O/C		

Légende : Type de problème :
B = bruyant D = défectuosité du
matériel C = chaleur excessive
O = odeur

Type de client :
C = client commercial
R = client résidentiel

3. Construisez une carte de contrôle pour les occurrences des défectuosités d'écrans d'ordinateurs d'après les données suivantes, qui ont été recueillies par un analyste et qui concernent le processus de fabrication des écrans. Les employés ont une pause de 15 minutes à 10 h 15, une autre à 15 h 15 et une heure pour le repas du midi. Quelles sont vos conclusions ?

Début des intervalles	Nombre de défectuosités	Début des intervalles	Nombre de défectuosités
08:00	1	13:00	1
08:15	0	13:15	0
08:30	0	13:30	0
08:45	1	13:45	1
09:00	0	14:00	4
09:15	1	14:15	0
09:30	1	14:30	2
09:45	2	14:45	2
10:00	3	15:00	3
10:30	1	15:30	0
10:45	0	15:45	1
11:00	0	16:00	0
11:15	0	16:15	0
11:30	1	16:30	1
11:45	3	16:45	3

4. Préparez un diagramme de production pour les données suivantes concernant les appels au numéro 9-1-1. Servez-vous d'intervalles de cinq minutes (comptez, par exemple, le nombre d'appels reçus durant chaque intervalle de cinq minutes : 0 à 4 minutes inclusivement, de 5 à 9 minutes inclusivement, etc.). Note : il peut y avoir deux appels ou plus dans la même minute ; ce soir-là, trois téléphonistes étaient en service. Quelles conclusions pouvez-vous tirer à partir du diagramme de production ?

Appel	Heure	Appel	Heure
1	1:03	22	1:56
2	1:06	23	1:56
3	1:09	24	2:00
4	1:11	25	2:00
5	1:12	26	2:01
6	1:17	27	2:02
7	1:21	28	2:03
8	1:27	29	2:03
9	1:28	30	2:04
10	1:29	31	2:06
11	1:31	32	2:07
12	1:36	33	2:08
13	1:39	34	2:08
14	1:42	35	2:11
15	1:43	36	2:12
16	1:44	37	2:12
17	1:47	38	2:13
18	1:48	39	2:14
19	1:50	40	2:14
20	1:52	41	2:16
21	1:53	42	2:19

5. Supposons qu'une lampe ne fonctionne pas lorsqu'on l'allume. Construisez un diagramme d'Ishikawa afin d'analyser les causes possibles de ce problème.

6. Faites un diagramme (cause-effet) pour analyser les causes possibles d'une livraison tardive de pièces commandées à un fournisseur.

7. Tracez un diagramme en arêtes de poisson pour savoir pourquoi une machine a produit une grande série de pièces défectueuses.

8. Construisez un diagramme de dispersion pour les séries de données suivantes et expliquez ensuite quelle est la relation apparente entre les deux variables. Placez la première variable sur un axe horizontal et la deuxième variable sur un axe vertical.

a) Âge

Âge	24	30	22	25	33	27	36	58	37	47	54	28	42	55
Taux d'absentéisme	6	5	7	6	4	5	4	1	3	2	2	5	3	1

b) Température °F)

Température °F)	65	63	72	66	82	58	75	86	77	65	79
Taux d'erreur	1	2	0	0	3	3	1	5	2	1	3

9. Faites un organigramme fonctionnel qui décrit le fait de vous rendre à la bibliothèque afin d'étudier. Votre organigramme fonctionnel doit comprendre les éléments suivants : trouver un endroit pour étudier à la bibliothèque, vérifier si vous avez bien votre livre, du papier, un marqueur, etc., vous rendre à la bibliothèque et prévoir un autre endroit si celui que vous avez trouvé devient trop fréquenté.

CAS
LA CHAÎNE DE PRODUCTION DE REPAS CONGELÉS À LA DINDE

Le directeur général d'une entreprise fabriquant des repas congelés avait reçu de nombreuses plaintes des supermarchés concernant ses repas congelés à la dinde. Le directeur a donc demandé à son assistante, Anne, d'enquêter à ce sujet et de faire ses recommandations.

La première tâche d'Anne était de trouver quels étaient les problèmes suscitant des plaintes. La plupart des plaintes concernaient cinq défectuosités :

emballage pas assez rempli, article manquant, article renversé ou mélangé, goût inacceptable et emballage mal scellé.

Elle a pris ensuite des échantillons de repas provenant des deux chaînes de production et les a examinés, notant tout problème qui se présentait. Le tableau suivant résume ces résultats. Ces données ont été compilées après l'inspection d'environ 800 repas congelés. Quelles recommandations Anne pourrait-elle faire au directeur ?

DÉFECTUOSITÉ REMARQUÉE

Date	Heure	Chaîne de production	Pas assez rempli	Article manquant	Renversé ou mélangé	Goût inacceptable	Mal scellé
5/12	0900	1		√√	√	√√√	
5/12	1330	2			√√		√√
5/13	1000	2				√	√√√
5/13	1345	1	√√		√√		
5/13	1530	2		√√	√√√		√
5/14	0830	1		√√√		√√√	
5/14	1100	2	√		√	√√	
5/14	1400	1			√		√
5/15	1030	1		√√√		√√√√√	
5/15	1145	2			√	√√	
5/15	1500	1	√				
5/16	0845	2				√√	√√
5/16	1030	1		√√√		√√√	
5/16	1400	1					
5/16	1545	2	√	√√√√√	√	√	√√

CAS
LES MARCHÉS TIP TOP

Les marchés Tip Top font partie d'une chaîne régionale de supermarchés. Karen, gérante de l'un des magasins, s'inquiétait de la quantité importante de plaintes des clients à son magasin, surtout les mardis ; elle est donc allée chercher au service à la clientèle les rapports sur les plaintes des huit derniers mardis dans le but de les analyser. Ces rapports se trouvent ci-dessous.

Karen demande votre aide pour analyser ces données et lui suggérer des améliorations. Analysez ces données à l'aide d'une feuille de vérification, d'un diagramme de Pareto et de relevés de production. Construisez ensuite un diagramme d'Ishikawa pour la catégorie dominante de votre diagramme de Pareto. Après votre analyse, faites une liste de suggestions pour répondre aux plaintes des clients.

1er juin

il n'y a plus de yogourt à l'orange

le pain est rassis

les files d'attente sont trop longues

on m'a surfacturé

on m'a demandé deux fois le prix

la viande sentait mauvais

on m'a facturé un article que je n'ai pas acheté

je n'ai pas pu trouver les éponges

la viande sentait mauvais

il fait trop froid dans le magasin

il n'y a pas d'éclairage dans le stationnement

le caissier n'est pas aimable

le produit n'est pas frais

le yogourt au citron est périmé

je n'ai pas pu trouver le riz

le lait est périmé

le commis à l'étalage est impoli

il n'y a plus de crème glacée à l'érable et aux noix

il y a quelque chose de vert dans la viande

je n'ai pas aimé la musique

les files d'attente sont trop longues

8 juin

le poisson avait une drôle d'odeur

il n'y a plus de pain diététique

la boîte de conserve est endommagée

il n'y a plus de petits pains à hamburgers

le poisson n'est pas frais

le caissier n'est pas serviable

la viande avait mauvais goût

le guichet bancaire a mangé ma carte

le plancher est glissant

la musique joue trop fort

on m'a sous-facturé

il n'y a plus de roses

la viande est avariée

on m'a surfacturé deux articles

il fait trop chaud dans le magasin

il n'y a plus de glace

le téléphone ne fonctionne plus

on m'a surfacturé

les petits pains sont rassis

le pain est périmé

15 juin

je désirais une quantité plus petite

il fait trop froid dans le magasin

il n'y a plus de Wheaties

il n'y a plus de Minute Rice

le caissier est impoli

le poisson avait un goût douteux

la crème glacée était fondue

on m'a fait payer deux fois les petits pains

l'attente était trop longue à la caisse

le prix de l'article n'était pas exact

on m'a surfacturé

le poisson avait une odeur douteuse

le prix réduit n'a pas été respecté

je n'ai pas pu trouver l'aspirine

on ne m'a pas assez facturé

les files d'attente sont trop longues

il n'y a plus de Coca-Cola diète

la viande sentait mauvais

on m'a surfacturé les œufs

le pain n'est pas frais

je n'ai pas aimé la musique

j'ai perdu mon portefeuille

on m'a surfacturé le pain

22 juin

le lait est périmé

il fait trop chaud dans le magasin

la viande contient un corps étranger

il fait trop froid dans le magasin

les œufs sont brisés

je n'ai pas pu trouver le saindoux

il n'y a plus de Tide 2,2 kg

le poisson est vraiment mauvais

les vitres sont sales

je n'ai pas pu trouver les flocons d'avoine

il n'y a plus de papier essuie-tout Bounty

on m'a surfacturé le jus d'orange

les files d'attente à la caisse sont trop longues

je n'ai pas pu trouver les lacets à chaussures

il n'y a plus de confiture aux fraises Kraft

il n'y a plus de céréales Frosty Flakes

il n'y a plus de muffins anglais

29 juin

la file d'attente est trop longue

il n'y a plus de savon Palmolive

il n'y a plus de Bisquick

les œufs sont brisés

le magasin est malpropre

il fait trop froid dans le magasin

le caissier est trop lent

il n'y a plus de lait écrémé

les toilettes sont malpropres

je n'ai pas pu trouver les éponges

les files d'attente sont longues

il n'y a plus de Tide 1 kg

il n'y a plus de soupe Campbell au poulet

il n'y a plus de saucisses au pepperoni

les files d'attente sont trop longues

la viande n'est pas fraîche

6 juillet

il n'y a plus de pailles

il n'y a plus de nourriture pour les oiseaux

on m'a surfacturé le beurre

il n'y a plus de ruban adhésif

le commis à l'étalage s'est montré peu serviable

j'ai perdu mon enfant

la viande avait l'air gâtée

on m'a surfacturé le beurre

il n'y a plus de bettes à carde

il y a trop de monde dans le magasin

il n'y a plus de bain moussant

il n'y a plus de savon Dial

il fait trop chaud dans le magasin

le prix ne correspond pas aux annonces

vous devriez ouvrir davantage de caisses

les paniers à provisions sont difficiles à manœuvrer

il y a des détritus dans les allées

il n'y a plus de Drano

il n'y a plus de chou chinois

il fait trop chaud dans le magasin

les planchers sont sales et glissants

il n'y a plus de noix grillées Diamond

13 juillet

il a une erreur dans le prix des spaghettis

il y a de l'eau sur le plancher

le magasin a l'air désordonné

il fait trop chaud dans le magasin

les files d'attente sont trop longues

on ne m'a pas demandé assez cher

il n'y a plus de riz brun

il n'y a plus de champignons

on m'a surfacturé

l'attente à la caisse est trop longue

le caissier est impoli

il n'y a plus de fromage à la crème

on m'a demandé trois fois le prix

pénurie de Saran Wrap

pénurie de pains de savon Palmolive

le panier à provisions est brisé

je n'ai pas pu trouver l'aspirine

il n'y a plus de sacs d'emballage en papier

il n'y a plus de pailles

20 juillet

je n'ai pas pu trouver les aliments congelés

les files d'attente sont trop longues

il n'y a plus de Minute Rice

les toilettes sont malpropres

il fait trop chaud dans le magasin

j'ai trouvé de l'argent dans une allée

le prix de la viande est inexact

on m'a surfacturé le pain

il y a des clous sur le plancher

il n'y a plus de Tide 1 kg

il n'y a plus de serviettes de table de fantaisie

il n'y a plus de ketchup Heinz

il n'y a plus de confiture aux pêches

il n'y a pas d'éclairage dans le stationnement

les files d'attente sont trop longues

le téléphone est défectueux

le toit coule

il y a des liquides renversés dans l'allée des boissons gazeuses

il n'y a plus de beignes à la confiture

il n'y a plus de graines pour oiseaux sauvages

il n'y a plus de biscuits pour chiens

il n'y a plus de vaporisateur à insectes

LECTURE
LES PROGRAMMES D'AMÉLIORATION DE LA QUALITÉ NE GARANTISSENT PAS LES RÉSULTATS

Au cours des dernières années, les entreprises nord-américaines ont dépensé des millions de dollars pour des programmes d'amélioration de la qualité. Malheureusement, ces programmes ne livrent pas toujours les résultats escomptés. Le McKinsey Consulting Group a élaboré une série de directives destinées aux directeurs et concernant les programmes d'amélioration de la qualité :

N'adoptez pas l'amélioration continue si des changements radicaux sont nécessaires. Des ventes médiocres et des bénéfices réduits signifient souvent qu'il faut plus que des améliorations. Les programmes d'amélioration continue sont indiqués si une entreprise a déjà atteint un haut niveau de qualité, mais qu'elle souhaite encore améliorer ses opérations.

Rattachez les programmes d'amélioration de la qualité à la planification stratégique. Par la suite, établissez des objectifs pour ce programme et évaluez les cadres supérieurs selon l'atteinte de ces objectifs. Laissez cependant les employés de niveau inférieur fixer leurs propres buts afin de les faire participer et de susciter chez eux une productivité accrue.

Axez les programmes sur le seuil de rentabilité d'un marché. Par exemple, les clients ne perçoivent pas nécessairement la différence entre un rendement de livraison juste-à-temps de 90 % et un autre de 95 %, mais ils verraient la différence entre un rendement de 90 % et un autre de 99 %. Fixez donc un seuil de rentabilité et ne cherchez pas à améliorer un rendement qui n'affecte pas ce seuil.

Ne choisissez qu'un thème. Tout le monde doit avancer dans la même direction. Sachez cependant qu'un objectif unique risque de devenir un but en soi.

Accordez autant d'importance aux résultats qu'au processus. Se concentrer seulement sur le processus peut conduire à l'oubli des résultats et peut aussi amener le personnel associé au programme à y attacher trop d'importance. Fixez plutôt des objectifs précis sous forme de résultats quantifiables.

Questions

1. De quels moyens une entreprise dispose-t-elle pour vérifier l'efficacité de son programme d'amélioration de la qualité ?

2. Expliquez l'importance de l'évaluation des programmes d'amélioration de la qualité.

3. Expliquez le raisonnement qui sous-tend chacune des directives.

Source : Basé sur l'article « When Quality Control Gets in the Way of Quality », par Graham Sharman, *The Wall Street Journal*, © 1992.

LECTURE
NAGER À CONTRE-COURANT
Theodore B. Kinni

Richard Chang, un des premiers disciples de la philosophie *Kaïzen*, prêche l'évangile de l'amélioration continue depuis deux décennies. Fondateur de l'entreprise Richard Chang Associates inc., une entreprise diversifiée d'experts-conseils et d'édition située à Irvine, en Californie, M. Chang est désormais membre des jurys du Malcolm Baldrige National Quality Award et du Golden State Quality Award du gouverneur de la Californie.

C'est également un auteur prolifique ayant plus de quatorze ouvrages à son actif. Il a publié *The Practical Guide Book Series,* une collection de quatre séries incluant la série *Quality Improvement Series* en huit volumes, qui traite des outils, des techniques et de la méthodologie propres à l'amélioration de processus. Au cours de cette entrevue, il explique aux lecteurs d'*Industry Week* (IW) comment instaurer avec succès la philosophie du *Kaïzen* dans une petite entreprise.

IW : Dans le milieu des affaires, quelles sont les conditions favorables au *Kaïzen* ?

CHANG : Normalement, cela prend une entreprise épurée ou même, manquant de personnel… Il faut investir dans la formation et embaucher du personnel ouvert à l'amélioration continue, ce qui n'est pas si évident… Enfin, dans une petite entreprise, la philosophie doit venir des dirigeants. Le PDG doit accueillir l'amélioration continue et non la combattre. De plus, au lieu d'adopter une approche punitive, il faut plutôt voir les problèmes et les erreurs comme des occasions d'apprendre.

IW : Si on parvient à créer un tel environnement, quelle est l'étape suivante ?

CHANG : Bien souvent, vous pourriez avoir une vision et des valeurs s'inspirant des principes du *Kaïzen*. Mais vous devez aussi améliorer votre politique salariale et adapter les objectifs de l'entreprise à l'amélioration continue. N'oubliez pas que le *Kaïzen* doit être votre principe de gestion ; il ne peut être uniquement un programme de plus ajouté à l'entreprise.

Si cela constitue l'étape 1, l'étape 2 consiste à augmenter la capacité. C'est le moment d'observer quelles sont les aptitudes qui vous permettent d'améliorer les affaires de façon continue. Les gens sautent souvent cette étape – ils veulent des résultats immédiats.

IW : À quoi ressemblerait une initiative typique d'amélioration continue ?

CHANG : Nous utilisons une technique appelée « rencontre d'exploration ». Nous réunissons simplement des groupes d'employés et nous leur demandons de penser aux secteurs nécessitant des améliorations. Cet arrêt des opérations est destiné à nous permettre de nous asseoir et de réfléchir.

À partir de là, nous pouvons commencer à examiner les occasions d'améliorations.

IW: Ces rencontres d'exploration tournent-elles en séances de plaintes?

CHANG: En effet, il semble y avoir plusieurs idées reliées à l'insatisfaction. Les toutes premières rencontres peuvent être des séances de déballage d'émotions, mais le côté dramatique doit se manifester. Nous suggérons de faire quelques interventions ayant pour but de rassurer les gens sur notre volonté d'agir d'après les résultats de ces rencontres. Les groupes, entraînés et guidés, s'intéressent très rapidement aux processus de travail et entrevoient des perspectives intéressantes.

IW: Quel pourcentage des employés participent à ces réunions?

CHANG: De 15% à 25% au début. Je ne favorise pas l'approche globale.

IW: Lorsque les perspectives d'amélioration sont établies, que se passe-t-il?

CHANG: Encouragez les équipes à travailler sur les problèmes qu'ils ont cernés. C'est le moment parfait pour entreprendre la formation. Cela permet aux gens d'apprendre et d'appliquer en même temps ces nouvelles connaissances.

Quand les projets sont achevés et que les groupes sont sur le point de se défaire, demandez à ces équipes de recueillir l'information et les impressions, et confiez-leur le processus. À ce moment, elles se chargent de l'amélioration continue du processus, et d'autres travailleurs peuvent commencer leur formation.

IW: À un certain point, le potentiel d'amélioration ne plafonne-t-il pas?

CHANG: Il arrive un certain point où la capacité du processus est atteinte et où les avantages d'améliorations supplémentaires ne valent pas le coût engendré par celles-ci. Le moment où un processus atteint sa capacité est généralement celui d'un remaniement. Mais un remaniement complet engendre plusieurs cycles d'amélioration continue. L'amélioration continue et le remaniement se complètent ainsi mutuellement.

IW: Pouvez-vous nous indiquer les pièges possibles?

CHANG: Il y en a cinq et j'aimerais les décrire en termes médicaux. 1) «L'éruption de la mise en œuvre globale»: l'entreprise tente d'en faire trop à la fois. Il s'agit d'une philosophie; vous ne pouvez l'adopter pour ensuite la réfuter. 2) «La carence dans le choix d'un processus clé»: n'améliorez pas le processus de trésorerie, accordez de l'importance au travail. 3) «Les doses élevées de formation»: elles se produisent quand les gens forment tous les travailleurs avant d'avoir établi les conditions de succès. 4) «Le nombre élevé de cercles de qualité»: on a la manie des équipes. Le but n'est pas de former des équipes, mais d'améliorer les processus. 5) «Le coût d'évaluation d'un processus persistant»: les entreprises commencent à améliorer les processus avant leur évaluation. En conséquence, ils ne peuvent pas savoir s'ils ont accompli quoi que ce soit.

IW: En quelques mots, pouvez-vous résumer ce qu'est l'amélioration continue?

CHANG: Je termine généralement mes conférences par une version quelconque de cette pensée: «Instaurer des initiatives d'amélioration continue, c'est comme nager à contre-courant des habitudes.»

Source: Reproduit avec l'autorisation de *Industry Week*, 23 janvier 1995. Droits de reproduction de Penton Publishing, Inc., Cleveland, Ohio.

Bibliographie

BRASSARD, Michael et Diane RITTER. *The Memory Jogger™ II*, Methuen, MA, GOAL/QPC, 1994.

CAPEZIO, Peter et Debra MOREHOUSE. *Taking the Mystery Out of TQM*, 2e édition, Franklin Lakes, NJ, Career Press, 1995.

CARTIN, Thomas J. *Principles and Practices of TQM*, Milwaukee, ASQC Quality Press, 1993.

COSTIN, H. *Readings in Total Quality Management*, New York, Dryden Press, 1994.

DEMING, W. E. *Hors de la crise*, Paris, Economica, 1991, 352 p.

EVANS, James R. et William M. LINDSAY. *The Management and Control of Quality*, 3e édition, St. Paul, MN, West Publishing, 1996.

GALLOWAY, Dianne. *Mapping Work Processes*, Milwaukee, ASQC Press, 1994.

GITLOW, Howard, Shelly GITLOW, Alan OPPENHEIM et Rosa OPPENHEIM. *Tools and Methods for Improvement of Quality*, Burr Ridge, IL., Richard D. Irwin, 1989.

JURAN, Joseph M. et Frank M. GRYNA. *Quality Planning and Analysis*, 3e édition, New York, McGraw-Hill, 1993.

MASSAKI, Imaï. *Gemba Kaïzen: Commonsense Low-Cost Approach to Management*, New York, McGraw-Hill, 1997, 354 p.

SHORES, Richard A. *Reengineering the Factory: A Primer for World-Class Manufacturing*, Milwaukee, ASQC Press, 1994.

WALTON, Mary. *The Deming Management Method*, New York, Dodd, Mead, 1986.

Partie V

LA GESTION ET L'EXPLOITATION DU SYSTÈME

Les chapitres de cette partie traitent du fonctionnement et du contrôle de la production des biens et des services. Ils développent les sujets suivants :

Les sujets que nous abordons dans cette partie sont le fonctionnement et le contrôle de la production des biens et des services. La programmation globale concerne la planification à moyen terme visant à établir l'équilibre entre la demande anticipée et la capacité de production. La gestion des stocks comprend la détermination des quantités commandées et le temps de livraison de stocks de produits finis (demande indépendante). La planification des besoins en matériaux comprend la commande et l'ordonnancement des pièces et des matériaux nécessaires pour les opérations de montage, principalement pour la demande dépendante. Le système de livraison juste-à-temps est une méthode de production épurée qui vise à établir un flux uniforme de travaux dans tout le système. L'ordonnancement vise à établir les horaires à court terme pour toutes les tâches. La gestion de la chaîne d'approvisionnement vise à intégrer les flux de matériaux, d'informations et d'argent, et ce, des fournisseurs jusqu'aux clients finaux. La gestion de projets concerne la planification et la coordination des projets. Dans le dernier chapitre, nous décrivons l'analyse des files d'attente, présentes surtout dans le secteur des services, où la demande est aléatoire.

OBJECTIFS D'APPRENTISSAGE

Après avoir terminé l'étude de ce chapitre, vous pourrez :

1. Expliquer ce qu'est la planification globale ou intégrée et son utilité.

2. Identifier les variables dont les gestionnaires doivent tenir compte en planification globale et explorer quelques-unes des stratégies à leur disposition.

3. Décrire quelques-unes des techniques graphiques et quantitatives utilisées par les planificateurs.

4. Établir des programmes intégrés et en déterminer les coûts.

CHAPITRE 12
LA PLANIFICATION GLOBALE

Plan du chapitre

12.1 INTRODUCTION

La **programmation intégrée** ou **planification globale** est une méthode de planification de la capacité de production à moyen terme. Elle couvre généralement un horizon de 2 à 12 mois, et parfois jusqu'à 18 mois. Elle est particulièrement utile pour les entreprises qui connaissent des fluctuations (saisonnières ou autres) au niveau de la demande ou de la capacité. La planification globale a pour but d'établir un plan de production qui permettra d'exploiter efficacement les ressources humaines et matérielles de l'entreprise de manière à satisfaire à la demande totale. La **demande totale** est constituée du plan de prévisions et du carnet de commandes (commandes clients). Les planificateurs doivent prendre des décisions concernant les taux de production et les niveaux de main-d'œuvre et de stocks, les commandes en souffrance et la sous-traitance.

Ce chapitre a pour objectif d'étudier le concept de programmation intégrée, de discuter des coûts qui y sont reliés et des stratégies possibles, et également d'illustrer les méthodes les plus couramment utilisées.

12.1.1 Un survol de la planification à moyen terme

En matière de capacité, les entreprises prennent des décisions : à long terme, à moyen terme et à court terme. Les décisions à long terme concernent la sélection des produits et des services (déterminer, par exemple, quels produits ou services offrir), la localisation et la taille d'une installation, ainsi que le matériel et l'aménagement des lieux. Les décisions à moyen terme concernent les niveaux généraux d'emploi, la production et les stocks qui, à leur tour, délimitent les frontières des décisions de capacité à court terme. Ces dernières consistent donc essentiellement à décider de la meilleure façon d'obtenir les résultats désirés compte tenu des contraintes qui découlent des décisions à moyen et à long terme ; elles incluent l'ordonnancement des emplois, de la main-d'œuvre et du matériel, entre autres choses. Le tableau 12.1 décrit les trois niveaux de prise de décisions en matière de capacité. Les décisions en matière de capacité à long terme ont été abordées au chapitre 5 ; l'ordonnancement ainsi que d'autres sujets connexes seront traités au chapitre 17. Ici, nous discutons des décisions en matière de capacité de production à moyen terme : elles définissent essentiellement les limites à l'intérieur desquelles la planification à moyen terme doit fonctionner.

Plusieurs entreprises préparent un plan d'affaires qui comprend aussi bien la planification à moyen terme que la planification à long terme. Le plan d'affaires établit des directives pour l'entreprise en tenant compte de ses stratégies et de ses politiques, de ses prévisions quant à la demande pour des produits ou services, de la compétition et des conditions économiques et politiques.

planification globale ou programmation intégrée
Planification des capacités de production à moyen terme, couvrant généralement de 2 à 12 mois.

demande totale
Combinaison du plan de prévisions et du carnet.

TABLEAU 12.1

Un survol des niveaux de planification

Plans à court terme
Plans détaillés :
    chargement de machines
    assignation des tâches
    ordre des tâches
    taille du lot de production
    quantités à commander
    horaires de travail

Plans à moyen terme
Niveaux généraux de :
    main-d'œuvre
    production
    stocks de produits
     finis
    sous-traitance
    commandes en souffrance

Plans à long terme
Capacité à long terme
Emplacement
Aménagement
Conception du produit
Conception du système
    de travail

Long terme

Moyen terme

Court terme

Présentement 2 mois   1 an   Horizon de planification

Le plan d'affaires a pour principal objectif la coordination des plans à moyen terme des diverses fonctions de l'entreprise comme la mise en marché, les opérations et les finances. Dans les entreprises manufacturières, la coordination intègre aussi la gestion de l'ingénierie et des matériaux. Les plans doivent s'ajuster au cadre défini par les stratégies et les objectifs à long terme de l'entreprise ainsi qu'aux limites posées par les décisions à long terme en matière d'installations et de budget des investissements.

Le plan d'affaires guide le processus de planification de chaque secteur fonctionnel. Dans la fonction des opérations, un plan de production – que les entreprises de services peuvent appeler un plan des opérations – est élaboré en vue d'une planification plus détaillée qui, elle, conduit à un programme directeur de production (PDP). La figure 12.1 illustre l'ordre chronologique de la planification.

12.1.2 La notion d'intégration

La planification globale ou intégrée est essentiellement une vue d'ensemble de la planification. En général, les planificateurs essaient de ne pas se concentrer sur des produits ou des services en particulier – à moins, bien sûr, que l'entreprise n'ait qu'un seul produit ou service principal. Ils mettent plutôt l'accent sur un groupe de produits semblables ou parfois, sur une famille complète de produits. Par exemple, pour effectuer une programmation intégrée, les planificateurs d'une entreprise fabriquant des téléviseurs ne tiendraient pas compte du format des appareils (52 cm, 62 cm ou 67 cm). Les planificateurs rassembleraient plutôt tous les modèles et les traiteraient comme un seul produit ; de là l'expression « plan global de production (PGP) ». De même, un fabricant de bicyclettes placerait toutes les tailles et tous les modèles de bicyclettes qu'il fabrique dans la catégorie unique « bicyclettes ». De la même façon, lorsque des entreprises de restauration rapide comme McDonalds, Burger King ou Wendy's planifient les niveaux d'emploi et de production, elles ne cherchent pas à savoir comment la demande sera répartie entre les diverses options qu'elles offrent ; elles se concentrent sur la demande globale et la capacité globale qu'elles désirent offrir.

Figure 12.1

Ordre chronologique de planification

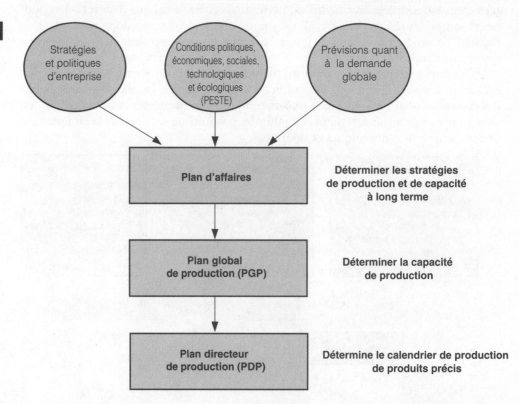

Finalement, en examinant de quelle manière la planification globale peut fonctionner dans un grand magasin, on se rend compte que l'attribution de l'espace est souvent une décision d'intégration. Autrement dit, un directeur peut décider d'allouer 20 % de l'espace disponible dans le rayon des vêtements aux vêtements sport pour femmes, 30 % aux vêtements pour enfants et ainsi de suite, sans égard aux marques de commerce ou à la portion réservée aux pantalons pour enfants. La mesure intégrée peut être exprimée en nombre de mètres carrés ou de présentoirs.

Dans chacun de ces exemples, une approche globale permet aux planificateurs de prendre des décisions intégrées en matière de capacité à moyen terme sans avoir à se préoccuper de détails très précis. Ainsi, ils peuvent davantage s'intéresser aux décisions globales concernant les niveaux de production, d'emploi et de stocks. Pour cela, ils regroupent la demande pour tous les produits en quelques catégories (ou une seule) et effectuent leur planification à partir de ces données.

Pour effectuer une planification globale ou intégrée, il est généralement commode de mesurer la capacité en fonction des heures de main-d'œuvre, des heures-machines par période ou des taux de production (barils par période, unités par période), sans se préoccuper de la quantité réellement produite d'un seul article. Cette méthode permet aux planificateurs de prendre des décisions générales concernant l'exploitation des ressources sans avoir à entrer dans la complexité des exigences d'un produit ou d'un service en particulier. Le regroupement des produits fournit une unité acceptable d'intégration, appelée « unité équivalente » ou « unité intégrée », et établie à partir d'un produit particulier de l'entreprise. L'exemple 1 fournit une illustration simple de cette méthode.

Application des unités équivalentes[1].

La demande à satisfaire, intégrant le plan de prévisions et les commandes clients sur un horizon de six mois, est illustrée ci-dessous. On vous demande d'établir le PGP pour cette situation.

Exemple 1

Produit	Quantité en unités réelles	Date promise (mois)
P-1	300	2
P-2	300	3
P-3	300	4
P-4	40	4
P-5	100	5
P-6	1200	6

Solution

Comme chacun des produits ne comporte pas la même complexité de fabrication, il serait erroné d'additionner les unités de chacun des six produits pour définir les capacités de production. Il faut donc au préalable établir une unité de mesure commune, appelée « unité équivalente ». Les gestionnaires ont mesuré la capacité d'opération de l'entreprise en fonction du produit le plus commun, appelé le « produit de base ». Dans cet exemple, c'est le produit P-1. L'entreprise est capable d'en produire 400 unités par mois. Tous les autres produits seront estimés en unités équivalentes du produit P-1. On a estimé qu'une unité de P-2 nécessite trois fois plus de temps que son équivalent P-1. Le temps nécessaire pour produire 300 unités réelles (ur) de P-2 équivaudra au temps requis pour faire 900 unités équivalentes (ué) de P-1, soit près de deux mois de travail :

ué de P-2 = ur de P-2 * 3 (équivalent en P-1) = 300 ur * 3 = 900 ué.

1. BENEDETTI, C. *Introduction à la gestion des opérations,* 3e édition, Laval, Études Vivantes, 1991, p. 184-188.

En estimant les autres produits de la même façon, nous aurons le tableau suivant :

Produit	Date promise (mois)	Quantité (unités réelles)	Équivalence	Quantité (unités équivalentes)
P-1	2	300	1	*300*
P-2	3	300	3	*900*
P-3	4	300	1	*300*
P-4	4	40	5	*200*
P-5	5	100	5	*500*
P-6	6	1200	0,5	*600*

Les données sont en romain et les résultats, en italique.

En additionnant les unités équivalentes, on voit que l'entreprise doit satisfaire à une demande totale (DT) de 2800 ué (unités équivalentes de P-1). Sachant que la capacité est de 400 unités/mois de P-1, donc de 2400 ué sur l'horizon de six mois, on comprendra que l'entreprise devra recourir soit à la sous-traitance, aux heures supplémentaires ou à d'autres solutions pour satisfaire à la demande totale (DT).

La programmation intégrée débute par une prévision à moyen terme de la demande globale. Par la suite, on établit un plan général visant à satisfaire aux exigences de la demande en fixant les niveaux de production, d'emploi et de stocks de produits finis. Les directeurs peuvent envisager de nombreux plans, mais chacun doit être examiné en fonction des coûts et de la faisabilité. Si un plan est assez bon mais comporte des difficultés minimes, on peut y retravailler. Par contre, on doit éliminer un plan faible et en envisager d'autres jusqu'à ce qu'on trouve un plan acceptable. Le plan de production est essentiellement le résultat de la programmation intégrée.

12.2 LES OBJECTIFS DE LA PLANIFICATION GLOBALE

Dans cette section, nous étudions l'objectif fondamental de la planification globale intégrée, soit l'équilibre entre l'offre, la capacité de l'entreprise et la demande définie par le plan de prévisions et les commandes des clients.

Si l'offre et la demande ne sont pas en équilibre, l'entreprise en subira les conséquences. L'ajustement du système entraîne des coûts supplémentaires ainsi que des **coûts d'opportunité**.

La planification intégrée est l'étape de la planification des activités de l'entreprise qui permet l'établissement de stratégies générales d'opérations ; il en découle un plan global de production.

Le plan global de production (PGP), ou programme intégré de production, décrit l'ensemble des activités de l'entreprise nécessaires pour satisfaire à l'ensemble de la demande, cette demande représentant aussi bien le plan de prévisions que les commandes clients.

coût d'opportunité
Manque à gagner par rapport à une situation qui aurait rapporté davantage.

Le coût d'opportunité désigne le manque à gagner par rapport à une situation qui aurait rapporté davantage. Le coût d'apportunité d'une action A par rapport à une action B désigne la perte de revenu subie si on fait A plutôt que B. Ainsi, si je garde 1000 $ à la maison (A) pendant un an plutôt que de les placer à 5 % d'intérêt (B), le coût d'opportunité de A s'élève à 50 $.

12.2.1 La demande et la capacité

Les planificateurs se préoccupent de la demande anticipée sous deux angles : la quantité et le moment précis où elle surviendra. Plusieurs situations peuvent se présenter au cours de l'horizon considéré, c'est-à-dire la période globale de planification. La demande anticipée totale peut excéder la capacité disponible ou être inférieure à celle-ci ou, par exemple, être d'abord inférieure, puis égale et enfin la dépasser. Les planificateurs tentent de maintenir un équilibre approximatif en changeant soit la capacité, la demande ou les deux, selon les fluctuations. De plus, ils cherchent habituellement à réduire les coûts du plan de production, bien que ceux-ci ne soient pas le seul facteur en cause.

12.2.2 Les intrants de la planification globale

Pour instaurer un PGP, il faut collecter plusieurs données de base. Tout d'abord, il faut connaître les ressources disponibles pour l'horizon couvert par la planification. Ensuite, on doit établir la demande totale à partir de la prévision de la demande anticipée et des commandes clients. Finalement, les planificateurs doivent tenir compte de toutes les politiques touchant aux changements dans les niveaux d'emploi et leurs impacts (par exemple, certaines entreprises considèrent les licenciements comme extrêmement indésirables et n'y auraient recours qu'en dernier ressort). Le tableau 12.2 énumère les principales données prises en considération lors d'une planification globale.

Ressources	Coûts
Main-d'œuvre/taux de production	Coût d'entreposage des articles en stock
Installations et matériel	Sous-traitance
Prévisions quant à la demande	Commandes en souffrance
Énoncés de la politique sur	Embauche/Licenciement
les changements de main-d'œuvre	Heures supplémentaires
Sous-traitance	Modification des stocks
Heures supplémentaires	
Niveaux et changements de stocks	
Commandes en souffrance	

TABLEAU 12.2

Intrants de la programmation intégrée

12.2.3 Les choix concernant la demande et la capacité

Les entreprises possèdent tout un éventail de possibilités pour influencer la planification globale. Celles-ci incluent les changements de prix, la promotion, les commandes en souffrance, le recours aux heures supplémentaires, à des employés à temps partiel, à la sous-traitance, à l'ajout ou à l'élimination de quarts de travail et à l'accumulation de stocks. Ainsi, l'établissement des prix et les promotions peuvent modifier le modèle de la demande ; les options relèvent généralement de la fonction marketing. Le recours aux employés à temps partiel, aux heures supplémentaires et à la sous-traitance peut avoir un impact sur la capacité ou l'offre. Étudions ces options plus en détail.

Les choix concernant la demande. Les principales options en ce qui a trait à la demande sont les suivantes :

1. *L'établissement des prix.*

   On utilise couramment les différentiels de prix pour transférer la demande des périodes de pointe aux périodes tranquilles. Quelques hôtels, par exemple, offrent des tarifs plus bas sur des séjours de fin de semaine et certaines lignes aériennes, des tarifs réduits sur les vols de nuit. Les cinémas proposent des prix réduits pour les représentations en matinée et certains restaurants, des « spéciaux pour matinaux », pour transférer une partie de la demande plus forte (repas du midi) vers une période traditionnellement moins achalandée. Avec un établissement des prix efficace, la demande transférée correspond plus étroitement à la capacité, bien que cela entraîne un coût d'opportunité.

   Un facteur important à considérer est le degré d'élasticité du prix du produit ou du service ; plus l'élasticité sera grande, plus l'établissement des prix sera efficace pour modifier les tendances de la demande.

2. *La promotion.*

La publicité et les autres formes de promotion comme les étalages et le marketing direct peuvent parfois être très efficaces pour favoriser le transfert de la demande. De toute évidence, il faut bien planifier le moment où il convient de déployer ces efforts et connaître le taux de réponse et les modèles de réponse si on veut obtenir les résultats escomptés. Mais on a moins de contrôle sur le moment où survient la demande que sur l'établissement des prix ; la promotion peut parfois aggraver la condition qu'elle devait améliorer.

3. *Les commandes en souffrance.*

Une entreprise peut transférer la demande à d'autres périodes en recourant à des retards dans la livraison des commandes ; les commandes reçues à un certain moment sont exécutées plus tard. L'efficacité de cette méthode dépend du niveau de patience des clients. De plus, il peut être difficile de déterminer les coûts de pénurie puisqu'ils incluent la perte de ventes, l'insatisfaction des clients et de la paperasserie supplémentaire.

4. *La nouvelle demande.*

Plusieurs entreprises font face à un problème de grande variation de la demande. Par exemple, la demande pour le transport par autobus tend à augmenter pendant les périodes de pointe du matin et de la fin de l'après-midi, mais à diminuer durant d'autres périodes. En créant une nouvelle demande pour des autobus à d'autres moments de la journée (en organisant, par exemple, des voyages pour les écoles, les clubs et les groupes du troisième âge), on utilise l'excédent de la capacité pendant ces temps de relâche. Même situation pour plusieurs établissements de restauration rapide, qui sont ouverts pour le déjeuner afin de mieux exploiter leurs capacités, et pour plusieurs entreprises d'horticulture, qui utilisent leur matériel pendant les mois d'hiver pour retirer la neige. Des entreprises manufacturières qui connaissent des demandes saisonnières pour certains produits (par exemple des souffleuses à neige) peuvent parfois créer une demande pour un produit complémentaire (par exemple des tondeuses à gazon, du matériel de jardinage) qui utilise les mêmes processus de production. Elles exploitent ainsi plus régulièrement la main-d'œuvre, le matériel et les installations.

Les choix concernant la capacité. Voici les principales options en matière de capacité :

1. *L'embauche et le licenciement des travailleurs.*

Le degré d'utilisation de la main-d'œuvre pour les opérations détermine l'impact des changements du niveau de main-d'œuvre sur la capacité. En outre, il faut tenir compte des exigences en matière de ressources pour chaque employé. Par exemple, si un supermarché a généralement 10 caisses ouvertes sur 14, on peut rajouter 4 caissiers, mais cette possibilité est restreinte par les autres ressources nécessaires pour soutenir les employés. Inversement, il peut y avoir une limite minimale quant au nombre de travailleurs requis pour qu'une opération demeure viable (comme la permanence).

Les conventions collectives peuvent restreindre les embauches et les licenciements qu'une entreprise peut effectuer. De plus, en raison des problèmes sérieux engendrés par les mises à pied chez les travailleurs, certaines entreprises adoptent des politiques interdisant ou limitant les ajustements à la baisse de la main-d'œuvre. Par ailleurs, l'embauche suppose qu'il existe des réserves de travailleurs. Mais celles-ci varient et, en période de faible disponibilité de personnel, l'entreprise a de la difficulté à appliquer cette méthode.

De plus, le recours à l'embauche et au licenciement comporte certains coûts. Les coûts d'embauche incluent le recrutement, la sélection et la formation des nouveaux employés. La qualité peut alors en souffrir. On peut faire quelques économies en réembauchant les employés récemment remerciés. Les coûts de licenciement, quant à eux, comprennent les indemnités de cessation d'emploi, les coûts du rajustement de la main-d'œuvre restante, les risques de rancœur envers l'entreprise de la part des employés licenciés et une certaine baisse du moral des employés restants (qui, malgré les assertions de l'entreprise, peuvent craindre de perdre leur emploi).

De nos jours, un nombre croissant d'entreprises considèrent que les employés sont un capital plutôt qu'un coût variable et n'adoptent pas cette méthode. Elles utilisent plutôt les temps de relâche différemment.

2. *Les heures supplémentaires et les périodes de relâche.*

Le recours aux heures supplémentaires ou aux périodes de relâche constitue une méthode moins draconienne que l'embauche et le licenciement des travailleurs pour modifier la capacité . De plus, on peut l'utiliser dans toute l'entreprise ou de manière sélective, selon les besoins, et l'appliquer rapidement. Elle permet aussi à l'entreprise de conserver une base stable d'employés. Le recours aux heures supplémentaires est intéressant pour répondre aux demandes saisonnières et évite d'embaucher et de former des gens qui seront mis à pied pendant la basse saison. Il permet aussi à l'entreprise de conserver une main-d'œuvre qualifiée et aux employés, d'augmenter leurs gains. De plus, selon l'organisation du travail, il est souvent nécessaire d'employer toute une équipe plutôt que d'embaucher une ou deux personnes. Faire travailler toute l'équipe en heures supplémentaires est donc préférable à l'embauche d'autres personnes.

Précisons toutefois que certaines conventions collectives autorisent les travailleurs à refuser de faire des heures supplémentaires. Dans ces cas, il peut être difficile de réunir une équipe ou de garder toute une chaîne de production en fonction après les heures de travail normales. Bien que les travailleurs apprécient souvent le revenu additionnel qu'apportent les heures supplémentaires, ils peuvent ne pas aimer le fait de travailler sans préavis ou les fluctuations de revenus qui en résultent. De plus, le recours aux heures supplémentaires provoque souvent une baisse de productivité, une qualité moindre, une augmentation du nombre d'accidents et des coûts salariaux plus élevés, et les temps de relâche entraînent une utilisation moins efficace des machines et autres immobilisations.

On peut aussi recourir aux périodes de relâche lorsque la demande est inférieure à la capacité. Certaines entreprises en profitent alors pour former leurs employés. Cela permet aussi aux travailleurs de résoudre des problèmes et d'améliorer des processus, et à l'entreprise, de conserver ses travailleurs qualifiés.

3. *Les travailleurs à temps partiel.*

Dans certains cas, l'embauche de travailleurs à temps partiel ou sur appel constitue une option valable – elle dépend beaucoup de la nature du travail, de la formation, des aptitudes requises ainsi que des conventions collectives. Un travail saisonnier qui exige peu ou moyennement d'aptitudes professionnelles se prête bien au travail à temps partiel, qui coûte généralement moins cher en tarifs horaires et en avantages sociaux. Cependant, les syndicats peuvent voir cette forme de travail d'un mauvais œil parce qu'en général, il diminue le pouvoir et la cote syndicale. Les grands magasins, les restaurants et les supermarchés ont souvent recours aux travailleurs à temps partiel. Les parcs et les industries de loisirs, les stations touristiques, les agences de voyages, les hôtels et autres entreprises de services ayant des demandes saisonnières font de même. Afin de prospérer, les entreprises de ce secteur économique doivent pouvoir engager des employés à temps partiel lorsqu'elles en ont besoin.

4. *Les stocks.*

Les entreprises peuvent produire des biens durant une période et les vendre ou les expédier pendant une autre période. Elles doivent toutefois, pour cela, conserver ces marchandises en stock jusqu'au moment où elles en auront besoin. Les coûts comprennent non seulement les frais d'entreposage et le loyer de l'argent engagé qui pourrait être investi autrement, mais aussi les coûts des assurances, de la désuétude, de la détérioration, du gaspillage, des dommages et autres. Les stocks sont généralement renouvelés durant les périodes où la capacité excède la demande et écoulés dans les périodes où la demande excède la capacité (voir le chapitre 13).

Cette méthode convient davantage aux industries manufacturières qu'aux industries de services. En effet, à part dans le secteur du commerce de détail, les biens manufacturés peuvent être entreposés tandis qu'en général, les services ne peuvent pas l'être. Cependant, pour eux, une méthode analogue consiste à recourir à la rationalisation ou encore à effectuer une partie du service durant les périodes de relâche (organiser les lieux de travail, faire des travaux de maintenance). Malgré ces possibilités, les entreprises de services n'ont pas tendance à recourir aux stocks pour faire face aux variations de la demande.

5. *La sous-traitance.*

La sous-traitance permet aux planificateurs d'acquérir une capacité temporaire, même s'ils perdent en partie le contrôle sur la production et que cette option peut se solder par des coûts plus élevés ainsi que des problèmes de qualité. La décision de fabriquer ou d'acheter (dans le secteur de la fabrication, par exemple) ou d'effectuer un service au lieu d'embaucher quelqu'un d'autre pour faire le travail dépend généralement de facteurs comme la capacité disponible, l'expertise relative, les considérations sur le plan de la qualité, les coûts et la quantité ainsi que la stabilité de la demande.

Dans certains cas, une entreprise peut choisir d'effectuer une partie du travail elle-même et d'externaliser le reste afin de préserver une certaine souplesse et de se protéger contre la perte d'un sous-traitant. De plus, elle se dote ainsi d'un outil de négociation avec les sous-traitants et garde une longueur d'avance si elle décide plus tard de prendre complètement en charge l'opération.

12.3 LES STRATÉGIES DE BASE POUR RÉPONDRE AUX VARIATIONS DE LA DEMANDE

Les gestionnaires disposent d'un large éventail de possibilités pour équilibrer la demande et la capacité dans le cadre d'une programmation intégrée. Puisque les options qui influencent la demande font plutôt partie du domaine du marketing, nous nous concentrerons ici sur les options en matière de capacité relevant des opérations tout en incluant les commandes en souffrance.

Parmi les stratégies que les planificateurs peuvent adopter, les plus importantes sont :

— Conserver une main-d'œuvre stable.

— Maintenir un taux de production stable.

— Répondre à la demande, période par période.

— Utiliser une combinaison de différentes stratégies de planification.

Bien que d'autres stratégies soient possibles, celles-ci donnent un aperçu du fonctionnement de la planification intégrée dans un grand nombre d'entreprises. Les trois premières stratégies sont des stratégies « pures », car elles ont chacune un simple objectif ; la dernière est « mixte », car elle combine plusieurs options.

stratégie d'équilibre de la capacité
Maintien d'un taux constant de production en temps régulier ; les variations de la demande sont absorbées par une combinaison d'options.

stratégie de production synchrone
Établissement d'un équilibre entre la capacité et la demande par rajustement continu de la production sur la demande.

Avec une **stratégie d'équilibre de la capacité**, les variations de la demande sont absorbées grâce à une combinaison de stocks, d'heures supplémentaires, de travailleurs à temps partiel, de sous-traitance et de commandes en souffrance. Avec une **stratégie de production synchrone**, il y a concordance entre la capacité et la demande : la production planifiée pour toute période est égale à la demande prévue pour cette même période.

Plusieurs entreprises considèrent qu'une main-d'œuvre stable est un atout. Puisque les changements provoqués par l'embauche et le licenciement peuvent influer nettement sur la motivation des employés et perturber les gestionnaires, les entreprises préfèrent souvent répondre à une demande inégale par d'autres moyens. De plus, les variations quant au nombre de travailleurs peuvent être très coûteuses et il est toujours possible que le bassin de main-d'œuvre possédant les compétences requises ne soit pas suffisant au moment requis. En outre, tout cela entraîne une quantité considérable de paperasserie. Les syndicats tendent à favoriser une main-d'œuvre stable, parce que la liberté pour l'entreprise d'engager et de mettre à pied les travailleurs signifie une diminution de leurs pouvoirs pour ces derniers.

Pour maintenir un niveau de production stable, satisfaire aux exigences de la demande et absorber les fluctuations, une entreprise doit recourir à une certaine combinaison de sous-traitance, de commandes en souffrance et de stocks. La sous-traitance demande qu'on investisse pour évaluer les sources d'approvisionnement et entraîne de possibles augmentations des coûts et une réduction du contrôle sur la production. Des précautions sont à prendre sur le plan de la qualité. Les commandes en souffrance peuvent entraîner des pertes de ventes, une tenue des livres plus compliquée et un service à la clientèle de moindre niveau. Enfin, le fait de faire absorber les fluctuations par les stocks peut entraîner des coûts importants : argent bloqué dans les stocks, installations d'entreposage assez importantes et autres frais rattachés aux stocks. De plus, les stocks ne constituent généralement pas une solution de rechange pour les entreprises de services. Cependant, il y a certains avantages : coûts minimes de recrutement, de formation, d'heures supplémentaires et de temps d'arrêt, réduction des problèmes de motivation et exploitation du matériel et des installations.

Une stratégie de production synchrone suppose, chez les gestionnaires, une grande capacité et une volonté d'être flexibles pour s'ajuster à la demande. Le principal avantage de cette méthode est qu'elle permet de conserver les stocks à un niveau assez bas, ce qui peut engendrer des économies substantielles pour une entreprise. Un inconvénient important est le manque de stabilité dans les opérations – elles doivent constamment s'ajuster aux variations de la demande. De même, lorsque la prévision et la réalité diffèrent, le moral peut en souffrir puisqu'il devient bientôt évident pour les travailleurs et les gestionnaires que leurs efforts ont été gaspillés. La figure 12.2 offre une comparaison des deux stratégies.

Les entreprises peuvent opter pour une combinaison de ces stratégies. Ainsi, les gestionnaires disposent d'une plus grande flexibilité pour répondre à une demande inégale et ils peuvent essayer une grande variété de méthodes. Par contre, l'absence d'un objectif clair peut entraîner des hésitations et créer de la confusion chez les employés.

12.4 LES TECHNIQUES DE PLANIFICATION GLOBALE

Plusieurs techniques aident les décideurs à effectuer la programmation intégrée. En général, elles se classent dans l'une des catégories suivantes : les empiriques ou intuitives, basées sur l'expérience (par essais et erreurs) et les techniques mathématiques. Dans la pratique, les techniques informelles sont utilisées plus fréquemment. Cependant, on a consacré une quantité considérable de recherches aux techniques mathématiques. Moins courantes, celles-ci servent souvent de base pour comparer l'efficacité des techniques de rechange de programmation intégrée. Il sera donc intéressant de les étudier brièvement.

La procédure régulière de la programmation intégrée pour établir un plan global de production (PGP) comprend les étapes suivantes :

1. Déterminer la demande totale (le plan de prévisions plus les commandes clients pour chaque période).

Figure 12.2

Comparaison des stratégies synchrone et de nivelage

Modèle de demande variable

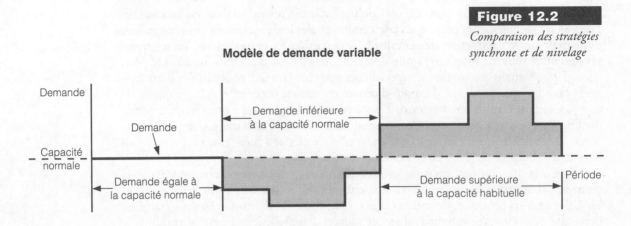

Stratégie de production synchrone

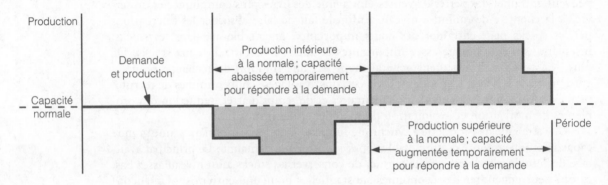

Stratégie de production nivelée

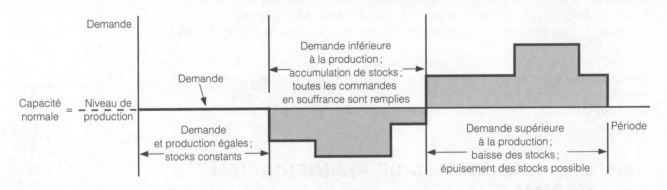

2. Déterminer les capacités (temps régulier, heures supplémentaires, sous-traitance) pour chaque période.

3. Définir les politiques appropriées pour l'entreprise ou le service (par exemple, conserver des stocks de sécurité représentant 5 % de la demande, une main-d'œuvre relativement stable ou autres).

4. Déterminer les coûts unitaires du temps régulier, du temps supplémentaire, de la sous-traitance, du stockage, des commandes en souffrance, des licenciements, etc.

5. Élaborer des plans de rechange et calculer leurs coûts.

6. Si des plans satisfaisants sont élaborés, choisir celui qui satisfait davantage aux objectifs. Autrement, retourner à l'étape 5.

Une feuille de travail comme celle du tableau 12.3 peut s'avérer un outil utile pour définir la demande, la capacité et les coûts de chaque plan. De plus, les graphiques peuvent aider à préciser les diverses options.

TABLEAU 12.3

Feuille de travail

Période	1	2	3	4	5	Total
Prévision						
Production						
Temps régulier						
Heures supplémentaires						
Sous-traitance						
Production – Prévision						
Stocks						
Initial						
Final						
Moyen						
Commandes en souffrance						
Coûts						
Production						
Temps régulier						
Heures supplémentaires						
Sous-traitance						
Embauche/Licenciement						
Stocks						
Commandes en souffrance						
Total						

12.4.1 Les techniques empiriques

Les méthodes empiriques consistent à élaborer soit de simples tableaux, soit des graphiques qui permettent aux planificateurs de comparer visuellement les exigences projetées de la demande avec la capacité actuelle. On évalue ensuite les diverses options selon leurs coûts totaux. Le choix de la stratégie est arrêté de manière empirique, d'après l'expérience du gestionnaire, les essais et erreurs et les besoins du moment. Cette façon de faire est simple, pragmatique et facile à appliquer.

Souvent, les graphiques peuvent aider à élaborer les options. Certains planificateurs préfèrent des graphiques cumulatifs, tandis que d'autres optent pour un plan ventilé par périodes. Par exemple, la figure 12.3 montre un graphique cumulatif pour un plan de production nivelé (la courbe représente la demande et la ligne en pointillé, le taux de production cumulé). Notons l'utilisation des stocks cumulés durant les cinq premières périodes pour satisfaire à la demande excédentaire de la période 6. À titre comparatif, soulignons que la figure 12.2 représentait l'évolution de la demande et de la capacité par période. Le graphique a pour principal avantage de donner une description visuelle du plan.

Figure 12.3

Graphique cumulatif

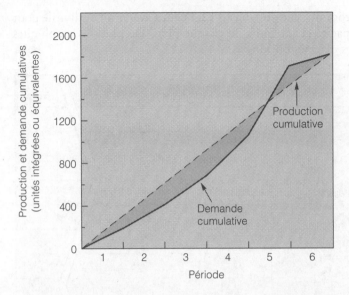

Deux exemples illustreront l'élaboration et la comparaison des programmes intégrés ou PGP. Dans le premier, la production régulière est stable, et les stocks absorbent
les variations de la demande. Dans le second, on utilise un taux de production régulier plus bas, et on a recours en plus aux heures supplémentaires. Dans les deux cas, il
peut y avoir une certaine quantité de commandes en souffrance, bien que cette situation soit à éviter.

Pour ces exemples, ainsi que pour les autres exemples et problèmes de ce chapitre,
on part des hypothèses suivantes :

1. La capacité de production régulière est la même durant toutes les périodes. Les
   vacances, le nombre de jours travaillés dans des mois différents, etc., ne sont pas
   pris en compte. Cette hypothèse simplifie les calculs.

2. Les coûts sont établis de façon linéaire en $/u et sont fonction des coûts de pro-
   duction, des commandes en souffrance, des heures supplémentaires, etc. Ils donnent souvent une bonne approximation de la réalité, bien qu'ils ne soient pas
   toujours précis car ils varient plutôt par paliers.

3. Les plans sont réalisables ; cela signifie qu'il y a une quantité de stocks suffisante,
   que les sous-traitants offrant une qualité et une capacité appropriées sont prêts et
   qu'au besoin, on peut effectuer des changements dans la production.

4. On peut représenter tous les coûts reliés à une option par une somme forfaitaire
   ou par des coûts unitaires indépendants de la quantité requise. Une fois encore, la
   représentation discrète par paliers des coûts est plus réaliste, mais aux fins d'illustration et par souci de simplicité, l'hypothèse initiale est acceptable.

5. L'estimation des coûts est réaliste ; les coûts sont constants pour l'horizon considéré.

6. Les stocks se construisent et s'épuisent à un rythme uniforme, et la production suit
   également un rythme uniforme à chaque période. Cependant, on traite les commandes en souffrance comme si elles existaient pendant une période entière,
   même si elles tendent à s'accumuler vers la fin des périodes où elles apparaissent.
   Cette hypothèse est donc peu réaliste, mais elle simplifie les calculs.

Dans les exemples et les problèmes de ce chapitre, nous utilisons les équations
suivantes pour déterminer le nombre de travailleurs, la quantité en stock et les coûts
de chaque plan de production :

a) Calcul du nombre de travailleurs disponibles par période :

| Nombre de travailleurs par période | = | Nombre de travailleurs à la fin de la période précédente | + | Nombre de nouveaux travailleurs au début de la période | − | Nombre de travailleurs licenciés au début de la période |

b) Calcul de la quantité de stocks à la fin d'une période donnée :

| Stocks à la fin de la période (S_f) | = | Stocks à la fin (S_f) de la période précédente | + | Production de la période actuelle | − | Quantité utilisée pour répondre à la demande de la période actuelle |

c) Calcul des stocks moyens pour une période (S_{moy}) :

$$S_{moy} = \frac{S_f + S_i}{2} \quad \text{où } S_f = \text{stock final}; \quad S_i = \text{stock initial}$$

On peut déterminer les coûts d'un plan particulier pour une période donnée en additionnant les coûts suivants :

| Coût pour une période | = | Coût de production (temps régulier + heures supplémentaires + sous-traitance) | + | Coût des variations de main-d'œuvre (coût d'embauche ou de licenciement) | + | Coût des stocks | + | Coût des commandes en souffrance |

Ces coûts d'un plan sont représentés de la façon suivante :

Type de coût	Méthode de calcul
Production	
Temps régulier	Coût régulier à l'unité ∗ Quantité de production régulière
Heures supplémentaires	Coût à l'unité des heures supplémentaires ∗ Quantité d'heures supplémentaires
Sous-traitance	Coût à l'unité de la sous-traitance ∗ Quantité sous-traitée
Variation de la main-d'œuvre	
Embauche	Coût par embauche ∗ Nombre de personnes engagées
Licenciement	Coût d'un licenciement ∗ Nombre de licenciements
Stocks	Coût unitaire d'entreposage ∗ Stocks moyens
Commandes en souffrance	Coût unitaire des commandes en souffrance ∗ Nombre d'unités des commandes en souffrance

Les exemples suivants illustrent seulement trois des nombreuses options que l'on peut essayer ; d'autres peuvent avoir un coût moindre. Avec le tâtonnement, nous ne pouvons jamais être complètement sûr d'avoir trouvé l'option dont le coût est le plus bas, à moins d'avoir évalué chaque option. Mais le but de ces exemples est d'illustrer le processus d'élaboration et d'évaluation d'un programme intégré plutôt que de déterminer le programme dont le coût est le plus bas. Les problèmes proposés à la fin de ce chapitre présentent d'autres stratégies de PGP.

En pratique, l'efficacité d'un bon PGP dépend de l'ingéniosité et de la persévérance du planificateur. Un progiciel de type EXCEL peut éliminer le fardeau du calcul inhérent aux techniques de tâtonnement.

Variation dans le niveau des stocks.

Exemple 2

Les planificateurs d'une entreprise qui fabrique plusieurs modèles de tracteurs s'apprêtent à établir le plan global de production qui couvrira six périodes. Ils ont recueilli les informations suivantes :

Période	1	2	3	4	5	6	Total
Prévisions	200	200	300	400	500	200	1800
Coûts							
Production							
Temps régulier = 2 $ par tracteur							
Heures supplémentaires = 3 $ par tracteur							
Sous-traitance = 6 $ par tracteur							
Stocks = 1 $ par tracteur par période pour des stocks moyens							
Coût de pénurie = 5 $ par tracteur en souffrance par période							

Nous désirons évaluer les coûts d'un PGP avec un taux nivelé de production en temps régulier, qui utilise principalement les stocks pour absorber les variations de la demande, tout en supportant des coûts de pénurie dus aux commandes en souffrance. Aucun stock de produits finis n'est disponible au début de la première période. Nous savons que le taux de production nivelé actuel est de 300 unités (tracteurs) par période en temps régulier (TR) (par exemple, 1800 / 6 = 300). Aucun stock n'est prévu pour la fin de l'horizon de 6 mois. Il y a 15 travailleurs. Pour simplifier, nous supposons que le même nombre d'unités est produit chaque mois.

Solution

Période	1	2	3	4	5	6	Total
Prévisions	200	200	300	400	500	200	1800
Production							
Temps régulier (TR)	300	300	300	300	300	300	1800
Heures supplémentaires (HS)	–	–	–	–	–	–	
Sous-traitance (ST)	–	–	–	–	–	–	
Production – Prévisions	100	100	0	(100)	(200)	100	0
Stocks							
Initial	0	100	200	200	100	0	
Final	100	200	200	100	0	0	
S_{moy}	50	150	200	150	50	0	600
Commandes en souffrance	0	0	0	0	100	0	100
Coûts							
Production							
Temps régulier	600 $	600	600	600	600	600	3600 $
Heures supplémentaires	–	–	–	–	–	–	
Sous-traitance	–	–	–	–	–	–	
Embauche/Licenciements	–	–	–	–	–	–	
Stocks	50 $	150	200	150	50	0	600 $
Commandes en souffrance	0 $	0	0	0	500	0	500 $
Total	650 $	750	800	750	1150	600	4700 $

Notez que la production totale en temps régulier de 1800 unités équivaut à la demande totale prévue. Les stocks finals équivalent aux stocks initiaux, plus la quantité suivante: Production – Prévisions. Si le résultat Production – Prévisions est négatif, cela signifie que les stocks diminuent d'autant dans cette période. Si les stocks disponibles sont insuffisants, les commandes en souffrance égalent la quantité manquante, comme dans la période 5. On résout ce problème en utilisant la production excédentaire de la période 6.

Calcul des coûts : les coûts réguliers pour chaque période sont de 300 unités × 2 $ l'unité ou 600 $. Les coûts des stocks sont égaux aux stocks moyens × 1 $ l'unité. Les coûts des commandes en souffrance sont de 5 $ l'unité. Les coûts totaux de ce plan s'élèvent à 4700 $, soit un coût unitaire de

$$\frac{4700\ \$}{DT + S_f - S_i} = \frac{4700\ \$}{1800\ u} \simeq 2,61\ \$/u\,;\ DT = \text{demande totale}$$

Le tableau ci-dessus illustre les calculs effectués pour chacune des six périodes couvertes par le PGP ainsi que le coût global pour l'ensemble de l'horizon de temps.

Utilisation des heures supplémentaires.

Après avoir étudié le PGP réalisé à l'exemple précédent, les planificateurs ont décidé d'élaborer un programme de rechange. Ils ont appris qu'une personne de l'entreprise doit prendre bientôt sa retraite. Plutôt que de remplacer cette personne, ils voudraient réduire la main-d'œuvre et avoir recours aux heures supplémentaires pour compenser pour la perte de production. Le taux de production nivelé résultant du départ de l'employé est de 280 u/période. La quantité maximale de production en heures supplémentaires (HS) est de 40 unités. Élaborons un nouveau programme et comparons-le au précédent.

Exemple 3

Solution

Période	1	2	3	4	5	6	Total
Prévisions	200	200	300	400	500	200	1800
Production							
Temps régulier (TR)	280	280	280	280	280	280	1680
Heures supplémentaires (HS)	0	0	40	40	40	0	120
Sous-traitance (ST)	–	–	–	–	–	–	
Production – Prévisions	80	80	20	(80)	(180)	80	0
Stocks							
Initial	0	80	160	180	100	0	
Final	80	160	180	100	0	0	
Moyen	40	120	170	140	50	0	520
Commandes en souffrance	0	0	0	0	80	0	80
Coûts							
Production							
Temps régulier	560 $	560	560	560	560	560	3360 $
Heures supplémentaires	0	0	120	120	120	0	360 $
Sous-traitance	–	–	–	–	–	–	
Embauche/Licenciements	–	–	–	–	–	–	
Stocks	40 $	120	170	140	50	0	520 $
Commandes en souffrance	0 $	0	0	0	400	0	400 $
Total	600 $	680	850	820	1130	560	4640 $

La quantité d'unités produites en heures supplémentaires doit pallier la perte de production de 20 unités par période pendant cinq périodes, soit 120 unités. Ce remplacement est prévu vers le milieu de la programmation (périodes 3, 4 et 5), puisque la plus forte demande a lieu à cette période. Une planification plus hâtive de la production augmenterait les coûts d'entreposage des produits finis ; une planification plus tardive accroîtrait les coût de pénurie.

Globalement, les coûts totaux de ce programme s'élèvent à 4640 $, soit 60 $ de moins que le programme précédent, soit un coût unitaire de 4640 $/1800 u ≃ 2,58 $/u. Les coûts de production en temps régulier et les coûts des stocks ont baissé, et les coûts en heures supplémentaires ont augmenté. Ce deuxième programme permet des économies sur le plan des coûts de pénurie.

Exemple 4   *Utilisation des travailleurs temporaires surnuméraires.*

Une troisième option consiste à recourir à des travailleurs temporaires (sur appel) durant les périodes de forte demande. Supposons qu'il en coûte 100 $ de plus par mois pour engager et former un travailleur temporaire et que ce travailleur surnuméraire produit 15 unités par période (comparativement à 20 unités par période pour les travailleurs réguliers).

En divisant le nombre d'unités requises (120) par le taux de production de 15 unités par travailleur temporaire, on découvre que huit travailleurs-période sont nécessaires (par exemple, deux travailleurs pendant quatre mois chacun ou quatre travailleurs pendant deux mois chacun).

Comme les périodes 4 et 5 sont marquées par la plus forte demande, le recours à quatre travailleurs temporaires pendant ces deux mois semble raisonnable. Le programme suivant résume les résultats.

Solution

Période	1	2	3	4	5	6	Total
Prévisions	200	200	300	400	500	200	1800
Production							
Temps régulier	280	280	280	340	340	280	1800
Heures supplémentaires	–	–	–	–	–	–	
Sous-traitance	–	–	–	–	–	–	
Production – Prévisions	80	80	(20)	(60)	(160)	80	0
Stocks							
Initial	0	80	160	140	80	0	
Final	80	160	140	80	0	0	
Moyenne	40	120	150	110	40	0	460
Commandes en souffrance	0	0	0	0	80	0	80
Coûts							
Production							
Temps régulier	560 $	560	560	680	680	560	3600 $
Heures supplémentaires	–	–	–	–	–	–	
Sous-traitance	–	–	–	–	–	–	
Embauche/Licenciement	0 $	0	0	400	400	0	800 $
Stocks	40 $	120	150	110	40	0	460 $
Commandes en souffrance	0	0	0	0	400	0	400 $
Total	600 $	680	710	1190	1520	560	5260 $

En bref, les coûts totaux de ce plan s'élèvent à 5260 $ ou 2,92 $/u, ce qui en fait le plus coûteux des trois pour la situation étudiée.

12.4.2 Les techniques mathématiques

Il existe plusieurs techniques mathématiques pour établir des plans globaux de production. Ils vont des modèles mathématiques de programmation jusqu'à la recherche informatique en passant par les modèles heuristiques. Parmi les plus connues, mentionnons :

a) la programmation linéaire ;

b) les règles de décision linéaire ;

b) la simulation.

La programmation linéaire

Nous appliquons les principes de programmation linéaire que nous avons vus au supplément du chapitre 5. Ainsi, sachant que l'objectif du PGP est de satisfaire à la demande totale compte tenu d'un ensemble de contraintes, et ce, tout en minimisant les coûts d'opération, on associe alors :

– les coûts d'opération à la fonction objective ;

– les capacités aux contraintes ;

– la demande aux différentes dimensions des équations de contrainte.

E.H. Bowman[2] proposa de modéliser la situation à l'aide du modèle de transport, présenté au supplément du chapitre 8. En modifiant le modèle de transport pour l'adapter à la planification globale et en tenant compte des paramètres ci-dessous, on a :

r = coût unitaire de production en temps régulier ;
t = coût unitaire de production en heures supplémentaires ;
s = coût unitaire de production en sous-traitance ;
h = coût unitaire d'entreposage par période ;
b = coût unitaire de pénurie par période ;
n = nombre de périodes couvertes.

On pourra déterminer un PGP optimal.

Le modèle du PGP est illustré à la figure ci-dessous.

TABLEAU 12.4

Solution par le modèle de transport

Période		Période 1	Période 2	Période 3	...	Stock final période n	Capacité inutilisée	Capacité disponible
	Stock initial	0	h	$2h$	...	nh	0	S_i
1	Temps régulier	r	$r+h$	$r+2h$	...	$r+nh$	0	R_1
	Heures supplémentaires	t	$t+h$	$t+2h$	...	$t+nh$	0	O_1
	Sous-traitance	s	$s+h$	$s+2h$	...	$s+nh$	0	S_1
2	Temps régulier	$r+b$	r	$r+h$	...	$r+(n-1)h$	0	R_2
	Heures supplémentaires	$t+b$	t	$t+h$	...	$t+(n-1)h$	0	O_2
	Sous-traitance	$s+b$	s	$s+h$	...	$s+(n-1)h$	0	S_2
3	Temps régulier	$r+2b$	$r+b$	r	...	$r+(n-2)h$	0	R_3
	Heures supplémentaires	$t+2b$	$t+b$	t	...	$t+(n-2)h$	0	O_3
	Sous-traitance	$s+2b$	$s+b$	s	...	$s+(n-2)h$	0	S_3
	Demande				...			Total

Notons que, dans ce tableau :

a) le coût de l'unité produite à la première période (rangée 1) pour satisfaire à la demande de la période 2 (colonne 2) est donné par r + h. Cette même unité, si elle sert à satisfaire à la demande de la période 3, coûte r + 2h, et ainsi de suite ;

b) le coût de l'unité en souffrance à la première période (colonne 1), si celle-ci est compensée par la production de la période 2 (rangée 2), est donné par r + 2b, et ainsi de suite. Soulignons que cette situation devrait être évitée, car il est rarement souhaitable de planifier des pénuries.

L'exemple 5 illustre l'application du modèle de transport à la planification globale.

2. BOWMAN, E.H. « Production Planning by the Transportation Model of Linear Programming », *Journal of Operations Research Society,* vol. 4, février 1956, p. 100-103.

Exemple 5

En utilisant l'information suivante, établissons un plan global de production selon le modèle de transport :

	Période		
	1	**2**	**3**
Demande	550	700	750
Capacité			
Temps régulier	500	500	500
Heures supplémentaires	50	50	50
Sous-traitance	120	120	100
Stock initiaux	100		
Coûts			
Temps régulier	60 $ par unité		
Heures supplémentaires	80 par unité		
Sous-traitance	90 par unité		
Coût d'entreposage des produits finis	1 $ par unité par mois		
Coût de pénurie	3 $ par unité par mois		

Le modèle de transport et la solution apparaissent au tableau 12.5. Quelques données exigent des explications supplémentaires.

TABLEAU 12.5

Solution par le modèle de transport

	Offre	Demande			Capacité inutilisée	Capacité totale disponible (offre)
		Période 1	Période 2	Période 3		
Période	Stocks initiaux	0 / 100	1	2	0	100
1	Temps régulier	60 / 450	61 / 50	62	0	500
	Heures supplémentaires	80	81 / 50	82	0	50
	Sous-traitance	90	91 / 30	92	0 / 90	120
2	Temps régulier	63	60 / 500	61	0	500
	Heures supplémentaires	83	80 / 50	81	0	50
	Sous-traitance	93	90 / 20	91 / 100	0	120
3	Temps régulier	66	63	60 / 500	0	500
	Heures supplémentaires	86	83	80 / 50	0	50
	Sous-traitance	96	93	90 / 100	0	100
	Demande	550	700	750	90	2090

a) Dans cet exemple, les coûts d'entreposage des produits finis sont de 1 $ l'unité par période (les coûts sont indiqués dans le coin supérieur droit de chaque cellule du tableau). Les unités ainsi produites dans une période et transférées dans une période ultérieure comporteront un coût d'entreposage.

b) Les modèles de programmation linéaire de ce type exigent qu'il y ait égalité entre l'offre (la capacité) et la demande. Une colonne factice a été rajoutée (capacité inutilisée) pour satisfaire à cette exigence. Comme, dans ce cas, il ne « coûte » rien de ne pas utiliser la capacité, des coûts de cellule de 0 $ ont été assignés.

c) Aucun coût de pénurie n'était nécessaire dans cet exemple.

d) Les quantités (par exemple 100 et 450 dans la colonne 1) sont les quantités de production ou de stocks qui seront utilisées pour répondre à la demande de la période 1. Ainsi, la demande de 550 unités pour la période 1 sera comblée par 100 unités en stock et 450 unités provenant de la production en temps régulier.

Si la politique de l'entreprise n'autorise pas les commandes en souffrance, les cases concernées seront hachurées de façon à ne pas permettre leur utilisation. Cette même approche peut être utilisée si le produit ne peut être entreposé pour des raisons propres à ce dernier, comme dans le cas de produits périssables ou comportant une date de péremption.

Les principales limites des modèles de programmation linéaire sont la supposition de relations linéaires entre les variables, l'incapacité d'ajuster continuellement les taux de production et le besoin de préciser un seul objectif (minimiser les coûts, par exemple) au lieu de viser des objectifs multiples (par exemple minimiser les coûts tout en nivelant la main-d'œuvre à un niveau constant).

Les règles de décision linéaire

Les règles de décision linéaire permettent de modéliser mathématiquement et d'une façon intégrée les coûts d'opération en temps régulier, en heures supplémentaires, en sous-traitance et autres ainsi que les coûts de stockage et de pénurie, les coûts d'embauche et de remerciement de la main-d'œuvre et tout autre coût relié aux variations des capacités d'opération propres à permettre de satisfaire à la demande, et ce, d'une façon optimale. Cette méthode, conçue par Charles Holt, Franco Modigliani, John Muth et Herbert Simon[3], se base sur des équations différentielles pour permettre d'optimiser les coûts. Bien que difficilement applicable en raison de sa lourdeur et du nombre d'informations précises et fixes qu'elle nécessite, elle représente un intérêt en tant que balise et but ultime à viser.

La simulation

L'arrivée et l'utilisation massives des ordinateurs a permis au gestionnaire de simuler plusieurs modèles de plans globaux de production pour choisir celui qui est le plus adapté à ses besoins. Notons que « le plus adapté » ne signifie pas nécessairement « le plus économique ». Les gestionnaires préféreront parfois un PGP qui satisfasse le mieux aux exigences précises des clients ou aux besoins de l'environnement interne (problèmes de ressources humaines ou matérielles) et externe (PESTE) même s'il coûte un peu plus cher à réaliser : ce sont des visions à plus long terme qui prévaudront à ce moment. De nos jours, on peut se procurer plusieurs logiciels de simulation qui permettent de simuler tout genre de situation à des coûts minimes, sans affecter les opérations.

3. Adapté de l'ouvrage de Mikell P. Groover, *Automation, Production Systems and Computer-Aided Manufacturing*, 2e édition, Englewood Cliffs, Prentice Hall, chapitre 6, 1987.

Technique	Méthode de résolution	Caractéristiques
Graphique/Tableau	Essais et erreurs	Intuitivement intéressant, facile à saisir; solution pas nécessairement optimale
Programmation linéaire	Optimiser	Informatisée; hypothèses linéaires pas toujours valables
Règle de décision linéaire	Optimiser	Complexe, demande un effort considérable pour obtenir de l'information pertinente sur les coûts et pour construire un modèle; estimations des coûts pas toujours valables
Simulation	Essais et erreurs	On peut étudier des modèles dans une variété de conditions variées

12.5 LA PLANIFICATION GLOBALE DANS LE SECTEUR DES SERVICES

Similaires à certains égards, la programmation intégrée à des fins de fabrication et la programmation intégrée utilisée dans le domaine des services présentent quelques différences importantes – liées en général aux différences entre la fabrication et les services. Rappelons-les:

1. *On produit un service au moment où on le fournit.*

   Contrairement à la production manufacturière, il n'est pas possible de stocker la plupart des services comme la planification financière, l'expertise fiscale et les changements d'huile. On ne peut donc pas constituer de stocks pendant une période lente en prévision d'une future demande. Par ailleurs, une capacité de service inutilisée est essentiellement perdue. En conséquence, il devient important d'établir une concordance entre la capacité et la demande.

2. *La demande pour des services peut être difficile à prévoir.*

   Le volume de la demande pour des services est souvent très variable. Dans certaines situations, les clients peuvent avoir besoin d'un service rapide (par exemple la police, le service de lutte contre les incendies, l'urgence médicale); dans d'autres cas, ils veulent simplement un service rapide et peuvent aller ailleurs si leurs désirs ne sont pas comblés. Ces facteurs font en sorte que les fournisseurs de services doivent anticiper la demande. Par conséquent, ils doivent porter une grande attention aux niveaux de capacité prévus.

3. *La disponibilité de la capacité peut être difficile à prévoir.*

   Les exigences du traitement dans le secteur des services peuvent être parfois très variables, à la manière de la variabilité du travail dans un atelier. De plus, la variété des tâches requises de la part des travailleurs peut être grande. Dans le secteur des services, la variété est plus présente qu'elle ne l'est en fabrication. Il est donc plus difficile d'établir de simples mesures de la capacité. Par exemple, quelle serait la capacité d'une personne qui peint l'intérieur des maisons? Le nombre de chambres par jour ou le nombre de mètres carrés à l'heure sont des mesures possibles; or, les pièces sont de tailles différentes et le niveau de détail varie énormément (ce qui implique l'emploi d'outils différents), de sorte qu'il est difficile de déterminer la capacité du peintre. De la même façon, les caissiers d'une banque sont appelés à traiter une grande variété de transactions et de demandes d'information, d'où la difficulté de mesurer leur capacité.

4. *Dans le secteur des services, la flexibilité de la main-d'œuvre peut être un atout.*

Les fournisseurs de services prennent souvent en charge une assez grande variété d'exigences. Cette flexibilité signifie que dans une certaine mesure, la planification est plus facile qu'en fabrication. Toutefois, bon nombre de manufacturiers offrent à leurs employés une formation polyvalente pour atteindre la même flexibilité. De plus, tant dans les secteurs de la fabrication que dans celui des services, le recours à des travailleurs à temps partiel est une option importante.

Autre caractéristique des services : dans les systèmes de libre-service, le travailleur (client) s'ajuste automatiquement aux changements de la demande !

12.6 LA DÉSINTÉGRATION DE LA PROGRAMMATION INTÉGRÉE

Nous avons vu que le plan global de production fait appel à des unités équivalentes, appelées aussi « unités intégrées ». Une fois le PGP établi, c'est-à-dire une fois que les décisions sont prises en qui concerne la sous-traitance, les heures supplémentaires, le temps régulier, etc., il convient de redéfinir les quantités d'unités à produire en unités réelles, et ce, pour chaque stratégie de la solution retenue. C'est ce que nous appelons la désintégration du PGP. Il faut décortiquer le programme intégré selon les exigences des produits afin de déterminer les besoins en termes de main-d'œuvre (compétences, taille), de matériaux et de stocks. Nous décrivons ce processus au chapitre 14. Pour le moment, il est utile de comprendre la nécessité de la désintégration et sa signification.

Le travail avec des unités intégrées facilite la programmation à moyen terme. Cependant, pour mettre en œuvre le plan de production, on doit convertir ou décomposer ces unités intégrées en unités de produits ou de services réels qui seront produits ou offerts. Par exemple, un fabricant de tondeuses à gazon peut avoir une programmation intégrée de 200 tondeuses en janvier, 300 en février et 400 en mars. Cette entreprise peut produire des tondeuses qu'on pousse, des tondeuses qui se propulsent d'elles-mêmes et des tondeuses qu'on conduit. Même si toutes les tondeuses contiennent plusieurs pièces semblables et que leur fabrication comporte aussi certaines opérations semblables, des différences en ce qui concerne les matériaux, les pièces et les opérations subsistent. Ainsi, parmi les 200, 300 et 400 tondeuses à gazon intégrées à produire durant ces trois mois, il faut déterminer précisément combien on fabriquera de tondeuses de chaque modèle avant même d'acheter les matériaux et les pièces appropriés, d'ordonnancer les opérations et de prévoir les besoins en stocks.

Le résultat de la désintégration du PGP est le plan ou **programme directeur de production (PDP)** : il indique le moment précis de la commande ou de la livraison et la quantité réelle à produire de certains articles finis pour un horizon déterminé, souvent d'environ six à huit semaines. Le PDP fait voir la production prévue pour les produits individuels plutôt que pour un groupe complet de produits, de même que le calendrier de production. Il contient des informations importantes pour la mise en marché, ainsi que pour la production. Il montre à quel moment on prévoit remplir et expédier des commandes.

Lorsqu'il existe un programme directeur provisoire, un planificateur peut faire la **planification sommaire des capacités (PSC)** pour vérifier la faisabilité du programme directeur de production prévu en ce qui concerne les capacités disponibles, et ce, afin d'éviter toute contrainte évidente de capacité. La PSC permet de vérifier la capacité de production et celle des installations, des entrepôts, de la main-d'œuvre, des fournisseurs, du financement, etc. pour s'assurer que le programme directeur de production (PDP) est réalisable. Le programme directeur de production sert donc de base pour la planification à court terme. Il faut noter que si, par exemple, le plan global de production couvre une période de 12 mois, le programme directeur de production n'en couvre qu'une portion. En d'autres mots, le PGP est désintégré en étapes ou en phases allant de quelques semaines à deux ou trois mois. De plus, le PDP peut être mis

plan ou programme directeur de production (PDP)
Résultat de la désintégration du PGP ; défini en unités réelles, il indique le moment précis de la commande et la quantité à produire d'articles finis individuels sur une période déterminée.

planification sommaire des capacités (PSC)
Équilibre approximatif entre la capacité et la demande établi en vue de vérifier la faisabilité d'un programme directeur de production.

à jour chaque mois, même s'il couvre deux ou trois mois. Par exemple, le programme directeur de production de la tondeuse à gazon serait probablement mis à jour à la fin de janvier pour inclure tout changement dans la production prévue pour février et mars, ainsi que de nouvelles informations sur la production prévue en avril.

Figure 12.4

Désintégration du plan global de production

Plan intégré	Production prévue pour le mois*	Janvier	Février	Mars
		200	300	400

*Unités équivalentes

Plan directeur de production	Production prévue pour le mois*	Janvier	Février	Mars
	Régulière	100	100	100
	Autopropulsée	75	150	200
	Tracteur	25	50	100
	Total	200	300	400

*Unités réelles

La figure 12.4 illustre la notion de désintégration du plan intégré. L'exemple illustré est simple afin de rendre claire la notion de désintégration : les totaux des unités équivalentes (intégrées) et désintégrées sont égaux. En réalité, ce n'est pas toujours le cas. Par conséquent, il peut être très difficile de désintégrer un PGP.

Soulignons qu'un programme directeur de production indique la quantité en unités réelles et le moment précis où elles sont requises (par exemple les dates de livraison) pour chaque produit ou service offert, mais pas la production prévue. Par exemple, un tel programme peut prévoir une livraison de 50 caisses de jus de pomme et canneberge pour le 1er mai. Il ne s'agit pas nécessairement d'une exigence de production, car il peut y avoir 200 caisses en stock. Par contre, s'il y a 40 caisses en stock, il faudra produire 10 caisses pour atteindre la quantité requise pour la livraison. Dans certains cas, il est plus économique de produire de grandes quantités et de stocker temporairement l'excédent. Si la taille du lot de production a été établie à 70 caisses pour des raisons propres à l'entreprise, advenant le cas où on aurait besoin de caisses supplémentaires (par exemple 50 caisses), on lancerait un cycle de production de 70 caisses et les 20 caisses excédentaires iraient en stock.

12.6.1 Les intrants

Les informations initiales de base du programme directeur de production sont composées de trois sources ou intrants : 1) les stocks du début ou initiaux (S_i), qui sont la quantité réelle disponible à la période précédente ; 2) les prévisions pour chaque période couverte par le PDP et 3) les commandes clients, qui sont les quantités déjà réservées à des clients particuliers.

12.6.2 Les extrants

disponible à la vente
Stock non réservé.

Le processus du programme directeur de production utilise cette information période par période pour déterminer les stocks planifiés ou réservés à des clients particuliers, les besoins de production et les stocks non réservés qui en résultent, appelés « disponibles à la vente ». La connaissance des stocks non réservés peut permettre au service de la mise en marché de faire des promesses réalistes aux clients en ce qui concerne la livraison des nouvelles commandes.

La figure 12.5 illustre le système du plan directeur de production avec les intrants, le processus et les extrants.

On établit le programme directeur de production en effectuant tout d'abord un calcul préliminaire des stocks projetés. On peut alors déterminer quand des stocks

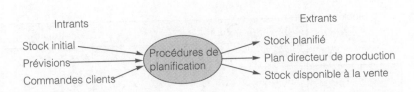

Figure 12.5

Établissement du plan directeur de production (système de PDP)

additionnels (c'est-à-dire une production) seront requis. Pour illustrer le processus du PDP, analysons cet exemple.

Une entreprise fabriquant des pompes industrielles veut préparer un programme directeur de production pour les mois de juin et de juillet.

Le service de la mise en marché a prévu une demande de 120 pompes en juin et de 160 pompes en juillet. Celles-ci ont été réparties également pendant les quatre semaines du mois : 30 par semaine en juin et 40 par semaine en juillet, comme l'illustre la figure 12.6.

Figure 12.6

Prévisions hebdomadaires des besoins en matière de pompes

	Juin				Juillet			
	1	2	3	4	5	6	7	8
Prévisions	30	30	30	30	40	40	40	40

La figure 12.7 nous renseigne sur le niveau de stocks initial et le nombre de commandes clients.

Stock initial : 64

	Juin				Juillet			
	1	2	3	4	5	6	7	8
Prévisions	30	30	30	30	40	40	40	40
Commandes clients (réservées)	33	20	10	4	2			

Elle comprend les trois principales sources du programme directeur : les stocks initiaux (S_i), les prévisions et les commandes clients. Avec cette information, on doit déterminer : a) les stocks projetés ou planifiés, b) le programme ou plan directeur de production (PDP), c) les stocks disponibles à la vente. La première étape consiste à calculer les stocks projetés, une semaine à la fois, jusqu'à ce qu'ils tombent au-dessous d'un certain seuil. Dans cet exemple, le seuil désiré est établi à zéro. Nous poursuivrons donc jusqu'à ce que les stocks projetés deviennent négatifs.

Les stocks projetés se calculent par :

$$\text{Stocks projetés} = \text{Stocks de la semaine précédente} - \text{Besoins de la semaine courante} \qquad (12\text{-}1)$$

Pour les besoins de la semaine courante, on choisit entre les prévisions et les commandes clients (réservées) la quantité la plus importante.

Pour la semaine 1, puisque les commandes clients (33) sont plus importantes que les prévisions (30), nous utilisons les premières. Ainsi, nous obtenons :

Stocks projetés = 64 − 33 = 31

La figure 12.8 présente les stocks projetés pour les trois premières semaines (c'est-à-dire jusqu'à ce que la quantité disponible prévue devienne négative).

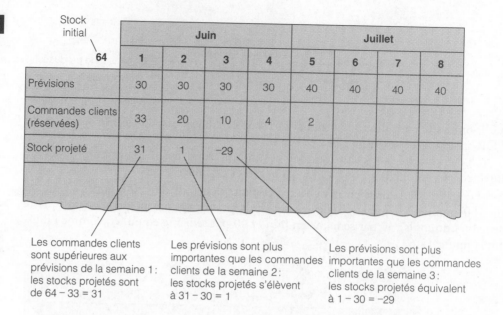

Les commandes clients sont supérieures aux prévisions de la semaine 1 : les stocks projetés sont de 64 − 33 = 31

Les prévisions sont plus importantes que les commandes clients de la semaine 2 : les stocks projetés s'élèvent à 31 − 30 = 1

Les prévisions sont plus importantes que les commandes clients de la semaine 3 : les stocks projetés équivalent à 1 − 30 = −29

Lorsque les stocks projetés deviennent négatifs, cela signifie qu'il faut produire pour regarnir les stocks. Ainsi, des stocks projetés négatifs entraîneront une planification de la production. Supposons qu'on choisisse comme taille de lot de production 70 pompes ; cela signifie que chaque fois qu'on lancera la production, 70 pompes seront fabriquées. (Nous analysons de la détermination de la taille d'un lot au chapitre 13.) Les stocks projetés négatifs de la troisième semaine exigeront le lancement d'une production de 70 pompes, ce qui comblera la pénurie projetée de 29 pompes et en laissera 41 disponibles (70 − 29 = 41) pour la demande future.

Ces calculs se poursuivent pendant tout l'horizon de temps couvert par le programme. Chaque fois que les stocks projetés deviennent négatifs, on lance un autre lot de 70 pompes en production, ce qui donne la colonne PDP. La figure 12.9 illustre ces calculs.

En combinant les résultats des calculs (figure 12.9) aux informations initiales présentées à la figure 12.8, nous aurons, à la figure 12.10, la planification du PDP. Nous voyons aux semaines 3, 5, 7 et 8, dans la rangée PDP, des lancements en production de lots de 70 unités.

Semaine	Stocks de la semaine précédente	Besoins*	Stocks nets avant le PDP		(70) PDP		Stocks projetés
1	64	33	31				31
2	31	30	1				1
3	1	30	−29	+	70	=	41
4	41	30	11				11
5	11	40	−29	+	70	=	41
6	41	40	1				1
7	1	40	−39	+	70	=	31
8	31	40	−9	+	70	=	61

* Pour chaque semaine, les besoins représentent la valeur la plus élevée entre les prévisions et les commandes clients.

Il est maintenant possible de déterminer la quantité de stocks non réservés disponible à la vente. En pratique, on recourt à plusieurs méthodes. Celle que nous utiliserons exige une procédure de « projection dans le futur » : l'addition des commandes clients, semaine après semaine, jusqu'à celle où apparaît un lot lancé en production dans le PDP.

Figure 12.10

PDP avec stock projeté

64	Juin				Juillet			
	1	2	3	4	5	6	7	8
Prévisions	30	30	30	30	40	40	40	40
Commandes clients (réservées)	33	20	10	4	2			
Stock projeté	31	1	41	11	41	1	31	61
PDP			70		70		70	70

Les quantités de produits disponibles à la vente, c'est-à-dire celles qui ne sont pas réservées à un client, se calculent pour la première semaine et par la suite pour chaque semaine où on lance un lot en production. Donc, dans notre exemple, il faudra les calculer pour les semaines 1, 3, 5, 7 et 8. La procédure de calcul est la suivante.

Seulement pour la première semaine :

Quantité disponible à la vente = Stock initial (Si) + Lot lancé en production − Somme des commandes clients, jusqu'au lancement en production du prochain lot.

Ainsi, pour la semaine 1 :

Qté disponible à la vente = 64 + 0 − (33 + 20) = 11 ;

Ces stocks ne sont pas réservés à un client particulier ; ils peuvent donc être livrés à la semaine 1 et ou 2, c'est-à-dire répartis sur les deux semaines, selon les besoins. Pour toutes les autres semaines couvertes par le PDP, le stock initial (S$_i$) est retiré de l'équation, d'où :

Qté disponible à la vente = Lot lancé en production − Somme des commandes clients, jusqu'au lancement en production du prochain lot.

Ainsi pour les semaines 3, 5, 7 et 8 :

Qté disponible à la vente semaine 3 = 70 − (10 + 4) = 56 ;
Qté disponible à la vente semaine 5 = 70 − (2) = 68 ;
Qté disponible à la vente semaine 7 = 70 − (0) = 70 ;
Qté disponible à la vente semaine 8 = 70 − (0) = 70.

La figure 12.11 résume les résultats de nos calculs.

Figure 12.11

PDP avec stock disponible à la vente (non réservé)

64	Juin				Juillet			
	1	2	3	4	5	6	7	8
Prévisions	30	30	30	30	40	40	40	40
Commandes clients (réservées)	33	20	10	4	2			
Stock projeté	31	1	41	11	41	1	31	61
PDP			70		70		70	70
Disponible à la vente (non réservé)	11		56		68		70	70

À mesure que l'on prend des commandes, on les inscrit au programme et les quantités disponibles à la vente sont mises à jour pour correspondre à ces commandes. Le service de la mise en marché peut se servir des données sur les quantités disponibles à la vente pour garantir des dates de livraison réalistes aux clients.

12.6.3 La stabilisation du plan directeur de production

Tout changement apporté au plan directeur de production peut être perturbateur, particulièrement celui qui touche aux sections du début du programme. De façon générale, plus le changement survient tardivement, moins il risquera de causer de problèmes.

On divise souvent les PDP en quatre étapes ou phases. On appelle parfois *limites de périodes* les lignes de séparation entre les phases. Dans la première phase, habituellement les premières périodes couvertes par le plan, les changements peuvent être très dérangeants. Par conséquent, une fois fixée, cette portion du programme est généralement *gelée*. En d'autres termes, aucun changement, sauf en situation critique, ne peut être effectué sans la permission des plus hautes instances de l'entreprise. On vise ainsi à atteindre un haut niveau de stabilité dans le système de production. À l'étape suivante, soit les deux ou trois périodes suivantes, les changements sont encore perturbateurs, mais moins. La direction perçoit le programme comme étant ferme et y apporte seulement des changements exceptionnels. À la troisième étape, la direction considère que le programme est plein, ce qui veut dire que toute la capacité disponible a été affectée. Bien que les changements affectent quand même le programme, leur effet est moins sérieux ; ils sont généralement effectués s'il y a une bonne raison. Dans la dernière phase, la direction perçoit le programme comme étant ouvert, ce qui veut dire que toute la capacité n'a pas été allouée. En général, c'est le moment où on inscrit de nouvelles commandes au programme.

La figure 12.12 présente les limites de périodes.

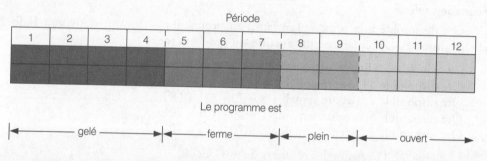

Figure 12.12

Les limites de périodes du programme directeur de production

12.7 Conclusion

La planification globale ou programmation intégrée (PGP) établit des niveaux généraux d'emploi, de production et de stocks pour des périodes de 2 à 12 mois. Dans le spectre de la planification, elle se classe entre les décisions générales à long terme et les décisions très précises et détaillées à court terme. Elle débute par des prévisions globales pour l'horizon de planification et se termine par la préparation et la mise en œuvre de programmes applicables à des produits et services précis.

L'intégration des produits ou des services en un seul « produit » ou « service offert » constitue la base de la programmation intégrée. L'établissement d'une unité de mesure commune, appelée « unité équivalente », pour l'ensemble des produits permet aux planificateurs de considérer les niveaux généraux d'emploi et de stocks sans avoir à s'inquiéter des détails précis qui se prêtent davantage à la planification à court terme. Les planificateurs utilisent le plus souvent des techniques empiriques (graphiques et tableaux) pour élaborer les PGP. Il existe également différentes techniques mathématiques, dont, toutefois, la complexité et les hypothèses restrictives limitent l'usage.

Une fois élaboré le plan global de production (PGP), la programmation est désintégrée ou répartie selon les besoins précis de chaque produit, ce qui donne le plan ou programme directeur de production (PDP). Le plan directeur de production indique les quantités prévues et le moment où ces productions auront lieu. Les intrants du plan directeur de production sont les niveaux de stocks, les prévisions quant à la demande et les commandes clients. Les résultats sont la production projetée, les besoins en stocks projetés, ainsi que les stocks disponibles projetés non réservés, appelés aussi disponibles à la vente.

Le tableau suivant compare les deux plans étudiés dans ce chapitre.

PGP	**PDP**
Plan global de production (appelé aussi « plan ou programme intégré de production »)	Plan directeur de production (appelé aussi « programme directeur de production »)
– horizon de 2 à 12 mois approximativement, selon les besoins de l'entreprise ;	– horizon plus court ou égal à celui du **PGP,** dont il découle ;
– est défini en unités équivalentes ou intégrées ;	– désintègre les informations du **PGP** ;
– représente les quantités offertes par l'entreprise, indépendamment de la provenance (temps régulier, heures supplémentaires, sous-traitance, équipes sur appel, etc.).	– est défini en unités réelles ;
	– représente les quantités produites directement en entreprise.

La prochaine étape de la séquence de planification est la planification des besoins matières (PBM ou MRP), que nous étudierons au chapitre 14.

Terminologie

Coût de pénurie
Modèles de simulation
Plan d'affaires
Plan directeur de production
Planification globale ou intégrée (PGP)
Planification sommaire des capacités (PSC)
Règle de décision linéaire

Stocks disponibles à la vente
Stocks projetés ou planifiés
Stratégie d'équilibre de la capacité
Stratégie de nivelage
Stratégie de production synchrone
Unités équivalentes ou intégrées
Limite de période (*time fence*)

Problèmes résolus

En vue de préparer une programmation intégrée pour les neuf mois à venir, une directrice a obtenu le plan de prévisions de la demande anticipée. Elle doit composer avec une demande très saisonnière relativement élevée dans les périodes 3, 4 et 8, comme on peut le constater dans le tableau ci-dessous :

Problème 1

Période	1	2	3	4	5	6	7	8	9	Total
Prévisions	190	230	260	280	210	170	160	260	180	1940

Le service dispose en ce moment de 20 personnes à temps plein, dont chacune peut produire 10 unités par période, au coût de 6 $ l'unité. Les coûts d'entreposage sont de 5 $ l'unité par période et les coûts de pénurie, de 10 $ l'unité par période. La directrice envisage l'embauche de deux personnes : elles entreprendraient le travail à la période 1 ; l'une d'elles le ferait sur une base temporaire jusqu'à la période 5. Cela entraînerait un coût d'embauche et de formation de 500 $, en plus des coûts de production.

a) Quelle est la logique de ce plan de production ?

b) Déterminez les coûts totaux du plan de production, incluant les coûts de production, les stocks et les coûts de pénurie.

Solution

a) Avec la main-d'œuvre actuelle de 20 personnes produisant chacune 10 unités par période, la capacité de production en temps régulier est de 1800 unités, soit 140 unités de moins que la demande prévue. L'ajout d'un travailleur augmenterait la capacité à 1800 + 90 = 1890 unités. Il manquerait encore 50 unités, soit la quantité produite par un travailleur temporaire en 5 périodes. Puisque l'un des deux sommets saisonniers se produit assez tôt, il serait logique de faire commencer le travailleur temporaire immédiatement pour éviter une partie des coûts de pénurie.

b) Le plan global de production pour cette stratégie est le suivant (le tableau ci-dessous illustre les détails des coûts pour chacune des périodes couvertes par ce plan):

Période	1	2	3	4	5	6	7	8	9	Total
Prévisions	190	230	260	280	210	170	160	260	180	1940
Production										
Temps régulier	220	220	220	220	220	210	210	210	210	1940
Heures supplémentaires	–	–	–	–	–	–	–	–	–	
Sous-traitance	–	–	–	–	–	–	–	–	–	
Production – Prévisions	30	(10)	(40)	(60)	10	40	50	(50)	30	0
Stocks										
Initial	0	30	20	0	0	0	0	20	0	
Final	30	20	0	0	0	0	20	0	0	
Moyen	15	25	10	0	0	0	10	10	0	70
Commandes en souffrance	0	0	20	80	70	30	0	30	0	230
Coûts										
Production										
Temps régulier	1320 $	1320	1320	1320	1320	1260	1260	1260	1260	11 640 $
Heures supplémentaires										
Sous-traitance										
Stocks à 5 $/u	75 $	125	50	0	0	0	50	50	0	350 $
Commandes en souffrance à 10 $/u	0	0	200	800	700	300	0	300	0	2300 $
Total	1395 $	1445	1570	2120	2020	1560	1310	1610	1260	14 290 $

Notons:

a) qu'il n'y a aucun recours à la sous-traitance ni aux heures supplémentaires:

b) que les coûts d'entreposage se calculent par:

Stock moyen × Coût unitaire d'entreposage
Exemple: Période 1: S moyen = 15 unités
Coût unitaire d'entreposage: 5 $/u période
Coûts d'entreposage période 1: 15 u × 5 $/u = 75 $
Les coûts totaux de ce programme sont de 14 290 $, plus les coûts de 500 $ pour l'embauche et le licenciement, pour un total de 14 790 $. La directrice peut considérer d'autres coûts et d'autres options avant d'adopter ce plan.

On peut aussi utiliser la feuille de calcul Excel appropriée pour obtenir la solution:

	A	B	C	D	E	F	G	H	I	J	K	L	M	N	O
1	T12-1 Plan global						Supprimer								
2															
3	Période		1	2	3	4	5	6	7	8	9	10	11	12	Total
4	Prévisions		190	230	260	280	210	170	160	260	180				1,940
5	Production = Extrant														
6	Temps régulier (TR)		220	220	220	220	220	210	210	210	210				1,940
7	Sur appel														0
8	Heures supp.														0
9	Sous-traitance														0
10	Production — Prévision		30	-10	-40	-60	10	40	50	-50	30	0	0	0	0
11	Stocks														
12	Initial		0	30	20	0	0	0	0	20	0	0	0	0	
13	Final		30	20	0	0	0	0	20	0	0	0	0	0	
14	Moyen		15	25	10	0	0	0	10	10	0	0	0	0	70
15	En souffrance		0	0	20	80	70	30	0	30	0	0	0	0	230
16	Coûts														
17	Production = Extrant														
18	Temps régulier	6	1,320	1,320	1,320	1,320	1,320	1,260	1,260	1,260	1,260	0	0	0	11,640
19	Sur appel		0	0	0	0	0	0	0	0	0	0	0	0	0
20	Temps supp.		0	0	0	0	0	0	0	0	0	0	0	0	0
21	Sous-traitance		0	0	0	0	0	0	0	0	0	0	0	0	0
22	Embauche/licenciements														0
23	Stocks	5	75	125	50	0	0	0	50	50	0	0	0	0	360
24	En souffrance	10	0	0	200	800	700	300	0	300	0	0	0	0	2300
25	Total		1,395	1,445	1,570	2,120	2,020	1,560	1,310	1,610	1,260	0	0	0	14,290
26															

Problème 2

Préparez un plan semblable à celui de la figure 12.10 pour la situation suivante. Les prévisions pour chaque période sont de 70 unités. Les stocks initiaux sont de zéro. La règle du programme directeur de production consiste à planifier la production si les stocks projetés sont négatifs. La taille du lot de production est de 100 unités. Le tableau suivant indique les commandes clients.

Période	Commandes clients
1	80
2	50
3	30
4	10

Solution

Période	(A) Stocks de la période précédente	(B) Besoins*	(C = B – A) Stocks nets avant le PDP	PDP	(PDP + C) Stocks projetés
1	0	80	(80)	100	20
2	20	70	(50)	100	50
3	50	70	(20)	100	80
4	80	70	10	0	10

* Les besoins correspondent à la quantité la plus grande entre les prévisions et les commandes clients durant chaque période.

Stock initial = 0	1	2	3	4
Prévisions	70	70	70	70
Commandes clients	80	50	30	10
Stocks projetés	20	50	80	10
PDP	100	100	100	0
Disponibles à la vente	20	50	60	0

Questions de discussion et de révision

1. Quels sont les trois niveaux de planification qui concernent les directeurs des opérations ? Quels types de décisions prend-on à chaque niveau ?

2. Quelles sont les trois phases de la planification à moyen terme ?

3. Qu'est-ce que la planification globale de production ? Quel est son objectif ?

4. Pourquoi le PGP est-il nécessaire ?

5. Quelles sont les variables les plus communes des décisions de programmation intégrée dans un milieu manufacturier ? dans un milieu de services ?

6. Quelle difficulté peut éprouver, en matière de programmation intégrée, une entreprise offrant une variété de produits ou de services par rapport à une entreprise n'offrant qu'un produit ou quelques-uns ?

7. Discutez brièvement des avantages et des inconvénients de chacune de ces stratégies de planification :

    a) Maintenir un niveau stable de production et laisser les stocks absorber les fluctuations de la demande.

    b) Changer la taille de la main-d'œuvre pour qu'elle réponde à la demande.

    c) Maintenir une taille constante de main-d'œuvre, mais faire varier les heures travaillées pour répondre à la demande.

8. Quels sont les principaux avantages et les principales limites des techniques informelles et empiriques (graphiques et tableaux) en matière de PGP ?

9. Décrivez brièvement les techniques de planification énumérées ci-dessous et donnez pour chacune un avantage et un inconvénient :

    a) programmation linéaire ;

    b) règle de décision linéaire ;

    c) simulation.

10. Quels sont les intrants du plan directeur de production ? Quels en sont les extrants ?

Problèmes

1. Reportez-vous à l'exemple 2. Le président de l'entreprise a décidé de fermer l'usine pour les vacances et pour l'installation de nouveau matériel pendant la période 4. Après l'installation, le coût unitaire restera le même, mais le taux de production en temps régulier sera de 450. La production en temps régulier est la même que dans l'exemple 2 pour les périodes 1, 2 et 3 ; 0 pour la période 4 et 450 pour chacune des périodes restantes. Notez cependant qu'il faut tenir compte des prévisions de 400 unités pour la période 4. Préparez un plan global de production et calculez son coût total.

2. Reportez-vous à l'exemple 2. Supposez que le taux régulier de production tombe à 290 unités par période, à cause d'un changement prévu dans les exigences de production. Les coûts ne changeront pas. Préparez un plan global de production et calculez ses coûts totaux pour chacune des options suivantes :

    a) Utilisez les heures supplémentaires à un taux fixe de 20 unités par période selon les besoins. Planifiez des stocks finals de 0 à la période 6. Les commandes en souffrance ne peuvent excéder 90 unités par période.

    b) Utilisez la sous-traitance à un taux maximum de 50 unités par période ; on ne peut utiliser la même pour chaque période. Ayez des stocks finals de 0 pour la dernière période. Une fois encore, les commandes en souffrance ne peuvent excéder 90 unités dans aucune période. Comparez ces deux programmes.

3. Reportez-vous à l'exemple 3. Faisons une supposition : vous ne pouvez pas utiliser une combinaison d'heures supplémentaires et de sous-traitance, mais vous pouvez recourir à la sous-traitance pendant plus de 2 périodes. Vous sont permis par période : jusqu'à 50 unités sous-traitées et jusqu'à 40 unités fabriquées en heures supplémentaires. La sous-traitance coûte 6 \$ l'unité et les heures supplémentaires, 3 \$. (Suggestion : utilisez la sous-traitance seulement lorsque les unités d'heures supplémentaires ne sont pas suffisantes pour réduire les commandes en souffrance à 80 unités ou moins.) Planifiez en fonction d'un solde des stocks finals de 0 à la période 6. Préparez un programme qui réduira au minimum le coût total.

4. Reportez-vous à l'exemple 3. Déterminez si un plan d'utilisation de la sous-traitance à un taux maximum de 50 unités par période selon les besoins, sans heures supplémentaires, produirait un coût total inférieur au programme illustré dans l'exemple 3. Encore une fois, planifiez un solde de stocks finals de 0 à la période 6.

5. T. C. Leblanc, le directeur d'Engins verts, un fabricant de tondeuses à gazon et de pulvérisateurs de feuilles mortes, doit préparer un plan global de production selon les prévisions de la demande pour des moteurs indiquée dans le tableau ci-dessous. Le service a une capacité de production normale de 130 moteurs par mois. Le taux normal de production coûte 60 $ par moteur. Les stocks initiaux sont de 0 moteur. Les heures supplémentaires coûtent 90 $ par moteur.

   a) Élaborez une stratégie de production synchrone qui respecte les prévisions et calculez le coût total de votre programme.

   b) Comparez les coûts à un programme nivelé qui utilise les stocks pour absorber les fluctuations. Le coût de stockage est de 2 $ par moteur par mois. Les commandes en souffrance coûtent 90 $ par moteur par mois.

Mois	1	2	3	4	5	6	7	8	Total
Prévisions	120	135	140	120	125	125	140	135	1040

6. Le directeur des Tissus régionaux, Christof Tisserand, a élaboré les prévisions indiquées dans le tableau ci-dessous pour des rouleaux de tissus. Les chiffres sont donnés en centaines de rouleaux. Le service a une capacité normale de 275 centaines de rouleaux (cr) par mois, sauf pour le septième mois, où la capacité sera de 250 cr. La production normale coûte 40 $ par centaine de rouleaux (40 $/cr). Les travailleurs peuvent être affectés à d'autres tâches si la production se situe au-dessous de la normale. Les stocks initiaux sont de 0 rouleau.

   a) Élaborez une stratégie de production synchrone qui respecte les prévisions et calculez le coût total de votre plan. Les heures supplémentaires coûtent 60 $ par centaine de rouleaux.

   b) Le coût total serait-il inférieur avec une production régulière sans heures supplémentaires, effectuée par un sous-traitant pour traiter l'excédent de la capacité normale à un coût de 50 $ pour 100 rouleaux? Les commandes en souffrance ne sont pas permises. Les coûts de stockage sont de 2 $ pour 100 rouleaux.

Mois	1	2	3	4	5	6	7	Total
Prévisions	250	300	250	300	280	275	270	1925

7. La compagnie Plaisir d'été fabrique un assortiment de produits pour la pratique des activités récréatives et les loisirs. Le directeur de la production a élaboré des prévisions intégrées :

Mois	Mars	Avril	Mai	Juin	Juillet	Août	Septembre	Total
Prévisions	50	44	55	60	50	40	51	350

   Utilisez l'information suivante pour élaborer des programmes intégrés.
   Coût régulier de production : 80 $ l'unité
   Coût de production en heures supplémentaires : 120 $ l'unité
   Capacité régulière : 40 unités par mois
   Capacité en heures supplémentaires : 8 unités par mois
   Coût de la sous-traitance : 140 $ l'unité
   Capacité de la sous-traitance : 12 unités par mois
   Coût de maintien : 10 $
   Coût de pénurie : 20 $ l'unité
   Stocks initiaux : 0 unité
   Nbre d'employés : 5 travailleurs
   Préparez un PGP en utilisant chacune des directives suivantes et calculez le coût total de chaque programme. Quel plan est le moins coûteux ?

   a) Utilisez la production régulière. Complétez en utilisant les stocks, les heures supplémentaires et la sous-traitance selon les besoins. Les commandes en souffrance ne sont pas permises.

   b) Utilisez un plan nivelé. Prenez une combinaison de commandes en souffrance, de sous-traitance et de stocks pour traiter les variations de la demande.

8. Pour l'Amour de l'eau produit et distribue de l'eau embouteillée en plusieurs saveurs. Un planificateur a élaboré une prévision intégrée pour la demande des six prochains mois (les quantités sont des citernes d'eau) :

Mois	Mai	Juin	Juillet	Août	Septembre	Octobre	Total
Prévisions	50	60	70	90	80	70	420

Utilisez l'information suivante pour élaborer des PGP. Une unité représente 10 000 bouteilles ou une citerne.

Coût de production en temps régulier : 10 $ l'unité
Capacité de production régulière : 60 unités
Coût de production en heures supplémentaires : 16 $ l'unité
Coût de la sous-traitance : 18 $ l'unité
Coût de stockage : 2 $
Coût unitaire de pénurie : 50 $ par mois
Coût d'embauche : 200 $
Coût de remerciement : 500 $
Stocks initiaux : 0 unité

Élaborez un programme intégré en utilisant chacune des directives suivantes et calculez les coûts totaux pour chaque programme. Quel programme est le moins coûteux ?

a) Servez-vous de la production nivelée. Complétez en utilisant les heures supplémentaires selon les besoins.

b) Utilisez une combinaison d'heures supplémentaires (maximum de 10 unités par période), de stocks et de sous-traitance (maximum de 10 unités par période) pour traiter les variations de la demande.

c) Utilisez jusqu'à 15 unités d'heures supplémentaires par période et le stock pour traiter les variations de la demande.

9. Ameublement Chaleureux produit une variété de produits d'ameublement. Le comité de planification désire préparer un programme intégré pour les six prochains mois en utilisant l'information suivante :

			Mois			
	1	**2**	**3**	**4**	**5**	**6**
Demande	160	150	160	180	170	140
Capacité						
Temps régulier	150	150	150	150	160	160
Heures supplémentaires	10	10	0	10	10	10

COÛT UNITAIRE	
Temps régulier	50 $
Heures supplémentaires	75 $
Sous-traitance	80 $
Stocks, par période	4 $

Un maximum de 10 unités peuvent être sous-traitées par mois. Les stocks initiaux sont de 0. Élaborez un programme qui réduit les coûts totaux. Les commandes en souffrance ne sont pas permises.

10. Reportez-vous à la solution du problème 1. Préparez deux programmes intégrés de plus. Identifiez par A celui déjà résolu. Pour le programme B, engagez un travailleur de plus au coût de 200 $ pour cette période. Comblez toute insuffisance en utilisant la sous-traitance à 8 $ l'unité, avec un maximum de 20 unités par période (autrement dit, utilisez la sous-traitance pour réduire les commandes en souffrance lorsque la prévision excède la production régulière). Notez que les stocks finals devraient être de 0 dans la période 9. Donc, Prévision totale = Production totale + Quantité sous-traitée. Les commandes en souffrance ne peuvent excéder 80 unités pour aucune période, ce qui constitue une contrainte supplémentaire. Pour le programme C, supposez qu'aucun travailleur n'est engagé (donc la production régulière est de 200 unités par période au lieu de 210, comme dans le programme B). Utilisez la sous-traitance selon les besoins, mais pas pour plus de 20 unités par

période. Calculez les coûts totaux de chaque programme. Quel programme est le plus économique?

11. Reportez-vous à la solution du problème 1. Supposez que l'option suivante consiste à recourir à des travailleurs à temps partiel pour les périodes de forte demande saisonnière. Le coût unitaire, incluant l'embauche et la formation, est de 11 $. Le taux de production est de 10 unités par travailleur par période, pour tous les travailleurs. On peut utiliser un maximum de 10 travailleurs à temps partiel, et le même nombre de travailleurs à temps partiel dans toutes les périodes où on fait appel à des travailleurs à temps partiel. Les stocks finals de la période 9 devraient être de 10 unités. La limite des commandes en souffrance est de 20 unités par période. Essayez de préparer les commandes en souffrance le plus tôt possible. Calculez les coûts totaux de ce programme et comparez-les aux coûts du programme utilisé dans la solution au problème.

12. Reportez-vous à la solution du problème 1. Préparez un plan global en utilisant les heures supplémentaires (9 $ l'unité, pour une production maximum de 25 unités par période) et la variation des stocks. Tentez de réduire les commandes en souffrance. Les stocks finals de la période 9 devraient être de 0 et la limite des commandes en souffrance est de 60 unités par période. Remarquez que Production planifiée totale = Production régulière totale + Quantité d'heures supplémentaires. Calculez les coûts totaux de votre programme et comparez-les aux coûts totaux du programme utilisé dans la solution au problème.

13. Reportez-vous à la solution du problème 1. Préparez un PGP en utilisant une combinaison donnée de licenciements (100 $ par travailleur), de sous-traitance (8 $ l'unité, pour un maximum de 20 unités par période, que vous devez utiliser pour 3 périodes consécutives) et d'heures supplémentaires (9 $ l'unité, pour un maximum de 20 unités par période et de 50 pour l'ensemble des 9 périodes). Calculez les coûts totaux et comparez-les avec ceux des autres programmes que vous avez élaborés. Quel programme est le plus économique? Supposez que vous commencez avec 21 travailleurs.

14. Vérifiez la solution par le modèle de transport présenté à l'exemple 5.

15. Reportez-vous à l'exemple 5. Supposons qu'une augmentation des coûts d'entreposage et d'autres coûts élève les coûts de stockage à 2 $ l'unité par mois. Tous les autres coûts et quantités restent les mêmes. Trouvez la solution à ce problème de transport.

16. Reportez-vous à l'exemple 5. Supposons que la capacité en temps régulier soit réduite à 440 unités à la période 3 pour permettre un contrôle de sécurité du matériel dans toute l'entreprise. Quels seraient les coûts d'un programme optimal comparativement à ceux de l'exemple 5? Tenez pour acquis que tous les coûts et les quantités sont les mêmes qu'à l'exemple 5, sauf pour la production en temps régulier de la période 3.

17. Solutionnez le problème 16 en utilisant des coûts de stockage de 2 $ l'unité par période.

18. Les pièces de bicyclettes Legros de Blainville, au Québec, fournit des roues de bicyclettes en deux tailles différentes à son client, Les bicyclettes Lepetit, situé de l'autre côté de la ville. David Legros, le directeur et propriétaire de l'entreprise, vient tout juste de recevoir la commande de Les bicyclettes Lepetit pour les six prochains mois.

	Roues de 50 cm	Roues de 60 cm
Novembre	1000 unités	500 unités
Décembre	900	500
Janvier	600	300
Février	700	500
Mars	1100	400
Avril	1100	600

a) Dans quelles circonstances David pourra-t-il élaborer un seul plan global plutôt que deux (un pour chaque grandeur de roues)? Soutenez qualitativement votre réponse en un maximum de cinq lignes.

b) Actuellement, David emploie 28 employés hautement qualifiés à temps plein; chacun d'eux peut produire 50 roues par mois. Étant donné que la main-d'œuvre qualifiée est rare dans la région de Blainville, David aimerait élaborer un programme de production nivelé. Il n'y a aucun stock de roues finies disponible en ce moment, mais David aimerait disposer de 300 roues à la fin du mois d'avril. Le client, la société Les bicyclettes Lepetit, tolérera les commandes en souffrance jusqu'à concurrence de 200 unités par mois. Illustrez votre plan nivelé sous forme de tableau.

c) Calculez les coûts annuels totaux de votre PGP en utilisant les coûts suivants :

Temps régulier	5,00 $	Embauche	300 $
Heure supplémentaire	7,50 $	Licenciement	400 $
Temps partiel	ND	Stocks	100 $
Sous-traitance	ND	Commandes en souffrance	600 $

19. Établissez un plan directeur de production pour des pompes industrielles semblable à celui de la figure 12.10. Utilisez les mêmes données que dans l'exemple, mais changez la règle du plan directeur de production qui se lit comme suit : « planifiez la production lorsque les stocks projetés sont négatifs » pour « planifiez la production lorsque les stocks projetés sont inférieurs à 10 ».

20. Révisez le PDP illustré à la figure 12.10 à la lumière des données suivantes : actuellement, c'est la fin de la semaine 1 ; les commandes des clients sont de 25 pour la semaine 2, de 16 pour la semaine 3, de 11 pour la semaine 4, de 8 pour la semaine 5 et de 3 pour la semaine 6. Utilisez la règle du programme directeur de production pour commander la production lorsque les stocks projetés sont négatifs.

21. Préparez un plan directeur du type de celui qui est illustré à la figure 12.10 à partir de l'information suivante : la prévision pour chaque semaine est de 50 unités. La règle du plan directeur de production consiste à planifier la production si les stocks projetés sont négatifs. Les commandes clients (réservées) sont :

Semaine	Commandes des clients
1	52
2	35
3	20
1	12

Fixez 75 unités comme taille de lot de production et aucun stock initial.

22. Déterminez les disponibles à la vente pour chaque période du problème 2 (section « Problèmes résolus »).

23. Préparez un calendrier semblable à celui de la figure 12.11 pour la situation suivante : la prévision est de 80 unités pour chacune des deux premières périodes et de 60 unités pour chacune des trois périodes suivantes. Les stocks initiaux sont de 20 unités. L'entreprise utilise une stratégie de production synchrone pour déterminer la taille du lot de production, avec une limite supérieure de la taille du lot fixée à 70 unités. Les stocks de réserve désirés sont de 10 unités. Remarque : les disponibles à la vente sont basés sur une production admissible maximum et ne comprennent pas de stocks de réserve. Les commandes clients (réservées) sont :

Période	Commandes des clients
1	82
2	80
3	60
4	40
5	20

Bibliographie

FOGARTY, Donald, W. John H. BLACKSTONE, Jr. et Thomas R. HOFFMAN. *Production and Inventory Management,* Cincinnati, South-Western Publishing, 1991.

KRAJEWSKI, L. et L. RITZMAN. «Disaggregation in Manufacturing and Service Organizations», *Decision Sciences,* vol. 8, n° 1, 1977, p.1-18.

LEON, Robert A. et John R. MEYER. «Capacity Strategies for the 1980s», *Harvard Business Review,* novembre/décembre 1980, p. 133.

POSNER, M. E. et W. SZWARC. «A Transportation Type Aggregate Production Model with Back-ordering», *Management Science,* vol. 29, n° 2, février 1983, p. 188-199.

SIPPER, Daniel et Robert BULFIN, Jr. *Production: Planning, Control and Integration,* New York, McGraw-Hill, 1997.

VOLLMANN, Thomas E., William L. BERRY et D. CLAY WHYBARK. *Manufacturing Planning and Control Systems,* 4e édition, Burr Ridge, IL. Richard D. Irwin, 1997.

WARE, Norman et Donald FOGARTY. «Master Schedule/Master Production Schedule: The Same or Different?», *Production and Inventory Management Journal,* 1er trimestre, 1990, p. 34-37.

Après avoir terminé l'étude de ce chapitre, vous pourrez :

1. Définir le mot «stock» et énumérer les principaux motifs de possession de stocks.

2. Différencier la demande dépendante de la demande indépendante.

3. Énumérer les principaux facteurs d'une gestion efficace des stocks.

4. Distinguer les systèmes d'inventaires périodiques et permanents.

5. Décrire la méthode ABC et expliquer son utilité.

6. Expliquer les objectifs de la gestion des stocks.

7. Décrire le modèle de la QÉC en réception instantanée et échelonnée et ses hypothèses, et résoudre des problèmes types.

8. Décrire le modèle de lot économique et résoudre des problèmes types.

9. Décrire le modèle de remise sur achat en gros et résoudre des problèmes types.

10. Décrire des modèles de points de commande et résoudre des problèmes types.

11. Décrire des situations où le modèle pour vente unique est approprié et résoudre des problèmes types.

Chapitre 13
LA GESTION DES STOCKS

Plan du chapitre

La réussite de la plupart des entreprises repose sur une bonne gestion des stocks, et ce, pour des raisons d'ordre financier et opérationnel : des coûts sont liés aux stocks et ceux-ci ont un impact sur les opérations. Malheureusement, trop de gestionnaires ne reconnaissent pas l'importance de la gestion des stocks ou n'en comprennent pas les mécanismes.

Dans ce chapitre, nous étudierons les concepts de base d'une bonne gestion des stocks, notamment la gestion des produits finis, des matières premières, des pièces achetées et des marchandises du commerce au détail. Nous expliquerons les diverses fonctions d'un inventaire, la nécessité d'une gestion efficace des stocks, les objectifs du contrôle des stocks et les techniques permettant de déterminer la quantité à commander et le moment où il convient de le faire.

13.1 INTRODUCTION

stock
Produits placés dans des entrepôts ou des magasins en attente d'une utilisation future.

Les **stocks** sont des produits placés dans des entrepôts ou des magasins en attente d'une utilisation future. Ils varient selon le type d'activité de l'entreprise ou de l'organisation. Ainsi, des entreprises manufacturières conservent des réserves de matières premières, des pièces achetées, des articles semi-finis et des produits finis, y compris des pièces de rechange pour les machines, des outils et autres fournitures. Les magasins gardent des réserves de vêtements, de meubles, de tapis, de papeterie, d'appareils ménagers, de jouets, d'articles de sport, de peinture, d'outils, etc. Les hôpitaux conservent des médicaments, du matériel chirurgical, des appareils électroniques de surveillance des signes vitaux, des draps, des taies d'oreillers, etc. Les supermarchés stockent des aliments frais et en conserve, des aliments emballés et congelés, des produits domestiques, des revues, des aliments préparés, des produits laitiers, des fruits et des légumes, etc.

demande dépendante
Besoins en matières premières, en composants et autres matières liés aux opérations de l'entreprise. La demande dépendante découle de la demande indépendante.

En vue de la planification et du contrôle des stocks, il est important de distinguer la demande dépendante de la demande indépendante. La **demande dépendante** concerne en général des produits en cours de production ou des composants qu'on utilisera pour la production d'un produit final ou fini. La demande (c'est-à-dire la consommation) pour des composants dépend du nombre d'unités finies à produire. La demande pour des roues de voitures neuves en est un exemple classique. Si chaque voiture doit avoir cinq roues, le nombre total de roues d'un lot de production dépend simplement du nombre de voitures à produire. Par exemple, 200 voitures nécessiteraient $200 \times 5 = 1000$ roues. La demande dépendante découle du programme directeur de production (PDP)[1] et de la nomenclature du produit fini.

demande indépendante
Besoins en produits, habituellement des produits finis, exprimés directement par le client.

La **demande indépendante** concerne les produits ou articles finis vendus à un individu. Habituellement, on ne peut connaître précisément à l'avance la demande d'une période donnée, car le hasard entre en ligne de compte. Pour cette raison, la prévision joue un rôle important dans les décisions en matière d'inventaire. Par contre, le besoin en stock d'articles concernés par la demande dépendante se calcule en fonction d'un plan de production. Dans ce chapitre, nous nous intéressons exclusivement à la gestion des articles en demande indépendante. Au chapitre 14, nous nous pencherons sur la demande dépendante.

13.2 L'IMPORTANCE DES STOCKS

Les stocks sont cruciaux pour les entreprises. Non seulement sont-ils nécessaires aux opérations, mais ils contribuent à la satisfaction de la clientèle. Pour avoir une idée de l'importance des stocks, considérons ceci : même si la quantité et la valeur des stocks que possèdent les entreprises varient énormément, 30 % de l'actif réel et presque 90 % du fonds de roulement d'une entreprise type sont investis dans les stocks[2].

---

1. Voir chapitre 12.
2. En gestion, une mesure du rendement très utilisée est le rendement du capital investi, qui est le bénéfice après impôts divisé par l'actif total. Étant donné que les stocks peuvent représenter une portion importante de l'actif total, leur diminution peut causer une augmentation importante du rendement du capital investi.

Analysons maintenant les types de stocks que peut accumuler une entreprise ainsi que l'influence des stocks sur les opérations.

13.2.1 Types de stocks

Une entreprise manufacturière possède en général six types de stocks, soit :

1. les stocks de matières premières ;

2. les stocks des produits en cours (pec) ;

3. les stocks de composants ;

4. les stocks de produits finis ;

5. les stocks en transit ;

6. les stocks ERO (entretien, réparation, opération).

Les stocks de matières premières représentent les matières initialement acquises qui seront transformées par les opérations de fabrication en produits finis ou autres composants propres à la consommation.

Les stocks de produits en cours, appelés aussi produits semi-finis, représentent les matières premières ayant subi des transformations partielles.

Les composants sont constitués de pièces qui entrent dans la composition des produits finis. Les composants peuvent être achetés d'un fournisseur externe ou fabriqués par l'entreprise même. Dans l'industrie automobile, les pneus, les batteries et les chaînes stéréo en sont des exemples.

Les stocks en transit représentent des matières acquises, achetées à l'extérieur ou fabriquées par l'entreprise, et destinées à un client particulier. Ces stocks sont entreposés momentanément et ne sont que de passage.

Les stocks ERO représentent les produits et autres éléments nécessaires à l'entretien des équipements et des bâtisses, à la réparation et aux opérations des machines et autres types d'équipements utilisés dans l'entreprise. Les classeurs, les chemises, les gants chirurgicaux, les balais, les encres, les crayons, les huiles, les détergents, les courroies, les matrices des presses, les gabarits, les draps et les couvertures en sont des exemples. Contrairement aux cinq premiers types de stocks, qui sont entreposés dans des entrepôts, les stocks ERO sont entreposés dans des magasins.

Les **entreprises de services** ne possèdent que quelques-uns uns de ces types de stocks, en fonction du secteur dans lequel elles évoluent. Ainsi, dans le commerce de détail, nous ne trouverons pas de stocks de matières premières, mais plutôt des stocks de produits finis et, parfois, de composants en tant que pièces de rechange pour le service après-vente. Un hôtel aura surtout des stocks ERO ; un restaurant tiendra chacun de ces types de stocks. Nous pouvons conclure que les stocks ERO sont présents dans tous les secteurs d'activités.

13.2.2 Rôle des stocks

Pour demeurer concurrentielle, une entreprise doit constamment adapter sa production à l'évolution du marché. Or, nous avons vu dans les chapitres consacrés à la fonction prévision[3] et à la fonction planification[4] qu'il est difficile pour les entreprises de connaître les besoins des clients. En effet, les marchés actuels se caractérisent par une demande de plus en plus fluctuante, tant en termes de temps que de quantité et de spécifications. D'autre part, il est possible que les fournisseurs de l'entreprise A, par exemple, ne puissent lui assurer un approvisionnement continu en tout temps : ces fournisseurs subissent eux-mêmes des variations, lesquelles se répercuteront sur A. Ce même phénomène client-fournisseur se répète à l'intérieur de A, entre ses différents

3. Voir chapitre 3.
4. Voir chapitre 12.

Figure 13.1

Analogie entre les stocks et des réservoirs d'eau

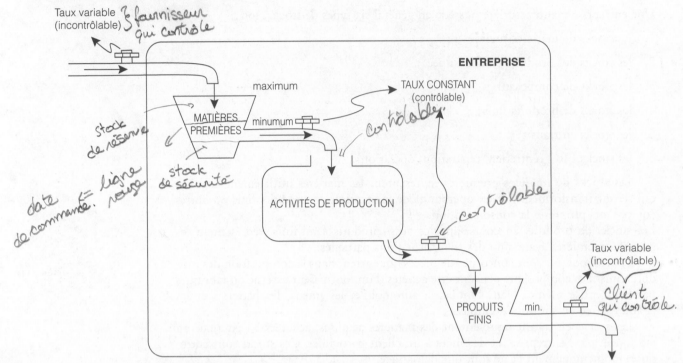

Source : C. Benedetti, *Introduction à la gestion des opérations,* Laval, Éditions Études Vivantes, 1991, p. 260.

services de production : le service X est le fournisseur du service Y, et ainsi de suite. Comment faire pour assurer une circulation continue de la matière du fournisseur au client ? C'est le rôle des stocks de pallier ces variations, à la manière de « réservoirs » qui régularisent le flux des matières en absorbant et en amortissant leurs variations. La figure 13.1 illustre une analogie entre les stocks et un système de réservoirs d'eau. D'une façon plus précise, le rôle des stocks est :

1. de répondre à la demande anticipée ;

2. de niveler les taux de production ;

3. de dissocier les éléments du système de production-distribution ;

4. d'éliminer les risques de pénuries ;

5. de minimiser les cycles de commandes ;

6. de se protéger des augmentations de prix et de profiter des remises sur achats en gros ;

7. de faciliter les opérations.

Examinons chacun de ces éléments.

1) *Répondre à la demande anticipée de la clientèle.* Un client peut être quelqu'un qui entre pour acheter une nouvelle chaîne stéréo, un mécanicien qui demande un outil au département des outils ou une opération manufacturière. On appelle ces stocks des stocks par anticipation, car on les conserve pour satisfaire à une demande anticipée moyenne.

2) *Niveler les taux de production.* Les entreprises qui connaissent des variations saisonnières de la demande augmentent souvent leurs stocks pendant les périodes de basse activité pour répondre aux besoins excessifs des périodes très actives. On appelle ces stocks des stocks saisonniers. Les entreprises de transformation de fruits et légumes, les magasins qui vendent des cartes de souhaits, des skis, des motoneiges ou des arbres de Noël ont également des stocks saisonniers. Ils devront prévoir la demande des périodes de haute activité et accumuler, quand c'est possible, des stocks en conséquence.

3) *Dissocier les éléments du système de production-distribution.* Les systèmes de production et de distribution de la majorité des entreprises manufacturières sont souvent intimement liés. Les nouvelles approches juste-à temps[5] entraînent cette interdépendance à l'extrême limite. Or, une perturbation quelconque du système de production (panne majeure, incendie, grève, etc.) aura des répercussions immédiates sur le système de distribution (service à la clientèle et autres) de l'entreprise. Les stocks permettent l'indépendance des deux systèmes : les variations de l'un des systèmes auront peu ou pas d'impact sur l'autre. Par contre, elles entraîneront des coûts qu'il faudra évaluer. Vaut-il mieux garder la production et la distribution intimement liées (sans stocks tampons entre les deux) ou bien supporter les coûts des stocks tampons et avoir des systèmes indépendants ? C'est le dilemme que les gestionnaires devront trancher[6].

4) *Éliminer les risques de pénuries.* Les livraisons retardées et les hausses inattendues de la demande augmentent les risques de ruptures de stock. Des conditions climatiques défavorables, des ruptures de stock chez les fournisseurs, la livraison de mauvais intrants, des problèmes de qualité, etc., peuvent entraîner des ruptures de stock. On peut éviter la pénurie en conservant des stocks de sécurité, soit des stocks dépassant la demande moyenne. Ils permettent de compenser pour les variations de la demande et du délai d'approvisionnement.

5) *Minimiser le nombre de commandes.* Pour réduire le nombre de commandes passées aux fournisseurs, les entreprises achètent souvent de grandes quantités qui excèdent les besoins immédiats, et entreposent ensuite une partie ou la totalité des produits. Ainsi, au lieu de commander une fois par mois de petites quantités, elles auront tendance à commander trois fois ou même deux fois par année mais en plus grande quantité. Dans le même ordre d'idées, la production de grandes quantités est plus économique. Mais là aussi, il faut stocker la production excédentaire en vue d'un usage futur. Ainsi, l'entreposage de stocks permet à une entreprise d'acheter et de produire de façon économique sans avoir à adapter l'achat ou la production aux exigences de la demande à court terme, ce qui mène à des commandes périodiques ou à des intervalles de commandes. Les stocks qui en résultent s'appellent les stock actifs. Les intervalles de commandes ne découlent pas toujours des quantités économiques à commander. Dans certains cas, il est pratique ou économique de grouper les commandes ou de commander à intervalles fixes.

6) *Se protéger des augmentations de prix et profiter des remises sur achats en gros.* Par moments, une entreprise peut prévoir une augmentation importante de prix et acheter des quantités plus grandes pour se protéger de cette augmentation. La capacité d'entreposer des stocks supplémentaires permet aussi à une entreprise de profiter des remises sur les commandes plus importantes.

7) *Faciliter les opérations.* Les opérations de production s'étalent sur une certaine période (elles ne sont pas instantanées). Cela implique en général l'existence d'un certain stock de produits en cours de fabrication. De plus, l'entreposage momentané des produits — incluant les matières premières, les pec et les produits finis

---

5. Voir chapitre 15, Le juste à temps.
6. Voir chapitre 16, La chaîne d'approvisionnement.

aux sites de production, ainsi que les marchandises stockées dans les entrepôts — conduit à la constitution de stocks en transit.

13.2.3 Objectifs de la gestion des stocks

Un contrôle inadéquat des stocks peut entraîner un surplus ou une pénurie d'articles. Le sous-approvisionnement entraîne la perte de livraisons, l'insatisfaction des clients et l'étranglement de la production ; le surapprovisionnement accapare inutilement des fonds qui pourraient être investis plus efficacement ailleurs. Même si le surapprovisionnement peut sembler le moindre des deux maux, son coût peut être énorme lorsque le coût de possession des stocks est élevé, et l'entreprise peut facilement perdre le contrôle.

Il est courant que des gestionnaires d'entreprises découvrent qu'ils ont en leur possession un stock d'articles permettant un approvisionnement pour 10 ans ! L'entreprise pense sans doute avoir fait une bonne affaire.

La gestion des stocks touche à deux points fondamentaux : le niveau de service à la clientèle, c'est-à-dire le fait d'avoir la bonne marchandise en quantité suffisante, au bon moment et au bon endroit, et les coûts de transmission de commandes et de possession de stocks. Reprenons ces points en détail.

L'objectif global de la gestion des stocks est d'atteindre des niveaux satisfaisants de service à la clientèle tout en gardant les coûts totaux des stocks dans des limites raisonnables. Dans ce but, le décideur tente d'avoir des stocks équilibrés. Il doit prendre deux décisions capitales : le moment et l'importance des commandes (à quel moment et quelle quantité commander). Ce chapitre se consacre en grande partie à des modèles permettant de prendre ces décisions.

Il existe plusieurs façons d'évaluer l'efficacité de la gestion des stocks et le rendement. La plus évidente est certainement de mesurer la satisfaction de la clientèle en fonction du nombre de commandes en souffrance et de plaintes des clients. Un autre indice est fourni par le calcul du taux de rotation des stocks : celui-ci correspond au ratio du coût annuel des marchandises vendues à l'investissement moyen dans les stocks. Le ratio de la rotation des stocks indique combien de fois par année on renouvelle les stocks. En général, plus le ratio est élevé, mieux c'est, car cela signifie qu'on utilise au maximum les stocks. Cette manière de mesurer a un avantage : on peut comparer les entreprises de tailles différentes au sein d'une même industrie.

Le nombre de jours pour lesquels on maintient des stocks est un autre indice. Ici, on détermine le nombre de jours pendant lesquels les stocks actuels peuvent suffire à la demande. Dans ce cas, un équilibre est souhaitable ; un nombre élevé de jours peut indiquer une trop grande quantité entreposée, tandis qu'un nombre faible de jours peut impliquer un risque de rupture de stock.

13.3 LES EXIGENCES D'UNE GESTION EFFICACE DES STOCKS

La direction a deux tâches fondamentales en ce qui concerne la gestion des stocks. L'une est d'établir un système de contrôle des stocks et l'autre est de prendre des décisions quant à la quantité à commander et au moment où il convient de le faire. Pour être efficace, la direction doit posséder :

1) un système de prise d'inventaire (contrôle des stocks de produits en cours et commandés) ;

2) une prévision fiable de la demande qui comprend un indice d'erreur de prévision possible ;

3) une connaissance des délais d'approvisionnement et de la variabilité de ces délais ;

4) une évaluation raisonnable des coûts de possession des stocks, de transmission de commandes et de pénurie ;

5) un système de classification des articles en stock.

13.3.1 Contrôle des stocks

Rappelons le cycle de gestion : planifier, organiser, diriger et contrôler (PODC).

Tout système de gestion est voué à l'échec à défaut d'un bon système de contrôle, car le cycle de gestion ne peut progresser si nous ne connaissons pas la situation actuelle. Dans le cycle de la gestion des stocks, le contrôle des stocks joue exactement ce rôle. Comme toutes les fonctions de contrôle, le contrôle des stocks est une fonction *a posteriori* : il indique l'état des stocks à un moment donné. Un système ordonné de contrôle des stocks doit fournir à tout moment des informations concernant :

a) l'identification du produit ou du groupe de produits ;

b) ses spécifications ;

c) la quantité en stock ;

d) la date d'entrée ;

e) la date de sortie ;

f) au besoin, les conditions particulières d'entreposage et de manutention.

Toutes ces informations, et d'autres le cas échéant, figurent sur des fiches classées par produit ou par groupe de produits ; ce sont les fiches de stock.

Le contrôle à l'aide des **fiches de stock** permet de connaître d'une façon continue et permanente le niveau des stocks de produits, d'où la notion d'inventaire permanent. Dans le domaine des services, les transactions bancaires (dépôts et retraits) sont des exemples d'enregistrement continu du niveau de l'argent en stock (compte en banque). La figure 13.2 illustre un exemple de fiche de stock. Des systèmes sur fichiers Excel peuvent facilement être construits et adaptés sur mesure aux besoins des entreprises.

Un dénombrement ou inventaire physique des quantités en stock informe sur l'importance exacte des quantités en stock. Il permet de confirmer les données sur les quantités qui apparaissent dans les fiches de stock et de corriger les erreurs qui auraient pu se glisser en raison de mauvais enregistrements, d'oublis d'inscriptions, d'emplacements erronés, de coulage (mini-larcins) et autres. L'inventaire physique peut être exécuté à des périodes fixes (annuellement ou semi-annuellement par exemple), d'où la notion d'**inventaire périodique** (par opposition à ceux qui sont faits d'une façon continue.)

Les **inventaires permanents** peuvent être parfois trop complexes pour qu'on puisse les utiliser dans certains secteurs d'activité. Par exemple, dans les épiceries, on préfère utiliser la méthode d'inventaires périodiques rapprochés. On procède à un décompte des quantités en stock à intervalles réguliers et courts (chaque jour, chaque semaine, chaque mois). À partir de ces informations, on décide des quantités à commander (QC).

Une autre **méthode** est celle **des deux casiers,** où on utilise deux conteneurs pour chaque article à contrôler.

On prélève les articles du premier conteneur jusqu'à épuisement des stocks. C'est alors le moment de commander de nouveau. On pose parfois un formulaire de commande au fond de ce premier conteneur. Quant au deuxième, il contient assez de marchandises pour répondre à la demande jusqu'à la réception de la commande, même si elle est retardée ou si la consommation dépasse les prévisions. L'avantage de ce système est qu'il n'est pas nécessaire d'enregistrer chaque retrait de stock ; par contre, le formulaire de renouvellement peut ne pas être remis pour plusieurs raisons (on l'a perdu, la personne responsable a oublié de le remettre au responsable des commandes, etc.).

fiche de stock
Document indiquant, pour chaque produit, l'historique des quantités en stock.

inventaire périodique
Décompte physique des articles en stock à intervalles fixes.

inventaire permanent
Système d'enregistrement continu des mouvements des quantités en stock.

méthode à deux casiers
Deux conteneurs sont nécessaires ; on passe une commande lorsque le premier est vide.

Figure 13.2

Fiche de stock utilisée pour le contrôle d'inventaire

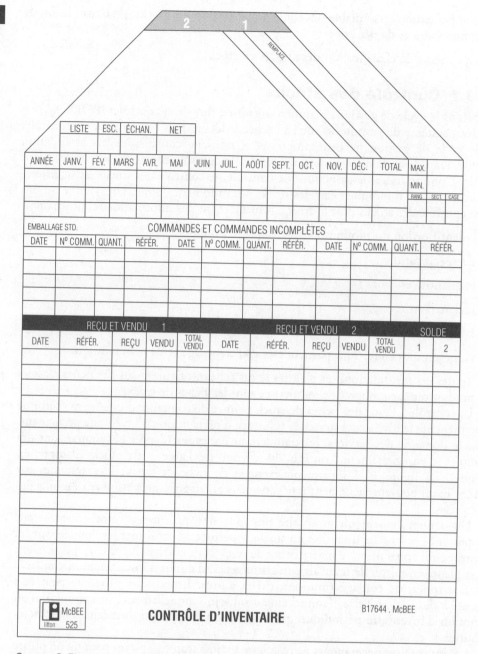

Source : C. Benedetti, *Introduction à la gestion des opérations*, Laval, Éditions Études Vivantes, 1991, p. 263.

On peut faire les inventaires permanents par lots ou à l'aide de micro-ordinateurs. Pour les inventaires par lots, on recueille périodiquement les fiches de stock et on les enregistre. Dans ce cas, une hausse brusque de la demande peut entraîner une réduction de l'inventaire sous le seuil du point de commande entre les prises d'inventaire périodiques. On peut atténuer ce problème en faisant de fréquentes prises par lots.

Quant aux inventaires faits par micro-ordinateurs, ils enregistrent immédiatement les transactions, et ont comme avantage d'être toujours à jour.

Les supermarchés, les magasins qui font des ventes au rabais et les grands magasins ont toujours beaucoup utilisé les prises d'inventaire périodiques. Aujourd'hui, la plupart d'entre eux ont adopté les systèmes de vérification informatisés : un appareil de lecture au laser lit un **code universel des produits (CUP)** ou code à barres imprimé sur l'étiquette d'un article ou sur l'emballage. Voici un exemple d'un tel code.

code universel des produits (CUP)
Méthode de codification : un code à barres imprimé sur l'étiquette de l'article donne des renseignements sur cet article.

Le zéro placé à gauche du code à barres identifie le produit comme étant un article d'épicerie. Les cinq premiers chiffres (14800) désignent le fabricant (Mott's) et les cinq derniers (23208), l'article en particulier (compote de pommes naturelle). Les articles vendus en petits paquets, comme les bonbons et la gomme à mâcher, ont un nombre à six chiffres.

Les lecteurs CUP représentent un changement important dans les systèmes de prises d'inventaire. En plus d'augmenter la vitesse et la précision, ils fournissent aux gestionnaires de l'information continue sur les inventaires, permettent de diminuer la fréquence des prises d'inventaire périodiques, évitent de déterminer la taille de la commande et améliorent la qualité du service à la clientèle en indiquant le prix et la quantité de chaque article sur la facture du client.

Le code à barres est également important pour des secteurs autres que celui du commerce de détail, à savoir les industries de fabrication et les services. Dans la fabrication, les codes à barres des pièces, des encours et des produits finis facilitent énormément le décompte et la surveillance des tâches. Grâce à eux, on peut aussi faire l'acheminement, la programmation, le tri et l'empaquetage automatiques.

13.3.2 Informations sur les prévisions quant à la demande et au délai d'approvisionnement

Puisqu'on utilise les inventaires pour répondre à la demande de la clientèle, il faut absolument que les évaluations de la quantité et du moment de la demande soient fiables. Il faut également savoir combien de temps prendra la livraison des commandes. De plus, les gestionnaires doivent savoir dans quelle mesure le temps écoulé entre la demande et le **délai d'approvisionnement** (le temps compris entre la transmission d'une commande et sa réception) peut varier. Le besoin de stock supplémentaire augmente avec la variabilité ; il permet en effet de diminuer le risque d'une rupture de stock entre les livraisons. Ainsi, il existe un lien crucial entre les prévisions quant à la demande et la gestion des stocks.

délai d'approvisionnement
Intervalle compris entre la transmission et la réception de la commande.

13.3.3 Coûts des stocks

Pour chaque article qui transite par l'entreprise durant l'année, les coûts totaux des stocks (CT) comprennent quatre types de coûts, soit :

— les coûts totaux d'acquisition (Cta) ;

— les coûts totaux d'entreposage ou de possession durant l'année (Cte) ;

— les coûts totaux de passation de commandes durant l'année (Ctc) ;

— les coûts totaux de pénurie durant l'année (Ctp).

CT = Cta + Cte + Ctc + Ctp

Analysons brièvement chacun de ces éléments.

Les coûts d'acquisition (Cta) représentent la valeur financière des marchandises. Si le produit est acheté d'un fournisseur extérieur, ils représenteront le montant payé pour l'acheter. Si le produit est fabriqué par l'entreprise elle-même pour garnir les stocks de produits finis prêts à la vente, ils représenteront les coûts de fabrication.

coût d'entreposage ou de possession des stocks
Coût de possession d'un article en stock pour une certaine période, généralement un an.

Les **coûts d'entreposage ou de possession des stocks** concernent la possession physique d'articles en entrepôt. Ils incluent le taux d'intérêt du capital investi dans le stock, l'assurance, les impôts (dans certains États), la dévaluation, l'obsolescence, la détérioration, les défectuosités, les vols, les bris et les coûts d'entreposage (chauffage, éclairage, loyer, sécurité). Ils incluent également les coûts d'opportunité reliés aux fonds immobilisés qui pourraient servir à autre chose. Notez que c'est la portion variable de ces coûts qui est concernée.

Généralement, les impôts ainsi que le coût du financement et des assurances sont établis d'après la valeur de l'inventaire. Toutefois, le coût d'entreposage ou de possession est également sensible à la nature même des biens stockés. Ainsi, les articles qui se dissimulent facilement (par exemple les petits appareils photo, les baladeurs, les calculatrices) ou qui sont très onéreux (voitures, téléviseurs) sont sujets au vol. Les fruits de mer, les viandes et les volailles, les fruits et les légumes frais ainsi que les aliments cuisinés peuvent se détériorer rapidement. Les produits laitiers, les vinaigrettes, les médicaments, les piles électriques et les pellicules de films ont aussi une durée limitée d'entreposage.

On détermine les coûts d'entreposage des stocks selon les deux méthodes suivantes : en termes de pourcentage du prix unitaire ou de valeur financière par unité entreposée durant l'année. Dans tous les cas, les coûts annuels de possession des stocks représentent généralement entre 20 % et 40 % de la valeur d'un article. En d'autres mots, le coût de possession ou d'entreposage d'un article d'une valeur de 1 $ pendant une période de un an se situerait entre 0,20 $ et 0,40 $.

coûts de commande ou de passation de commande
Coûts associés au fait de donner une commande au fournisseur.

Les **coûts de commande ou de passation de commande** sont les coûts encourus pour choisir le fournisseur, négocier, traiter la commande. Ils comprennent la détermination de la quantité requise, la préparation des factures, les coûts de transport, l'inspection des marchandises au moment de leur arrivée pour en vérifier la qualité et la quantité, et l'acheminement des marchandises vers un lieu d'entreposage temporaire. Les coûts de commande s'expriment généralement en valeurs financières fixes, peu importe la taille de la commande.

Or, dans le cas où une entreprise fabrique ses propres marchandises au lieu de les commander à un fournisseur, les coûts de mise en route (régler les machines, changer les outils de coupe) sont identifiés aux coûts de commande. Ce sont des frais fixes, peu importe la taille du lot lancé en production.

coûts de pénurie ou de rupture de stock
Coûts associés à une demande non satisfaite en raison d'un manque de produits disponibles, souvent exprimés en termes de perte de profit unitaire.

Autre coût de base : les coûts de pénurie (Cp) dus à une **rupture de stock**, qui survient lorsque la demande dépasse la réserve disponible en stock. Ces coûts peuvent comprendre le coût d'opportunité pour une vente manquée, la perte d'achalandage, les frais de retard et autres coûts semblables. De plus, si la pénurie touche un article réservé à l'usage interne (par exemple un article utilisé dans la chaîne d'assemblage), on considère le coût de la perte de production ou du temps d'arrêt comme un coût de rupture de stock. De tels coûts peuvent facilement atteindre des centaines de dollars par minute ou plus. Les coûts de rupture de stock sont parfois difficiles à calculer.

13.3.4 Classification des stocks : loi de Pareto[7]

La responsabilité première des gestionnaires des stocks est de minimiser les niveaux de stocks, tout en maintenant un niveau de service à la clientèle fiable. Or, si nous avons en entrepôt une dizaine, voire dans certains cas des milliers d'articles différents, lesquels de ces produits allons-nous commencer à organiser pour minimiser les coûts ? Il faut se doter d'un moyen qui permette de concentrer notre attention sur les produits les plus importants. La loi de Pareto, appelée aussi la méthode ABC ou méthode du 80-20, est l'outil idéal. Appliquée ici à la gestion des stocks, cette méthode convient à toutes situations où nous devons placer des activités en ordre de priorité.

De façon générale, il n'y a pas de rapport d'équivalence entre la distribution d'une série de faits observés et le nombre de faits. Ainsi, il serait difficile d'affirmer que

7. BENEDETTI, C. et J. GUILLAUME. *Gestion des approvisionnements et des stocks,* Laval, Éditions Études Vivantes, 1993, section 6.4.

dans un groupe de *n* personnes, la distribution des personnes qualifiées d'obèses, de « moyennes » ou de maigres correspondra exactement à une proportion de 1/3 de *n* par groupe ! Il est plutôt possible qu'on dénombre environ 10 % de personnes obèses, 20 % de maigres et 70 % de personnes de taille moyenne : la distribution des faits observés n'est pas proportionnelle au nombre d'observations.

Fort de ces observations, un marchand de chandails, par exemple, entreposera plus d'unités de taille moyenne. Il aura ainsi avantage à mieux contrôler ses stocks de chandails de taille moyenne (offrir un choix de couleurs plus étendu, etc.) ; en d'autres mots, puisque cette taille représente la plus grosse part de son marché, il devra s'en occuper d'une façon particulière. On peut appliquer ce raisonnement à d'autres domaines. Si on met en relation les deux dimensions (individus et quantités), on pourra remarquer, par exemple, que 20 % de l'ensemble des fabricants d'automobiles réalisent 70 % des ventes totales de cette industrie, que 25 % de la population totale possède 75 % des richesses nationales ou encore que 15 % de l'ensemble des pays assument à eux seuls 70 % de la production mondiale de pétrole. Un vendeur de pièces d'automobiles devra donc stocker plus de pièces destinées aux voitures fabriquées par les 20 % de fabricants dominants, tandis qu'un acheteur de pétrole s'adressera automatiquement à ces 15 % de pays producteurs. De même, on remarque que dans l'entreprise, 20 % des articles en termes de nombre représentent environ 80 % des articles en termes de valeur.

En s'appuyant sur ce principe et en l'appliquant aux stocks, la méthode ABC classe les produits entreposés en :

1) *Articles de classe A :*

   Ils sont inclus dans les 20 % d'articles entreposés qui représentent une valeur (financière) se situant entre 60 % et 80 % de la valeur totale des stocks.

2) *Articles de classe B :*

   Ils sont inclus dans les 15 % à 40 % d'articles entreposés qui représentent une valeur se situant entre 15 % et 20 % de la valeur totale des stocks.

3) *Articles de classe C :*

   Ils constituent la majeure partie des articles entreposés (soit de 40 % à 75 %), mais leur valeur est la plus faible (5 % à 20 % de la valeur des stocks).

Soulignons que le pourcentage accordé à chaque classe est à titre indicatif et nullement restrictif ; il peut donc varier de quelques points d'une classe à l'autre selon les situations étudiées. Cette façon de classer les produits contribue à attirer notre attention sur les vrais enjeux. Ainsi, pour réduire, par un meilleur système de gestion des stocks, les capitaux immobilisés dans nos entrepôts, il serait plus avantageux de réduire la classe A que la classe C. De même, il est plus logique de consacrer plus d'efforts et d'argent à protéger, à contrôler et à optimiser les stocks d'articles de classe A que de classe C. Le tableau 13.1 présente, à titre indicatif, le degré de contrôle à exercer sur chacune des classes.

Dans certains cas, quand un nombre assez important d'articles est entreposé, on préfère subdiviser les classes A, B et C en sous-classes (AA, AB, AC, BA, BB, BC, CA, etc.) ou même créer une classe D. Il faut alors recalculer le pourcentage accordé à chaque classe. Finalement, il est dangereux de penser qu'on peut relâcher totalement le contrôle de la classe C, sous prétexte qu'elle est la moins importante, et se permettre une pénurie de ces produits. En effet, sur une chaîne d'assemblage d'automobiles, s'il est vrai qu'un manque de moteurs (classe A) empêchera l'assemblage des véhicules, un manque de joints d'étanchéité de portes (produits classifiés C) aura le même effet. Par contre, l'achat et le stockage des moteurs nécessiteront un contrôle plus serré que les joints d'étanchéité.

Classe	Degré de contrôle	Prise d'inventaire	Priorité d'étude et quantité optimale à entreposer
A	• Très serré et structuré • Données précises • Délai d'approvision-nement bien défini • Délai de livraison serré	• À l'unité si possible • Très fréquente : mensuelle à trimestrielle	• Plus haute priorité • Quantité à commander bien définie • Surveillance fréquente pour améliorer les conditions d'entreposage
B	• Serré à moyen • Données perti-nentes • Délai d'approvision-nement • Délai de livraison d'importance moyenne	• À l'unité ou par lots • Fréquente (annuelle ou semi-annuelle)	• Priorité moyenne ; dépend de l'importance du problème particulier • Quantité optimale définie de préférence
C	• Le plus simple et le moins cher possible • Délai de livraison peu important	• Par lots ou en vrac • La moins fréquente possible (annuelle)	• Priorité en cas de problème évident seulement

Source : C. Benedetti, *Introduction à la gestion des opérations,* Laval, Éditions Études Vivantes, 1991, p. 273.

Loi de Pareto

Classification des stocks selon leur importance avec, comme résultante, une réparti-tion des efforts de contrôle.

Classez les articles en stock dans la catégorie A, B ou C selon leur valeur financière annuelle en fonction des informations suivantes :

	Article	Demande annuelle	*	Coût unitaire	=	Valeur financière annuelle
A	1	1000		4300 $		4 300 000 $
	2	5000		720		3 600 000
						7 900 000
	3	1900		500		950 000
B	4	1000		710		710 000
	5	2500		250		625 000
	6	2500		192		480 000
						2 765 000
	7	400		200		80 000
	8	500		100		50 000
C	9	200		210		42 000
	10	1000		35		35 000
	11	3000		10		30 000
	12	9000		3		27 000
						264 000

Comme les deux premiers articles ont une valeur annuelle plutôt élevée, il semble raisonnable de les classer dans la catégorie A. Les quatre articles suivants semblent avoir des valeurs annuelles moyennes et devraient être placés dans la catégorie B. Les autres sont des articles C à cause de leur valeur annuelle plutôt faible.

Solution

Les articles 1 et 2 représentent 2/12 des différents types d'articles entreposés, soit 16,67 % des articles, mais leur valeur est de 7 900 000 $ (4 300 000 $ + 3 600 000 $), soit 72,28 % du capital total (10 929 000 $) immobilisé en stock. Les quatre suivants représentent 33,33 % des articles entreposés, avec une valeur de 2 765 000 $, soit 25,30 % du capital immobilisé. Le même raisonnement s'applique aux articles restants. Le tableau ci-dessous résume la classification.

Classe	Articles	Nombre d'articles de la classe	Pourcentage d'articles	Valeur financière de la classe	Pourcentage de la valeur immobilisée en stock
A	1, 2	2	16,67 %	7 900 000 $	72,28 %
B	3, 4, 5, 6	4	33,33 %	2 765 000 $	25,30 %
C	7, 8, 9, 10, 11, 12	6	50,00 %	264 000 $	2,42 %
Total		12	100 %	10 929 000 $	100 %

La figure 13.3 représente une classification des articles en trois catégories.

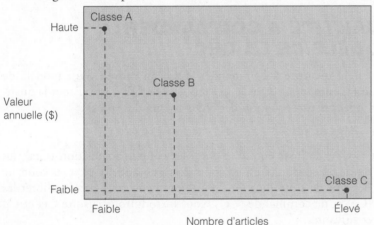

Figure 13.3

Une ventilation ABC type selon la valeur financière annuelle relative des articles et le nombre d'articles par catégorie

Bien que la valeur financière annuelle soit le premier facteur à considérer pour classer les articles en stock, un gestionnaire peut tenir compte d'autres facteurs (comme le risque d'obsolescence ou de rupture de stock, l'éloignement d'un fournisseur) et faire des exceptions pour certains articles (par exemple en changeant la classification d'un article C pour qu'il devienne un article A). La figure 13.3 illustre la méthode ABC. Les gestionnaires utilisent la méthode ABC dans plusieurs situations différentes pour améliorer les opérations, notamment le service à la clientèle. Un gestionnaire peut attirer l'attention sur les principaux aspects du service à la clientèle en les classifiant ainsi : très importants, importants ou de moindre importance. Mais il faut éviter de souligner les aspects mineurs du service à la clientèle au détriment des aspects importants.

La méthode ABC sert aussi de guide pour effectuer un **inventaire tournant**, soit un **décompte physique** des articles en stock. Le but de l'inventaire tournant est de réduire l'écart entre les quantités inscrites sur les fiches de stock et les quantités réelles d'inventaire disponible. La précision est capitale, parce que des fiches imprécises peuvent entraîner des arrêts de production, une déficience du service à la clientèle et des coûts de possession de stocks inutilement élevés.

inventaire tournant
Décompte physique des articles en stock.

En ce qui concerne l'inventaire tournant, la direction doit se concentrer surtout sur les questions suivantes :

1. Quel est le degré de précision requis ?

2. À quel moment faudrait-il planifier l'inventaire tournant ?

3. Qui devrait le faire ?

www.apics-stlouis.com

L'American Production and Inventory Control Society (APICS) suggère de se fier à ces directives pour garantir la précision des fiches de stock : ±0,2 % pour les articles A, ±1 % pour les articles B et ±5 % pour les articles C.

Certaines entreprises utilisent des événements particuliers pour déclencher l'inventaire tournant, tandis que d'autres le font sur une base périodique (programmée). Parmi les événements susceptibles de déclencher un décompte physique des stocks, notons un rapport écrit de rupture de stock pour un article disponible d'après les fiches de stock, un rapport d'inventaire montrant un niveau faible ou nul d'entreposage d'un article et un niveau prédéterminé d'activités (par exemple, toutes les 2000 unités vendues).

Pour effectuer l'inventaire tournant, certaines entreprises font appel au personnel de l'entrepôt pendant les périodes de basse activité, tandis que d'autres engagent des entreprises externes pour le faire sur une base périodique. Le recours à une entreprise externe permet d'effectuer une vérification indépendante de l'inventaire et peut réduire le risque de problèmes créés par des employés malhonnêtes. D'autres entreprises préfèrent utiliser leur personnel à temps plein pour réaliser l'inventaire tournant.

13.4 LA QUANTITÉ À COMMANDER : LE MODÈLE DE LA QÉC

quantité économique à commander (QÉC)
Quantité commandée qui optimise les coûts totaux des stocks : acquisition, entreposage, commandes et pénurie.

On détermine souvent la quantité à commander (QC) au moyen d'un modèle de **quantité économique à commander** (QÉC). Les modèles de QÉC établissent la quantité à commander en optimisant l'équation des coûts totaux des stocks :

$$CT = Cta + Cte + Ctc + Ctp$$

Il s'agit alors de trouver le juste équilibre entre les coûts d'acquisition (Cta), les coûts d'entreposage ou de possession (Ce), les coûts de commande (Cc) et les coûts de pénurie (Cp). Pour des fins de simplification, nous commencerons par équilibrer les coûts de possession (Ce) et de commande (Cc). Nous introduirons ensuite Cta et Cp aux sections 13.4.3 et suivantes.

Trois modèles de tailles de commandes seront étudiés dans cet ouvrage :

— le modèle de base : quantité économique à commander en réception instantanée ;

— le modèle de quantité économique à commander en réception échelonnée ;

— le modèle de remise sur quantité.

13.4.1 Quantité économique à commander en réception instantanée

On détermine souvent la quantité à commander au moyen d'un modèle de quantité économique à commander, soit la QÉC. On utilise ce modèle pour trouver la quantité commandée qui réduira les coûts annuels de possession et de transmission de commandes. À ce stade de l'analyse, on omet d'inclure le coût d'acquisition des articles dans le coût total parce que celui-ci est indépendant de la quantité commandée, sauf dans le cas des remises sur achats en gros.

L'utilisation de ce modèle implique plusieurs hypothèses ; celles-ci sont énumérées au tableau 13.2.

La transmission de commandes et la consommation de stock suivent un modèle périodique. La figure 13.4 illustre l'évolution des stocks sur trois cycles. Le dénombrement commence à la réception d'unités QC (quantité commandée et reçue). Cette livraison sera ensuite consommée à un taux constant. Lorsque les stocks descendent à un niveau qui correspond à ce qui sera consommé pendant le délai de livraison, on commande au fournisseur des unités Q. Puisqu'on suppose que le taux de consommation et le délai d'approvisionnement sont tous les deux stables, on recevra la commande au moment précis où les stocks disponibles tomberont à zéro.

TABLEAU 13.2

Les hypothèses qui sous-tendent l'utilisation du modèle QÉC de base

1. Un seul produit en cause.
2. Connaissance de la demande annuelle à satisfaire.
3. Taux de consommation à peu près constant durant l'année.
4. Délai de livraison ou d'approvisionnement constant.
5. Chaque commande livrée en une seule fois (réception instantanée).
6. Pas de remise sur achat en gros.

Figure 13.4

Graphique d'évolution des stocks

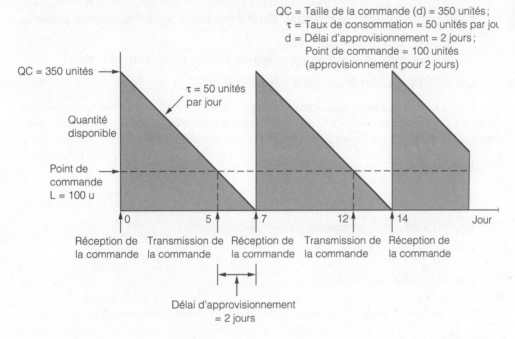

QC = Taille de la commande (d) = 350 unités ;
τ = Taux de consommation = 50 unités par jou[r]
d = Délai d'approvisionnement = 2 jours ;
Point de commande = 100 unités
(approvisionnement pour 2 jours)

De cette façon, on organise les commandes de manière à éviter à la fois les surplus et les pénuries de stocks.

Étant donné que nous omettons à ce stade les coûts d'acquisition et de pénurie, la quantité optimale à commander représente un compromis entre les coûts totaux de possession de stocks (Cte) et les coûts de commande (Ctc) : selon la taille de la commande, un type de coût augmentera pendant que l'autre diminuera. Par exemple, si les quantités commandées sont petites, le stock moyen (Smoy) sera faible, ce qui entraînera de faibles coûts de possession ou d'entreposage. Par contre, une commande de petite taille nécessitera des commandes plus fréquentes, ce qui augmentera le nombre de commandes et les coûts annuels de commande qui en découlent. Inversement, pour une même situation, le fait de commander de grandes quantités diminuera le nombre de commandes et les coûts annuels de commande, mais implique des niveaux de **stock moyens** plus élevés et, de ce fait, des coûts plus élevés de possession des stocks. La figure 13.5 (A et B) illustre ces deux extrêmes.

En conclusion, la solution idéale serait une taille de commande qui représente l'équilibre entre les coûts de commande et les coûts d'entreposage.

Le calcul du coût annuel d'entreposage ou de possession (Cte) se fait par :

Cte = Smoy ∗ Ce

stock moyen d'une période
$$Smoy = \frac{Smax + Smin}{2}$$

où : Smoy = stock moyen entreposé durant l'année

$$Smoy = \frac{Smax + Smin}{2}$$

Cte = coûts totaux annuels d'entreposage ($)

Ce = I * c = coût unitaire d'entreposage ($/u)

I = coût d'entreposage exprimé en pourcentage du coût unitaire du produit entreposé durant l'année (%)

c = valeur unitaire du produit entreposé ($/u)

Par exemple, si l'unité nous coûte 40,00 $/u (c) à l'achat et que le coût d'entreposage (I) a été estimé à 30,00 % de la valeur de l'objet, alors :

Ce = I * c = 0,3 * 40,00 $/u = 12,00 $/u

Il nous en coûte donc en moyenne 12,00 $ par année pour chaque unité gardée en entrepôt.

Si nous avons, en tout temps, en moyenne 150 unités en entrepôt, alors :

Cte = 150 u * 12,00 $/u = 1800 $ par année

Pour les modèles classiques décrits à la figure 13.5 (A et B), étant donné que nous considérons des situations où les QC sont consommées en totalité à la fin de chaque sous-période, le stock moyen (Smoy) est calculé d'une façon précise par :

$$Smoy = \frac{QC}{2}$$

où : QC = quantité commandée en unités

Les coûts totaux d'entreposage seront évalués par :

$$Cte = \frac{QC}{2} * (I * c) \text{ ou}$$

$$Cte = \frac{QC}{2} * Ce$$

A. Modèle d'évolution du stock
Sept commandes par an :
N grand ; QC petite

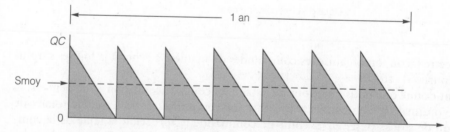

B. Modèle d'évolution du stock
Trois commandes par an :
N petit ; QC grande

N. Nombre de commandes par année

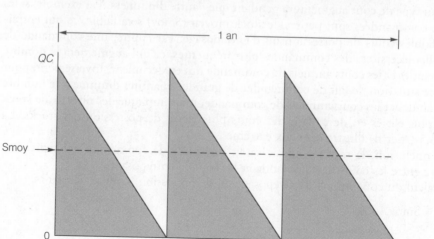

Les coûts totaux d'entreposage sont représentés par une équation linéaire en fonction de la quantité commandée (QC). Ces coûts varient donc directement en fonction de la QC, comme nous pouvons le voir à la figure 13.6 A.

À l'inverse, les coûts totaux de commande (Ctc) diminueront proportionnellement à la taille des quantités commandées : pour une même période, habituellement l'année, plus on commande de grandes quantités, moins on commande souvent. Le nombre de commandes (N) et le Ctc qui en découlera sont donc inversement proportionnels aux quantités commandées (QC).

$$\text{Nombre de commandes} = N = \frac{DT}{QC}$$

Ainsi, si le besoin annuel total est de 12 000 unités (DT) et qu'on décide de commander par lots de 1000 unités (QC), on procédera à 12 commandes. Par contre, si on décide de commander par lots de 2000 unités, on procédera à six commandes, et ainsi de suite. Pour commander par lots de 6000 unités 2 fois par année, on aura besoin d'un entrepôt pouvant contenir l'équivalent de 6000 unités, tandis que des commandes par lots de 1000 u exigeraient un entrepôt de 1000 unités seulement. Nous voyons encore une fois la nécessité de bien évaluer les différentes politiques d'approvisionnement.

Une fois le nombre de commandes déterminé, les coûts totaux de commande s'évaluent par :

$$Ctc = \frac{DT}{QC} * Cc \qquad \text{ou bien} \qquad Ctc = N * Cc$$

où : DT = demande totale

Cc = coût de passation d'une commande

Ctc = coûts totaux de passation des commandes pour la période, habituellement l'année

N = nombre de commandes

La figure 13.6 B illustre l'effet des QC (l'abscisse) sur les Ctc (l'ordonnée). À partir des deux coûts étudiés ci-haut (Cte et Ctc), le CT des marchandises traitées en stock devient :

$$CT = Cte + Ctc = \frac{QC}{2} * Ce + \frac{DT}{QC} * Cc$$

Soulignons que la période couverte par ces calculs est habituellement l'année, bien que, dans certains cas, on puisse préférer la saison ou les demi-années. Dans de tels cas, il faut s'assurer que les unités de temps utilisées dans les équations seront respectées.

La figure 13.6 C illustre l'évolution des coûts totaux (CT) en fonction des quantités commandées (QC). Remarquons que les coûts totaux sont à leur minimum quand la courbe des coûts totaux d'entreposage croise celle des coûts totaux de commande. La quantité à commander qui correspond à ces coûts totaux minimums est la quantité économique à commander. La QÉC se trouve au point d'inflexion de la dérivée de l'équation des CT.

$$CT = \frac{QC}{2} * Ce + \frac{DT}{QC} * Cc$$

En dérivant l'équation des CT par rapport à la QC et en la mettant égale à zéro, nous avons :

$$\frac{d(CT)}{d(QC)} = \frac{Ce}{2} * - \frac{DT}{(QC)^2} * Cc = 0$$

$$\frac{Ce}{2} * = \frac{DT}{(QC)^2} * Cc$$

Figure 13.6

Graphiques d'évolution des coûts

A. Coût d'entreposage

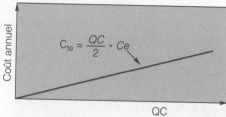

$$C_{te} = \frac{QC}{2} * Ce$$

B. Coût de commande

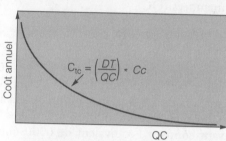

$$C_{tc} = \left(\frac{DT}{QC}\right) * Cc$$

C. Coûts totaux

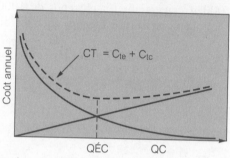

$$CT = C_{te} + C_{tc}$$

QÉC   QC

Si on isole QC, la quantité économique à commander (QÉC) en unités sera :

$$QÉC = \sqrt{\frac{2DT * Cc}{Ce}}$$

Cette QÉC sera celle qui minimisera les CT et représentera le juste équilibre entre Cte et Ctc. Avec la QÉC, les coûts totaux d'entreposage seront égaux aux coûts totaux de commande.

Avec la QÉC,   Cte (\$) = Ctc (\$)

Une autre façon d'écrire l'équation de la QÉC, sachant que Ce = I * c, est :

$$QÉC = \sqrt{\frac{2DT * Cc}{I * c}}$$

La durée d'un intervalle de commande i, c'est-à-dire le temps écoulé entre deux commandes successives, se calcule par :

$$i = \frac{QÉC}{DT} * \text{nombre de jours par année}$$

Le coût annuel total associé à la possession des stocks et à la transmission d'une commande de stock d'unités Q est :

CT = coût annuel de possession des stocks + coût annuel de commande

$$\frac{QÉC}{2} * C_e + \frac{Dt}{QÉC} * C_c$$

Exemple 2

Pour un certain type de pneus radiaux, les prévisions de ventes d'un distributeur sont, pour l'année prochaine, d'environ 9600 pneus. Le coût annuel de possession des stocks est de 16 \$ par pneu et le coût de commande est de 75 \$. Le distributeur est en activité 288 jours par an.

Déterminez :

a) la QÉC ;

b) le nombre de commandes annuelles du distributeur ;

c) la durée de l'intervalle de commande ;

d) le coût annuel total des stocks si on procède en fonction de la QÉC.

Solution

a) DT = 9600 pneus
Ce = 16,00 \$/u par année
Cc = 75,00 \$ par commande

$$QÉC = \sqrt{\frac{2DT * Cc}{Ce}} = \sqrt{\frac{2 * 9600\ u * 75\ \$/u}{16\ \$}} = 300\ pneus$$

b) Nombre de commandes par année N avec la QÉC

$$N = \frac{DT}{QC} = \frac{9600\ pneus}{300\ pneus/commande} = 32\ commandes$$

c) Intervalle de commande avec la QÉC

$$i = \frac{QÉC}{DT} = \frac{300\ pneus}{9600\ pneus/an} = 1/32\ année * 288\ jours = 9\ jours$$

d) CT avec la QÉC

$$CT = Cte + Ctc = \frac{QÉC}{2} * Ce + \frac{DT}{QÉC} * Cc = Smoy * Ce + N * Cc$$

CT = (300 u / 2) * 16 \$/u + 32 commandes * 75 \$/commande = 2400 \$ + 2400\$
= 4800 \$

Soulignons que Cte = Ctc avec la QÉC.

Exemple 3

La compagnie Orbite 2000 assemble des moniteurs de sécurité. Elle achète 3600 écrans cathodiques par année au coût de 65,00 \$/u. Les coûts de commande et d'entreposage ont été estimés à 31 \$ par commande et à 20 % du coût de l'unité achetée (I = 20 %). On vous demande de calculer la quantité économique à commander et les coûts totaux correspondants.

Solution

DT = 3600 écrans

Cc = 31 \$/commande

I = 20 %

c = 65 \$/écran

$$QÉC = \sqrt{\frac{2DT * Cc}{I * c}} = \sqrt{\frac{2 * 3600\ u * 31\ \$}{0,20 * 65\ \$/u}} = 131\ écrans$$

Ce = I * c = 0,20 * 65 \$/écran = 13 \$/écran entreposé

$$CT = Cte + Ctc = \frac{QEC}{2} * Ce + \frac{DT}{QEC} * Cc = \frac{131}{2} * 13\ \$ + \frac{3600\ u}{131\ u} * 31\ \$$$

CT= 852 \$ + 852 \$ = 1704 \$

Commentaire. Les coûts d'entreposage des stocks et de commande, de même que la demande annuelle, sont des données généralement estimées plutôt que des valeurs calculées avec précision. Par conséquent, il faut envisager la QÉC comme une quantité approximative plutôt qu'une quantité exacte. Ainsi, le fait d'arrondir la valeur calculée est parfaitement acceptable ; si on utilisait une valeur comportant plusieurs décimales, cela pourrait donner une idée fausse de sa précision. Une question évidente se pose : quelle est alors la pertinence d'une QÉC approximative en matière de réduction des coûts ?

Toute la théorie de la QÉC est d'ordre indicatif. Elle sert à orienter les gestionnaires vers l'optimum et ne doit jamais être considérée de façon dogmatique. Notons que la courbe des CT est passablement aplatie autour de la QÉC, ce qui confirme notre commentaire.

En d'autres mots, même si la QÉC calculée diffère de la QÉC réelle, les coûts totaux n'augmenteront pas beaucoup, surtout dans le cas de quantités plus grandes que la QÉC réelle, parce que la courbe de coût total s'élève très lentement à droite de la QÉC (voir la figure 13.7).

Figure 13.7

La courbe du coût total est relativement aplatie près de la QÉC.

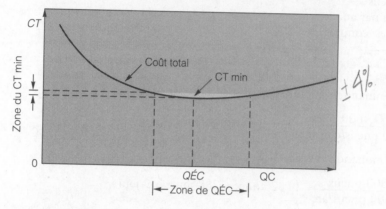

13.4.2 Quantité économique à commander en réception échelonnée

Le modèle de QÉC de base est basé sur le postulat que chaque commande est livrée à un seul moment (réapprovisionnement instantané). Cependant, dans certains cas, si l'entreprise est à la fois fabricant et utilisateur ou si les livraisons sont réparties dans le temps, les stocks sont reconstitués progressivement plutôt qu'immédiatement.

De plus, si les taux de consommation et de production (ou de livraison) sont équivalents, il n'y a pas d'accumulation de stocks parce qu'on utilise immédiatement toute la production. La question de la taille des lots ne se posera pas. Mais le plus fréquemment, le taux de production (ou de livraison) dépasse le taux de consommation, créant la situation décrite à la figure 13.8. Dans le cas de la production destinée à garnir les stocks de produits finis, cette situation ne se produit que pendant une portion de chaque cycle parce que le taux de production est supérieur au taux de consommation, et que celle-ci se poursuit pendant tout le cycle. Par exemple, si le taux de production (p) est de 20 unités/jour et le taux de consommation (u), de 5 u/jour, le taux de reconstitution des stocks ($p - u$) sera :

p = taux de production = 20 u/jour

u = taux de consommation ou d'utilisation = 5

($p - u$) = taux de reconstitution des stocks = 20 − 5 = 15 u/jour

Tant que la production est en cours, le niveau des stocks continue à augmenter ; lorsque la production cesse, le niveau des stocks commence à diminuer. Quand la quantité de stock disponible est épuisée, on reprend la production, et le cycle se répète. Dans le cas des stocks de produits finis, si une entreprise fabrique elle-même les produits qui sont ensuite entreposés, elle devient son propre fournisseur. Les coûts de mise en route sont alors identifiés aux coûts de commande. Chaque lot ou série lancé en production devient une QC (quantité commandée), et il convient alors de trouver le **lot économique,** c'est-à-dire celui qui représentera le juste équilibre entre les coûts de mise en route et les coûts d'entreposage des produits finis. Certains auteurs préfèrent appeler ces quantités économiques à lancer en production des « lots économiques », bien que l'approche et les formules utilisées pour les calculer soient identiques. Par contre, notons que dans ces cas, les coûts de mise en route seront

lot économique

Série ou lot qui, lancé en production, équilibre les coûts de mise en route et les coûts d'entreposage.

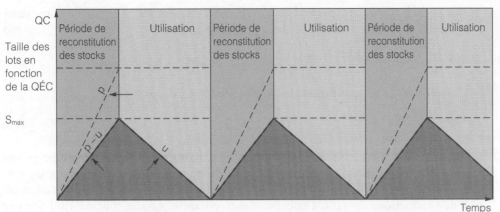

Figure 13.8

Graphique d'évolution des stocks en réception échelonnée

passablement plus élevés que les coûts de transmission d'une commande à un fournisseur externe. De plus, les coûts I d'entreposage (en %) sont plus élevés pour des produits finis que pour des matières premières. Par souci de clarification, nous utiliserons l'expression QÉC pour désigner les commandes provenant de fournisseurs externes et LÉ pour celles qui proviennent de la production interne.

En situation de réception échelonnée, l'équation du CT s'écrit :

$$CT = Cte + Ctc = (Smax/2) * Ce + N * Cc$$

où : Cte = coûts totaux d'entreposage

Ctc = coûts totaux de commande

Smax = stock maximum entreposé

N = nombre de commandes

La quantité économique à commander ou la série économique à lancer en production se calcule par :

$$LÉ = QÉC = \sqrt{\left(\frac{2DT * Cc}{Ce}\right)\left(\frac{p}{p-u}\right)}$$

où : p = taux de production

u = taux de consommation

DT = demande totale

Cc = coût d'une mise en route

Ce = coût unitaire d'entreposage = I * c

$QÉC = LÉ$ = lot ou série économique

Une autre façon de calculer la QÉC en réception échelonnée est :

$$QÉC = \sqrt{\left(\frac{2DT * Cc}{Ce\left(1 - \dfrac{u}{p}\right)}\right)}$$

Le stock maximum se calcule par :

$$Smax = LÉ\left(1 - \frac{u}{p}\right) \text{ ou } Smax = QÉC\left(1 - \frac{u}{p}\right)$$

Le stock moyen se calcule par :

$$Smoy = Smax / 2$$

La période s'écoulant entre deux commandes successives i (intervalle entre deux commandes successives) se calcule directement en jours par :

$$i = \frac{LÉ}{u} \quad \text{ou} \quad i = \frac{QÉC}{u}$$

La période de reconstitution des stocks (PRS) se calcule par :

$$PRS = \frac{Smax}{(p - u)} = \frac{LÉ}{p}$$

Exemple 4

Un fabricant de jouets consomme 48 000 roues par année pour un modèle de camions à benne très populaire. L'entreprise fabrique elle-même les roues à un taux de 800 unités par jour ouvrable. Les camions sont assemblés tout au long de l'année selon un taux de production constant. Les coûts d'entreposage des roues sont de 1,00 $/u par année. Les coûts de mise en route d'un lot de roues sont de 45 $. L'entreprise fonctionne 240 jours par année. Calculez :

a) la taille du lot ou de la série économique ;

b) les coûts totaux associés au lot économique ;

c) l'intervalle écoulé entre deux lots successifs ;

d) la période de reconstitution des stocks.

Solution

DT = 48 000 roues par année

Coûts de mise en route = Cc = 45 $ par mise en route

Coûts unitaires de possession = Ce = 1 $/roue par année

taux de production = p = 800 roues/jour

taux de consommation ou d'utilisation = u = 48 000 roues / 240 jours par année = 200 roues/jour

a) $LÉ = \sqrt{\left(\frac{2DT * Cc}{Ce}\right)\left(\frac{p}{p - u}\right)} = \sqrt{\left(\frac{2 * 48\ 000 * 45}{1}\right)\left(\frac{800}{800 - 200}\right)} = 2400$ roues

b) $CT = Cte + Ctc = Smoy * Ce + N * Cc = \frac{Smax}{2} * Ce + \frac{DT}{LÉ} * Cc$

Calculons en premier Smax :

$Smax = LÉ \left(1 - \frac{u}{p}\right) = 2400 \left(1 - \frac{200}{800}\right) = 2400 * 0,75 = 1800$ roues

Les coûts totaux sont alors :

$CT = \frac{1800\ u}{2} * 1\ \$/u + \frac{48\ 000}{2400} * 45\ \$ = 900\ \$ + 900\ \$ = 1800\ \$$

Notons encore une fois qu'avec la LÉ, Cte = Ctc.

c) Intervalle entre deux lots :

$i = \frac{LÉ}{u} = \frac{2400\ u}{200\ u/jour} = 12$ jours

Une série sera lancée en production tous les 12 jours.

d) Période de reconstitution des stocks :

$PRS = \frac{LÉ}{p} = \frac{2400\ u}{800\ u/jour} = 3$ jours

Chaque série prendra trois jours à produire.

13.4.3 Remises sur quantité

Les **remises sur quantité** sont des rabais consentis pour des commandes importantes, offerts aux clients pour les inciter à acheter en grandes quantités. Prenons l'exemple illustré au tableau 13.3. Un fabricant d'équipement chirurgical publie sa liste de prix pour les boîtes de bandes de gaze. Notez que le prix d'une boîte diminue à mesure que la quantité commandée augmente.

remises sur quantité
Rabais sur les prix d'acquisition accordés pour des quantités commandées à grand volume.

TABLEAU 13.3

Prix à l'achat

Quantité commandée	Coût d'acquisition par boîte
1 à 44	$C_1 = 2,00$ \$/bte
45 à 69	$C_2 = 1,70$ \$/bte
70 et plus	$C_3 = 1,40$ \$/bte

Or, pour bénéficier de ces remises, le client devra consentir à acheter de plus grosses quantités, donc à entreposer de plus grands stocks, ce qui aura pour effet d'augmenter les coûts totaux d'entreposage (Cte). De plus, le fait d'acheter de plus grandes quantités à la fois entraînera une diminution du nombre de commandes, d'où une baisse des coûts de commande. Nous voyons que dans ces situations, l'analyse visant l'optimisation des coûts totaux des stocks (CT) doit tenir compte de trois types de coûts : d'entreposage, de commande et d'acquisition. L'équation des CT devient alors :

$$CT = Cta + Cte + Ctc$$

où : Cta = coût d'acquisition = $DT * c$

DT = demande totale, c'est-à-dire consommation totale durant la période

c = coût de l'unité achetée

Cte = coûts totaux d'entreposage

Ctc = coûts totaux de commande

Tant que le coût unitaire d'achat demeure constant, l'évolution des CT ne sera qu'un ajout de la valeur du Cta et n'aura aucun effet sur la quantité économique à commander (QÉC), comme l'illustre la figure 13.9.

Par contre, les variations du coût d'acquisition en fonction des QC (quantités commandées) auront un effet direct sur l'évolution des coûts totaux (voir la figure 13.10.)

Analysons le graphique de la figure 13.10. Nous remarquons qu'aucune des courbes représentant les CT ne s'applique à l'ensemble des quantités commandées (QC). L'évolution de la courbe des CT se fait par échelons. Le point minimum de la courbe de CT_1 (sa QÉC) tombe dans la zone de 45 à 70 boîtes : il en est de même pour la courbe CT_3. Donc, ces deux situations ne sont pas applicables en raison des données du problème, seul CT_2 est réalisable.

Un autre phénomène digne d'intérêt est l'évaluation du coût unitaire d'entreposage (Ce). Si le Ce est constant, par exemple à 2 \$/unité entreposée, la remise sur quantité n'aura pas d'effet sur le Ce, mais uniquement sur les coûts d'entreposage Cte, comme nous l'avions mentionné précédemment. Dans un tel cas, la QÉC ne changera pas ; seuls les CT varieront, comme l'illustre le graphique A de la figure 13.11. Par contre, si le coût d'entreposage est évalué en termes de pourcentage de la valeur de l'unité entreposée, par exemple I = 20 %, le Ce variera en fonction du coût unitaire d'acquisition. Dans de tels cas, la QÉC variera en fonction des coûts d'acquisition, comme l'illustre le graphique B de la figure 13.11.

Bien que la meilleure façon de déterminer le choix optimal parmi les différentes remises sur quantité demeure l'évaluation de chaque proposition, la procédure suivante peut accélérer la prise de décision dans le cas d'un Ce (coût unitaire d'entreposage) constant :

Figure 13.9

Effet du coût d'acquisition sur les CT

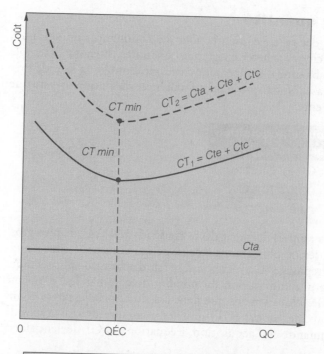

Figure 13.10

Effet d'une variation du coût d'acquisition sur les coûts totaux (CT)

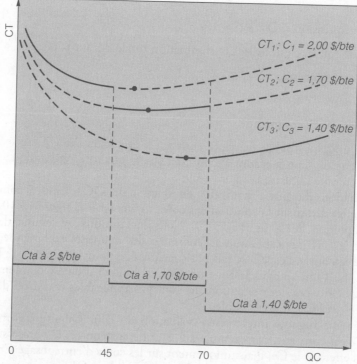

1. Calculer la QÉC commune.

2. Si la QÉC se trouve dans la zone de coût d'acquisition minimum, nous avons les CT optimums.

3. Si la QÉC ne se trouve pas dans la zone de coût d'acquisition minimum, évaluer les CT à la quantité minimum permettant de bénéficier du coût unitaire d'acquisition le plus bas, comparer avec les CT calculés en situation de QÉC et choisir la meilleure situation.

Dans les situations où le Ce varie, la procédure suivante s'avère intéressante :

1. Calculer la QÉC pour chacune des tranches des coûts d'acquisition.

2. S'assurer que les QÉC se trouvent dans les zones permettant de bénéficier des remises sur quantité.

3. Si une QÉC se trouve dans la zone de coût d'acquisition minimum, nous avons les CT optimums.

4. Si la QÉC ne se trouve pas dans la zone de coût d'acquisition minimum, évaluer les CT à la quantité minimum permettant de bénéficier du coût unitaire d'acquisition le plus bas, comparer avec les CT calculés en situation de QÉC et choisir la meilleure situation.

Le service d'entretien d'un hôpital consomme près de 816 caisses de nettoyeur liquide par an. Les coûts de commande sont de 12 $/commande et les coûts de possession (Ce), de 4 $/caisse par an. Une nouvelle liste de prix nous est soumise par le fournisseur :

Exemple 5

Quantité commandée	Coûts par caisse
moins de 50 caisses	20 $
50 à 79 caisses	18 $
80 à 99 caisses	17 $
100 caisses ou plus	16 $

A. QÉC constante si Ce constant

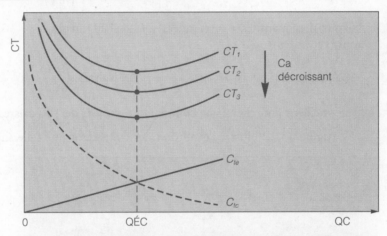

Figure 13.11

Effet des remises sur achats en gros sur les QÉC

B. QÉC varie si Ce varie (Ce = coût unitaire d'entreposage)

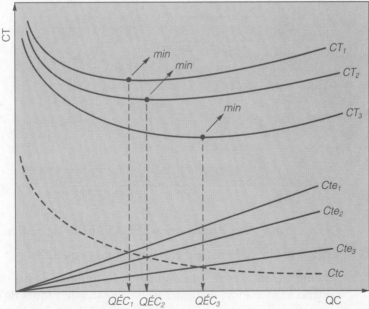

On vous demande de déterminer la meilleure politique d'achat et les coûts totaux correspondants.

1°   Étant donné que le Ce est constant à 4 \$/caisse, calculons la QÉC commune.

$$QÉC = \sqrt{\left(\frac{2DT * Cc}{Ce}\right)} = \sqrt{\left(\frac{2 * 816 * 12}{4}\right)} = 70 \text{ caisses}$$

2°   La QÉC se trouve dans la zone correspondant à 18 \$ la caisse. Les coûts totaux dans ce cas sont :

CT = Cta + Cte + Ctc

$$CT = (DT * Ca) + \left(\frac{QÉC}{2} * Ce\right) + \left(\frac{DT}{QÉC}\right) * Cc = 816 * 18 \text{ \$/caisse} + \frac{70}{2} * 4 \text{ \$/caisse}$$

$$+ \left(\frac{816}{70}\right) * 12 \text{ \$} = 14\ 968 \text{ \$}$$

Étant donné que la QÉC n'est pas dans la zone de coût d'acquisition minimum, vérifions les CT pour chacune des zones où le coût d'acquisition est inférieur, et ce, pour la quantité minimum nous permettant de bénéficier de la remise.

Pour des quantités commandées QC = 80 caisses, c = 17 \$/caisse et les CT seront :

$$CT_{80\ caisses} = 816 * 17 \text{ \$/caisse} + \frac{80}{2} * 4 \text{ \$/caisse} + \left(\frac{816}{80}\right) * 12 \text{ \$} = 14\ 154 \text{ \$}$$

Pour des quantités commandées QC = 100 caisses, c = 16 \$/caisse et les CT seront :

$$CT_{100\ caisses} = 816 * 16 \text{ \$/caisse} + \frac{100}{2} * 4 \text{ \$/caisse} + \left(\frac{816}{100}\right) * 12 \text{ \$} = 13\ 354 \text{ \$}$$

Le meilleur choix serait de commander par lots de 100 caisses.

La figure 13.12 illustre l'évolution des coûts dans une telle situation.

Figure 13.12

Évolution des CT (exemple 5)

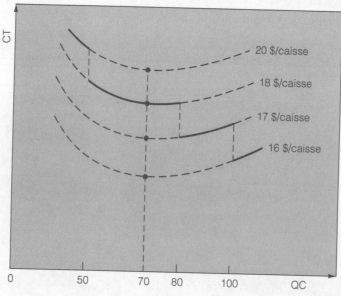

En terminant, avant de prendre sa décision finale, le gestionnaire devra vérifier :

1°   la disponibilité de l'espace d'entrepôt pour ces quantités ;

2°   à la lumière du taux de consommation du produit dans l'entreprise, si le fait de garder d'aussi grandes quantités n'entraîne pas de risques de détérioration.

La compagnie Choc Électrique utilise 4000 interrupteurs par an. Les coûts de commande sont de 30 $ et les coûts d'entreposage sont évalués à 40 % du coût de l'unité gardée en entrepôt. La liste de prix du fournisseur indique les conditions suivantes :

Quantité commandée	Coût par unité
1 à 499 interrupteurs	0,90 $
500 à 999 interrupteurs	0,85 $
1000 interrupteurs ou plus	0,80 $

On vous demande de déterminer la meilleure politique d'achat et les coûts totaux correspondants.

1° Calculons la QÉC pour chaque tranche de prix, et vérifions la QÉC réalisable.

$$QÉC_{0,80} = \sqrt{\frac{2DT * Cc}{I * c}} = \sqrt{\frac{2 * 4000 * 30}{0,40 * 0,80}} = \sqrt{\frac{2 * 4000 * 30}{0,32}} = 866 \text{ interrupteu}$$

Cette situation n'est pas réalisable, car à 866 unités, le coût unitaire d'acquisition est de 0,85 $.

$$QÉC_{0,85} = \sqrt{\frac{2 * 4000 * 30}{0,40 * 0,85}} = \sqrt{\frac{2 * 4000 * 30}{0,34}} = 840 \text{ interrupteurs}$$

Cette situation est réalisable, car elle se trouve dans la zone acceptable de 500 à 999 interrupteurs.

2° Calculons les CT correspondants et comparons avec les CT pour 1000 unités :

$$CT_{840} = 4000 * 0,85 \$ + \frac{840}{2} * 0,34 \$ + \left(\frac{4000}{840}\right) * 30 \$ = 3686 \$$$

$$CT_{1000} = 4000 * 0,80 \$ + \frac{1000}{2} * 0,32 \$ + \left(\frac{4000}{1000}\right) * 30 \$ = 3480 \$$$

Le meilleur choix consiste à commander par lots de 1000 interrupteurs.

La figure 13.13 illustre cette situation.

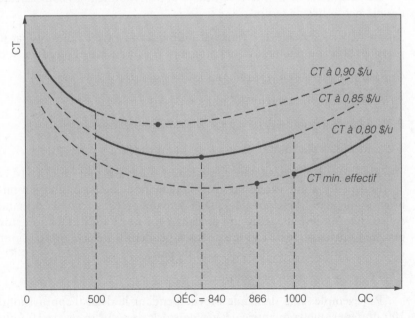

Figure 13.13

Évolution des CT (exemple 6)

13.5 LES POINTS DE COMMANDE : À QUEL MOMENT COMMANDER ?

point de commande
Moment où la quantité disponible d'un article atteint un niveau susceptible de déclencher le processus de réapprovisionnement.

Les modèles de QÉC indiquent quelle quantité commander, mais pas à quel moment commander. Pour savoir à quel moment commander, il faut utiliser des modèles qui déterminent le **point de commande (PC)** en termes de quantité : le point de commande arrive lorsque la quantité disponible atteint un niveau prédéterminé, qui inclut généralement la demande anticipée pendant le délai d'approvisionnement et peut-être un coussin supplémentaire de stock pour éviter une rupture de stock pendant ce délai. Pour savoir quand le point de commande est atteint, il faut tenir un inventaire permanent.

La préoccupation principale du gestionnaire est de commander lorsque la quantité disponible en inventaire est suffisante pour répondre à la demande pendant la période de livraison de cette commande (délai d'approvisionnement).

13.5.1 Point de commande en situation déterministe

Quatre facteurs déterminent le point de commande :

a) le taux de consommation (u) basé en général sur des prévisions de ventes ;

b) le délai d'approvisionnement (d) ;

c) l'importance de la demande ou la variabilité du délai d'approvisionnement ;

d) le risque acceptable de rupture de stock.

Si la demande et le délai d'approvisionnement sont tous les deux fixes, le point de commande (PC) se calcule par :

$$PC = u * d$$

où

u = taux de consommation (unités par jour ou par semaine)

d = délai d'approvisionnement en jours ou en semaines

Remarque : la demande et le délai d'approvisionnement sont calculés en fonction des mêmes unités de temps.

Exemple 7

Tijean achète les vitamines Deux par jour, qui sont livrées chez lui par un routier sept jours après la commande. À quel moment Tijean devrait-il renouveler sa commande ?

Solution

Consommation = 2 comprimés par jour = u

Délai d'approvisionnement = 7 jours = d

PC = consommation * délai d'approvisionnement

= 2 comprimés par jour * 7 jours = 14 comprimés

Tijean devrait donc renouveler sa commande lorsqu'il lui reste 14 comprimés.

stock de sécurité
Quantité entreposée pour pallier les variations de la demande et des délais de livraison.

Lorsqu'il y a une variabilité dans la demande, la consommation ou le délai d'approvisionnement, il est possible que la demande réelle excède la demande prévue. Par conséquent, il devient nécessaire de garder un stock additionnel ou **stock de sécurité** pour réduire le risque de rupture de stock pendant le délai d'approvisionnement. Dans ces cas, le point de commande se calcule par :

$$PC = u * d + \text{stock de sécurité}$$

Par exemple, si la demande prévue pendant le délai d'approvisionnement est de 100 unités et que la quantité désirée de stock de sécurité est de 10 unités, le PC sera de 110 unités.

L'équation ci-dessus est valable en « situation déterministe », où toutes les données en présence sont connues et précises. Nous analyserons en détail des « situations probabilistes » à la section 13.5.2.

La figure 13.14 illustre de quelle manière le stock de sécurité peut réduire le risque de rupture de stock pendant le délai d'approvisionnement (d). Notez que la provision en vue d'une rupture de stock n'est nécessaire que pendant le délai d'approvisionnement. Une fois la commande reçue et les stocks reconstitués, le risque de rupture est nul, et réapparaîtra une nouvelle fois à la fin du cycle.

Le gestionnaire doit évaluer avec soin les coûts de possession d'un stock de sécurité tout en tenant compte de la réduction du risque de rupture de stock. Le **niveau de service** est inversement proportionnel au risque de rupture de stock. Plus le risque de rupture de stock augmente, moins le niveau de service qu'une entreprise peut assurer à ses clients est élevé, et vice versa. Ainsi, un niveau de service de 95 % signifie que la probabilité que la demande ne dépasse pas l'offre pendant le délai d'approvisionnement est de 95 %. Le risque d'une rupture de stock et le niveau de service sont complémentaires : un niveau de service à la clientèle de 95 % implique un risque de rupture de stock de 5 %, c'est-à-dire :

> **niveau de service**
> Probabilité que la demande ne dépasse pas l'offre durant une période donnée.

Niveau de service = 100 % – risque de rupture de stock

Voyons maintenant quels facteurs influent sur la quantité de stock de sécurité à maintenir en situation probabiliste.

La quantité de stock de sécurité dépend :

a) du taux de consommation moyen ;

b) du délai d'approvisionnement (ou délai de livraison) moyen ;

c) de la variabilité de la demande et du délai d'approvisionnement ;

d) du niveau de service désiré.

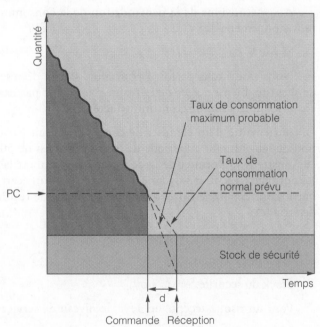

Figure 13.14

Effet des stocks de sécurité sur le point de commande

Le maintien d'un niveau de service constant pendant un cycle de commande exige qu'on tienne compte de la variabilité du taux de la demande ou du délai d'approvisionnement. Plus cette variabilité est grande, plus la quantité de stock de sécurité nécessaire est importante. De même, en présence d'une certaine variation dans la demande ou le délai d'approvisionnement, le fait d'accroître le niveau de service implique d'augmenter le stock de sécurité. Le choix d'un niveau de service peut refléter les coûts de rupture de stock (ventes perdues, insatisfaction du client) ou peut simplement représenter un aspect de la politique de l'entreprise (par exemple, un gestionnaire peut désirer obtenir un niveau particulier de service pour un article précis).

13.5.2 Point de commande en situation probabiliste

Rappelons les différentes situations où s'appliquent les modèles probabilistes, appelés aussi stochastiques :

a) variations des taux de consommation, délais d'approvisionnement à peu près fiables et stables ;

b) variations des délais d'approvisionnement, taux de consommation à peu près fiables et stables ;

c) variations des taux de consommation et des délais d'approvisionnement.

Or, quelle que soit la situation, le principe général de la détermination du point de commande (PC) en situation probabiliste est soumis à l'équation suivante :

PC = consommation moyenne durant la période de livraison + stock de sécurité ;

Stock de sécurité (Ss) = z * écart type de la consommation durant la période de livraison ;

alors :

PC = consommation moyenne + $z * \sigma_{d,u}$

où :

z = variable aléatoire de la distribution normale ; z est fonction du risque de pénurie acceptable

$\sigma_{d,u}$ = écart type de la demande (ou de la consommation u) durant le délai d'approvisionnement d ;

$Ss = z * \sigma_{d,u}$

Nous trouverons parfois l'expression « stock de réserve » pour désigner les stocks de sécurité, bien que ces deux réalités ne soient pas exactement les mêmes. Dans ce chapitre, nous les utiliserons indistinctement.

Exemple 8

Le contremaître d'un chantier de construction sait par expérience que la consommation de sable durant la période de livraison (d) est de 50 tonnes. De plus, son adjoint administratif l'informe que la consommation durant la période de livraison suit une loi normale, avec une moyenne de 50 tonnes et un écart type de cinq tonnes. Sachant que le contremaître est prêt à prendre un risque de rupture de stock (pénurie) de 3 %, déterminez :

a) le stock de réserve Ss à garder ;

b) le point de commande.

Solution

a) Stock de sécurité $Ss = z * \sigma_{d,u}$

Pour un risque accepté de 3 %, le niveau de service sera de :

100 % – 3 % = 97 %

La table normale nous donne, pour 97 %, un z = 1,88.

Sachant que $\sigma_{d,u}$ = 5 tonnes, alors :

Stock de sécurité = 1,88 * 5 = 9,40 tonnes

b) le PC se calcule par :

PC = consommation moyenne + stock de sécurité = 50 + 9,40 = 59,40 tonnes

La figure 13.15 illustre la relation entre le niveau de service et le risque de pénurie.

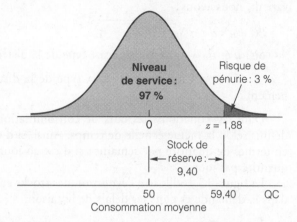

Figure 13.15
PC suivant une demande normale

Des variations seront apportées à la formule de base du PC en fonction des situations particulières que nous verrons ci-dessous.

Dans les cas où seuls les taux de consommation varient, l'établissement du point de commande se fait par l'équation :

$$PC = \bar{u} * d + z \sqrt{d} * \sigma_u$$

où : PC = point de commande

$\bar{u}$ = taux de consommation moyen ou demande moyenne

d = délai d'approvisionnement ou de livraison

σ_u = écart type des taux de consommation

z = variable aléatoire de la distribution normale

Soulignons la différence entre taux de consommation u (quantité consommée par période) et consommation (quantité) dans l'écriture des différentes formules de PC :

Consommation = taux de consommation * délai

Exemple 9

Un restaurant consomme en moyenne 50 pots de sauce par semaine avec un écart type de trois pots. La propriétaire aimerait assurer à ses clients un niveau de service de 90 %, soit un stock de réserve valable pour deux semaines, qui est le délai de livraison assuré par le fournisseur. En supposant que la demande suit une distribution normale, on vous demande d'établir le point de commande.

Solution

Un niveau de service de 90 % équivaut à un risque de pénurie de 10 %. Selon la distribution normale : $z = 1,28$.

$$PC = \bar{u} * d + z \sqrt{d} * \sigma_u = 50 * 2 + 1,28 \sqrt{2} * 3 = 100 + 5,43 = 105,43$$

Dans les cas où seuls les délais de livraison (ou d'approvisionnement) varient, le calcul du point de commande se fait par l'équation :

$$PC = u * \bar{d} + z * u * \sigma_d$$

où : PC = point de commande

u = taux de consommation ou demande

$\bar{d}$ = délai de livraison ou d'approvisionnement moyen

σ_d = écart type des délais de livraison

z = variable aléatoire de la distribution normale

Finalement, quand les délais d'approvisionnement et les taux de consommation varient, nous avons :

$$PC = \bar{u} * \bar{d} + z \sqrt{\bar{d} * \sigma_u^2 + \bar{u}^2 * \sigma_d^2}$$

où : $\bar{u}$ et σ_u = moyenne et écart type de la distribution de la demande

$\bar{d}$ et σ_d = moyenne et écart type de la distribution des délais d'approvisionnement

Dans ces équations, les taux de consommation (u) et les délais (d) doivent être définis selon la même échelle de temps. Ainsi, si d est en semaines, u doit être calculé en termes de quantité par semaine ; si d est en jours, u doit être calculé en termes de quantité par jour.

La figure 13.16 illustre l'évolution des stocks en situation probabiliste de variation dans la demande et dans les délais de livraison.

Figure 13.16

Rôle des S_s

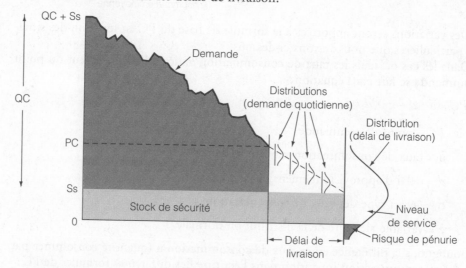

13.5.3 Rupture de stock et niveau de service

Pour un niveau de service donné, le calcul du point de commande PC ne permet pas de prévoir la quantité probable d'unités manquantes, c'est-à-dire la rupture de stock possible. Or, cette information s'avère souvent indispensable au gestionnaire. L'équation suivante définit le nombre probable d'unités en souffrance par cycle de commande.

$$E(n) = E(z) * \sigma_{u,d}$$

où : $E(n)$ = nombre probable d'unités en souffrance par cycle de commande

$E(z)$ = valeur calculée selon la loi normale et en fonction du niveau de service espéré, voir table 13.4.

$\sigma_{u,d}$ = écart type de la distribution de la consommation durant la période de livraison

L'exemple suivant illustre l'application de ce principe.

Exemple 10

Pour une période donnée et un écart type de la consommation de 20 unités, laquelle suit une distribution normale, on vous demande de :

a) déterminer la quantité probable en souffrance si on veut assurer au client un niveau de service par cycle de commande de 90 % ;

b) déterminer, si on accepte des ruptures de stock de deux unités par cycle en moyenne, le niveau de service par cycle (NSc) de commande que l'on pourra alors assurer aux clients.

TABLE 13.4			*Niveau de service espéré, loi normale*								
z	(NSc) Niveau de service par cycle	E(z)	z	(NSc) Niveau de service par cycle	E(z)	z	(NSc) Niveau de service par cycle	E(z)	z	(NSc) Niveau de service par cycle	E(z)
−2,40	0,0082	2,403	−0,80	0,2119	0,920	0,80	0,7881	0,120	2,40	0,9918	0,003
−2,36	0,0091	2,363	−0,76	0,2236	0,889	0,84	0,7995	0,112	2,44	0,9927	0,002
−2,32	0,0102	2,323	−0,72	0,2358	0,858	0,88	0,8106	0,104	2,48	0,9934	0,002
−2,28	0,0113	2,284	−0,68	0,2483	0,828	0,92	0,8212	0,097	2,52	0,9941	0,002
−2,24	0,0125	2,244	−0,64	0,2611	0,798	0,96	0,8315	0,089	2,56	0,9948	0,002
−2,20	0,0139	2,205	−0,60	0,2743	0,769	1,00	0,8413	0,083	2,60	0,9953	0,001
−2,16	0,0154	2,165	−0,54	0,2877	0,740	1,04	0,8508	0,077	2,64	0,9957	0,001
−2,12	0,0170	2,126	−0,52	0,3015	0,712	1,08	0,8599	0,071	2,68	0,9963	0,001
−2,08	0,0188	2,087	−0,48	0,3156	0,684	1,12	0,8686	0,066	2,72	0,9967	0,001
−2,04	0,0207	2,048	−0,44	0,3300	0,657	1,16	0,8770	0,061	2,76	0,9971	0,001
−2,00	0,0228	2,008	−0,40	0,3446	0,630	1,20	0,8849	0,056	2,80	0,9974	0,0008
−1,96	0,0250	1,969	−0,36	0,3594	0,597	1,24	0,8925	0,052	2,84	0,9977	0,0007
−1,92	0,0294	1,930	−0,32	0,3745	0,576	1,28	0,8997	0,048	2,88	0,9980	0,0006
−1,88	0,0301	1,892	−0,28	0,3897	0,555	1,32	0,9066	0,044	2,92	0,9982	0,0005
−1,84	0,0329	1,853	−0,24	0,4052	0,530	1,36	0,9131	0,040	2,96	0,9985	0,0004
−1,80	0,0359	1,814	−0,20	0,4207	0,507	1,40	,9192	0,037	3,00	0,9987	0,0004
−1,76	0,0392	1,776	−0,16	0,4364	0,484	1,44	0,9251	0,034	3,04	0,9988	0,0003
−1,72	0,0427	1,737	−0,12	0,4522	0,462	1,48	0,9306	0,031	3,08	0,9990	0,0003
−1,68	0,0465	1,699	−0,08	0,4681	0,440	1,52	0,9357	0,028	3,12	0,9991	0,0002
−1,64	0,0505	1,661	−0,04	0,4840	0,419	1,56	0,9406	0,026	3,16	0,9992	0,0002
−1,60	0,0548	1,623	0,00	0,5000	0,399	1,60	0,9452	0,023	3,20	0,9993	0,0002
−1,56	0,0594	1,586	0,04	0,5160	0,379	1,64	0,9495	0,021	3,24	0,9994	0,0001
−1,52	0,0643	1,548	0,08	0,5319	0,360	1,68	0,9535	0,019	3,28	0,9995	0,0001
−1,48	0,0694	1,511	0,12	0,5478	0,342	1,72	0,9573	0,017	3,32	0,9995	0,0001
−1,44	0,0749	1,474	0,16	0,5636	0,324	1,76	0,9608	0,016	3,36	0,9996	0,0001
−1,40	0,0808	1,437	0,20	0,5793	0,307	1,80	0,9641	0,014	3,40	0,9997	0,0001
−1,36	0,0869	1,400	0,24	0,5948	0,290	1,84	0,9671	0,013			
−1,32	0,0934	1,364	0,28	0,6103	0,275	1,88	0,9699	0,012			
−1,28	0,1003	1,328	0,32	0,6255	0,256	1,92	0,9726	0,010			
−1,24	0,1075	1,292	0,36	0,6406	0,237	1,96	0,9780	0,009			
−1,20	0,1151	1,256	0,40	0,6554	0,230	2,00	0,9772	0,008			
−1,16	0,1230	1,221	0,44	0,6700	0,217	2,04	0,9793	0,008			
−1,12	0,1314	1,186	0,48	0,6844	0,204	2,08	0,9812	0,007			
−1,08	0,1401	1,151	0,52	0,6985	0,192	2,12	0,9830	0,006			
−1,04	0,1492	1,117	0,56	0,7123	0,180	2,16	0,9846	0,005			
−1,00	0,1587	1,083	0,60	0,7257	0,169	2,20	0,9861	0,005			
−0,96	0,1685	1,049	0,64	0,7389	0,158	2,24	0,9875	0,004			
−0,92	0,1788	1,017	0,68	0,7517	0,148	2,28	0,9887	0,004			
−0,88	0,1894	0,984	0,72	0,7642	0,138	2,32	0,9898	0,003			
−0,84	0,2005	0,952	0,76	0,7764	0,129	2,36	0,9909	0,003			

Solution

a) $\sigma_{u,d}$ = 20 unités ;

À un niveau de service de 90 %, le tableau 13.4 nous donne E(z) = 0,048.

Le nombre probable d'unités en souffrance sera alors :

$E(n) = E(z) * \sigma_{u,d} = 0,048 * 20 = 0,96 = 1$ unité

b) Si $E(n)$ = 2, alors $E(z) = E(n) / \sigma_{u,d} = 2 / 20 = 0,10$

Par interpolation du tableau 13.4, on obtient un niveau de service par cycle NSc de 81,50 % pour chaque cycle de commande.

Soulignons que E(n) indique un nombre approximatif d'unités en souffrance par cycle de commande. Si on désire connaître le nombre probable d'unités en souffrance durant l'année, on procédera au calcul suivant :

$$E(N) = E(n)\frac{DT}{QC}$$

où : $E(N)$ = nombre d'unités en souffrance durant l'année

DT = demande totale durant l'année

QC = quantité commandée par cycle

et $DT/QC = N$ = nombre de commandes passées durant l'année

Exemple 11

À partir des informations suivantes, calculez le nombre probable d'unités en souffrance durant l'année.

DT = 1000 ; QC = 250 ; E(n) = 2,5 unités par cycle

Solution

N = nombre de commandes pour l'année = DT/QC = 1000 / 250 = 4 commandes

E(N) = 2,5 * 4 = 10 unités durant l'année

Jusqu'ici, nous avons calculé le niveau de service par cycle de commande. Or, il arrive parfois que nous voulions le déterminer pour l'ensemble de l'année. Le résultat de ce calcul peut refléter un niveau de service différent de celui que nous avions calculé pour un cycle, car le niveau de service annuel dépend du nombre de commandes effectuées durant l'année, comme le démontre l'exemple suivant. En supposant que DT = 1000 et que nous ayons en stock seulement 990 unités, alors nous aurons une pénurie de 10 unités seulement et un niveau de service annuel de 990 / 1000 = 0,99 ou 99 %.

Le niveau de service annuel « NSa » se calcule par

$$NSa = 1 - \frac{E(N)}{DT}$$

Sachant que

$$E(N) = E(n)\frac{DT}{QC} = E(z)\sigma_{u,d}\left(\frac{DT}{QC}\right)$$

alors

$$NSa = 1 - \frac{E(z)\ \sigma_{u,d}}{QC}$$

Exemple 12

Sachant que le niveau de service par cycle de commande est de 90 %, DT = 1000 unités, QC = 250 et $\sigma_{u,d}$ = 16 (écart type de la distribution de la consommation), calculez :

a) le niveau de service annuel ;

b) le stock de sécurité pouvant assurer un niveau de service annuel de 98 %.

a) On peut voir au tableau 13.4 qu'un niveau de service par cycle de 90 % donne un $E(z) \approx 0,048$.

$$NSa = 1 - \frac{E(z)\ \sigma_{u,d}}{QC} = 1 - 0,048 * \frac{16}{250} = 0,997$$

On voit alors qu'un niveau de service par cycle de 90 % se traduit, pour la situation étudiée, par un niveau de service annuel de 99,7 %.

b) Si on désire un NSa de 98 %, le $E(z)$ correspondant est de :

$$0,98 = 1 - \frac{E(z) * 16}{250}\ ;\ E(z) = 0,312$$

Dans le tableau 13.4, $E(z) = 0,312$ se trouve entre $E(z) = 0,307$ (où $z = 0,20$) et $0,324$ (où $z = 0,16$). On peut approximer un $z = 0,19$.

Sachant qu'un stock de sécurité Ss se calcule par $Ss = z * \sigma_{u,d}$,

Ss = 0,19 * 16 = 3,04 ou 3 unités

Cela veut dire que le fait de garder un Ss de trois unités nous assurera un NSa de 98 %.

Pour conclure, soulignons que :

a) pour une situation donnée, le niveau de service annuel est supérieur ou égal au niveau de service par cycle : NSa ≥ NSc

b) les entreprises préfèrent établir en premier un niveau de service annuel et, par la suite, le NSc et le Ss (stock de sécurité) correspondants, comme nous l'avons fait à l'exemple 12 b).

13.6 LE MODÈLE D'APPROVISIONNEMENT À INTERVALLE FIXE

On utilise la **méthode d'approvisionnement à intervalle fixe** lorsqu'on doit faire des commandes à intervalles fixes (chaque semaine, deux fois par mois, etc.). Cette méthode est aussi appelée approvisionnement à période fixe ou à une date fixe. À chaque point de commande, il faut se poser la question : quelle quantité doit-on commander en vue de la prochaine livraison, cette livraison se faisant à une date fixe ? Si la demande est variable, la quantité à commander variera à chaque intervalle. Cette approche est très différente des modèles de QÉC et de points de commande, où la taille des lots commandés reste généralement stable d'un intervalle à l'autre, tandis que la durée des intervalles varie (elle est plus courte si la demande est supérieure à la moyenne, plus longue si la demande est inférieure à la moyenne).

On effectue les commandes selon des intervalles d'approvisionnement fixes (**IAF**).

Bien que plusieurs entreprises manufacturières rejettent cette politique d'approvisionnement pour les produits importants ou ceux qui sont achetés en grandes quantités, le modèle à intervalle fixe représente des avantages certains dans plusieurs situations, surtout dans le secteur des services. En effet, nous ne pouvons pas toujours suivre à la trace le niveau de stocks des produits entreposés, que ce soit au moyen de l'inventaire permanent ou d'un autre moyen. Nous préférerons alors, dans certains cas, regrouper les produits acquis d'une même source et placer périodiquement une commande consolidée. Les épiceries et les établissements de commerce au détail procèdent de cette façon.

Or, en situation déterministe, quand le taux de consommation et le délai de livraison sont parfaitement connus et constants, le modèle d'approvisionnement à intervalle fixe (IAF) et ceux que nous avons étudiés précédemment (QÉC et PC) sont gérés de la même façon. Par contre, le mode de gestion diffère quand le taux de consommation et les délais de livraison varient et que nous sommes en situation probabiliste. Dans

Méthode d'approvisionnement à intervalle fixe ou à période fixe

cet ouvrage, nous analyserons uniquement les situations de taux de consommation variables et de délais de livraison constants car ces situations sont le plus communes. À titre indicatif, la figure 13.17 illustre l'évolution de stock avec QC fixe (13.17 A) et avec intervalle ou période fixe (13.17 B). Remarquons que dans le modèle de QC fixe, les commandes sont données au point de commande déterminé en unités, comme nous l'avons analysé à la section 13.5 ; en situation à d'IAF (intervalle d'approvisionnement fixe), la commande est donnée à une date fixe.

Le modèle d'IAF est plus sensible aux ruptures de stock que les modèles précédents. En effet, supposons que nous détections une augmentation soudaine du taux de consommation ; si nous fonctionnons selon les modèles de QÉC ou de PC, nous pouvons placer une commande supplémentaire à n'importe quel moment. Dans le modèle d'IAF, il faudra attendre la prochaine livraison et commander en plus grande quantité à ce moment. À la figure 13.17 B, ce phénomène est illustré au deuxième cycle. Rappelons l'autre différence majeure entre ces deux approches, soit le niveau de contrôle et de suivi de l'évolution des stocks. Contrairement aux modèles d'approvisionnement à intervalle variable, qui exigent qu'on fasse un suivi serré et continu de l'évolution du niveau des stocks pour savoir à quel moment commander, le modèle d'IAF sera plus simple à gérer. Il suffit de déterminer à des moments précis la quantité à commander, et cela, par une simple inspection du niveau de stock.

Figure 13.17

Évolution du stock

A. QC fixe

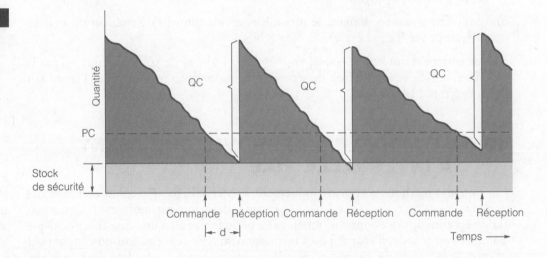

B. Intervalle fixe

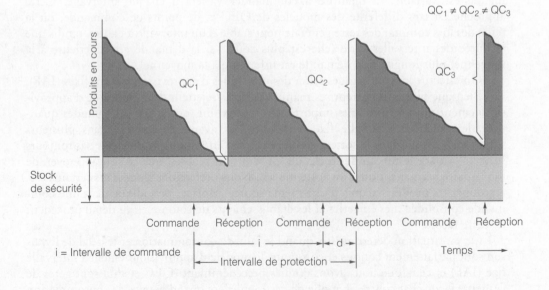

Les quantités à commander (QC) en situation d'approvisionnement à intervalle fixe (IAF) se calculent par :

Quantité à commander = consommation prévue durant l'intervalle de protection + stock de sécurité – quantité en main.

L'intervalle de protection (IP) = délai de livraison + durée de l'intervalle (i) que nous nous sommes fixé dans le modèle (voir figure 13.17 B) :   IP = i + d

Donc :

$$QC = \bar{u}\,(i + d) + z\sigma_u \sqrt{(i + d)} - Sa$$

où :

QC = quantité à commander

z = variable aléatoire de la distribution normale

σ_u = écart type de la distribution de la consommation

Sa = stock actuel en main au moment de la commande

Nous supposons que dans notre modèle, la consommation suit une distribution normale.

Sachant que :

$\bar{u}$ = 30 unités/jour ; stock en main = 71 unités ; d = 2 jours ;
Niveau de service ; i = 7 jours ; = 99 %

σ_u = 3 unités/jour, calculons la quantité à commander QC.

Selon la table normale reproduite à la fin du livre (voir table A) pour un niveau de service de 99 %, alors z = 2,33

$$QC = \bar{u}\,(i + d) + z\sigma_u \sqrt{(i + d)} - S_a = 30(7 + 2) + 2,33 * 3 \sqrt{(7 + 2)} - 71 = 220 \text{ unités}$$

Exemple 13

Solution

13.7 LE MODÈLE DE STOCK POUR VENTE UNIQUE

On utilise le **modèle de stock pour vente unique** pour traiter les commandes de denrées périssables (fruits, légumes, fruits de mer, boulangerie, fleurs) et pour les articles ayant un cycle de vie réduit (journaux, magazines, pièces de rechange pour de l'équipement spécialisé). La «période» des pièces de rechange correspond à la vie de l'équipement, en supposant que les pièces ne peuvent servir à un autre type d'équipement. Les biens invendus ou inutilisés se situent à part, car ils ne peuvent généralement pas être transférés d'une période à une autre, du moins, pas sans pénalité. Par exemple, on peut vendre les aliments cuisinés la veille, mais à rabais ; on jette les fruits de mer en surplus et on offre les magazines périmés à rabais aux bouquinistes. Il peut également y avoir des frais afférents à la vente de marchandises en surplus.

Deux coûts se rattachent au modèle pour vente unique : les **coûts de rupture** et les **coûts d'obsolescence** des stocks. Le coût de rupture peut compter des frais pour perte d'achalandage, de même que des frais pour le coût d'opportunité des ventes perdues. En général, le coût de rupture de stock représente simplement le profit qui aurait pu être réalisé par unité.

Crupture = C_p = prix unitaire – coût unitaire

Si une pénurie ou une rupture se rapporte à un article utilisé dans la production ou à une pièce de rechange pour une machine, le coût de pénurie est le coût réel de la perte de production.

modèle de stock pour vente unique
Modèle conçu pour faciliter la commande de denrées périssables ou d'autres articles ayant des cycles de vie utile réduits.

coût de rupture de stock ou de pénurie
Profit perdu par suite de l'absence de produits en stock.

Les coûts d'obsolescence et de détérioration concernent les articles en surplus à la fin de la période. Ces coûts représentent la différence entre le coût d'acquisition et la valeur de récupération.

$C_{obsolescence}$ = Cd = coût d'acquisition – valeur de récupération

L'objectif du modèle pour vente unique est de déterminer la quantité à commander ou le niveau de stock qui, à long terme, réduira les coûts d'obsolescence et de pénurie.

Plus loin, nous étudierons deux catégories de problèmes : ceux où on peut évaluer la demande avec une distribution continue (une distribution théorique comme la distribution uniforme ou normale) et ceux où on peut évaluer la demande avec une distribution discontinue (par exemple la prévision des ventes par analogie ou une distribution théorique comme celle de Poisson).

Figure 13.18

So et équilibrage entre Cd et Cp

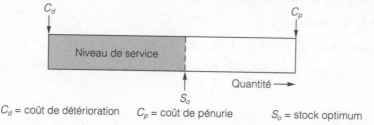

C_d = coût de détérioration C_p = coût de pénurie S_o = stock optimum

Le type de marchandise permet de choisir le modèle approprié. Par exemple, comme la demande pour le pétrole, les liquides et les gaz tend à varier sur une échelle continue, ce genre de marchandises se prête donc à la distribution continue. La demande pour les tracteurs, les voitures et les ordinateurs s'exprime en termes de nombre d'unités requises et se prête à une distribution de type discontinu. En termes mathématiques, on dit que les premiers suivent des variations continues, tandis que les autres suivent des variations discrètes.

13.7.1 Niveaux de stocks continus

Il peut être plus facile d'imaginer le concept de détermination d'un niveau de stock optimal lorsque la demande est uniforme. Imaginons qu'un niveau de stock est le point d'équilibre d'une balançoire. Mais au lieu d'avoir une personne à chaque bout de la balançoire, il y a le coût de détérioration et d'obsolescence unitaire (Cd) à une extrémité (de la distribution) et le coût unitaire de pénurie (Cp) à l'autre. Le niveau d'inventaire optimal (So) ressemble au pivot de la balançoire : il équilibre le poids des coûts, comme cela est illustré à la figure 13.18.

Le niveau de service est la probabilité que la demande n'excédera pas le niveau de stock, et le calcul du niveau de service est la clé pour trouver le niveau optimal de stock, So.

$$NSo = \frac{Cp}{Cd + Cp}$$

où

NSo = niveau de service optimal

Cp = coût unitaire de pénurie

Cd = coût de détérioration et d'obsolescence à l'unité

Il y a pénurie si la demande réelle est supérieure à So ; Cp se trouve donc à l'extrême droite de la distribution. De la même manière, si la demande est inférieure à So, il y a un surplus, donc Cd est à l'extrême gauche de la distribution. Lorsque Cd = Cp, le niveau optimal d'inventaire se situe au centre de la distribution. Si un coût est supérieur à un autre, So est plus près du coût le plus élevé.

Exemple 14

Chaque semaine, le Bar du cidre reçoit du cidre. La demande varie uniformément de 300 à 500 litres par semaine. Cindy achète le litre à 0,20 $ et le vend 0,80 $. Le cidre invendu n'a pas de valeur de récupération et ne peut se conserver plus d'une semaine. Trouvez le niveau de stock optimal et le risque de rupture de stock correspondant.

Solution

Cd = coût unitaire – valeur de récupération à l'unité

    = 0,20 $ – 0 $

    = 0,20 $ l'unité

Cp = prix de vente unitaire – coût unitaire

    = 0,80 $ – 0,20 $

    = 0,60 $ l'unité

$$NSo = \frac{Cp}{Cd + Cp} = \frac{0,60\ \$}{0,60\ \$ + 0,20\ \$} = 0,75, \text{ soit } 75\ \%$$

Le **stock optimal** So doit donc répondre à la demande 75 % du temps. Pour une distribution uniforme, il devra se situer au niveau de la demande minimale plus 75 % de la différence entre les demandes minimale et maximale :

stock optimal
$S_0 = D_{min} + NS_0 (D_{max} - D_{min})$

So = 300 + 0,75 (500 – 300) = 450 litres

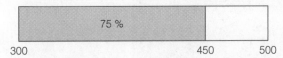

Le risque de pénurie est de 1,00 – 0,75 = 0,25 ou 25 %.

Exemple 15

Le Bar du cidre vend aussi un mélange de jus de cerise et de cidre. La distribution de demande pour le mélange est à peu près normale, avec une moyenne de 200 litres par semaine et un écart type de 10 litres par semaine. Cp = 0,60 $ le litre et Cd = 0,20 $ le litre. Trouvons le stock optimal pour le mélange de jus.

Solution

$$NSo = \frac{Cp}{Cp + Cd} = \frac{0,60\ \$}{0,60\ \$ + 0,20\ \$} = 0,75 \text{ ou } 75\ \%$$

Donc, 75 % de l'espace situé sous la courbe normale doit se trouver à gauche du niveau de stock. La table normale nous montre qu'une valeur de z entre +0,67 et +0,68, soit 0,675, conviendrait. Ainsi :

So = moyenne + $z\sigma$

So = 200 litres + 0,675 (10 litres) = 206,75 litres

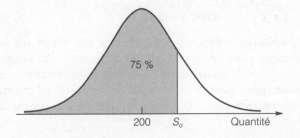

13.7.2 Niveaux de stocks discontinus

Lorsque les niveaux de stocks sont discontinus plutôt que continus, le niveau de service NSo ne coïncide généralement pas avec un niveau de stock réalisable (par exemple, la quantité optimale peut se trouver entre cinq et six unités). La solution consiste à stocker au prochain niveau le plus élevé (ici, six unités). En d'autres mots, choisissez le niveau de stock qui permet d'égaler ou de dépasser le niveau de service désiré. La figure 13.19 illustre ce concept.

L'exemple 16 montre l'utilisation d'une distribution empirique, et l'exemple 17 illustre l'emploi d'une distribution de Poisson.

Exemple 16

Les données existantes sur l'utilisation des pièces de rechange pour plusieurs grandes presses hydrauliques serviront à prédire la consommation de pièces de rechange pour une nouvelle presse récemment installée. Les informations concernant la fréquence d'utilisation passée des pièces de rechange apparaissent ci-dessous. Les coûts de pénurie comprennent les dépenses reliées aux arrêts de production et les coûts d'une commande spéciale. Ces coûts atteignent environ 4200 $ par unité manquante. Les pièces de rechange coûtent 800 $ chacune et les pièces inutilisées ont une valeur de récupération de zéro. Trouvez le niveau de stock optimal (S_o).

Figure 13.19

Niveau de stock discontinu (discret)

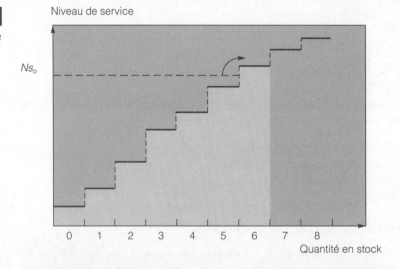

Utilisation des pièces		
Nombre	**Fréquence**	**Fréquence cumulative**
0	0,20	0,20
1	0,40	0,60
2	0,30	0,90
3	0,10	1,00
4 ou plus	0,00	
	1,00	

Solution

$$Cp = 4200\ \$;\ Cd = 800\ \$;\ NSo = \frac{Cp}{Cp + Cd} = \frac{4200\ \$}{4200\ \$ + 800\ \$} = 0,84$$

La colonne de fréquence cumulative indique le pourcentage de temps où la demande ne dépassait pas une certaine quantité (était égale ou inférieure). Par exemple, la demande ne dépasse pas une pièce de rechange 60 % du temps ou deux pièces de rechange 90 % du temps. Donc, pour obtenir un niveau de service d'au moins 84 %, il faudra stocker deux pièces de rechange (aller, par exemple, vers le prochain niveau d'inventaire le plus élevé).

Exemple 17

On veut évaluer la demande pour des roses rouges à longue tige chez un fleuriste. La consommation actuelle est de quatre douzaines de roses par jour et suit une distribution statique selon la loi de Poisson. Le profit sur les roses est de 3 $ la douzaine. Les fleurs en surplus sont soldées et mises en vente le jour suivant avec une perte de 2 $ la douzaine. En supposant que toutes les fleurs en solde sont vendues, quel est le niveau optimal d'unités en stock?

$$Cp = 3 \ \$ \ ; \ Cd = 2 \ \$ \ ; \ NSo = \frac{Cp}{Cp + Cd} = \frac{3,00 \ \$}{3,00 \ \$ + 2,00 \ \$} = 0,60$$

Trouvez les fréquences cumulatives à l'aide tableau de Poisson (tableau E de l'annexe) pour une moyenne de 4. Le tableau ci-dessous est un extrait de la table de Poisson.

Consommation moyenne (dz./jour)	Fréquence cumulative
0	0,018
1	0,092
2	0,238
3	0,434
4	0,629
5	0,785
...	...

Comparez le niveau de service aux fréquences cumulatives. Pour avoir un niveau de service d'au moins 0,60, il faut conserver quatre douzaines de fleurs en stock. Notons un dernier point à propos des niveaux d'inventaire discontinus : si le niveau de service calculé est tout à fait égal à la probabilité cumulative associée à l'un des niveaux de stock, il y a deux niveaux de stocks équivalents en ce qui concerne la réduction du coût à long terme : à probabilité égale et celui qui est immédiatement supérieur. Ainsi, dans l'exemple précédent, si le ratio avait égalé 0,629, il n'y aurait eu aucune différence entre un stock de quatre douzaines par jour et un stock de cinq douzaines par jour.

13.8 Conclusion

Les stocks sont des éléments essentiels aux opérations de toute entreprise. Or, il est malsain qu'ils soient trop élevés. Il y a deux raisons à cela. Premièrement, les stocks tendent à masquer les problèmes ; il devient plus facile de vivre avec des problèmes que de les éliminer. Deuxièmement, les stocks sont coûteux à posséder. Par conséquent, une stratégie d'opérations sage est de chercher à diminuer les stocks 1) en réduisant la taille des lots des commandes et 2) en réduisant le stock de sécurité.

Les fabricants japonais utilisent des tailles de lots de commandes plus petites que les Occidentaux, car ils ont une vision différente des coûts d'entreposage. En plus des éléments habituels (par exemple l'entreposage, la manutention, l'obsolescence), ils reconnaissent le coût d'opportunité des arrêts de travail, l'incapacité de rapprocher les machines et les ouvriers et les problèmes cachés concernant la qualité du produit et les bris d'équipement. Pour ces raisons, les coûts de possession des stocks ou d'entreposage augmentent de plus en plus. La figure 13.20 montre l'impact d'un augmentation des coûts de possession (Ce) sur la QÉC (quantité économique à commander).

Rappelons qu'au niveau de la QÉC, les coûts de possession (Ce) et les coûts de commande (Cc) sont égaux.

Même si les fabricants occidentaux pensent pouvoir quantifier aisément ces coûts, ils devraient réévaluer constamment les coûts d'entreposage et les réviser à la hausse.

Autre élément qui incite à minimiser les QÉC : les coûts de commande associés, dans le cas des entreprises manufacturières, aux coûts de mise en route et de lancement d'une série en production. On peut citer de nombreux cas où des efforts de recherche ont réduit ces coûts. Cependant, si la réduction reliée aux coûts de possession provient d'une réévaluation de ces derniers, celle qui est reliée aux coûts de commande ou de réglage doit provenir d'une poursuite active de l'amélioration. Toutes les approches d'amélioration continue (*kaïzen*, balisage, *benchmarking*) contribuent à cela. Et ensemble, toutes ces réductions conduisent à des tailles de lots encore plus petites (voir la figure 13.21).

Figure 13.20

*Effet d'une aumentation
des Ce sur la QÉC
Ce = coût d'entreposage
Cc = coût de commande
QÉC = quantité
économique à commander*

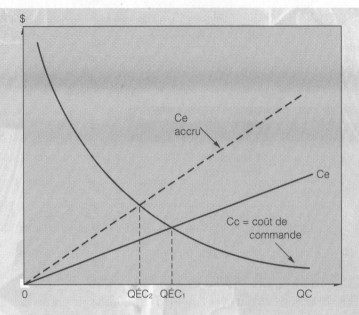

Figure 13.21

*Effet combiné des Ce et
des Cc sur la QÉC*

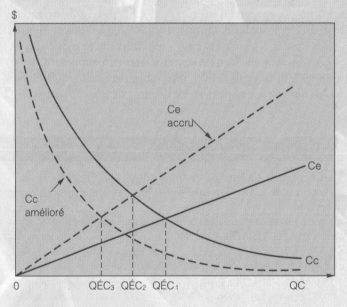

Finalement, les entreprises peuvent obtenir des réductions supplémentaires des niveaux de stock en réduisant la quantité de stock de sécurité. Si elles réduisent le délai d'approvisionnement et sa variabilité, les stocks de sécurité baisseront.

Les entreprises peuvent souvent procéder à ces réductions en travaillant avec les fournisseurs, en les choisissant proches de leur entrepôt et en réduisant les tailles des lots.

La loi de Pareto ou méthode ABC est utile lorsqu'on cherche à obtenir ces réductions. On étudie toutes les phases de l'opération, en commençant par celles qui présentent le meilleur potentiel d'amélioration. Des résultats rapides prouveront aux gestionnaires et aux travailleurs les avantages de cette stratégie, ce qui les encouragera fournir des efforts supplémentaires.

Enfin, il est important de tenir des fiches de stock précises et à jour. Il faut périodiquement refaire les évaluations des coûts de possession des stocks, des coûts de réglage et des délais d'approvisionnement et, au besoin, les mettre à jour.

Une bonne gestion des stocks est souvent le signe que l'entreprise est bien gérée. Car, pour y arriver, on doit planifier soigneusement les niveaux de stock de manière à équilibrer les coûts de possession des stocks et les coûts d'un service à la clientèle d'un niveau raisonnable. Une saine gestion des stocks nécessite d'implanter un système pour retracer les transactions de stock, de posséder une information précise sur la demande et les délais d'approvisionnement, de faire des évaluations réalistes de certains coûts rattachés à l'inventaire et d'établir un système de priorités pour classifier les articles en inventaire et de répartir les efforts de contrôle.

Dans ce chapitre, nous avons étudié quatre méthodes pour gérer une demande indépendante des articles en stock : la QÉC, le PC, la quantité fixe de commande et le modèle de stock pour vente unique. On utilise les trois premières si les articles non utilisés peuvent être transférés aux périodes subséquentes. On se sert du modèle de stock pour vente unique quand on ne peut transférer les articles. Le modèle de quantité économique à commander (QÉC) s'intéresse à la quantité précise à commander. Les méthodes basées sur le point de commande (PC) indiquent le moment de la commande : on les utilise surtout dans les situations où il y a des variations de la demande ou du délai d'approvisionnement. De plus, elles indiquent le niveau de service et le niveau de stock de sécurité. Une autre politique d'approvisionnement est celle d'approvisionnement à intervalle fixe (AIF). Quant au modèle de stock pour vente unique, il sert pour les articles qui ont une « durée de stockage » limitée. Le tableau 13.5 résume toutes les méthodes exposées dans ce chapitre.

Terminologie

Code universel des produits (CUP)	Méthode à deux casiers ou méthode à double casier
Commande en souffrance	
Coût d'entreposage ou de possession	Modèle d'approvisionnement à intervalle fixe (AIF) ou à date d'approvisionnement fixe (DAF)
Coût de détérioration ou d'obsolescence (coût d'acquisition initial — valeur de rebut)	
	Modèle de stock pour vente unique
Coût de rupture de stock ou coût de pénurie	Niveau de service
Coûts ou frais de passation de commande	Niveau de service annuel
Coûts de commande	Niveau de service par cycle ou par période
Coûts de possession ou d'entreposage	Point de commande ou seuil de commande
Délai d'approvisionnement ou de livraison	Quantité économique à commander ou lot économique ou série économique (de réapprovisionnement)
Demande dépendante ou consommation dépendante	
Demande indépendante ou consommation indépendante	Quantité fixe de commande ou approvisionnement en quantité fixe
ERO (entretien/réparation/opération)	Remise sur quantité
Fiche de stock	Rupture de stock
Gestion des stocks	Stock
Intervalle de protection	Stock actif
Inventaire périodique ou inventaire intermittent	Stock de sécurité ou de réserve
Inventaire permanent	Système d'inventaire permanent
Méthode ABC ou analyse ABC (inventaire tournant ou dénombrement périodique)	

TABLEAU 13.5

Résumé des formules

Modèle	Formule	Symboles
1. QÉC en réception instantanée	$QÉC = \sqrt{\dfrac{2DT * Cc}{Ce}}$ ou $QÉC = \sqrt{\dfrac{2DT * Cc}{I * c}}$ $Ce = I * c$ $CT = Cte + Ctc = \dfrac{QC}{2} * Ce + \dfrac{DT}{QC} * Cc$ $i = \dfrac{QÉC}{DT} *$ nombre de jours par année Nombre de commandes $= N = \dfrac{DT}{QC}$ $Smax = QÉC$	$QÉC$ = quantité économique à commander DT = demande totale I = fraction de la valeur c ($/u) de l'unité en stock Ce = coûts unitaires de possession Cte = coûts totaux d'entreposage Cc = coûts de transmission d'une commande Ctc = coûts totaux de commande i = intervalle de commande (en jours)

(suite à la page suivante)

Modèle	Formule	Symboles
2. QÉC et LÉ en réception échelonnée	$LÉ = QÉC = \sqrt{\left(\dfrac{2DT * Cc}{Ce}\right)\left(\dfrac{p}{p-u}\right)}$ $Smax = QÉC\left(1 - \dfrac{u}{p}\right)$ $PRS = \dfrac{Smax}{(p-u)} = \dfrac{LÉ}{p}$ $i = \dfrac{QÉC}{u}$	$LÉ$ = lot économique = QÉC p = taux d'approvisionnement (production) u = taux d'utilisation (consommation) $Smax$ = stock maximum PRS = période de reconstitution des stocks
3. Remise sur quantité	$CT = Cta + Cte + Ctc$	c = coût unitaire d'acquisition Cta = coûts totaux d'acquistion
4. Point de commande a) stock de sécurité b) consommation et délai fixes c) consommation variable d) délai variable e) consommation et délai variables	$PC = u * d + Ss$ $Ss = z * \sigma_{d,u}$ $PC = u * d$ $PC = \bar{u} * d + z\sqrt{d} * \sigma_u$ $PC = u * \bar{d} + z * u * \sigma_d$ $PC = \bar{u} * \bar{d} + z\sqrt{\bar{d} * \sigma_u^2 + \bar{u}^2 * \sigma_d^2}$	PC = point de commande $\bar{d}$ = délai de livraison d = délai de livraison moyen $\bar{\sigma}_d$ = écart type de livraison u = taux de consommation moyen σ_u = écart type de la consommation z = variable aléatoire normale Ss = stock de sécurité ou de réserve
5. Point de commande a) pénurie par cycle b) pénurie par année c) NSa	$E(n) = E(z) * \sigma_{u,d}$ $E(N) = E(n)\dfrac{DT}{QC}$ $NSa = 1 - \dfrac{E(z)\sigma_{u,d}}{QC}$	$E(n)$ = nombre probable d'unités en pénurie par cycle de commande $E(z)$ = valeur calculée selon la loi normale et en fonction du niveau de service espéré $\sigma_{u,d}$ = écart type de la distribution de la consommation durant la livraison $E(N)$ = nombre d'unités en pénurie durant l'année NSa = niveau de service annuel
6. Intervalle d'approvisionnement fixe	$QC = \bar{u}(i+d) + z\sigma_u\sqrt{(i+d)} - Sa$	NSc = niveau de service par cycle Nsa = niveau de service annuel Sa = stock actuel en main $I - d$ = intervalle de protection
7. Modèle de stock pour vente unique	$NSo = \dfrac{C_p}{C_p + C_d}$ $S_0 = D_{min} + NS_0(D_{max} - D_{min})$	NS_o = niveau de service optimum S_o = stock optimum C_p = coût de pénurie C_d = coût de détérioration

Problèmes résolus

Problème 1

Réception instantanée. Un fabricant de jouets utilise environ 32 000 morceaux de silicone par année. Les morceaux sont consommés à un taux constant pendant les 240 jours de l'année où l'usine est en activité. Le coût annuel de possession est de 0,60 \$/u et le coût de commande, de 24 \$. Trouvez :

a) la taille optimale de commande ;

b) l'intervalle de commande exprimé en jours.

D = 32 000 morceaux par année ; Ce = 24 ; Cc = 0,60 \$ l'unité par année

Solution

a)
$$QÉC = \sqrt{\frac{2DT \times Cc}{Ce}} = \sqrt{\frac{2 \times 32\,000 \times 24}{0,60}} = 1600 \text{ morceaux}$$

b) $i = \dfrac{QÉC}{DT} \times$ nombre de jours $= \dfrac{32\,000}{1600} \times 240$ j = 12 jours

Qo/D = 1600 morceaux / 32 000 morceaux par année = 1 / 20 année (c'est-à-dire 1 / 20 × 240) ou 12 jours

Réception échelonnée. La Dine Corporation est à la fois fabricant et utilisateur de joints de laiton. L'entreprise fonctionne 220 jours par année et utilise les joints à raison de 50 par jour. On peut en fabriquer 200 par jour. Le coût d'entreposage annuel est de 1 $ par joint, et le coût de réglage des machines est de 35 $ par série.

a) Trouvez le lot économique à lancer en production.

b) Combien de séries y aura-t-il environ par année?

c) Calculez la taille de l'entrepôt nécessaire.

d) Calculez la période de consommation pure.

a) DT = 50 unités par jour × 220 jours par année = 11 000 unités par année

C_c = 35 $

C_e = 1 $ l'unité par année

p = 200 unités par jour

u = 50 unités par jour

$$LÉ = \sqrt{\left(\frac{2DT * Cc}{Ce}\right)\left(\frac{p}{p-u}\right)} = \sqrt{\left(\frac{2 * 11\,000 \times 35}{1}\right)\left(\frac{200}{200-50}\right)} = 1013 \text{ unités}$$

b) Nombre de séries par année: $\frac{DT}{LÉ} = \frac{11\,000}{1013} = 10,86$ ou 11

c) Taille maximum de l'entrepôt = Smax = $LÉ\left(1-\frac{u}{p}\right) = 1013\left(1-\frac{50}{200}\right) = 759,75$ u $\simeq$ 760 u

d) Période de consommation pure = intervalle de commande − période de reconstitution des stocks

$i = \frac{LÉ}{u} = 1013$ unités / 50 unités par jour = 20,26 jours

$PRS = \frac{LÉ}{p} = 1013$ unités / 200 unités par jour = 5,065 jours

= 20,26 − 5,065 = 15,20 jours

Remise sur quantité. Une petite entreprise manufacturière utilise environ 3400 litres de teinture chimique par année. Actuellement, l'entreprise achète 300 litres par commande au prix de 3 $ le litre. Le fournisseur vient tout juste d'annoncer que les commandes de 1000 litres ou plus sont offertes à 2 $ le litre. À chaque commande, l'entreprise manufacturière dépense 100 $ et elle estime le coût annuel de possession à 17 % du prix d'achat.

a) Trouvez la taille de commande qui minimise les coûts totaux d'approvisionnement en teinture.

b) Si le fournisseur offrait la remise pour les lots d'au moins 1500 litres au lieu de 1000 litres, quelle taille de commande réduirait le coût total?

DT = 3400 litres par année; Cc = 100 $; I = 17 %

a) Calculons la QÉC à 2 $ le litre:

Les échelles de prix sont:

Quantité	Prix ($/litre)
1 à 999	3 $/l
1000 et plus	2 $/l

$$QÉC_2 = \sqrt{\frac{2DT \times Cc}{Ce}} = \sqrt{\frac{2 \times 3400 \times 100}{0,17 \times 2}} = 1414 \text{ litres}$$

Puisque cette quantité est disponible à 2 $ le litre, c'est la quantité optimale.

b) Lorsqu'on offre la remise sur tout achat de 1500 litres, l'échelle de QÉC à 2 $ le litre est inaccessible. Par conséquent, il devient nécessaire de calculer la QÉC à 3 $ le litre et de comparer le coût total de cette taille de commande avec le coût total au moyen de la quantité de seuil de prix (par exemple 1500).

$$QÉC_3 = \sqrt{\frac{2DT \times Cc}{Ce}} = \sqrt{\frac{2 \times 3400 \times 100}{0,17 \times 3}} = 1155 \text{ litres}$$

$$CT_{1155} = Ca + \frac{QÉC}{2} \times Ce + \frac{DT}{QÉC} \times Cc$$

$$TC_{1155} = 3 \times 3400 + \frac{1155}{2} \times 0,17 \times 3 + \frac{3400}{1155} \times 100 = 10\ 200\ \$ + 294,53\ \$ + 294,53\ \$ = 10\ 789\ \$$$

$$TC_{1500} = 2\ (3400) + (1500\ /\ 2)\ (0,17)\ (2) + (3400\ /\ 1500)\ 100$$

$$= 6800\ \$ + 255\ \$ + 226,67\ \$ = 7282\ \$$$

Comme cela permettrait une diminution du coût total, la quantité optimale de commande est de 1500 litres.

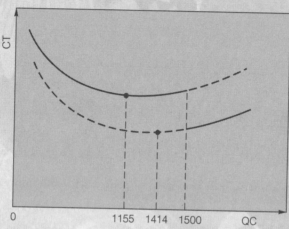

Problème 4

Le point de commande en situation de demande variable et de délai constant. Le service d'entretien d'un motel utilise environ 400 débarbouillettes par jour.

La quantité réelle tend à varier selon le nombre de clients par nuit. On peut évaluer la consommation grâce à une distribution normale avec une moyenne de 400 débarbouillettes et un écart type de neuf par jour. Une entreprise livre les serviettes et les débarbouillettes et le délai d'approvisionnement est de trois jours. Si la politique du motel est de maintenir un risque de pénurie de 2 %, combien de débarbouillettes faut-il avoir au minimum au point de commande et quelle quantité peut être considérée comme un stock de sécurité ?

Solution

a) $\bar{u}$ = 400 débarbouillettes par jour ; d = 3 jours

σ_u = 9 débarbouillettes par jour ; risque = 2 %, alors le niveau de service = 98 %

Selon le tableau B de l'annexe, la valeur z pour un niveau de 98 % est de l = 2,055.

$PC = \bar{u} \times d + z\sqrt{d} \times \sigma_u = 400 \times 3 + 2,055\ \sqrt{2} \times 9 = 1200 + 32,03 \cong 1232$ débarbouillettes

Le stock de sécurité est d'environ 32 débarbouillettes.

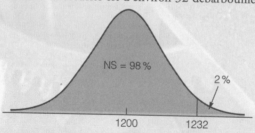

Problème 5

Le point de commande pour une demande constante et un délai d'approvisionnement variable. Le motel de l'exemple précédent consomme environ 600 savonnettes par jour, avec peu ou pas de variations. Le délai d'approvisionnement suit une distribution normale, qui est d'environ six jours en moyenne avec un écart type de deux jours. On souhaite offrir un niveau de service de 90 %. Calculez le point de commande.

Solution

$\bar{u}$ = 600 savonnettes par jour = taux de consommation moyen

NS = 90 %, alors z = +1,28 (d'après le tableau B de l'annexe)

$\bar{d}$ = 6 jours = délai de livraison moyen

σ_d = 2 jours = écart type des délais de livraison

$PC = u * \bar{d} + z * u * \sigma_d$

$= 600\,(6) + 1,28\,(600)\,2$

$= 5136$ savonnettes

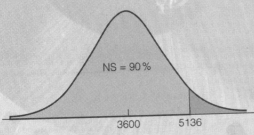

Le PC pour un taux de demande variable et un délai d'approvisionnement variable. Le motel remplace 25 verres brisés par jour. Auparavant, cette quantité comportait une variation normale, avec un écart type de trois verres par jour. On commande les verres à un fournisseur de Limoges. Le délai d'approvisionnement, avec une distribution normale, est d'environ 10 jours, avec un écart type de deux jours. Calculez le point de commande pour un niveau de service de 95 %.

Problème 6

Solution

$\bar{u}$ = 25 verres par jour $\bar{d}$ = 10 jours

σ_u = 3 verres par jour σ_d = 2 jours

NS = 95 %, alors z = +1,65 (table A de l'annexe)

$PC = \bar{u} * \bar{d} + z\sqrt{\bar{d} * \sigma_u^2 + \bar{u}^2 * \sigma_d^2} = 25 * 10 + 1,65\sqrt{10 * 3^2 + 25^2 * 2^2} = 334$ verres

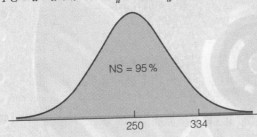

Les ruptures de stock et les niveaux de service. Le gérant d'un magasin de fournitures de bureau a choisi un niveau de service annuel de 96 % pour un certain modèle de répondeur téléphonique. Le magasin vend environ 300 appareils de ce modèle par année. Le coût de possession est de 5 $ l'unité par an, le coût de commande est de 25 $ et σ_{ud} = 7 = écart type de la consommation.

a) Quel est le nombre moyen d'unités manquantes par année correspondant au niveau annuel de service indiqué ?

b) Quel est le nombre moyen d'unités manquantes par cycle qui donnera le niveau de service annuel désiré ?

c) Quel niveau de service en fait de délai d'approvisionnement faut-il atteindre pour obtenir un niveau de service annuel de 96 % ?

Problème 7

Solution

NSa = 96 % ; DT = 300 unités ; C_e = 5 $; C_c = 25 $; $\sigma_{u, d}$ = 7

a) $E(N) = (1 - NS_A)\,D = (1 - 0,96)(300) = 12$ unités

b) $E(N) = E(n)\dfrac{DT}{QÉC}$

En isolant $E(n)$, nous aurons :

$E(n) = \dfrac{E(N)}{DT/QÉC} = \dfrac{12}{300/QÉC}$

Le calcul de la QÉC donne :

$QÉC = \sqrt{\dfrac{2 * DT * Cc}{Ce}} = \sqrt{\dfrac{2 * 300 * 35}{5}} = 54,77 \approx 55$

Alors E(n) = 12 ÷ (300 / 55) = 2,2

c) Pour trouver le niveau de service du délai d'approvisionnement, nous devons connaître la valeur de E(n). Puisque la valeur de E(n) est 2,2 et que E(n) = $E(2)\sigma_{ud}$, alors, 2,2 = E(z)(7). La solution devient E(z) = 2,2 / 7 = 0,314. L'interpolation du tableau 13.4 donne le niveau de service approximatif du délai d'approvisionnement. Ainsi,

$$\frac{0,307 - 0,314}{0,307 - 0,324} = \frac{0,5793 - x}{0,5793 - 0,5636}$$

La solution est

x = 0,5728

Problème 8

L'intervalle d'approvisionnement fixe. Tous les 30 jours, un laboratoire commande une quantité de produits chimiques à un même fournisseur. Le délai d'approvisionnement est de cinq jours. L'adjoint du directeur du laboratoire doit déterminer quelle est la quantité à commander. Une vérification des stocks a révélé que 11 contenants de 25 ml sont disponibles. La consommation quotidienne est à peu près normale, avec une moyenne de 15,2 ml par jour et un écart type de 1,6 ml par jour. Le niveau de service désiré est de 95 %.

a) Combien de contenants de produits chimiques faut-il commander ?

b) Quelle est la quantité moyenne de stock de sécurité ?

Solution

a) $\bar{u}$ = 15,2 ml ;

σ_u = 1,6 ml ;

S_a = stock en main

= 11 contenants × $\frac{25 \text{ ml}}{\text{contenant}}$

d = 5 jours ;

= 275 ml

NS = 95 %, d'où z = 1,65

Intervalle de protection = i + d = 30 + 5 = 35

QC = u (i + d) + z σ_u $\sqrt{i + d}$ – Sa = 15,2 (30 + 5) + 1,65 * 1,6 $\sqrt{30 + 5}$ – 275 = 272,62 ml

En convertissant cette information en nombre de contenants, on obtient :

$$\frac{272,62 \text{ ml}}{25 \text{ ml / contenant}} = 10,90 \approx 11 \text{ contenants}$$

b) Le stock de sécurité

Ss = 1,65 × 1,6 $\sqrt{30 + 5}$ = 15,62 ml

Problème 9

Modèle de stock pour vente unique. Une entreprise d'installation en câblodistribution utilise une certaine pièce d'équipement pour laquelle elle conserve deux pièces de rechange. Celles-ci coûtent 500 $ chacune et n'ont pas de valeur de récupération. On peut modéliser la distribution du nombre de bris des pièces grâce à la loi de Poisson à environ deux par cycle de vie de l'équipement. Les coûts de possession et de rebut sont minimes. Évaluez l'échelle apparente du coût de pénurie.

Solution

Cs est une valeur inconnue   Ce = 500 $

La table de Poisson (table E de l'annexe) donne ces valeurs pour une moyenne de 2,0 :

Nombre de bris	Probabilité cumulative
0	0,135
1	0,406
2	0,677
3	0,857
4	0,947
5	0,983
…	…

Pour un niveau optimal de stock, on arrondit généralement le niveau de service à un niveau de stock réalisable. Ainsi, nous savons que pour obtenir le niveau optimal de deux unités, le niveau de service a dû se trouver entre ,406 et ,677. En établissant le niveau de service tout d'abord à ,406, puis à ,677, vous pouvez tracer des limites sur l'échelle possible des coûts de pénurie.

$$\frac{C_p}{C_p + 500} = 0,406 ;$$

La solution est C_p = 341,75 $

De même,

$$\frac{C_p}{C_p + 500} = 0,677 ;$$

La solution est C_p = 1047,99 $. Ainsi, la marge probable du coût de pénurie est comprise entre 341,75 $ et 1047,99 $.

Questions de discussion et de révision

1. Pourquoi les entreprises gardent-elles des stocks?
2. Quelles sont les exigences d'une gestion efficace des stocks?
3. Décrivez brièvement chacun des coûts associés aux stocks.
4. Décrivez le rôle de la demande dépendante et de la demande indépendante en gestion des stocks.
5. Pourquoi l'utilisation des ratios de rotation des stocks serait-elle inadéquate pour comparer la gestion des stocks d'entreprises œuvrant dans des domaines différents?
6. Énumérez les principales hypothèses du modèle de la QÉC.
7. Comment pourriez-vous répondre à la critique selon laquelle les modèles de QÉC tendent à donner des résultats inexacts, parce que les valeurs DT, Ce et Cc sont au mieux approximatives?
8. Que sont les remises sur achats en gros? Quels sont les trois coûts impliqués dans une décision en matière de taille de commande lorsqu'il y a des remises?
9. Qu'est-ce que le stock de sécurité et quel est son but?
10. Dans quelles circonstances devrait-on conserver une quantité de stock de sécurité
    a) grande? b) petite? c) nulle?
11. Que signifie l'expression «niveau de service»? De façon générale, comment le niveau de service est-il relié à la quantité de stock de sécurité conservée?
12. Décrivez brièvement la méthode ABC (loi de Pareto) de contrôle des stocks.
13. L'acheteur d'une entreprise qui assemble des climatiseurs dans un pays d'Amérique latine a remarqué que le coût des compresseurs augmente considérablement à chaque commande. L'entreprise utilise une méthode de QÉC pour déterminer la taille de commande. Quel est l'impact de cette escalade des prix sur la taille de commande? Quels facteurs autres que le prix doit-on prendre en considération?
14. Expliquez comment une réduction de la période de mise en route peut entraîner une diminution de la quantité moyenne de stock d'une entreprise et en quoi cette réduction est avantageuse.
15. Qu'est-ce que le modèle pour vente unique et dans quelles circonstances doit-on l'appliquer?
16. Dans le modèle pour vente unique, le niveau optimal des stocks peut-il être inférieur à la demande anticipée? Expliquez brièvement.
17. Citez quelques méthodes qui permettent à une entreprise de réduire l'inventaire.

Problèmes

1. Le directeur d'un atelier de mécanique automobile tente de mieux répartir les efforts de contrôle des stocks en adoptant la loi de Pareto de contrôle des stocks. En tenant compte de la consommation mensuelle résumée dans le tableau suivant, classez les articles dans les catégories A, B ou C selon leur consommation monétaire.

Article	Consommation	Coût unitaire
4021	50	1400 $
9402	300	12
4066	40	700
6500	150	20
9280	10	1020
4050	80	140
6850	2000	15
3010	400	20
4400	7000	5

2. Le tableau suivant donne des informations sur les coûts unitaires et la consommation mensuelle pour un échantillon de 16 articles pris au hasard parmi une liste de 2000 articles en stock dans un centre de services de santé.

Article	Coût unitaire	Consommation mensuelle
K34	10	200
K35	25	600
K36	36	150
M10	16	25
M20	20	80
Z45	80	200
F14	20	300
F95	30	800
F99	20	60
D45	10	550
D48	12	90
D52	15	110
D57	40	120
N08	30	40
P05	16	500
P09	10	30

a) Classez ces articles selon la méthode ABC.
b) Comment le directeur pourrait-il utiliser cette information ?
c) Après avoir révisé votre plan, le directeur décide de placer l'article P05 dans la catégorie A. Quelles sont les diverses hypothèses pouvant motiver sa décision ?

3. Une grande boulangerie achète de la farine en sacs de 25 kg. Elle consomme en moyenne 4860 sacs par année. Il en coûte 4 $ par commande pour préparer et recevoir une livraison de farine. Les coûts de possession annuels sont de 30 $ par sac.

a) Trouvez la quantité économique à commander.
b) Quel est le nombre moyen de sacs disponibles ?
c) Combien de commandes par année y aura-t-il ?
d) Calculez le coût total de commande et de possession de la farine.
e) Si le coût de commande augmentait de 1 $ par commande, comment cela affecterait-il le coût total annuel ?

4. Un grand cabinet d'avocats utilise en moyenne 40 paquets de papier à photocopier par jour. L'entreprise est en activité 260 jours par an. Les coûts de stockage et de possession du papier sont de 3 $ par paquet par année, et le coût de commande et de réception d'une commande de papier est d'environ 6 $.

a) Quelle taille de commande réduirait les coûts totaux annuels de commande et de possession ?

b) Calculez le coût total annuel selon la taille de commande trouvée en a).

c) Les coûts annuels de commande et de possession sont-ils égaux à la QÉC? (Ne pas tenir compte de l'arrondissement.)

d) Le directeur administratif commande en ce moment des lots de 200 paquets. Les partenaires de l'entreprise s'attendent à ce que le bureau soit géré de façon efficace. Croyez-vous que le directeur devrait utiliser la taille de commande optimale plutôt que des lots de 200 paquets? Justifiez votre réponse.

5. La pépinière Fleur de lys utilise 750 pots d'argile par mois. Elle achète ces pots à raison de 2 $ l'unité. Les coûts d'entreposage représentent 25 % du coût par pot et les coûts de commande sont de 30 $.

a) Trouvez la quantité économique à commander et les coûts annuels totaux correspondants.

b) Si les coûts réels d'entreposage équivalent à peu près au double de l'évaluation actuelle et que la pépinière continue de commander selon la QÉC établie en a), quel coût supplémentaire l'entreprise devrait-elle absorber?

6. Un distributeur de fruits et légumes utilise 800 cageots par mois à raison de 10 $ l'unité. La gérante a estimé le coût de possession annuel à 35 % du prix d'achat par cageot et les coûts de commande, à 28 $. Actuellement, elle place une commande par mois. Combien l'entreprise économiserait-elle chaque année en coûts de commande et de possession si elle utilisait la QÉC?

7. Un directeur reçoit le plan de prévision de ventes pour la prochaine l'année. Les prévisions de la demande sont de 600 unités pour la première moitié de l'année et de 900 unités pour la deuxième moitié. Le coût d'entreposage annuel est de 2 $ l'unité et les coûts de commande, de 55 $.

a) En présumant que la demande mensuelle est constante pendant chaque période de six mois (par exemple 100 unités par mois pendant les six premiers mois), trouvez une taille de commande qui réduirait le montant des coûts de commande et de possession, et qui pourrait servir pour chaque période.

b) Pourquoi est-ce important de pouvoir présumer que la demande sera constante pendant chaque période?

c) Si le fournisseur est prêt à offrir un rabais de 10 $ par commande si on commandait en multiples de 50 unités (par exemple 50, 100, 150), croyez-vous que le directeur devrait saisir cette occasion? Si oui, quelle quantité de commande pourriez-vous suggérer?

8. Une usine de traitement d'aliments utilise environ 27 000 pots en vitre par mois pour ses jus de fruits. En raison des contraintes d'entreposage, on a utilisé une taille de séries de 4000 pots. Le coût mensuel de possession est de 0,18 $ par pot et le coût de commande est de 60 $. L'entreprise fonctionne en moyenne 20 jours par mois.

a) Quelle pénalité l'entreprise absorbe-t-elle avec la taille de commande actuelle?

b) Le directeur préférerait commander 10 fois par mois, mais il devrait justifier tout changement dans la taille de commande. Il y a une solution : simplifier l'exécution de la commande pour réduire le coût de commande. Quel coût de commande permettrait au directeur de justifier une commande tous les deux jours?

c) Supposons qu'après avoir analysé le coût de commande, le directeur puisse le réduire à 50 $. De quelle autre manière le directeur pourrait-il justifier une taille de commande cohérente avec une commande aux deux jours?

9. La charcuterie Boporc peut produire 5000 saucisses par jour. Elle fournit les magasins et les restaurants locaux à un taux de 250 saucisses par jour. Les coûts de mise en route de l'équipement de production sont de 22 $. Les coûts annuels d'entreposage sont de 0,15 $ l'unité. L'usine est en exploitation 300 jours par année. Déterminez :

a) la taille du lot économique à produire;

b) le nombre de séries par année;

c) la durée (en jours) d'une série.

10. Une entreprise de produits chimiques produit du bisulfate de sodium en sacs de 50 kg. La demande pour ce produit est de 20 tonnes (métriques) par jour. La capacité de production pour ce produit est de 50 tonnes par jour.

Le coût de réglage et de mise en route est de 100 $, et les coûts de stockage et de possession sont de 5 $ la tonne par année. L'entreprise est en activité 200 jours par an.

a) Quelle quantité de sacs par série correspond à la quantité optimale ?
b) Quel est le stock moyen dans ces conditions ?
c) Quelle est la durée approximative (en jours) d'une série de production ?
d) En moyenne, combien de séries par année y aura-t-il ?
e) Combien l'entreprise pourrait-elle économiser annuellement, si on pouvait réduire le coût de réglage à 25 $ par série ?

11. Une entreprise s'apprête à lancer la production d'un nouveau produit. La directrice du service qui produira l'une des composantes du produit veut savoir à quelle fréquence la machine servant à fabriquer cet article pourra servir à d'autres tâches. La machine produira 200 unités par jour, et 80 seront utilisées quotidiennement pour l'assemblage du produit final. On fera l'assemblage cinq jours par semaine, 50 semaines par année. La directrice évalue qu'il faudra un jour entier de réglage de la machine pour une série de production, et ce, au coût de 60 $. Les coûts de possession des stocks seront de 2 $ l'unité par année.

a) Déterminez la taille de lot économique et les coûts totaux correspondants.
b) Quelle est la durée en jours d'un intervalle de production ?
c) Pendant la production, quel sera le taux de reconstitution des stocks ?
d) Si la directrice désire fabriquer un autre produit entre les productions des séries de l'article initial et que, pour cela, un minimum de 10 jours par cycle est nécessaire, aura-t-elle assez de temps ?

12. Une entreprise produit des « pellets » de plastique en lots de 2000 kg, à un taux de 250 kg/h. Elle l'utilise dans un procédé de moulage par injection à raison de 50 kg/h pour une journée de huit heures, cinq jours par semaine. Le directeur estime que le coût de réglage est de 100 $, mais « qu'il n'a pas vraiment calculé le coût de possession des stocks ».

a) Quel est le coût de possession hebdomadaire par kilogramme, pour une taille de lot optimale ?
b) Supposons qu'on montre ce résultat au directeur et qu'il déclare que le coût n'est pas aussi élevé. Cela voudrait-il dire que la taille de lot est trop grande ou trop petite ? Expliquez.

13. Une entreprise de commerce électronique utilise 18 000 boîtes par année. Les coûts de possession sont de 0,20 $ par boîte par année, et les coûts de commande sont de 34 $. On dispose de la liste de prix suivante. Déterminez :

a) la quantité à commander optimale ;
b) le nombre de commandes par année.

Nombre de boîtes	Prix par boîte
De 1000 à 1999	1,25 $
De 2000 à 4999	1,20 $
De 5000 à 9999	1,18 $
10 000 ou plus	1,15 $

14. Une bijouterie achète des pierres semi-précieuses pour fabriquer des bracelets et des bagues. Le fournisseur les offre à 8 $ la pierre pour des commandes de 600 pierres ou plus, 9 $ la pierre pour des commandes de 400 à 599 pierres et 10 $ pour des quantités plus petites. L'entreprise est en activité 200 jours par année. Le taux de consommation est de 25 pierres par jour et les coûts de commande sont de 48 $.

a) Si les coûts de possession sont de 2 $ par année pour chaque pierre, trouvez la quantité de commande qui réduira le coût total annuel.
b) Si les coûts annuels de possession atteignent 30 % du prix unitaire, quelle est la taille de commande optimale ?
c) Si le délai d'approvisionnement est de six jours ouvrables, à quel moment l'entreprise devrait-elle commander ?

15. Un fabricant d'appareils de musculation achète les molettes d'un fournisseur qui offre les prix suivants : moins de 1000 molettes, 5 $ chacune ; de 1000 à 3999, 4,95 $; de 4000 à 5999, 4,90 $ et 6000 ou plus, 4,84 $. Les coûts de commande sont de 50 $, les coûts annuels de possession égalent 40 % du coût d'acquisition, et la consommation annuelle est de 4900 molettes. Trouvez une quantité à commander qui réduira le coût total.

16. Une entreprise commencera à stocker les appareils de commande à distance. La demande mensuelle prévue est de 800 unités. On peut acheter les appareils soit du fournisseur A ou du fournisseur B. Voici leurs listes de prix :

FOURNISSEUR A		**FOURNISSEUR B**	
Quantité	Prix à l'unité	Quantité	Prix à l'unité
1-199	4,00 $	1-149	4,10 $
200-399	3,80	150-349	3,90
400 +	3,60	350 +	3,70

Le coût de commande est de 40 $ et le coût annuel de possession est de 6,00 $ l'unité.

a) Quel fournisseur devrait-on choisir?

b) Quelle est la quantité optimale à commander si on cherche à réduire les coûts annuels totaux?

17. La propriétaire d'un petit restaurant a résumé les listes de prix de quatre fournisseurs (voir le tableau suivant) d'huile végétale. Sa consommation mensuelle est de 300 litres, le coût de commande est de 10 $ et le coût de possession mensuel est de 0,50 $ le litre.

Quel fournisseur devrait-elle choisir et quelle serait la meilleure quantité à commander si elle veut diminuer les coûts mensuels totaux?

FOURNISSEUR W		**FOURNISSEUR X**		**FOURNISSEUR Y**		**FOURNISSEUR Z**	
Quantité	Prix	Quantité	Prix	Quantité	Prix	Quantité	Prix
1-99	25 $	1-79	25 $	1-25	27 $	1,59	26 $
00-399	24	80-139	24	26-89	25	60-139	25
400 +	22	140-299	23	90-199	24	140-249	24
		300 +	22	200 +	23	250 +	23

18. L'éditrice d'un journal utilise chaque jour environ 800 m de fil de fer pour attacher les ballots de journaux pour la livraison. Le journal est publié du lundi au samedi. Le délai d'approvisionnement est de six jours ouvrables.

a) Quelle est la quantité optimale de point de commande, étant donné que l'entreprise désire un niveau de service de 95 % et que les risques de pénurie pour divers niveaux de stock de sécurité sont: 1500 m, 0,10; 1800 m, 0,05; 2100 m, 0,02 et 2400 m, 0,01?

19. Connaissant les informations suivantes:

— demande anticipée pendant le délai d'approvisionnement = 300 unités,
— écart type de la demande pendant le délai d'approvisionnement = 30 unités,

trouvez les valeurs suivantes, en supposant que la demande pendant le délai d'approvisionnement est distribuée normalement:

a) Le point de commande produisant un risque de pénurie de 1 % pendant le délai d'approvisionnement.

b) Le stock de sécurité nécessaire pour obtenir un risque de pénurie de 1 % pendant le délai d'approvisionnement.

c) Est-ce qu'un risque de rupture de stock de 2 % demanderait plus ou moins de stock de sécurité qu'un risque de 1 %? Expliquez. Si le risque acceptable était de 3 % au lieu de 1 %, est-ce que le point de commande serait plus grand, plus petit ou semblable? Expliquez.

20. Connaissant les informations suivantes:

— demande durant le délai d'approvisionnement = 600 livres,
— écart type de la demande durant le délai d'approvisionnement = 52 livres,
— risque acceptable d'une rupture de stock pendant le délai d'approvisionnement = 4 %,

a) Déterminez le stock de sécurité adéquat.

b) À quel moment devrait-on renouveler la commande de cet article?

21. La demande pour la crème glacée à l'érable à la crémerie Douce Crème peut être évaluée, selon une distribution normale, à une moyenne de 21 kg par semaine avec un écart type de 3,5 kg par semaine. Le nouveau directeur désire obtenir un niveau de service de 90 %. Le délai d'approvisionnement est de deux jours, et la crémerie est ouverte sept jours par semaine. (Une suggestion: calculez sur une base hebdomadaire.)

a) Si on utilise le modèle du point de commande, quel serait le point de commande correspondant au niveau de service désiré?

b) Si on utilise un modèle d'approvisionnement à intervalle fixe au lieu d'une méthode de point de commande, quelle est la taille de lot requise pour un niveau de service de 90 % avec un intervalle de commande de 10 jours et une réserve disponible de 2 kg au point de commande ?

c) Supposons que le directeur utilise la méthode du point de commande décrite au point a). Après avoir passé une commande, le directeur reçoit un appel du fournisseur disant que la commande sera retardée à cause de problèmes à son usine, mais qu'il promet de livrer la commande sur place dans deux jours. Après avoir raccroché, le directeur vérifie la réserve de crème glacée à l'érable et découvre que depuis la dernière commande, on en a vendu deux kg. En supposant que la promesse du fournisseur soit vraie, quelle est la probabilité que la crémerie manque de cette sorte de crème glacée avant la livraison ?

22. Le service de moulage par injection d'une entreprise utilise en moyenne 30 litres d'un lubrifiant spécial chaque jour. On reconstitue les stocks de lubrifiant lorsque la quantité disponible est de 170 litres. La livraison d'une commande prend quatre jours. Le stock de sécurité est de 50 litres, ce qui donne un risque de rupture de stock de 9 %. Quelle est la quantité de stock de sécurité nécessaire, si le risque acceptable de rupture de stock est de 3 % ?

23. Une entreprise utilise 85 circuits électriques par jour. La personne responsable des commandes suit la règle suivante : commander lorsque la quantité disponible tombe à 625 unités. On reçoit les commandes environ six jours plus tard. La période de livraison suit une distribution normale, avec une moyenne six jours et un écart type de 1,10 jour. Si on commande les circuits lorsque la quantité disponible tombe à 625, quelle est la probabilité que la réserve soit épuisée avant la réception de la commande ?

24. Un magasin de chaussures propose un article fourni par un fournisseur qui n'offre que ce produit. La demande pour celui-ci a changé récemment, et le gérant du magasin doit décider quand le commander. Il désire éviter une rupture de stock pendant le délai d'approvisionnement avec une probabilité d'au moins 96 %. Il s'attend à ce que la demande tourne autour d'une douzaine d'unités par jour, avec un écart type de deux unités par jour. Le délai d'approvisionnement est variable, quatre jours en moyenne avec un écart type d'un jour. Présumez une distribution normale, sans variation saisonnière.

a) À quel moment le gérant devrait-il placer la commande pour obtenir la probabilité souhaitée ?

b) Pourquoi la méthode serait-elle inapplicable en cas de variations saisonnières ?

25. La gérante d'un lave-auto reçoit une liste de prix révisée de la part du fournisseur de savon avec, en plus, la promesse d'un délai d'approvisionnement plus court. Auparavant, le délai d'approvisionnement était de quatre jours. Dorénavant, le fournisseur promet une réduction de 25 % de ce délai. Sa consommation annuelle de savon est de 4500 litres. Le lave-auto est ouvert 360 jours par année. En supposant que sa consommation quotidienne est normale avec un écart type de deux litres par jour, que le coût de commande est de 30 $ et le coût annuel de possession, de 3 $, et sachant que la liste de prix révisée (coût par litre) est représentée dans le tableau suivant, déterminez :

a) la quantité à commander optimale ;

b) le point de commande approprié si le risque acceptable d'une rupture de stock est de 1,5 %.

Quantité	Prix à l'unité
1-399	2,00 $
400-799	1,70 $
800 +	1,62 $

26. Un petit centre de photocopies utilise 5 boîtes de 500 feuilles de papier à photocopies par semaine. Par expérience, on peut évaluer la consommation, selon une distribution normale, à cinq boîtes par semaine avec un écart type d'une demi-boîte par semaine. Le traitement d'une commande de papier à lettres à en-tête nécessite deux semaines. Le coût de commande est de 2 $, et le coût de possession annuel est de 0,20 $ par boîte.

a) Trouvez la quantité économique à commander pour réduire les coûts de commande et d'entreposage en supposant que le centre est en exploitation 52 semaines par année.

b) Si le centre de photocopies passe une commande lorsque la réserve disponible est de 12 boîtes, calculez le risque de rupture de stock.

c) Si on utilise un intervalle périodique de 7 semaines pour commander au lieu d'un point de commande et que le centre de photocopies commande 36 boîtes quand la quantité disponible est de 12 boîtes, quel est le risque de rupture de stock?

27. La compagnie d'alimentation Ned naturel vend des arachides en écales au kilogramme. L'entreprise a observé que d'habitude, la demande quotidienne est distribuée normalement, avec une moyenne de 80 kg et un écart type de 10 kg. Le délai d'approvisionnement est également normalement distribué avec une moyenne de huit jours et un écart type d'un jour.

a) Quel PC présenterait un risque de rupture de stock de l'ordre de 10 % durant le délai d'approvisionnement?

b) Quel est le nombre anticipé d'unités (kg) manquantes par intervalle?

28. Le supermarché Régional est ouvert 360 jours par année. La consommation quotidienne de ruban de caisse enregistreuse est, en moyenne, de 10 rouleaux. Le coût de commande du ruban est de 1 $, et les coûts de possession sont de 0,40 $ le rouleau par année. Le délai d'approvisionnement est de trois jours.

a) Quelle est la QÉC?

b) Quel serait le PC procurant un niveau de service de 96 % pendant le délai d'approvisionnement?

c) À 96 %, quel est le nombre anticipé d'unités manquantes par intervalle? par année?

d) Quel est le niveau de service annuel?

29. Une station-service utilise 1200 caisses d'huile par année. Le coût de commande est de 40 $, et le coût annuel d'entreposage est de 3 $ la caisse. Le propriétaire de la station-service a opté pour un niveau de service annuel de 99 %.

a) Quel est le niveau approprié de stock de sécurité, si la demande pendant le délai d'approvisionnement est distribuée normalement avec une moyenne de 80 caisses et un écart type de cinq caisses?

b) Quel est le risque d'une rupture de stock pendant le délai d'approvisionnement?

30. La demande hebdomadaire pour l'essence diesel dans le garage d'un parc de véhicules est de 250 litres. Le garage est en activité 52 semaines par année. La consommation hebdomadaire est normale et caractérisée par un écart type de 14 litres. Le coût d'entreposage de l'essence est de 1 $ par mois, et une commande d'essence coûte 20 $ en services administratifs. Le délai d'approvisionnement de l'essence diesel est d'une demi-semaine. Trouvez la quantité de stock de sécurité nécessaire si le directeur désire:

a) un niveau de service annuel de 98 %. Quelle est la conséquence d'un stock de sécurité négatif?

b) un nombre anticipé d'unités manquantes par intervalle inférieur à cinq litres.

31. Une pharmacie utilise le mode d'approvisionnement à intervalle fixe pour plusieurs articles en stock. Le propriétaire souhaite un niveau de service de 98 %. Trouvez la taille de commande correspondant à ce niveau de service pour les articles du tableau, selon un intervalle de commande de 14 jours et un délai d'approvisionnement de deux jours.

Article	Demande quotidienne moyenne	Écart type	Quantité disponible
K033	60	5	420
K144	50	4	375
L700	8	2	160

32. Une directrice doit élaborer des systèmes de commande de stock pour deux nouveaux articles en production, P34 et P35. On peut commander P34 à tout moment, mais P35 ne peut être commandé qu'une fois toutes les quatre semaines.

L'entreprise est en activité 50 semaines par année, et la consommation hebdomadaire des deux articles est normalement distribuée. La directrice a rassemblé l'information suivante sur les articles:

	Article P34	Article P35
Demande moyenne par semaine	60 unités	70 unités
Écart type	4 unités par semaine	5 unités par semaine
Coût unitaire	15 $	20 $
Coût d'entreposage	30 %	30 %
Coût de commande	70 $	30 $
Délai d'approvisionnement	2 semaines	2 semaines
Risque acceptable de rupture de stock	2,5 %	2,5 %

a) À quel moment la directrice devrait-elle commander chaque article ?

b) Calculez la quantité à commander pour P34.

c) Calculez la quantité à commander pour P35, si 110 unités sont disponibles au moment de la commande.

33. À partir de la liste du tableau suivant :

a) Classez les articles selon la loi de Pareto : A, B ou C.

b) Trouvez la quantité économique à commander pour chaque article (en arrondissant à l'unité entière la plus proche).

Article	Demande annuelle approximative	Coût de commande	Coût d'entreposage (%)	Prix à l'unité
H4-010	20 000	50	20	2,50
H5-201	60 200	60	20	4,00
P6-400	9800	80	30	28,50
P6-401	16 300	50	30	12,00
P7-100	6250	50	30	9,00
P9-103	4500	50	40	22,00
TS-300	21 000	40	25	45,00
TS-400	45 000	40	25	40,00
TS-041	800	40	25	20,00
V1-001	26 100	25	35	4,00

34. La demande du samedi pour les beignes à la confiture chez Don's Doughnut est indiquée dans le tableau suivant. Trouvez le nombre optimal de beignes à stocker par douzaines si la main-d'œuvre, les ingrédients et les frais généraux coûtent 0,80 $ la douzaine, si le prix de vente des beignes est de 1,20 $ la douzaine et si on vend les beignes restants le jour suivant à moitié prix. Quel est le niveau de service fourni ?

Demande (douzaines)	Fréquence relative
19	0,01
20	0,05
21	0,12
22	0,18
23	0,13
24	0,14
25	0,10
26	0,11
27	0,10
28	0,04
29	0,02

35. Dans le cadre d'un plan d'expansion, une entreprise de services publics désire acheter une turbine et doit décider maintenant du nombre de pièces de rechange à commander. On peut acquérir la pièce no X135 au prix de 100 $ l'unité.

Les coûts de possession des stocks et de rebut sont évalués à 145 % du prix d'achat pendant le cycle de vie de la turbine. Une rupture de stock coûterait environ 88 000 $ à cause de l'arrêt des opérations, de la passation de commande et d'«achats spéciaux». La compilation de données à partir d'équipement similaire fonctionnant dans des conditions semblables suggère que la demande pour les pièces de rechange ressemblera à une distribution de Poisson avec une moyenne de 3,2 pièces pour le cycle de vie utile de la machine.

a) Quel est le nombre optimal de pièces de rechange à commander ?

b) Pour quelle échelle de coût de rupture de stock, la décision de ne pas stocker de pièces de rechange serait-elle la meilleure stratégie ?

36. La poissonnerie Le Squale achète chaque jour de l'espadon de Boston à 14,00 $/kg et le vend 19,00 $ le kg. À la fin de chaque jour ouvrable, l'entreprise revend le poisson en surplus à un fabricant de nourriture pour chats à raison de 8,00 $ le kg. On peut évaluer la demande quotidienne selon une distribution normale, avec une moyenne de 80 kg et un écart type de 10 kg. Quel est le niveau optimal des stocks ?

37. Une petite épicerie vend des fruits et légumes frais qu'elle achète d'un cultivateur local. Pendant la saison des fraises, la demande pour les fraises fraîches peut être raisonnablement évaluée, selon une distribution normale, à une moyenne de 40 paniers par jour avec un écart type de 6 paniers par jour. Les coûts de détérioration sont de 0,35 $ par panier. L'épicier commande 49 paniers par jour.

a) Quel est le coût implicite de pénurie par panier ?

b) Ce coût vous paraît-il raisonnable ?

38. On peut évaluer la demande pour du gâteau au chocolat à la crème fouettée dans une pâtisserie du quartier, selon une distribution de Poisson, à six par jour en moyenne. Le directeur évalue son coût de préparation à 3 $ l'unité. Les gâteaux frais se vendent 4 $; ceux de la veille, 3 $. Quel est le niveau adéquat de stock si on revend la moitié des gâteaux de la veille et qu'on jette le reste ?

39. Burger Prince achète du bœuf haché de première qualité à 1,00 $ / 500 g. Une grande enseigne à l'entrée garantit que la viande est fraîche du jour. On vend toute la viande en surplus à la cafétéria de l'école secondaire du coin à 0,80 $ par 500 g. On peut faire quatre hamburgers avec 500 g de viande. Les hamburgers se vendent 0,60 $ l'unité. La main-d'œuvre, les frais généraux, les petits pains et les condiments coûtent 0,50 $ par hamburger. La demande est distribuée normalement avec une moyenne de 200 kg par jour et un écart type de 25 kg par jour. Quelle est la quantité à commander optimale ? (Remarque : le coût de pénurie doit être calculé en dollars par 500 g.)

40. La demande pour des machines à nettoyer les tapis chez Claude Loutou est indiquée au tableau suivant. On loue les machines à la journée seulement. Le profit sur les nettoyeurs de tapis est de 10 $ par jour. Claude possède quatre machines.

Demande	Fréquence
0	0,30
1	0,20
2	0,20
3	0,15
4	0,10
5	0,05
	1,00

a) En supposant que la décision de Claude quant au stock soit optimale, quelle est l'étendue (la marge) implicite de coût d'obsolescence par machine ?

b) On a présenté votre réponse à l'entreprise. Elle soutient que le montant est trop faible. Est-ce que cela suggère une augmentation ou une réduction du nombre de machines à tapis à posséder ? Expliquez.

c) Supposons maintenant que les 10 $ de profit soient plutôt le coût d'obsolescence par jour pour chaque machine et que le coût de rupture de stock soit inconnu. En présumant que le nombre optimal de machines est de quatre, quelle est l'étendue (la marge) implicite du coût de rupture de stock par machine ?

CAS
LA DEWEY STAPLER COMPANY

De: Martin Craneur, directeur des ventes

À: Alain Legros, président

Cher Alain,

Nous avons connu une année très décevante. Nous avons raté notre quota de 10 % à 15 % dans presque tous les domaines, et je nourrissais pourtant des espoirs particuliers. Lorsque nous avons décidé d'ouvrir quatre entrepôts plutôt que d'expédier la marchandise uniquement à partir de notre usine principale, je croyais que cela permettrait d'offrir un meilleur service à la clientèle. Comme le dernier entrepôt a été inauguré en mai dernier, juste avant la forte saison d'été, certains problèmes ne sont peut-être dus qu'à un manque d'expérience. Mais je crois que c'est plus grave que ça.

Nos employés d'entrepôt peuvent garder un stock pendant un mois. Je sais que vous êtes convaincu que l'augmentation substantielle des stocks est due à notre nouvelle politique. Toutefois, je ne peux concevoir qu'il soit nécessaire de garder plus de stock disponible. Une réserve d'un mois est une réserve d'un mois, peu importe que l'on ait un entrepôt ou quatre.

À mon avis, le vrai problème est le service à la clientèle. Notre personnel de vente est démoralisé. Les employés ne peuvent tout simplement pas sortir le stock des entrepôts, parce qu'il n'y a pas de stock disponible. On expédie encore 40 % des commandes des clients à partir de l'entrepôt principal, et le personnel d'entrepôt me dit que ces commandes ont priorité et que leurs commandes d'approvisionnement en stock sont mises de côté.

Alain, nous devons résoudre ce problème.

Il est inutile d'avoir une équipe de vente si nous n'avons pas de stock pour elle. Je propose qu'on oblige nos usines à expédier les commandes aux entrepôts de distribution de la même façon qu'ils le font à nos clients. Elles devraient traiter les entrepôts de distribution affiliés comme des clients. En fait, ce sont leurs plus gros clients et elles devraient les traiter en tant que

tels. Je propose également de supprimer la politique de stock d'un mois. Laissons le personnel d'entrepôt stocker ce qu'il juge nécessaire pour soutenir l'équipe de vente, sans le limiter. Je serais en faveur d'une rencontre avec mes directeurs régionaux et le personnel des entrepôts de distribution affiliés pour leur expliquer ce qu'ils devraient réellement commander.

Alain, ce programme d'entrepôts affiliés a été aussi décevant pour moi que pour vous. Je sais que vous vous inquiétez de l'augmentation des stocks, mais j'attribue ce fait à une mauvaise gestion des entrepôts. Et très franchement, je ne crois pas que le personnel de l'entrepôt de distribution comprenne les problèmes que nous éprouvons sur le terrain et qu'il nous offre le type de soutien dont nous avons besoin. Sans ce soutien, nous n'avons aucune chance d'atteindre notre objectif de vente. Au lieu de vendre, je passe la majeure partie de mon temps à jouer au psychologue auprès d'un personnel de vente démoralisé.

Amicalement,

Martin

De: Robert Ellers, gestionnaire des stocks

À: Alain Legros, président

Cher Monsieur,

Vous m'avez demandé de répondre à la lettre de Martin Craneur du 5 janvier. Je ne sais par où commencer, car le programme d'implantation des entrepôts nous a vraiment déchirés.

Nous avons cru que l'ajout d'entrepôts de distribution impliquait simplement de diviser une partie du stock entre les entrepôts. Au lieu de cela, nous avons dû augmenter les stocks de façon très importante. Nous ne recevons aucun plan directeur de la part des entrepôts. Tout ce que nous recevons, ce sont des commandes. Nous ne connaissons pas leurs niveaux de stocks à la réception des commandes et nous recevons celles-ci seulement de deux à trois semaines avant l'expédition. C'est alors que la vérité éclate : nous avons une rupture de

stock pour un certain article. Nous voici avec une commande de client et une demande d'approvisionnement d'un entrepôt. Lequel satisfaire en priorité? L'entrepôt en a-t-il réellement besoin? Nous savons que le client, lui, en a besoin. En réalité, nous attendons que l'entrepôt crie, tout en sachant l'effet néfaste que cela peut avoir sur le service à la clientèle des entrepôts de distribution.

Monsieur, je suis plus inquiet cette année que je ne l'étais l'an dernier. Certains entrepôts ont eu tendance à garder des stocks faibles pendant la basse saison afin de pouvoir se vanter du taux de rotation de leurs stocks. Puis, pendant la haute saison, ils s'attendent à ce que j'ouvre de nouveau le robinet pour les approvisionner à leur guise. Nous n'avons pas assez d'espace d'entreposage à l'usine pour reconstituer les stocks nécessaires pendant la basse saison afin que les gens puissent continuer à travailler à un rythme constant. Nous avons besoin de ce surplus de stock pour pouvoir offrir un bon service pendant la haute saison. La direction de l'usine m'a dit à plusieurs reprises que nous devons faire travailler les employés à un rythme constant.

Tout cela m'amène à vous suggérer une nouvelle politique. Normalement, nous devrions fabriquer une taille de lots correspondant à une réserve de trois mois. Pourquoi ne pas simplement expédier une réserve de trois mois à chaque entrepôt affilié? Ainsi, nous n'aurions pas à nous soucier d'eux jusqu'à la production du prochain lot. De cette façon, ils ne pourraient plus se plaindre de ne pas recevoir leur juste part.

L'un des éléments troublants dont vous n'avez peut-être pas entendu parler est le fait que Frank, notre directeur du transport, a suggéré que nous pourrions désormais envoyer la marchandise aux entrepôts de la côte Ouest par voie maritime. Cela signifierait passer par le canal de Panama, ce qui augmenterait beaucoup notre délai d'approvisionnement et réduirait notre flexibilité. Il prétend que cette mesure nous ferait faire des économies de 50 000 $ en frais de transport.

Monsieur, je suis presque au bout du rouleau. La solution serait peut-être d'avoir un système informatique en ligne reliant tous les entrepôts. Cela nous permettrait d'éviter une rupture de stock dans un entrepôt grâce à la livraison d'un autre entrepôt. En septembre dernier, j'ai fait une vérification : les articles en pénurie à l'entrepôt de Winnipeg étaient presque tous en réserve dans le système, c'est-à-dire que nous les avions en stock, soit à

Vancouver, à Toronto, à London ou à l'entrepôt principal. Ce genre de système informatique serait coûteux, mais il constitue peut-être la solution à notre problème de service.

Amicalement,

Robert Ellers

Question

La Dewey Stapler Company a des problèmes sérieux. Il faut rectifier plusieurs fausses conceptions à propos de la gestion d'inventaire. Prenez la

place d'un conseiller engagé par le président, M. Alain Legros. Les lettres précédentes vous donnent assez d'informations pour faire quelques recommandations très utiles. Écrivez un rapport détaillé et incluez une discussion sur les niveaux de service dans le cas où l'investissement total dans les stocks reste constant.

Source : Reproduit avec l'autorisation d'Olivier W. Wright, *Production and Inventory Management in the Computer Age*, Boston, Cahners, 1974.

UNE TOURNÉE DES OPÉRATIONS
LA BOULANGERIE BRUEGGER'S BAGEL

La boulangerie Bruegger's Bagel fabrique et vend une variété de *bagels*, incluant les *bagels* nature, aux graines de pavot, aux raisins et à la cannelle, ainsi que du fromage à la crème en plusieurs saveurs. Les bagels constituent la principale source de revenus de l'entreprise.

Le marché du *bagel* est florissant, avec des revenus d'environ trois milliards de dollars à l'échelle nord-américaine. Les *bagels* sont très populaires auprès des consommateurs. Ils sont non seulement faibles en gras, mais aussi nourrissants et savoureux ! Les investisseurs aiment l'industrie du *bagel*, parce qu'elle peut générer des profits importants : il n'en coûte que 0,10 $ pour faire un *bagel* et on peut le vendre 0,50 $ ou davantage. Bien que ces dernières années, certaines entreprises n'aient pas très bien réussi, ce n'est pas le cas de Bruegger's Bagel, qui est le chef de file national, avec plus de 450 magasins où l'on vend des *bagels*, du café ou des sandwiches pour emporter ou consommer sur place. Plusieurs magasins de la chaîne génè-

rent 800 000 $ de ventes par année.

On fait la production de *bagels* en lots, selon la saveur, et on fabrique toutes les saveurs chaque jour. Chez Bruegger's, la production de *bagels* commence à l'usine de traitement, où les ingrédients principaux (la farine, l'eau, la levure et les épices) sont mélangés à l'aide d'un mélangeur spécial. Lorsque la pâte est bien mélangée, on la transfère dans une autre machine qui façonne la pâte en *bagels* individuels. Une fois formés, on les achemine vers les magasins dans des camions réfrigérés. Lorsque les *bagels* arrivent au magasin, on les entrepose temporairement pour les faire lever. Les deux étapes finales de traitement sont l'ébullition dans un chaudron d'eau et de malt pendant une minute et la cuisson au four pendant environ 15 minutes.

Le processus est décrit à la figure 1. La qualité est à la base de la prospérité d'une entreprise. Les clients jugent de la qualité des bagels par leur apparence (taille, forme et brillance), leur goût et leur texture. Les clients sont égale-

ment sensibles au service au moment de l'achat. Bruegger's accorde une attention particulière à la qualité, et ce, à chaque étape : choix des fournisseurs d'ingrédients, surveillance attentive des ingrédients, maintien de l'équipement en bonne condition, vérification de la production. Dans les magasins, on demande aux employés d'être attentifs et de retirer les *bagels* déformés lorsqu'ils en trouvent. (On les renvoie à l'usine principale où on les taille en forme de *chips*. Puis ils sont envoyés dans les magasins où on les vend, ce qui réduit le gaspillage.) On choisit avec soin les employés qui travaillent dans les magasins. On les forme pour qu'ils puissent se servir de l'équipement et offrir le niveau souhaité de service à la clientèle.

L'entreprise fonctionne avec des stocks minimaux de matières premières, des inventaires de *bagels* partiellement achevés à l'usine et très peu d'inventaires dans les magasins. On procède de cette façon pour maintenir, d'une part, un niveau élevé de fraîcheur du produit final grâce à la livrai-

Figure 1

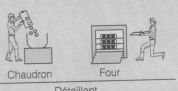

son constante d'un produit frais aux magasins et, d'autre part, des coûts faibles. En effet, de petits inventaires impliquent un espace de stockage réduit.

Questions

1. Bruegger's Bagel conserve assez peu d'inventaire, que ce soit à son usine ou dans ses magasins de détail. Énumérez les avantages et les inconvénients de cette politique.

2. La qualité est très importante pour Bruegger's.

a) Quelles sont les qualités des *bagels* recherchées par les clients?

b) À quels stades du processus de production les employés vérifient-ils la qualité des *bagels*?

c) Énumérez les étapes du processus de production, en commençant avec l'achat des ingrédients et en finissant avec la vente, et indiquez comment on peut améliorer la qualité à chaque étape.

3. Quels modèles d'inventaires pourrait-on utiliser pour commander les ingrédients des *bagels*? À votre avis, quel serait modèle le plus approprié pour décider combien de bagels fabriquer dans un lot particulier?

4. Bruegger's Bagel possède des machines pour fabriquer les bagels dans ses usines. Une autre possibilité serait d'avoir une machine dans chaque magasin. Quels seraient les avantages de cette solution?

Bibliographie

BENEDETTI, C. et J. GUILLAUME. *Gestion des approvisionnements et des stocks,* Laval, Éditions Études Vivantes, 1992, 474 p.

BROOKS, Roger B. et Larry W. WILSON. *Inventory Record Accuracy: Unleashing the Power of Cycle Counting,* Essex Junction, Vermont, Oliver Wright, 1993.

FOGARTY, Donald W., John H. BLACKSTONE et Thomas R. HOFFMAN. *Production and Inventory Management,* 2e édition, Cincinnati, Ohio, South-Western Publishing Co., 1991.

NOLLET, Jean, Michel R. LEENDERS et Harold E. FEARON. *La gestion des approvisionnements et des matières,* Boucherville, Gaëtan Morin éditeur, 1993, 475 p.

PETERSON, R. et E. A. SILVER. *Decision Systems for Inventory Management and Production Planning,* 2e édition, New York, John Wiley & Sons, 1984.

TERSINE, Richard J. *Principles of Inventory and Materials Management,* 3e édition, New York, Elsevier North-Holland, 1987.

VOLLMAN, Thomas E., William L. BERRY et D. Clay WHYBARK. *Manufacturing Planning and Control Systems,* 5e édition, Burr Ridge, IL., Richard D. Irwin, 1997.

1. Décrire les conditions d'application du plan besoins matières (PBM).
2. Décomposer la PBM-MRP en intrants, en processus et en extrants.

3. Traduire les besoins d'un plan directeur de production en PBM.
4. Réaliser une PBM-MRP.
5. Résumer les caractéristiques, les avantages et les inconvénients de la PBM-MRP.

6. Expliquer l'utilité du PBM pour planifier les besoins en capacité (PBC).
7. Décrire la PBM-MRP-II et la différencier de la PBM-MRP.

Chapitre 14
LA PLANIFICATION DES BESOINS MATIÈRES

Plan du chapitre

14.1 INTRODUCTION

Les gestionnaires tiennent souvent deux sortes de propos. Le premier type de témoignage ressemble à ce qui suit :

«Je ne sais pas comment nous avons pu fonctionner sans une planification des besoins en matières (PBM). En effet, depuis l'implantation de la PBM, l'ordonnancement de nos opérations, qui se faisait de manière chaotique, a lieu dorénavant dans un calme relatif ; le niveau des stocks a été considérablement réduit et nous avons amélioré le service à la clientèle. Nous sommes très satisfaits de l'introduction de la PBM. Elle nous a permis d'être dynamiques plutôt que réactifs à l'égard des problèmes découlant des variations de la demande. Nous la recommandons fortement à toutes les entreprises manufacturières. »

À l'autre extrême, il n'est pas rare d'entendre :

«Ayant entendu beaucoup d'éloges au sujet de la PBM, nous avons mis beaucoup d'efforts pour l'implanter. Or, depuis son introduction, les bénéfices tardent à se manifester. Nous avons investi beaucoup d'énergie et de capitaux, nous avons même largement dépassé les budgets initiaux. La haute direction commence à perdre patience au point que plusieurs personnes se demandent s'il n'est pas plus sage de rejeter l'ensemble de la PBM et de revenir à l'ancienne approche. Les fonds investis jusqu'à présent seront certainement perdus, mais, au moins, nous pourrions fonctionner sans problème. »

Ces deux témoignages totalement divergents illustrent la grande polémique engagée actuellement au sein des professionnels de la gestion des opérations. Et cette polémique n'est pas près de s'arrêter... Dans ce chapitre, nous étudierons les tenants et les aboutissants de la planification des besoins matières ou PBM, connue aussi sous sa dénomination anglaise MRP (*Material Requirement Planning*). De la planification des besoins matières (PBM-MRP) découlera le plan besoins matières ou PBM. Nous tenterons de distinguer les avantages, les limites et les inconvénients d'une telle approche. Finalement, nous explorerons les variantes de la PBM-MRP telles que la MRP-II (planification des ressources production : PRP) et la planification des besoins en capacité (CRP[1]).

14.2 LA DEMANDE DÉPENDANTE ET LA DEMANDE INDÉPENDANTE

demande dépendante[3]
Besoins en produits, habituellement des matières premières, des composants et des produits en cours, dont la demande dépend des besoins en ce qui concerne la fabrication. La demande dépendante dépend des besoins pour ce qui est de la demande indépendante.

demande indépendante
Besoins en produits, habituellement des produits finis, directement demandés par le client externe ou interne. Elle peut représenter des produits standard ou fabriqués sur commande.

Dans toute organisation, le choix des stratégies de gestion des stocks dépend du type de demande auquel l'entreprise doit répondre. Au chapitre précédent[2], nous avons brièvement présenté les deux types de demande : la **demande dépendante** et la **demande indépendante**. Analysons-les plus en détail.

Quand la consommation d'un article (A) découle des besoins en ce qui concerne la fabrication d'un produit (X), la demande sera qualifiée de demande dépendante. Par exemple, les matières premières, les pièces, les produits en cours et les composants nécessaires à l'assemblage d'une automobile sont des articles dont la demande est dépendante, car cette dernière dépend du nombre de voitures à produire. Par contre, la demande pour le produit fini, la voiture, est considérée comme une demande indépendante, car celle-ci ne dépend d'aucun autre produit.

Une fois que le plan global et le plan directeur de production (PGP et PDP) sont ajustés aux différents types de variations (saisonnières, cycliques et autres), les besoins en produits classés «demande indépendante» apparaissant dans les plans sont, de façon générale, relativement équilibrés et stables. Par contre, la consommation ou

---

1. CRP : *Capacity Requirement Planning*.
2. Voir chapitre 13, «La gestion des stocks».
3. BENEDETTI, C. et J. GUILLAUME. *Gestion des approvisionnements et des stocks*, Éditions Études Vivantes, Laval, 1992, p. 207.

demande dépendante a tendance à être sporadique et discontinue. Certains professionnels la qualifient de «discrète» car à certains moments, ils auront besoin de grandes quantités d'articles et parfois, le besoin pour ces mêmes articles sera nul (voir figure 14.1). Pour illustrer ce principe, prenons le cas d'un fabricant de tondeuses à gazon qui décide de planifier sa production de façon cyclique : il fabriquera pendant un mois des tondeuses mécaniques, le mois suivant, des tondeuses électriques, puis le suivant, des tondeuses-tracteurs. Plusieurs matières premières et composants sont communs aux trois produits fabriqués et d'autres sont particuliers à chaque modèle. Les éléments communs aux trois produits seront stockés de façon continue, car ils sont nécessaires tout au long des opérations, et le fabricant doit garder un stock de sécurité. Les éléments spécifiques, dont la consommation est discontinue et fonction de la production de chaque modèle, seront stockés selon les besoins en ce qui concerne la fabrication, par exemple toutes les huit ou neuf semaines ; le reste du temps, le stock dont la demande est nulle tombe à zéro. En conclusion, les articles dont la consommation est classée «demande indépendante» doivent être stockés de façon continue, et un stock de sécurité est nécessaire ; les articles classés «demande dépendante», dont les besoins sont facilement prévisibles, n'ont pas besoin de stock de sécurité. La figure 14.1 illustre l'évolution des deux types de demande.

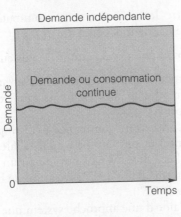
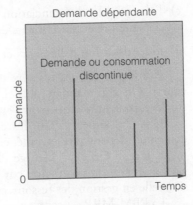

Demande indépendante

Demande dépendante

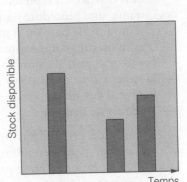

Figure 14.1

Comparaison : demande dépendante/indépendante

14.3 LA PLANIFICATION DES BESOINS MATIÈRES : UN SYSTÈME

La planification des besoins matières, généralement connue sous les abréviations PBM, MRP ou **PBM-MRP**, est un système de planification informatisée, conçu pour déterminer, ordonnancer et commander les stocks de produits en demande dépendante et ayant comme résultat un plan des besoins matières ou PBM.

À partir du plan directeur de production (PDP) d'un ensemble de produits à fabriquer, on déterminera les besoins en matières premières, composants et autres éléments nécessaires à la fabrication desdits produits. On procède selon un ordonnancement amont, c'est-à-dire en partant de la date où on aura besoin de ces matières

Planification besoins matières (PBM-MRP)
Technique de planification de l'ensemble des composants en demande dépendante nécessaires à la réalisation du plan directeur de production.

et en reculant dans le temps. En utilisant les délais de livraison et d'autres informations, on établira la quantité et le moment propice pour commander. Ainsi, les besoins pour un produit fini vont générer une demande pour des composants et autres éléments de niveau inférieur, soit ceux qui sont nécessaires à la fabrication du produit fini, l'horizon de temps habituellement utilisé étant exprimé en semaines. L'objectif est de planifier (ordonnancer) ces commandes de façon à garder le niveau de stock le plus bas possible tout en respectant les besoins en termes de quantité et de temps.

La planification des besoins en matières est autant une philosophie de gestion qu'une technique. Elle sert de trait d'union entre, d'une part, la planification et l'ordonnancement de la production et, d'autre part, la planification et la gestion des stocks.

Historiquement, la planification et l'ordonnancement des activités d'assemblage entraînaient les problèmes suivants :

a)   un énorme travail pour déterminer, planifier et commander de grandes quantités d'éléments nécessaires à la fabrication et à l'assemblage des produits finis ;

b)   la difficulté d'assurer le suivi des commandes et le respect des délais de livraison desdits éléments ;

c)   l'absence de différenciation entre les éléments à consommation ou demande dépendante et les éléments en demande indépendante ;

d)   l'identification d'éléments et de composants communs à plusieurs produits finis.

Conséquence : des niveaux de stock énormes (composants et autres produits en cours). On commandait plusieurs fois les mêmes éléments sans se douter que des stocks existaient ailleurs dans l'entreprise.

Dans les années 1970, les entreprises ont commencé à distinguer les types de demande (dépendante et indépendante) et ont compris qu'il fallait les gérer séparément. Joseph Orlicky[4], George Plossl et Oliver Wight ont conçu un nouveau type de gestion et l'ont fait connaître par l'intermédiaire de l'Association de formation professionnelle en gestion des ressources[5] (APICS[6]).

La PBM-MRP est représentée à l'aide d'une approche systémique, c'est-à-dire avec des intrants, une procédure ou processus d'opération et des extrants.

Les intrants de base du système PBM-MRP sont :
— le plan ou programme directeur de production (PDP) ;
— la nomenclature du produit à fabriquer (voir section 14.4.2)
— la structure du produit (voir section 14.4.2) ;
— le niveau des stocks ;
— les délais de livraison.

À partir de ces informations, le planificateur procède à une série d'itérations mathématiques pour déterminer la quantité, les délais et le type d'éléments nécessaires à la fabrication : c'est le processus de PBM-MRP (voir section 14.5).

Les extrants du système (voir section 14.6) sont de deux ordres :
— les extrants primaires ;
— un plan des besoins nets ;
— un plan des besoins planifiés (lancements décalés ou planifiés) ;
— un rapport sur l'état des stocks en demande dépendante ;
— les extrants secondaires ;
— un rapport sur les cas d'exception ;
— un rapport sur les performances du système.

4. ORLICKY, Joseph. *Material Requirement Planning*, New York, McGraw-Hill, 1975.
5. http://www.apicsmontreal.org/.
6. APICS : American Production and Inventory Control Society.

La figure 14.2 résume brièvement le système de planification des besoins matières. Dans les pages suivantes, nous analyserons plus en détail les composantes du système de PBM-MRP.

Figure 14.2

Système de PBM

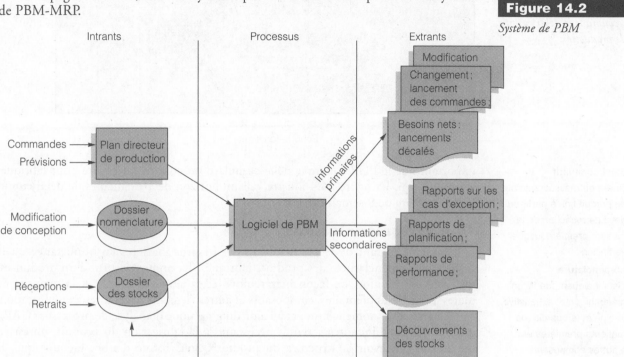

14.4 LES INTRANTS DU SYSTÈME DE PBM-MRP

Les principaux intrants nécessaires à une planification des besoins matières sont le plan directeur de production, le dossier des nomenclatures des produits à fabriquer et un fichier informatif sur l'état des stocks. Procédons à l'étude systématique de ces intrants.

14.4.1 Plan directeur de production (PDP)

Rappelons ce qu'est un plan directeur de production (voir chapitre 12). Découlant du plan global de production, appelé aussi programme intégré de production, le **plan ou programme directeur de production** (PDP) établit le type de produits finis à fabriquer, en quelle quantité et à quel moment. La figure 14.3 illustre une partie d'un PDP. On y voit quand et combien d'unités du produit fini X doivent être disponibles : 100 unités doivent être prêtes à être livrées à la semaine 4 et 150 à la semaine 8.

plan directeur de production

Plan établissant le type de produits à fabriquer, les quantités et le moment de la fabrication.

Figure 14.3

PDP du produit X

Semaines								
Produit X	1	2	3	4	5	6	7	8
Quantité					100			150

Les quantités apparaissant au PDP sont établies à partir d'un plan prévisionnel (chapitre 13) ou de commandes fermes en provenance des clients ou des centres de distribution de l'entreprise. Le PDP couvre un horizon de temps défini par le gestionnaire. Ce temps est découpé en intervalles (habituellement des semaines). Néanmoins, il n'est pas rare que, pour les périodes lointaines, les intervalles soient supérieurs à une semaine : bimensuels, mensuels ou plus éloignés. Cela est dû au fait que la planification est établie à titre d'essai et est revue à mesure que les travaux avancent. Bien que la définition de l'horizon de temps soit à la discrétion du gestionnaire, il est

Figure 14.4

Horizon de temps recouvrant le délai cumulé de production

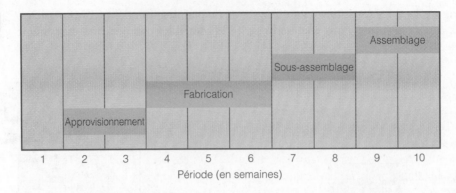

délai cumulatif

Durée de réalisation totale du produit fini, à partir du délai de réception de la matière première jusqu'à sa finition.

nomenclature

Liste indiquant, de façon hiérarchique et exhaustive, le type et la quantité de matières premières et d'autres composants nécessaires à la fabrication du produit.

important que le PDP couvre le délai cumulatif ou cumulé nécessaire pour fabriquer le produit fini. La figure 14.4 illustre, sur un horizon de 10 semaines, le **délai cumulatif** nécessaire de 9 semaines.

14.4.2 Nomenclature

Le deuxième intrant de la planification des besoins matières en importance est le fichier des **nomenclatures** des produits fabriqués. La nomenclature[7] d'un produit est une liste qui indique, de façon hiérarchique et exhaustive, le type et la quantité de toutes les matières premières, composants et autres éléments nécessaires à sa fabrication.

À partir de la nomenclature et à l'aide du graphique d'analyse de processus (GAP), qui indique les différentes activités nécessaires à la fabrication du produit, on est en mesure de concevoir la structure du produit[8]. Sous forme d'arbre hiérarchique, la structure de produit illustre le passage d'une matière ou d'un composant d'un niveau inférieur à un niveau supérieur, et ce, jusqu'au produit fini. Le niveau du produit fini est identifié niveau « 0 », le niveau précédent, « 1 », et ainsi de suite. La figure 14.5 illustre le diagramme d'assemblage d'une chaise et la structure du produit correspondante.

Figure 14.5

Diagramme d'assemblage et structure du produit (chaise)

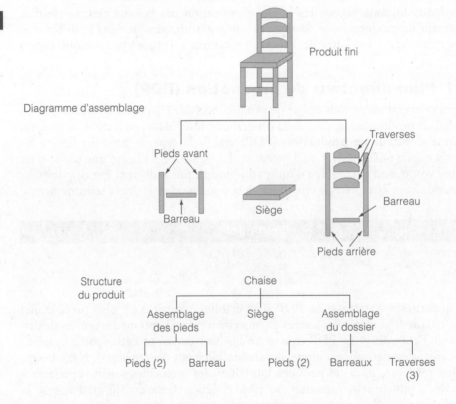

7. Souvent désignée par l'expression BOM (*bill of materials*).
8. Voir chapitre 7.

Remarquons que le produit fini (la chaise) est situé au sommet de la pyramide. Au niveau inférieur immédiat, on voit les éléments de sous-assemblage et les principaux composants nécessaires pour lui permettre de passer au niveau supérieur (la chaise). En dessous de chaque élément de sous-assemblage, d'autres éléments inférieurs apparaissent, et ainsi de suite jusqu'à la matière première.

La **structure d'un produit** fait voir l'interdépendance des différents éléments qui le composent et leur imbrication en vue du produit final.

Considérons maintenant la structure du produit telle quelle est illustrée à la figure 14.6. Nous remarquons que le produit fini X est composé de deux éléments B et de un élément C. Chaque B exige trois éléments D et un élément E ; chaque D nécessite quatre E. De l'autre côté de l'arbre, nous voyons que chaque C a besoin de deux E et de deux F. Ces besoins sont représentés par des niveaux, le niveau « 0 » étant celui du produit fini et, dans notre exemple, le niveau « 3 » étant le niveau le plus bas. Chaque élément (composant ou autre) d'un niveau est appelé le **parent de l'élément** du niveau inférieur ; en même temps, il sera le composant de l'élément du niveau supérieur.

structure du produit
Représentation graphique hiérarchisée montrant le passage des matières et des autres composants d'un niveau inférieur à un niveau supérieur, jusqu'au produit fini.

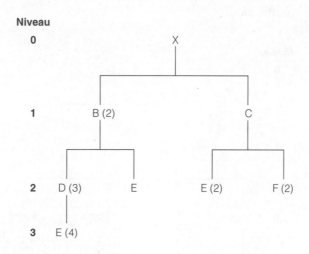

Figure 14.6
Structure du produit X

À partir des informations présentées à la figure 14.6,
a) calculez le nombre d'unités de B, C, D, E et F nécessaires pour assembler une unité de X ;
b) établissez la quantité à commander de chacun de ces composants pour permettre l'assemblage de 200 unités de X.

Exemple 1

a)

Solution
Nomenclature

Composant	Calculs	Quantité
B	2 unités B par X	= 2
D	3 D par B * 2 B par X	= 6
E	4 E par D * 3 D par B * 2 B par X	= 24
E	1 E par B * 2 B * X	= 2
C	1 C par X	= 1
E	2 E par C * 1 C par X	= 2
F	2 F par C * 1 C par X	= 2

Notons que l'élément E apparaît à trois endroits. Nous pouvons conclure que les besoins matières E pour le produit fini X sont de 28 unités de E par X.

b) Afin de procéder à l'assemblage de 200 unités de X, on multipliera par 200 les quantités à commander de chaque élément, d'où :

200 (2) = 400 B ; 200 (6) = 1200 D ; 200 (28) = 5600 E ; 200 (1) = 200 C ; 200 (2) = 400 F.

Or, selon la complexité du produit fini, les niveaux augmenteront et les composants nécessaires se multiplieront rapidement. Si on ajoute à cela l'obligation de respecter des délais de toutes sortes et d'avoir sous la main des stocks de composants et de matières, la détermination des besoins matières sera plus difficile à réaliser. Il est impensable d'appliquer cette approche manuellement et l'utilisation de l'ordinateur devient indispensable. Dans ce cas, les logiciels sont programmés pour calculer les besoins matières en commençant par le haut. Quand ils rencontrent un composant commun à plusieurs autres et que celui-ci apparaît à plusieurs niveaux, comme E dans l'exemple 1, les logiciels réorganisent la structure du produit afin de faire coïncider le composant commun à son niveau d'apparition le plus bas. On appelle cela le **codage de plus bas niveau**.

La figure 14.7 illustre le codage de plus bas niveau du composant E apparaissant à l'exemple 1 et à la figure 14.6. Quand un composant est commun à plusieurs produits finis, des corrections supplémentaires sont apportées au codage de plus bas niveau afin d'amener ce composant à un niveau commun à l'ensemble des produits. La majorité des logiciels traitant de la PBM possèdent un programme permettant cette codification.

codage de plus bas niveau
Réorganisation de la structure du produit et de sa nomenclature de façon à faire coïncider les composants communs à leur niveau d'apparition le plus bas.

Figure 14.7

Codage de plus bas niveau du composant E

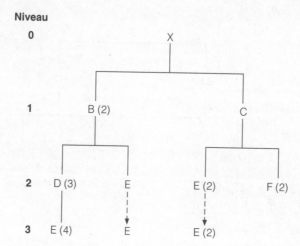

Or, qu'arrive-t-il si un composant de haut niveau est enterré et ne peut être abaissé ? Si nous ne pouvons d'aucune façon abaisser un composant pour le faire coïncider avec les autres niveaux où il apparaît ET qu'il n'exige pas les mêmes composants, alors nous le codifierons différemment et nous le traiterons comme un élément à part entière (voir figure 14-8).

Figure 14.8

Composant G, G-1 ; G : parent de H, I ; composant de W ; G-1 : composant de M

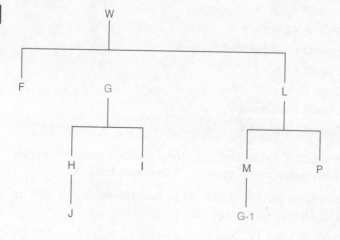

Il est très important d'avoir des nomenclatures le plus possible précises et fidèles à la réalité, car une erreur à ce niveau sera amplifiée au moment du traitement des informations par le responsable de la planification des besoins matières : aucun logiciel ne peut corriger les erreurs qui lui sont fournies à l'intrant. Il n'est pas rare de voir des entreprises en apparence organisées travailler avec des nomenclatures totalement non représentatives de la réalité : des changements sont apportés au produit sans que les personnes affectées à la PBM soient avisées. Des révisions systématiques des nomenclatures doivent être entreprises à intervalles réguliers et d'autres au besoin, et ce, à chaque variation des spécifications du produit. Les erreurs de nomenclatures donnent des PBM inutiles et causent des pertes, parfois considérables, de temps et d'argent.

14.4.3 État des stocks

Le troisième intrant de la PBM en importance est l'information concernant le niveau et l'état des stocks, renseignements qui apparaissent dans des dossiers ou des fichiers des stocks. Le fichier des stocks comprend l'ensemble des fiches de stocks[9] des produits entreposés. Pour chaque produit, les fiches indiquent à tout moment la quantité disponible, le lieu d'entreposage, les quantités reçues et retirées, les commandes annulées, les délais de livraison, le nom des fournisseurs ainsi que d'autres informations pertinentes. Des renseignements erronés auront un impact désastreux sur la PBM.

Même dans le cas où l'entreprise dispose d'un système de contrôle des stocks bien structuré, les gestionnaires devront faire preuve de rigueur et assurer un suivi constant des fiches pour être certains de la pertinence et de la fiabilité des informations apparaissant dans le fichier des stocks, sous peine de perdre le contrôle ; toute la planification des besoins matières serait alors inutile.

14.5 LE PROCESSUS DE PLANIFICATION DES BESOINS MATIÈRES (PBM-MRP)

La planification des besoins matières (PBM) transforme (« explose ») les produits à fabriquer apparaissant au plan directeur de production (PDP) sous forme de besoins en matières premières, en composants et autres éléments de sous-assemblage, et ce, dans un horizon de temps défini.

La figure 14.9 illustre ce principe. Nous voyons que pour que le produit X puisse être livré à la semaine 11, le composant de sous-assemblage A doit être disponible au début de la semaine 9 ; il en va de même pour l'autre composant, B, ce produit nécessitant trois semaines d'assemblage. Sachant que A requiert trois semaines de production, par un ordonnancement amont (nous remontons dans le temps), nous calculons que sa production (A) doit débuter au début de la semaine 6 ; parallèlement, la production du composant B doit débuter à la semaine 7. En procédant ainsi, et en remontant dans le temps, on doit lancer l'approvisionnement en matières premières D, F et I au plus tard à la semaine 1.

Les quantités de composants ainsi générées sont appelées les « besoins bruts » (Bb), car on ne tient pas compte des quantités disponibles en stock ni des commandes déjà passées, tandis que, pour une période t, les quantités à commander réellement sont identifiées par l'expression « besoins nets » (Bn), calculés ainsi :

$$\text{Besoins nets pour la période } t \ (Bn_t) = \text{Besoins bruts pour la période } t \ (Bb_t) - \text{Stocks en main au début de la période } t \ (Stock_t) + \text{Stocks de sécurité} \ (Ss)$$

$$Bn_t = Bb_t - Stock_t + Ss \qquad (14\text{-}1)$$

On majore parfois les besoins nets pour tenir compte des pertes subies au moment de la fabrication, de la manutention ou de la livraison et de tout autre gaspillage. Dans ce

---
9. Voir : « Fiches de stocks », chapitre 13.

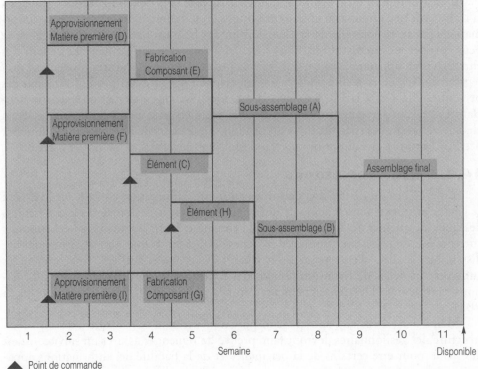

▲ Point de commande

chapitre, pour simplifier, nous omettrons ce type de correction ainsi que la majoration pour stock de sécurité. La quantité de matière faisant l'objet d'une commande et le moment planifié pour la recevoir sont identifiés par l'expression «réception planifiée», tandis que la date du lancement de cette commande au fournisseur est appelée «lancement planifié», ou encore «besoin» ou «lancement décalé». On peut donc faire les affirmations suivantes.

Les **besoins bruts** indiquent les besoins totaux pour un élément quelconque (produit fini, matière première, composant, élément de sous-assemblage ou autre). Les besoins bruts en produits finis apparaissent au plan directeur (PDP). Les besoins en matières pour tous les autres éléments apparaîtront sous la rubrique «lancement planifié».

La **réception programmée** représente les commandes passées avant l'horizon de temps couvert par le plan besoins matières considéré et dont la réception est prévue pour le début de la période.

Les **stocks en main** représentent la quantité de matières disponible ou bien celle qui sera disponible à une période donnée; ils sont aussi appelés «stocks projetés».

Les **besoins nets** représentent la quantité de matières nécessaire pour une période.

La **réception planifiée** représente les quantités qu'on s'attend à recevoir à une période donnée. Lorsqu'on commande en choisissant des lots de taille variable, les réceptions planifiées sont égales aux besoins nets. Si les commandes se font par lots de taille fixe préétablis (voir chapitre 13), les réceptions planifiées peuvent dépasser les besoins nets: les surplus seront alors placés en stock. Cependant, dans ce chapitre, nous considérerons que ces surplus seront disponibles au début de la période suivante, où ils apparaîtront sous la rubrique «stocks en main».

Le **lancement planifié,** appelé aussi lancement ou besoin décalé, indique à quel moment il faut passer les commandes aux fournisseurs, aussi bien externes qu'internes. À ce moment, la quantité de matières équivaut à la réception planifiée, mais elle est décalée dans le temps, selon un ordonnancement amont égal d'un délai équivalent au délai de livraison. Les lancements planifiés d'un composant parent vont générer les besoins bruts pour le composant suivant, c'est-à-dire celui qui apparaît dans la structure du produit. Une fois la commande passée, elle est retirée de la rubrique «lancement planifié» et placée sous la rubrique «réception programmée».

besoin brut
Besoin total pour un élément (matière première, composant, produit en cours ou produit fini) pendant une période donnée. *prévue*
réception programmée
Quantité de matières dont la réception est programmée pour le début de la période concernée.
stock en main
Quantité de matières disponible au début d'une période donnée.
besoin net
Quantité de matières nécessaire pour une période donnée.
réception planifiée
Quantité de matières dont la livraison ou la disponibilité est planifiée pour le début d'une période donnée. *besoin décalé*
lancement planifié
Quantité de matières commandée à une période donnée.

Pour chaque élément considéré, nous inscrirons les informations du plan besoins matières sous la forme suivante :

Semaine	1	2	3	4	5	6	7	8
Rubrique : Élément x								
Besoins bruts								
Réceptions programmées								
Stock (disponible) projeté en main								
Besoins nets								
Réceptions planifiées								
Lancements planifiés								

L'exemple 2 illustre le fonctionnement simple d'une planification des besoins matières.

Exemple 2

Un fabricant de volets en bois et de bibliothèques reçoit une commande de 100 volets à livrer au début de la semaine 4 et une autre de 150 unités à livrer au début de la semaine 8. Chaque volet est composé de 4 lattes de bois et de 2 cadres. Les lattes de bois sont fabriquées par l'entreprise et le délai de fabrication est de 1 semaine. Les cadres sont commandés à un fournisseur extérieur et le délai de livraison est de 2 semaines. L'assemblage final requiert 1 semaine de travail. Une réception de 70 lattes est programmée pour le début de la semaine. Le fabricant nous demande d'établir la taille et le moment de la réception planifiée pour chaque élément (produit fini et composants) et ce, selon les politiques de commande suivantes :

a)　On commande **lot pour lot,** c'est-à-dire selon les besoins ;

b)　On commande par lots fixes de 320 unités pour les cadres et de 70 unités pour les lattes.

a)　Planification selon une politique lot pour lot

Solution

1°　On commence par établir le PDP (programme directeur de production) du produit fini.

Semaine	1	2	3	4	5	6	7	8
Quantité				100				150

2°　On trace la structure du produit « volets ».

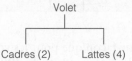

3°　On procède à la planification des besoins en matières selon une politique de lot pour lot. La figure 14.10 illustre le plan besoins matières (PBM) qui découle d'une politique de lotissement lot pour lot.

Analysons plus en détail la solution de la figure 14.10. Selon les informations disponibles, le PDP indique les quantités de volets (produits finis) nécessaires : 100 unités à la semaine 4 et 150 à la semaine 8. Le calcul des besoins bruts en volets (voir partie réservée aux volets dans la figure 14.10) indique 100 unités à la semaine 4 et 150 à la semaine 8. Aucun stock n'étant disponible, les besoins nets sont identiques aux besoins bruts. Étant donné que nous pouvons commander exactement ce dont nous avons besoin, les réceptions planifiées sont identiques aux besoins nets. Comme nous avons besoin d'une semaine pour procéder à l'assemblage des volets, il faut planifier 100 volets à la semaine 3 et 150 à la semaine 7. Voyons maintenant nos besoins en cadres. Il faut 2 cadres par volet ; nous avons donc des besoins bruts de 200 unités à la semaine 3 et de 300

Figure 14.10

PBM avec lotissement lot pour lot

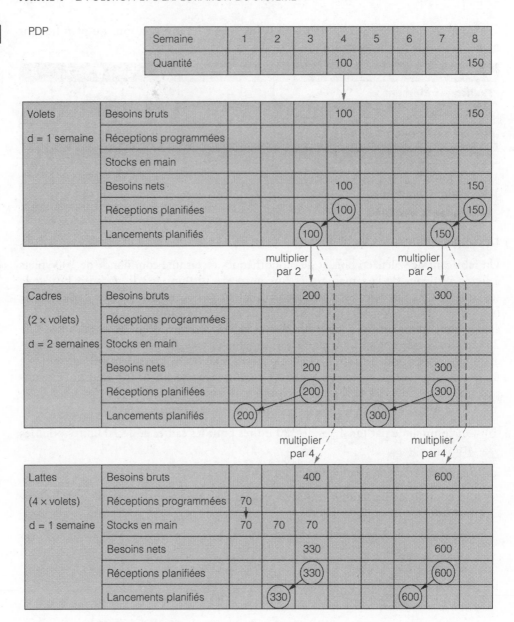

PDP

Semaine	1	2	3	4	5	6	7	8
Quantité				100				150

Volets

d = 1 semaine

	1	2	3	4	5	6	7	8
Besoins bruts				100				150
Réceptions programmées								
Stocks en main								
Besoins nets				100				150
Réceptions planifiées				(100)				(150)
Lancements planifiés			(100)				(150)	

multiplier par 2   multiplier par 2

Cadres

(2 × volets)

d = 2 semaines

	1	2	3	4	5	6	7	8
Besoins bruts				200				300
Réceptions programmées								
Stocks en main								
Besoins nets				200				300
Réceptions planifiées				(200)				(300)
Lancements planifiés	(200)				(300)			

multiplier par 4   multiplier par 4

Lattes

(4 × volets)

d = 1 semaine

	1	2	3	4	5	6	7	8
Besoins bruts				400				600
Réceptions programmées	70							
Stocks en main	70	70	70					
Besoins nets				330				600
Réceptions planifiées				(330)				(600)
Lancements planifiés			(330)				(600)	

à la semaine 7. En procédant pour les cadres de la même façon que pour les volets, on obtient des lancements planifiés de 200 cadres à la semaine 1 et de 300 à la semaine 5. Finalement, les lancements planifiés des volets vont générer des besoins bruts de 400 lattes à la semaine 3 et de 600 lattes à la semaine 7. Or, des réceptions de 70 lattes sont programmées à la première semaine, d'où les stocks en main en conséquence. Les besoins nets sont alors de (400 – 70 = 330) 330 lattes à la semaine 4 et un lancement doit être planifié à la semaine 2. Un autre lancement est aussi planifié pour la semaine 6.

b) On procède à la planification des besoins en matières selon une politique de lots fixes prédéterminés. La figure 14.11 illustre le plan besoins matières (PBM) qui découle de cette nouvelle politique de lotissement.

Dans le cas où nous commandons par lots fixes, les réceptions planifiées dépasseront les besoins nets et les surplus ainsi générés apparaîtront aux stocks en main de la période suivante. Les commandes de cadres (voir figure 14.11 sous « cadres ») étant passées par lots de 320 unités et les besoins nets à la semaine 3 étant de 200, nous enregistrerons un surplus de (320 – 200 = 120) 120 cadres, qui apparaissent à la

PDP

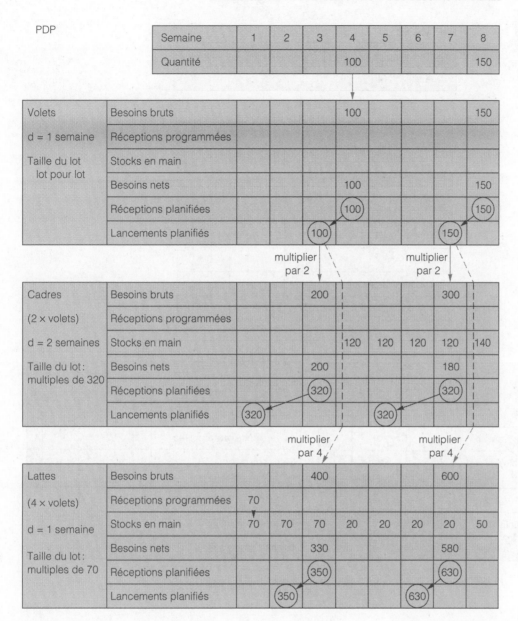

Figure 14.11

PBM avec lotissement en quantités fixes

rubrique «stocks en main» au début de la semaine 4. De même, les besoins nets à la semaine 7 étant de (300 – 120 = 180) 180 unités et les commandes étant passées par lots fixes (multiples de 320), les stocks en main à la semaine 8 sont de 140. Le même phénomène se répète pour les lattes.

Le PBM fournit les informations sur les besoins en matières pour les différents éléments composant un produit fini. Dans le cas de l'exemple 2, nous pouvons illustrer ces informations de la façon suivante (voir figure 14.12).

L'exemple 2 analysait un cas de planification des besoins matières pour un simple volet avec deux niveaux, le niveau 0 (produit fini) et le niveau 1 (ses composants). Il est facile d'imaginer la complexité d'une planification PBM-MRP pour des produits à plusieurs niveaux et pour lesquels il faut établir le plan besoins matières d'un élément apparaissant à plusieurs niveaux. Ajoutons que ce même élément peut être nécessaire à la fabrication de plusieurs autres produits. C'est le cas de l'élément «support type G», nécessaire aux composants N, M et H, comme le montre la figure 14.13.

Figure 14.12

*PBM : volets
(représentation générale)*

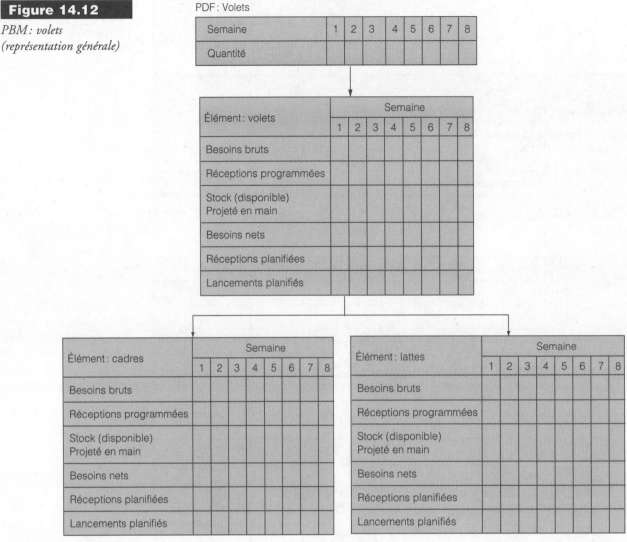

Figure 14.13

*Support (G) utilisé pour
trois produits différents*

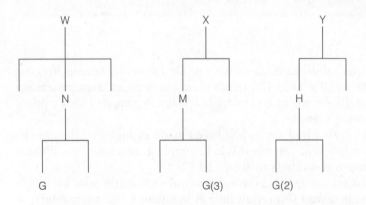

Pour les besoins de l'exemple, nous supposerons que tous les délais d'approvisionnement sont d'une semaine, que nous n'avons ni stocks en main ni réceptions programmées.

La figure 14.14 représente le programme directeur de production des trois produits finis ayant un lien de parenté avec G. À la figure 14.15 A, nous pouvons voir les besoins nets en produits finis (W, X et Y) et les besoins nets en composants N, M et H

Semaine

Produit fini	1	2	3	4	5	6	7
W				50		70	
X				200			100
Y				30		80	90

Figure 14.14

PDP des produits finis ayant un lien de parenté avec le support G

décalés d'une semaine (le délai de livraison). En tenant compte du nombre de supports G nécessaire à chaque élément parent, nous obtenons les besoins bruts en supports G. Finalement, la figure 14.15 B illustre le PBM intégré de l'élément support de type G. Pour respecter les besoins bruts de 710 G à la semaine 1 et tenir compte d'un délai d'une semaine, le lancement de G doit être planifié à la semaine précédente (lancement planifié); autrement, nous accuserons une rupture de stock. C'est pour cette raison que nous voyons apparaître à la rubrique «réceptions programmées» 100 unités et 610 sous besoins nets.

Un point important au sujet de la PBM-MRP est la capacité qu'elle offre de déterminer l'origine des besoins pour différents éléments : cela s'appelle l'**identification de l'origine des besoins**[10]. Elle consiste à vérifier la structure du produit du bas vers le haut, afin de déterminer quels éléments parents seraient affectés par des variations dans la livraison d'un élément. Cette activité, dont l'importance est évidente, peut paraître simple de prime abord, mais elle devient rapidement complexe en fonction du nombre de niveaux et des besoins multiples pour un certain élément.

Encore une fois, un ordinateur et des logiciels performants sont primordiaux pour les planificateurs, les responsables des achats et des approvisionnements et autres gestionnaires désirant gérer leurs activités à l'aide de la PBM-MRP.

identification de l'origine des besoins
Processus de détermination des éléments parents ayant généré les besoins en matières des composants.

Semaine

Besoins nets*		1	2	3	4	5	6	7
W	d = 1			50		70		
X	d = 1			200			100	
Y	d = 1			30		80	90	

* W, X et Y : stock en main = 0

Figure 14.15

A. PBM: support type G (besoins bruts)

Semaine

Besoins nets*		1	2	3	4	5	6	7
N	d = 1		50		70			
M	d = 1		200			100		
H	d = 1		30		80	90		

* N, M et H : stock en main = 0

Semaine

Besoins bruts G*	1	2	3	4	5	6	7
N	50		70				
M (3)	600			300			
H (2)	60		160	180			
Total	710		230	480			

* d = 1 semaine

---

10. L'expression anglaise *pegging* est aussi couramment utilisée.

B. PBM : support type G
(besoins nets)

	Semaine						
	1	2	3	4	5	6	7
Besoins bruts	710		230	480			
Réceptions programmées	100						
Besoins nets	610		230	480			

14.5.1 Mise à jour du plan besoins matières (PBM)

Le PBM n'est pas un plan statique, mais un document vivant qui change avec le temps. Ainsi, des commandes sont terminées et livrées, d'autres sont en cours de production, d'autres enregistrent des retards et de nouvelles s'ajoutent. Il existe deux méthodes de planification pour la mise à jour du PBM initial, soit la **PBM-MRP en mode régénérateur** et la **PBM-MRP par variations nettes**.

PBM régénératrice
Méthode de révision périodique du PBM.

La révision du plan besoins matières selon le mode régénérateur consiste à effectuer de façon périodique une révision du PBM initial en se basant sur les variations enregistrées durant un horizon de temps. On peut comparer cette méthode à une méthode de production par lots : on collige les informations et on corrige d'un coup. Le PBM révisé qui en résulte est conçu de la même manière que le PBM initial (éclatement de la nomenclature, niveau par niveau).

PBM par variations nettes
Méthode de révision continue du PBM.

La révision du **PBM par variations nettes** consiste à corriger le PBM à mesure que les changements surviennent : éléments défectueux renvoyés au fournisseur, retards, etc. Seuls les éléments affectés par ces changements seront corrigés et, en se basant sur la détermination de l'origine des besoins, on corrige les éléments parents.

Chacune de ces méthodes de révision possède ses avantages et ses inconvénients. Ainsi, le mode régénérateur coûte moins cher, il n'a pas besoin de correction continue et il s'applique très bien dans le cas de produits dont la demande et les caractéristiques sont relativement stables. De plus, avec le temps, certains écarts de la demande par excès sont corrigés par les écarts par défaut : on peut avoir trop commandé à une période donnée, mais comme les besoins ont augmenté (gaspillage, pertes ou autres), à la période suivante, on consommera les surplus. Ce principe comporte un inconvénient : les informations et les corrections tardent à arriver et à être appliquées. Pour sa part, le mode par variations nettes ou continues permet de suivre à la trace l'évolution des besoins en matières et de connaître la situation exacte à tout moment. Par contre, les coûts de fonctionnement d'un tel système sont élevés.

14.6 LES EXTRANTS DU SYSTÈME DE PBM-MRP D'APPROVISIONNEMENT FIXE

Le principal extrant de la planification des besoins matières (la PBM-MRP) est le plan besoins matières (le PBM). Comme nous l'avons brièvement mentionné à la section 14.3, il existe d'autres extrants, soit les extrants primaires et les extrants secondaires.

14.6.1 Extrants primaires

Le plan de production et le plan concernant l'état et le niveau des stocks font partie des extrants primaires. Ils incluent :

a) les commandes planifiées, soit les commandes de fabrication aux fournisseurs internes et les commandes d'approvisionnement aux fournisseurs externes à donner dans le futur ;

b) un plan des besoins nets indiquant les quantités et le moment où les matières doivent être disponibles ;

c) les lancements planifiés indiquant à quel moment les commandes doivent être données, soit en production, soit aux fournisseurs ;

d) les changements à apporter au plan initial quant aux quantités et aux dates de livraison.

14.6.2 Extrants secondaires

Ce sont surtout des rapports sur les performances du système. Les extrants secondaires sont constitués :

a) d'un rapport sur les performances du système indiquant la capacité du système à répondre adéquatement aux demandes du client, aussi bien interne qu'externe. Il est principalement constitué de données statistiques avec leurs analyses ;

b) d'un rapport sur les cas d'exception, qui donne un aperçu du nombre de modifications apportées au PBM initial ainsi que leurs origines.

Il va sans dire que d'autres types d'extrants et de rapports peuvent facilement être émis à partir de la PBM-MRP, car n'oublions pas que cette approche représente une source énorme d'informations de toutes sortes.

14.7 AUTRES FACTEURS

En plus des concepts étudiés jusqu'à maintenant, il existe une multitude de facteurs qui, introduits au cours d'une PBM-MRP, viennent influencer le PBM qui en résulte. Ces facteurs dépendent des politiques internes de l'entreprise et du secteur industriel dans lequel elle évolue. Analysons-en quelques-unes.

14.7.1 Stocks de sécurité et délais de sécurité

Théoriquement, à part le produit fini, qui dépend des besoins en composants et en autres éléments traités par la PBM-MRP, de la précision du PDP, de l'invariabilité des nomenclatures et des structures des produits, la planification des besoins matières ne requiert aucun stock de sécurité : c'est d'ailleurs le principal avantage de la PBM-MRP. Or, en pratique, il en va tout autrement. Par exemple, un procédé goulot, une panne d'équipement, etc., peut entraîner des pénuries de matières aux postes suivants, en aval. De plus, les ruptures de stock peuvent être de durée indéterminée. Appliquons cette situation à tous les niveaux de la structure du produit et nous nous retrouverons rapidement en situation de perte de maîtrise du système : l'avantage majeur de la PBM-MRP vient de disparaître. Il faut donc corriger le fonctionnement pour corriger ces situations et d'autres qui pourraient survenir à tout moment.

Dans de tels cas, les gestionnaires doivent d'abord déterminer les opérations et autres activités sujettes à des pénuries. Quand les délais de livraison risquent de causer des problèmes, on parle de délai de sécurité plutôt que de stock de sécurité, même si on s'expose à recevoir la marchandise trop tôt : on passe alors les commandes plus tôt pour donner au fournisseur une marge dans son délai de livraison. Mais on peut aussi préférer fonctionner avec des stocks de sécurité : on commande plus que nécessaire, bien que cela augmente les coûts de stocks[11]. Il reste que les gestionnaires doivent gérer judicieusement les différentes situations pour déterminer la politique la plus appropriée à leurs besoins particuliers. De façon générale, il est conseillé de choisir l'approche « stocks de sécurité » pour les produits finis sensibles à des demandes aléatoires, et l'approche « délai de sécurité » pour les composants de ces mêmes produits.

---

11. Voir « Coût total des stocks », chapitre 13.

Une manière simple de déterminer la taille des stocks de sécurité est d'accroître d'un certain pourcentage les lancements planifiés en fonction du niveau de service et de disponibilité désiré. On peut faire la même chose avec les délais de sécurité.

Encore une fois, la pertinence et la précision des données sont de rigueur. Quels que soient les modes de calculs, les stratégies et les politiques adoptées, si les données concernant les délais de livraison et les besoins des acheteurs sont fausses, la planification des besoins matières se traduira par un PBM non représentatif. On commandera trop tôt ou trop tard, on aura trop de stocks ou pas assez, avec tous les problèmes qui en découlent.

lotissement

Technique de détermination de la taille des lots à produire ou à commander.

14.7.2 Techniques de lotissement

Que l'on soit en situation de demande dépendante ou indépendante, la taille des lots à commander est une décision importante. Au chapitre 13, nous avons procédé à une série d'analyses pour déterminer la taille des lots en situation de demande indépendante. Pour les produits en demande dépendante, la situation est tout autre.

Un des principaux objectifs de la gestion des matières est de minimiser les coûts totaux des stocks, c'est-à-dire d'équilibrer les coûts de commande ou de mise en route avec les coûts d'entreposage. Nous avons vu que la caractéristique principale de la demande dépendante est sa discontinuité (voir la section 14.2). De plus, les horizons de temps considérés sont petits, donc l'approche privilégiant les lots économiques devient plus difficile à appliquer. Prenons l'exemple de la situation décrite à la figure 14.16.

Demande pour l'élément K

Période	1	2	3	4	5
Demande	70	50	1	80	4
Demande cumulative	70	120	121	201	205

La demande pour l'élément K varie de 1 à 80 unités, sans qu'aucune tendance soit décelée. Nous pourrions réaliser des économies en regroupant les commandes plutôt qu'en passant une commande par période. Il faudra alors évaluer la pertinence de cette politique et les coûts qui en découleraient en raison des grandes quantités commandées et entreposées. L'effet cascade sur les composants de bas niveaux rend ce calcul très difficile. De plus, la variabilité de la demande et le court horizon de temps exigeront une révision et une mise à jour continuelles des tailles des lots. Pour ces raisons, il existe une multitude de techniques de lotissement allant des plus compliquées, où on tient compte de tous les coûts possibles, aux plus simples, parfois même simplistes. À noter que dans plusieurs situations, ces dernières ont été les plus performantes. Étudions maintenant quelques-unes des techniques les plus populaires.

Commandes lot pour lot

C'est l'approche la plus simple : on commande en fonction des quantités dont on a besoin. Dans l'exemple 2, on utilisait cette politique de lotissement. Voici les caractéristiques de cette approche :

a) facilité à déterminer la taille du lot à commander ;

b) coûts d'entreposage ou de possession tendant vers 0 ;

c) nombre de commandes élevé ;

d) nombre de mises en route élevé ;

e) difficulté à bénéficier d'économies d'échelle ;

f) difficulté à appliquer des politiques de standardisation (standardiser les contenants et les bacs utilisés pour le transport ou autres).

Si on réussit à réduire les coûts de commande et de mise en route, par exemple avec l'approche du SMED[12], cette technique simple devient très intéressante.

Commandes par lots ou quantités économiques

On utilise les mêmes principes que pour l'établissement du modèle de la QÉC (quantité économique à commander auprès d'un fournisseur externe) ou du LÉC (lot économique à commander au fournisseur interne) (voir chapitre 13). Cette approche permet de grandes économies si la consommation du produit est forte, relativement continue et stable. Elle s'applique très bien aux composants ou éléments de bas niveaux, matières premières ou autres, présents dans plusieurs produits. Par contre, plus la consommation est discontinue, moins cette approche est intéressante.

Commandes à périodes fixes

Cette approche est sensiblement identique à celle de l'intervalle d'approvisionnement fixe (voir chapitre 13, section 13.6). On commande des quantités suffisantes pour un nombre de périodes fixes, par exemple deux ou trois périodes. Ce nombre est déterminé soit intuitivement, soit en fonction de l'historique de la consommation. On utilise le plus souvent une règle très simple : on commande pour répondre à la demande de deux périodes. Par exemple, dans la situation décrite à la figure 14.16, si on appliquait la règle des deux périodes, il faudrait commander 120 unités à la période 1, 81 à la période 3, etc. On peut aussi décider de commander à la période 3 assez d'éléments K pour couvrir aussi la période 5, soit 85 unités.

Lotissement : pièces économiques par période (PÉP)

Appelée aussi « lotissement à couverture glissante », cette technique vise elle aussi à équilibrer les coûts de commande par rapport aux coûts d'entreposage ou de possession. La notion de pièces par période signifie que l'on doit entreposer une ou des pièces pendant un nombre précis de périodes. Il convient alors de déterminer le nombre économique de pièces à entreposer par période, d'où la notion de **PÉP**. La quantité de PÉP se calcule par :

$$PÉP = \frac{Cc}{Ce}$$

où : Cc = coût d'une commande ou d'une mise en route
Ce = coût d'entreposage de la pièce par période, dans notre cas la semaine.

L'exemple 3 illustre l'application de la PÉP.

On vous demande d'utiliser le lotissement à couverture glissante ou méthode PÉP pour déterminer la taille des lots à commander pour la situation suivante, sachant que le coût de commande est de 80$/commande et le coût d'entreposage unitaire, de 0,95 $ par période.

PÉP
« Pièces économiques par période » : nombre économique de pièces à entreposer par période.

Exemple 3

Période	1	2	3	4	5	6	7	8
Demande	60	40	20	2	30	–	70	50
Demande cumulative	60	100	120	122	152	152	222	272

1) Commençons par calculer la quantité de PÉP.

Solution

$$PÉP = \frac{Cc}{Ce} = \frac{80\ \$}{0,95\ \$/u} = 84,21 \text{ pièces/période} = 84 \text{ unités}$$

L'objectif est donc de commander par lots de 84 unités par période approximativement.

Par essais et erreurs, en commençant par 60 unités (la première taille des lots), nous essayons des lots cumulatifs jusqu'à atteindre la PÉP, soit la valeur la plus proche de 84 (voir tableau ci-dessous).

---

12. SMED : *Single Minute Exchange of Die* : approche de mise en route rapide (moins de 10 minutes).

Période de commande	Taille des lots	Surplus de stock	$\times$ Périodes couvertes	$=$ Pièces par période	Pièces par période (cumulatives)
1	60	0	0	0	0
	100	40	1	40	40
	120	20	2	40	80
	122	2	3	6	86*
5	30	0	0	0	0
	100	70	2	140	140*
8	50	0	0	0	0

* Les plus proches de 84

Le calcul des pièces par période indique qu'une commande de 122 unités doit être passée et disponible à la première période, suivie d'une deuxième commande de 100 unités pour la période 5. La troisième commande sera passée à la semaine 8, mais, à ce stade, nous ne possédons pas d'assez d'informations pour en déterminer la taille. La taille de lot choisie pour la période 1 correspond à la demande cumulative. Une fois déterminée la taille du lot idéal, la demande cumulative est reportée à 0, et on recommence le calcul à la période suivante. Dans notre exemple, un lot de 122 unités couvre les quatre premières périodes, donc le retour à 0 a lieu à la période 5. Le prochain lot couvre les périodes 5, 6 et 7, avec retour à 0 à la période 8, où le lot minimum à commander sera de 50 unités.

Remarquons que la méthode PÉP fonctionne bien pour les premières périodes, car les demandes cumulatives sont relativement proches des quantités qu'on obtient par le calcul de la PÉP. Or, l'effet de la discontinuité de la demande, caractéristique de la demande dépendante, se fait sentir dès la deuxième commande de 100 (140 unités étant loin de 84 pièces par période).

14.8 LA PLANIFICATION DES BESOINS EN CAPACITÉ (PBC)

Une autre caractéristique importante de la PBM est sa capacité d'aider les gestionnaires à planifier les besoins en capacité : ressources matérielles, techniques et autres.

La **planification des besoins en capacité** est le processus qui permet de déterminer les besoins en capacité à court terme : il en résulte le plan besoins en capacité.

planification des besoins en capacité

Exprimée en heures de travail, la PBC précise les ressources nécessaires à court terme pour réaliser le PDP.

Les intrants nécessaires à la planification des besoins en capacité sont les lancements planifiés, les charges de travail actuelles des ressources de l'entreprise, les durées et les délais de production et les gammes de production, informations fournies pour le PBM. Les extrants incluent les charges de travail de chaque centre de travail. Si des centres de travail présentent des charges ou des temps inoccupés, on peut alors modifier en conséquence les tailles de lots, les lancements de commandes, les stocks de sécurité, le lotissement et même les gammes de production.

Globalement, l'entreprise utilise la procédure suivante. Elle commence par établir un PDP provisoire, qui détermine les besoins à satisfaire et non pas ceux qui sont possibles à réaliser ; le PDP peut être faisable ou pas, selon la disponibilité des ressources (matières, personnel et équipement). Or, la PBM-MRP n'indique pas la faisabilité du PDP, mais uniquement les besoins en matières dudit PDP. C'est pour cette raison qu'un PBM provisoire permet de vérifier la capacité des ressources de l'entreprise à atteindre le PDP. Si l'entreprise se rend compte que c'est impossible, elle optera alors pour des solutions de rechange : augmenter les capacités, réduire le PDP, etc. Puis, dès qu'elle et assurée d'atteindre le PDP, celui-ci est figé ou gelé dans le temps, afin qu'on puisse établir un plan des besoins matières.

La stabilité d'un programme de production à court terme est primordiale pour le début des travaux dans les différents ateliers, sinon le PBM est totalement inutile. Pour en parler, on utilise alors l'expression «système nerveux». Cette expression indique le degré de réaction à toute variation dans le processus de planification. Souvent, une petite variation à un niveau supérieur de la «structure du produit» s'amplifie dans le reste de la structure; il en découle à la fin une réaction terrible: délais de livraison, augmentation des produits en cours, coûts d'entreposage accrus. Pour éviter ce type de situation, certaines entreprises ont établi des **limites de périodes** où elles permettent des modifications de commandes.

Par exemple, on peut avoir des limites de périodes de 4, 8 ou 12 semaines. Plus la limite est grande, plus la restriction sur les modifications est élevée. Ainsi, une commande ayant une limite établie à 12 signifie que pour qu'on puisse procéder à une modification, il faut qu'elle soit apportée 12 semaines à l'avance. Certaines entreprises établissent des limites de périodes doubles: une pour les caractéristiques du produit et une autre pour les quantités à commander. Elles peuvent aussi avoir une limite à long terme et une autre à plus court terme, moyennant une pénalité. Il existe cependant un danger de perte de clientèle si elles établissent des limites de périodes trop restrictives, car les concurrents en bénéficient en offrant plus de latitude aux clients, d'où un meilleur service à la clientèle. Encore une fois, il faut trouver le juste milieu entre des limites restrictives permettant des PDP, des PBM et des PBC gelés et faciles à gérer au risque de perdre des clients et des limites qui offrent beaucoup de flexibilité aux clients avec, en contrepartie, de continuelles modifications de leur part.

La figure 14.17 illustre le processus d'établissement d'un plan besoins en capacité (PBC). Nous vous invitons à analyser le passage des plans provisoires aux plans finals. Le plan retenu est ensuite converti en besoins en ressources (ou capacités) sous forme de **rapport de charges** par centre de travail: on attribue une charge de travail à chaque centre de travail, puis on compare la charge requise avec la charge disponible.

limites de périodes
Séries de laps de temps où l'entreprise permet des modifications de commandes.

rapport de charges
Pour une capacité donnée, document comparant les charges de travail actuelles et futures avec les capacités disponibles.

Figure 14.17
Relations PBM-PBC

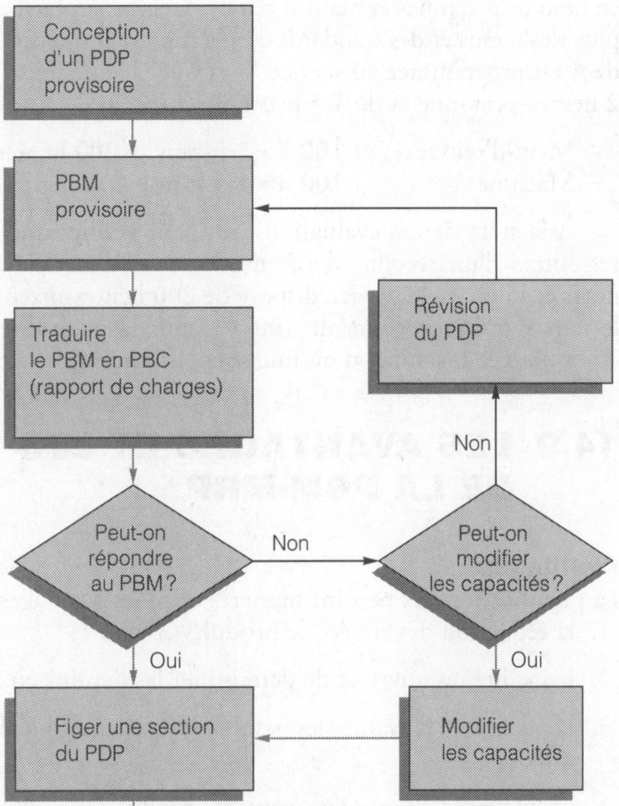

Source: Stephen Love, *Inventory Control*, New York, McGraw-Hill, 1979, p. 164. Reproduit avec la permission de l'éditeur.

La figure 14.18 présente un rapport de charges illustrant les charges actuelles, les charges dues aux lancements planifiés et les charges dues aux lancements en attente ou possibles. La ligne horizontale «capacité» indique la capacité disponible. Voyant que les capacités disponibles peuvent satisfaire à la demande, les planificateurs gèleront la section qu'ils jugent satisfaisante: aucune modification n'y sera apportée. Grâce au graphique, nous constatons que les lancements planifiés à la période 4 causeront une surcharge de travail. Nous pourrions solutionner le problème en transférant certaines commandes à d'autres périodes. On peut appliquer le même raisonnement à la période 11. On pourrait aussi faire appel aux heures supplémentaires, à l'ajout de ressources ou à la sous-traitance, ou encore effectuer une révision complète du plan de production: avant tout, il est important de respecter les délais de livraison promis aux clients.

Figure 14.18

Exemple de rapport de charges

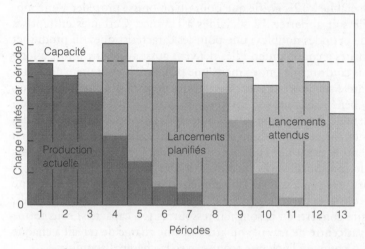

Une fois terminée la planification des besoins en capacité, il faut convertir le plan en besoins machines et main-d'œuvre. Cela se fait facilement dans la mesure où on dispose des temps et des standards d'opération. Par exemple, si la fabrication de 100 unités de A est programmée au service X, et que chaque unité requiert un temps standard de 2 heures-personne et de 1,5 heure-machine, 100 unités de A auront besoin de:

Main-d'œuvre: 100 u * 2 h-pers. = 200 heures;
Machine: 100 u * 1,5 h-m = 150 heures

À la suite de ces évaluations, on peut vérifier quel est le niveau d'utilisation des ressources d'un secteur, d'une machine ou d'un service de l'entreprise. Ainsi, dans notre exemple, si le service dispose de 200 heures-machine et de 200 heures-personne, le taux d'utilisation sera de 100 % pour la main-d'œuvre et de (150 / 200 = 0,75) 75 % pour la machine, d'où une sous-utilisation de la capacité machine.

14.9 LES AVANTAGES ET LES LIMITES DE LA PBM-MRP

Avantages

La planification des besoins matières offre les avantages suivants:

1. la réduction des stocks de produits en cours;

2. la facilité de suivre et de déterminer les besoins en matières;

3. la possibilité d'évaluer les besoins en capacité générés par un plan directeur de production;

4. un moyen d'allouer des temps de production.

À part les planificateurs de l'entreprise — utilisateurs classiques du PBM —, plusieurs autres gestionnaires se servent des informations fournies par le PBM. Parmi ceux-ci, mentionnons les directeurs des différents services de production (qui peuvent ainsi connaître le taux d'utilisation de leurs ressources, et émettre et suivre les programmes de production); les responsables du service à la clientèle, (pour promettre des délais de livraison fiables et réalistes aux clients); enfin, les responsables des achats et des approvisionnements. Rappelons que tous les bénéfices retirés de la PBM-MRP dépendent de la précision et de la fiabilité des informations fournies à l'entrée du système.

Exigences

Pour réussir l'implantation et assurer le bon fonctionnement de la planification des besoins matières, il faut:

1. un ordinateur et un logiciel capables de traiter et de garder en mémoire une grande quantité de données;

2. des données précises et mises à jour concernant:

    a) les plans directeurs de production (PDP);

    b) les nomenclatures;

    c) le niveau des stocks;

3. des dossiers de données intègres.

Le tableau 14.1 présente quelques fournisseurs de logiciels de PBM-MRP et leurs produits.

Produit	Fournisseur	Courriel
Caliach MRP	Manufacturing and Computer Systems	www.caliach.com
pc/MRP pour Windows	Software Arts	www.pcmrp.com
BPCS Client/Serveur	System Software Associates	www.ssax.com
NRS	NRS Consulting	
Impact Encore/Award	Syspro Group	www.sysprousa.com
R/3	SAP America	www.sap.com
BAAN IV	Baan Company	www.baan.com
ADD + ON Software	ADD + ON Software, Inc.	www.addonsoftware.com
JBA System 21	JBA International	www.system21.geac.com
MOVEX	Intentia	www.intentia.com

TABLEAU 14.1

Quelques fournisseurs de logiciels de PBM-MRP

Nous l'avons prouvé maintes fois tout au long du chapitre: la précision est la qualité essentielle à la réussite d'une PBM-MRP. L'implantation de la PBM-MRP étant chère et ardue, il est important de bien connaître et d'évaluer les tenants et les aboutissants d'un tel système de planification. Malheureusement, plusieurs entreprises ont grandement sous-estimé les étapes de préparation et les efforts à fournir pour réusssir l'implantation, et ont commis plusieurs erreurs: nomenclatures et structures de produits inexistantes ou obsolètes à la suite de modifications non incorporées, délais de livraison et temps de production approximatifs, mauvaise identification des éléments et des composants, etc. De plus, plusieurs chefs d'équipes ont senti une résistance de la part de leur personnel, dont le principal argument était: «Cela fait 30 ans que nous fonctionnons sans ce système et sans problèmes; pourquoi nous l'imposer?»

Pour toutes ces raisons, l'implantation prend plus d'une année. Il faut tenir compte de la formation du personnel de l'entreprise dans son ensemble: il faut préparer, former, éduquer et convaincre toutes les personnes. À cela s'ajoute la période d'apprentissage, pendant laquelle des erreurs se produiront; les gestionnaires devront apprendre à les corriger. Malgré tout, la PBM-MRP est appréciée par les entreprises ayant réussi son implantation, surtout parce qu'elle leur permet de réduire les stocks.

www.sap.com

Mais loin de nous l'idée que c'est une solution miracle et qu'elle remplacera le bon jugement des gestionnaires. De nos jours, plusieurs entreprises adoptent une approche plus large intégrant d'autres ressources : c'est la MRP-II ou la planification des ressources de production (PRP).

BULLETIN DE NOUVELLES
SAP R/3 MÈNE LE BAL

SAP (Systeme, Anwendungen, Produkt) est une entreprise allemande qui distribue un logiciel intégrant toutes les fonctions d'une entreprise : la fonction finances, les ventes, le marketing, les ressources humaines, la planification, etc. Selon le système SAP, le module de la fonction planification et contrôle de la production reçoit l'information directement du module des ventes : on crée alors les PGP (plan globaux ou intégrés de production) et les PDP (plan ou programme directeur de production). Le logiciel s'adapte à toutes les méthodes de production : conti-

nue, intermittente ou interrompue, KANBAN, avec ou sans support de lecteur code à barres. Le système créant le PBM, conçu à même le R/3, calcule les quantités et les dates de livraison de tous les éléments nécessaires et ce, jusqu'au niveau le plus bas. L'approche ERP (*Entreprise Requirement Planning*) ou planification des besoins entreprise est intégrée au module R/3. Ce module est essentiellement une base de données qui contient l'ensemble des fichiers et dossiers du matériel utilisé par l'entreprise. On y trouve toutes les informations pertinentes concernant les éléments utilisés : numéros de pièces,

caractéristiques de conception, etc. Ce fichier est le cœur du système R/3. SAP est utilisé dans le monde entier et le distributeur a annoncé la mise en marché de R/3, édition 4. Des entreprises comme Pratt & Whitney, Hydro-Québec, Mercedes Daimler, Mitsubishi, Yodobashi Camera, Ford, Fer & Titane, pour ne nommer que celles-là, ont adopté SAP. SAP Japon a implanté ce logiciel dans des secteurs économiques très variés (industries chimiques, raffineries, machinerie, textiles et vêtements, industries alimentaire et pharmaceutique) ainsi que dans les services.

Source : communiqué de presse SAP AG.

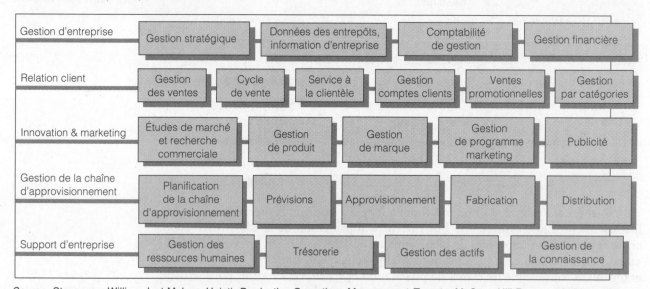

Source : Stevenson, William J. et Mehran Hojati, *Production Operations Management*, Toronto, McGraw-Hill Ryerson, 2001, p. 639.

14.10 LA PLANIFICATION DES RESSOURCES DE PRODUCTION (MRP-II)

Au début des années 1980, la planification des besoins matières s'est transformée pour inclure la planification, la programmation et l'ordonnancement de l'ensemble des ressources de l'entreprise. Cela donna lieu au développement de la planification des ressources de production : PRP ou MRP-II[13]. Il est important de retenir que la PRP n'est

---

13. MRP-II : *Manufacturing Resources Planning*.

pas une version améliorée de la PBM-MRP-I, mais plutôt une méthode de planification qui intègre d'autres fonctions de l'entreprise au lieu de se concentrer uniquement sur les besoins en matières. Les deux principales fonctions intégrées sont la fonction finances et la fonction marketing. En effet, trop souvent, les fonctions d'une entreprise fonctionnent en vase clos, sans s'informer ni se soucier les unes des autres. Pour être vraiment productives, toutes les fonctions doivent avoir des objectifs communs. La PRP sert précisément à cela en ce qu'elle permet d'intégrer le service d'ingénierie, l'approvisionnement, les ressources humaines, la planification, etc. La PRP devient alors le cœur du processus de planification (voir figure 14.19).

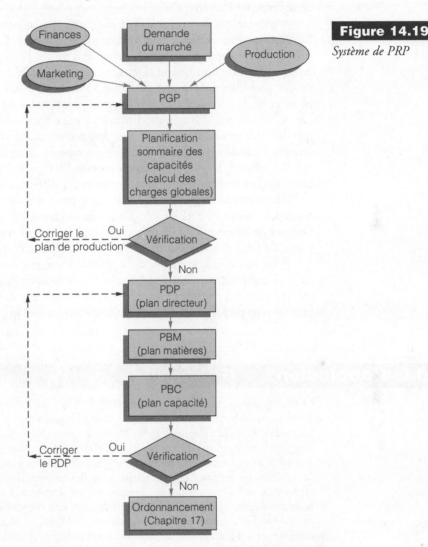

Figure 14.19

Système de PRP

On commence par intégrer les demandes de toutes les sources possibles : prévisions, commandes fermes en provenance des clients externes et internes (les centres de distribution), etc. Puis les fonctions de production, de marketing, de finances et de ressources humaines élaborent et adoptent conjointement un plan global de production (ou plan intégré) et les plans ou programmes directeurs de production correspondants. Bien que les personnes rattachées à la production soient les principales responsables pour ce qui est de fournir les données nécessaires au PGP et au PDP et de réaliser ces plans, les autres fonctions sont aussi, à leur manière, directement concernées, car elles ont toutes participé à l'établissement des objectifs : la fonction finances assure la disponibilité des fonds nécessaires aux opérations, le marketing fournit les informations concernant les clients et assure la distribution des produits, les ressources humaines fournissent la main-d'œuvre adéquate à tous les niveaux de la chaîne d'opérations, etc.

Il arrive souvent que l'entreprise soit obligée de dévier des plans initiaux : des périodes de modifications doivent être prévues en conséquence. Une fois tout cela réalisé, le PDP est gelé pour la période. C'est à ce moment que la PBM-MRP entre en action pour créer le plan besoins matières. Vient ensuite le plan besoins en capacité (PBC), que nous avons présenté à la section 14.8. Encore une fois, à ce stade, on peut faire des ajustements avant de geler le plan. Finalement, l'ordonnancement des travaux peut débuter, suivi du lancement de la production. Nous analyserons plus en détail cette étape au chapitre 17.

À mesure que les travaux sont effectués, des informations commencent à rentrer. Les gestionnaires recueillent et analysent ces données. C'est le rôle de la fonction contrôle de la production : définir le nombre d'unités fabriquées, quel centre d'opérations les a produites, où et quand. Des modifications peuvent être nécessaires compte tenu de ces nouvelles informations. Cette fonction a aussi la responsabilité du suivi des plans et de la « retraçabilité » des commandes. Sa tâche est continue. En fonction de ces informations, d'autres modifications sont apportées. Pour cela, il est primordial que les informations fournies par les responsables du contrôle de la production arrivent quand il est encore temps de corriger le système.

Par ailleurs, la plupart des systèmes de PRP peuvent simuler des plans provisoires pour vérifier leur faisabilité et déterminer les différentes solutions possibles.

Pour terminer, signalons l'existence d'une extension du PRP : la planification des ressources entreprise (PRE)[14]. Cette approche a été mise au point par le groupe Gartner de Stamford, au Connecticut. La PRE étend la planification à une plus grande partie de l'entreprise, notamment à toute la chaîne d'approvisionnement.

Il va sans dire que toutes ces approches exigent un support informatique de plus en plus important, caractérisé par des logiciels assez dispendieux à acquérir et à utiliser. On peut trouver sur le marché un grand nombre de fournisseurs de ces logiciels de plus en plus performants et imposants en termes de taille et de nombre de modules.

14.11 Conclusion

La planification des besoins matières (PBM-MRP) est un système d'information applicable à des situations de demande dépendante (matières premières, composants et produits en cours). Le processus de planification débute par un plan global de production, suivi par des plans directeurs de production établis à partir des commandes provenant du client interne ou externe. Ces plans permettent de savoir quelles quantités produire et quand. Les produits finis sont éclatés ou explosés grâce à l'utilisation des nomenclatures. Puis, à l'aide de la procédure typique de la PBM, un plan des besoins en matières aide à déterminer les quantités de composants nécessaires, la date à laquelle ils doivent être disponibles et quand leur lancement doit avoir lieu. La caractéristique principale du PBM est le décalage qui existe entre les besoins exprimés et le moment où on passe la commande pour combler ces mêmes besoins.

La réussite de l'implantation et l'utilité de la PBM-MRP dépendent essentiellement de la disponibilité, de la fiabilité et de la précision des informations fournies à l'entrée du système et concernant les fichiers des stocks, les nomenclatures, les délais de production et le PDP. Les entreprises ne possédant pas ce type d'informations ne peuvent espérer réussir une PBM-MRP.

Il existe des variantes de la planification des besoins matières. Ces modes de planification, tels que la planification ressources production et la planification ressources entreprise, exigent la participation et l'intégration des autres fonctions de l'entreprise (finances, marketing, ingénierie, ressources humaines, etc.).

La planification des besoins en matières et en ressources est une approche de plus en plus utilisée par les entreprises, et elle devient la norme dans le domaine de la gestion des opérations.

---

14. En anglais : *Entreprise Resource Planning* (ERP).

Terminologie

Besoins bruts

Besoins nets

Code de plus bas niveau

Délai cumulatif

Délai de sécurité

Demande dépendante

Demande indépendante

Détermination de la taille des lots (technique de lotissement)

Identification de l'origine des besoins

Lancements planifiés, besoins ou lancements décalés

Limites de périodes

Lotissement par périodes ou à couverture glissante

Lot pour lot

Nomenclature

Ordre planifié

Pièces économiques par période

Planification des besoins en capacité (PBC)

Planification des besoins matières

Planification des ressources de production (PRP, MRP-II)

Planification des ressources entreprise (PRE)

Planification sommaire des capacités (calcul des charges globales)

Produit fini

Produit parent

Rapport de charges de travail

Réceptions planifiées

Réceptions programmées

SMED

Stock en main disponible ou projeté

Structure du produit

Variations nettes

Variations régénératrices

Problèmes résolus

Problème 1

Voici la structure du produit fini W. Restructurez-la afin de respecter le principe du code de plus bas niveau. Déterminez ensuite les quantités nécessaires de chaque élément pour l'assemblage de 100 unités du produit fini W.

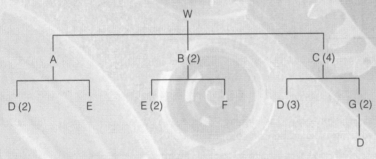

Solution

La nouvelle structure du produit apparaît ci-dessous.

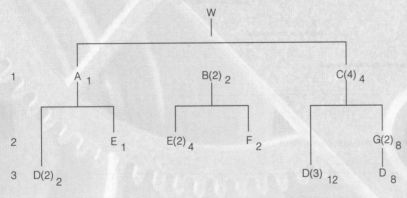

Les besoins en matières pour chaque composant apparaissent ci-dessous.

Niveau	Élément	Quantité (1W)	Quantité (100 W)
0	W	1	100
1	A	1	100
	B	2	200
	C	4	400
2	E	5	500
	F	2	200
	G	8	800
3	D	22	2200

Problème 2

Voici la structure du produit fini E. Établissez les quantités à commander de l'élément R nécessaires pour la livraison de 120 unités de E au début de la semaine 5. Les délais de livraison pour les composants des niveaux 0 et 1 sont de 1 semaine, et de 2 semaines pour les composants du niveau 2. Des réceptions sont programmées : 60 unités de M pour la fin de la semaine 1 et 100 unités de R pour le début de la semaine 1. L'entreprise fonctionne selon le mode lot pour lot.

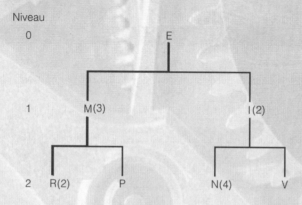

Niveau
0   E
1   M(3)   I(2)
2   R(2)   P   N(4)   V

Solution

Un graphique simple illustrant l'assemblage de E et sa relation avec R peut avoir la forme suivante (nous avons omis sciemment le composant I) :

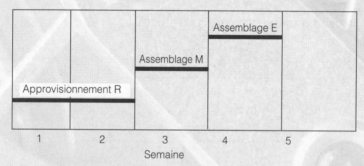

Approvisionnement R

Assemblage M

Assemblage E

Semaine   1   2   3   4   5

Le tableau suivant illustre la solution.

Modèle PBM pour E

PDP	Semaine	1	2	3	4	5	6	7	8
	Quantité					120			

Modèle PBM pour E

PDP

Semaine	1	2	3	4	5	6	7	8
Quantité					120			

Élément E	Semaine	1	2	3	4	5	6	7	8
	Besoins bruts					120			
d = 1 sem	Réceptions programmées								
	Stocks en main								
	Besoins nets					120			
Taille du lot : Lot pour lot	Réceptions planifiées					120			
	Lancements planifiés				120				

Élément M	Semaine	1	2	3	4	5	6	7	8
3 M / E	Besoins bruts				360				
d = 1 sem	Réceptions programmées		60						
	Stocks en main		60	60	60				
	Besoins nets				300				
Taille du lot : Lot pour lot	Réceptions planifiées				300				
	Lancements planifiés			300					

Élément R	Semaine	1	2	3	4	5	6	7	8
2 R / M	Besoins bruts			600					
d = 1 sem	Réceptions programmées	100							
	Stocks en main	100	100	100					
	Besoins nets			500					
Taille du lot : Lot pour lot	Réceptions planifiées			500					
	Lancements planifiés	500							

Dans ce tableau, nous voyons, au PDP de la semaine 5, 120 unités de E.

Dans le paragraphe réservé aux besoins en unités de E, nous voyons, sous la rubrique «besoins bruts», 120 unités de E à la semaine 5; 120 unités en besoins nets à la semaine 5 (pas de stocks en main ni programmés), 120 unités en réceptions planifiées à la semaine 5 et décalées d'une semaine; des besoins décalés ou lancements planifiés de 120 unités à la semaine 4. Dans le paragraphe réservé aux besoins en unités de M, nous voyons, sous la rubrique «besoins bruts», (120 E * 3 M/E = 360) 360 unités de M à la semaine 4; des réceptions programmées à la fin de la semaine 1, donc disponibles uniquement au début de la deuxième, de 60 unités qui apparaîtront sous la rubrique «stock en main» à la semaine 2. Les besoins nets à la semaine 4 sont de (360 – 60 = 300) 300 unités décalées d'une semaine; les besoins décalés ou lancements planifiés sont de 300 unités à la semaine 3. Le tableau 3 est réservé aux besoins en unités de R.

Problème 3

Planification des besoins capacité. On vous fournit le plan de production ci-dessous ainsi que les standards de production de l'entreprise. On vous demande les besoins en ressources pour chaque semaine. Calculez ensuite les taux d'utilisation par semaine sachant que vous disposez de 200 heures en capacité machine et de 250 heures en capacité main-d'œuvre.

Plan de production				
Semaine	**1**	**2**	**3**	**4**
Quantité	200	300	100	150
Temps standard				
Main-d'œuvre	0,5 h/u			
Machine	1,0 h/u			

Solution

Le tableau ci-dessous convertit les temps unitaires en temps globaux nécessaires à la production de chaque semaine.

Semaine	**1**	**2**	**3**	**4**
Quantité	200	300	100	150
Temps main-d'œuvre	100	150	50	75
Temps machine	200	300	100	150

Le tableau suivant présente le calcul des taux d'utilisation par semaine et par ressource.

Semaine	**1**	**2**	**3**	**4**
Main-d'œuvre	50 %	75 %	25 %	37,5 %
Machine	80 %	120 %	40 %	60 %

En analysant les résultats, nous remarquons une surutilisation de la machine à la semaine 2 et une sous-utilisation les autres semaines. Des mesures correctives de lissage de la production doivent être prises.

Questions de discussion et de révision

1. Quelles sont les différences entre la demande dépendante et la demande indépendante?

2. Dans quelles situations est-il intéressant d'utiliser la PBM-MRP?

3. Décrivez brièvement les notions suivantes: PDP, nomenclature, dossier fichier des stocks, besoins bruts, besoins nets, codage de bas niveau, planification décalée.

4. Comment peut-on insérer les stocks de sécurité dans le PBM?

5. Dans quelles situations les stocks de sécurité peuvent-ils être créés lors d'une PBM-MRP?

6. Qu'est-ce qu'un délai de sécurité?

7. Quelles ont les différences entre un PBM en mode variations nettes et un PBM en mode variations génératrices?

8. Décrivez les conditions nécessaires à l'implantation et à la bonne marche de la PBM.

9. Quels sont les avantages et les limites de la PBM?

10. Comment la PBM peut-elle contribuer à accroître ou à réduire la productivité?

11. En quoi la PBM et la PRP sont-elles distinctes? interdépendantes?

12. Qu'est-ce que le lotissement et à quoi sert-il? Quelle est son importance du point de vue de la demande discontinue?

13. Quelles sont les différences entre la réception planifiée et la réception programmée?

14. Quels sont les impacts des variations saisonnières sur la PBM-MRP?

Problèmes

1. En considérant la structure suivante, établissez la nomenclature du produit fini E.

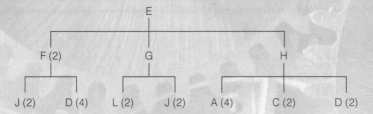

2. On vous fournit les informations suivantes (voir le tableau et la structure du produit correspondante ci-dessous).

Élément	Produit fini	B	C	D	E	F	G	H
Délai	1	2	3	3	1	2	1	2
Stock en main	0	10	10	25	12	30	5	0

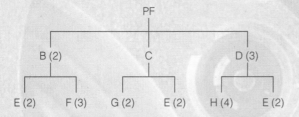

a) Combien d'unités supplémentaires de l'élément E sont nécessaires, sachant qu'il faut assembler 20 unités de plus du produit fini PF?

b) On doit livrer le PF au début de la semaine 11. Déterminez la date la plus éloignée possible pour le début des travaux.

3. Le tableau suivant indique les délais et les stocks en main des éléments nécessaires à l'assemblage du produit fini.

Élément	Délai de livraison	Stock en main	Composants
PF	1	–	L(2), C(1), K(3)
L	2	10	B(2), J(3)
C	3	15	G(2), B(2)
K	3	20	H(4), B(2)
B	2	30	
J	3	30	
G	3	5	
H	2	–	

a) Combien d'unités supplémentaires de l'élément B sont nécessaires, sachant qu'il faut assembler 40 unités de plus du produit fini PF?

b) On doit livrer le PF au début de la semaine 8. Déterminez la date la plus éloignée possible pour le début des travaux.

4. Le produit PF nécessite 2 composants : A et B. Pour chaque PF, on a besoin de 2 unités de A et de 4 unités de B. On désire livrer 100 unités de PF au début de la semaine 6. De plus, 2 réceptions programmées de 100 unités de B sont prévues au début des semaines 4 et 5. Le délai de production du PF est de 2 semaines et de 1 semaine pour chaque composant. Établir un PBM selon une politique de lot pour lot.

5. Le produit fini P a besoin des composants K, L et W. Les matières premières nécessaires sont, pour K, 3 G et 4 H ; pour L, 2 M et 2 N ; pour W, 3 Z. Les stocks en main sont les suivants : 20 L, 40 G et 200 H. Les réceptions programmées sont les suivantes : 10 K au début de la semaine 3, 30 K au début de la semaine 6 et 200 W au début de la semaine 3. Les livraisons planifiées sont de 100 P à la semaine 6 et de 100 autres à la semaine 7. Les matières premières ont des délais de livraison de 1 semaine. Les composants ont des délais de fabrication de 2 semaines, tandis que le délai d'assemblage du produit fini est de 1 semaine. La matière première G est l'objet de pertes (gaspillage) de 10 % dont il faudra tenir compte. Les commandes de H se font par lots de 200 unités. On vous demande d'établir :

    a) une structure du produit ;

    b) un graphique d'assemblage ;

    c) le PDP du produit P ;

    d) le PBM des éléments K, G et H selon une politique de lot pour lot.

6. La structure de produit ci-dessous représente l'assemblage d'une table T. Vous devez livrer une commande de 100 tables au jour 4, une autre de 150 au jour 5 et une dernière de 200 au jour 7. Une réception de 100 tiges de bois est programmée au jour 2. Toutes les réceptions sont planifiées pour le début des jours spécifiés. Vous disposez de 120 pieds en stock, plus un stock de sécurité de 10 %. Dans vos entrepôts, vous disposez de 60 traverses. Tous les délais de livraison apparaissent ci-dessous. Rédigez un plan des besoins matières selon une politique de lot pour lot.

Quantité	Délai (jours)
1-200	1
201-550	2
551-999	3

```
                    Table
        ┌─────────────┼─────────────┐
  Tiges de bois (2)  Traverses (3)   Pieds (4)
```

7. L'ordinateur du service de la PBM est en panne. La dernière information qu'il a fournie était la suivante : lancement planifié élément J27 = 640 unités à la semaine 2. Le personnel du service a été capable de récupérer la majeure partie des informations à l'exception du PDP du produit fini numéro 565, le seul qui requiert l'élément J27. Grâce aux informations ci-dessous, déterminez le nombre d'unités du produit 565 qui apparaissaient au PDP avant la panne d'ordinateur.

Élément	Stock disponible	Taille des lots	Délai de livraison (semaines)
565	0	Lot pour lot	1
X43	60	120	1
N78	0	Lot pour lot	2
Y36	200	Lot pour lot	1
J27	0	Lot pour lot	2

8. Herbie, propriétaire de l'entreprise Bicik, a planifié l'assemblage de 15 unités par semaine du modèle Base et de 10 unités par semaine du modèle Super, et ce, pour les semaines 4 à 8 inclusivement. Grâce aux informations ci-dessous, préparez un PBM pour le composant K et la matière première W avec un horizon de 8 semaines.

Réceptions programmées :

Période 1 : 20 B ; 18 W
Période 2 : 20 S ; 15 F

Élément	Délai de livraison (semaines)	Stock en main	Règle de lotissement
B	2	5	Lot pour lot
S	2	2	Lot pour lot
X	1	5	QC = 25
W	2*	2	Multiples de 12
F	1	10	QC = 30
K	1	3	Lot pour lot
Q	1	15	QC = 30
M	1	0	Lot pour lot

* d = 3 semaines pour les commandes de 36 unités ou plus

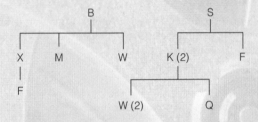

9. Vous venez de recevoir une commande de 50 tronçonneuses à livrer au début de la semaine 8. Avec les informations inscrites ci-dessous :
   a) tracez la structure du produit et le graphique d'assemblage des tronçonneuses ;
   b) rédigez le PBM de la matière première E.

Élément	Délai de livraison	Stock en main	Composants
Tronçonneuse	2	15	A (2), B (1), C (3)
A	1	10	E (3), D (1)
B	2	5	D (2), F (3)
C	2	30	E (2), D (2)
D	1	20	
E	1	10	
F	2	30	

10. Vous venez de recevoir une commande de 40 robots industriels à livrer au début de la semaine 7. Avec les informations inscrites ci dessous, trouvez la quantité d'unités de l'élément G à commander et le moment où il convient de le faire, sachant qu'il est commandé par multiples de 80 unités. Tous les autres éléments sont commandés selon le mode lot pour lot.

Élément	Délai de livraison	Stock en main	Composants
Robot	2	10	B, G, C (3)
B	1	5	E, F
C	1	20	G (2), H
E	2	4	–
F	3	8	–
G	2	15	–
H	1	10	–

11. En vous servant des données du problème 2 de la section «Problèmes résolus», rédigez le PBM du composant I et des matières premières N et V selon les conditions suivantes :

   a) vous disposez de 100 N en entrepôt; des réceptions programmées de 40 I et de 10 V sont attendues au début de la semaine 3; 120 E sont requis au début de la semaine 5;

   b) on vous informe que le PDP de E a été modifié pour 100 E à la semaine 5 et pour 50 à la semaine 7. De plus, N est commandé par lots de 800, V par lots de 200 et I, lot pour lot. Utilisez les informations fournies en a).

12. Un fabricant de chariots électriques reçoit une commande de 200 unités à livrer au début de la semaine 8. Les informations concernant la nomenclature, le fichier des stocks et les délais de livraison apparaissent ci-dessous. On vous demande de :

   a) tracer la structure du produit;

   b) tracer le graphique d'assemblage;

   c) rédiger un PBM pour ce PDP selon une politique de lot pour lot.

Élément	Délai de livraison	Stock en main
Chariot	1	0
Haut	1	40
Bas	1	20
Haut		
Supports (4)	1	200
Capot	1	0
Base		
Moteur	2	300
Carrosserie	3	50
Sièges (2)	2	120
Carrosserie		
Châssis	1	35
Contrôle	1	0
Roues (4)	1	240

13. Une révision du plan initial vous apprend qu'il faudrait livrer 100 chariots à la semaine 6, 100 à la semaine 8 et 100 à la semaine 9, toujours au début de la période.

   a) Rédigez un nouveau plan directeur de production;

   b) Déterminez combien de hauts et de bases il faudra commander et quand;

   c) On vous informe que la capacité de l'entreprise ne permet pas d'assembler plus de 50 bases par semaine. Révisez votre PBM en conséquence tout en respectant les délais de livraison.

14. Une entreprise manufacturière achète un certain produit d'une façon continue tout au long de l'année. Les coûts de commande sont de 11 $ par commande et les coûts d'entreposage, de 0,14 $/u par mois. La demande pour les 8 prochains mois apparaît ci-dessous. On vous demande :

   a) de déterminer la taille du lot idéal selon la technique de PÉP (pièces économiques par période). Quand chacune des commandes devrait-elle arriver ?

   b) de déterminer la taille des lots selon le modèle de la QÉC et le moment idéal pour commander, en supposant que le délai de livraison est nul.

   c) de comparer les coûts associés aux deux modèles précédents sur un horizon de 2 mois.

Mois	Demande
1	–
2	80
3	10
4	30
5	–
6	30
7	–
8	30

15. Une entreprise produit périodiquement un élément de sous-assemblage ou composant nécessaire à un ensemble de produits finis. Les coûts de mise en route et d'entreposage dudit composant sont respectivement de 125 $ et de 1,65 $/u semaine. En vous basant sur la demande pour ce composant (voir ci-dessous), établissez les quantités à commander et la période idéale pour ce faire selon une politique de PÉP (pièces économiques par période) ; les délais de fabrication sont de 1 semaine par lot.

Semaine	Demande
1	40
2	20
3	100
4	20
5	–
6	20
7	80

16. Un fabricant de matériaux de pavage prévoit les ventes suivantes (en tonnes) pour son produit principal.

Semaine :	1	2	3	4
Tonnes :	40	80	60	70

   Les informations sur les temps standard d'opération sont présentées ci-dessous.

	Main-d'œuvre	Machine
Standard de production (heures/tonne)	4	3
Capacité hebdomadaire de production (heures)	300	200

   a) Calculez le taux d'utilisation de la main-d'œuvre et de la machine par semaine.

   b) Pensez-vous pouvoir répondre à la demande ? Suggérez des solutions et énumérez les coûts potentiels.

17. Une entreprise pharmaceutique fabricant des produits génériques doit produire les produits A et B en suivant trois opérations : fabrication, assemblage et conditionnement. Chaque opération est effectuée par un service particulier. L'entreprise fonctionne par lots ; on termine un lot par jour, soit une opération, avant de passer à la suivante. Les temps d'opérations en

heures par unité ainsi que la demande pour chaque produit par jour sont présentés aux tableaux suivants. Les capacités maximales disponibles par jour et par service sont de 700 heures de main-d'œuvre et de 500 heures-machine, sauf le vendredi, où les limites sont de 200 heures pour la main-d'œuvre et pour la machine.

Produit	Fabrication		Assemblage		Conditionnement	
	Main-d'œuvre	Machine	Main-d'œuvre	Machine	Main-d'œuvre	Machine
A	2	1	1,5	1	1	0,5
B	1	1	1	1	1,5	0,5

Jour	Lun.	Mar.	Mer.	Jeu.	Ven.
A	200	400	100	300	100
B	300	200	200	200	200

a) En omettant les temps de mise en route, établissez un plan de production par jour pour chaque service en illustrant la charge totale du service.

b) En analysant la charge des trois premiers jours de la semaine, pensez-vous pouvoir répondre à la demande? Suggérez des solutions.

UNE TOURNÉE DES OPÉRATIONS
LES MEUBLES STICKLEY

Mise en situation

La compagnie de meubles Stickley, située dans l'État de New York, près de la frontière canadienne, a été fondée en 1900 par les frères Leopold et George Stickley. Les produits finis sont fabriqués à partir de bois de chêne, de cerisier et de noyer. Depuis la fin des années 1980, les produits en noyer représentent 50 % du chiffre d'affaires. Depuis sa fondation, l'entreprise a vécu plusieurs situations économiquement difficiles. En effet, elle est passée de 200 employés, dans les années 1950 et 1960, à moins de 20 employés temps à plein en 1974, année où elle a frôlé la faillite avant d'être achetée par de nouveaux propriétaires. Actuellement, Stickley est prospère: elle emploie 900 travailleurs, possède cinq centres de distribution, a un chiffre d'affaires de 65 millions de dollars US et près de 100 détaillants aux quatre coins du continent.

Opération

L'usine est de forme rectangulaire et a un plafond de 15 mètres de haut. Le procédé de production demeure manuel, même si on a installé plusieurs pièces d'équipement électriques telles que scies, sableuses, toupies, etc. La facture d'électricité oscille entre 40 000 $ et 50 000 $ par mois. L'entreprise dispose de son propre service de maintenance qui aiguise, prépare et entretient les machines et autres pièces d'équipement. Les employés ont diverses formations; on trouve autant de personnes à tout faire que d'artisans hautement qualifiés: trois maîtres menuisiers sont en effet à l'emploi de l'entreprise. Le procédé de production débute par le débitage et le sciage du bois en diverses pièces (voir figures suivantes). La compagnie a acquis récemment une scie rectifieuse à contrôle numérique qui a grandement amélioré la productivité et diminué les rejets. Les employés relèvent et marquent les défauts dans les planches, puis les passent à la machine. L'ordinateur détermine alors la meilleure combinaison de coupe, tout en tenant compte des défauts et des tailles des pièces de sous-assemblage nécessaires. Près de 10 000 mètres linéaires de bois sont traités chaque jour. D'autres opérations de sciage sont ensuite effectuées.

Les travailleurs procèdent ensuite au collage des pièces pour former des dessus de tables, de pupitres, de commodes et autres produits. De grandes presses serreront de 20 à 30 pièces à la fois pour compléter le collage. Puis on traite les pièces de bois servant à fabriquer les pieds, les appuie-bras, etc. Viennent ensuite le sablage et le ponçage, destinés à enlever les surplus de colle, à éviter les échardes et à lisser les surfaces. Certains composants nécessitent des opérations de perçage et d'usinage. La compagnie dispose d'une toupie à contrôle numérique capable de faire des usinages délicats; elle est utilisée par des employés qualifiés. Des travailleurs sont affectés à des opérations diverses de sous-assemblage et d'assemblage. Tous les composants et pièces de sous-assemblage sont estampillés pour identification, afin qu'on puisse les situer dans l'assemblage final: c'est le cas des tiroirs et autres produits du même type. Des fiches descriptives accompagnent les produits: elles permettent de retracer, notamment au moment des retouches, les différentes opérations qui ont été effectuées. Une fois les produits assemblés, ils sont entreposés momentanément à la section «stock de blanc» en attendant de passer à la finition, au vernissage et à la peinture pour finalement aboutir dans les entrepôts de produits finis.

Bien que la demande soit cyclique et marquée par des hauts au premier et au troisième trimestre, l'entreprise fonctionne selon un taux nivelé de production pour maintenir une

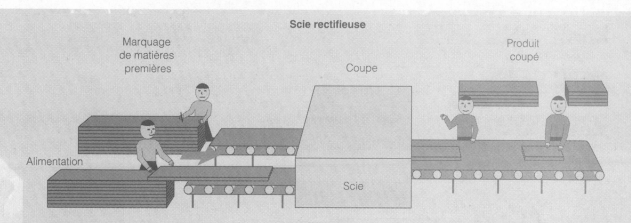

main-d'œuvre constante. Les surplus de stocks du deuxième et du quatrième trimestre sont entreposés en prévision de la haute saison. L'horizon de temps choisi est de 8 à 10 semaines.

Les tailles des lots, habituellement entre 25 et 60 pièces, sont établies en fonction de la demande, des coûts de lancement et d'entreposage. L'ordonnancement des travaux est déterminé en fonction des stocks disponibles et des temps d'opérations. Toutes les commandes sont accompagnées de fiches descriptives, de type code à barres, où on précise les opérations à accomplir et leur durée. Dès qu'une opération est terminée, l'opérateur détache le coupon correspondant, qu'il remet au service du contrôle des opérations. Les données inscrites sur le coupon sont alors enregistrées dans l'ordinateur, ce qui permet de suivre l'avancement des travaux.

La politique actuelle de planification entraîne des variations considérables du niveau des stocks dans l'entreprise.

Gestion des stocks

L'entreprise possède des stocks de matières premières, de composants de sous-assemblage, de produits finis en blanc et de produits finis peints, mais peu de stocks de pièces en cours de production. Selon Stickley, les stocks de composants de sous-assemblage jouent deux rôles importants. Tout d'abord, ils permettent de réduire les délais de fabrication des nouvelles commandes urgentes, car une partie des opérations a été faite et l'entreprise n'a pas besoin de recommencer la production au début. Ensuite, cela permet de travailler à certains postes de travail inoccupés ou dont le taux d'utilisation est bas. Si cette politique a pour résultat d'augmenter les stocks de composants, elle donne en revanche une plus grande flexibilité et crée des stocks tampons. Les planificateurs utilisent judicieusement cette approche en regroupant les composants du même type ou de la même famille avant de commencer la production. Ils choisissent des séquences de production qui minimisent les temps de mise en route.

Qualité

Chaque employé est responsable de la qualité de son opération. Il vérifie les produits reçus, les transforme et vérifie le résultat. Il doit reporter tout défaut remarqué. Une équipe spéciale a la responsabilité d'assister les travailleurs dans cette fonction, en plus d'assurer la qualité globale des activités de l'entreprise. L'entreprise considère sérieusement l'implantation d'une politique de gestion intégrale de la qualité (TQC).

Questions

1. Décrivez le type de produit et la méthode de production utilisés chez «Les meubles Stickley». Indiquez leurs caractéristiques.

2. Comment l'entreprise procède-t-elle pour surveiller l'avancement des travaux et pour faire le suivi des commandes?

3. Si l'entreprise reçoit une commande de 40 ensembles de salles à manger en noyer de type spécial, décrivez succinctement sa façon de gérer cette commande.

4. Quels sont les avantages de cette commande et les problèmes potentiels qu'elle peut soulever?

5. Pouvez-vous suggérer quelques améliorations quant à la gestion ou dans la façon de procéder de l'entreprise?

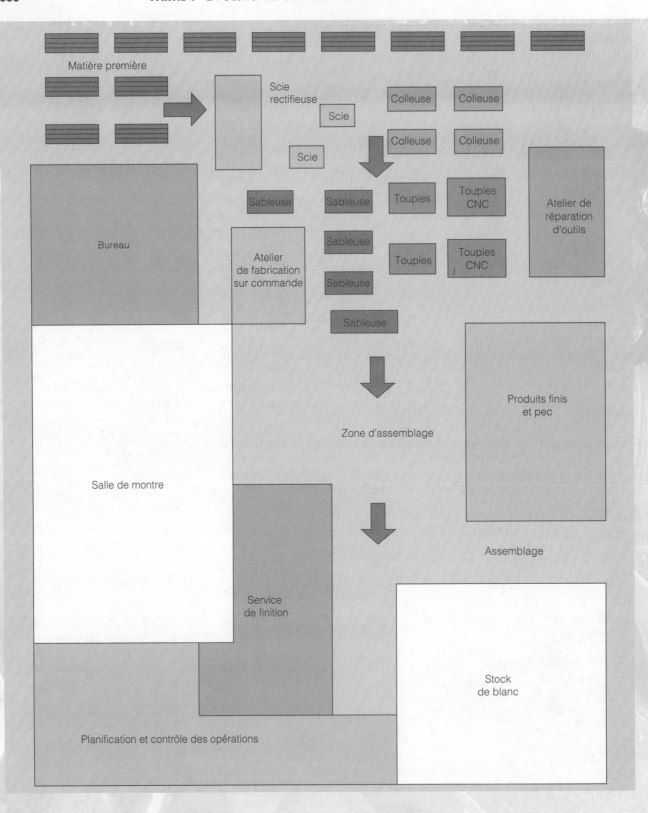

Bibliographie

BLUMBERG, D.F. «Factors Affecting the Design of a Successful MRP System», *Production and Inventory Management,* vol. 21, n° 4 (quatrième trimestre de 1980), p. 50-62.

HOPP, Wallace et Mark L. SPEARMAN. *Factory Physics,* Burr Ridge, IL., Richard D. Irwin, 1996.

LAFORGE, R.C. «MRP and the Part-Period Algorithm», *Journal of Purchasing Management* (hiver 1982), p. 21-26.

LOVE, Stephen. *Inventory Control,* New York, McGraw-Hill, 1979.

ORLICKY, Joseph. *Material Requirements Planning,* New York, McGraw-Hill, 1975.

SRIDHARAN, V. et R. Lawrence LAFORGE. «Freezing the Master Production Schedule: Implication for Customer Service», *Decision Sciences* (mai-juin 1994), p. 461-69.

VOLLMANN, Thomas E., William L. BERRY et D. Clay WHYBARK. *Manufacturing, Planning and Control Systems.* 4ᵉ édition, Burr Ridge, IL., Richard D. Irwin, 1997.

WIGHT, Oliver W. *The Executive's Guide to Successful MRP II,* Williston, VT, Oliver Wight Limited Publications, 1982.

1. Expliquer l'expression «système de production juste-à-temps (J-À-T)».

2. Dresser la liste de tous les objectifs du (J-À-T) et expliquer leur importance.

3. Énumérer les éléments du (J-À-T) et les décrire brièvement.

4. Dresser la liste des avantages du système (J-À-T).

5. Souligner les points dont il faut tenir compte lors de la conversion d'un mode de production traditionnel à un système (J-À-T).

Chapitre 15
LES SYSTÈMES JUSTE-À-TEMPS

Plan du chapitre

15.1 INTRODUCTION

juste-à-temps
Système de gestion de la production en flux tendu visant la fabrication et le stockage des bonnes quantités au bon moment, à chaque étape du processus.

production épurée
Système de fabrication faisant appel au minimum de facteurs de production.

La notion de juste-à-temps ((J-À-T)) fait référence à un système de production dans lequel la circulation de la matière est soigneusement synchronisée à chaque étape du processus, et ce, depuis sa réception en provenance des fournisseurs jusqu'à sa livraison au client. Le client peut être aussi bien un client interne qu'externe. On observe alors un flux continu de matière sans interruption du cycle de production ni produits en cours en attente entre les différentes étapes du processus. Chaque lot lancé en production, habituellement le plus petit possible, arrive à une étape juste au moment où le lot précédent vient d'être terminé, d'où l'expression « juste-à-temps ». Certains utilisent plutôt l'expression « flux tendus », mais nous utiliserons **juste-à-temps** tout au long du présent chapitre.

Cette approche est caractéristique des systèmes de **production épurée**, notion que nous avons présentée au chapitre 1. Les entreprises du domaine manufacturier ou de celui des services qui ont adopté la production épurée fonctionnent avec le minimum de « surplus » de facteurs de production[1] dans tous les secteurs : le minimum de stocks, le minimum de machines et d'équipement, le minimum d'employés, etc. Théoriquement, elles ne disposeront d'aucun « gras », soit de zéro surplus.

Il existe deux courants de pensée en ce qui concerne la planification et le contrôle de la production et des stocks (PCPS) : l'approche de la planification des besoins matières (PBM-MRP), abordée au chapitre 14, et le juste-à-temps ((J-À-T)). Certains considèrent que le J-À-T s'applique à la production continue, tandis que la PBM-MRP s'adapte mieux à la production interrompue ou par lots. Dans la pratique, toutefois, nous observons que les deux systèmes s'appliquent aussi bien en production intermittente qu'en continu. Le fait demeure que la PBM-MRP est un système de planification assez complexe, qui exige un suivi et un contrôle rigoureux des centres de production (ateliers, services et autres). Elle requiert une planification et un ordonnancement des travaux assistés par ordinateur et permet d'assurer le suivi et le respect des délais de livraison et de fabrication. De son côté, le J-À-T, par définition, doit être simple et composé d'un système de déclenchement minimal ; le contrôle se fait à l'aide de signaux visuels et sonores (voir la section 15.3.3) auxquels les gestionnaires réagisssent rapidement. Nous procéderons à la description du J-À-T et de ses relations étroites avec la production épurée, de ses caractéristiques (avantages, inconvénients) et des obstacles à éviter dans la section traitant de l'implantation de cette approche.

Le système juste-à-temps a vu le jour au Japon, à la fin des années 1940. C'est Taiichi Ohno, alors directeur d'une des usines de production de Toyota — il a été vice-président de la compagnie de 1975 à 1978 —, qui commença à l'implanter. Il voulait ainsi réduire les coûts des opérations et accroître la flexibilité de l'entreprise.

Plusieurs aspects du J-À-T existent depuis plus d'un siècle ; Ohno n'a fait que les adapter au XXe siècle. En effet, le J-À-T permet aux gestionnaires d'établir des plans et programmes de production de façon à avoir le minimum de produits en cours et de produits finis en stock. On pourrait en exprimer le postulat de base de la façon suivante :

« pourquoi faire aujourd'hui ce que l'on peut faire demain ? »

Il demande une coordination chronologique parfaite entre la conception du produit, son lancement en production et sa mise en marché. Au point de vue de la production, il permet un flux continu et rapide des matières dans la chaîne de production. L'approche J-À-T touche donc à tous les aspects du processus d'offre du bien ou du service. Son application dans le domaine des services est à peine amorcée en dépit du fait que ce secteur y gagnerait énormément, ne serait-ce que pour le commerce au détail ou la chaîne d'approvisionnement[2].

La recherche de la qualité doit porter autant sur le produit que sur le processus nécessaire pour le créer. Les entreprises ayant adopté cette approche fonctionnent par

---

1. Facteurs de production : ressources nécessaires à l'exploitation (machines, main-d'œuvre, matières, etc.) ; voir le chapitre 1.
2. Voir le chapitre 16.

lots de très petite taille, par exemple 10 unités par lot, et avec des horaires très serrés. Il faut donc posséder un système d'opération très fiable, où se produiront le moins possible d'arrêts dus à des pannes, aux ruptures de stock ou à l'absentéisme des travailleurs. Ces derniers sont formés non seulement pour travailler avec le système, mais aussi pour assurer son bon fonctionnement et l'améliorer.

Commentaire. Le J-À-T ne convient pas à toutes les entreprises. Il est souvent utilisé pour des produits comme l'automobile, car, dans ce domaine, il est possible de produire en fonction de la demande des clients et ainsi d'éviter de grosses accumulations de stocks de produits finis. Mais il est moins utilisé pour la production de biens de consommation très standardisés. Dans ce cas, les fabricants, au lieu d'utiliser le mode de fabrication sur commande (produits sur commande), fonctionnent généralement suivant le mode de fabrication en vue du stockage (produits standard).

Comme la prévision est sujette à l'erreur en raison de la variabilité de la demande, les stocks de biens finis permettent aux fabricants d'amortir les perturbations causées par les différences entre la prévision et la demande réelle.

Maintenant, voyons les objectifs du système J-À-T.

L'article suivant présente l'application de l'approche juste-à-temps chez Toyota.

LECTURE
LE FER DE LANCE DES MANUFACTURES JAPONAISES
Par Urban C. Lehner

Si le roi de l'industrie automobile américaine, Henry Ford, vivait encore, je suis sûr qu'il ferait exactement la même chose que ce que nous faisons avec notre système de production Toyota.

Taiichi Ohno

Toyota City, Japon — En cherchant à expliquer comment fonctionne le Japon, les experts ont mis en évidence les liens étroits entre les entreprises et le gouvernement ainsi que la loyauté des employés japonais hautement qualifiés envers leurs employeurs. Ils ont remarqué aussi la grande concurrence que se livrent les entreprises, le taux d'épargne élevé et même le faible taux d'avocats par habitant.

Ces éléments font certainement partie de la solution du casse-tête. Toutefois, des consultants en gestion ont cherché à comprendre comment les Japonais arrivent à obtenir d'aussi hautes normes de qualité à des prix aussi concurrentiels. Les Japonais, disent-ils, se sont avérés exceptionnellement adroits dans l'organisation et l'exploitation des opérations manufacturières. Les gestionnaires nippons n'ont peut-être pas tous une maîtrise en administration des affaires (*MBA*) et n'ont pas tous l'habileté d'échafauder de grandes stratégies comme leurs

homologues américains, mais ils savent comment diriger une usine.

«Une idée de plus en plus admise veut que le succès japonais soit basé, du moins en partie, sur l'élaboration de techniques manufacturières dépassant souvent les nôtres», affirme le consultant Rex Reid, directeur du bureau Toyota de A. T. Kearney. L'un des exemples les plus probants des aptitudes de gestion de la production des Japonais est la Toyota Motors Co., le plus important vendeur et fabricant d'automobiles étrangères aux États-Unis.

Ils croient en leur système

Les dirigeants de Toyota refusent d'affirmer que leurs méthodes de construction d'automobiles sont meilleures que celles de leurs concurrents. Ils sont même un peu embêtés par les propos peu banals de l'ancien directeur de production, M. Taiichi Ohno, qui décrit, dans son livre publié en 1978, le comportement de Henry Ford. Mais les dirigeants de Toyota demeurent de fervents adeptes de ce que M. Ohno appelle le «système de production Toyota[3]».

Pour avoir une idée de ce qu'est le système de production Toyota, il suffit de visiter l'usine Tsutsumi de Toyota City. Cette ville de 280 000 habitants

est située au centre du Japon et abrite 8 des 10 usines Toyota.

Muneo Nakahara, âgé de 26 ans, travaille depuis 8 ans pour Toyota. À l'aide d'un pont roulant qu'il commande avec un appareil portatif, il remonte les moteurs automobiles sur une courroie de convoyeur. Ces moteurs seront ensuite acheminés vers la chaîne d'assemblage.

M. Nakahara place les moteurs sur le convoyeur à l'aide d'un petit camion à plate-forme, qui a servi à les transporter depuis l'usine de moteurs. Deux camions transportant 12 moteurs stationnent au poste de M. Nakahara à tout moment. À chaque minute, un camion vide retourne à l'usine de moteurs et un nouveau le remplace.

C'est là la première caractéristique du système Toyota : ne pas garder de stock. Les usines Toyota gardent en stock seulement la quantité de pièces nécessaires pour la production immédiate. Selon le type de pièces, on peut les obtenir dans un délai allant de quelques minutes à quelques heures. Lorsqu'on a besoin de nouvelles pièces — et seulement si elles sont nécessaires — on les fait venir d'autres usines Toyota ou de fournisseurs extérieurs, et elles sont livrées directement à la chaîne de production.

---

3. N.D.T. En anglais, *Toyota Production System* (TPS).

Les visiteurs qui ont vu l'usine Toyota en action appellent ce système le «système *kanban*»; *kanban* est le mot japonais qui désigne le bout de papier joint à l'emballage de plastique transparent qui recouvre chaque bac de pièces. Quand un travailleur commence à prendre des pièces dans un nouveau bac, il retire le *kanban* et le renvoie au fournisseur. Le *kanban* sert de bon de commande pour un nouveau bac de pièces.

Toutefois, pour les dirigeants de Toyota, ce système de gestion des stocks est tout simplement le système «juste-à-temps». Ce système simple permet de gérer toutes les opérations des usines. Une chaîne d'assemblage fabrique la quantité de composants nécessaire à la prochaine étape de la production. Quand elle en a fabriqué suffisamment, une nouvelle mise en route est lancée afin qu'on puisse fabriquer d'autres types de composants. Même chose pour la chaîne d'assemblage finale, qui assemble d'abord un type de voitures, puis un autre, et ce, par petits lots — selon la quantité demandée par le service des ventes de Toyota. Les ingénieurs de Toyota «font la moyenne» et «répartissent» la production entre les chaînes pour coordonner la sortie du produit sans créer de stocks. Ils comparent l'assemblage d'une automobile à une équipe de rameurs : tout le monde doit ramer en même temps.

«Ils s'efforcent d'éviter l'entreposage de produits finis et de produits en cours», affirme un dirigeant de la société Ford de Détroit qui a vu le système à l'œuvre. «Ils rejettent d'emblée tout le concept de la production de masse.»

Les avantages sont substantiels. Toyota n'a pas besoin d'espace pour stocker, ni d'employés pour contrôler et manipuler les stocks; la compagnie n'a pas besoin non plus d'emprunter de l'argent pour financer ces stocks. «Ce système réduit les coûts de bien des manières», déclare un dirigeant de Nissan Motor Co., le deuxième fabricants d'automobiles du Japon, qui a adopté pour certaines de ses usines un système de contrôle des stocks semblable.

De plus, il y a les avantages secondaires. Puisque Toyota est constamment en train de changer ses machines pour fabriquer de nouveaux produits, ses travailleurs acquièrent de l'expérience sur le plan des réparations et de la mise en route. Dans son livre[4], M. Ohno donne l'exemple du temps nécessaire pour changer un moule de presse. Dans les années 1940, cela prenait de deux à trois heures. Aujourd'hui, «cela ne prend que trois minutes [...]», explique-t-il.

Finalement, en plus de mettre l'accent sur le maintien minimal de stocks, le système Toyota est axé sur le contrôle de la qualité. Toute l'usine de Tsutsumi est équipée de lumières électriques qui indiquent l'état de fonctionnement de chaque chaîne d'assemblage. Une lumière rouge, *andon* en japonais, indique l'arrêt d'une chaîne en raison d'un problème. Chaque travailleur a accès à une corde ou à un bouton avec lequel il peut stopper la chaîne. On lui demande de l'utiliser chaque fois qu'il croit qu'une opération de la chaîne ne s'effectue pas correctement ou lorsqu'il aperçoit une défectuosité dans le produit. En japonais, ce principe s'appelle le *jidoka*.

«Dans ces cas-là, nous ralentissons temporairement la production», affirme M. Fujio Cho, directeur du service de contrôle de la production au siège social de Toyota. Mais, selon notre expérience, le fait d'arrêter les chaînes nous aide à détecter très tôt les problèmes et nous évitons ainsi de faire de mauvais produits.»

Mais il y a plus : Toyota tend à former les travailleurs afin qu'ils effectuent plus d'une tâche. Ils veulent de la flexibilité de la part de leur main-d'œuvre. Le travailleur change régulièrement de machine. Celui qui fournit à un robot les glaces arrière colle également sur les carrosseries les instructions permettant aux travailleurs affectés à un autre poste de la chaîne de les installer. Cette flexibilité permet à Toyota d'utiliser plus efficacement sa main-d'œuvre quand la demande baisse.

En effet, l'idée de «récession» est toujours sous-jacente chez Toyota. Cela s'explique par le fait qu'une grande partie du système a été créée vers la fin des années 1940 et au début des années 1950, alors que Toyota produisait exclusivement pour un marché intérieur peu florissant. L'entreprise fonctionnait selon l'hypothèse qu'il est plus efficace de produire par grands lots, «mais ce genre d'idéologie nous a conduits au bord de la faillite, car les grands lots que nous produisions ne pouvaient pas être vendus», explique M. Cho.

Source : Reproduit avec l'autorisation de *The Wall Street Journal,* ©1981 Dow Jones & Company, Inc. Tous droits réservés internationalement.

Quand on demanda à Eiji Toyoda, alors vice-président de Toyota, quels étaient le secret du J-À-T et sa source d'inspiration, il répondit qu'il n'y avait aucun secret et que le maître à penser fut Henry Ford quand, près de 60 ans plus tôt, il appliqua ces principes à la fabrication de la Ford T à l'usine de River Rouge, au Michigan. En construisant l'usine fabricant les pare-brise le plus près possible de la chaîne d'assemblage, Henry Ford avait fait passer le coût du pied carré de verre de 1,50 $ à 0,20 $.

---

4. WOMACK, J. P., D. T. JONES et D. ROOS. *The Machine that Changed the World,* New York, Simon & Schuster, Inc., 1990.

15.2 LES OBJECTIFS DU J-À-T

Le but premier de l'implantation du J-À-T est d'obtenir un système équilibré, c'est-à-dire un système qui procure un flux régulier et rapide de matériaux dans la chaîne de production. Le principe est le suivant: rendre le temps de traitement aussi court que possible en utilisant les ressources de façon optimale. Le degré de réalisation de cet objectif dépend de l'atteinte de certains sous-objectifs:

1. Éliminer les perturbations.

2. Rendre le système flexible.

3. Réduire les temps de mise en route et les délais.

4. Réduire les stocks au minimum.

5. Éliminer les pertes et les rejets.

Voyons ces sous-objectifs en détail.

1. Les *perturbations* ont un effet négatif sur le système, car elles dérangent le flux régulier des produits. Les perturbations sont causées par plusieurs facteurs: piètre qualité, bris de matériel, changements d'horaires et retards de livraison. Dans la mesure du possible, il faudrait éliminer tous ces facteurs pour réduire l'incertitude avec laquelle les employés doivent composer.

2. Un *système flexible* est assez robuste pour traiter plusieurs produits, souvent de façon quotidienne, et pour absorber les changements concernant la sortie du produit, tout en maintenant un équilibre et une vitesse acceptable de production. Un tel système peut fonctionner même dans un environnement instable ou dans un climat d'incertitude.

3. Les *temps de mise en route* et les délais de livraison prolongent indûment un processus sans ajouter de valeur au produit (faible PVA: production à valeur ajoutée). De plus, des temps de mise en route et des délais longs ont un effet négatif sur la flexibilité du système; aussi, leur réduction constitue un objectif d'amélioration continue.

4. Les *stocks* prennent de la place et augmentent les coûts du système, sans parler des autres inconvénients qui peuvent en découler[5]. On devrait les réduire au minimum dans la mesure du possible.

5. Les *pertes* et les *rejets* sont des ressources non productives. L'élimination des pertes peut libérer les ressources et améliorer la production. Selon la philosophie J-À-T, les pertes proviennent:

   a) *de la surproduction*: elle comprend une utilisation excessive des ressources manufacturières;

   b *du temps d'attente*: il nécessite de l'espace et n'ajoute pas de valeur au produit;

   c) *du transport superflu*: il augmente la manipulation et les produits en cours;

   d) *des stocks*: ce sont des ressources inexploitées qui camouflent les problèmes reliés à la qualité et l'inefficacité de la production;

   e) *du gâchis*: il crée des étapes de production superflues mais nécessaires si on veut rattraper les produits perdus;

   f) *des méthodes de travail inefficaces*: de piètres conditions d'aménagement entraînent beaucoup de manutention et de circulation des matériaux; de plus, elles augmentent le stock d'encours;

   g) *des défectuosités des produits*: elles entraînent des coûts de réusinage et des pertes de ventes possibles en raison du mécontentement des clients et des délais de livraison non respectés.

---

5. Voir le chapitre 13.

L'existence de ces pertes indique qu'il y a place à l'amélioration. Une liste des pertes permet aussi de cibler les efforts d'amélioration continue.

15.3 LES ÉLÉMENTS DU J-À-T

Pour atteindre les objectifs ci-haut mentionnés, le J-À-T doit répondre aux exigences minimales suivantes :

1. une conception adéquate du produit ;

2. une conception du processus en conséquence ;

3. une gestion adaptative des ressources humaines ;

4. une planification et un contrôle de la production flexible.

Deux paramètres importants accompagnent ces exigences : 1) la vitesse d'opération ; 2) la simplicité des opérations.

Analysons en détail chacune de ces exigences.

15.3.1 Conception du produit

La conception (ou design) du produit est constituée de trois éléments clés :

a) la standardisation des composants et des matières ;

b) la conception modulaire ;

c) la qualité.

Les deux premiers éléments font référence aux paramètres de vitesse et de simplicité.

a) La *standardisation* des matières et des composants utilisés pour créer le produit fera en sorte que les travailleurs auront à manipuler le moins de pièces différentes possible. Par conséquent, les coûts et les temps de formation seront réduits d'autant. Les achats, la manutention et le contrôle de la qualité seront simplifiés et favoriseront l'amélioration continue. De plus, le processus de fabrication pourra être facilement normalisé (rappelons que l'on standardise les produits et que l'on normalise les processus ou méthodes de production en conséquence).

b) La *conception modulaire* suit le même schéma de pensée que la conception des produits. Rappelons qu'un module[6] est un regroupement de pièces et de composants traité comme une unité de sous-assemblage. En standardisant le design d'un module, nous simplifions la production de ce module, et, par le fait même, la nomenclature du produit final. Par exemple, dans l'industrie automobile, nous pouvons avoir le module « chaîne stéréo » ou « ventilation ». Pour la chaîne d'assemblage final, la chaîne stéréo est traitée comme une matière première quelconque, au même titre que les pneus. Désirant offrir au client un certain choix dans les chaînes stéréo, on standardisera le plus possible le design des différents modules afin qu'ils puissent s'intégrer facilement au tableau de bord, bien que chaque chaîne puisse avoir des caractéristiques différentes.

La standardisation présente toutefois des inconvénients : une réduction de la variété des produits offerts et la résistance à l'égard des changements apportés au produit initial. On peut parfois pallier ces inconvénients en utilisant la **différenciation retardée**.

différenciation retardée
Délai apporté à la fabrication du produit fini en attendant les modifications possibles des composants et autres modules de base.

Un gestionnaire peut reporter sa décision concernant les produits finis pendant que les portions standard sont fabriquées. Quand on détermine avec exactitude les différents produits nécessaires, le système peut rapidement réagir en produisant les portions restantes de ces produits. La vente d'une voiture illustre ce phénomène.

---

6. Voir le chapitre 4.

Retournons à notre exemple de chaîne stéréo. En s'organisant pour que les différents appareils s'adaptent au même espace et que l'on puisse facilement les installer chez le concessionnaire, les fabricants sont en mesure de répondre rapidement à une variété de demandes des clients. Cela leur évite de faire attendre un client pour une commande personnalisée.

c) La qualité est la condition *sine qua non* du J-À-T. Elle est primordiale, car une piètre qualité peut engendrer d'importantes perturbations dans le flux de travail qui, en J-À-T, est normalement régulier. En raison de la petite taille des lots et de l'absence de stock de sécurité, la production cesse quand surviennent les problèmes et elle ne peut reprendre son cours avant qu'ils soient résolus. Comme l'arrêt des opérations est coûteux et entraîne des baisses des quantités produites, il devient impératif d'éviter le plus possible les pannes et d'avoir une capacité de résolution de problèmes.

Le système J-À-T attaque l'objectif qualité sous trois angles. Le premier consiste à concevoir la qualité à même le produit et le processus de production, ce qui permet d'atteindre de très hauts niveaux de qualité. En effet, le fait de standardiser les produits implique de normaliser en conséquence les méthodes de travail et l'utilisation des machines. Dans ce contexte, les travailleurs connaissent à fond leurs tâches spécifiques ainsi que les machines et les procédés utilisés. De plus, on peut étaler le coût de la recherche de la qualité lors de la conception du produit (c'est-à-dire la qualité au stade de la conception) sur plusieurs unités, ce qui entraîne un faible coût par unité. Il convient également de choisir des niveaux de qualité appropriés en fonction du client final et du potentiel de fabrication[7]. Ainsi, la conception du produit et la conception du processus sont étroitement liées.

15.3.2 Conception du processus

Il y a sept points importants à considérer lors de la conception du processus :

1. Lots de petite taille.

2. Réduction des temps de mise en route.

3. Cellules de fabrication.

4. Produits en cours en nombre limité.

5. Amélioration de la qualité.

6. Flexibilité.

7. Entreposage de petits stocks.

1. Les lots de petite taille

1. Selon la philosophie J-À-T, théoriquement, la taille de lot idéale est de une unité, quantité qui n'est pas toujours réaliste. Néanmoins, l'objectif consiste toujours à réduire le plus possible la taille du lot. Les lots de petite taille dans le processus de production et au niveau des livraisons des fournisseurs procurent certains avantages permettant de fonctionner efficacement. Tout d'abord, avec de petits lots qui se déplacent dans le système, les stocks de produits en cours sont considérablement moins gros qu'avec des lots plus grands. Cela réduit les coûts de transport et le besoin d'espace en plus d'éviter le fouillis sur les lieux de travail. Ensuite, en cas de problèmes de qualité, les coûts reliés à l'inspection et au réusinage sont moindres, car il y a moins d'articles dans un lot à inspecter et à réusiner. Le tableau 15.1 résume les avantages des lots de petite taille.

Les petits lots permettent aussi une plus grande souplesse dans les horaires. Les systèmes répétitifs produisent normalement une petite variété de produits. Avec les

---

7. Voir le chapitre 9 pour les notions de niveaux de qualité et de politiques de qualité.

systèmes traditionnels, cela signifie qu'une longue production est en cours pour chaque produit. Le coût de mise en route pour un lot de plusieurs articles est prolongé, mais procure aussi de longs cycles pour toute la gamme de produits.

Réduction des stocks et des coûts d'entreposage

Moins d'espace d'entreposage

Moins de réusinage en cas de défectuosités

Moins de stocks à « écouler » avant d'améliorer le produit

Les problèmes sont plus apparents.

Les petits lots augmentent la flexibilité de la production.

Équilibrage des opérations facilité

Prenons un exemple. Supposons qu'une entreprise produit trois versions d'un produit, soit A, B et C. Avec un système traditionnel, on produirait un grand lot de la version A (par exemple, sur une période de deux ou trois jours ou plus), puis un grand lot de la version B, suivi d'un grand lot de la version C, et on répéterait la séquence. En comparaison, un système J-À-T utilisant de petits lots alternerait périodiquement les productions de A, B et C. Cette souplesse permet de répondre plus rapidement aux demandes changeantes des clients : le système J-À-T permet de produire seulement la quantité nécessaire quand c'est nécessaire. La figure 15.1 illustre les différences entre les lots de petite et de grande taille.

Figure 15.1

Comparaison entre le système J-À-T de petites séries et le système de grands lots

A = unités du produit A
B = unités du produit B
C = unités du produit C

Approche J-À-T
AAA   BBBBBBB   CC   AAA   BBBBBBB   CC   AAA   BBBBBBB   CC   AAA   BBBBBBB   CC

Temps ⟶

Approche par grands lots
AAAAAAAAAAAA   BBBBBBBBBBBBBBBBBBBBBBBBBBBBBB   CCCCCCCCC   AAAAAAAAAAA

Temps ⟶

Toutefois, la production de plusieurs produits différents en petites séries nécessite de fréquentes mises en route. Le temps et les coûts nécessaires pour procéder à la mise en route peuvent être prohibitifs, à moins que celle-ci ne soit rapide et relativement économique. Or, il existe différentes façons de réduire le temps de mise en route et les coûts qui y sont rattachés. Les travailleurs sont généralement partie intégrante des solutions pour ce qui est des temps et des coûts de mise en route.

2. La réduction des temps de mise en route

Les outils, le matériel et les procédures de mise en route doivent être simples et normalisés. Le matériel, les outils et les gabarits à usage multiple aident à réduire le temps de mise en route. Par exemple, si une machine munie de plusieurs broches peut être facilement déplacée pour effectuer différentes tâches, on réduit considérablement le temps du changement de série. De plus, on peut utiliser la technologie de groupe pour réduire les coûts et le temps de mise en route : on tire profit des similarités des opérations. Ainsi, les pièces qui ont des formes semblables ou qui sont faites avec les mêmes matériaux, etc., peuvent exiger des mises en route similaires. Leur traitement en séquence sur la même chaîne de fabrication minimise le besoin de changer complètement la mise en route. Parfois, seuls des réglages mineurs sont nécessaires. Le rôle des planificateurs responsables de l'ordonnancement des travaux est primordial dans ce domaine.

3. Les cellules de fabrication

Les cellules de fabrication multiples sont une autre des caractéristiques du système J-À-T. Ces cellules disposeront de toutes les machines et des outils nécessaires pour traiter des familles de produits qui requièrent des étapes de production semblables. Essentiellement, il s'agit de centres d'opération spécialisés et hautement efficaces. Il en résulte une réduction appréciable des temps de mise en route, un haut taux d'utilisation des ressources de la cellule et une facilité à reconnaître les compétences des travailleurs, donc à prendre les actions nécessaires à leur formation continue. Finalement, la production de petites séries conduit à des stocks minimaux de produits en cours et finis.

4. L'amélioration de la qualité

Nous avons largement développé la notion de qualité aux chapitres 10, 11 et 12, et notamment la façon dont elle influe sur le service à la clientèle. Le fait que le J-À-T procède par petites séries permet de minimiser la portée des situations problématiques : on ne gaspille qu'un petit lot plutôt qu'un grand. De plus, avec la production en petites séries, il est plus facile d'apporter des améliorations à la prochaine série qui sera lancée en production : n'oublions pas que la quête de l'amélioration continue n'a pas de fin.

Grâce à l'**autonomation,** le J-À-T minimisera les rejets. Cette notion implique une reconnaissance des défauts et une intervention automatique, que ce soit manuellement ou à l'aide d'équipement. Soulignons l'action double de l'autonomation : détecter les défauts et intervenir pour en corriger la cause. Déterminer la cause, concentrer l'attention des opérateurs et apporter rapidement des correctifs sont des dimensions fondamentales de l'autonomation.

> **autonomation**
> Détection automatique des défauts durant la production.

5. La flexibilité

L'objectif principal du J-À-T est la capacité de traiter rapidement des quantités et des produits différents en assurant un flux continu de produits à travers les opérations. Les goulots, qui risquent de se créer pour diverses raisons, constituent un obstacle majeur à l'atteinte de cet objectif. Généralement, les goulots découlent d'un manque d'équilibrage et de souplesse du système de production[8]. La capacité de doter le système de production de la flexibilité nécessaire pour faire face à toutes les variations est le défi majeur que doit relever le J-À-T. Plusieurs techniques permettent d'atteindre cet objectif ; les principales sont présentées au tableau 15.2. Comme les stocks de sécurité de toutes sortes sont réduits à leur plus simple expression en J-À-T, les arrêts de machines dus aux pannes peuvent avoir des conséquences dramatiques. La fonction maintenance, et surtout la **maintenance préventive,** aura un grand rôle à jouer. Un système de production fonctionnant selon l'approche J-À-T s'accompagne au moins d'un programme de maintenance préventive. Cette maintenance intervient d'une façon systématique, indépendamment de l'état des machines, pour prévenir les pannes. D'autres types de maintenance, tels que la maintenance corrective et la maintenance palliative, sont souhaitables pour quiconque veut assurer le J-À-T[9].

> **maintenance préventive**
> Ensemble d'opérations de maintenance permettant d'intervenir sur les machines et les équipements afin de prévenir les pannes potentielles.

Même le meilleur système de maintenance n'éliminera pas le risque de pannes. Pour prévenir les aléas, les gestionnaires doivent pouvoir compter sur un bon système de disponibilité de pièces de rechange ERO (entretien, réparation, opération), ainsi que prévoir des solutions de rechange, telles que des équipes de soutien sur appel, des chemins de contournement de la machine en panne, des sous-traitants fiables et disponibles. En J-À-T, les employés, relativement bien formés et compétents, sont mis à contribution dans l'entretien de leurs équipements : ils procèdent au moins à un entretien minimal.

---

8. Voir le chapitre 6.
9. Voir le chapitre 20.

Tableau 15.2

*Directives pour augmenter
la flexibilité de la
production*

1. Réduire les temps d'arrêt causés par les changements en minimisant les temps de mise en route.

2. Appliquer une gestion de maintenance préventive du matériel pour réduire les pannes et les temps d'arrêt.

3. Donner une formation polyvalente aux travailleurs afin qu'ils puissent intervenir en cas de goulots d'étranglement ou en l'absence de leurs collègues, ou effectuer les réglages du matériel et les réparations mineures.

4. Utiliser plusieurs petits centres de production ; de nombreuses petites cellules facilitent le transfert de production en cas de variation de la demande, de nécessité de fabriquer de nouveaux modèles ou d'arrêts de machines.

5. Utiliser aléatoirement des stocks tampons. Entreposer le stock de sécurité, rarement utilisé en dehors de l'aire de production, pour alléger les congestions.

6. Réserver une certaine capacité de production pour les clients importants.

Source : Adapté de l'ouvrage de Richard J. Schonberger et Edward M. Knod, Jr., *Operations Management : Improving Customer Service,* 4e édition, Burr Ridge, IL., Richard D. Irwin, 1991, p. 343.

6. L'entreposage de petits stocks

Nous ne le répéterons jamais assez : le système J-À-T réduit au minimum tous les types de stocks (matières premières, produits en cours, composants, produits finis). Selon la philosophie J-À-T, les stocks représentent un fardeau économique sans valeur ajoutée. Ils sont des écrans qui ont tendance à dissimuler des problèmes récurrents, jamais résolus. Quand une machine arrête de produire pour quelque raison que ce soit (pannes, absentéisme, livraisons en retard, mauvaise planification), le système dans son ensemble ne sera pas affecté si le procédé génère assez de stocks pour répondre à la demande. L'utilisation des stocks de réserve ou de sécurité comme « solution » entraînera une autre augmentation des stocks si les arrêts de machines persistent. Nous nous trouvons alors devant un cercle vicieux dont il est difficile de sortir. Une autre façon d'aborder le problème est d'établir les causes des arrêts pour les éliminer. Face à cette situation, l'approche préconisée par le J-À-T consiste en une réduction progressive des stocks afin de faire apparaître le problème. Quand le problème survient, on le résout et on baisse à nouveau progressivement les stocks pour provoquer un autre problème, et ainsi de suite. Le mot clé est « progressivement ». Pour illustrer cette approche, considérons la figure 15.2. À la figure 15.2 A, les rochers sous l'eau représentent les problèmes qui menacent la barque (la production) et les rameurs. L'eau représente les niveaux de stocks qui couvrent les rochers. Quand on abaisse lentement le niveau d'eau, les plus grosses roches apparaissent : ce sont les premiers problèmes auxquels on s'attaquera en les retirant. Une fois que c'est fait, on procède à une autre baisse lente et progressive du niveau d'eau (les stocks) pour mettre à jour de nouveaux problèmes, et ainsi de suite.

Figure 15.2

*Processus de réduction
progressive des stocks selon
le J-À-T*

A

B

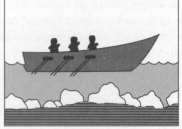
C

La réduction des stocks est un processus de résolution de problèmes lent et continu, qui s'échelonne sur une longue période. Durant son implantation, il est important de réagir rapidement quand les problèmes (les rochers) apparaîtront ; nous savons qu'ils vont apparaître car nous les provoquons.

Pour réduire au minimum l'entreposage de matières achetées de fournisseurs externes et minimiser les stocks d'intrants, le J-À-T suggère de faire acheminer les matières des fournisseurs directement aux services de production. Nous procéderons de la même façon afin de minimiser les stocks de produits finis : aussitôt terminés, ils seront acheminés directement aux clients. Rappelons les avantages d'une diminution des stocks : diminution de la taille des entrepôts et accroissement des espaces de travail ; baisse des risques d'accidents et des pertes de produits entreposés ; augmentation des possibilités d'améliorations du produit sans qu'on doive attendre l'écoulement des vieux stocks. Par contre, nous observons un plus grand risque de ruptures de stock et de baisse du niveau de service. Il faut donc un système et des gestionnaires capables d'exercer un suivi et de réagir rapidement.

15.3.3 Éléments de gestion des ressources humaines

Pour le système J-À-T, la gestion des ressources humaines doit tenir compte des éléments suivants :

1. les actifs que sont les travailleurs ;

2. la polyvalence des compétences ;

3. l'amélioration continue ;

4. la comptabilité des coûts de revient ;

5. le leadership et la gestion de projets.

Sans vouloir faire une analyse exhaustive, abordons brièvement chacun de ces éléments et son rôle dans le J-À-T.

1. Les travailleurs : des actifs

Contrairement à la vision classique, où l'on considère les travailleurs comme un passif en termes comptables (dont on veut réduire les coûts), le J-À-T invite les gestionnaires à considérer l'ensemble des ressources humaines comme des actifs. Cela ne doit pas rester un mot vain, comme c'est malheureusement souvent le cas. Des travailleurs formés, motivés et responsabilisés constituent le cœur du système J-À-T. On leur déléguera plus d'autorité pour agir, on leur confiera même certaines responsabilités, mais on s'attendra aussi à plus d'engagement en retour.

2. La polyvalence

Les travailleurs doivent avoir des connaissances et une formation polyvalentes pour permettre la flexibilité fondamentale de tout système J-À-T. Les gestionnaires doivent mettre en place une **formation croisée**, où tout employé formera aussi ses collègues, car la connaissance qu'il a acquise en entreprise ne lui appartient pas en propre ; il doit la partager avec ses collègues. Cette approche fera en sorte que l'absence d'un des employés, pour quelque raison que ce soit, ne mettra pas en péril la chaîne des opérations. De plus, le fait de comprendre les tâches de leurs collègues entraîne une plus grande sensibilisation aux problèmes techniques et professionnels qu'une mauvaise qualité ou des retards peuvent causer à l'ensemble du système.

3. L'amélioration continue

Les travailleurs d'un système J-À-T ont de plus grandes responsabilités sur le plan de la qualité que dans un système traditionnel, et on s'attend à ce qu'ils collaborent davantage à la résolution de problèmes et à l'amélioration continue. Ils reçoivent une formation concernant le contrôle du processus statistique, l'amélioration de la qualité et la résolution de problèmes.

Penchons-nous tout d'abord sur la résolution de problèmes, qui est la pierre angulaire de tout système J-À-T. Elle concerne les problèmes qui interrompent ou qui ont le potentiel d'interrompre le flux régulier du travail dans le système. Quand de tels problèmes surviennent, il importe de les résoudre rapidement. Il peut en résulter une augmentation temporaire des niveaux des stocks pendant qu'on mène une enquête, mais le but de la résolution de problèmes consiste à éliminer le problème ou, à tout le moins, à réduire les risques de récurrence.

Il faut régler rapidement les problèmes qui surviennent au cours de la production. Dans ce but, certaines entreprises utilisent un système de lumières pour signaler les problèmes. Au Japon, on appelle ce sytème *andon*. Chaque poste de travail est équipé d'un ensemble de trois lumières. Une lumière verte indique qu'il n'y a pas de problèmes ; une lumière jaune, qu'un travailleur prend un léger retard, tandis qu'une lumière rouge signale un problème grave. Le but de ce système est de tenir informés tous les autres travailleurs et de permettre à ceux-ci et aux superviseurs de voir immédiatement quand et où se produisent les problèmes.

D'ailleurs, les entreprises japonaises ont connu beaucoup de succès en formant des équipes au sein desquelles travailleurs et gestionnaires travaillent quotidiennement à la résolution de problèmes. De plus, on encourage les travailleurs à rapporter à leurs équipes l'éventualité ou la présence de problèmes.

En effet, il est capital que tous les niveaux de gestion se penchent activement sur la résolution de problèmes et qu'ils y collaborent, ce qui exige de la part de la direction la volonté de fournir un soutien financier et de reconnaître les réalisations. Il est souhaitable de dresser la liste des objectifs avec les travailleurs, de la publier et d'en souligner les accomplissements. Si les objectifs donnent aux employés un but tangible à atteindre, la reconnaissance peut aider en plus à les motiver et à les stimuler.

Un autre point central de l'approche J-À-T concerne la résolution des problèmes. Il faut travailler à l'amélioration continue du système — réduire les inventaires, diminuer les coûts et le temps de mise en route, améliorer la qualité, augmenter la valeur ajoutée et généralement, réduire les pertes et l'inefficacité. Pour atteindre ces objectifs, la résolution de problèmes devient un mode de vie, une « culture » qui doit être assimilée par les travailleurs et faire partie de la mentalité des gestionnaires. Elle devient pour tous les membres de l'entreprise une quête incessante de l'amélioration des opérations et du système.

Toutefois, les travailleurs d'un système J-À-T subissent plus de stress que ceux d'un système traditionnel. Le stress provient non seulement de leur autonomie et de leurs responsabilités accrues, mais aussi de la cadence de travail, du peu de marge de manœuvre et d'une motivation constante à l'amélioration.

4. La comptabilité des coûts de revient

Une autre des caractéristiques du J-À-T est la comptabilisation des coûts de revient. Les méthodes comptables traditionnelles déforment parfois l'imputation des frais généraux (que nous pouvons associer aux coûts fixes) aux différents centres de production, car ces méthodes ont tendance à les allouer en fonction des coûts de la main-d'œuvre directe. Or, cette approche ne reflète pas avec exactitude l'utilisation réelle des frais généraux par centre. De plus, avec l'automatisation et la robotisation accrues des procédés de production, les temps de main-d'œuvre et les coûts associés (aux coûts variables) ont énormément diminué ; dans certains cas, ils ne représentent qu'une petite partie des coûts totaux de revient du produit fini. Toutefois, les frais généraux augmentent avec l'automatisation : plus l'automatisation s'implante, plus les frais généraux augmentent en raison de l'encadrement requis. Par conséquent, le risque d'associer faussement aux centres à haut contenu en main-d'œuvre une part disproportionnée des frais généraux est élevé, d'où le risque de prendre de mauvaises décisions. La solution est la méthode des coûts par activité ou **comptabilité par activité**, qui reflète beaucoup mieux le montant réel des frais généraux. Par cette méthode, on

andon

Système de lumières utilisé à chaque poste de travail pour signaler les problèmes ou les ralentissements.

commence par déterminer les coûts facilement imputables à un travail : coûts de mise en route, heures-machines, heures-personnes, matières premières, transport et manutention, etc. Ensuite, on y assigne les frais généraux en fonction du pourcentage d'activités réalisées par ce centre.

5. Le leadership et la gestion de projets

Généralement, on attend des gestionnaires d'entreprises qu'ils soient des chefs et des « facilitateurs », et non pas des donneurs d'ordres[10]. Le J-À-T favorise la communication entre les travailleurs et les gestionnaires.

Dans le système juste-à-temps, les responsables de projets ont souvent pleine autorité à toutes les phases du projet. Ils restent à la barre du début à la fin. Dans les formes plus traditionnelles de gestion de projets[11], le gestionnaire doit souvent compter sur la collaboration d'autres gestionnaires pour atteindre ses objectifs.

15.3.4 Planification et contrôle de la production

En J-À-T, nous avons identifié cinq éléments principaux de planification et de contrôle de la production :

1. Le programme quotidien nivelé.

2. Les systèmes de production à flux tiré.

3. Les systèmes visuels.

4. Les relations étroites avec les fournisseurs.

5. La réduction du nombre de transactions administratives.

1. Le programme quotidien nivelé. Le système J-À-T met particulièrement l'accent sur la réalisation de programmes quotidiens nivelés, mixtes et stables. Pour cela, le gestionnaire élabore un programme directeur de production afin de fournir un programme quotidien nivelé des ressources, ce qui génère un programme de production basé sur le taux plutôt que sur la quantité. De plus, une fois établis, les programmes de production sont répartis sur une période relativement courte, ce qui assure une certaine sécurité au système. Malgré tout, certains réglages sont nécessaires dans les programmes au jour le jour afin de répondre à l'équilibrage des facteurs de production ou ressources. Les fournisseurs apprécient le programme quotidien nivelé car, pour eux, il est synonyme de demande régulière.

Cependant, un programme nivelé de production nécessite une production régulière. Quand une entreprise fabrique différents produits ou modèles de produits, il est souhaitable de produire par petits lots (pour réduire au minimum le stock d'encours et pour maintenir la flexibilité). Cela permet de répartir la production des différents produits sur toute la journée et d'obtenir une production régulière. À la limite, on pourrait produire une unité d'un produit, puis une unité d'un autre produit, etc. Bien que cette approche permette une souplesse maximale, elle n'est généralement pas pratique, car elle génère des coûts excessifs de mise en route.

Voyons maintenant ce qu'est un jalonnement ou ordonnancement mixte. Sa mise en œuvre est due aux exigences de la production quotidienne de chaque produit ou modèle. Par exemple, supposons qu'un service produise trois modèles, soit A, B et C, selon une demande quotidienne :

Modèle	Quantité quotidienne
A	10
B	15
C	5

10. Voir les 14 principes de Deming au chapitre 9.

11. Voir le chapitre 18.

Nous devons répondre aux exigences suivantes : la séquence à utiliser (C-B-A, A-C-B, etc.), le nombre de fois (par exemple tel nombre de séries ou de cycles) qu'il faudra répéter la séquence par jour ; le nombre d'unités de chaque modèle à produire par cycle ou série.

Premièrement, voyons le choix d'une séquence. Il peut dépendre de divers facteurs, mais le plus important est généralement le temps ou le coût de mise en route, qui peut varier selon la séquence utilisée. Par exemple, si deux des modèles, disons A et C, sont assez semblables, les séquences A-C et C-A peuvent impliquer seulement des coûts de mise en route minimaux, alors que la mise en route du modèle B peut être plus longue. Ainsi, le choix d'une séquence qui comprend A-C ou C-A donnera environ 20 % moins de temps de mises en route que le fait de produire B entre A et C à chaque série.

Deuxièmement, le nombre de cycles par jour est fonction des quantités à produire chaque jour. Si on doit produire chaque modèle à chaque série, ce qui est souvent l'objectif, le fait de déterminer le plus petit commun dénominateur (qui peut être également divisé par chaque quantité quotidienne de modèles) indiquera le nombre de cycles. Pour les modèles A, B et C illustrés dans le tableau précédent, il devrait y avoir cinq cycles (le chiffre cinq peut être divisé par chaque quantité). Parfois, les coûts élevés de mise en route peuvent inciter les gestionnaires à utiliser moins de cycles en privilégiant les économies sur les coûts de mise en route plutôt que les coûts de la production nivelée. Dans les situations où la division par la plus petite quantité quotidienne ne donne pas un nombre entier pour chaque modèle, les gestionnaires peuvent décider d'utiliser la plus petite quantité de production pour sélectionner un nombre de séries, et ensuite produire une plus grande quantité de certains produits dans certaines séries pour combler la différence.

Enfin, les gestionnaires déterminent parfois le nombre d'unités par modèle pour chaque série en divisant la production quotidienne de chacun des modèles par le nombre de cycles. En produisant cinq séries ou cycles par jour, on obtiendrait dans notre exemple les résultats suivants :

Modèle	Quantité quotidienne	Nombre d'unités par série
A	10	10 ÷ 5 = 2
B	15	15 ÷ 5 = 3
C	5	5 ÷ 5 = 1

Ces quantités peuvent être irréalisables en raison des restrictions sur les tailles des lots. Par exemple, si nous emballons le modèle B à raison de quatre par boîte alors que les calculs précédents nous incitent à faire trois unités par cycle, à certains moments, les unités finies (stocks) seront en attente jusqu'à ce que des quantités suffisantes soient disponibles pour qu'on puisse compléter une boîte de quatre unités. De plus, il peut exister des tailles de lots de production standard pour certaines opérations. Un processus de traitement thermique peut nécessiter une fournaise qui reçoit six unités à la fois. Si les divers modèles ont besoin de températures de four différentes, on ne peut pas les regrouper. Dans ce cas, il sera essentiel d'analyser et de comparer les avantages de la taille des lots à soumettre simultanément au traitement thermique et ceux de la production nivelée avant d'échanger ces procédés.

Exemple 1

La personne responsable de la planification désire gérer la production de trois modèles différents en utilisant la séquence suivante pour chaque série lancée en production : A, B et C.

Produit	Quantité à produire par jour
A	7
B	16
C	5

Le plus petit dénominateur commun entier étant cinq (produit C), elle décide de procéder au lancement de cinq séries (cycles) par jour, avec au moins une unité de C par série. Il en résulte un manque d'unités, comme le révèle le tableau ci-dessous.

Produit	Nombre entier d'unités par série (u/série)	Unités manquantes après 5
A	7 ÷ 5 = 1 u/série	7 u − 5 séries * 1 u/série = 2 unités
B	16 ÷ 5 = 3 u/série	16 u − 5 séries * 3 u/série = 2 unités
C	5 ÷ 5 = 1 u/série	5 u − 5 séries * 1 u/série = 0

Pour pallier les manques d'unités à la fin de la journée, la gestionnaire peut décider de l'arrangement suivant :

Série	1	2	3	4	5
Séquence théorique	A, B (3), C	A, B (3), C	A, B (3), C	A, B (3), C	A, B (3), C
Unités supplémentaires		A = 1	B = 1	A = 1	
Quantité totale par séquence	A, B (3), C	A (2), B (3), C	A, B (4), C	A (2), B (3), C	A, B (3), C

Si, par contre, la demande pour le type A était de 8 unités/jour au lieu de 7, alors la gestionnaire retiendrait la solution suivante.

Série	1	2	3	4	5
Séquence théorique	A, B (3), C	A, B (3), C	A, B (3), C	A, B (3), C	A, B (3), C
Unités supplémentaires	A = 1		A = 1 ; B = 1		A = 1
Quantité totale par séquence	A (2), B (3), C	A, B (3), C	A (2), B (4), C	A, B (3), C	A (2), B (3), C

2. Les systèmes de production à flux tiré. On utilise les termes « poussé » et « tiré » pour décrire deux systèmes différents servant à déplacer les travaux dans un processus de production. Traditionnellement, sur les lieux de travail, on utilise un **système de production à flux poussé** : quand le travail est fini à un poste, le produit est poussé au poste suivant. Dans le cas des opérations finales, il est dirigé vers les entrepôts de produits finis. À l'opposé, dans un **système de production à flux tiré**, le contrôle du mouvement et de la circulation des travaux se situe à l'opération suivante. Chaque poste de travail tire, au besoin, la production du poste précédent. Quant à la production finale, elle est demandée par le client ou le programme directeur.

système de production à flux poussé
Une fois terminé, le travail est poussé vers le prochain poste.

système de production à flux tiré
Un poste de travail tire les extrants du poste précédent, au besoin.

Ainsi, dans un système de production à flux tiré, le travail se déplace en fonction de la demande de l'étape suivante du processus (le client), alors que, dans un système de production à flux poussé, le travail (ou produit) se déplace à mesure qu'il est fini, sans qu'on se préoccupe de savoir si le poste suivant est prêt.

Par conséquent, les produits risquent de s'accumuler aux postes de travail qui n'arrivent pas à respecter la cadence en raison d'une panne du matériel, de la détection d'un problème de qualité, etc.

Dans le système J-À-T, chaque poste de travail (qu'on associe au client) demande les produits au poste précédent (associé à un fournisseur interne), assurant ainsi que l'offre égale la demande. Le travail se déplace « juste-à-temps » pour la prochaine opération. Le flux de travail est par conséquent coordonné, évitant les surplus de stocks entre les opérations. Toutefois, il y aura toujours des stocks, car les opérations ne sont pas instantanées. Si un poste de travail A (en amont) attend la demande du prochain poste B (en aval) avant de commencer à travailler, B devra attendre que le poste A, soit celui à qui il a donné du travail, finisse son travail. Par conséquent, selon cette conception, chaque poste produit juste assez pour répondre à la demande (anticipée) du prochain poste. Cela est possible pour peu que le poste B communique ses besoins de production suffisamment d'avance pour permettre au poste précédent (A) de faire le travail. Quand le stock tampon descend à un certain niveau, un signal indique au poste en amont la nécessité de produire pour renflouer le tampon. La taille du stock tampon dépend du délai de production au poste précédent. Si ce temps est court, le poste aura besoin de peu de tampon ou n'en aura pas besoin. Si le temps ou délai de production est long, il aura besoin d'une plus grande quantité de stock tampon. La production d'un poste se fait seulement en réponse aux besoins du poste suivant.

3. Les systèmes visuels. Dans un système de production à flux tiré, le flux de travail est dicté par la «demande de la prochaine opération». On peut faire la demande de plusieurs façons, incluant un cri ou un signe de la main; le dispositif le plus populaire est toutefois la carte *kanban*. En japonais, *kanban* signifie «signal» ou «donnée visible». Quand un travailleur a besoin de matériaux ou de produits se trouvant au poste précédent, il utilise une carte *kanban*. Cette carte donne l'autorisation de travailler avec des pièces ou de les déplacer. Avec ce système, on ne peut pas travailler avec une pièce ou un lot ni les déplacer sans cartes.

Le système fonctionne comme suit: une carte *kanban* est affichée sur chaque conteneur (ou bac de produits bien identifiés). Quand un poste de travail doit se renflouer en pièces, un travailleur se rend à l'endroit où sont entreposées les pièces et il retire un bac, chaque bac contenant une quantité prédéterminée de pièces. Le travailleur retire la carte *kanban* du bac ou du conteneur et l'affiche à un endroit précis où elle sera bien visible, puis il achemine le conteneur à son poste de travail. Le *kanban* affiché est recueilli par un préposé au stock, qui remplace le conteneur retiré par un autre conteneur, et ainsi de suite, tout au long de la chaîne, de l'aval à l'amont. Des retraits et des réapprovisionnements semblables — tous contrôlés par les *kanbans* — ont lieu en haut et en bas de la chaîne, en commençant par les stocks de produits finis jusqu'aux fournisseurs. Si le système n'est pas assez rigoureux et que les stocks s'accumulent, les gestionnaires peuvent décider de le resserrer et de retirer des *kanbans*: il y en a trop. À l'inverse, si le système semble trop serré et que des ruptures de stock risquent d'apparaître, ils peuvent en ajouter pour le rééquilibrer. Il est évident que le nombre de cartes *kanban* en utilisation est une variable importante. On peut calculer le nombre idéal de cartes *kanban* à l'aide de la formule suivante:

$$N = \frac{D(T)\,(1 + X)}{C}$$

où
N = nombre total de conteneurs (1 carte par conteneur)
D = taux de consommation prévu par le centre de travail
T = temps d'attente moyen pour le réapprovisionnement en pièces, plus le temps moyen de production d'un conteneur de pièces
X = variable établie par le gestionnaire, qui reflète l'inefficacité du système (plus elle se rapproche de 0, plus le système est efficace)
C = capacité ou nombre d'unités par conteneur standard (ne devrait pas dépasser 10 % de la consommation quotidienne de la pièce)

D et T doivent être définis selon les mêmes unités (minutes, jours).

Exemple 2

Un centre de travail utilise 300 pièces par jour et un conteneur standard contient 25 pièces. Il faut en moyenne 0,12 jour pour qu'un conteneur parcoure un circuit à partir du moment où on reçoit la carte *kanban* jusqu'à ce que l'on renvoie le conteneur vide. Calculez le nombre de cartes *kanban* (conteneurs) nécessaires si on désire un *X* = 0,20.

$N = ?$

$D = 300$ pièces par jour

$T = 0,12$ jour

$C = 25$ pièces par conteneur

$X = 0,20$

$N = \dfrac{300\ (0,12)\ (1 + 0,20)}{25} = 1,728 \approx 2$ conteneurs

Remarque : le fait d'arrondir au chiffre supérieur aura pour effet de rendre le système plus lâche et le fait d'arrondir au chiffre inférieur, de le resserrer. Généralement, on arrondit au chiffre supérieur.

Même si les objectifs de la planification des ressources de production[12] (PRP ou MRP-II) et ceux du *kanban* sont essentiellement les mêmes (c'est-à-dire améliorer le service à la clientèle, réduire les stocks et augmenter la productivité), leurs approches sont différentes[13]. Ni le MRP-II ni le *kanban* ne sont des systèmes indépendants — chacun fait partie d'un plus grand ensemble. La PRP (MRP-II) est avant tout un système informatisé. Le *kanban* est un système manuel et visuel.

TABLEAU 15.3

Comparaison du kanban *et de la PRP (MRP-II)*

Fonctions	Catégories	Système *kanban*	PRP (MRP-II)
Taux de production	Familles de produits	Nivelage	Plan global de production
Produits à fabriquer	Biens finis pour stockage ; produits finis sur commande	Programme directeur de production	Programme directeur de production
Matériaux nécessaires	Composants — fabriqués et achetés	Cartes *kanban*	Planification des besoins en matières premières (PBM)
Capacité nécessaire	Information aux principaux centres de travail et aux fournisseurs	Visuel	Planification des besoins en capacité (PBC)
Exécution des plans de capacité	Production suffisante pour répondre aux échéanciers	Visuel	Contrôles des intrants et des extrants (I/E)
Exécution des plans matières — produits manufacturés	S'occuper des priorités à l'usine	Cartes *kanban*	Rapports de répartition
Exécution des plans matières — produits achetés	S'assurer d'obtenir les bons articles en provenance des fournisseurs	Cartes *kanban* et commandes non officielles	Rapports sur les achats
Information de rétroaction	Déterminer ce qui ne peut être exécuté en raison de problèmes	*Andon*	Rapports sur les délais prévus

Remarque : chaque usine de fabrication a les mêmes fonctions ; cependant, les outils utilisés avec le système *kanban* diffèrent considérablement des outils du MRP-II. Avec le *kanban,* les outils sont manuels — cartes *kanban,* lumières *andon,* vérifications visuelles et commandes vocales. Avec le MRP-II, l'outil le plus important est l'ordinateur.

Source : Modern Materials Handling, juin 1982, © 1982 par Cahners Publishing Company. Reproduit avec autorisation.

Le système *kanban* fonctionne généralement avec des lots de très petite taille, des délais courts, une production de grande qualité ; il illustre le travail en équipe. Il s'apparente à un type de stockage à « deux tiroirs » : les réapprovisionnements sont assurés de façon semi-automatique quand les stocks atteignent un niveau prédéterminé[14]. La PRP (MRP-II) est davantage axée sur la projection des besoins, la planification et la mise à niveau des capacités à l'aide de l'ordinateur.

Bien que différents, les deux systèmes ont des avantages. Répétons-le : le gros avantage du système *kanban* est sa simplicité, tandis que celui de la PRP (MRP-II) est sa capacité de planification rapide et d'établissement d'horaires complexes grâce à sa facilité d'adaptation aux variations de la demande et des ressources. De plus, la PRP

---

12. Voir le chapitre 14.
13. Voir l'article de Walter E. Goddard, « Kanban versus MRP II — Which Is Best for You? », *Modern Materials Handling,* 5 novembre 1982.
14. Voir la notion de point de commande au chapitre 13.

se prête à la simulation (c'est-à-dire qu'elle permet au gestionnaire de répondre aux questions «et si...?») et à la vérification *a priori* de l'impact des variations.

Le tableau 15.3 compare la manière dont le système *kanban* et la PRP (MRP-II) contrôlent huit fonctions de production. Remarquez que les deux systèmes sont identiques pour ce qui est de l'utilisation d'un programme directeur de production, mais qu'ils diffèrent en ce qui concerne toutes les autres fonctions. Notez également que l'approche *kanban* est beaucoup moins formelle que celle de la PRP.

La philosophie qui sous-tend les systèmes J-À-T est assez différente de celle des systèmes traditionnels. Il n'est donc pas suggéré de passer d'une méthode d'opération à une autre à la suite d'une simple décision car cela demanderait un effort immense de changement de culture d'entreprise. Remarquons que les fabricants occidentaux étudient les systèmes *kanban,* alors que certaines usines japonaises étudient les systèmes de PRP (MRP-II). Cela est la preuve que chacun des deux systèmes pourrait être amélioré par l'intégration d'éléments de l'autre système. Il faudrait donc procéder à une analyse approfondie pour déterminer les éléments à incorporer, à une mise en application des éléments choisis ainsi qu'à une surveillance accrue pour s'assurer que les résultats souhaités seraient atteints.

Toutefois, il faut se demander si les entreprises devraient adopter la méthode *kanban.* Bien que certains aspects soient intéressants, le système est, en réalité, davantage un système d'information qu'un système de planification. Il ne peut pas aider à lui seul à établir une planification des opérations. Les entreprises manufacturières ont plutôt besoin d'une approche intégrale; l'engagement et le soutien des gestionnaires joints aux efforts continus de tous les niveaux de gestion devraient permettre de trouver de nouvelles manières d'améliorer la planification de la fabrication et les techniques de contrôle. Ensuite, le fait d'adapter ces techniques à chaque situation particulière sera un gage de succès. En conclusion, on peut dire que la PRP se situe au niveau stratégique et le *kanban,* au niveau tactique.

Commentaire. L'utilisation du J-À-T n'exclut pas l'utilisation de la PRP, et vice versa. En effet, il n'est pas inhabituel de trouver les deux systèmes dans la même usine. Certains manufacturiers japonais, par exemple, se tournent vers les systèmes de PBM-MRP pour planifier leur production. Les deux approches ont leurs avantages et leurs limites. Les systèmes de PBM et de PRP permettent l'explosion de la nomenclature des produits de manière qu'on puisse prévoir les besoins en matières sur un horizon de temps; on peut ensuite utiliser ces informations pour planifier la production. Mais l'hypothèse de la PBM-MRP concernant les délais fixes et la disponibilité d'une capacité infinie peut souvent entraîner des problèmes importants. Dans l'atelier, la discipline qui caractérise le fonctionnement d'un système J-À-T, à flux tiré, peut s'avérer très efficace. Mais le J-À-T fonctionne mieux quand il y a un flux uniforme. Un flux variable nécessite des tampons, ce qui réduit l'avantage d'un système de production à flux tiré.

4. Les relations étroites avec les fournisseurs. Les gestionnaires d'un système J-À-T entretiennent généralement des relations étroites avec les fournisseurs. Ceux-ci sont censés livrer des biens de qualité supérieure. Traditionnellement, les acheteurs surveillent la qualité des biens achetés, vérifient la qualité et la quantité des biens reçus et renvoient les biens de mauvaise qualité au fournisseur pour qu'ils soient corrigés (remplacés ou réusinés). Or, les systèmes J-À-T ont peu de marge de manœuvre, et les produits de mauvaise qualité entraînent une perturbation dans le flux régulier de travail. De plus, le contrôle des réceptions[15] de produits livrés est perçu comme inefficace, car il consomme du temps et de l'énergie sans ajouter de valeur au produit. Pour ces raisons, on a tendance à transférer cette responsabilité à l'expéditeur, en l'occurrence le fournisseur.

Par ailleurs, les acheteurs travaillent avec les fournisseurs pour obtenir les niveaux de qualité souhaités et pour leur faire comprendre l'importance de fournir des biens

---

15. Voir la section 10.9, «Le contrôle des lots», au chapitre 10.

de qualité constante et élevée, le but ultime de l'acheteur étant de pouvoir « certifier » le fournisseur en tant que producteur de biens de qualité supérieure. Cela implique que le fournisseur puisse livrer des biens sans que l'acheteur n'ait besoin de les inspecter.

D'autre part, en J-À-T, les fournisseurs doivent pouvoir expédier de petits lots sur une base régulière. Idéalement, ils devraient fonctionner eux-mêmes avec un système J-À-T. Souvent, on a observé que l'entreprise acheteuse aide ses fournisseurs à se convertir à la production J-À-T en se servant de sa propre expérience. Ainsi, le fournisseur devient une partie intégrante d'un système J-À-T prolongé, qui se traduit par une collaboration étroite entre ses bureaux et ceux de l'acheteur.

L'intégration est facile quand un fournisseur se consacre seulement à un ou à quelques clients. En pratique, un fournisseur a vraisemblablement plusieurs clients différents, chacun ayant ses propres politiques, certains utilisant des systèmes traditionnels et d'autres, le J-À-T. Par conséquent, des compromis sont nécessaires.

Traditionnellement, il n'existe pas d'esprit de collaboration entre un acheteur et un fournisseur. Ils sont en quelque sorte des adversaires. Généralement, l'acheteur considère le prix comme un facteur déterminant de l'approvisionnement et il utilise l'« achat à sources multiples », ce qui signifie qu'il dispose d'une liste de fournisseurs potentiels et qu'il achète ses produits de chacun d'eux pour éviter de dépendre d'une seule source d'approvisionnement. Le prix devient le critère principal, sinon le seul, quant au choix et à la quantité à acheter. Il y a un côté négatif à ce procédé : les fournisseurs ne peuvent compter sur une relation à long terme avec le client et ils ne sont pas loyaux envers un acheteur en particulier.

Avec le système J-À-T, les relations justes et loyales entre fournisseur et acheteur sont très importantes. Les acheteurs s'engagent à réduire leurs listes de fournisseurs en s'efforçant de maintenir des relations de travail étroites avec eux. En raison du besoin de petites livraisons fréquentes, rapides et fiables, de nombreux acheteurs tentent de trouver des fournisseurs locaux pour réduire les délais des livraisons et la variabilité des délais de livraison. Cette politique permet en outre d'obtenir une réponse rapide en cas de problèmes, ce que l'on appelle le « *quick response* ».

En pratique, on a observé que dans un système J-À-T, les achats sont facilités grâce aux relations à long terme entre acheteurs et fournisseurs. Les prix deviennent un facteur secondaire par rapport aux autres aspects de la relation (qualité supérieure constante, souplesse, petites livraisons fréquentes et réponse rapide à un problème). Malheureusement, il y a encore trop d'entreprises où cette vision à long terme entre client et fournisseur n'est pas comprise[16].

Une caractéristique importante des systèmes basés sur la production épurée (J-À-T, zéro stock et flux tiré) est le nombre relativement restreint de fournisseurs attitrés. En effet, dans les systèmes traditionnels, les entreprises acheteuses transigent avec des centaines, voire parfois de milliers de fournisseurs différents, et ce, de façon très centralisée. La relation client-fournisseurs ressemble à une roue de bicyclette, où l'entreprise acheteuse, au centre de la roue, est reliée par les rayons aux différents fournisseurs, totalement indépendants l'un de l'autre. Chaque fournisseur répond aux spécifications de l'acheteur et n'a aucune motivation à suggérer des améliorations parce qu'il n'est pas assuré que la prochaine commande lui sera octroyée. De plus, l'entreprise acheteuse tend à mettre les fournisseurs en concurrence l'un par rapport à l'autre afin de bénéficier du plus d'avantages possible, ce qui les rend encore plus méfiants à l'idée de partager des informations avec l'acheteur. En production épurée, en revanche, les entreprises acheteuses (clientes) utilisent un système à niveau entre elles et les fournisseurs. Elles feront affaire avec quelques fournisseurs de premier niveau pour des composants majeurs ; ces fournisseurs, à leur tour, seront reliés à d'autres fournisseurs de deuxième niveau. Les fournisseurs de premier niveau sont responsables des produits des fournisseurs de deuxième niveau, et ainsi de suite. L'industrie automobile est un bon exemple de ce système. Prenons l'exemple des sièges du conducteur à commande

16. Voir le chapitre 16.

électrique. Cette unité est composée de quelque 250 éléments différents, et le manufacturier peut utiliser jusqu'à 50 fournisseurs pour fabriquer le produit final (le siège). Dans un système épuré, le manufacturier s'approvisionnera en sièges chez un seul fournisseur externe de premier niveau. Le donneur d'ordres (le manufacturier) spécifiera ses exigences pour ce qui est du siège au fournisseur de premier niveau, lequel sera relié à des fournisseurs de deuxième niveau pour le moteur, les rails, les coussins gonflables latéraux, les sièges chauffants. Les fournisseurs de deuxième niveau pourraient à leur tour faire affaire avec des fournisseurs de troisième niveau pour le rembourrage et les tissus des sièges, les éléments chauffants, etc. Grâce à cette approche, on assigne chaque travail à un fournisseur spécialisé, qui est pleinement responsable de la qualité de son produit. On peut imaginer à quel point ce système simplifie pour le donneur d'ordres initial la gestion de ses relations avec les fournisseurs, la gestion administrative (comptes clients et comptes fournisseurs), la gestion des entrepôts, etc.

Répétons que cette approche nécessite un changement de culture fondamental au niveau des relations client-fournisseur et qu'elle ne peut réussir qu'à cette condition. Pour cela, elle ne peut être implantée d'une façon draconienne, mais plutôt par étapes.

La figure 15.3 illustre la comparaison entre les deux approches de réseaux de fournisseurs.

Figure 15.3

A. Traditionnel

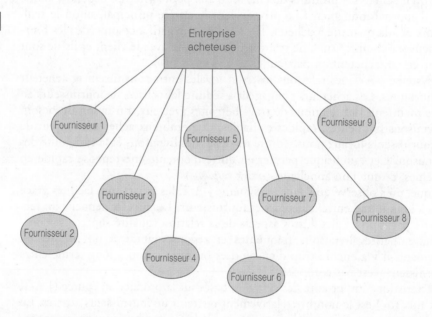

5. La réduction du nombre de transactions administratives[17]. Le système traditionnel de production exige un nombre élevé de tâches de gestion, lesquelles n'ajoutent pas de valeur à l'objet créé, mais sont nécessaires pour assurer le suivi des opérations. Cette situation crée tellement de tâches additionnelles que l'on peut presque voir apparaître ce qu'il convient d'appeler une « usine cachée ». Ces tâches administratives superflues peuvent être classifiées ainsi : transactions logistiques, d'équilibrage, relatives à la qualité et dues aux changements. Analysons chacune de ces transactions.

Les transactions reliées à la logistique comprennent les commandes, la réception, la confirmation, la manutention et le transport des matières d'un point à l'autre. Les coûts qui y sont rattachés sont reliés au personnel, à l'équipement de transport (ces coûts sont particulièrement élevés), aux pertes et aux accidents, aux erreurs d'entrées de données et autres. N'oublions pas que 50 % des accidents surviennent lors de la manutention des produits en entreprise.

17. MILLER, J. G. et T. VOLLMANN. « The Hidden Factory », *Harvard Business Review,* sept.-oct. 1985, p. 141-150.

Figure 15.3

B. Par niveaux

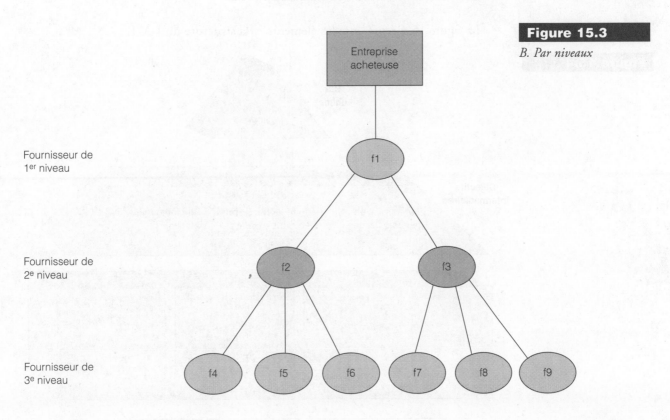

Les transactions d'équilibrage comprennent les prévisions, la planification, le contrôle de la production, la gestion et le contrôle des stocks (l'approvisionnement), l'établissement des calendriers et le suivi des commandes. Les coûts sont associés au personnel rattaché à ces tâches, aux activités de soutien, à l'archivage des documents, aux ordinateurs, etc.

Les transactions relatives à la qualité comprennent la définition et la communication des spécifications, la surveillance du respect des normes, l'enregistrement et le suivi des activités, le système de «retraçabilité» des défauts. Les coûts découlent de l'évaluation, de la prévention et de la non-qualité, et résultent des pannes internes (le traitement des rebuts, le réusinage, les remises à l'essai, les délais, les tâches administratives) et des pannes externes (coûts des garanties, remise en question de la fiabilité, retours, perte de renommée et de clientèle).

Les transactions dues aux modifications comprennent les modifications sur le plan conceptuel du produit (spécifications et nomenclature) et sur le plan conceptuel du procédé (la programmation et l'ordonnancement des travaux, le graphique d'analyse de processus ou GAP).

Soulignons que les modifications de l'ingénierie du produit sont parmi les plus coûteuses des quatre types de transactions présentés.

Le J-À-T réduit les coûts des transactions en minimisant leur nombre et leur fréquence. Ainsi, en demandant aux fournisseurs de livrer les produits directement à l'usine, évitant du même coup les entrepôts, on minimise les coûts des transactions reliées à la logistique. En certifiant la qualité assurée par les fournisseurs, on se trouve à réduire les transactions relatives à la qualité. L'implantation de systèmes de suivi automatisé tels que le code à barres réduira les erreurs de transcriptions et de contrôle des opérations tout en accélérant la collecte des données et en augmentant leur fiabilité.

La figure 15.4 représente les éléments et la structure du J-À-T.

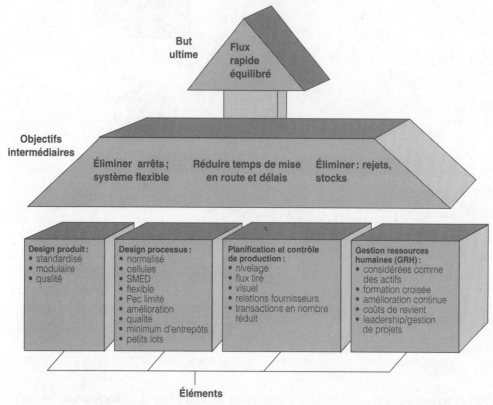

Source: Adapté de l'ouvrage de Thomas E. Vollmann, William L. Berry et D. Clay Whypark, *Manufacturing Planning and Control Systems,* 3e édition, Burr Ridge, IL., Richard D. Irwin, 1992, p. 76.

Le tableau 15.4 compare le système J-À-T avec les systèmes traditionnels pour ce qui est de la philosophie.

TABLEAU 15.4

Philosophies du J-À-T et des systèmes traditionnels

Facteurs affectés (fonction, ressources ou objectifs)	J-À-T	Opérations traditionnelles
Stocks	Des passifs : à éliminer à tout prix	Des actifs : protection contre les erreurs, les retards, les pannes ; les financiers y trouvent de la valeur
Taille des lots	Besoin immédiat seulement ; quantité minimum à produire ou acheter	Des formules
Mises en route	Durée minimum (SMED), rapides, flexibles ; sinon disponibilité de ressources supplémentaires	Moindre importance ; sont équilibrées par de grands lots en production
Produits en cours et files d'attente	À éliminer ; les identifier, les corriger, les réduire.	Investissement nécessaire ; permettent le suivi des opérations, des zones tampons en cas de pannes, la réorientation de la production, la combinaison des mises en route

Fournisseurs	Collègues ; partie intégrante du procédé. Livraisons multiples par jour. Sensibles aux besoins du client. Relation client-fournisseur importante	S'en méfier. Sources multiples. Les mettre en concurrence.
Qualité	Zéro défaut, sinon production hypothéquée	Accepter la probabilité de défauts
Maintenance	Préventive importante ; zéro panne	Non nécessaire. Les stocks de produits en cours absorbent les variations.
Délais de livraison	Minimaux ; les tâches de relance du marketing, d'approvisionnement et de production en seront réduites	Pour les acheteurs et les gestionnaires de production, simplifient la gestion : les plus longs possible
Travailleurs	Engagement. Gestion par consensus ; modifications acceptées par la majorité	Gestion hiérarchique : modifications implantées du haut vers le bas
		Au mieux : participation

Source : Reproduit avec l'autorisation de *Modern Material Handling,* juin 1982, © 1982 par Cahners Publishing Company.

15.4 LA CONVERSION AU SYSTÈME J-À-T

Les résultats positifs de l'implantation du J-À-T au Japon ont amené plusieurs entreprises occidentales à s'y intéresser et à essayer de l'implanter graduellement. Pour cela, il est important de procéder par étapes ; toute action brusque s'est traduite par le passé par un échec retentissant. Pour assurer la réussite de la conversion au J-À-T, nous suggérons les étapes suivantes :

1. S'assurer que les cadres supérieurs participent à la conversion en sachant quoi faire et de quoi ils ont besoin. S'assurer que les cadres intermédiaires collaborent au processus et qu'ils connaissent son coût, sa durée et les résultats escomptés.

2. Étudier soigneusement les opérations. Déterminer les produits et les centres d'opérations qui seront les plus difficiles à convertir.

3. Obtenir la collaboration et l'engagement des travailleurs. Préparer des programmes de formation polyvalente sur les mises en route, l'entretien de l'équipement et la résolution de problèmes. S'assurer que les travailleurs sont bien informés sur ce qu'est le J-À-T. Rassurer les travailleurs sur la sécurité de leurs emplois.

4. Commencer par réduire les temps de mise en route du système actuel. Associer les travailleurs à la détermination et à l'élimination des problèmes existants (par exemple les goulots, la non-qualité).

5. Convertir progressivement les opérations, en commençant par la fin du processus et en remontant vers l'amont. À chaque étape, s'assurer que la conversion a été réussie avant de passer à une autre. Ne pas commencer à réduire les stocks avant d'avoir résolu les problèmes majeurs.

6. À la dernière étape, convertir les fournisseurs au J-À-T et être préparé à travailler étroitement avec eux. Commencer par réduire leur nombre en déterminant ceux qui sont prêts à adopter la philosophie du J-À-T. Choisir des fournisseurs fiables, situés à proximité de l'entreprise pour un temps de réponse rapide.

Établir des engagements à long terme avec les fournisseurs. Insister sur des normes élevées de qualité et exiger le respect des délais de livraison.

7. Être préparé à surmonter les obstacles au moment de la conversion (voir ci-dessous).

15.4.1 Obstacles à la conversion

Il existe de nombreux obstacles à la conversion. Voici les plus importants :

1. La haute direction peut ne pas collaborer pleinement ou peut se montrer réticente à fournir les ressources nécessaires à la conversion. Il s'agit probablement de l'obstacle le plus important, car, sans engagement sérieux, le J-À-T est condamné à l'avance.

2. Les travailleurs ou les gestionnaires peuvent ne pas avoir d'esprit de collaboration. Or, le système J-À-T est fondé sur la collaboration. Les directeurs peuvent se montrer réticents à transférer certaines responsabilités aux travailleurs et à leur déléguer un plus grand contrôle sur le travail. D'autre part, des conflits peuvent survenir avec les travailleurs en raison de l'augmentation de leurs responsabilités et du stress qui s'y attache.

3. Les fournisseurs peuvent s'y opposer pour diverses raisons, dont celles-ci :

   a) Les acheteurs peuvent ne pas vouloir leur fournir les ressources nécessaires pour les aider à s'adapter aux systèmes J-À-T.

   b) Ils peuvent craindre l'engagement à long terme envers un seul client.

   c) Les petites livraisons fréquentes peuvent être difficiles, particulièrement si le fournisseur a d'autres clients fonctionnant sur la base de systèmes traditionnels.

   d) La responsabilité du contrôle de la qualité est transférée au fournisseur.

   e) Les modifications fréquentes d'ingénierie entraînent des ajustements continus du J-À-T par l'acheteur, lesquels se répercutent sur le fournisseur.

Commentaire. Les systèmes J-À-T nécessitent un esprit de collaboration entre les travailleurs, la direction et les fournisseurs, à défaut de quoi, il est douteux d'obtenir un système J-À-T véritablement efficace. Les Japonais ont connu beaucoup de succès dans ce domaine, en partie parce que le respect et la collaboration sont enracinés dans la culture japonaise. Dans les cultures occidentales, les travailleurs, les gestionnaires et les fournisseurs ont toujours été en conflit. Par conséquent, avant de se convertir à un système J-À-T, l'entreprise doit évaluer l'importance de la collaboration, de l'engagement et du respect de tous les intervenants et ensuite faire des efforts pour maintenir cet esprit.

15.4.2 Inconvénients de la conversion

Malgré les nombreux avantages des systèmes de production J-À-T, une entreprise doit tenir compte de certains inconvénients au moment de la conversion.

L'inconvénient principal à surmonter est l'estimation des coûts en argent et en temps qu'une telle conversion implique. De plus, il est absolument nécessaire d'éliminer les principales sources de perturbation dans le système en fournissant les ressources nécessaires pour obtenir un niveau élevé de qualité et en respectant un horaire serré. Cela signifie qu'il faut porter attention au moindre détail pendant la conception et faire des efforts considérables pour que le système fonctionne adéquatement. En outre, il faut être en mesure de réagir rapidement quand un problème survient, et la direction comme les travailleurs doivent tous deux s'engager à améliorer continuellement le système. En règle générale, une conversion prend de un à trois ans.

Autre considération importante : les lots de petite taille. Bien que les lots de petite taille permettent plus de souplesse dans le changement de produits et réduisent les coûts et les espaces d'entreposage, ils entraînent généralement une augmentation des coûts de transport et une congestion du trafic en raison des livraisons fréquentes. L'incidence est telle sur le système routier que les gouvernements songent à légiférer en conséquence.

15.5 LE J-À-T DANS LES SERVICES

Notre exposé sur le J-À-T a essentiellement porté sur le secteur manufacturier, simplement parce que c'est là qu'il a été mis au point et implanté le plus souvent. Néanmoins, les services peuvent bénéficier de nombreux concepts de J-À-T. Quand on utilise le J-À-T dans le contexte des services, son intérêt porte souvent sur le temps nécessaire pour fournir un service — la vitesse étant le facteur principal dans ce secteur. Domino's Pizza, Federal Express, Postes Canada, les services d'appels d'urgence 9-1-1, où le temps de réponse est le gage principal de l'efficacité du procédé, sont des exemples de livraisons urgentes (« disponibles sur demande »).

www.baxter.com
www.dominos.com
www.fedex.com

La réduction des stocks est un autre aspect du J-À-T applicable au secteur des services. Tel est le cas notamment du commerce de détail, où la réduction des stocks, parallèlement à un niveau de service élevé aux clients, est important.

L'amélioration du processus et la résolution de problèmes contribuent à épurer un système, ce qui a pour effet d'accroître la satisfaction des clients tout en augmentant la productivité. Voici certaines manières d'obtenir des avantages du J-À-T dans les entreprises de services :

- Éliminer les perturbations. Par exemple, éviter dans la mesure du possible d'avoir des travailleurs qui servent les clients et qui, en même temps, doivent répondre au téléphone.

- Rendre le système souple. Souvent, il est souhaitable de normaliser le travail pour obtenir une productivité élevée. Mais le fait d'offrir une variété de services peut s'avérer un avantage concurrentiel. On peut soit former les travailleurs afin qu'ils exécutent une plus grande variété de tâches, soit répartir le travail selon la spécialité de chaque travailleur.

- Réduire les temps de mise en route et les temps de réponse. Rendre rapidement disponibles les outils fréquemment utilisés et disposer de pièces de rechange. De plus, pour les demandes de services, essayer de maintenir les pièces en stock tout en évitant d'en avoir d'énormes quantités.

- Éliminer les pertes (incluant les erreurs et la répétition des tâches). Mettre l'accent sur la qualité et l'uniformité du service d'un client à l'autre, pour ne pas créer de jalousie ni de discrimination.

- Réduire le travail en cours au minimum, par exemple en réduisant le temps d'attente pour une demande de service ou une commande et la durée des appels, de la livraison des colis, du chargement ou du déchargement des camions, du traitement des candidatures.

- Simplifier le processus, particulièrement quand les clients font partie du système (systèmes de service automatique incluant les opérations de détail, les guichets automatiques et les distributeurs automatiques, les stations libre-service, etc.).

Le J-À-T peut procurer un avantage concurrentiel important aux entreprises de services. Notons seulement sa capacité de fournir rapidement un service sur demande, qui exige de la flexibilité de la part du fournisseur, notamment de courts temps de mise en route, et aussi une communication claire entre les deux parties en cause. Si un client peut déterminer quand il aura besoin d'un service particulier, un fournisseur J-À-T peut planifier les livraisons pour répondre à ce besoin (ce qui élimine les demandes continuelles et réduit le besoin de souplesse de la part du fournisseur) et, par conséquent, réduire le coût du service.

15.6 Conclusion

La philosophie de production J-À-T offre de nouvelles perspectives d'opération. Les directeurs d'entreprises doivent les prendre au sérieux s'ils veulent devenir concurrentiels dans le domaine de la fabrication en continu.

Les entreprises qui songent à adopter le J-À-T doivent connaître les exigences, les avantages et les inconvénients des systèmes de production épurée de même que les difficultés, les forces et les faiblesses de leurs systèmes actuels, avant de prendre la décision de se convertir au J-À-T. Des évaluations judicieuses du temps et des coûts qu'une telle conversion implique et une estimation du degré d'engagement et de collaboration des ouvriers, des gestionnaires et des fournisseurs sont essentielles.

La décision d'effectuer la conversion doit être séquentielle et progressive, donnant l'occasion aux gestionnaires de se familiariser avec le J-À-T sans s'engager complètement. Par exemple, dans une première étape, on peut commencer par réduire les temps de mise en route, améliorer la qualité, réduire les pertes et les inefficacités, et améliorer les relations avec les fournisseurs. De plus, le fait de réaliser un programme de production nivelé — un élément nécessaire au système J-À-T — sera aussi très utile dans un système traditionnel.

Le système juste-à-temps (J-À-T) est un système de production épurée utilisé principalement dans la fabrication en continu, fabrication au cours de laquelle les biens se déplacent et les tâches sont effectuées juste à temps. Le système J-À-T nécessite très peu de stock, car la succession des opérations est coordonnée avec précision.

L'objectif principal d'un système J-À-T est d'obtenir un flux équilibré et régulier de production. Les objectifs secondaires sont de rendre le système flexible, d'éliminer les perturbations, de réduire les temps de mise en route et les délais de réapprovisionnement, d'éliminer les pertes et de réduire au minimum les stocks. Les éléments d'un système J-À-T sont la conception de produits, la conception du processus, la gestion de l'organisation, la planification et le contrôle de la production.

Une qualité élevée est essentielle aux systèmes épurés, car des problèmes de qualité perturbent le processus. Des réglages rapides et économiques, des implantations spéciales, permettant au travail d'être tiré dans le système plutôt que poussé, et un esprit de collaboration sont des caractéristiques des systèmes épurés. Sont également importantes la résolution de problèmes (elle vise à réduire les perturbations et à rendre le système plus efficace) et une attitude visant à toujours améliorer le travail.

Les principaux avantages du système J-À-T sont une réduction des niveaux de stocks, une qualité supérieure, une souplesse de fonctionnement, une réduction des temps de mise en route, un accroissement de la productivité et de l'utilisation du matériel, une réduction des rebuts et du réusinage, et une diminution du besoin d'espace. Dans le secteur des services, où il existe peu de processus d'opération en continu, on devrait parler de production épurée plutôt que de J-À-T, bien que l'on utilise couramment l'espression J-À-T.

Pour réussir une conversion au juste-à-temps, il faut obtenir l'engagement formel des cadres supérieurs et celui de l'ensemble des ressources humaines, développer un esprit de collaboration dans toute l'organisation et créer de bonnes relations avec un petit nombre de fournisseurs. Le résultat du J-À-T est une production épurée de tout surplus, de tout ce qui est dépourvu de valeur ajoutée.

Terminologie

Andon	Flux poussé	*Kanban*
Autonomation	Flux tiré ou tendu	Maintenance préventive
Comptabilisation par activité	Formation croisée	SMED
Différenciation retardée	*Jidoka*	

Problèmes résolus

Déterminez le nombre de conteneurs nécessaires pour un poste de travail utilisant 100 pièces à l'heure, en sachant qu'un conteneur prend 90 minutes pour parcourir un cycle (déplacer, attendre, vider, retourner, remplir) et qu'un conteneur standard peut contenir 84 pièces. On utilise un facteur d'efficacité de 0,10.

N = ?
D = 100 pièces à l'heure
T = 90 minutes (1,5 heure)
C = 84 pièces
X = 0,10

$$N = \frac{D\,(T)\,(1 + X)}{C} = \frac{100\,(1,5)\,(1 + 0,10)}{84} = 1,96 \approx 2 \text{ conteneurs}$$

On vous demande de déterminer le nombre de séries à produire par jour et la quantité d'unités par série pour le groupe de produits suivant. L'entreprise fonctionne 5 jours par semaine, et la séquence choisie est : A, B, C, D.

Produit	Quantité par semaine
A	20
B	40
C	30
D	15

Établissez le nombre d'unités par jour et fixez la quantité minimum d'unités par série en fonction du plus petit multiple ; dans notre exemple, 3 unités par série.

Produit	Quantité/jour ouvrable	Quantité manquante avec des séries de multiples de 3 unités
A	20 ÷ 5 = 4	4 − 3 = 1
B	40 ÷ 5 = 8	8 − 2 * 3 = 2
C	30 ÷ 5 = 6	6 − 2 * 3 = 0
D	15 ÷ 5 = 3 plus petit multiple	3 − 3 = 0

En produisant les 4 produits par série, 3 séries par jour (3 = le plus petit multiple), et en respectant la séquence désirée, les quantités théoriques de chaque produit par série seront : A (1 unité), B (2 unités), C (2 unités), D (1 unité). En complétant les unités manquantes de chaque produit par série, nous aurons le résultat final suivant (les unités produites de chaque produit par série apparaissent entre parenthèses).

Série	1	2	3
Séquence théorique	A, B (2), C (2), D	A, B (2), C (2), D	A, B (2), C (2), D
Unités supplémentaires	B = 1	B = 1	A = 1
Quantité totale par séquence	A, B (3), C (2), D	A, B (3), C (2), D	A (2), B (2), C (2), D

Questions de discussion et de révision

1. Certains éléments clés des systèmes de production figurent au tableau 15.3. Expliquez brièvement en quoi les systèmes J-À-T diffèrent des systèmes de production traditionnels par rapport à chacun de ces éléments.

2. Quel est le principal but d'un système J-À-T ? Quels sont ses objectifs secondaires et ses éléments ?

3. Décrivez la philosophie qui sous-tend le système J-À-T (ce que le J-À-T doit accomplir, par exemple).

4. Quels sont les principaux obstacles à surmonter au cours de la conversion d'un système traditionnel à un système J-À-T ?

5. Discutez brièvement des relations à entretenir avec les fournisseurs dans les systèmes J-À-T en vous aidant des questions et des points suivants :

a) Pourquoi ces relations sont-elles importantes?

b) En quoi sont-elles différentes des relations entretenues dans le cadre d'un système traditionnel?

c) Pourquoi les fournisseurs se méfieraient-ils des achats J-À-T?

6. Des dirigeants japonais ont affirmé que le principe de la chaîne d'assemblage de Henry Ford est à la base de certains fondements du J-À-T. Quelles sont les caractéristiques communes entre les chaînes d'assemblage et le système J-À-T?

7. Décrivez comment fonctionne le *kanban* et ses relations avec un système J-À-T.

8. Comparez les méthodes de flux tiré et de flux poussé pour ce qui est du déplacement des biens et des matériaux dans les systèmes de production.

9. Quels sont les principaux avantages d'un système J-À-T?

10. Qu'est-ce qu'une usine cachée, et comment le J-À-T en élimine-t-il le plus gros?

11. Quels sont les avantages des lots de petite taille?

Problèmes

1. Un gestionnaire d'usine désire déterminer le nombre de conteneurs à utiliser pour un système *kanban* qui sera installé dans quelques mois. Le processus utilisera 80 pièces à l'heure. Puisque le processus est nouveau, le gestionnaire a alloué un facteur d'efficacité de 3,5. Chaque conteneur contient 45 pièces et prend en moyenne 75 minutes pour parcourir un cycle. Combien de conteneurs devrait-on utiliser? Une fois le système amélioré, aura-t-on besoin de plus ou de moins de conteneurs? Pourquoi?

2. Un système J-À-T utilise des cartes *kanban* pour autoriser la production et le déplacement de matériaux. Dans une partie du système, un centre de travail utilise en moyenne 100 pièces à l'heure. Le gestionnaire a alloué un facteur d'efficacité de 0,20 au centre. Les conteneurs standard sont conçus pour contenir six douzaines de pièces chacun. Le temps de cycle par conteneur de pièces est d'environ 105 minutes. De combien de conteneurs a-t-on besoin?

3. Une cellule d'opération utilise 200 kg d'un certain matériau par jour. Ce matériau est transporté dans des bacs contenant 120 kg chacun. Le temps de cycle pour les bacs est d'environ deux heures. Le directeur a attribué à chaque cellule un facteur d'efficacité de 0,08. L'usine fonctionne huit heures par jour. Combien de bacs utilisera-t-on?

4. Déterminez le nombre de séries par jour et la quantité d'unités produites par série pour cet ensemble de produits:

Produit	Quantité par semaine
A	21
B	12
C	3
D	15

5. Déterminez le nombre de séries par jour et la quantité d'unités produites par série pour cet ensemble de produits:

Produit	Quantité par semaine
A	22
B	12
C	4
D	15
E	9

La séquence de production est A-B-C-D-E.

6. Déterminez le nombre de séries par jour et la quantité d'unités produites par série pour cet ensemble de produits qui atteint la production suivante :

Produit	Quantité quotidienne
F	9
G	8
H	5
K	6

La séquence de production est F-G-H-K.

 CAS

LA SÉCURITÉ LEVEL

Level Operations est une petite entreprise située dans l'est de la Pennsylvanie. Elle produit une variété d'appareils de sécurité et de coffres-forts. Ceux-ci sont offerts en plusieurs modèles. Récemment, de nouveaux clients ont passé des commandes, aussi a-t-on agrandi le service de production pour répondre à la demande. La directrice de production travaille actuellement à établir un plan de production pour les coffres-forts, et ce, pour chaque jour de la semaine. Elle a obtenu du service du marketing les renseignements concernant la demande planifiée pour les cinq prochaines semaines :

Modèle	Quantité hebdomadaire
S1	120
S2	102
S7	48
S8	90
S9	25

Le service fonctionne cinq jours par semaine, mais il faut tenir compte de la politique d'entreprise suivante : les coffres-forts partiellement finis ne sont pas autorisés ; chaque cycle doit produire des unités complètes.

Après avoir discuté avec le service d'ingénierie, la directrice a déterminé que la meilleure séquence de production pour chaque cycle serait S7-S8-S9-S1-S2.

Question

1. On vous demande d'aider la directrice à déterminer la meilleure quantité à produire par cycle pour chaque jour de la semaine.

Bibliographie

ALSTER, Norm. « What Flexible Workers Can Do », *Fortune,* 13 février 1989, p. 62-66.

BLACKBURN, Joseph D. *Time-Based Competition.,* Burr Ridge, IL., Business One Irwin, 1991.

BURTON, Terence T. « JIT/Repetitive Sourcing Stragegies : "Tying the Knot with Your Suppliers" », *Production and Inventory Management,* 4e trimestre, 1988, p. 38-41.

GODDARD, Walter. *Décuplez la productivité de votre entreprise par le juste-à-temps,* Paris, Éditions du Moniteur, 1990.

GODDARD, Walter E. « Kanban versus MRP II — Which Is Best for You ? », *Modern Materials Handling,* 5 novembre 1982, p. 40-48.

HALL, Robert W. *Attaining Manufacturing Excellence,* Burr Ridge, IL., Richard D. Irwin, 1987.

HANNAH, Kimball H. « Time : Meeting the Competitive Challenge », *Production and Inventory Management,* 3^e trimestre, 1987, p. 1-3.

HOPP, Wallace J. et Mark L. SPEARMAN. *Factory Physics : Foundations of Manufacturing Management,* Burr Ridge, IL., Richard D. Irwin, 1996.

KARMAKAR, Uday. « Getting Control of Just-in-Time », *Harvard Business Review,* sept.-oct. 1989, p. 122-133.

LAMAILLE, Robert. *La gestion des stocks par la maîtrise des flux,* 2e édition, Paris, Les Éditions d'organisation, 1990.

MONDEN, Yasuhiro. *Toyota Production System, an Integrated Approach to Just-In-Time,* 2e édition, Norcross, Ga., Industrial Engineering and Management Press, Institute of Industrial Engineers, 1991, 423 p.

SCHONBERGER, Richard J. *Japanese Manufacturing Techniques: Nine Hidden Lessons in Simplicity*, New York, Free Press, 1982.

_____. *World Class Manufacturing*, New York, Free Press, 1986.

SHORES, A. Richard. *Reengineering the Factory: A Primer for World-Class Manufacturing*, Milwaukee, ASQC Quality Press, 1994.

STALK, George, Jr. « Time — The Next Source of Competitive Advantage », *Harvard Business Review*, juillet-août 1988, p. 41-51.

VOLLMANN, Thomas E, William L. BERRY et D. Clay WHYBARK. *Manufacturing Planning and Control Systems*, 4e édition, Burr Ridge, IL., Richard D. Irwin, 1997.

ZIPKIN, Paul H. « Does Manufacturing Need a JIT Revolution ? », *Harvard Business Review*, janvier-février 1991, p. 40-50.

OBJECTIFS D'APPRENTISSAGE

Après avoir terminé l'étude de ce chapitre, vous pourrez:

1. Décrire les éléments d'une chaîne de réapprovisionnement.

2. Décrire le cycle de réapprovisionnement.

3. Expliquer ce qu'est l'analyse de valeur.

4. Discuter de l'impact du J-À-T (juste-à-temps) sur le réapprovisionnement.

5. Énumérer les caractéristiques clés d'un bon fournisseur.

6. Décrire la vérification des comptes et la certification des fournisseurs.

7. Discuter des avantages et des inconvénients du partenariat avec des fournisseurs.

8. Décrire la fonction logistique.

9. Discuter de l'impact du J-À-T sur la logistique.

Chapitre 16
LA GESTION DE LA CHAÎNE D'APPROVISIONNEMENT

Plan du chapitre

16.1 INTRODUCTION

Le fait d'offrir au client le bon produit, au bon moment et au bon endroit procure un énorme avantage concurrentiel. Rappelons le rôle et les objectifs des opérations : créer des biens et services utiles en respectant la quantité et la qualité requises, au bon moment, au bon endroit et aux coûts les plus justes. À quoi cela sert-il d'offrir les meilleurs produits au coût le plus bas si on les livre au mauvais endroit et en retard ? L'ensemble des activités nécessaires pour assurer l'atteinte de ces objectifs reçoit plusieurs noms, selon les gestionnaires : distribution, logistique ou gestion de la **chaîne d'approvisionnement**. Il s'agit d'un processus sinueux et complexe grâce auquel toutes les entreprises (privées, publiques, parapubliques, du secteur primaire, secondaire ou tertiaire) acheminent les biens et services des fournisseurs aux clients. Nous développerons plus en détail ces notions tout au long du chapitre.

Comme le disait Robert Sabath, vice-président de Mercer Management Consulting, une firme de Chicago : « La logistique, longtemps considérée comme un centre de coûts sans intérêt, est soudainement devenue une fonction hautement stratégique. »

En effet, Compaq Computer, qui figure parmi les plus grands manufacturiers d'ordinateurs du monde, estime avoir perdu près d'un milliard de dollars en ventes parce que ses produits n'étaient pas disponibles pour la vente au bon endroit et au bon moment. Le directeur financier, Daryl White, déclarait : « Nous avons fait tout ce qui était en notre pouvoir pour devenir concurrentiel : changer le processus de recherche et développement, de mise en marché, de stratégie publicitaire. Il manquait quand même une pièce à notre casse-tête : la logistique. Les possibilités de gains dans ce domaine sont tout à fait incroyables et méconnues.[1] »

En raison de leur nature et du secteur économique dans lequel elles œuvrent, les entreprises n'ont pas les mêmes chaînes d'approvisionnement. La figure 16.1 illustre le cheminement type des produits dans la chaîne d'approvisionnement d'une entreprise du secteur secondaire et dans une entreprise du secteur tertiaire. Notez les nombreuses activités de manutention et de circulation entre différentes sources et les points de service. L'importance de la synchronisation des expéditions et des réceptions de marchandises en termes de quantité, de délais, de lieux de livraison et de coûts est le défi principal que doit relever tout gestionnaire de la chaîne. La qualité de son travail sera mesurée par l'atteinte de ces quatre objectifs.

chaîne d'approvisionnement
Mouvement des biens et services à partir des fournisseurs jusqu'aux clients en passant par les entrepôts, les lieux de traitement et de distribution.

www.compaq.com

Figure 16.1

Chaînes d'approvisionnement types
A. Entreprise manufacturière
B. Entreprise de distribution (commerce de détail)

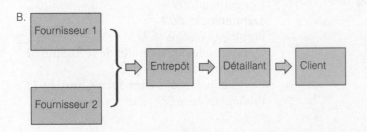

---

1. Extrait de l'article « The Goods », *Fortune,* Time inc., 28 nov. 1994.

16.2 L'APPROVISIONNEMENT

Dans le secteur manufacturier, il a été estimé que près de 60 % du coût de revient des produits fabriqués provient de l'achat de pièces et de matériaux. Si nous ajoutons à cela les coûts de l'énergie et des services (consultation, main-d'œuvre spéciale) nécessaires à la fabrication des produits, nous ne serons pas loin de 80 %. Dans le secteur tertiaire (distributeur, grossiste et commerce au détail), ces coûts dépassent 90 %. L'approvisionnement de tous ces éléments nécessaires aux entreprises est assuré de différentes façons : achat, location, fabrication, etc. Il importe donc de définir très précisément les sources d'approvisionnement possibles.

16.2.1 Définitions

Jusqu'ici, nous avons utilisé les termes « achat », « approvisionnement », « chaîne d'approvisionnement ». Il convient maintenant de définir ces termes et d'autres qui sont propres à ce secteur d'activité.

On entend par **achat** l'échange de propriété de biens ou de services entre deux parties, l'acheteur et le vendeur, contre un paiement ou une promesse de paiement, à des conditions précisées dans un contrat d'achat. L'**acquisition** est l'obtention de l'usage de biens ou de services, avec ou sans titre de propriété. Cet échange donne lieu à la rédaction d'un contrat d'acquisition. On peut acquérir un objet par achat, par sous-traitance ou par location. Par exemple, nous pouvons acquérir un service en sous-traitant l'entretien et la gestion du parc de stationnement de notre usine à une entreprise spécialisée dans ce type de service. Le parc demeure notre possession, mais le sous-traitant est responsable, pour la durée du contrat, de l'entretien de la sécurité des lieux, etc.

L'**approvisionnement** comprend l'acquisition, la manutention, la conservation, le conditionnement, la liquidation rationnelle des surplus d'actifs et des rebuts. L'approvisionnement englobe l'achat, l'acquisition et, pour certaines entreprises, la fabrication du produit. Les moyens utilisés sont donc au choix du gestionnaire : achat direct, location, fabrication interne ou confiée en sous-traitance, etc.

La gestion des approvisionnements consiste en l'ensemble des activités de préparation (prévisions, planification), d'exécution (organisation, transmission, réception, manutention, transport, entreposage), de direction des tâches et de suivi (contrôle), pour tout ce qui a trait aux échanges de biens et services nécessaires à l'entreprise. En d'autres termes, c'est la PODC de l'approvisionnement.

Dans les entreprises manufacturières, on voit apparaître une autre fonction importante, soit la gestion des matières. La **gestion des matières** prévoit, planifie, coordonne et contrôle le mouvement (le « flux ») des matières de l'acquisition à l'expédition. Elle doit s'assurer de l'approvisionnement continu à tous les postes de transformation de l'usine. Nous pouvons l'imaginer comme le flux sanguin de l'entreprise.

En raison de la mondialisation des marchés, de plus en plus d'entreprises possèdent des centres de distribution disséminés partout sur leur territoire. C'est le cas par exemple des brasseries, des magasins IKEA, des pétrolières, etc., qui doivent assurer le trafic des marchandises entre les centres de production, l'usine principale ou des usines sous-traitantes, et les différents centres de distribution. C'est le rôle de la **distribution matérielle**, appelée aussi distribution physique, qui s'occupe de la manutention, du transport externe, de la gestion des stocks et de l'entreposage externe des marchandises. La distribution physique succède à la gestion des matières.

Finalement, pour assurer un flux continu des matières entre les fournisseurs, les centres de production et les centres de distribution, on fait appel à une superfonction de l'entreprise : la logistique. La logistique, étudiée à la section 16.4, englobe toutes les fonctions définies jusqu'ici dans ce chapitre. Le tableau 16.1 illustre l'interdépendance de ces fonctions.

achat
Échange de propriété de biens et services moyennant paiement.

acquisition
Obtention de l'usage de biens ou de services, avec ou sans titre de propriété.

approvisionnement
Fonction consistant à fournir à l'entreprise tous les biens et services nécessaires pour satisfaire aux exigences du client.

gestion des matières
Ensemble des activités de planification, d'organisation, de direction et de contrôle du flux des matières à l'intérieur de l'usine.

distribution matérielle (ou physique)
Ensemble des activités liées à la manutention et à la distribution des produits, des sources de fabrication jusqu'aux points de consommation.

TÂCHE	FONCTION		
	Gestion des matières	Distribution physique	Logistique
Réception des matières et entreposage	X		X
Circulation interne	X		X
Entreposage interne des produits finis	X		X
Circulation externe		X	X
Entreposage externe		X	X

Source : Benedetti, Guillaume, *Gestion des approvisionnements et des stocks,* Études Vivantes, Laval, 1992.

16.2.2 L'approvisionnement et les autres fonctions de l'entreprise

Revenons maintenant à l'étude de la fonction principale, l'approvisionnement. En tant que fonction de service par rapport à l'ensemble des autres fonctions de l'entreprise, c'est-à-dire le marketing, la production, etc., l'approvisionnement sert de lien entre elles et les fournisseurs. Analysons ces liens.

Les **départements de production,** dans le secteur manufacturier, et d'opération, dans le secteur des services, représentent les principales sources de demande de produits et de matières. Pour s'assurer que l'approvisionnement de l'entreprise en produits de toutes sortes est adéquat, il faut mettre en place un réseau de communication complet et précis qui transmet les besoins en termes de quantités, de qualité, de délais et de lieux. Toute modification des spécifications des produits, des quantités requises ou autres, doit être immédiatement communiquée à l'approvisionnement, et ce, à un moment où il est encore possible de faire des changements.

Souvent, l'approvisionnement a besoin de conseils d'ordre juridique pour négocier les termes des contrats qui lieront l'entreprise aux fournisseurs majeurs, surtout si les contrats sont à long terme et impliquent des sommes considérables. La rédaction des soumissions et l'interprétation des lois dans le cas d'achats outre frontières sont autant de situations où les avis juridiques seront nécessaires. Les liens entre la fonction approvisionnement et le service juridique de l'entreprise sont donc importants.

Comme le service des finances contrôle les comptes fournisseurs, l'approvisionnement doit l'informer du fait que tel fournisseur a honoré ses livraisons. Le service des finances procédera alors au paiement. Il doit exhorter l'approvisionnement à rechercher d'une façon juste les remises sur achats en gros et les prix les plus bas, bien qu'il ne s'agisse pas du seul objectif recherché. Ce point est souvent source de conflits entre les deux services.

Les services de recherche et développement ainsi que d'ingénierie préparent les spécifications des matériaux sous forme de plans et devis ; celles-ci doivent être transmises au service de l'approvisionnement. En raison de ses contacts avec les fournisseurs, ce service est souvent bien placé pour informer les designers des nouveaux produits et des améliorations apportées aux matériaux. De plus, le personnel des services de conception peut travailler conjointement avec celui des achats pour déterminer si des changements dans les spécifications, la conception ou les matériaux peuvent réduire le coût des achats (voir la section 16.2.4).

Enfin, le service de réception vérifie les produits achetés à leur arrivée pour déterminer si les objectifs de qualité, de quantité et de temps ont été atteints, puis il achemine les biens vers un entrepôt temporaire. Tout retard d'expédition doit être signalé au service de l'approvisionnement. Le service de comptabilité doit être averti de la réception des expéditions pour faire les paiements. L'évaluation et le suivi des fournisseurs peuvent alors se faire facilement.

Les fournisseurs collaborent étroitement avec le service de l'approvisionnement pour connaître les matériaux qui seront achetés et les spécifications sur les plans de la qualité, de la quantité et des livraisons. Le service de l'approvisionnement doit évaluer les fournisseurs : prix, fiabilité, etc. (voir plus loin : « Le choix des fournisseurs »). De bonnes relations avec les fournisseurs permettent de modifier des commandes et d'apporter des changements à la dernière minute, sans compter que les fournisseurs constituent une bonne source d'information sur les améliorations apportées aux produits et aux matériaux ; à moyen et long terme, ces relations s'avèrent fructueuses pour les deux parties.

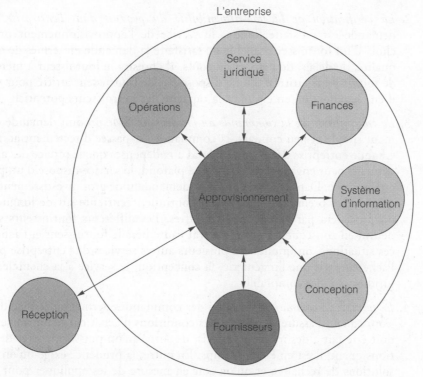

16.2.3 Le cycle d'approvisionnement

Souvent, les entreprises confondent cycle d'approvisionnement et cycle d'achat.

Le cycle d'approvisionnement commence par le plan global de production (PGP), connu aussi sous l'expression « programme intégré de production[2] ». À cette étape, les gestionnaires, informés des besoins des clients, doivent décider de la façon dont ils approvisionneront l'entreprise pour satisfaire le marché : produire la totalité des biens requis par le marché, les acheter, en produire une partie et sous-traiter le reste, acheter certains composants, en produire d'autres et procéder à l'assemblage final, etc. Une fois ces décisions arrêtées, les gestionnaires procéderont à l'achat ou à l'acquisition des matières et du matériel, des composants et même des produits finis, selon leur stratégie. Dans le cas du commerce au détail, les gestionnaires procéderont directement à l'achat. Finalement, pour les autres entreprises de services, telles que les entreprises de transport, les hôpitaux, l'hôtellerie, la restauration, l'enseignement, où il n'existe pas de fonction fabrication, on parlera plutôt de l'approvisionnement. En effet, les gestionnaires devront satisfaire l'ensemble des besoins de l'entreprise : acquisition ou achat de mobilier, d'ordinateurs, d'équipements médicaux, de literie, etc. Le cycle initial d'approvisionnement, pour les entreprises manufacturières, a été présenté aux chapitres 12, 13 et 14. Analysons ici le cycle d'achat, que certaines personnes appellent le cycle d'approvisionnement.

Le cycle d'achat externe débute par une demande provenant d'un service de l'entreprise ayant besoin soit de matériaux, de matériel (machines, équipement de bureau, etc.), de services d'experts (experts comptables, juristes ou ingénieurs spécialisés) ou de

---

2. Voir le chapitre 12.

tout autre produit ou service disponible à l'extérieur de l'entreprise. Le cycle d'achat se termine quand le service des achats ou des approvisionnements, selon le cas, est informé de la livraison du service ou du produit en question. Les principales étapes du cycle sont :

1. *La réception de la demande d'achat,* où seront spécifiées la description du produit (c'est-à-dire ses qualités), la quantité requise, les dates de livraison souhaitées et l'identité du client.

2. *La vérification de la non-disponibilité du produit dans l'entreprise.* Si oui, la demande est satisfaite. Sinon, le service de l'approvisionnement procédera au choix d'un fournisseur capable de satisfaire la demande en termes de quantité, de qualité, de délais, de lieux et de coûts. Il choisira le fournisseur à même une liste de fournisseurs attitrés. S'il ne dispose pas de fournisseur attitré pour un produit, il en cherchera un en évaluant la capacité des fournisseurs potentiels.

3. *La transmission de la commande au fournisseur.* Si le produit demandé est relativement simple et peu coûteux, la commande est passée directement au fournisseur. Chaque entreprise définit un plafond aux dépenses que le service des approvisionnements peut engager ; en deçà de ce plafond, le service dispose d'un pouvoir discrétionnaire. Dans le cas de produits demandant de gros investissements ou l'achat de matières premières d'une façon continue, récurrente sur de longues périodes, on procédera par voie d'appels d'offres. Les différents fournisseurs soumissionneront en conséquence et un **contrat cadre** liera le fournisseur et l'acheteur. Dans ces situations, on impliquera plusieurs autres services de l'entreprise pour assister l'acheteur, tels que l'ingénierie, la conception, le service à la clientèle, les experts juridiques et les comptables.

4. *Le suivi de la commande.* Le suivi des commandes permet au service de l'approvisionnement d'assurer le respect des conditions d'achat par le fournisseur. Ce suivi doit être fait à des moments précis, de sorte qu'on puisse apporter des modifications quand il est en encore temps. En outre, la prudence exige qu'on élabore des solutions de rechange et qu'on soit en mesure de les appliquer pour faire face à d'éventuels changements par rapport aux plans initiaux ou retards dans la livraison. Pour cela, une politique de suivi rigoureux doit être mise en place.

5. *La réception des commandes.* Le service de réception vérifie l'état des marchandises reçues et la quantité. Parfois, il est également responsable du contrôle de la qualité. Dans d'autres cas, il incombera au service qui veille à l'assurance de la qualité de procéder à ce contrôle. Les produits sont mis alors en quarantaine avant d'être rendus disponibles pour la production. Si les produits ne correspondent pas à la qualité requise, ils seront retournés au fournisseur moyennant un crédit, échangés ou soumis à une inspection exhaustive, selon les accords conclus avec le fournisseur[3]. Dans un cas comme dans l'autre, le service des réceptions informera les responsables des services de l'approvisionnement, des finances et de la production de la situation, et le dossier du fournisseur sera mis à jour en conséquence.

contrat cadre
Contrat à long terme avec un fournisseur ayant pour objet des livraisons successives, dans des conditions prédéterminées, et déclenchées par des appels de la part de l'acheteur.

16.2.4 L'analyse de la valeur

En raison d'une pénurie de matériaux qui sévissait durant la Seconde Guerre mondiale, l'acheteur principal de General Electric, l'ingénieur L. D. Miles, se mit à trouver des substituts aux matières généralement utilisées. Il élabora une approche qui mettait l'accent sur la notion de meilleur achat. L'analyse de la valeur était née.

analyse de la valeur
Processus systématique de remise en question des produits actuellement utilisés pour en réduire les coûts et en améliorer la performance.

L'**analyse de la valeur** est un processus logique et systématique de conception de nouveaux produits ou de modification de produits existants dont le but est de réduire les coûts inutiles, de maintenir et d'améliorer la performance des produits existants[4]. L'analyse se fait à partir des réponses à la série de questions qui apparaissent au tableau 16.2.

3. Voir le chapitre 10, section 10.9.
4. Par Francine Constantineau, ingénieure en analyse de la valeur.

1. Sélectionner un produit qui a un volume annuel en dollars élevé; ce peut être l'achat d'une pièce, d'un matériau ou d'un service.

2. Spécifier la fonction du produit.

3. Répondre aux questions suivantes:

a) Ce produit est-il nécessaire? Ajoute-t-il de la valeur? Peut-il être éliminé?

b) Existe-t-il d'autres sources pour ce produit?

c) Le produit peut-il être fourni à l'interne?

d) Quels sont les avantages du présent arrangement?

e) Quels sont les inconvénients du présent arrangement?

f) Peut-on remplacer le produit (par une autre pièce, un autre matériau ou un autre service)?

g) Peut-on rendre les spécifications moins rigoureuses pour réduire les coûts ou gagner du temps?

h) Peut-on combiner deux pièces ou plus?

i) Peut-on effectuer plus (ou moins) d'opérations sur le produit pour réduire les coûts?

j) Les fournisseurs ont-ils des suggestions d'améliorations?

k) Les employés ont-ils des suggestions d'améliorations?

l) Peut-on améliorer l'emballage ou en réduire les coûts?

4. Analyser les réponses obtenues et faire des recommandations.

TABLEAU 16.2

Vue générale de l'analyse de la valeur

Il est vrai que les coûts rattachés au processus d'analyse de la valeur peuvent être parfois prohibitifs. Pour cette raison, on la réserve aux produits coûteux ou à grand volume de consommation. La démarche porte sur un projet[5], car on ne procède pas à une analyse à chaque commande.

Bien que le service de l'approvisionnement n'ait pas l'autorité nécessaire pour faire des changements basés sur les résultats d'une analyse de la valeur, il peut faire des suggestions aux unités d'exploitation, aux concepteurs et aux fournisseurs en vue d'améliorer la qualité des biens achetés ou de réduire leur coût. Le personnel du service de l'approvisionnement a une vision différente de l'analyse car, en raison de son association avec les fournisseurs, il détient de l'information souvent inconnue des autres services de l'entreprise.

Si les besoins pour une pièce ou un produit exigent des connaissances techniques plus étendues, il est suggéré de former une équipe multidisciplinaire, constituée de représentants des services de conception ou d'exploitation et de l'approvisionnement, dans le but de mener l'analyse des besoins.

16.2.5 Les achats externes et la sous-traitance

La **sous-traitance** fait référence à l'approvisionnement en composants, en produits finis ou en services à l'extérieur de l'entreprise par opposition à leur fabrication à l'interne. Si quelques entreprises pratiquent peu la sous-traitance, préférant faire presque tout elles-mêmes, d'autres l'utilisent beaucoup. Par exemple, certains fabricants d'ordinateurs personnels achètent presque tous les composants des ordinateurs qu'elles fabriquent, auprès des fournisseurs externes. En réalité, elles assemblent à peine les ordinateurs. Les services aussi peuvent être impartis; ainsi, il n'est pas rare que des entreprises sous-traitent le traitement des données, la gestion de la paie et des avantages sociaux, l'entretien, le service après-vente et les réparations, les services alimentaires, etc.

Notez que l'on utilise de plus en plus les expressions «sous-traitance» pour les services (de restauration, d'informatique, juridiques) et «achats externes» pour les

sous-traitance
Consiste à acheter des biens ou des services à l'externe plutôt que de les fabriquer à l'interne.

produits. On dira alors: 1) nous décidons d'acheter les freins à l'extérieur plutôt que de les faire nous-mêmes; 2) nous avons décidé de nous départir du service d'informatique et de confier cette tâche à ABC Services informatiques.

Malgré cela, les raisons et les démarches menant à ces décisions sont semblables.

Voyons pour quelles raisons les entreprises peuvent recourir à la sous-traitance. La principale raison tient au fait que la source externe peut fournir des composants, des pièces ou des services plus efficacement et à meilleur prix. En effet, les fournisseurs externes peuvent être des producteurs à grande échelle d'une pièce ou d'un service en particulier. Le produit peut donc être fourni à un coût moindre que s'il était fabriqué par l'entreprise.

L'expertise et les connaissances sont d'autres motifs importants de la sous-traitance. Enfin, la sous-traitance rend l'entreprise plus flexible et elle tend à augmenter quand cette dernière réduit son personnel et se recentre sur son activité principale.

Toutefois, la sous-traitance comporte des risques. Parmi ceux-ci, mentionnons la perte de contrôle et d'expertise une plus grande dépendance à l'égard des fournisseurs et l'incapacité de fabriquer à l'interne.

Généralement, une entreprise prend en considération les facteurs suivants pour décider de sous-traiter:

1. Le coût de fabrication d'un produit à l'interne comparativement au coût d'achat à l'extérieur, y compris les frais de mise en route.

2. La stabilité de la demande et son côté saisonnier.

3. La qualité procurée par les fournisseurs comparativement à celle que peut procurer l'entreprise.

4. Le désir de maintenir un contrôle rigoureux sur les opérations.

5. La disponibilité de production dans l'entreprise.

6. Le temps de mise en route pour chaque solution de rechange.

7. Les brevets, l'expertise, etc. (s'ils représentent des motifs de sous-traitance).

8. La volatilité de la technologie (si une technologie change, il peut être préférable d'avoir recours à un fournisseur).

9. L'intégration du produit ou du service à l'ensemble des autres activités de l'entreprise.

16.2.6 Les achats juste-à-temps (J-À-T)

L'adoption de techniques de fabrication J-À-T par certaines entreprises a créé de nouveaux défis pour leur service des achats. Elle a également facilité certains aspects des achats, notamment le fait d'avoir à négocier avec moins de fournisseurs et d'établir des relations à long terme avec ceux qui mettent l'accent sur la collaboration plutôt que sur une politique de bas prix. Si c'est possible, certaines entreprises préfèrent travailler avec des fournisseurs locaux, ce qui facilite en quelque sorte les activités du service de l'approvisionnement. Cependant, il faut adopter une nouvelle philosophie d'achat et s'assurer que les fournisseurs feront la livraison des biens de façon ponctuelle. La livraison ponctuelle est généralement le premier besoin des opérations J-À-T, suivi des lots de petite taille.

16.2.7 La détermination des prix

Généralement, il existe trois façons pour connaître et déterminer les prix des objets à acheter: par la publication d'une liste de prix, par soumission, par négociation.

Dans le cas d'achats de produits ou de services communs à petit volume, les entreprises les achètent à des prix fixes, connus et prédéterminés. Pour l'achat de ce même type de produits, mais à gros volume, l'approche par voie d'appels d'offres et de soumissions sera privilégiée. Le service de l'approvisionnement de l'entreprise fait des appels d'offres (dans la presse écrite ou sur invitation) aux fournisseurs potentiels, leur demandant de soumissionner pour des quantités et des spécifications précises. Les services gouvernementaux et parapublics suivent obligatoirement cette démarche pour leurs achats.

L'approche par voie de négociation est utilisée dans des situations particulières : quand les spécifications des biens sont vagues ou peu connues, quand les besoins sont très spécialisés et que peu de fournisseurs sont disponibles, et dans les situations de sécurité publique. C'est le cas par exemple des agences spatiales, ou des cliniques médicales spécialisées dans des traitements très pointus pour lesquels les fournisseurs d'appareils sont uniques.

Plusieurs mythes subsistent à l'égard de l'approche négociée :

1. La négociation est une confrontation gagnant-perdant.

2. L'objectif principal consiste à obtenir le prix le plus bas possible.

3. Chaque négociation est une transaction isolée[6].

Personne n'aime se faire flouer. De plus, les deux parties, l'acheteur et le client, ont besoin de profits justes et raisonnables pour survivre et y ont droit. Donc, l'approche « à prendre ou à laisser » ou celle qui consiste à tirer profit au maximum des moments de faiblesse temporaires d'une des parties n'est d'aucune utilité et aura des effets néfastes à long terme. Deming, dans ses 14 critères de qualité[7], souligne bien cette vision juste et raisonnable, où la vision de gagnant-gagnant s'avère très profitable à long terme.

16.2.8 Approvisionnement centralisé et approvisionnement décentralisé

Deux visions organisationnelles de la fonction approvisionnement et de ses composantes se sont toujours affrontées : doit-on centraliser ou décentraliser cette fonction ?

Lorsque l'approvisionnement est centralisé dans un même service et sous la responsabilité du même groupe de personnes, on peut obtenir des prix plus bas car on négocie et on achète de grandes quantités pour l'ensemble de l'entreprise : on bénéficie alors de substantielles remises sur achats en gros. On obtient un meilleur service et plus d'attention de la part des fournisseurs. On assure aussi une standardisation des biens et des services achetés. De plus, on peut confier l'approvisionnement en certains types de produits aux acheteurs spécialisés dans le domaine, qui, avec le temps, acquerront de plus en plus de connaissances.

D'autre part, avec l'approvisionnement décentralisé, les services seront placés tout près des services clients et s'occuperont spécifiquement de leurs besoins. La **décentralisation** permet aux fournisseurs de mieux comprendre les besoins du requérant et d'y être plus sensibles. Le fait d'acheter chez des fournisseurs locaux signifie une réponse beaucoup plus rapide et des épargnes substantielles. La communauté où est implantée l'entreprise réagit très positivement à cette politique. Par contre, la difficulté principale que pose la décentralisation concerne la difficulté d'assurer des normes de qualité identiques à travers l'ensemble de l'entreprise.

décentralisation
Autorité sur l'approvisionnement déléguée à des niveaux hiérarchiques plus proches de l'exécution.

Il n'existe pas de règles absolues quant à la meilleure structure organisationnelle à adopter, chacune ayant ses forces et ses faiblesses. Cependant, la tendance générale est à la **centralisation** des activités stratégiques et à la décentralisation des activités tactiques. Ainsi, en décentralisant l'approvisionnement des biens urgents, des petits articles, des services courants nécessaires aux opérations quotidiennes, on atteint la souplesse nécessaire à ce type d'activités. En centralisant l'approvisionnement des pièces ou des éléments majeurs, on assurera l'atteinte des normes de qualité pour l'ensemble de l'entreprise[8].

centralisation
Autorité sur l'approvisionnement exercée par quelques individus aux niveaux hiérarchiques supérieurs, proches de la haute direction.

---

6. TERSINE, Richard J. *Production/Operations Management: Concepts, Structure, and Analysis*, 2e édition, New York, North Holland Publishing, 1985, p. 598.

7. Voir « Les 14 points de Deming » au chapitre 9.

8. BENEDETTI, C. et J. GUILLAUME. *Gestion des approvisionnements et des stocks*, Laval, Éditions Études Vivantes, 1992, p. 44-45.

16.2.9 La chaîne d'approvisionnement globale

À la suite du recul des barrières commerciales internationales et de la conclusion d'accords de libre-échange, de plus en plus d'entreprises étendent leurs opérations mondialement, ce qui leur ouvre des marchés autrefois inexploités pour leurs produits et services. La mondialisation des marchés a également augmenté le nombre de concurrents ; même les entreprises qui avaient l'habitude de produire à l'intérieur de frontières nationales sécurisantes font face à la concurrence étrangère.

Comparativement à la gestion d'une chaîne d'approvisionnement classique (basée sur une approche locale), la chaîne d'approvisionnement globale, qui se traduit par la présence de fournisseurs partout sur la planète, pose des défis énormes. En effet, les distances et les temps de mise en route deviennent de plus en plus déterminants à mesure que la chaîne d'approvisionnement s'étire à travers le monde. Le fait d'avoir à négocier dans plusieurs langues et avec des personnes de cultures différentes augmente les difficultés. Les diverses devises, les fluctuations monétaires ainsi que la nécessité de moyens de transport supplémentaires sont d'autres facteurs à considérer. Dans ce qu'il convient d'appeler le « village global », l'ouverture d'esprit et la connaissance d'autres langues et cultures sont des atouts indispensables aux nouveaux gestionnaires en approvisionnement.

16.3 LES FOURNISSEURS

Les bons fournisseurs sont un maillon vital de la chaîne d'approvisionnement. Les livraisons en retard ou les produits manquants ou défectueux peuvent causer de graves problèmes aux fabricants en altérant les horaires de production, en augmentant les coûts des stocks et en retardant les livraisons de produits finis. Des perturbations chez les fournisseurs de services (transporteurs, cafétéria, etc.) peuvent avoir les mêmes effets sur l'entreprise cliente.

Conscients de l'importance de choisir le bon fournisseur, des organismes ont publié des répertoires à l'intention des acheteurs potentiels. Parmi ceux-ci, le **Répertoire Thomas** est le plus connu. Le **Centre de recherche industrielle du Québec** (CRIQ) en a publié un en trois volumes, et y présente l'ensemble des fournisseurs de la province. Les attachés commerciaux et industriels des divers consulats et ambassades mettent aussi à la disposition des industries locales des répertoires des fournisseurs de leur pays.

16.3.1 Le choix des fournisseurs

Quand on choisit des fournisseurs, plusieurs éléments clés sont à considérer, outre les coûts, la qualité des produits et des services et les délais de livraison. Le tableau 16.3 dresse la liste de ces facteurs et des questions à se poser. Cette liste se veut plus indicative qu'exhaustive. De plus, l'importance de chaque facteur diffère souvent d'une entreprise à une autre et à l'intérieur d'une entreprise, d'un produit ou d'un service à un autre. Par conséquent, le gestionnaire doit décider quelle importance accorder à chaque facteur pour chaque produit ou service et, en fonction de ses décisions, choisir un fournisseur.

16.3.2 L'évaluation des sources d'approvisionnement

analyse du fournisseur
Évaluation des sources d'approvisionnement en termes de prix, de qualité, de réputation et de service.

À bien des égards, les facteurs qui orientent le choix d'un fournisseur ressemblent à ceux qui influencent l'achat d'une voiture ou d'une chaîne stéréo. Une entreprise considère le prix, la qualité, la réputation du fournisseur, son expérience avec celui-ci et le service après-vente. Ce processus s'appelle l'**analyse du fournisseur**. La principale différence est qu'une entreprise, en raison des quantités qu'elle commande et de ses besoins en vue de la production, indique souvent aux fournisseurs des spécifications détaillées sur les matériaux et les pièces qu'elle désire – même si les grosses entreprises achètent parfois des produits standard.

Voici les principaux facteurs à considérer pour le choix d'un fournisseur :

1. *Le prix* (compte tenu de toutes les remises offertes). Il s'agit du facteur le plus évident, bien qu'il ne s'agisse pas nécessairement du plus important.

2. *La qualité.* On peut être disposé à dépenser plus d'argent pour obtenir une meilleure qualité.

3. *Les services.* Les services spéciaux peuvent parfois être déterminants dans le choix d'un fournisseur : remplacement de produits défectueux, directives pour l'utilisation du matériel, réparation du matériel et service après-vente.

4. *La localisation.* Le lieu où se situe le fournisseur peut avoir un impact sur les temps d'expédition, les coûts de transport et le temps de réponse pour les commandes urgentes ou les services d'urgence. De plus, comme nous l'avons déjà mentionné, des achats locaux peuvent aider l'économie locale et créer de bonnes relations avec la communauté.

Délais de livraison et respect des délais	• Quels sont les délais de livraison du fournisseur ?	**TABLEAU 16.3**
	• Y a-t-il des procédures ?	*Le choix d'un fournisseur*
	• Quelles procédures le fournisseur utilise-t-il pour assurer des livraisons à temps ?	
	• Quelles procédures le fournisseur utilise-t-il pour corriger les problèmes de livraison ?	
Qualité et assurance de la qualité	• Quelles procédures le fournisseur utilise-t-il pour le contrôle et l'assurance de la qualité ?	
	• Existe-t-il une politique d'amélioration de la qualité ?	
	• Existe-t-il des procédures de suivi pour déterminer et corriger les causes de non-conformité quant aux quantités, aux délais, aux lieux de livraison ?	
Flexibilité (à l'égard du client)	• Dans quelle mesure le fournisseur accepte-t-il des changements de quantités, d'horaires de livraison ou de produits et services ?	
Localisation	• Le fournisseur est-il situé à proximité ?	
Prix	• Les prix sont-ils raisonnables, étant donné la quantité de marchandises et les services fournis ?	
	• Le fournisseur est-il prêt à négocier les prix ?	
	• Le fournisseur est-il prêt à faire des efforts pour réduire les coûts (et les prix) ?	
Modifications de produits ou services (par le fournisseur)	• Quel préavis le fournisseur donne-t-il à ses clients lors de changements dans ses produits et services ?	
	• Dans quelle mesure l'acheteur a-t-il son mot à dire en ce qui a trait aux changements ?	
Réputation et stabilité financière	• Quelle est la réputation du fournisseur ?	
	• Quelle est sa stabilité financière ?	
Autres points	• Le fournisseur a-t-il d'autres gros clients plus importants ? Si c'est le cas, il risque de donner la priorité à leurs besoins plutôt qu'aux vôtres.	

5. *La politique de gestion des stocks du fournisseur.* Si un fournisseur garde des pièces de rechange à la portée de la main, il peut aider en cas de panne de matériel.

6. *La flexibilité.* La volonté et la capacité d'un fournisseur de répondre aux changements de la demande et d'accepter des modifications de conception sont des points importants à considérer.

16.3.3 L'audit des fournisseurs

Les vérifications périodiques sont un moyen de rester informé des capacités de production du fournisseur (ou du service), des problèmes de qualité et de livraison et des solutions apportées. Elles permettent aussi à l'acheteur de vérifier le rendement du fournisseur. En cas de problèmes, un acheteur peut les analyser avant qu'ils s'aggravent. Voici les facteurs généralement touchés par une vérification : le style de gestion, l'assurance de la qualité, la gestion des matières, les processus utilisés, les politiques d'amélioration continue, les procédures en cas d'action corrective et leurs suivis.

L'audit est aussi une étape importante du programme de certification du fournisseur comme fournisseur attitré de l'entreprise.

16.3.4 La certification des fournisseurs

La certification des fournisseurs consiste en un examen détaillé des politiques et des capacités d'un fournisseur. L'acheteur s'assure qu'un fournisseur répond à ses exigences ou les surpasse, ce qui est particulièrement important quand il cherche à établir une relation à long terme avec le fournisseur. Les fournisseurs accrédités sont parfois appelés des « fournisseurs de classe mondiale ». Un des avantages, pour l'acheteur, du recours à un fournisseur accrédité, est le fait qu'il permet d'éliminer ou presque l'inspection et les mises à l'essai des biens livrés. Et même si les problèmes ne sont pas complètement éliminés, les risques sont beaucoup moins grands qu'avec des fournisseurs non accrédités.

Plutôt que de mettre au point leur propre programme de certification, certaines entreprises ont adopté l'accréditation internationale standard ISO 9000, la plus utilisée au monde[9].

16.3.5 Les relations client-fournisseur

Plusieurs entreprises continuent de considérer leurs fournisseurs comme des adversaires et s'en méfient. D'autres, adoptant l'exemple japonais et l'approche Deming, sont de plus en plus conscientes de l'importance d'établir avec eux des relations saines et durables. Des avantages certains en découlent, notamment la capacité et la volonté des fournisseurs d'accepter des modifications dans les dates de livraison, les quantités, les spécifications des produits et de s'adapter aux situations urgentes. De plus, les fournisseurs peuvent souvent aider l'acheteur en cernant les problèmes potentiels de conditionnement des marchandises ou leur utilisation et en lui proposant des produits qui lui sont inconnus, mais plus adaptés à ses besoins. Les Japonais ont une expression pour décrire cet esprit de collaboration et de partenariat de tous les intervenants de la chaîne d'approvisionnement, et ce, à tous les niveaux, même les finances et les ressources humaines : le *keyretsu.*

L'approche classique pour le choix du fournisseur, qui est basée uniquement sur des considérations économiques, est une vision à court terme manquant d'envergure. La majorité des entreprises japonaises se fient à un nombre restreint de fournisseurs bien sélectionnés et attitrés. En Amérique du Nord, les entreprises préfèrent transiger avec plusieurs fournisseurs : craignent-elles la dépendance envers un seul fournisseur, ou pensent-elles profiter d'avantages en les plaçant en concurrence les uns contre les autres ? C'est cette seconde stratégie qu'avait privilégiée Ignacio Lopez, vice-président

keyretsu

Maillage de fournisseurs visant à assurer une chaîne d'approvisionnement répondant aux besoins de l'entreprise cliente à tous les niveaux, dans le respect de l'indépendance de toutes les parties.

---

9. Voir le chapitre 9 pour une présentation détaillée de la norme ISO 9000.

approvisionnement chez Volkswagen dans le milieu des années 1990, et qui s'est soldée par un échec lamentable. Or, entre se placer en situation de dépendance totale envers un fournisseur et utiliser les fournisseurs comme bon nous semble, sans aucun lien professionnel, il existe des situations intermédiaires dictées par le jugement, la mesure et l'évaluation systématique des avantages et des inconvénients.

Le tableau 16.4 compare les deux visions des relations client-fournisseur.

Un sondage effectué auprès de 1000 clients et fournisseurs a permis de dégager un consensus sur neuf points avantageux pour les deux parties et contribuant à leur compétitivité globale :

1. la réduction des coûts rattachés au processus d'achat ;

2. la réduction des coûts de transport ;

3. la réduction des coûts de production des fournisseurs et des clients industriels ;

4. l'amélioration de la qualité ;

5. l'amélioration de la conception des produits ;

6. la réduction des délais entre la conception de nouveaux produits et leur mise en marché ;

7. l'amélioration de la satisfaction du client ;

8. la réduction des coûts de gestion des stocks[10] ;

9. la facilité de lancer de nouveaux produits et procédés de production.

TABLEAU 16.4

Le fournisseur allié et le fournisseur adversaire

Facteurs	Fournisseurs alliés	Fournisseurs adversaires
Nombre de fournisseurs	Un ou plusieurs	Plusieurs ; les placer en concurrence les uns contre les autres
Durée des relations	Long terme	Peut être courte
Bas prix	Relativement important	Considération majeure
Fiabilité	Grande	Peut être faible
Coopération	Grande	Faible
Qualité	Assurée à la source ; assurée par le fournisseur	Contrôlée par le client ; peut ne pas se fier aux fournisseurs
Quantité d'échanges	Grande	Peut être faible en raison des nombreux fournisseurs
Localisation	La proximité est importante pour assurer de courts temps de livraison et de service.	Très dispersée
Flexibilité	Relativement grande	Relativement faible

Il existe cependant un obstacle de taille à la création d'une relation client-fournisseur équilibrée : la réticence des fournisseurs à faire confiance à leur client. Les fournisseurs sont ceux qui ont le plus à perdre, car ils doivent souvent investir temps et argent pour se plier aux exigences du client, supporter parfois des stocks de produits pour leur client, sans être certains de leur loyauté. La propension des entreprises occidentales à changer constamment le personnel responsable des achats, à modifier leur stratégie en invoquant la sacro-sainte raison économique, a laissé plusieurs fournisseurs

---

10. Voir « Coûts des stocks » au chapitre 13.

très amers, surtout quand le client est une entreprise beaucoup plus grande que la leur. La solution appartient au client, qui doit assurer le fournisseur de sa loyauté avant d'exiger la sienne.

16.4 LA LOGISTIQUE

Cette notion apparut pour la première fois d'une façon structurée dans le secteur militaire, au XVIIe siècle. En effet, les armées françaises de l'époque devaient assurer le « logis » à leurs troupes dans leurs nombreuses campagnes militaires, d'où l'origine du mot. Depuis, ces approches ont été raffinées et appliquées dans le domaine civil, bien que le domaine militaire demeure celui qui s'y intéresse le plus.

La **logistique** est la fonction de l'entreprise qui s'occupe du mouvement, du « flux » de l'ensemble des matériaux, depuis les fournisseurs jusqu'au client, en passant par l'ensemble des points de distribution et d'entreposage. Elle comprend la manutention, la circulation et l'entreposage, aussi bien interne qu'externe. Le tableau 16.1 illustre ses activités.

La logistique s'occupe donc de tous les produits utilisés par l'entreprise : matières premières, produits en cours, composants, produits finis et produits ERO (entretien, réparation, opération). La logistique est le flux sanguin de l'entreprise. Elle ne s'occupe pas de la transformation des produits, tâche qui incombe à la production, mais est responsable d'apporter les produits au bon moment, au bon endroit, en bon état et aux meilleurs coûts possible.

16.4.1 La circulation

La **circulation** est une fonction d'environnement importante pour l'entreprise, car elle affecte le milieu dans lequel les activités vont se dérouler. Parfois, elle est sous la responsabilité de la gestion des opérations. Dans d'autres situations, où il existe une fonction logistique dans l'entreprise, elle sera sous la responsabilité de cette dernière. Elle dépend de l'aménagement des postes de travail et elle influe sur la **manutention** des objets transportés.

L'**aménagement** des locaux, la manutention des biens et des services (tels que l'information), et la circulation des personnes et des matières sont intimement reliés.

La figure 16.3 illustre la circulation interne des matières dans une entreprise manufacturière type :

1. des véhicules de transport externe à la réception ;

2. de la réception à l'entreposage des matières premières ;

3. de l'entrepôt de matières premières aux points de consommation (production) ;

4. d'un centre de production en amont au suivant en aval ;

5. de la production aux entrepôts de produits finis ;

6. des entrepôts de produits finis à l'expédition ;

7. de l'expédition aux véhicules de transport externe.

Une bonne gestion des matières coordonnera les activités de manutention et de circulation afin d'assurer la synchronisation parfaite de toutes ces étapes à l'intérieur de l'entreprise. Cette même gestion, appliquée aux différentes usines et aux entrepôts externes de l'entreprise, sera sous la responsabilité de la distribution physique ou matérielle. Certaines grosses entreprises ajoutent la fonction **gestion du transport,** qui est responsable de la gestion des services d'expédition et de réception.

De nos jours, l'ordinateur joue un rôle prépondérant pour le suivi des marchandises de leur point de départ à leur point d'arrivée, et ce, tout au long du processus. Les gestionnaires auront à décider du meilleur moyen de transport à utiliser (ferroviaire,

---

logistique
Gestion intégrale du processus d'acheminement des matières nécessaires à la production et de leur distribution à l'ensemble des points de consommation desservis par l'entreprise.

circulation
Mouvement et cheminement des biens et services à l'intérieur de l'entreprise ; dépend de la manutention et de l'aménagement.

manutention
Moyens de manipuler et de transporter les biens et les services à l'intérieur de l'entreprise ; dépendent de la circulation et de l'aménagement.

aménagement
Disposition du matériel, des locaux et des installations d'une entreprise ; dépend de la circulation et de la manutention.

gestion de transport
Planification, organisation, direction et contrôle des réceptions et des expéditions.

Figure 16.3

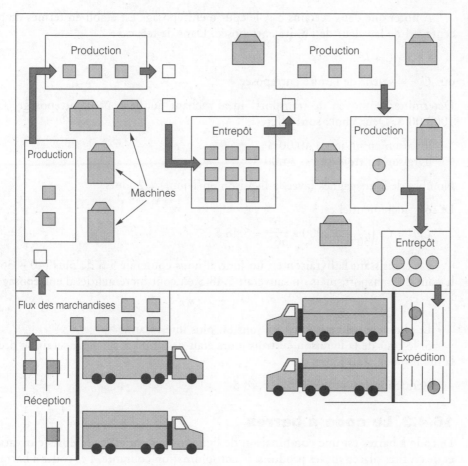

Circulation interne des matières dans une entreprise manufacturière type

maritime ou autre), des routes à suivre et des solutions de rechange en cas de problèmes de trafic routier (construction, barrage routier, conditions météorologiques). Les satellites sont maintenant d'un usage courant pour retracer rapidement des transporteurs.

16.4.2 L'estimation des coûts de transport

Les gestionnaires sont souvent confrontés à un dilemme : transport et livraison rapides à des coûts élevés, ou transport et livraison plus lents mais plus économiques. Évidemment, il existe des situations d'urgence où l'aspect économique ne doit pas intervenir dans la décision : catastrophes naturelles, où les secours doivent arriver coûte que coûte ; risque de perdre un client important à cause d'un délai imprévu, etc. Dans les situations normales, le gestionnaire devra considérer le coût comme moyen de mesure de l'efficacité du service, à savoir le rapport qualité de service/coût. Les principaux aspects à considérer sont la réduction du coût de transport *versus* les coûts d'entreposage[11]. Nous supposons que le fournisseur est payé sur réception.

Le **coût d'entreposage incrémentiel (CEI)** est calculé par :

$$Cei = Ce \left(\frac{j}{365}\right)$$

où Ce = coût d'entreposage d'une unité durant l'année
j = nombre de jours gagnés
365 = nombre de jours dans une année

---

11. Voir « Coûts des stocks » au chapitre 13.

À noter que dans certains cas, le coût d'entreposage est établi en termes de pourcentage I de la valeur de l'unité entreposée. Dans de tels cas:

$$Ce = C * I$$

où C = valeur de l'unité entreposée

Déterminez le moyen de transport idéal sachant que le coût d'entreposage (Ce) = 1000,00 $. Deux choix sont offerts:

livraison en un jour: 40,00 $;
livraison en trois jours: 35,00 $

Nombre de jours gagnés (avec la livraison en 1 jour) = 2 jours

Le coût incrémentiel est:

$$Cei = Ce\left(\frac{j}{365}\right) = 1000 * \frac{2}{365} = 5,48 \text{ \$}$$

En choisissant la livraison en un jour, il nous coûterait 5 $ de plus (40 − 35) sur le coût de transport, mais on sauverait 5,48 $ en coût incrémentiel d'entreposage.

$$5 \text{ \$} < 5,48 \text{ \$}$$

Le choix de la livraison en un jour est plus intéressant.

Si le coût de la livraison en trois jours était de 30,00 $, le choix serait de prendre la livraison en trois jours, car:

Réduction (40 − 30) 10 $ > 5,48 $

16.4.3 Le code à barres

code à barres

Code formé de lignes noires et de chiffres qui contiennent une variété d'informations et que peuvent lire des lecteurs optiques.

Le **code à barres** est une combinaison de lignes noires parallèles (d'épaisseur variable) et de chiffres placée sur les produits de consommation courante. Les codes à barres (ou codes universels de produits) sont lus par des lecteurs optiques à balayage transversal qui utilisent l'information à des fins diverses: enregistrement des prix et des quantités, impression de reçus de ventes et mise à jour des données d'inventaire. (Voir figure section 13.3.1)

Les codes à barres sont aussi utiles pour l'identification des produits dans la fabrication et la distribution. Dans la distribution, ils permettent aux entreprises de suivre les produits en entrepôt et sur la route, jusqu'à la livraison. Ainsi, les gestionnaires peuvent déterminer instantanément l'emplacement d'un produit dans le système. Dans la fabrication, les codes à barres permettent de surveiller la progression des produits, tout au long du processus de production. De plus, en balayant les codes à barres avant chaque opération, on peut fournir aux opérateurs des directives de processus précises. On les utilise aussi pour la mise à jour des données sur les produits stockés, le contrôle de la qualité et de la production, le triage et l'emballage automatiques des produits. En plus, grâce à des codes à barres identifiant les employés, on peut faire le suivi de leur présence et de l'endroit où ils se trouvent.

En fournissant des informations précises et à jour sur la quantité, la qualité, le lieu ainsi que d'autres données, les codes à barres procurent aux entreprises une incroyable capacité de suivi et de contrôle des produits. Ils permettent aux gestionnaires d'effectuer des améliorations considérables dans le domaine de la productivité et de l'efficacité, et d'offrir un service à la clientèle d'un niveau très élevé.

16.4.4 L'échange de données informatiques

ÉDI

Transmisson directe d'information par réseau électronique.

L'échange de données informatiques (ÉDI) est la transmission directe de transactions interorganisationnelles, d'un ordinateur à l'autre, par l'intermédiaire du réseau Internet. Elle concerne les bons de commande, les notes d'expédition, les notes de crédit ou de débit, et plus encore. Voici les nombreux avantages d'un tel système:

• Augmentation de la productivité.

• Élimination de la paperasse.

- Réduction des temps de mise en route et des stocks.

- Facilitation des systèmes juste-à-temps.

- Transferts électroniques de fonds.

- Amélioration du contrôle des opérations.

- Réduction du travail de bureau.

- Augmentation de la précision.

L'utilisation des liens ÉDI avec d'autres entreprises peut faire partie d'une stratégie destinée à obtenir un avantage concurrentiel en augmentant la performance de la logistique. De plus, dans certains environnements J-À-T, l'ÉDI sert de *kanban* entre le fabricant et le fournisseur.

L'échange électronique de données a conduit au :

- B2B (*Business to Business*), système reliant des entreprises et des industries diverses ;

- B2C (*Business to Customer*), système reliant des fournisseurs et des clients, en particulier dans le commerce au détail.

Dans les industries de détail il existe de nombreuses applications de l'ÉDI impliquant une communication électronique entre les détaillants et les fournisseurs. Jumelée à un système de réponse rapide, l'approche est basée sur le balayage des codes à barres et sur la transmission de cette information aux fournisseurs. Le but est de créer un système de réapprovisionnement juste-à-temps, conçu pour les modèles d'achat des consommateurs. Les détaillants utilisent le balayage du code universel des produits (UPC) ou le lecteur optique au point de vente (*point-of-sale* : POS) aux caisses : celles-ci lisent les prix (*price-lock-up* : PLU) afin d'assurer le suivi des achats des consommateurs. La « réponse efficace au consommateur » (REC), appelée en anglais *Efficient Consumer Response* (ECR), est une variante de la réponse rapide utilisée par les magasins à grande surface pour fournir aux magasins, aux distributeurs et aux fournisseurs des données clés sur les modèles d'achat afin que tous prennent de meilleures décisions ou fassent de meilleurs réapprovisionnements.

Les approches de réponse rapide ont de nombreux avantages ; entre autres, celui de réduire la dépendance par rapport aux prévisions et d'ajuster plus étroitement l'approvisionnement et la demande. De plus, il est possible de faire des économies sur les coûts de transport des inventaires.

L'entreprise Wal-Mart possède un réseau satellite pour échanger des données électroniques. Les fournisseurs accèdent directement aux données des points de vente en temps réel, ce qui leur permet d'améliorer leur gestion des prévisions et des stocks. Wal-Mart utilise aussi bien ce système pour envoyer des bons de commande à ses fournisseurs que pour recevoir d'eux des factures.

L'article suivant illustre comment certaines entreprises tirent profit de ce système.

 BULLETIN DE NOUVELLES

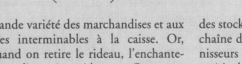

LA RÉPONSE EFFICACE
AU CONSOMMATEUR (REC[12])

www.wal-mart.com

Au premier coup d'œil, un supermarché peut ressembler à un modèle d'efficacité en matière de chaînes d'approvisionnement. Pensons aux larges allées, aux étagères débordantes de produits, à la grande variété des marchandises et aux files interminables à la caisse. Or, quand on retire le rideau, l'enchantement disparaît rapidement. On trouve derrière une industrie qui, en fait, récompense les gens qui entreposent des stocks superflus. Tout au long de la chaîne d'approvisionnement, les fournisseurs incitent les acheteurs à acquérir des produits à prix réduit. Ces acheteurs sont, à leur tour, récompensés pour avoir acheté des produits en

12. Stratégie d'approvisionnement développée pour Wal-Mart et Procter & Gamble.

raison de leur bas prix, même si ces marchandises doivent rester dans un entrepôt pendant des mois. Les habitudes de l'industrie sont tellement mauvaises que des individus, que l'on appelle «détourneurs», prospèrent en achetant des caisses pleines d'aliments à rabais dans une province et en les vendant dans une autre province où le rabais n'existe pas.

Mais l'industrie de l'alimentation s'est fait sortir de sa torpeur par des joueurs importants dotés de systèmes de distribution efficaces. Ces détaillants organisés différemment dont Wal-Mart est le plus gros et le plus menaçant, ont volé une part du marché aux supermarchés.

Pour contrer cette menace, l'industrie agro-alimentaire, les grossistes et les détaillants ont pris une initiative que l'on appelle «réponse efficace au consommateur» ou REC: *Efficient Consumer Response* (ECR). Une étude menée par des consultants de la société Kurt Salmon Associates, à Atlanta, a conclu que l'industrie pourrait épargner 24 milliards de dollars en coûts d'exploitation et 6 milliards de dollars en frais d'intérêts en rationalisant sa logistique et en modifiant son comportement.

L'entreprise Spartan Stores, distributeur d'aliments et chef de file du mouvement REC, a récemment été en mesure de fermer un entrepôt de près

de 30 000 mètres carrés, qui lui coûtait 1 million de dollars par année à exploiter, en décidant de cesser d'empiler des produits à rabais. Keith Wagar, vice-président des achats et de la logistique interne, déclare: «Nous devons éliminer toutes les activités qui n'ajoutent pas de valeur pour le consommateur. Notre seule chance est de percevoir la transaction du fabricant au consommateur comme un seul processus. Il s'agit d'une stratégie de survie et non d'une stratégie de croissance.»

Source: extrait de *Fortune,* 28 novembre 1994, © 1994 de Time, Inc.

www.spartanstores.com

planification des besoins en matière de distribution
Système destiné à la gestion des stocks et à la planification de la distribution.

16.4.5 La planification des besoins en matière de distribution

La **planification des besoins en matière de distribution (PBD)**, en anglais *Distribution Requirements Planning* (DRP), est une stratégie de planification des réseaux de distribution. Elle est particulièrement utile pour la gestion des stocks et des entrepôts à plusieurs échelons (d'entrepôts d'usines vers les entrepôts régionaux, puis vers entrepôts distributeurs, et enfin entrepôts clients). La PBD s'inspire de la planification des ressources de production (PRP ou MRP-II[13]). En commençant par la demande en aval (à la fin) et en remontant la chaîne d'approvisionnement, on obtient les calendriers de réapprovisionnement échelonnés vers l'amont (le début). Les mouvements des stocks seront alors déplacés en conséquence à travers toute la chaîne. Les gestionnaires utilisent la PBD pour planifier et coordonner le transport, l'entreposage, la main-d'œuvre, le matériel de transport et les flux financiers.

16.4.6 Les livraisons J-À-T

Les systèmes juste-à-temps exigent des livraisons fréquentes, à intervalles réguliers, de petits lots. Si on considère le fait qu'une entreprise peut avoir un grand nombre de fournisseurs pour les matières premières, les composants et les ERO (entretien, réparation et opération), il est facile de concevoir l'énorme défi que cela pose au système logistique de l'entreprise: beaucoup de livraisons, de contrôles de livraisons, de manutention et d'entreposage, de circulation et de trafic, aussi bien interne qu'externe. Le risque d'erreurs et d'accidents augmente considérablement avec le nombre de manipulations. N'oublions pas que les coûts fixes rattachés à une livraison sont indépendants de la taille du lot: plus la livraison est grande, plus ces coûts fixes seront absorbés par l'ensemble des unités transportées. Il s'ensuit que les coûts par unité de manutention seront plus élevés en système J-À-T. Le J-À-T, avec ses petits lots, peut difficilement s'accommoder du transport ferroviaire ou maritime. Il requiert l'utilisation de petits camions pour transporter de petits lots, ce qui augmente d'autant la charge sur le réseau routier et la circulation, aussi bien interne qu'externe. Un autre effet des livraisons J-À-T a été noté lors de la longue grève des manutentionnaires de UPS (United Parcel Service) en 1997. Les entreprises qui avaient adopté le J-À-T et qui dépendaient de UPS pour leurs opérations se trouvèrent en grave rupture de stock de tout genre, ce qui a eu un effet paralysant sur l'ensemble de l'économie.

Malgré ces inconvénients, il est erroné de conclure que le système à gros volume de livraison est préférable au J-À-T car chaque situation doit être évaluée distinctement.

www.ups.com

---

13. Voir chapitre 14, section 14.10, «La planification des ressources de production (MRP-II)».

16.5 Conclusion

La gestion de la chaîne d'approvisionnement est la gestion du flux de matériaux et d'informations dans tout le processus de production, en commençant avec les fournisseurs et en finissant par la distribution. Elle concerne le mouvement, le conditionnement et l'entreposage des biens et des services.

Le service de l'approvisionnement assure l'obtention des intrants et des matières nécessaires à l'entreprise : achat et acquisition des matières, sélection des fournisseurs et analyse de la valeur des produits nécessaires au stade de l'intrant. La question de base consiste à déterminer si on doit centraliser ou décentraliser l'approvisionnement. La centralisation procure un contrôle serré et une normalisation des approvisionnements, d'où la réalisation de certaines économies ; la décentralisation, plus sensible aux besoins spécifiques, tend à produire une réponse rapide, d'où un meilleur service. L'analyse de la valeur peut se faire périodiquement pour assurer que le ratio coût/bénéfice des produits achetés est optimisé. Les fournisseurs sont évalués sur la base du coût, du service après-vente, de la fiabilité et de la qualité.

La logistique comprend le déplacement, aussi bien interne qu'externe, des matériaux dans l'ensemble de l'entreprise, de même que la distribution. Les liens de données électroniques ont augmenté la productivité et la précision de la gestion des chaînes d'approvisionnement et ont amélioré le contrôle des opérations. Les entreprises ayant adopté le J-À-T doivent adapter leur chaîne d'approvisionnement et leur logistique en conséquence, le J-À-T exigeant des considérations spécifiques.

Vous trouverez dans les sites ci-dessous des informations supplémentaires sur les chaînes d'approvisionnement.

Adresses Internet :

Association canadienne de gestion de la chaîne d'approvisionnement et de la logistique/Canadian Supply Chain and Logistics Management (CSL)
www.infochain.org
Council of Logistics Management (CLM)
www.clm.org
Materials Management & Distribution
www.mmdonline.com
Association canadienne de transport industriel
www.cita-acti.ca
Logistics magazine : le magazine de la planification logistique
www.mag@videotron.ca

Terminologie

Achat	Distribution matérielle ou physique
Analyse de la valeur	Échange de données informatiques (ÉDI)
Approvisionnement	Gestion des matières
B2B : d'industrie à industrie	Gestion de transport
(business to business)	Impartition
B2C : d'industrie à client	Keiretsu
(business to customer)	Logistique
Centre de recherche industrielle du Québec	Planification des besoins en matière
Code à barres	de distribution (PBD-DRP)
Contrat cadre	Répertoire Thomas
Coût d'entreposage incrémentiel (CEI)	Réponse rapide

Problèmes résolus

Problème 1

Déterminez la meilleure politique d'expédition, sachant que l'expéditeur A coûte 400 $ avec un délai de deux jours et que l'expéditeur B coûte 350 $ avec un délai de cinq jours. La valeur de la marchandise à expédier est de 6000,00 $ et le coût annuel d'entreposage est de 25 % de la valeur entreposée.

Solution

Économie sur le coût de transport = 400 \$ – 350 \$ = 50 \$

Ce = I ∗ C = 0,25 ∗ 6000 \$ = 1500 \$ par an

D = 5 jours – 2 jours = 3 jours gagnés

Le coût incrémentiel est :

$$Cei = Ce \left(\frac{j}{365} \right) = 1500 * \frac{3}{365} = 12,33 \text{ \$}$$

12,33 < 50 \$

Le coût d'entreposage étant inférieur au coût du transport, on retiendra l'expéditeur B, qui offre un délai de cinq jours.

Questions de discussion et de révision

1. Décrivez brièvement la gestion des chaînes d'approvisionnement.

2. Décrivez brièvement comment le service de l'approvisionnement interagit avec d'autres domaines fonctionnels de l'entreprise, comme les services de la comptabilité et de la conception.

3. Qu'est-ce que l'analyse de la valeur ? Pourquoi l'approvisionnement est-il bien placé pour effectuer cette analyse ?

4. Devrait-on toujours choisir le fournisseur proposant la combinaison de la meilleure qualité et du plus bas prix avant les autres ? Pourquoi ?

5. Comparez la centralisation et la décentralisation de la fonction de l'approvisionnement.

6. En quoi consistent l'analyse et la certification des fournisseurs ?

7. Discutez de l'importance de créer de bonnes relations avec le fournisseur. Comparez les visions du fournisseur en tant qu'associé et en tant qu'adversaire.

8. De quelle manière la fabrication juste-à-temps affecte-t-elle l'approvisionnement ? Comment affecte-t-elle la gestion du trafic ?

9. Expliquez ce qu'est l'ÉDI (échange de données informatiques) et les avantages qu'il peut procurer.

Problèmes

1. Un gestionnaire de la société Strateline doit choisir entre deux entreprises d'expédition, l'une proposant un délai de deux jours et l'autre, de cinq jours. S'il opte pour le délai de cinq jours, il lui en coûtera 135 \$ de moins qu'avec le délai de deux jours. Le coût d'entreposage est de 10 \$ par unité par année. Il doit expédier 2000 produits. Quelle solution lui suggéreriez-vous ? Expliquez.

2. Déterminez quelle solution d'expédition serait la plus économique pour 80 boîtes de pièces. Chaque boîte coûte 200 \$ et les coûts d'entreposage représentent 30 % de la valeur de l'unité entreposée par année.

Solution	Coût d'expédition
Le lendemain	300 \$
Deux jours	260 \$
Six jours	180 \$

3. La présidente d'une entreprise doit choisir entre deux expéditeurs potentiels, dont les conditions et tarifs de livraison apparaissent ci-dessous :

Expéditeur 1		Expéditeur 2	
Conditions (délais de livraison)	Tarifs	Conditions (délais de livraison)	Tarifs
2 jours	500 \$	2 jours	525 \$
3 jours	460 \$	4 jours	450 \$
9 jours	400 \$	7 jours	410 \$

Trois cents caisses d'une valeur de 140 \$ chacune doivent être livrées. Le coût d'entreposage annuel représente 35 % de la valeur de la caisse. Quel est le choix le plus économique ?

CAS
LES PRÉVISIONS CHEZ SEARS CANADA[14]

Sears Canada déconseille aux entreprises œuvrant dans le commerce de détail de procéder à l'établissement de plans de prévisions pour éviter les ruptures de stock.

L'entreprise, dont le siège social canadien est situé à Toronto, a réussi l'implantation d'un processus d'approvisionnement basé sur la réponse rapide (*Quick Response*). Ce faisant, l'entreprise s'est départie du fardeau des prévisions et l'a placé sous la responsabilité du fournisseur. Avec ses 110 points de vente à travers le pays, Sears est le plus grand détaillant du Canada. Conseillée par Andersen Consulting, devenue Accenture, l'entreprise fit la réingénierie de son système d'approvisionnement afin d'épurer la chaîne de l'achat à la livraison, jusqu'au paiement final. Bill Turner, vice-président marchandisage et distribution, explique cette transformation : « Notre objectif est d'assurer au consommateur la disponibilité des produits en bonne quantité, au bon moment ». Il fallait agir rapidement, car Wal-Mart, le grand concurrent, venait d'acquérir 120 magasins de Woolco. Ce nouveau concurrent venait s'ajouter à Home Depot et à Price/Costco, qui ne font qu'accroître leur part de marché. Selon Turner, Sears était fière de son système complexe mais efficace d'approvisionnement : plusieurs procédures différentes étaient auparavant utilisées pour accomplir la même tâche. En les simplifiant et en les normalisant, Sears est passée de 37 procédures d'approvisionnement à 4 ; de plusieurs méthodes de distribution à une seule, basée sur le flux continu ; de 31 méthodes de paiement à une seule. Tout cela se fit en quatre mois et exigea deux équipes de travail : une travaillant en fonction transversale et une autre, proche de la base. Les changements concernent les points suivants :

1. Négociation. Une négociation basée sur les faits est entamée avec les fournisseurs pour les inciter à produire un niveau toujours plus élevé de qualité.

2. Commandes. La procédure en vigueur pour passer les commandes est basée sur le stock zéro ; elle est déclenchée par la demande des consommateurs.

3. Transport/distribution. Les produits passent moins de temps en entrepôt, allant directement de la réception au consommateur, d'où une réduction des coûts d'entreposage.

4. Réception. Une procédure normalisée a été mise en place dans l'ensemble des magasins pour la réception des produits.

5. Paiement. Le paiement des fournisseurs est assuré par l'échange de données informatiques (ÉDI).

Mary Tolan, une consultante chez Andersen qui participa au projet, souligne que la livraison directe des produits de grande taille du fournisseur au consommateur est une réussite de la réingénierie de Sears.

D'après elle, les fournisseurs livraient auparavant aux entrepôts de Sears de grandes quantités de produits de grande taille. Cette méthode exigeait beaucoup de manutention de la part des employés de Sears, de grands entrepôts très coûteux, sans parler de tous les inconvénients qui en découlaient. En bout de compte, le consommateur finissait par payer la facture. La méthode actuelle changea cette procédure du tout au tout. Quand un client achète une laveuse Whirlpool, le vendeur s'assure par réseau électronique de la disponibilité de l'appareil au point de distribution du fabricant. Il place la commande directement par ÉDI et confirme au client la date et le lieu de livraison selon ses désirs. Le fabricant livre le produit à l'entrepôt de réception de Sears et celui-ci est immédiatement expédié par Sears au consommateur. Près de 100 articles de grande taille sont présentement traités de cette façon, incluant les produits Whirlpool, GE, Sanyo et Goldstar. Selon Mme Tolan, une économie de 65 M$ a été réalisée en un an, assortie d'une augmentation du taux de satisfaction des clients de 11 %.

Ce processus sera normalisé pour l'ensemble des produits de grande taille, précise M. Turner. Sears ne procède plus à l'établissement d'un plan de prévisions, laissant cette tâche aux fournisseurs. Par contre, Sears s'engage à fournir aux fournisseurs toutes les informations concernant les quantités vendues par catégories de produits, ses plans de marketing et ses stratégies de ventes promotionnelles. Le fournisseur s'engage à réduire les délais de livraison et à réapprovisionner le détaillant en marchandises à mesure qu'elles sont vendues.

Sears a dû procéder à une restructuration de son organisation pour s'adapter à cette nouvelle façon de faire.

M. Turner conclut en disant : « Aujourd'hui, nos acheteurs sont sensibilisés à tout ce qui affecterait nos marges de profit, surtout la fiabilité des délais de livraison et la disponibilité des produits. »

---

14. Traduit et adapté d'un article de *Chain Store Age,* vol. 71, août 1995, p. 44-46.

Bibliographie

BENEDETTI, C. et J. GUILLAUME. *Gestion des approvisionnements et des stocks,* Laval, Éditions Études Vivantes, 1992, 474 p.

BENEDETTI, Claudio. *Introduction à la gestion des opérations,* Laval, Éditions Études Vivantes, 1991, pp 396, 449.

BURT, David N. et Michael F. DOYLE. *The American Keiretsu: A Strategic Weapon for Global Competitiveness,* Burr Ridge, IL., Business One Irwin, 1993.

CARTER, Joseph. *Purchasing,* Burr Ridge, IL., Business One Irwin, 1993.

COPACINO, William C. *Supply Chain Management: The Basics and Beyond,* Boca Raton, St. Lucie Press, 1997.

FERNANDEZ, Ricardo R. *Total Quality in Purchasing & Supplier Management,* Delray Beach, St. Lucie Press, 1995.

LEENDERS, Michael R. et Harold E. FEARON. *Purchasing and Supply Management,* Burr Ridge, IL., Richard D. Irwin, 1997.

Logistics magazine: le magazine de la planification logistique, vol. 4, n° 6, novembre/décembre 2000.

NOLET, Jean, Michael R. LEENDERS et Harold E. FEARON. *La gestion des approvisionnements et des matières,* Boucherville, Gaëtan Morin éditeur, 1993, 475 p.

POOLER, Victor H. et David J. POOLER. *Purchasing and Supply Chain Management: Creating the Vision,* New York, Chapman & Hall, 1997.

SCHORR, John E. *Purchasing in the 21st Century: A Guide to State-of-the-Art Techniques and Strategies,* Essex Junction, Oliver Wright Companies, 1992.

OBJECTIFS D'APPRENTISSAGE

À la fin de ce chapitre, vous devriez:

1. Connaître le rôle de l'ordonnancement et son importance.

2. Distinguer l'ordonnancement en production interrompue de l'ordonnancement en production continue.

3. Connaître les caractéristiques de l'ordonnancement de la production interrompue (ateliers multigammes).

4. Faire la différence entre capacité limitée et illimitée, séquençage statique et dynamique.

5. Utiliser le graphique de Gantt pour l'ordonnancement.

6. Distinguer ordonnancement et jalonnement.

7. Connaître et utiliser les algorithmes pertinents en ordonnancement: affectation, jalonnement et séquençage.

8. Établir des programmes ou un calendrier de production et des charges de travail.

9. Connaître les caractéristiques de l'ordonnancement dans le secteur des services et en faire l'ordonnancement.

Chapitre 17
L'ORDONNANCEMENT

Plan du chapitre

17.1 INTRODUCTION

Dans tous les secteurs d'activités, l'ordonnancement fait partie de la planification. Il consiste à déterminer :

a) la séquence de l'exécution des travaux ou le **programme de production** ;

b) la chronologie d'utilisation des ressources de l'entreprise ou **la charge de travail**, et ce, pour satisfaire les besoins des clients en termes de quantité, de qualité, de temps, de lieu et de coûts. Les ressources de l'entreprise sont la main-d'œuvre, les différents services, les machines et les équipements, les locaux, etc.

À titre d'exemple, les entreprises manufacturières s'occuperont de leur main-d'œuvre, organiseront l'utilisation des machines, le service de maintenance, les achats, etc. Les hôpitaux feront de même avec le service des admissions, les salles d'opération, le personnel infirmier, les cuisines, la buanderie, le service de sécurité. Les institutions d'enseignement prépareront les horaires des locaux, des étudiants et des professeurs. Les bureaux d'avocats, de médecins et de dentistes, les salons de beauté, les garages et les compagnies de transport doivent préparer l'ordonnancement de leurs ressources.

L'ordonnancement représente la dernière activité de gestion des opérations avant le début des travaux proprement dits. Toutes les autres décisions de gestion (choix du produit et du processus, de la localisation, du niveau de qualité, des capacités de production, formation et sélection du personnel) auront déjà été prises. Par conséquent, il doit se faire en fonction de ces contraintes et des besoins souvent variés des clients, surtout dans le secteur des services. Le rôle de l'ordonnancement consiste à faire des compromis, à trouver le juste équilibre entre, d'une part, la satisfaction du client, la réduction des coûts et du temps d'attente, du temps de réponse et de livraison et, d'autre part, l'utilisation optimale des ressources de l'entreprise.

Ce chapitre étudie l'ordonnancement dans le domaine manufacturier et dans celui des services. Bien qu'il existe plusieurs similitudes dans les principes fondamentaux qui régissent l'ordonnancement de ces deux secteurs, nous soulignerons les éléments dont il faut tenir compte au cours de l'ordonnancement des services.

17.2 L'ORDONNANCEMENT DE LA PRODUCTION

Il existe différentes façons d'ordonnancer les ressources de l'entreprise en fonction des méthodes et des lots de production. Nous parlerons ici de l'ordonnancement à grands et à petits lots, appelé aussi ordonnancement en flux continu[1] et en flux interrompu[2] (ou ordonnancement multigammes). Au chapitre 18, nous étudierons l'ordonnancement pour les productions à l'unité ou par projets. Mais faisons tout d'abord un bref rappel des méthodes ou processus de production (voir chapitre 5).

17.2.1 L'ordonnancement à grands lots ou à flux continu

Comme nous l'avons vu, l'ordonnancement consiste à établir les charges de travail des ressources et la séquence d'exécution des opérations. Or, les entreprises qui ont des grands lots de produits à fabriquer disposent, entre autres, d'énormes ressources en équipement et en personnel. Afin de maximiser l'utilisation de ces ressources et les investissements qu'elles ont exigés, les entreprises auront tendance à fabriquer des produits le plus standard possible en normalisant leur processus d'opération, d'où une faible flexibilité au niveau des produits et des processus. Le processus de production sera conçu en fonction d'un produit ou d'une famille de produits similaires. Une fois

---

1. Ordonnancement en flux continu : *flow shop*.
2. Ordonnancement en flux interrompu : *job shop*.

la mise en route faite et le produit lancé en production, on en fera une production de masse. C'est ce que l'on appelle les méthodes de production à **flux continu**.

L'ordonnancement à flux continu est relativement simple, mais une erreur au niveau de la décision est très lourde de conséquences. En effet, une fois qu'un lot est en production, il est très coûteux d'interrompre celle-ci pour faire quelques changements ou corriger des erreurs. Les chaînes d'assemblage d'automobiles, d'ordinateurs personnels, d'électroménagers, de télévisions, de chaînes stéréos, les raffineries de sucre, la pétrochimie, l'industrie pharmaceutique, le traitement des minerais et la sidérurgie sont autant d'exemples d'entreprises du secteur manufacturier où la production est à flux continu. Dans le secteur tertiaire de l'économie (les services), nous en trouvons des exemples dans les campagnes massives de vaccination et les cafétérias. Ces systèmes de production à grands lots utiliseront des équipements spécialisés et des machines à transfert spécialement conçues et aménagées en fonction du produit ou d'un groupe de produits, donc très peu flexibles et représentant d'énormes investissements. La segmentation des tâches sera conçue de manière à minimiser la durée de chacune d'elles et à favoriser le passage des produits d'une opération à l'autre de façon continue, formant les **chaînes de production**. L'**équilibrage des chaînes de production** (voir chapitre 6) est un aspect technique majeur de la conception de ces chaînes de production. Plus les tâches seront bien équilibrées les unes par rapport aux autres, plus le flux du produit sera continu, les pertes de temps minimisées, les goulots d'étranglement et les rejets de produits en cours de fabrication éliminés, l'utilisation des ressources humaines et matérielles optimisée et le taux de production maximisé.

Mais cela ne se fait pas sans risques. En effet, nous voyons ici la main-d'œuvre de l'entreprise se scinder en deux grandes classes : le personnel d'opération et le personnel de soutien. Le personnel de soutien désigne les personnes ayant la responsabilité de veiller au bon fonctionnement de la chaîne de production. Ayant une bonne formation technique, elles sont capables de résoudre rapidement les problèmes pouvant survenir en cours de production. Le personnel d'opération représente la main-d'œuvre rattachée directement à la production. Au moment de l'établissement de la chaîne de production, il faut tenir compte du danger potentiel que représente la très grande segmentation des tâches pour le personnel d'opération. Ainsi, les cadences rapides de production, les tâches réduites à leur plus simple expression et la monotonie, l'absentéisme et les maladies (gestes répétitifs sollicitant toujours les mêmes membres, position inchangée, etc.) qui en résultent auront pour effet d'effacer les avantages potentiels de la production en flux continu. Nous vous invitons à vous référer au chapitre 7, où nous avons traité ces problèmes avec leurs solutions possibles.

Bien que le but recherché par la production en flux continu soit de fabriquer des produits le plus semblables possible, il n'en demeure pas moins que des variantes apparaîtront et qu'il faudra s'ajuster. Ainsi, une chaîne d'assemblage de réfrigérateurs aura à assembler des appareils petits, moyens ou grands ; une chaîne d'assemblage d'automobiles aura à assembler des modèles à deux portes, d'autres à quatre portes et des familiales, sans compter les couleurs, qui varieront en fonction des marchés d'exportation. Cela demande aux gestionnaires d'ordonnancer les ressources humaines, l'achat des matières, la disponibilité des équipements et leurs pièces de rechange en cas de bris, bref, toutes les ressources permettant d'éviter les arrêts de production ou les surplus de produits. Il n'est pas rare de voir certaines chaînes de production en flux continu composées de plus de 100 postes et machines interreliées par des convoyeurs automatisés. Un arrêt de quelques minutes représente alors des pertes énormes.

Si le taux de production est bien équilibré au moment de la conception de la chaîne, il est très difficile, voire impossible, d'ajuster la cadence en fonction de la demande. Si la demande baisse, on devra arrêter la chaîne ou la faire travailler six ou sept heures par quart plutôt que les huit heures normales, ou bien produire et entreposer des produits finis en espérant les écouler plus tard. Ces trois situations représentent des inconvénients majeurs.

Pour conclure, notons que la production en flux continu se caractérise par sa rigidité quant aux produits et à la cadence et que son efficacité réside dans sa capacité à fabriquer des produits similaires en grande quantité.

Sa réussite dépend des facteurs suivants:

1. Choisir la conception du produit et du processus: concevoir une chaîne de production équilibrée en fonction du produit ou de la famille (groupe) de produits à fabriquer.

2. Définir de façon optimale les groupes ou familles de produits: être capable de regrouper des produits similaires dont les temps de mise en route sont rapides et faciles à exécuter.

3. Minimiser les problèmes de qualité: en production continue, ces problèmes impliquent habituellement de grands lots de produits fabriqués. En effet, à cause de la grande capacité de production des chaînes, le temps nécessaire pour détecter les problèmes de mauvaise qualité et pour intervenir coûtera à l'entreprise des sommes énormes en produits rejetés, et aussi en produits non fabriqués en raison des équipements restés inactifs.

4. Disposer d'une maintenance curative: la rapidité d'intervention du personnel responsable de la maintenance curative en cas d'arrêt dû à une panne est indispensable pour redémarrer rapidement la production et minimiser le temps d'arrêt. Le nombre d'interventions de maintenance curative peut être diminué par une maintenance préventive.

5. Avoir une bonne politique de maintenance préventive[3]: cela évitera les arrêts de production dus à des pannes. La maintenance préventive contribuera aussi à une meilleure qualité des produits et à la sécurité du personnel. Bref, elle consiste à intervenir de façon périodique sur la chaîne.

6. Avoir des fournisseurs fiables: l'atteinte des objectifs de la production continue passe par la fiabilité de l'approvisionnement en matières et en composants nécessaires aux opérations. Pour cela, il est important que les fournisseurs respectent les délais de livraison ainsi que les spécifications en termes de quantité et de qualité. Le respect intégral de l'ordonnancement des livraisons compte parmi les facteurs primordiaux.

17.2.2 L'ordonnancement par lots de tailles moyenne et petite ou production interrompue

Lorsque les lots à fabriquer sont de taille moyenne ou petite, on ne peut justifier les investissements requis pour la production en flux continu. On préférera alors la production à flux interrompu, appelée aussi **production interrompue**[4]. Au lieu d'avoir une chaîne de production rigide, on disposera de centres ou de services de production différents dans l'entreprise. Ces centres passent souvent d'une commande à l'autre, d'un produit à l'autre, d'une taille de lot de production à l'autre. Cela exige une plus grande flexibilité du processus de production et on se trouvera alors à fabriquer aussi bien des produits standard que des produits sur commande, par lots de grande ou de petite taille. Les pâtisseries de taille moyenne, l'industrie du vêtement, certains fabricants de peinture, de cosmétiques et de portes et fenêtres sont quelques exemples de ce type d'entreprises.

Rappelons brièvement les principales caractéristiques de la production interrompue.

- un regroupement des équipements et des machines du même genre en services ou en ateliers;
- une grande flexibilité de passage d'un produit à un autre;
- une grande flexibilité dans les tailles de lots (moyens et petits);
- une grande circulation des produits d'un centre de production à un autre;
- beaucoup de produits en cours de fabrication en attente d'un centre à un autre;
- un besoin d'équilibrer constamment les cadences de production;
- un coût de mise en route variant constamment;
- l'importance de déterminer la quantité standard de lots à fabriquer.

---

3. Voir chapitre 20.
4. Voir chapitre 5.

Attardons-nous sur cette dernière notion. Elle consiste à déterminer la taille du lot à lancer en fabrication. Nous vous présentons trois façons de le faire.

1. De façon empirique, selon l'expérience des gestionnaires en place.

2. Selon la notion de «quantité économique à commander» en réception échelonnée[5] ou lot économique (LÉ). Pour un produit, le lot économique à lancer en fabrication se calcule ainsi :

$$LE = \sqrt{\frac{2 * D * C_c}{C_e * (1 - \frac{u}{p})}}$$

où D = le besoin ou la demande pour ce produit pour l'année. Cette demande représente le carnet de commandes fermes ou le plan de prévisions[6], ou la somme des deux.

C_c = le coût de mise en route
C_e = le coût unitaire d'entreposage
u = le taux de consommation du produit
p = le taux de production du produit

Cette approche exige que l'on connaisse les coûts de mise en route de chaque produit. Or, ceux-ci peuvent varier d'un produit à l'autre et aussi en fonction de la séquence de production des différents produits. Ainsi, si nous fabriquons un lot de produits de type A suivi de produits de type B, les coûts de mise en route du lot B ne seront pas les même que si nous avions fabriqué initialement un lot de produits X suivi du lot B. Il est alors très difficile d'ordonnancer d'une façon optimale ces séquences de lots à lancer en production.

3. Consiste à faire appel aux notions du plan besoins matières (PBM-MRP) développé au chapitre 14. En se basant sur le plan directeur de production (PDP), qui représente la demande prévue et le carnet de commandes, et en faisant un ordonnancement aval, on déterminera les besoins nets et les besoins décalés à lancer en fabrication. L'approche du PBM est cependant difficile à appliquer pour les produits n'exigeant pas d'assemblage : raffineries, imprimeries, usines d'embouteillage, etc.

17.3 L'ORDONNANCEMENT EN PRODUCTION INTERROMPUE[7]

L'ordonnancement en production interrompue, caractérisé par des lots de tailles moyenne et petite, est le type d'ordonnancement le plus difficile à exécuter et celui qui demande le plus d'adresse et d'imagination de la part du planificateur. En effet, en raison de ses caractéristiques principales – la flexibilité des processus et la variabilité des produits –, il n'est pas possible de développer des politiques et des techniques s'appliquant à toutes les situations. Or, à cause de leur démographie, plusieurs pays possèdent une structure économique qui ne justifie pas la production à grand volume, et la majorité de leurs entreprises fonctionnent en production interrompue. C'est, par exemple, le cas du Canada.

Avant de commencer l'ordonnancement, il faut réunir les informations concernant le travail à effectuer et les capacités de l'entreprise. Ces informations se divisent en deux catégories : les informations fixes, que l'on ne modifie qu'à la suite de décisions majeures, et les informations variables, qui varient en fonction des besoins des clients.

---

5. Voir «Quantité économique à commander», chapitre 13.
6. Voir chapitre 3 : «La prévision».
7. Appelée aussi *job shop* ou multigammes.

Les informations fixes sont les suivantes :

- quantité d'équipements disponibles ;
- caractéristiques des équipements (interchangeabilité, capacité, cadence de production, exigences en matière d'entretien, etc.) ;
- nombre d'employés disponibles ;
- caractéristiques des employés (connaissances, flexibilité, capacité, etc.) ;
- contraintes et caractéristiques du procédé propre à l'entreprise, c'est-à-dire les méthodes de travail ;
- nomenclature du produit[8] ;
- structure du produit[9].

Dans le cas où on offre des produits standard, la nomenclature et la structure du produit sont des informations fixes, que l'on ne changera qu'à la suite de décisions stratégiques majeures. Par contre, si on offre des produits sur commande, ces deux informations seront des informations variables.

Les informations variables sont les suivantes :

- commandes en provenance des clients ou carnet de commandes ;
- plan de prévisions.

Aucun ordonnancement ne peut être établi sans l'obtention de ces informations.

Nous pouvons maintenant passer à la rédaction des deux documents essentiels de l'ordonnancement : les charges de travail et les programmes de production.

17.3.1 Charges de travail[10]

Ce document décrit la liste des travaux ou des commandes que les différents postes ou centres d'exploitation doivent exécuter. Il illustre l'enchaînement des travaux réalisés par ces centres.

Les gestionnaires peuvent se trouver devant deux situations :

Une capacité illimitée ou infinie

Les centres de travail disposent d'une capacité illimitée de ressources, pouvant alors exécuter un ou plusieurs produits à la fois. Dans cette situation, l'établissement des charges de travail est simple.

Une capacité limitée ou finie

Chaque centre d'exécution ne peut travailler que sur un seul produit à la fois ou, à la limite, sur un nombre restreint de produits. On risque de se trouver alors avec des produits en attente, c'est-à-dire beaucoup de produits en cours (pec). Le gestionnaire aura à décider à quel produit donner la priorité d'exécution.

En situation de capacité limitée, un produit ne peut être exécuté par une seule opération que si les deux conditions suivantes sont respectées :

a) la ressource ayant à effectuer l'opération est libre ;

b) le produit est passé par les opérations préalables.

L'outil le plus simple pour illustrer les charges de travail est le graphique de Gantt. Henry Gantt a créé cet outil en 1916 en plaçant sur l'axe des x l'échelle du temps et sur l'axe des y, les ressources que nous voulons utiliser pour effectuer le travail. La figure 17.1 illustre l'utilité du graphique de Gantt comme moyen de planifier l'utilisation des salles de cours d'une université et des salles d'opération d'un hôpital.

---

8. On l'appelle BOM (*bill of material*). C'est la liste de tous les éléments qui entrent dans la composition de l'objet à produire (voir chapitre 14).

9. C'est l'énumération par ordre chronologique des étapes qui font passer l'objet du stade des matériaux originaux au produit final (voir chapitre 14).

10. Appelée aussi « calendrier » ou « horaire de travail ». Voir C. BENEDETTI, *Introduction à la gestion des opérations*, 1991, p.189.

Session automne   Vendredi

Salle	8 h	9 h	10 h	11 h	12 h	13 h	14 h	15 h	16 h	17 h
A100	Stat 1	Écon 101	Écon 102	Fin 201	Mar 210	Comp 212				Mark 410
A105	Stat 2	Math 2a	Math 2b			Comp 210	CCE ─ ─ ─ ─ ─ ─			
A110	Comp 340	Mgmt 250	Math 3		Logist 220					
A115	Logist 220		Mgmt 230			Écon 102	Fin 201			

Figure 17.1

Charge des salles de cours

Horaire des interventions chirurgicales   Date : 5 août

Salle d'opération	7 h	8 h	9 h	10 h	11 h	12 h
A		Dr Peters			Dr Martin	
B		Dr Gilbert				
C		Dr Joseph			Dr Pauli	

☐ Occupé
☐ Attente
■ Préparation

Le grand avantage des charges de travail est d'illustrer la disponibilité des différentes ressources. Cela permet aux gestionnaires de savoir quand les ressources de l'entreprise sont occupées, ce qu'elles font et quand elles seront disponibles. Ils peuvent ainsi procéder aux changements nécessaires en cas de travaux urgents, de retards ou de toute autre situation imprévue. La figure 17.2 illustre un exemple de charges de travail pour quatre services d'une entreprise pendant une semaine. Nous constatons que le service 3 est occupé toute la semaine, que le service 1 est libre le mardi, etc. De plus, on remarque que la commande C3 est faite le lundi au service 1 pour ensuite être complétée au service 2 et que des travaux de maintenance sont prévus pour le service 3.

Services	Lundi	Mardi	Mercredi	Jeudi	Vendredi
1	C-3			C-4	
2		C-3	C-7		✕
3	C-1	✕		C-6	C-7
4	C-10				

Figure 17.2

Horaire

☐ Occupé

✕ Travaux de maintenance

Le suivi des travaux permet au gestionnaire de procéder aux changements lorsque cela est nécessaire.

17.3.2 Algorithme d'affectation[11]

Nous venons de voir comment distribuer un certain nombre de travaux aux différents centres responsables de leur réalisation. Que l'entreprise ait une capacité limitée ou illimitée, cette distribution peut se faire de différentes façons :

_____

11. Appelé aussi méthode hongroise.

a) de façon aléatoire;

b) selon le gestionnaire, qui aura à tenir compte de l'ordre de priorité des commandes, des dates de livraison, de l'importance des clients, etc.;

c) en essayant d'optimiser l'ensemble du système d'opération de l'entreprise.

On rencontre ce type de situations lorsqu'on affecte des machines à des commandes, employés à la fabrication de produits, des représentants des ventes à des territoires de vente, des équipes de travail à des travaux de maintenance, etc.

Supposons que nous ayons 4 produits à faire (P-1 à P-4) et que nous disposions de 4 employés capables de les faire (employés A, B, C et D), chacun étant payé 18 $ l'heure.

Si on donne le produit P-1 à l'employé A, il peut le compléter en 8 heures; si, par contre, on le donne à l'employé B, il le complétera en 6 heures, C le fera en 2 heures et D, en 4 heures. On dispose des mêmes données pour les autres produits. Le tableau 17.1 résume toutes ces informations.

TABLEAU 17.1

Employés

Produits	A	B	C	D
P-1	8	6	2	4
P-2	6	7	11	10
P-3	3	5	7	6
P-4	5	10	12	9

On peut décider de façon totalement aléatoire d'attribuer ces travaux de la manière suivante: P-1 à A pour 8 heures; P-2 à B pour 7; P-3 à C pour 7; P-4 à D pour 9. Cette affectation coûterait 31 heures de travail à 18 $/h, d'où un coût total de 558 $. L'ensemble des produits serait terminé après 9 heures de travail. Si on veut minimiser les coûts, on peut essayer d'autres combinaisons, mais le nombre d'essais nécessaires pour trouver la meilleure affectation serait de n!, n étant le nombre de produits, soit 4! = 24 différentes combinaisons.

L'algorithme d'affectation (appelé aussi méthode hongroise) nous permet de déterminer comment distribuer les tâches aux ressources disponibles de façon optimale. Les étapes de l'algorithme sont:

1) Dans chaque rangée, soustraire la plus petite valeur.

La plus petite valeur de la rangée 1 est 2; de la rangée 2: 6; rangée 3: 3 et rangée 4: 5. La nouvelle matrice devient:

Employés

Produits	A	B	C	D
P-1	6	4	0	2
P-2	0	1	5	4
P-3	0	2	4	3
P-4	0	5	7	4

2) Dans chaque colonne de la dernière matrice, soustraire la plus petite valeur.

La plus petite valeur de la colonne 1 est 0; de la colonne 2: 1; de la colonne 3: 0; de la colonne 4: 2. La nouvelle matrice devient:

Employés

Produits	A	B	C	D
P-1	6	3	0	0
P-2	0	0	5	2
P-3	0	1	4	1
P-4	0	4	7	2

3) Recouvrir toutes les valeurs nulles par un minimum de lignes l, horizontales ou verticales.

Si l = n, passer à l'étape 5; si l < n, passer à l'étape 4. Dans ce cas, l = 3 < n = 4; on passe à l'étape 4.

Employés

Produits	A	B	C	D
P-1	—6—	—3—	—0—	—0—
P-2	—0—	—0—	—5—	—2—
P-3	0	1	4	1
P-4	0	4	7	2

4) Parmi les valeurs non recouvertes, en soustraire la plus petite valeur. L'ajouter ensuite aux valeurs se trouvant aux intersections des lignes l et retourner à l'étape 3.

Dans ce cas, la plus petite valeur non recouverte est 1; les valeurs aux intersections des lignes l sont 6 et 0. La matrice devient alors:

Employés

Produits	A	B	C	D
P-1	7	3	0	0
P-2	1	0	5	2
P-3	0	0	3	0
P-4	0	3	6	1

En tirant les lignes l horizontales et verticales, on obtient:

Le nombre de lignes l = 4 = n. On passe à l'étape 5.

Employés

Produits	A	B	C	D
P-1	—7—	—3—	—0—	—0—
P-2	1	0	5	2
P-3	—0—	—0—	—3—	—0—
P-4	0	3	6	1

5) Affecter à chaque produit la personne correspondant à une valeur pivot nulle, en commençant avec les rangées et les colonnes ayant un seul 0.

Ainsi, le produit P2 ira à l'employé B; P4 à A; P3 à D et P1 à C.

	Employés			
Produits	A	B	C	D
P-1	7	3	**0**	0
P-2	1	**0**	5	2
P-3	0	0	3	**0**
P-4	**0**	3	6	1

En se référant au tableau des données initiales, voir le tableau 17.1. Le produit P1 est exécuté par l'employé C en deux heures, le produit P2, par l'employé B en 7 heures, etc. et cela, avec un coût total de :

2 + 7 + 6 + 5 = 20 heures.

20 heures × 18 $/h = 360 $

L'ensemble des produits sera terminé après sept heures de travail. Une autre affectation peut donner le même résultat, mais aucune ne prendra un temps inférieur.

	Employés			
Produits	A	B	C	D
P-1			2	
P-2		7		
P-3				6
P-4	5			

Le tableau suivant illustre la comparaison entre les deux solutions.

TABLEAU 17.2

	Affectation empirique	Algorithme d'affectation
Heures travaillées	31 heures	20 heures
Coût total ($)	558,00 $	360,00 $
Délai de livraison	9 heures	7 heures

Parfois, la convention collective des employés empêche l'affectation de corps de métiers à certaines tâches, ou encore le gestionnaire désire éviter d'affecter des employés à certaines tâches pour des raisons de santé. Dans de tels cas, si on est en situation de minimisation, on affectera une valeur très haute à la combinaison personne-tâche que nous voulons éviter. Pour éviter que l'employé A ait à faire le produit P-2, on changera, par exemple, la valeur de la matrice initiale de 6 à 100.

Si les valeurs de la matrice de départ représentent les profits espérés ou les quantités produites par employé au lieu des coûts, on préférera **maximiser** le système au lieu de le minimiser. Les étapes de l'algorithme d'affectation dans le cas d'une maximisation sont alors les suivantes :

1) Choisir la plus grande valeur du tableau des données initiales.

La plus grande valeur du tableau initial est 12.

	Employés			
Produits	A	B	C	D
P-1	8	6	2	4
P-2	6	7	11	10
P-3	3	5	7	6
P-4	5	10	*12*	9

2) Soustraire toutes les valeurs du tableau de la valeur choisie, en chiffre absolu, et établir une nouvelle matrice de départ.

	Employés			
Produits	A	B	C	D
P-1	4	6	10	8
P-2	6	5	1	2
P-3	9	7	5	6
P-4	7	2	0	3

3) Appliquer intégralement l'algorithme d'affectation.
   a) Soustraire les rangées.

	Employés			
Produits	A	B	C	D
P-1	0	2	6	4
P-2	5	4	0	1
P-3	4	2	0	1
P-4	7	2	0	3

   b) Soustraire les colonnes.

	Employés			
Produits	A	B	C	D
P-1	0	0	6	3
P-2	5	2	0	0
P-3	4	0	0	0
P-4	7	0	0	2

   c) Tirer les lignes.
      $l = 4 = n = 4$. Nous avons donc la solution optimale.

	Employés			
Produits	A	B	C	D
P-1	0	0	6	3
P-2	5	2	0	0
P-3	4	0	0	0
P-4	7	0	0	2

   d) L'affectation optimale sera: P-1 à A; P2 à C; P3 à D et P4 à B, soit un total de 35.

	Employés			
Produits	A	B	C	D
P-1	8			
P-2			11	
P-3				6
P-4		10		

Le graphique suivant illustre la charge de travail de chaque employé avec le produit auquel il a été affecté.

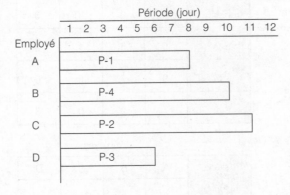

Une autre affectation peut donner le même résultat, mais aucune ne sera meilleure.

Finalement, il se peut que l'on ait plus de produits à fabriquer que de ressources disponibles (capacité limitée). Il revient alors au gestionnaire de décider quels sont les produits ou les commandes à exécuter en priorité (en fonction des ressources disponibles), d'établir les charges de travail et l'affectation en conséquence et de faire compléter les commandes restantes par les ressources qui se libéreront les premières.

Par exemple, si on a sept produits à fabriquer avec seulement quatre employés disponibles, on choisit les quatre produits prioritaires et on applique l'algorithme d'affectation à ceux-là. Dès qu'un employé se libère, on l'affecte à des produits restants, et ainsi de suite.

17.3.3 Jalonnement

Le **jalonnement** des opérations consiste à déterminer l'ordre d'exécution des produits à faire par un centre d'opération ou par une série de centres d'opération.

Il apparaît dans le **programme (calendrier) de production**: pour chaque commande sont inscrites les étapes de travail, leur durée, la date du début et de la fin. On peut présenter le programme de production sous forme de graphique de Gantt ou de tableau.

17.3.4.1 Capacité illimitée

Dans le cas de capacité illimitée, il est relativement facile d'établir le jalonnement des opérations. Exemple: on a six documents à rédiger (voir tableau 17.3) et on dispose de six rédacteurs ou plus. Le jalonnement des documents apparaît au tableau 17.4 et le graphique de Gantt correspondant est le 17.2. Dans ce dernier tableau, on voit la date du début des travaux, leur durée et la date de la fin. On remarque aussi qu'on a respecté toutes les dates et qu'on a même de la latitude. Ainsi, le document A débute le jour zéro et se termine le jour deux, la date promise étant le sept, ce qui donne une marge de cinq jours. Cela est rendu possible par le **jalonnement aval**.

> Le **jalonnement aval** consiste à fixer au plus tôt, à partir d'une date de début connue, les dates du début et de la fin des activités, et ce, en additionnant les temps de travail.

TABLEAU 17.3

Document	Temps de rédaction (jours)	Date promise (jour)
A	2	7
B	8	16
C	4	4
D	10	17
E	5	15
F	12	18

Document	Début (jour)	Temps de rédaction (jours)	Fin (jour)	Date promise (jour)	Marge (jours)
A	0	2	2	7	5
B	0	8	8	16	8
C	0	4	4	4	0
D	0	10	10	17	7
E	0	5	5	15	10
F	0	12	12	18	6

TABLEAU 17.4

Jalonnement aval

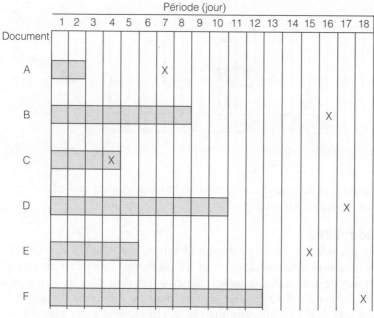

Graphique 17.2

Programme de production avec jalonnement aval

X = date de livraison promise

Le gestionnaire peut aussi décider d'effectuer un jalonnement amont. Le tableau 17.5 montre un programme de production par jalonnement amont.

Le **jalonnement amont** consiste à fixer au plus tard, à partir d'une date de livraison connue, les dates du début et de la fin des activités, et ce, par soustraction des temps de travail.

Document	Début (jour)	Temps de rédaction (jours)	Fin (jour)	Date promise (jour)	Marge (jours)
A	5	2	7	7	0
B	8	8	16	16	0
C	0	4	4	4	0
D	7	10	17	17	0
E	10	5	15	15	0
F	6	12	18	18	0

TABLEAU 17.5

Programme de production avec jalonnement amont

minimiser les stocks.

Graphique 17.3

Graphique de Gantt avec jalonnement amont

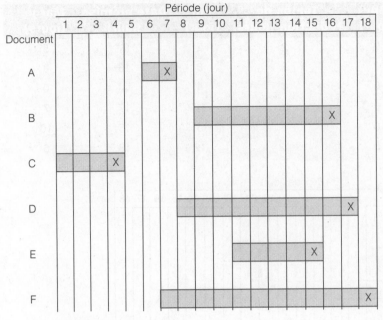

X = date de livraison promise

Entre ces deux extrêmes, le jalonnement aval et le jalonnement amont, on peut adopter des politiques internes intermédiaires.

17.3.4.2 Capacité limitée

Reprenons l'exemple précédent. On ne dispose maintenant que d'un seul rédacteur. Les 6 documents ne pourront être terminés avant 41 jours, soit la somme des temps de rédaction. Si certains de ces documents sont urgents, on doit décider lequel sera rédigé en premier. Il faut établir des règles de priorité pour les différents documents.

On peut alors décider quel produit, commande, client ou tout autre bien ou service sera traité en priorité.

Les **règles de priorité** les plus connues sont:

règles de priorité

Règles heuristiques permettant d'établir l'ordre dans lequel on exécutera les différentes commandes.

PEPS :   Premier entré, premier servi
Les biens et les services sont exécutés selon l'ordre d'arrivée au centre de travail.

TOC :   Temps d'opération court
On donne priorité au travail dont le temps d'exécution est le plus court.

DP :   Date promise
On donne priorité au travail dont la date promise au client est la plus proche.

RC :   Ratio critique
La priorité est donnée aux commandes dont la marge de manœuvre est la plus réduite. Le RC = (date promise – temps d'opération) / temps d'opération.
Le temps d'opération est aussi appelé durée de l'activité.

PODP :   Par ordre de priorité
La priorité est donnée aux commandes les plus urgentes.

On retient les hypothèses suivantes:

1. Le nombre de commandes est connu; il n'y a pas de commandes annulées ou ajoutées.

2. Les temps d'opération sont déterministes et non probabilistes.

3. Les temps de mise en route sont indépendants de l'ordre des commandes.

4. Les opérations commencées ne seront pas interrompues.

5. Les commandes ne sont pas scindées.

Reprenons l'exemple des six documents à rédiger en situation de capacité limitée et appliquons les règles de priorité suivantes :

Exemple 1

a) PEPS

b) TOC

c) DP

d) RC

Document	Temps de rédaction (jours)	Date promise (jour)
A	2	7
B	8	16
C	4	4
D	10	17
E	5	15
F	12	18

a) Selon la méthode PEPS, l'ordre de rédaction des documents reste inchangé. Voici le programme ou calendrier de production :

Solution

TABLEAU 17.6

Document	Début	Durée	Fin	Date promise	Retard
A	0	2	2	7	0
B	2	8	10	16	0
C	10	4	14	4	10
D	14	10	24	17	7
E	24	5	29	15	14
F	29	12	41	18	23
TOTAL		41	120		54

Des indicateurs de performance permettent d'en mesurer l'efficacité. Il s'agit du temps moyen dans le système, du retard accumulé et du retard moyen.

Temps moyen dans le système (temps moyen passé par chaque produit dans le système) = Total de fin ÷ nombre de commandes = 120 ÷ 6 = 20 jours

Retard accumulé sur les dates de livraison promises = $\sum$ des retards par commande = 54 jours

Retard moyen = retard accumulé ÷ nombre de commandes = 54 jours ÷ 6 = 9 jours de retard/commande

b) Selon la règle du TOC, la séquence des documents sera : A, C, E, B, D et F. Voici le programme ou calendrier de production :

TABLEAU 17.7	Document	Début	Durée	Fin	Date promise	Retard
	A	0	2	2	7	0
	C	2	4	6	4	2
	E	6	5	11	15	0
	B	11	8	19	16	3
	D	19	10	29	17	12
	F	29	12	41	18	23
	TOTAL		41	108		40

Temps moyen dans le système = total de fin ÷ nombre de commandes = 108 ÷ 6 = 18 jours

On aura un retard accumulé sur les dates de livraison de 40 jours et une moyenne de 6,67 jours de retard (40 ÷ 6 = 6,67).

c) On donne priorité au produit ayant la date de livraison la plus rapprochée, et ainsi de suite. La séquence des documents devient : C, A, E, B, D, et F. Voici le programme ou calendrier de production :

TABLEAU 17.8	Document	Début	Durée	Fin	Date promise	Retard
	C	0	4	4	4	0
	A	4	2	6	7	0
	E	6	5	11	15	0
	B	11	8	19	16	3
	D	19	10	29	17	12
	F	29	12	41	18	23
	TOTAL		41	110		38

Temps moyen dans le système = total de fin ÷ nombre de commandes = 110 ÷ 6 = 18,33 jours

On aura un retard accumulé sur les dates de livraison de 38 jours avec une moyenne de retard de 6,33 jours.

d) Selon la règle du RC, on donne la priorité au produit dont le $RC = \dfrac{\text{date promise}}{\text{durée}}$ est le plus petit. La séquence des documents à rédiger sera C, F, D, B, E et A. Voici le programme ou calendrier de production :

TABLEAU 17.9	Document	Début	Durée	Fin	Date promise	Retard	RC
	C	0	4	4	4	0	1
	F	4	12	16	18	0	1,5
	D	16	10	26	17	9	1,7
	B	26	8	34	16	18	2
	E	34	5	39	15	24	3
	A	39	2	41	7	34	3,5
	TOTAL		41	160		85	

Temps moyen dans le système = total de fin ÷ nombre de commandes = 160 ÷ 6 = 26,67 jours

On aura un retard accumulé sur les dates de livraison de 85 jours et une moyenne de retard de 14,17 jours (85 ÷ 6).

Comparons les résultats des quatre règles dans le tableau suivant.

TABLEAU 17.10

Règles	Temps moyen dans le système	Retard accumulé	Retard moyen[12]
PEPS	20	54	9,00
TOC	18	40	6,67
DP	18,33	38	6,33
RC	26,67	85	14,17

On peut voir que le système DP donne des résultats assez satisfaisants, suivi par le TOC, ce qui est habituellement le cas. Le PEPS et le RC sont parmi les règles les moins efficaces en termes d'utilisation des ressources en place. Par contre, et surtout dans le cas du secteur des services, le PEPS donne une image de justice. En effet, le premier client qui arrive au garage, à la banque, chez le pharmacien ou chez le coiffeur s'attend à être servi le premier, même si un service long retarde l'ensemble du système. Un autre avantage du PEPS est sa simplicité d'application.

Par ailleurs, lorsque le nombre d'opérations par produit augmente, quand on veut diminuer le nombre de produits en attente dans le système ou les produits en cours, quand on veut diminuer le temps moyen passé dans le système, accroître l'utilisation des ressources de l'entreprise, le TOC et ses variantes s'avèrent très efficaces, comme nous le verrons dans les sections suivantes. Cela se traduit par une meilleure qualité de service pour l'ensemble des clients. Ces techniques améliorent l'ensemble du système plutôt que le traitement des cas particuliers.

Quant au RC, son avantage principal est qu'il permet de respecter les dates de livraison promises, sans favoriser par contre l'efficacité du système. Cela n'est pas très évident dans notre exemple.

Finalement, la règle PODP ne tient nullement compte de l'efficacité du système, mais elle met l'accent sur la qualité du service au client. Elle est utile quand on doit offrir le bien ou le service au client qui en a le plus besoin. C'est le cas, par exemple, dans la salle d'urgence d'un hôpital, où on donnera toujours la priorité au cas le plus critique.

17.3.5 Jalonnement de plusieurs produits sur deux opérations ou plus

Nous étudierons dans cette section la manière d'ordonnancer plusieurs produits sur deux opérations ou plus. Nous ne tiendrons compte que des produits qui suivent la même séquence d'opérations : A, ensuite B, ensuite C, etc. On dit, dans ce cas, qu'ils suivent un **procédé à séquence statique**[13]. Si chaque produit suit un procédé d'opération différent, on parle de **procédé à séquence dynamique**[14], comme l'illustre le tableau suivant.

TABLEAU 17.11

Produit	Séquence
P-1	Recueillir les données, rédiger le rapport, dactylographier, photocopier.
P-2	Rédiger le rapport, photocopier, faire approuver, dactylographier.
P-3	Recueillir les données, photocopier, rédiger le rapport, dactylographier.

---

12. Retard moyen = retard accumulé / 6 produits.
13. Appelé aussi procédé statique.
14. Appelé aussi procédé dynamique.

À la fin du chapitre, vous trouverez les titres de certains ouvrages traitant exclusivement de ces techniques.

En production interrompue – utilisée principalement en atelier pour des lots de tailles petite et moyenne –, lorsqu'on a plusieurs unités d'un même produit à faire en une opération, on complète la totalité de ces unités avant de passer à l'opération suivante. Cette mesure permet de ne transporter le lot au complet qu'une seule fois. Par exemple, si on a 8 unités de P-1 à faire à l'opération A, qui demande 4 heures/unité, on terminera le lot de 8 unités à l'opération A après 32 h (8 u × 4 h/u = 32 h) et on traitera le lot à l'étape B à la 32e heure. Ce type de situation a incité les ingénieurs à développer la production continue. On a rapproché les équipements pour minimiser les temps de transport et de manutention (voir chapitre 5).

Considérons maintenant la situation suivante. Nous avons six produits à fabriquer, chacun nécessitant deux opérations : l'opération A pour la préparation et le nettoyage du produit, l'opération B pour la peinture. Le tableau suivant indique les durées de travail par produit, et ce, pour chacune des deux opérations.

TABLEAU 17.12

Produits	Opération A préparation et nettoyage (heures)	Opération B peinture (heures)
P-1	5	5
P-2	4	3
P-3	8	9
P-4	2	7
P-5	6	8
P-6	12	15

Si la politique de jalonnement utilisée est PEPS, voici le programme de production des six produits et la charge de travail des deux centres d'opération en situation de capacité limitée.

Graphique 17.4

Programme ou calendrier de production

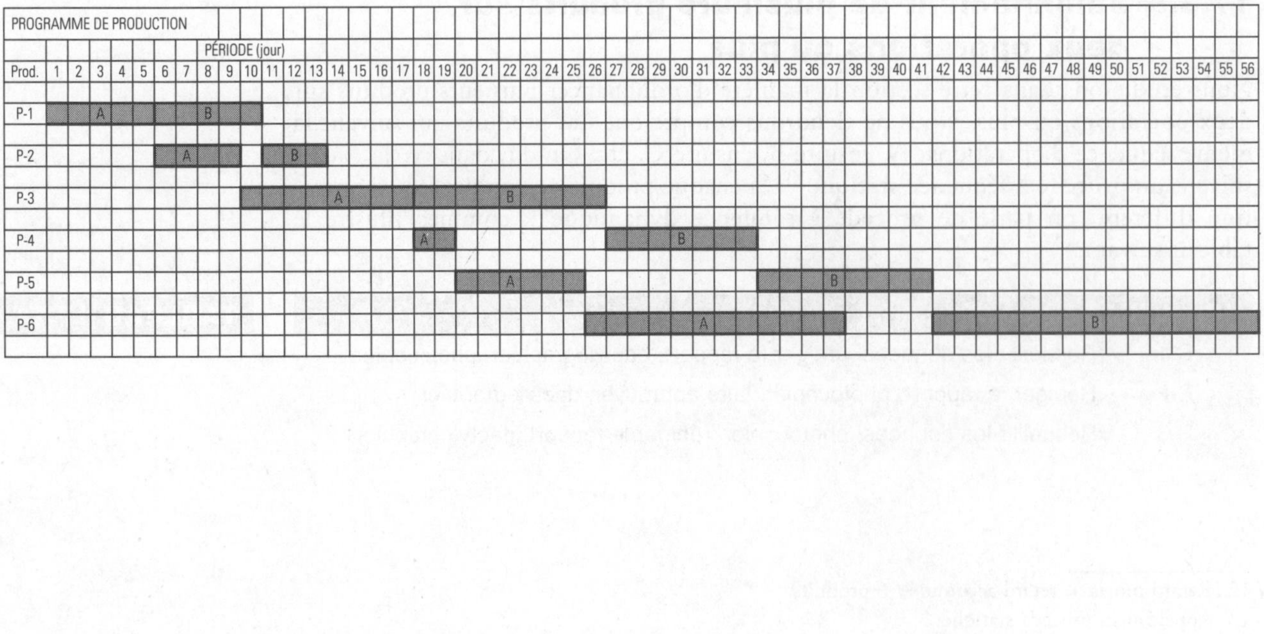

Grâce à ces graphiques, on note qu'il faut 57 périodes pour terminer l'ensemble des 6 produits. Mais l'utilisation du graphique de Gantt est très fastidieuse quand les durées ainsi que le nombre de produits et d'opérations augmentent. Pour cette raison, nous préconisons l'utilisation de l'algorithme de Roy pour déterminer les temps dans les calendriers de production.

17.3.5.1 Algorithme de Roy

Algorithme de Roy: algorithme permettant de déterminer le calendrier des activités pour une séquence de plusieurs produits à fabriquer en plusieurs étapes.

ÉTAPES DE L'ALGORITHME DE ROY:

Déterminons le temps requis pour exécuter n produits (P-1 à P-n) en M opérations (A à M), comme au tableau suivant.

TABLEAU 17.13

Produits	Opérations					
	A	**B**	**...**	**J**	**...**	**M**
P-1	a_1	b_1	...	j_1	...	m_1
P-2	a_2	b_2	...	j_2	...	m_2
....	....	....	...	...	...	...
P-i	a_i	b_i	...	j_i	...	m_i
...	...	...	...	...	...	...
P-n	a_n	b_n	...	j_n	...	m_n

P-i = produit i

a_i = temps de travail sur le produit i (P-i) à l'opération A

1. Faire la somme de la première colonne.
   On obtient: $A_1 = a_1$; $A_2 = a_1 + a_2$; $A_3 = A_2 + a_3$; $A_4 = A_3 + a_4$...

2. Faire la somme de la première rangée.
   On obtient: $A_1 = a_1$; $B_1 = A_1 + b_1$; $C_1 = B_1 + c_1$; $D_1 = C_1 + d_1$...

3. Établir B_2, B_3... et C_2, C_3... de la façon suivante:

   $B_2 = b_2 + \max (A_2 \text{ et } B_1)$

   $B_3 = b_3 + \max (A_3 \text{ et } B_2)$

   $B_n = b_n + \max [A_n \text{ et } B_{(n-1)}]$

   $M_n = m_n + \max [L_n \text{ et } M_{(n-1)}]$

Exemple 2

Appliquons l'algorithme de Roy aux données du tableau 17.12 pour déterminer le jalonnement. Nous gardons la séquence établie selon la méthode PEPS.

1. Faire la somme de la première colonne.
   On aura les valeurs suivantes :

Produits	Opération A préparation et nettoyage (heures)	Opération B peinture (heures)
P-1	5	
P-2	9	
P-3	17	
P-4	19	
P-5	25	
P-6	37	

Si on a plus de six produits, on continue les calculs.

2. Faire la somme de la première rangée.
   On aura les valeurs suivantes :

Produits	Opération A préparation et nettoyage (heures)	Opération B peinture (heures)
P-1	5	10
P-2	9	
P-3	17	
P-4	19	
P-5	25	
P-6	37	

Si on a plus de trois opérations, on continue les calculs sur la première rangée.

3. Établir B_2, B_3... et C_2, C_3...

   $B_2 = b_2 + \max (A_2 \text{ et } B_1) = 3 + \max (10 \text{ et } 9) = 13$

   La valeur 3 provient des données du tableau de départ (17.12).
   $B_3 = b_3 + \max (A_3 \text{ et } B_2) = 9 + \max (13 \text{ et } 17) = 26$

   La valeur 9 provient des données du tableau de départ (17.12).

   Continuer ces itérations jusqu'à épuisement complet des données.

   Le tableau ci-dessous résume les résultats. Grâce à l'algorithme de Roy, nous voyons que l'opération A du produit P-4, par exemple, se terminera à l'heure 19 et l'opération B, à l'heure 33. L'ensemble des 6 produits sera complété à l'heure 56.

	Données initiales		Algorithme de Roy	
Produits	**A**	**B**	**A**	**B**
	Temps par opération		**Temps de fin**	
P-1	5	5	5	10
P-2	4	3	9	13
P-3	8	9	17	26
P-4	2	7	19	33
P-5	6	8	25	41
P-6	12	15	37	56

Les avantages de l'algorithme de Roy:

- il n'est pas limité par le nombre d'opérations ou le nombre de produits;
- il est applicable à n'importe quelle règle de priorité (PEPS, PODP, RC...)
- il est facilement programmable sur Excel;
- on n'a pas besoin de faire des graphiques, qui sont fastidieux à construire dans le cas de temps d'opération longs.

Optimisation de la séquence

Jusqu'à maintenant, nous avons analysé plusieurs règles de priorité, mais aucune ne donnait la séquence optimale, c'est-à-dire celle qui prend le moins de temps. L'algorithme de Johnson et ses dérivés peut établir la séquence optimale.

17.3.5.2 Algorithme de Johnson et ses dérivés

Algorithme de Johnson: algorithme permettant d'ordonnancer de façon optimale n produits à faire en deux opérations.

ÉTAPES DE L'ALGORITHME DE JOHNSON:

Retournons aux données du tableau 17.12.

TABLEAU 17.12

Produits	Opération A préparation et nettoyage (heures)	Opération B peinture (heures)
P-1	5	5
P-2	4	3
P-3	8	9
P-4	2	7
P-5	6	8
P-6	12	15

Si nous désirons trouver la meilleure séquence pour les six produits à fabriquer en deux opérations, il faut:

1. Choisir le temps d'opération le plus court.
   Dans ce cas, c'est le 2, soit le produit P-4 à l'opération A. Dans le cas de deux valeurs identiques, le choix est laissé à la discrétion du gestionnaire, mais le temps final n'en sera pas affecté.

2. Si a_i est la plus petite valeur (temps du produit P-i à l'opération A), on placera le produit au début de la séquence. Si b_i est la plus petite valeur, on placera le produit P-i à la fin de la séquence; il sera le dernier à être produit.
   Dans ce cas, P-4 sera le premier à passer.

P-4					

3. Pour les produits restants, choisir la plus petite valeur parmi les temps d'exécution et recommencer l'étape 2 jusqu'à épuisement des produits.
   Parmi les temps restants, le plus petit est le temps 3 à l'étape B pour le produit P-2: il ira donc à la fin de la séquence.

P-4					P-2

Vient ensuite P-1 avec des temps identiques: nous décidons arbitrairement de le placer à la fin. Nous pourrions le placer au début sans déranger le résultat final.

P-4				P-1	P-2

Suivront les autres produits :
P-5

| P-4 | P-5 | | | P-1 | P-2 |

P-3

| P-4 | P-5 | P-3 | | P-1 | P-2 |

P-6

| P-4 | P-5 | P-3 | P-6 | P-1 | P-2 |

4. Une fois la séquence choisie, il reste à établir le calendrier de production de cette séquence, soit avec le graphique de Gantt, soit avec l'algorithme de Roy.
En appliquant l'algorithme de Roy, on obtient :

	Nouvelle séquence		Algorithme de Roy	
Produits	A	B	A	B
	Temps par opération		Temps de fin	Temps de fin
P-4	2	7	2	9
P-5	6	8	8	17
P-3	8	9	16	26
P-6	12	15	28	43
P-1	5	5	33	48
P-2	4	3	37	51

L'ensemble des travaux se termine après 51 périodes contre 56 avec la règle PEPS. Aucune règle de priorité ne peut donner moins de 51 périodes.

Si on a à ordonnancer n produits sur plus de trois opérations, on doit essayer plusieurs algorithmes pour arriver finalement au meilleur résultat.

Soit la situation suivante : n produits et trois opérations.

Produits	A	B	C
	Temps par opération		
P-1	5	5	12
P-2	4	3	3
P-3	8	9	2
P-4	2	7	15
P-5	6	8	3
P-6	12	15	6

Pour connaître le temps de cette séquence, utilisons l'algorithme de Roy.

	Séquence initiale			Algorithme de Roy		
Produits	A	B	C	A	B	C
	Temps par opération			Temps de fin		
P-1	5	5	12	5	10	22
P-2	4	3	3	9	13	25
P-3	8	9	2	17	26	28
P-4	2	7	15	19	33	48
P-5	6	8	3	25	41	51
P-6	12	15	6	37	56	62

Pour trouver la séquence optimale de n produits avec trois opérations, il faut essayer deux algorithmes et choisir celui qui donne le temps final le plus court.

a) algorithme TOC

b) algorithme de Johnson modifié

a) **Algorithme TOC**

1. Pour chaque produit, faire la somme des temps d'exécution ($\sum_i$), où $\sum_i = a_i + b_i + c_i$

2. Choisir le produit P_i dont $\sum_i$ est le plus petit.

Produits	A	B	C	Total
	Temps par opération			$\sum_i$
P-1	5	5	12	22
P-2	4	3	3	10
P-3	8	9	2	19
P-4	2	7	15	24
P-5	6	8	3	17
P-6	12	15	6	33

C'est le produit P-2, avec $\sum_2 = 10$.

3. Pour le produit choisi, comparer a_i (temps de la première opération) et c_i (temps de la dernière opération).
Si $a_i < c_i$, le produit P_i ira au début de la séquence.
Si $a_i > c_i$, le produit P_i ira à la fin de la séquence.
Dans ce cas, $(a_2 = 4) > (c_2 = 3)$. P-2 ira à la fin.

4. Pour les produits restants, reprendre à partir de la 2ᵉ étape jusqu'à épuisement des produits.
Dans ce cas, le deuxième produit choisi sera P-5, avec $\sum_5 = 17$.

Pour P-5, $(a_5 = 6) > (c_5 = 3)$. P-3 ira lui aussi à la fin, juste avant P-2. En continuant de la sorte avec les autres produits, on obtient la séquence : P-1, P-4, P-6, P-3, P-5, P-2.

Voici le programme de production de cette séquence établi selon le TOC.

Produits	Séquence initiale			Algorithme de Roy		
	A	B	C	A	B	C
	Temps par opération			Temps de fin		
P-1	5	5	12	5	10	22
P-4	2	7	15	7	17	37
P-6	12	15	6	19	34	43
P-3	8	9	2	27	43	45
P-5	6	8	3	33	51	54
P-2	4	3	3	37	54	57

Essayons maintenant le deuxième algorithme, soit le Johnson modifié.

b) Algorithme de Johnson modifié

1. Pour chaque produit P_i, calculer $\sum 1P_i$ et $\sum 2P_i$, où : $\sum 1P_i = a_i + b_i$; $\sum 2P_i = b_i + c_i$.

   Pour P-1 : $\sum 1P\text{-}1 = 5 + 5 = 10$ $\sum 2P\text{-}1 = 5 + 12 = 17$
   Pour P-2 : $\sum 1P\text{-}2 = 4 + 3 = 7$ $\sum 2P\text{-}2 = 3 + 3 = 6$
   Pour P-3 : $\sum 1P\text{-}3 = 8 + 9 = 17$ $\sum 2P\text{-}3 = 9 + 2 = 11$
   Pour P-4 : $\sum 1P\text{-}4 = 2 + 7 = 9$ $\sum 2P\text{-}4 = 7 + 15 = 22$
   Pour P-5 : $\sum 1P\text{-}5 = 6 + 8 = 14$ $\sum 2P\text{-}5 = 8 + 3 = 11$
   Pour P-6 : $\sum 1P\text{-}6 = 12 + 15 = 27$ $\sum 2P\text{-}6 = 15 + 6 = 21$

2. Avec les données virtuelles établies à la 1re étape, créer un tableau de type Johnson à n produits et deux opérations, ce qui donne dans ce cas :

Produits	$\sum_1 P_i$	$\sum_2 P_i$
P-1	10	17
P-2	7	6
P-3	17	11
P-4	9	22
P-5	14	11
P-6	27	21

3. Appliquer l'algorithme de Johnson au tableau précédent et déterminer la séquence de travail.
   La séquence est : P-4, P-1, P-6, P-5, P-3, P-2.

4. Déterminer la durée de la séquence par l'algorithme de Roy ou le graphique de Gantt. Pour cela, utiliser les durées de travail initiales.

	Johnson modifié			Algorithme de Roy		
Produits	**A**	**B**	**C**	**A**	**B**	**C**
	Temps par opération			**Temps de fin**		
P-4	2	7	15	2	9	24
P-1	5	5	12	7	14	36
P-6	12	15	6	19	34	42
P-5	6	8	3	25	42	45
P-3	8	9	2	33	51	53
P-2	4	3	3	37	54	57

La durée de cette séquence étant égale à celle trouvée selon le TOC, le gestionnaire choisit celle qui lui convient. Soulignons que ceci n'est pas toujours le cas ; on choisira alors la plus courte.

Dans le cas de quatre opérations (A, B, C, D), on fera trois essais avant de trouver la séquence optimale.

1er essai   TOC tel que nous l'avons développé précédemment.

2e essai $\sum 1P_i = a_i + b_i$; $\sum 2P_i = c_i + d_i$
   On applique ensuite l'algorithme de Johnson modifié à ces données virtuelles.

3e essai $\sum 1P_i = a_i + b_i + c_i$; $\sum 2P_i = b_i + c_i + d_i$

   On applique ensuite l'algorithme de Johnson modifié à ces données virtuelles.

Pour cinq opérations (A, B, C, D, E), on fera trois essais avant de trouver la séquence optimale.

1er essai   TOC tel que nous l'avons développé précédemment.

2e essai $\sum 1P_i = a_i + b_i + c_i$; $\sum 2P_i = c_i + d_i + e_i$

On applique ensuite l'algorithme de Johnson modifié à ces données virtuelles.

3e essai $\sum 1P_i = a_i + b_i + c_i + d_i$; $\sum 2P_i = b_i + c_i + d_i + e_i$

On applique ensuite l'algorithme de Johnson modifié à ces données virtuelles.

De façon générale, le tableau 17.14 illustre la relation entre le nombre d'essais nécessaires pour trouver la séquence optimale et le nombre d'opérations.

TABLEAU 17.14

	Nombre d'opérations différentes					
	3	4	5	6	7	8	9
Nombre d'essais	2	3		4		5	

17.3.6 Ordonnancement des travaux selon des temps de mise en route différents

Quand les temps de mise en route diffèrent en fonction de l'ordre d'arrivée des produits, le gestionnaire peut décider de trouver un jalonnement des produits qui minimise les temps de mise en route. C'est le cas des entreprises d'embouteillage, de peinture, d'alimentation, etc. En effet, cela prendrait moins de temps de mise en route si, par exemple, on embouteillait de la peinture blanche, puis de la peinture bleu pastel, bleu foncé, etc., plutôt que de passer du rouge au blanc. Dans ce dernier cas, un nettoyage en profondeur des machines est nécessaire, tandis que dans le cas précédent, un nettoyage sommaire est suffisant.

Considérons le cas présenté au tableau 17.15.

TABLEAU 17.15

Produits précédents	Temps de mise en route	Temps de mise en route s'ils sont suivis par les produits ci-dessous		
		A	B	C
A	3	0	6	2
B	2	1	0	4
C	2	5	3	0

Si une commande de produits de type A, dont le temps de mise en route est de 3 heures, est suivie par une autre commande de produits A, le temps de mise en route de cette deuxième commande sera de 0. Par contre, si A est suivi d'une commande de type B, le temps de mise en route entre A et B est de 6 heures. Par contre, il ne sera que de 2 heures si A est suivi d'une commande de type C. De même, B suivi de A exige un temps de mise en route de 1 heure et de 4 heures s'il est suivi par C, etc.

La façon la plus simple de déterminer la séquence qui minimise les temps de mise en route est d'énumérer l'ensemble des possibilités et de fournir cette information au gestionnaire. Celui-ci décidera ensuite des séquences, au fur et à mesure que les commandes rentreront. Malheureusement, cela peut s'avérer assez long, car si on dispose de n produits différents, on aura n! combinaisons possibles à considérer. Dans l'exemple précédent, on obtient 3! = 6 combinaisons possibles.

Le tableau 17.16 présente les 6 combinaisons possibles placées en ordre croissant, la séquence B-A-C étant la meilleure avec des temps de mise en route de 5 heures.

TABLEAU 17.16

Séquence	Temps de mise en route	TOTAL
B-A-C	2 + 1 + 2 =	5
C-B-A	2 + 3 + 1 =	6
A-C-B	3 + 2 + 3 =	8
B-C-A	2 + 4 + 5 =	11
A-B-C	3 + 6 + 4 =	13
C-A-B	2 + 5 + 6 =	13

Plus le nombre de produits différents augmente, plus le problème se complique et plus l'utilisation de l'ordinateur pour évaluer les différentes combinaisons devient nécessaire.

17.4 L'ORDONNANCEMENT DANS LE SECTEUR DES SERVICES

L'ordonnancement des systèmes de services comporte certains problèmes que l'on n'éprouve généralement pas dans le secteur de la fabrication. Ils proviennent surtout:

1) de l'incapacité à stocker ou à dénombrer les services;

2) de la nature aléatoire des demandes de services des clients.

Dans certains cas, on peut atténuer la seconde difficulté en recourant à des systèmes de rendez-vous et de réservations. Cependant, dans la plupart des cas, il est impossible de stocker les services et les gestionnaires doivent vivre avec ce problème.

Les entreprises de services ont pour principal objectif d'établir une harmonie entre le flux des clients et les capacités des services. On est en présence d'une situation idéale quand il y a un flux régulier de clients dans l'entreprise. Cela se produit quand chaque nouveau client arrive au moment précis où le client précédent a terminé de recevoir le service, comme dans le cas d'un cabinet de médecins ou dans le cas des voyages aériens, quand la demande est égale au nombre de sièges disponibles. Dans chacune de ces situations, le temps d'attente des clients est minimal et le personnel ainsi que les ressources matérielles disponibles du système de services sont entièrement exploités. Malheureusement, la nature aléatoire des demandes de services des clients qui prévaut généralement dans les entreprises de services fait en sorte qu'il est pratiquement impossible d'établir un équilibre entre la capacité et la demande. De plus, si les temps de prestation de services sont eux aussi soumis à la variabilité — disons en raison de différents besoins en fait de traitement — l'inefficacité de l'entreprise devient plus grande. On peut réduire l'inefficacité lorsqu'il est possible de prévoir les arrivées (comme dans le cas des rendez-vous chez le médecin et chez le dentiste). Toutefois, dans plusieurs cas, on ne peut établir de système de rendez-vous (c'est le cas dans les supermarchés, les stations-service, les cinémas, les salles d'urgence des hôpitaux, la réparation de matériel, les services de maintenance). Au chapitre 19, qui porte sur la gestion des files d'attente, nous nous concentrerons sur ces types de situations. Nous mettrons alors l'accent sur les décisions à moyen terme concernant la capacité des services en situation de demande et d'offre aléatoires. Dans la section présente, nous aborderons l'ordonnancement à court terme, dans lequel une grande part de la capacité du système est essentiellement fixe et où l'objectif consiste à acquérir un certain niveau de service à la clientèle en exploitant efficacement cette capacité.

En résumé, l'ordonnancement des systèmes de services comporte principalement l'ordonnancement 1) des clients, 2) du travail et 3) du matériel. L'ordonnancement des clients prend souvent la forme de système de rendez-vous ou de réservations.

17.4.1 Systèmes de rendez-vous

Les systèmes de rendez-vous visent à contrôler le moment de l'arrivée des clients afin de réduire l'attente tout en permettant une exploitation plus grande de la capacité.

Un médecin peut utiliser un système de rendez-vous pour planifier les consultations avec ses patients durant l'après-midi et libérer ainsi son avant-midi pour travailler à l'hôpital. Un avocat peut rencontrer ses clients entre ses comparutions devant le tribunal. Or, même avec un système de rendez-vous, on doit faire face à plusieurs problèmes provoqués par le manque de ponctualité des patients ou des clients, par les clients défaillants ou manquants et par l'impossibilité de contrôler la durée des rendez-vous (par exemple quand un dentiste a de la difficulté à plomber une dent et doit passer plus de temps avec un client, ce qui retarde tous les autres rendez-vous). On peut partiellement éviter ce problème en tentant de faire concorder le temps réservé à un patient ou à un client à ses besoins précis plutôt qu'en établissant des rendez-vous à intervalles réguliers. En dépit des problèmes de retard et de clients défaillants, le système de rendez-vous constitue une importante amélioration par rapport aux arrivées aléatoires.

17.4.2 Systèmes de réservations

On a conçu les systèmes de réservations pour permettre aux personnes responsables des systèmes de services de formuler une estimation relativement précise de la demande au cours d'une période donnée et pour atténuer la déception des clients découlant des temps d'attente excessifs ou de l'incapacité d'obtenir un service.

Les systèmes de réservations sont largement utilisés dans les lieux de villégiature, les hôtels, les restaurants et certaines sociétés de transport (comme les compagnies aériennes, les entreprises de location d'automobiles). Dans le cas des restaurants, les réservations permettent à la direction de répartir ou de regrouper les clients pour établir une correspondance entre la demande et les capacités du service. Les retards et les clients manquants peuvent perturber le système. On peut aborder le problème de défection ou de clients manquants à l'aide de la théorie décisionnelle. On peut également le traiter comme s'il s'agissait d'un problème de stocks à période unique, tel qu'on le décrit au chapitre 13.

17.4.3 Ordonnancement de la main-d'œuvre

L'ordonnancement des clients est une forme de gestion de la demande. L'ordonnancement de la main-d'œuvre est une forme de gestion de la capacité.

Cette approche est plus efficace quand il est possible de prédire la demande avec suffisamment de précision, comme dans le cas des restaurants, des salles de cinéma, du trafic de pointe et d'autres situations similaires, qui sont caractérisées par des tendances répétitives sur le plan de l'intensité de la demande. L'ordonnancement des employés des hôpitaux, des policiers et des téléphonistes affectés aux ventes par catalogue, des sociétés de cartes de crédit, des sociétés de fonds mutuels et de vente de régimes de retraite se classent dans cette catégorie. Il faut également considérer dans quelle mesure les variations sur le plan des demandes des clients peuvent être comblées par la flexibilité de la main-d'œuvre. Il est possible d'ajuster la capacité en faisant temporairement travailler les employés formés à la rotation de postes dans les services où il y a des goulots d'étranglement durant les périodes de demande de pointe. En effet, l'entreprise formera des employés capables d'effectuer plusieurs tâches. On procédera alors à des transferts temporaires vers les postes qui subissent une grande demande et qui ralentissent le flot des services en ouvrant un guichet supplémentaire, etc. En allégeant temporairement la pression sur ces postes, l'écoulement des services rendus au client sera plus fluide et rapide. Ces postes goulots devront être bien identifiés car ils représentent la capacité maximale de l'entreprise : cette approche est à la base de la théorie des contraintes développée par Elyahu Goldrath dans son livre intitulé *Le but* et elle requiert beaucoup de flexibilité du système : flexibilité dans la formation, la disponibilité des équipements, l'aménagement et la circulation dans les postes de travail.

Différentes contraintes peuvent influer sur la flexibilité de l'ordonnancement de la main-d'œuvre, notamment des contraintes légales, comportementales et techniques (telles que les qualifications des travailleurs pour effectuer certaines opérations), d'où la notion de modèles socio-techniques et budgétaires. Les conventions collectives des employés peuvent également imposer d'autres formes de contraintes.

17.4.4 L'ordonnancement des ressources multiples

Dans certaines situations, il est nécessaire de coordonner l'utilisation de plusieurs ressources simultanément. Par exemple, les hôpitaux doivent ordonnancer les chirurgiens, le personnel de la salle d'opération, le personnel de la salle de rétablissement, les admissions, le matériel spécial, le personnel infirmier, et ainsi de suite. Les établissements d'enseignement doivent ordonnancer l'offre des cours par programme, les salles de classe, le matériel audiovisuel, les étudiants, etc. Plus le nombre de ressources à ordonnancer est élevé, plus le problème est complexe et moins il est possible d'en arriver à un ordonnancement optimal. Le problème se complique davantage en raison de la nature variable de tels systèmes. Par exemple, les établissements d'enseignement changent souvent les cours qu'ils offrent et les procédures d'inscription des étudiants. De plus, les étudiants ont tendance à sélectionner différents cours au fil des ans.

Certaines écoles et quelques hôpitaux utilisent des logiciels pour améliorer l'ordonnancement, bien que plusieurs semblent utiliser des approches intuitives avec un certain degré de succès.

17.5 Conclusion

L'ordonnancement consiste à coordonner les commandes aux différents postes de travail, d'où la rédaction de programmes de production et de charges de travail. Le programme ou calendrier de production indique l'enchaînement des opérations pour créer le produit ou le service. La charge ou le calendrier de travail indique l'enchaînement des travaux, des produits ou des services qui seront réalisés par un ou des centres d'opération. Toute organisation, de quelque forme qu'elle soit, doit tenir compte de cette étape de la gestion des opérations.

L'ordonnancement diffère en fonction du processus de production : production à l'unité ou par projets (voir chapitre 19), en production interrompue (pour des lots de tailles moyenne et petite) et en production continue.

L'ordonnancement est particulièrement complexe en production interrompue : on doit s'ajuster continuellement à la variété des produits et des services à offrir, aux temps de mise en route, aux interruptions dans les taux de production et à la quantité à produire. En d'autres mots, il est complexe en raison de sa grande variabilité et de la flexibilité qu'il exige. Ainsi, il n'existe pas de techniques, de stratégies et de politiques applicables à toutes les situations. Ce type d'ordonnancement demande donc de la part du gestionnaire beaucoup d'imagination, une grande compréhension et une bonne connaissance de son procédé d'opération.

Le gestionnaire devra :

a) fixer des dates de livraison réalistes ;

b) connaître avec précision les caractéristiques de tous les facteurs de production intrants en présence ;

c) concentrer son attention sur les goulots d'étranglement et les ordonnancer en premier. On ordonnancera les autres ressources en fonction du goulot ;

d) si possible, essayer de scinder les lots.

Il existe plusieurs algorithmes pour faciliter l'ordonnancement, mais le graphique de Gantt, malgré ses limites, est un excellent outil supplémentaire pour visualiser différentes combinaisons. Plusieurs logiciels permettent d'utiliser cet outil.

Dans le secteur des services, les exigences des clients ajoutent des variables subjectives difficilement prévisibles dont il faudra tenir compte.

Finalement, le cas de l'ordonnancement simultané de ressources multiples créera un problème supplémentaire là où, encore une fois, la connaissance profonde du procédé et l'imagination jumelées aux techniques et aux principes présentés dans ce chapitre suffiraient.

Les compagnies aériennes constituent un autre exemple d'entreprises de services qui exigent un ordonnancement de ressources multiples. Elles doivent coordonner l'équipage de bord, les avions, le matériel de manutention des bagages, les comptoirs de vente de billets, le personnel des portes, celui des rampes d'embarquement et le personnel d'entretien. De plus, les règlements gouvernementaux au nombre d'heures de vol autorisées pour un pilote viennent imposer davantage de restrictions au système. Une autre variable intéressante : contrairement à la plupart des systèmes, l'équipage et le matériel de bord ne demeurent pas en un seul emplacement. De plus, le personnel et le matériel ne sont habituellement pas ordonnancés en tant qu'unité simple. On planifie souvent le temps de travail de l'équipage de bord de manière qu'il retourne à sa ville de départ tous les deux jours et même davantage, et il faut tenir compte des pauses. Par ailleurs, on peut presque continuellement utiliser l'avion, sauf au moment de l'entretien et des réparations périodiques. Par conséquent, l'équipage de bord effectue généralement des trajets différents de ceux des avions.

LECTURE
L'ORDONNANCEMENT DES AVIONS DE PASSAGERS

Le texte suivant illustre les travaux à ordonnancer pour préparer un avion de passagers à ses opérations quotidiennes simples, selon l'*American Way,* mars 1995.

Dès qu'un avion atterrit et effectue son approche finale, des équipes s'affairent :

1. à le fixer à l'aide d'amarres ;

2. à le brancher sur le système de climatisation terrestre. Un long tuyau jaune branché au bas du nez de l'appareil assure l'alimentation en air frais climatisé ;

3. un technicien monté à bord de l'avion reçoit de l'équipage les commentaires sur le vol et, s'il y a lieu, les remarques sur les travaux spéciaux de maintenance à effectuer ;

4. simultanément, les passagers, ayant reçu les consignes des agents de bord, commencent à descendre de l'appareil ;

5. l'évacuation terminée, les équipes de nettoyage procèdent à un nettoyage systématique de la cabine : nettoyer les poches de rangement à l'arrière des sièges, replacer les sièges et les ceintures de sécurité, passer le balai, nettoyer les salles de toilettes ; un nettoyage plus en profondeur sera exécuté par l'équipe de nuit ;

6. pendant ce temps, le déchargement des bagages, du cargo, des conteneurs, des cabarets de repas et des sacs postaux est effectué ;

7. le triage des bagages et autres marchandises est fait : ceux qui vont aux aires de récupération des bagages par les passagers, ceux qui vont sur d'autres vols, ceux qui vont aux aires d'attente de leur propriétaire, ceux qui vont aux services postaux, etc.

8. les traiteurs viennent récupérer leurs contenants de cabarets de repas ;

9. les responsables des services sanitaires vident et traitent les réservoirs des toilettes ;

10. une équipe procède aux réparations mineures à partir des remarques faites par l'équipage de l'avion ; elle triera les travaux majeurs et les rapportera aux instances concernées.

Une fois tout cela terminé, les opérations sont effectuées à l'envers, c'est-à-dire que :

1. les agents de bord montent dans l'avion pour recevoir les passagers ;

2. l'équipe au sol charge les bagages dans l'avion ; le cargo et les sacs postaux sont chargés à l'arrière ;

3. les passagers montent dans l'avion ;

4. l'eau potable, amenée par camion citerne, est pompée dans les réservoirs prévus à cet effet ;

5. les réservoirs d'essence sont remplis et les quantités sont vérifiées ;

6. en cas de besoin, les ailes sont déglacées ;

7. au besoin, on ajoute sur les ailes des produits dégivrants ;

8. des traiteurs indépendants procèdent à l'approvisionnement en aliments et boissons.

Toutes ces activités doivent être effectuées sans se nuire les unes aux autres. Par exemple, le camion de bagages et celui des traiteurs ne doivent pas arriver en même temps pour certains modèles d'avions car les portes sont trop rapprochées. Les chefs d'équipes au sol sont les chefs d'orchestre de toutes ces activités et doivent établir un équilibre constant et adapté à chaque type d'appareil.

Les modèles d'ordonnancement (chapitre 17) et de gestion des opérations à l'unité (chapitre 19) peuvent être adaptés pour programmer l'ensemble de ces activités à ressources multiples.

Terminologie

Algorithme d'affectation	Jalonnement aval
Algorithme de Johnson	PEPS (premier entré, premier servi)
Algorithme de Roy	PODP (par ordre de priorité)
Atelier multigammes	Programme (calendrier) de production
Capacité illimitée ou infinie	RC (ratio critique)
Capacité limitée ou finie	Règles de priorité
Charge (calendrier) de travail	Séquence dynamique
DP (délai promis)	Séquence statique
Jalonnement amont	TOC (temps d'opération court)

Problèmes résolus

Problème 1

Méthode d'affectation

On a trois commandes à livrer. On dispose de quatre machines capables d'exécuter les commandes au complet. Les coûts de production de chaque commande avec chacune des machines apparaissent dans le tableau ci-contre. Déterminer l'affectation commande-machine qui minimisera les coûts de production.

		Machines		
Commandes	A	B	C	D
1	12	16	14	10
2	9	8	13	7
3	15	12	9	11

Solution

Étant donné que le nombre de machines dépasse le nombre de commandes, nous allons créer une commande fictive 4.

		Machines		
Commandes	A	B	C	D
1	12	16	14	10
2	9	8	13	7
3	15	12	9	11
4	0	0	0	0

Nous appliquons intégralement l'algorithme d'affectation.

1. Soustraire la plus petite valeur de chaque rangée.

		Machines		
Commandes	A	B	C	D
1	2	6	4	0
2	2	1	6	0
3	6	3	0	2
4	0	0	0	0

2. Soustraire la plus petite valeur de chaque colonne.
   À cause de la commande fictive, le tableau précédent ne changera pas.

3. Tirer les lignes.

		Machines		
Commandes	A	B	C	D
1	2	6	4	0
2	2	1	6	0
3	6	3	0	2
4	—0—	—0—	—0—	—0—

Étant donné que ($l = 3$) < ($n = 4$), à partir des valeurs découvertes, on soustrait la plus petite (1) et on l'ajoute aux valeurs entrecroisées (0) et (0), d'où le tableau suivant :

Commandes	Machines			
	A	B	C	D
1	1	5	4	0
2	1	0	6	0
3	5	2	0	2
4	0	0	1	1

On tire ensuite les lignes.

Commandes	Machines			
	A	B	C	D
1	1	5	4	0
2	—1—	—0—	—6—	—0—
3	5	2	0	2
4	—0—	—0—	—1—	—1—

Étant donné que ($l = 4$) < ($n = 4$), on a la solution optimale, d'où :

Commandes	Machines			
	A	B	C	D
1	1	5	4	**0**
2	1	**0**	6	0
3	5	2	**0**	2
4	**0**	0	1	1

Revenons au tableau de départ. L'affectation des machines aux commandes sera :
Soit un coût total de :
10 $ + 8 $ + 9 $ + 0 $ = 27 $

La machine A demeure disponible pour une éventuelle commande.

Commandes	Machines			
	A	B	C	D
1				10
2		8		
3			9	
4	0			

Problème 2

Règles de priorité

Les temps de travail, incluant les temps de mise en route de cinq commandes, et leurs délais de livraison promis, apparaissent dans le tableau ci-dessous. Toutes les données sont en heures de travail.

Commande	Durée	Date promise
a	12	15
b	6	24
c	14	20
d	3	8
e	7	6

Déterminez la séquence des travaux :

a) en capacité illimitée avec jalonnement aval ;

b) en capacité illimitée avec jalonnement amont ;

c) en capacité limitée selon les règles de priorité suivantes :
   – TOC
   – DP
   – RC

Solution

a) en capacité illimitée, avec jalonnement aval

Capacité illimitée			Jalonnement aval		
Commande	Début	Durée	Fin	Date promise	Marge
a	0	12	12	15	3
b	0	6	6	24	18
c	0	14	14	20	6
d	0	3	3	8	5
e	0	7	7	6	−1

À noter que la commande e sera en retard par rapport à la date de livraison promise.

b) en capacité illimitée, avec jalonnement amont

Capacité illimitée			Jalonnement amont		
Commande	Début	Durée	Fin	Date promise	Marge
a	3	12	15	15	0
b	18	6	24	24	0
c	6	14	20	20	0
d	5	3	8	8	0
e	0	7	7	6	−1

Remarquez le retard de la commande e.

c) en capacité limitée

TOC

Séquence	Commande	Début	Durée	Fin
1	d	0	3	3
2	b	3	6	9
3	e	9	7	16
4	a	16	12	28
5	c	28	14	42

d)

DP

Séquence	Commande	Début	Durée	Fin
1	e	0	7	7
2	d	7	3	10
3	a	10	12	22
4	c	22	14	36
5	b	36	6	42

e)

RC Séquence	Commande	Début	Durée	Fin
1	e	0	6	7
2	a	7	12	19
3	c	19	14	33
4	d	33	3	36
5	b	36	6	42

On aurait pu présenter les programmes de production sous forme de graphique de Gantt.

Problème 3

En utilisant les données du problème 2, et selon la règle de priorité PEPS, calculez les indicateurs de performance en termes de: temps moyen dans le système, retard accumulé et retard moyen.

Solution

Le temps moyen dans le système = total des temps de fins ÷ nombre de commandes.

Le retard accumulé = Σ des retards par rapport à la date de livraison promise.

Le retard moyen = retards accumulés ÷ nombre de commandes.

Les résultats apparaissent dans le tableau ci-dessous.

PEPS Séquence	Commande	Début	Durée	Fin	Date promise	Retard
1	a	0	12	12	15	0
2	b	12	6	18	24	0
3	c	18	14	32	20	12
4	d	32	3	35	8	27
5	e	35	7	42	6	36
		Total		139		75

Temps moyen dans le système = 139 ÷ 5 = 27,80 heures

Retard accumulé = 75 heures

Retard moyen = 75 ÷ 5 = 15 heures

Problème 4

On a une commande de cinq produits; chacun des produits doit passer par l'employé A et ensuite par l'employé B (voir tableau ci-dessous). Les temps sont en heures par unité pour chaque produit. On dispose d'une capacité limitée de travail. Il faut terminer l'ensemble de la commande au plus tôt.

Produits	Employés A (heures/unité)	B (heures/unité)
P-1	2,5	4,2
P-2	3,8	1,5
P-3	2,2	3
P-4	5,8	4
P-5	4,5	2

Solution

Étant donné que l'on a une unité par produit, on applique directement l'algorithme de Johnson aux données pour trouver la séquence optimale. Pour déterminer le temps donné par la séquence, on appliquera ensuite l'algorithme de Roy ou le graphique de Gantt.

				P-2
			P-5	P-2
P-3			P-5	P-2
P-3	P-1		P-5	P-2

On placera le produit P-4 à la seule place qui reste, d'où la séquence finale: P-3, P-1, P-4, P-5 et P-2. Selon l'algorithme de Roy, cette séquence prendra 20,3 heures. On trouve le même résultat avec le graphique de Gantt, ce qui donne aussi le programme ou calendrier de production de cette commande.

	Séquence optimale		Algorithme de Roy	
Produits	A	B	A	B
	Temps par opération			
P-3	2,2	3	2,2	5,2
P-1	2,5	4,2	4,7	9,4
P-4	5,8	4	10,5	14,5
P-5	4,5	2	15	17
P-2	3,8	1,5	18,8	20,3

Problème 5

On reçoit une deuxième commande de cinq produits tels qu'ils sont définis au problème 4. Cette fois-ci, le client demande de faire 5 unités du produit P-1, 6 du P-2, 8 du P-3, 10 du P-4 et 4 du P-5. Les lots de chaque produit sont indivisibles. On demande de terminer l'ensemble de la commande au plus tôt.

Solution

1. On multiplie les temps (heures/unité) par le nombre d'unités de chaque produit.

				Temps globaux	
Produits	A	B	Quantités	A	B
	heures/unité	heures/unité	(unités)	Heures	
P-1	2,5	4,2	5	12,5	21
P-2	3,8	1,5	6	22,8	9
P-3	2,2	3	8	17,6	24
P-4	5,8	4	10	58	40
P-5	4,5	2	4	18	8

2. On applique ensuite l'algorithme de Johnson aux temps globaux, d'où la séquence optimale suivante :

   P-1, P-3, P-4, P-2, P-5.

3. On applique le graphique de Gantt ou l'algorithme de Roy pour déterminer le temps de la séquence, soit 145,1 heures.

	Séquence optimale		Algorithme de Roy	
Produits	A	B	A	B
	Temps par opération			
P-1	12,5	21	12,5	33,5
P-3	17,6	24	30,1	57,5
P-4	58	40	88,1	128,1
P-2	22,8	9	110,9	137,1
P-5	18	8	128,9	145,1

Le calendrier ou programme de production aura la forme suivante :

	Employé A			Employé B		
Produits	Début	Durée	Fin	Début	Durée	Fin
P-1	0	12,5	12,5	12,5	21	33,5
P-3	12,5	17,6	30,1	33,5	24	57,5
P-4	30,1	58	88,1	88,1	40	128,1
P-2	88,1	22,8	110,9	128,1	9	137,1
P-5	110,9	18	128,9	137,1	8	145,1

Questions

1. Pourquoi l'ordonnancement est-il simple pour la production continue, mais complexe pour la production interrompue ?

2. Qu'est-ce que le graphique de Gantt et à quoi sert-il ? Quels sont ses avantages et ses inconvénients ?

3. À quoi sert l'algorithme d'affectation, quelles sont ses hypothèses de base et ses limites ? Dans quelles situations peut-on l'utiliser ? Nommez quelques situations où vous pourriez l'utiliser.

4. Décrivez brièvement les règles de priorité suivantes : PEPS, TOC, DP, PODP.

5. Pourquoi une entreprise doit-elle définir sa politique en matière de règles de priorité ?

6. Quelles sont les règles de priorité du secteur tertiaire (les services) absentes du domaine manufacturier ? Quelles sont les plus utilisées dans les services ?

7. Les professionnels du secteur médical planifient les rendez-vous des patients à intervalles fixes. Identifiez les avantages et les inconvénients d'une telle politique. Pouvez-vous suggérer une autre politique? Dans quelles circonstances la politique de rendez-vous à intervalles fixes est-elle acceptable?

8. Comment l'ordonnancement contribue-t-il à la productivité?

9. Identifiez les avantages et les inconvénients de la subdivision des commandes en petits lots.

Problèmes

1. Un bureau d'avocats a trois cas à étudier, chacun correspondant à un secteur juridique spécifique. Le gestionnaire dispose de trois professionnels capables d'instruire les cas. Or, à cause de leur disponibilité, la durée en semaines diffère d'un avocat à l'autre. On vous demande d'établir l'affectation optimale pour minimiser les temps d'étude de cas.

2. À partir du problème 1, exécutez une affectation qui maximise la répartition.

Avocat	Cas 1	Cas 2	Cas 3
A1	5	8	6
A2	6	7	9
A3	4	5	3

3. On vous demande d'affecter vos cinq camions aux cinq routes que vous desservez. Les coûts des camions par route sont :

Routes

Camions	A	B	C	D	E
1	4	5	9	8	7
2	6	4	8	3	5
3	7	3	10	4	6
4	5	2	5	5	8
5	6	5	3	4	9

4. Connaissant les informations ci-dessous, établissez l'affectation minimale et interprétez-la. Les temps sont en heures par unité; chaque commande est constituée d'une unité.

Machines

Commandes	A	B	C
1	12	8	11
2	13	10	8
3	14	9	14
4	10	7	12

Quelle sera votre affectation si vous apprenez que la commande 1 est constituée de 10 unités, la 2e de 5, la 3e de 12 et la 4e de 15?

5. Établissez les charges de travail pour les cinq machines suivantes à l'aide de l'algorithme d'affectation en suivant les recommandations ci-dessous :
   a) la combinaison 2-D est à éviter ;
   b) les combinaisons 1-A et 2-D sont à éviter.

Machines

Tâches	A	B	C	D	E
1	14	18	20	17	18
2	14	15	19	16	17
3	12	16	15	14	17
4	11	13	14	12	14
5	10	16	15	14	13

6. Une entreprise de déménagement a quatre déménagements à faire ; la durée de chaque déménagement et les dates promises apparaissent dans le tableau ci-dessous.

Temps d'opération	Durée du déménagement (jours)	Date promise (jour)
A	14	20
B	10	16
C	7	15
D	6	17

   a) établissez le programme de production en capacité illimitée avec jalonnement aval, et un autre avec jalonnement amont ;
   b) établissez les programmes de production en capacité limitée selon les méthodes PEPS, TOC, DP et RC ;
   c) calculez et interprétez les indicateurs de performance pour chacune des règles de priorité définies en b).

7. À l'aide des informations réunies dans le tableau suivant, déterminez le jalonnement des commandes selon les règles de priorité PEPS, TOC, DP, RC. Calculez ensuite les indicateurs de performance pour chacune de ces politiques.

Commande	Durée (heures/unité)	Unités par commande	Temps de mise en route	Heure promise
a	0,14	45	0,7	4
b	0,25	14	0,5	10
c	0,10	18	0,2	12
d	0,25	40	1,0	20
e	0,10	75	0,5	15

8. On vous demande d'établir la charge ou le calendrier de travail du centre de production ayant à produire les commandes inscrites dans le tableau suivant. On travaille 7 heures par jour et la semaine commence le lundi matin à 8 h.
   a) selon une capacité illimitée avec jalonnement amont ;
   b) selon une capacité limitée avec les méthodes PEPS et DP.

Commande	Temps d'opération (heures/unité)	Quantité	Date promise (jour)
A	8	2	20
B	10	4	18
C	5	5	25
D	11	3	17
E	9	4	35

9. La procédure utilisée dans un centre de distribution pour exécuter les commandes en provenance des clients se fait en deux étapes successives. Le centre a reçu sept commandes.

Déterminez la séquence optimale pour exécuter les commandes, ainsi que le temps correspondant.

Commande	Temps (HEURES)	
	Opération 1	Opération 2
A	1,20	1,40
B	0,90	1,30
C	2,00	0,80
D	1,70	1,50
E	1,60	1,80
F	2,20	1,75
G	1,30	1,40

10. Le temps nécessaire pour exécuter huit commandes sur deux machines est résumé dans le tableau ci-dessous. Les temps sont en heures par unité. Chaque commande doit passer par la première machine avant d'aller à la deuxième.
    a) établissez le programme de production pour les huit commandes et les charges de travail des deux machines en situation de capacité illimitée (infinie);
    b) si on travaille en situation de capacité limitée (finie), établissez le programme de production et les charges de travail optimum en identifiant les temps d'attente de chaque machine;
    c) si le nombre d'unités par commande est de 20 en situation de capacité limitée, qu'arrive-t-il à la séquence des commandes? Établissez le nouveau programme de production.

Travail	Temps (HEURES)	
	Machine A	Machine B
a	16	5
b	3	13
c	9	6
d	8	7
e	2	14
f	12	4
g	18	14
h	20	11

11. Soit deux centres d'opération et les temps (en minutes) des travaux à y accomplir (voir tableau ci-dessous). Établissez une séquence des travaux qui minimise les temps d'attente par centre.

TEMPS D'EXÉCUTION (EN MINUTES)	A	B	C	D	E	F
Centre 1	20	16	43	60	35	42
Centre 2	27	30	51	12	28	24

12. Une cordonnerie fonctionne selon un système à deux opérations avec une capacité limitée.
    a) établissez le jalonnement qui minimise le temps global des travaux;
    b) établissez un jalonnement qui minimise le temps d'attente de l'opération B.

TEMPS DE TRAVAIL (EN MINUTES)	a	b	c	d	e
Poste de travail A	27	18	70	26	15
Poste de travail B	45	33	30	24	10

13. Usinage Marieville a recueilli les informations suivantes (voir tableau) concernant les travaux à accomplir. Établissez un calendrier des opérations de façon à livrer les commandes au plus tôt.

Commande	Coupe		Polissage	
	Début	Fin	Début	Fin
A	0	2	2	5
B	2	6	6	9
C	6	11	11	13
D	11	15	15	20
E	15	17	20	23
F	17	20	23	24
G	20	21	24	28

14. Usinage Marieville doit exécuter des commandes dont l'exécution comporte quatre opérations, l'une à la suite de l'autre, en capacité limitée (voir tableau ci-dessous).

Commande	Perçage	Fraisage	Ébarbage	Polissage
A	3	6	2	1
B	2	4	5	4
C	1	5	3	9
D	4	3	4	8
E	9	4	7	6
F	8	7	4	3
G	6	2	6	2

Le planificateur désire livrer au plus tôt l'ensemble des commandes. Le directeur du service de fraisage aimerait fonctionner selon la séquence TOC, qui minimise la quantité de produits en cours dans son service. Quelle que soit la séquence adoptée, elle sera la même pour l'ensemble de l'entreprise.
   a) établissez une séquence selon les désirs du service de fraisage;
   b) établissez la séquence permettant de livrer les commandes au plus tôt;
   c) comparez les séquences établies précédemment à l'aide des indicateurs de performance pertinents.

15. La gestionnaire d'une entreprise de vêtements reçoit une commande de six modèles, à livrer au plus tôt. Elle doit fabriquer des quantités différentes pour chaque modèle, ces quantités étant définies par douzaines. Les opérations de confection ainsi que les temps en minutes par unité apparaissent dans le tableau ci-dessous:

Modèle	Quantité (douzaines)	Opération 1 min/unité	Opération 2 min/unité
M-1	10	4,5	2
M-2	17	6	4
M-3	12	5,2	3
M-4	27	1,6	5
M-5	18	2,8	3
M-6	19	3,3	1

   a) déterminez l'ordonnancement optimal de l'ensemble de la commande;
   b) si la gestionnaire décide de scinder en deux les lots de chaque modèle, quel est l'impact sur l'ordonnancement des opérations et sur la date de livraison de l'ensemble de la commande?
   c) quels sont les avantages et les inconvénients d'une scission commandes?

16. La gérante d'un restaurant spécialisé dans la livraison de repas reçoit simultanément les cinq commandes suivantes:

Commande	Préparation (minutes)	Cuisson (minutes)	Livraison (minutes)
C-1	2	5	8
C-2	4	6	5
C-3	4	9	10
C-4	3	7	12
C-5	2	10	8

La cuisson se fait dans un four à capacité illimitée. Le restaurant ne dispose que d'un cuisinier et d'un seul livreur.
Quelle est la meilleure séquence pour l'exécution des commandes?

17. Soit les travaux de maintenance suivants à effectuer:

Travail	Durée (heures)	Fin promise (heure)
T-1	3,5	7
T-2	2	6
T-3	4,5	18
T-4	5	22
T-5	2,5	4
T-6	6	20

Déterminez la meilleure séquence pour les travaux à effectuer en expérimentant les règles de priorité PEPS, TOC, DP, RC. Comparez les indicateurs de performance de chacune de ces politiques.

18. La compagnie Les Engrenages ensablés ltée reçoit à 8 h du matin les cinq commandes suivantes :

Commande	Quantité (unités)	Opération min/unité	Délai promis (minutes)
A	16	4	160
B	6	12	200
C	10	3	180
D	8	10	190
E	4	1	220

Sachant que l'entreprise fonctionne selon la politique DP (date promise), déterminez :
a) le jalonnement des commandes ;
b) les indicateurs de performance (temps moyen dans le système, retard accumulé et retard moyen).
c) Qu'arriverait-il si l'entreprise adoptait le TOC ? Comparez avec la politique initiale.

19. Les temps de mise en route des produits suivants sont interdépendants. Déterminez la séquence des produits qui minimise les temps de mise en route.

Produits précédents	Temps de mise en route (heures)	Temps de mise en route s'ils sont suivis par les produits ci-dessous (heures)		
		A	B	C
A	2	0	3	5
B	3	8	0	2
C	2	4	3	0

20. Dans une entreprise pharmaceutique, les temps de mise en route des produits suivants sont interdépendants. Pour des raisons de sécurité, le produit C ne peut être suivi par le produit A et le produit A, par le produit C. Déterminez la séquence de produits qui minimise les temps de mise en route (il existe 12 combinaisons possibles).

Produits précédents	Temps de mise en route (heures)	Temps de mise en route s'ils sont suivis par les produits ci-dessous (heures)			
		A	B	C	D
A	2	0	5	X	4
B	1	7	0	3	2
C	3	X	2	0	2
D	2	4	3	6	X

Bibliographie

BENEDETTI, Claudio. *Introduction à la gestion des opérations,* Études Vivantes, Laval, 1991, pp 212, 221.

FOGARTY, Donald W. et Thomas R. HOFFMANN. *Production and Inventory Management,* Cincinnati, South-Western Publishing, 1983.

HOPP, Wallace J. et Mark L. SPEARMAN. *Factory Physics: Foundations of Manufacturing Management,* Burr Ridge, IL., Richard D. Irwin, 1996.

LAMBERT, P. *La fonction ordonnancement,* Paris, Éditions de l'Organisation, 1975, 468 p.

NAHMIAS, S. *Production and Operations Management,* 3e édition, Irwin/McGraw-Hill, 1997, 858 p.

SCHONBERGER, Richard J. *Operations Management: Improving Customer Service,* 5e édition, Burr Ridge, IL., Richard D. Irwin, 1994.

VOLLMANN, Thomas E., William L. BERRY et D. Clay WHYBARK. *Manufacturing Planning and Control Systems,* 4e édition, Burr Ridge, IL., Richard D. Irwin, 1997.

OBJECTIFS D'APPRENTISSAGE

À la fin de ce chapitre, vous pourrez :

1. Comprendre le rôle social de la gestion de projets et les relations entre gestionnaires et employés qui en découlent ; définir les qualités des personnes évoluant en gestion de projets.

2. Définir l'importance de la segmentation des activités d'un projet.

3. Distinguer les caractéristiques des algorithmes PERT (*Program Evaluation and Review Technique*) et CPM (*Critical Path Method*).

4. Construire les réseaux de projets.

5. Distinguer réseau nodal et réseau vectoriel.

6. Lire et interpréter les informations établies par le PERT et le CPM.

7. Analyser les réseaux déterministes.

8. Analyser les réseaux probabilistes.

9. Établir les programmes d'opérations d'un projet et les charges de travail.

10. Analyser l'aspect économique de la gestion de projets.

11. Connaître les applications de la gestion de projets dans le secteur des services.

Chapitre 18

LA GESTION DE PROJETS

Plan du chapitre

18.1 INTRODUCTION

Les gestionnaires des opérations ont à gérer aussi bien des activités récurrentes et répétitives que des activités qui ne se présentent qu'une seule fois ou rarement.

Par exemple, les gestionnaires qui organisent les Jeux olympiques ne le feront qu'une seule fois. Ils auront alors à planifier, organiser, diriger et contrôler (PODC), c'est-à-dire à gérer toutes les activités rattachées à cet événement : la construction d'installations spéciales et de routes, le transport des invités, le programme des activités sportives (compte tenu des possibilités de retards), etc. Il serait superflu d'énumérer l'ensemble des activités à prévoir pour cet événement, car, bien qu'il soit cyclique, il demeure unique à chaque ville organisatrice. Les Jeux olympiques de Montréal de 1976 ont un historique unique. Il en va de même pour la construction d'un barrage ou d'un édifice, la publication d'un livre, etc. Cette dimension d'unicité est spécifique à ce type de gestion.

On entend par **projet** l'ensemble des activités nécessaires à la réalisation d'un bien ou d'un service unique dans un horizon de temps défini.

Vue de cette façon, la gestion de projets s'applique à une multitude d'activités humaines, et plus spécifiquement à la production à l'unité[1]. Prenons comme exemple la réalisation du film *Titanic,* apparu sur les écrans à l'automne 1997. Il a coûté plus de 350 millions de dollars canadiens (250 $US) et a nécessité une gestion et une planification parfaites : il fallait coordonner le travail des scénaristes, des équipes de tournage, de cascades, de construction, de menuiserie, d'électriciens, de plongeurs, de costumiers, d'acteurs, etc. Autres exemples de projets : le déménagement d'une succursale d'une organisation quelconque, la production d'un objet unique (navire, avion, turbine), le développement ou l'implantation d'un logiciel ou d'un nouveau produit, l'implantation d'une nouvelle politique d'opérations, d'un système de paye ou d'un système SIA (système d'information administratif), PBM (plan besoins matières), MRP ou autres. Nous voyons donc que la gestion de projets a une multitude d'applications.

Les projets entraînent des coûts très élevés, et ce, sur des périodes plus ou moins longues. Ils impliquent la planification et la coordination minutieuses de plusieurs activités différentes. L'objectif de chaque activité doit être clairement défini et combiné à des prévisions réalistes en termes de durée, de coûts (budgets), de besoins en ressources humaines, matérielles et autres. Le suivi des activités doit être assuré par le **contrôle des opérations,** et ce, à des cadences permettant, si nécessaire, de corriger à temps la progression des travaux.

La gestion de projets permet à toute organisation de concentrer ses efforts sur un objectif clairement défini ou un ensemble restreint d'objectifs, pendant un laps de temps donné et avec un budget précis. Encore une fois, les notions de quantité, de qualité, de temps, de lieu et de coût réapparaissent. La gestion de projets peut être très simple, comme elle peut être d'une grande complexité dans le cas où on a à gérer des milliers d'activités demandant des ressources extrêmement diversifiées.

Ce chapitre introduit les concepts de base de la gestion de projets. Nous commençons par l'aspect humain et social, tout en explorant les problèmes classiques qui y sont reliés. Ensuite, nous étudions les représentations graphiques et les algorithmes utilisés pour établir les plans, les programmes ou les calendriers d'opérations.

18.2 L'ASPECT SOCIAL DE LA GESTION DE PROJETS

Contrairement aux autres activités de gestion et en raison de son aspect temporel et de l'unicité des activités à accomplir, la gestion de projets exige une plus grande attention de la part des gestionnaires en ce qui concerne les relations interpersonnelles, à savoir entre le gestionnaire du projet et les personnes responsables d'activités spécifiques et celles qui auront à vivre avec le projet fini. Dans cette section, nous explorons

---

1. Voir chapitre 4 : « La conception de produits et services ».

brièvement ces interrelations en mettant l'accent sur le gestionnaire principal et son rôle de coordonnateur.

18.2.1 Les caractéristiques des projets

Tout projet a un début et une fin bien identifiés dans le temps. Le cycle de vie d'un projet passe donc par plusieurs étapes, chacune faisant appel à des qualifications différentes :

1. La planification du projet (la préparation) ;
2. La réalisation des activités (l'exécution) ;
3. Le suivi et le contrôle (la fin du projet).

Prenons l'exemple classique de la construction d'une maison unifamiliale. En gros, les activités ou les tâches nécessaires sont : la conception des plans et devis et l'approbation du client, le choix d'un emplacement, l'approbation de la municipalité et la recherche de financement. Vient ensuite une série d'activités exigeant des compétences très différentes des précédentes : l'excavation, le nivellement, les fondations ; l'érection de la structure : la toiture, les murs de soutènement et de séparation ; la plomberie, l'électricité et les travaux de menuiserie ; la fenestration, la peinture, les boiseries et la finition et, finalement, l'aménagement paysager. Nous voyons ici la diversité des corps de métiers et des compétences nécessaires pour un projet aussi simple. Imaginez alors les compétences requises pour un projet beaucoup plus complexe de R & D, de biotechnologie ou de tout autre domaine.

Les projets requièrent du personnel qualifié (ayant idéalement une formation large et multidisciplinaire[2]) et associé au projet pour une période plus ou moins longue. Parfois, ces personnes sont transférées d'un projet à l'autre selon les besoins ; d'autres sont prêtées à temps plein pour la durée du projet ou bien travaillent à temps partiel[3]. Des entreprises telles que des bureaux de génie-conseil et de consultants de même que des maisons d'édition se spécialisent en gestion de projets. De plus en plus, l'**impartition** devient pour elles une façon très commune de fonctionner. On voit alors apparaître des structures d'organisation matricielles plutôt que par fonctions (voir figure 18.1)[4].

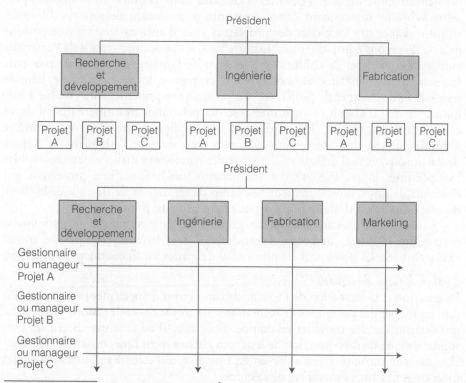

Figure 18.1

A. *Structure par fonction*

B. *Structure matricielle*

---

2. Voir : L'école logistique et multidisciplinarité, chapitre 1.
3. Voir la notion d'impartition au chapitre 4.
4. CHASE AQUILANO JACOBS, *Production and Operations Management Manufacturing and Services*, 8e édition, p. 53-54.

18.2.2 Les étapes préliminaires

Voici les étapes préliminaires suggérées pour la gestion de projets :

1. Choisir le projet à implanter.
2. Choisir le gestionnaire de projet.
3. Choisir l'équipe de travail.
4. Concevoir et planifier les étapes du projet.
5. Gérer les ressources.
6. Décider du moment de la fin du projet.

Développons brièvement chacune de ces étapes.

1. *Choisir le projet à implanter.*
   À cette étape, on doit déterminer sur quel projet travailler. On doit tenir compte des aspects économiques, techniques, sociaux et politiques. Encore une fois, l'approche PESTE (voir chapitre 1) est suggérée.

2. *Choisir le gestionnaire du projet.*
   Sans être un spécialiste dans tous les domaines, le gestionnaire principal du projet, ou directeur de projet, doit avoir une formation multidisciplinaire et être capable de regrouper et d'apprécier des personnes, spécialistes ou pas, de différentes disciplines, et de travailler avec elles. Son rôle est celui d'un coordonnateur. Il est responsable :

   a) de la réalisation des différentes tâches et activités du projet ;
   b) des ressources humaines : de leur sélection, leur bien-être et leur motivation ;
   c) des communications et du transfert d'information d'un groupe à l'autre ;
   d) du respect de la qualité promise ;
   e) du respect des délais ;
   f) du respect des budgets.

   Parmi les défis habituels, on note celui de constituer une équipe de travail avec des gens de l'interne et de l'externe, et ce, pour toute la durée du projet. Les personnes choisies directement dans l'entreprise et provenant de services différents risquent d'apporter avec elles des problèmes issus d'anciens conflits interpersonnels ou de visions contradictoires. D'autre part, les personnes venant de l'extérieur créent d'autres types de conflits avec les gens de l'interne en raison de plusieurs facteurs : méconnaissance de la culture de l'entreprise, loyauté différente, hâte de terminer et de changer de projet, etc. Le gestionnaire principal aura en plus à surmonter le défi d'asseoir son autorité avec des personnes très différentes. Il devra compter sur ses capacités de persuasion et de conciliation, et sur la coopération et le soutien de tous les intervenants. D'autres types de défis l'attendent : le respect de délais souvent mal définis au départ et des paramètres difficilement prévisibles (température, grève, fiabilité des fournisseurs, etc.). C'est une profession qui demande de doser judicieusement beaucoup de fermeté et de flexibilité : le choix du gestionnaire est donc important pour la réussite du projet.

   Finalement, il est conseillé, autant que possible, de garder le même gestionnaire pour toute la durée du projet, car même si les différentes équipes de travail changent selon les besoins, il est primordial de garder un fil conducteur, un pilier.

3. *Choisir l'équipe de travail.*
   La sélection et la formation de l'équipe de travail sont deux éléments cruciaux. On doit regrouper des personnes de formations, de croyances et de visions différentes, qui devront ensuite travailler en équipe. Pour cela, il ne faut pas choisir les personnes uniquement en fonction de leur compétence technique, mais aussi en fonction de leur capacité à travailler en équipe et à respecter les contraintes et les problèmes des autres membres de l'équipe.

4. *Concevoir, planifier et organiser le projet.*

C'est une étape technique. Elle demande des connaissances techniques dans le domaine où se situe le projet (secteur bancaire, industries aérospatiale et biomédicale, construction, arts, etc.) et des connaissances techniques en gestion de projets. En gros, il faut :

a) identifier toutes les activités nécessaires à l'atteinte de l'objectif ultime du projet ;

b) déterminer les activités préalables à chaque activité ;

c) estimer la durée de chacune de ces activités et les probabilités de les réaliser à temps ;

d) estimer les budgets rattachés aux activités ;

e) affecter les ressources pertinentes (humaines et matérielles) aux activités ;

f) au besoin, identifier et utiliser le bon système d'information administratif, informatisé ou non (SIA).

5. *Diriger et contrôler le projet.*

C'est aussi une étape technique. Il faut suivre l'évolution des activités planifiées précédemment, tout au long de leur réalisation, pour s'assurer du respect des plans. Il faut savoir quand faire le suivi et à quelle cadence, de façon à pouvoir apporter les correctifs à temps.

6. *Décider du moment de la fin du projet.*

Parfois, il est préférable d'arrêter un projet en marche plutôt que de continuer d'investir efforts, temps et argent dans un projet dont l'issue paraît compromise. On met alors l'accent sur les probabilités d'atteindre les objectifs définis initialement.

18.2.3 Les avantages et les inconvénients de la gestion de projets

Les inconvénients sont principalement d'ordre humain. En effet, pour former l'équipe interne de l'entreprise, on choisit évidemment les personnes ayant les meilleures qualités techniques et humaines. Or, il n'est pas rare d'essuyer des refus, soit de la part de leur supérieur immédiat, qui ne veut pas perdre ses meilleurs éléments, soit de la part des employés eux-mêmes, qui ne veulent pas laisser un travail qu'ils apprécient, ou encore parce qu'ils craignent d'avoir à relever de deux patrons — l'actuel et le gestionnaire principal du projet. Si le projet est trop long, impopulaire ou s'il se termine tout simplement par un échec, les employés ont peur d'être rejetés à leur retour, situation qui arrive souvent. Au moment de la dissolution de l'équipe, il n'est pas rare de voir ces personnes vivre comme des naufragés dans l'entreprise en attendant de réintégrer leurs anciennes fonctions ou de participer à un nouveau projet.

Malgré ces dangers, la gestion de projets a un attrait certain pour les personnes recherchant les défis, les imprévus, ayant l'esprit d'aventure et désirant évoluer dans un environnement dynamique, loin des tâches et des responsabilités répétitives. Certaines personnes recherchent ces situations, aiment travailler sous pression, faire face à l'imprévu et trouver des solutions sans jamais quitter de vue l'objectif ultime du projet. L'occasion de faire de nouvelles rencontres, l'augmentation des connaissances et la satisfaction face à la réussite du projet sont d'autres raisons qui attirent ces pionniers.

18.3 SEGMENTATION DES ACTIVITÉS D'UN PROJET

Quel que soit le type et le secteur industriel d'un projet, celui-ci est constitué d'un ensemble de tâches et d'activités plus ou moins longues et importantes. Il revient aux gestionnaires de segmenter les différentes activités et de les regrouper ensuite par ordre d'importance du point de vue économique, technique ou temporel. On le fait grâce à la structure des activités segmentées (SAS)[5]. La figure 18.2 illustre schématiquement une SAS.

---

5. En anglais, *work breakdown structure.*

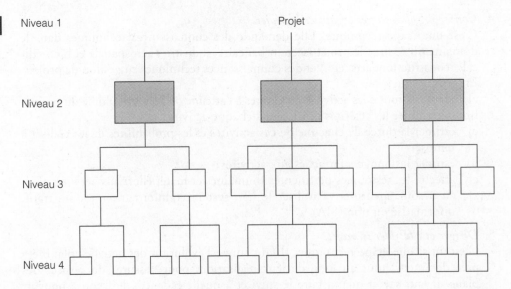

structure des activités segmentées (SAS)

Énumération par ordre hiérarchique des tâches ou des activités à accomplir pour la réalisation du projet dans son ensemble.

On entend par **structure des activités segmentées (SAS)** l'énumération par ordre hiérarchique des tâches ou des activités à accomplir pour la réalisation du projet dans son ensemble.

Construire la structure des activités segmentées consiste à identifier les activités majeures nécessaires pour atteindre l'objectif ultime, à savoir la raison d'être dudit projet, qui correspond au niveau 1 (voir figure 18.2). Ces activités sont identifiées en fonction de leur durée et des ressources nécessaires pour les réaliser : elles auront à peu près le même ordre de grandeur. À noter que dans le cas de gros projets, par exemple celui de la baie James, la construction de l'aéroport de LG2 et la construction de la route permettant aux gros camions de joindre la baie James étaient deux activités de niveau 1 ; il y en avait d'autres de même envergure. Chacune de ces activités était segmentée à son tour en d'autres activités de niveau inférieur, soit de niveau 2, et ainsi de suite. En réalité, les activités de niveau 1, 2, etc. peuvent être traitées comme des mini-projets nécessaires pour la réalisation du projet principal.

L'importance d'une bonne structure augmente avec la taille du projet et le temps prévu pour le terminer. C'est une étape très longue et fastidieuse à cause de l'incertitude rattachée aux grands projets. Souvent, elle prend plus de temps à établir que la planification elle-même. Par contre, elle est primordiale pour rappeler aux gestionnaires le but ultime de l'ensemble de l'ouvrage. Dans le cas du projet de la baie James, on n'a pas construit la route uniquement pour le plaisir de la construire, mais pour acheminer les machines et le matériel nécessaires à la construction de la digue, laquelle allait ensuite générer de l'électricité.

18.4 LA PLANIFICATION ET L'ORDON-NANCEMENT PAR LES GRAPHIQUES : APPLICATION DANS LES SERVICES

Une façon simple, efficace et très populaire de planifier et d'organiser les projets est l'utilisation de graphiques pour établir le calendrier des activités. Deux types de graphiques sont très utilisés :
- le graphique de Gantt ;
- le « diagramme des précédences ».

18.4.1 Graphique de Gantt

Nous avons déjà utilisé ce type de graphique au moment de la présentation de l'ordonnancement (chapitre 17). Nous illustrons ici son application dans le secteur des services.

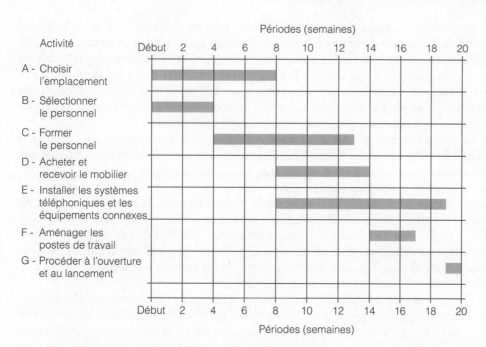

Nous désirons implanter une succursale bancaire dans une région éloignée. Les activités, leur durée et les activités préalables ont été identifiées au graphique 18.1. Afin de faciliter l'identification des activités, nous avons adopté l'approche par code alphabétique.

Par **activités préalables**, on entend celles qui doivent être nécessairement terminées avant qu'on puisse commencer l'activité principale.

Le programme des opérations présenté sous forme de graphique de Gantt apparaît ci-dessus. Il servira aussi de calendrier des activités.

L'avantage du graphique de Gantt est sa simplicité de rédaction et le fait qu'il est présenté sous forme visuelle. La durée des activités ainsi que leurs dates de début et de fin sont clairement définies, le projet se terminant après 20 semaines de travail. Par contre, nous ne voyons pas l'interdépendance des différentes activités. Par exemple, qu'arrivera-t-il à l'ensemble du projet si, par hasard, le mobilier est livré en retard? De plus, dans le cas de gros projets, si le personnel qui gère le dossier a été remplacé, il devient difficile de suivre l'évolution et les interdépendances des activités, d'où l'intérêt du «diagramme des précédences».

18.4.2 Diagramme des précédences[6]

Le «diagramme des précédences» découle directement du graphique de Gantt, mais il illustre en plus le lien existant entre les différentes activités. Dans le graphique ci-dessous, nous l'appliquons au cas de la succursale bancaire avec jalonnement ou ordonnancement aval, c'est-à-dire qu'on commence au plus tôt chaque activité et qu'on avance dans le temps pour déterminer la fin au plus tôt.

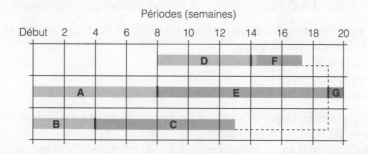

6. Voir C. BENEDETTI, *Introduction à la gestion des opérations*, p. 172 et suivantes.

chemin critique

Suite d'activités interdépendantes dont la somme des
durées est la plus longue.

activités critiques

Activités se trouvant dans
le chemin critique.

marge totale

Marge dont dispose une
activité ou une suite d'activités mais qui n'affecte pas
la date finale du projet.

marge libre

Marge dont dispose une
activité mais qui n'affecte
pas le début de cette
activité ou des activités
qui la suivent.

Nous voyons ici que les activités A, E et G sont intimement liées et qu'un retard dans l'une d'entre elles entraîne le retard de l'activité qui la suit. Il en va de même pour la chaîne d'activités B et C. De plus, si la chaîne A, E et G, la plus longue, subit un retard quelconque, c'est la date de la fin du projet qui est remise en question. Cette suite d'activités s'appelle le **chemin critique** et les activités qui s'y trouvent, pour lesquelles on ne peut se permettre un retard quelconque sans compromettre la date de la fin du projet dans son ensemble, sont des **activités critiques**.

La chaîne formée par les activités B et C doit être prête pour l'activité G, qui débute à la 19e période. La lecture du «diagramme des précédences» nous indique que cette chaîne (B et C) dispose d'une **marge totale** de six périodes. Cela veut dire que l'une ou l'autre de ces deux activités peut être retardée de six périodes ou moins sans affecter la date finale du projet. Par exemple, si B est retardée de deux périodes, le projet n'est pas affecté, mais le début de C est retardé et sa marge totale sera réduite d'autant : il faudra prendre des mesures en conséquence. On dira que B n'a pas de **marge libre**. Il en va de même pour les activités D et F, qui peuvent être retardées de deux périodes sans déranger la date finale du projet. Nous verrons à la section 18.6.1 comment calculer les marges totales et les marges libres.

Finalement, les gestionnaires pourraient décider de fonctionner en jalonnement ou ordonnancement amont. On commencera alors les activités au plus tard (voir graphique 18.3.) L'avantage, dans ce cas, est que l'achat, la réception et l'installation du mobilier, etc. se feront au plus tard, de sorte qu'on ne sera pas encombré. Par contre, des précautions et un suivi très serré des échéanciers s'imposent, le jugement et l'expérience des gestionnaires devenant un atout majeur.

Graphique 18.3

« Diagramme des précédences » pour le projet d'aménagement de la succursale bancaire (ordonnancement amont)

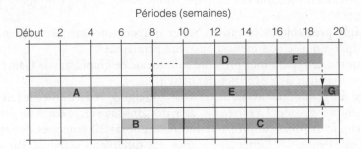

Malgré les avantages du «diagramme des précédences» sur le graphique de Gantt, il comporte un inconvénient majeur, à savoir l'obligation de le tracer à l'échelle : le graphique est immense dans le cas d'un projet de grande envergure. C'est pourquoi on a développé l'approche réseau et les techniques PERT et CPM.

18.5 LE PERT ET LE CPM

Les deux méthodes étudiées ici, le *Program Evaluation and Review Technique* (PERT) et le *Critical Path Method* (CPM), ont été développées de façon indépendante au début des années 1950. Elles permettent la planification et le suivi des projets de grande envergure. Toutes les deux sont basées sur l'identification du chemin critique, d'où leur appellation «**méthodes du chemin critique**». Elles permettent au gestionnaire de :

1. Tracer graphiquement le réseau reliant les activités du projet, et ce, sans avoir à respecter l'échelle du temps ;
2. Évaluer la durée totale du projet ;
3. Identifier le chemin critique et les activités critiques ;
4. Permettre le calcul des marges disponibles par activité.

Un autre avantage important est que la forme du réseau est indépendante de la durée des activités. Cet avantage s'avérera très précieux lors du suivi du projet, surtout quand les durées initialement prévues ne seront pas respectées, comme nous le verrons plus loin dans le chapitre.

Le PERT a été utilisé pour la première fois par la compagnie aérospatiale Lockheed, la marine américaine et le bureau de génie-conseil Booz, Allen et Hamilton pour gérer le développement du projet de missile balistique Polaris en pleine guerre froide. Il fallait alors coordonner plus de 3000 sous-traitants et des milliers d'activités en gardant le tout secret. Le CPM, quant à lui, a été créé par J. E. Kelly de la Remington Rand Corp. et M. R. Walker de la compagnie DuPont afin de gérer les activités d'entretien et de maintenance des grandes usines de produits chimiques. La différence majeure entre les deux est qu'au début, le PERT tenait compte de la dimension probabiliste, tandis que le CPM était plutôt déterministe. Aujourd'hui, il n'existe plus de différence entre ces deux méthodes et elles sont souvent confondues.

18.5.1 Le réseau : représentation vectorielle

La caractéristique principale du CPM/PERT est le traçage du réseau. Le réseau est une suite d'activités placées l'une après l'autre suivant un ordre d'exécution. Il existe deux façons de représenter le réseau : la **représentation nodale** et la **représentation vectorielle**. Bien que certains logiciels adoptent la représentation nodale, nous privilégierons la représentation vectorielle. La représentation nodale sera analysée à la section 18.8.

Revenons au projet de création de la succursale bancaire. Sa représentation vectorielle est illustrée ci-dessous.

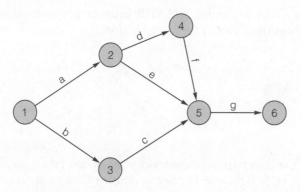

Dans la représentation vectorielle, chaque activité est symbolisée par une flèche, appelée aussi « vecteur ». L'activité débute par un événement appelé aussi « étape du début » et se termine par un événement ou « étape de la fin ». Ainsi, l'activité « Choisir l'emplacement » débute à l'événement « 1 » et se termine à l'événement « 2 » ; l'activité « Installer les systèmes téléphoniques et les équipements connexes » débute à l'événement « 2 » et se termine à « 5 », et ainsi de suite. De plus, l'activité que nous avions codifiée « A » aurait pu être codifiée « 1-2 » par les gestionnaires. Les chemins possibles de ce réseau sont les suivants :

A-D-F-G ou bien 1-2-4-5-6 ;

A-E-G ou bien 1-2-5-6 ;

B-C-G ou bien 1-3-5-6.

En additionnant les durées des activités de chaque chemin, on trouve le chemin critique, soit celui dont la somme est la plus longue, et les autres activités disposeront de marges totales. Ainsi, A-D-F-G prend 18 semaines, A-E-G prend 20 semaines et B-C-G prend 14 semaines. A-E-G est le chemin critique ; A-D-F-G et B-C-G disposent respectivement de marges totales de deux et six semaines. Toute tentative pour réduire la durée du projet doit passer par la réduction de la durée d'une ou plusieurs activités du chemin critique.

18.5.2 Conventions du réseau

Nous présentons ci-dessous quelques règles de base à respecter pour simplifier le traçage du réseau.

représentation nodale
Les activités sont présentées dans les cercles.

représentation vectorielle
Les activités sont présentées sur les flèches reliant les étapes.

Figure 18.3
a) *Choisir l'emplacement*
b) *Sélectionner le personnel*
c) *Former le personnel*
d) *Acheter et recevoir le mobilier*
e) *Installer les systèmes téléphoniques et les équipements connexes*
f) *Aménager les postes de travail*
g) *Procéder à l'ouverture et au lancement*

1. Si l'activité A est suivie par B, puis B par C, le réseau sera :

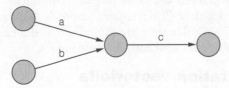

2. Si les activités A et B peuvent avoir lieu simultanément et si les deux doivent précéder C, alors :

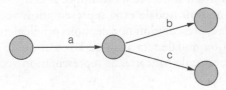

3. Si l'activité A est préalable à B et à C, alors :

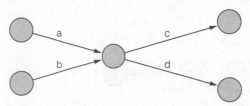

4. Dans le cas d'activités multiples, si A et B peuvent être faites simultanément et qu'elles sont toutes deux suivies par C et D, alors :

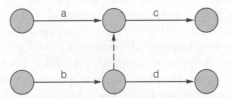

5. Si les activités A et B sont indépendantes et peuvent être faites simultanément, que C a besoin de A et de B, et que D exige seulement B, alors la création d'une **activité fictive** est nécessaire :

Une activité fictive n'existe pas en réalité, c'est pourquoi sa durée est établie à « 0 » ; son rôle est de montrer le lien d'antériorité entre différentes activités.

6. L'identification des événements se fait par ordre croissant de la gauche vers la droite.

18.6 LA PLANIFICATION DE PROJETS EN SITUATION DÉTERMINISTE

Jusqu'à présent, nous avons vu comment tracer le réseau d'un projet et comment déterminer sa durée totale. Dans cette section, nous présentons la planification des projets et l'évaluation de la durée de chacune des activités (avec ses marges) selon l'approche déterministe. La section 18.7 expliquera la dimension probabiliste de la durée d'un projet.

Selon l'approche déterministe, les durées sont considérées comme étant exactes. Le calcul des différents chemins, de leurs marges, leurs débuts et leurs fins peut se faire de façon intuitive quand les projets sont petits, mais se complique rapidement dès que le nombre d'activités augmente. On a créé un algorithme pour assister le gestionnaire dans ces calculs. Avant de présenter cet algorithme, il faut expliquer certaines abréviations:

DH (début hâtif): le début au plus tôt où l'activité peut commencer;

FH (fin hâtive): la fin au plus tôt où l'activité se termine.

DT (début tardif): le moment au plus tard où l'on doit commencer l'activité;

FT (fin tardive): le moment au plus tard où on termine l'activité.

La convention suivante sera utilisée pour identifier les temps au plus tôt (hâtifs) et au plus tard (tardifs) des activités du réseau:

où:

A   = activité A

B   = activité B qui suit l'activité A

t_A = durée de l'activité A

DH_A = début au plus tôt de l'activité A

FH_A = fin au plus tôt de l'activité A = début au plus tôt de l'activité B (DH_B)

FH_A se calcule par: $DH_A + t_A$;
(c'est-à-dire début au plus tôt de A + durée de A)

DT_B = début au plus tard de l'activité B = fin au plus tard de l'activité A (FT_A)

DT_A = début au plus tard de l'activité A

DT_A se calcule par:
$DT_B - t_A$ (c'est-à-dire début au plus tard de B – durée de A)

Il est primordial de suivre l'ordre chronologique des calculs décrits ci-dessus pour évaluer les temps au plus tôt et les temps au plus tard. Mais la situation se complique quand plusieurs activités se croisent.

18.6.1 Algorithme du réseau[7]

Dans le cas d'un réseau où plusieurs activités se croisent, nous suggérons l'utilisation de l'algorithme suivant pour le calcul des débuts et des fins des activités.

1. *Calcul des temps au plus tôt (début et fin hâtifs).*
    En partant du début du réseau, additionner les durées des activités qui se suivent en ne tenant compte que des possibilités dont les valeurs sont maximales. C'est la marche avant ou **jalonnement aval** du projet.

    En appliquant ce principe au projet de la succursale bancaire, nous obtenons le réseau ci-dessous. Notez la situation à l'événement ou étape 5 (E5).

---

7. Voir p. 178 d'*Introduction à la gestion des opérations.*

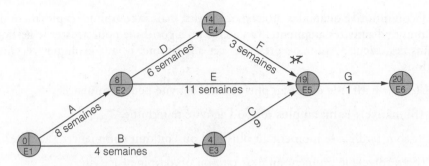

2. *Calcul des temps au plus tard (début et fin tardifs).*
En partant de la fin du réseau, soustraire les durées des activités qui se suivent en ne tenant compte que des possibilités dont les valeurs sont minimales. C'est la marche arrière ou **jalonnement amont** du projet.

En appliquant ce principe au projet de la succursale bancaire, nous obtenons le réseau ci-dessous. Notez la situation aux événements ou étapes E2 et E1.

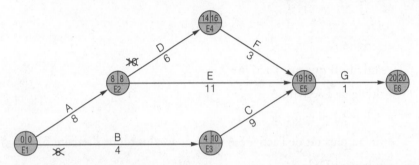

Analysons les informations apparaissant sur le réseau. Les activités A-E-G constituant la suite la plus longue en termes de temps, elles représentent les activités du chemin critique. Les étapes du chemin critique (E1, E2, E5, E6) affichent des temps identiques : elles n'ont donc pas de marge disponible et aucun retard n'est toléré. Dans certains cas, il arrive que le client consente à une date de fin du projet ultérieure à celle qui a été fixée. Par exemple, le client souhaite que ce projet se termine à la 23e période. On commencera alors la marche arrière à l'étape E6 avec une fin tardive (FT$_G$) pour l'activité G de 23, puis on appliquera textuellement la 2e étape de l'algorithme ci-haut (voir figure suivante).

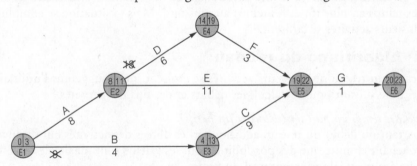

Nous voyons que le chemin le plus long demeure le même, mais que les activités du chemin critique disposent maintenant d'une marge de trois périodes. Mais qu'arrive-t-il aux autres activités ? Quelles sont les marges totales et libres dont elles disposent ? Quels sont leur début et leur fin au plus tôt ? Par exemple, quelle est la fin au plus tôt de F ? Pour répondre de façon déterministe et précise à toutes ces questions, nous suggérons d'établir un programme ou un calendrier des activités.

18.6.2 Algorithme du programme du projet[8]

Nous procédons ici à la présentation d'un algorithme qui nous permet d'établir, pour chacune des activités ou des opérations d'un projet, le début et la fin, au plus tôt et au plus tard, ainsi que leurs marges totale et libre. Le résultat est présenté sous forme de tableau, d'où le nom de **programme des activités** ou **calendrier d'opérations**, selon le secteur d'activités où il est utilisé.

1. *Calcul des débuts au plus tôt (DH).*
   Inscrire au tableau du programme des activités les débuts au plus tôt tels qu'ils apparaissent dans le réseau CPM/PERT.

2. *Calcul des fins au plus tôt (FH).*
   Dans le tableau, pour chaque activité, additionner : DH + durée = FH.

3. *Calcul des fins au plus tard (FT).*
   Inscrire au tableau les fins au plus tard telles qu'elles apparaissent dans le réseau CPM/PERT.

4. *Calcul des débuts au plus tard (DT).*
   Dans le tableau, pour chaque activité, soustraire : FT – durée = DT.

5. *Calcul des marges totales (MT).*
   La marge totale égale la différence entre le début au plus tard et le début au plus tôt ou bien la fin au plus tard et la fin au plus tôt : MT = DT – DH ou bien FT – FH.

6. *Calcul des marges libres (ML).*
   La marge libre d'une activité est égale à sa marge totale moins la plus petite des marges totales des activités qui la suivent immédiatement dans le réseau.

   Pour mieux expliquer ce calcul, rappelons la définition de la marge libre : « marge dont dispose une activité mais qui n'affecte pas le début de cette activité ou des activités qui la suivent ». Considérons la figure suivante :

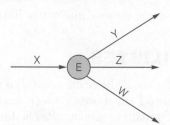

Le calcul de la marge libre de X se fait par :

Marge libre de X = marge totale de X – la plus petite des marges totales entre Y, Z ou W

MLx = MTx – min. : (MTy ; MTz ; MTw).

La marge libre d'une activité peut être plus petite ou, à la limite, égale à sa marge totale, mais jamais supérieure :

MLx ≤ MTx

Cet algorithme peut s'informatiser facilement. En l'appliquant au projet de la succursale bancaire, en situation normale on obtient les données du tableau 18.1, les activités du chemin critique étant identifiées par les lettres *cc*.

---

8. Voir p. 180 d'*Introduction à la gestion des opérations*.

TABLEAU 18.1

Programme d'activités de la succursale bancaire (situation normale)

	ACTIVITÉ		DURÉE	DÉBUT		FIN		MARGE	
	Code	Événement	(semaines)	DH	DT	FH	FT	Totale	Libre
cc	A	E1 – E2	8	0	0	8	8	0	0
	B	E1 – E3	4	0	6	4	10	6	0
	C	E3 – E5	9	4	10	13	19	6	6
	D	E2 – E4	6	8	10	14	16	2	0
cc	E	E2 – E5	11	8	8	19	19	0	0
	F	E4 – E5	3	14	16	17	19	2	2
cc	G	E5 – E6	1	19	19	20	20	0	0

Les activités du chemin critique, à l'exception de la dernière, auront toujours des marges libres égales à 0 et les marges totales les plus petites du projet, comme le démontre le tableau 18.1.

Exemple 1

On vous demande d'établir le programme des activités de la succursale en sachant que le client désire la fin du projet à la 23ᵉ semaine.

Solution

En utilisant un micro-ordinateur, on peut programmer le calendrier des opérations illustré au tableau ci-dessous.

TABLEAU 18.2

Calendrier des opérations avec marge sur le chemin critique

	ACTIVITÉ		DURÉE	DÉBUT		FIN		MARGE	
	Code	Événement	(semaines)	DH	DT	FH	FT	Totale	Libre
cc	A	E1 – E2	8	0	3	8	11	3	0
	B	E1 – E3	4	0	9	4	13	9	0
	C	E3 – E5	9	4	13	13	22	9	6
	D	E2 – E4	6	8	13	14	19	5	0
cc	E	E2 – E5	11	8	11	19	22	3	0
	F	E4 – E5	3	14	19	17	22	5	2
cc	G	E5 – E6	1	19	22	20	23	3	3

Notez que seule la dernière activité du chemin critique possède une marge libre.

18.7 LES RÉSEAUX PROBABILISTES

Souvent, on ne peut estimer avec suffisamment de précision la durée des activités d'un projet, surtout quand ces activités n'ont jamais été réalisées auparavant ou bien quand trop de phénomènes aléatoires interviennent. Les gestionnaires estiment alors la durée de l'activité en se basant sur leurs connaissances et sur l'expérience acquise par d'autres groupes dans des situations à peu près similaires, d'où la naissance d'une profession : **estimateur de projets**. Le projet doit tenir compte de la dimension probabiliste. Ainsi, chaque activité sera définie par trois estimations de temps :

a_i = **temps optimiste**, soit le meilleur temps pris pour réaliser l'activité dans des conditions optimales ;

m_i = **temps le plus probable**, soit le temps que l'activité prend en situation normale ;

b_i = **temps pessimiste**, le temps le plus long pour réaliser l'activité dans des conditions difficiles.

Habituellement, la fonction de distribution statistique bêta est la plus utilisée dans un environnement de projet probabiliste. Les avantages de la **distribution bêta** par rapport à la distribution normale sont qu'elle peut être aussi bien asymétrique à droite ou à gauche que symétrique, et qu'en plus, elle est unimodale. La moyenne et l'écart-type de chaque activité sont facilement calculés :

Figure 18.4

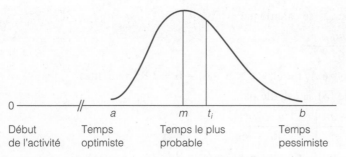

Temps moyen de l'activité i = t_i

$$t_i = \frac{a_i + 4m_i + b_i}{6}$$

Variance de l'activité i = $(\sigma_i)^2$

$$\sigma_i^2 = \left[\frac{(b_i - a_i)^2}{6}\right] = \frac{(b_i - a_i)^2}{36}$$

Écart-type du chemin critique ou σ_{cc}

$$\sigma_{cc} = \sqrt{\sum (\text{variances des activités du chemin critique})}$$

L'exemple ci-dessous illustre les calculs de ces paramètres et leur utilité pour un projet évoluant dans un environnement probabiliste.

Soit les activités d'un projet dont les temps en semaines apparaissent sur le réseau :

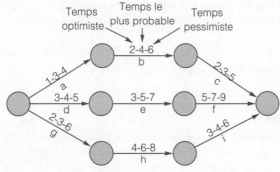

a) calculer le temps moyen par activité ;

b) identifier le chemin critique ;

c) calculer les variances de chaque activité et, pour chaque chemin, la variance et l'écart-type.

Le tableau ci-dessous illustre les résultats :

TABLEAU 18.3

Calendrier des opérations avec marge sur le chemin critique

Chemin	Activité	Durée a m b	Temps moyen T_i (1)	Durée du chemin (2)	Variance par activité (3)	$\sum$ Variance du chemin (4)	Écart-type chemin (5)
A-B-C	A	1 3 4	2,83		9 / 36		
	B	2 4 6	4	10	16 / 36	34 / 36 = 0,94	0,97
	C	2 3 5	3,17		9 / 36		
D-E-F	D	3 4 5	4		4 / 36		
	E	3 5 7	5	16	16 / 36	36 / 36 = 1	1,00
	F	5 7 9	7		16 / 36		
G-H-I	G	2 3 6	3,33		16 / 36		
	H	4 6 8	6	13,5	16 / 36	41 / 36 = 1,14	1,07
	I	3 4 6	4,17		9 / 36		

La colonne (1) se calcule par :

$$t_i = \frac{a_i + 4m_i + b_i}{6}$$

pour l'activité A, $t_i = (1 + 4 \times 3 + 4) \div 6 = 2{,}83$ semaines

La colonne (3) se calcule par :

$$\sigma_i^2 = \left[\frac{(b_i - a_i)}{6}\right]^2 = \frac{(b_i - a_i)^2}{36}$$

pour l'activité A, $\sigma^2 = (4 - 1)^2 \div 36 = 9 / 36$

La colonne (5) se calcule par $\sqrt{\Sigma(\sigma^2 \text{ du chemin})}$

pour le chemin A-B-C, $\sqrt{(0{,}944)} = 0{,}97 = \sigma$ de ce chemin

b)   Le chemin critique est formé par les activités D-E-F, sa durée moyenne est de 16 semaines avec un écart-type de 1,00 semaine.

18.7.1 Calcul des probabilités des chemins du réseau

La probabilité qu'un chemin donné soit terminé dans un laps de temps spécifique est calculée par :

$$z = \frac{\text{Temps spécifié} - \text{Durée moyenne du chemin}}{\text{Écart-type du chemin}}$$

La valeur de « z » se lit dans la table A normale centrée réduite (0,1). Une valeur négative de z indique que le temps spécifié est inférieur au temps moyen nécessaire pour terminer ce chemin. Rappelons les notions de statistique : la surface située au-dessus de la courbe indique la probabilité cumulative de 0 à z, la courbe étant symétrique (voir figure 18.5).

La surface se trouvant sous la courbe de $-\infty$ à z indique la probabilité de respecter la date de la fin du projet telle qu'elle a été promise.

0 = durée moyenne du chemin (ou durée espérée)

z = durée spécifiée

Statistiquement parlant, si la valeur de $z \geq 2{,}50$, la table A donne une probabilité de 99,38 %, soit près de 100 %. Les chances de respecter la durée spécifiée sont donc très bonnes. Pour cela, on applique la règle générale :

> $z \geq 2{,}50$ implique une probabilité de 100 % de respect du délai promis.

L'utilisation de la loi normale en gestion de projets s'explique par le fait que plus le nombre d'activités augmente, plus les distributions tendent vers une distribution normale. C'est le fondement même de la loi des grands nombres en statistique. Donc, plus le projet comporte d'activités, plus l'utilisation de la loi normale est pertinente, et plus l'estimation des délais sera précise. La loi normale nous donne une bonne approximation des probabilités des durées, même dans le cas d'un petit projet.

Un projet n'est terminé que lorsque toutes les activités sont complétées. Un chemin peut être identifié comme critique à cause de sa durée moyenne, mais un autre

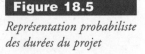

Figure 18.5

Représentation probabiliste des durées du projet

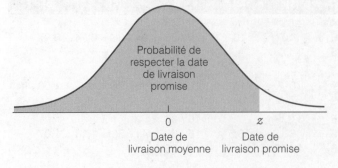

peut être plus long si on considère les écarts-types. Dans ce type de situation, il est donc très risqué de s'arrêter uniquement au chemin critique identifié au début. Il faut explorer tous les chemins possibles ainsi que les écarts-types correspondants : la probabilité de terminer un projet dans les temps spécifiés correspondra alors à la probabilité conjointe des différents chemins du réseau.

Par **probabilité conjointe** d'un projet pour une durée spécifique, on entend le produit (multiplication) des probabilités de chacun des chemins constituant le projet.

La probabilité conjointe représente les chances de respecter la durée spécifiée, compte tenu de l'ensemble des chemins. Le calcul de la probabilité conjointe est illustré à l'exemple 2.

On considère habituellement que les durées des chemins sont indépendantes l'une de l'autre. Cette notion d'**indépendance des chemins du projet** suppose que toute activité se trouve sur un seul chemin et que sa durée est indépendante de celle des autres activités. Si le début d'une activité dépend de la fin d'une autre activité, elle n'est pas considérée comme une activité indépendante (voir notions de marge libre et marge totale). Le même raisonnement s'applique pour une suite d'activités, ou chemin, par rapport à une autre. L'exemple 3 illustre ce principe.

probabilité conjointe
Produit (multiplication) des probabilités des chemins constituant le projet.

Considérons le projet de l'exemple 2 :

Exemple 3

a) Les chemins sont-ils indépendants les uns des autres ?

b) Calculer les probabilités de terminer le projet en 17 semaines.

c) Quelles sont les probabilités de terminer le projet en 15 semaines ?

d) Quels sont risques de dépasser 15 semaines ?

Solution

a) Les trois chemins du projet sont indépendants, puisque aucune activité d'un chemin n'apparaît dans les autres : A-B-C ; D-E-F ; G-H-I.

b) La courbe normale représentant la distribution probabiliste des durées de chaque chemin apparaît ci-dessous, et ce, à l'échelle.

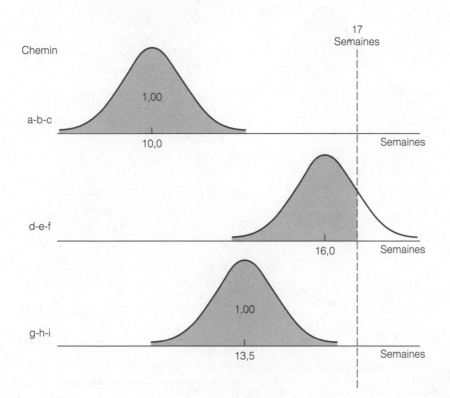

La surface se trouvant sous la courbe, à gauche, représente les probabilités de respecter le délai. On remarque que les chemins A-B-C et G-H-I sont passablement en dessous d'une durée de 17 semaines ; il est donc hautement probable de les terminer avant cette date, ce qui n'est pas le cas du chemin D-E-F. Analysons donc ce chemin plus en détail. En calculant la valeur z standardisée, on obtient :

$$z = \frac{\text{Temps spécifié} - \text{Durée moyenne du chemin}}{\text{Écart-type du chemin}}$$

$$z = \frac{17 - 16}{1,00} = +1,00$$

Dans la table A, on note qu'avec un $z = +1,00$, la surface située sous la courbe donne une probabilité cumulative de 0,8413 : les chances de terminer le projet en 17 semaines ou moins sont de 84,13 %.

c) Pour répondre à cette question, nous devons calculer la valeur standardisée z pour chacun des 3 chemins en utilisant comme «Temps spécifié» la durée visée de 15 semaines (voir tableau 18.4)

TABLEAU 18.4

Calendrier des opérations avec marge sur le chemin critique

Chemin	$z = \dfrac{\text{Temps spécifié} - \text{Durée moyenne du chemin}}{\text{Écart-type du chemin}}$	Probabilité de fin du projet Durée ≤ 15 semaines
A-B-C	$z = \dfrac{15 - 10}{0,97} = +5,15$	1,00
D-E-F	$z = \dfrac{15 - 16}{1,00} = -1,00$	0,1587
G-H-I	$z = \dfrac{15 - 13,50}{1,07} = +1,40$	0,9192

Étant donné que les z des chemins D-E-F et G-H-I ≤ 2,50, les probabilités se superposent (voir figure ci-dessous)

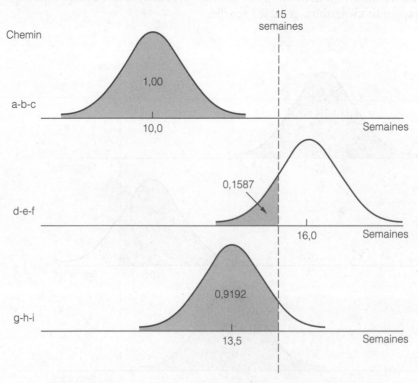

La probabilité conjointe pour l'ensemble du projet est de :

(1,00)(0,1587)(0,9192) = 0,1459 ou de 14,59 %

Cela signifie qu'il y a 14,59 % de probabilité de le terminer en dessous de 15 semaines.

d) La probabilité que l'ensemble du projet prenne plus de 15 semaines est de :
    1 – la probabilité conjointe = 1 – 0,1459 = 0,8541 ou 85,41 %

18.8 LA REPRÉSENTATION NODALE

Certains gestionnaires et certains logiciels tendent à utiliser la représentation nodale pour tracer le réseau CPM plutôt que l'approche vectorielle. Considérons le projet suivant :

a)

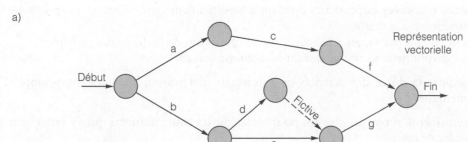

Représentation vectorielle

b)

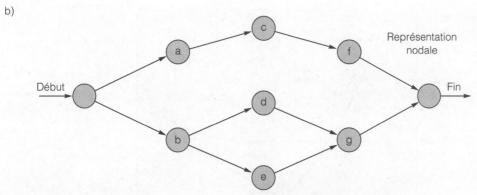

Représentation nodale

> **Figure 18.6**
>
> *Comparaison : représentation vectorielle/ représentation nodale*

Le réseau de ce projet selon les représentations vectorielle (figure a) et nodale (figure b) apparaît à la figure 18.6.

Activité	Suivie de
a	c
b	d, e
c	f
d	g
e	g
f	Fin
g	Fin

Pour ce qui est de la représentation et de la notation des débuts et fins au plus tôt et au plus tard de chaque activité, nous suggérons la convention suivante.

DH   FH   où   DH = début hâtif ou au plus tôt
┌─────────┐   FH = fin hâtive ou au plus tôt
│ Activité │   DT = début tardif ou au plus tard
│   X   │   FT = fin tardive ou au plus tard
│ Durée   │
└─────────┘
DT   FT

L'avantage principal de la représentation nodale est l'absence d'activités fictives. Par contre, le nombre de flèches augmente rapidement et il n'est pas rare de les voir s'entre-croiser. Le choix de l'une ou l'autre de ces représentations est purement subjectif.

18.9   L'ASPECT ÉCONOMIQUE

Il arrive souvent que le gestionnaire réduise la durée d'une ou de plusieurs activités en y injectant des ressources supplémentaires : plus de personnes, de machines, etc. Les objectifs recherchés peuvent être variés : prendre de l'avance et éviter les pénalités si des activités ont pris du retard, gagner des primes en achevant le projet plus tôt, libérer certaines ressources importantes dont on a besoin ailleurs, etc. C'est ce qu'on appelle la **réduction** ou le **crash**.

On entend par « crash » la réduction au minimum de la durée des activités.

Le gestionnaire se trouve devant le dilemme suivant :

- réduire la durée des activités en y injectant des ressources à des coûts supplé-mentaires ;

- terminer le projet au plus tôt pour récupérer les coûts indirects qui s'y rattachent et les primes.

Il devra procéder à un exercice d'estimation des coûts, et ce, cas par cas, afin de déterminer le coût total minimum, comme le représente la figure 18.7.

Figure 18.7

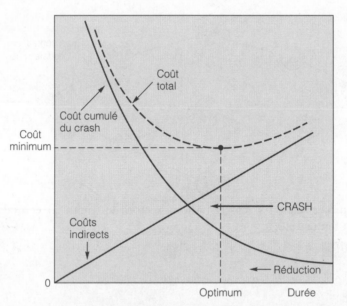

★ Les activités réduites diminuent les coûts indirects du projet et augmentent les coûts directs ; le coût total optimum correspond à la somme de ces deux types de coûts.

Afin d'optimiser ces coûts, le gestionnaire a besoin des informations suivantes :

1. Durée normale et minimale de chaque activité ainsi que leurs coûts en durée nor-male et en durée réduite ;

2. Estimation des coûts nécessaires à la réduction (au crash).

Il est évident que si l'on veut réduire la durée d'un projet, il faut se pencher en premier sur les activités du chemin critique. Nous suggérons la démarche suivante :

1. Déterminer le chemin critique ;

2. Déterminer les chemins non critiques et évaluer leur marge totale ;

3. Identifier les activités du chemin critique ;

4. Réduire la durée des activités du chemin critique aussi longtemps que les bénéfices retirés de la réduction ne dépassent pas les coûts nécessaires à la réduction ;

5. Si tous les chemins deviennent critiques, procéder à la réduction conjointe des différents chemins tout en respectant le principe émis au point 4 ;

6. Arrêter quand les investissements nécessaires pour réduire la durée des activités ne diminuent pas la durée totale du projet.

L'exemple 4 illustre la démarche.

Soit le projet suivant, dont les frais indirects par jour de travail sont de 1000 $. **Exemple 4**

Activité	Durée normale	Durée minimale (crash)	Coût de réduction en $/jour réduit
A	6	6	nul
B	10	8	500
C	5	4	300
D	4	1	700
E	9	7	600
F	2	1	800

a) Tracer le réseau et établir le calendrier des activités avec les durées normales. **Solution**

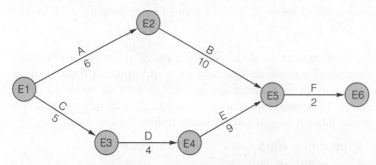

Calendrier des activités

	ACTIVITÉ	DURÉE	DÉBUT		FIN		MARGE	
Code	Événement	(semaines)	DH	DT	FH	FT	Totale	Libre
	A	E1 – E2	6	0	2	6	8	2	0
	B	E2 – E3	10	6	8	16	18	2	2
cc C		E1 – E3	5	0	0	5	5	0	0
cc D		E3 – E4	4	5	5	9	9	0	0
cc E		E4 – E5	9	9	9	18	18	0	0
cc F		E5 – E6	2	18	18	20	20	0	0

b) Identifier les durées des différents chemins du réseau. **Solution**

A – B – F : 18 périodes
C – D – E – F : 20 périodes ; c'est le chemin critique.
Les coûts actuels du projet en frais indirects sont de : 20 jours × 1000 $/jour
= 20 000 $

c) Réduire le réseau afin de trouver le coût optimal.

Commençons par placer les activités du chemin critique dont on veut réduire la durée par ordre croissant de coûts de réduction.

Solution

Activité	Coûts de réduction/jour réduit (crash)	Réduction possible (jours)
C	300 $	1
E	600 $	2
D	700 $	3
F	800 $	1

1re réduction

On commence donc par réduire la durée des activités du chemin critique dont les coûts de réduction sont les moins élevés, tout en s'assurant à chaque étape de réduction qu'un nouveau chemin critique n'apparaisse pas. Ainsi, l'activité «C» passe de 5 jours à 4 jours et le chemin critique est réduit d'autant: il passe de 20 jours à 19 jours, ce qui coûte 300 $, tout en permettant d'économiser 1000 $ en coûts indirects. Le gain net est donc de:

$$1000 \$ - 300 \$ = 700 \$$$

et les coûts indirects du projet deviennent:

19 jours * 1000 $/jour + 300 $ (les coûts de la réduction de C) = 19 300 $

2e réduction

C étant réduite à son minimum (son crash), passons à la réduction de la durée d'une autre activité du chemin critique (CC) dont les coûts sont les moins élevés, tout en vérifiant l'apparition d'un autre CC. C'est l'activité «E», dont la durée passe de 9 à 8 jours, à raison de 600 $ par jour réduit. Le CC passe à 18 jours et le chemin A-B-F devient lui aussi critique. Les coûts du projet sont:

18 jours * 1000 $/jour + 600 $ (pour E) + 300 $ (pour C initialement) = 18 900 $

3e réduction

À partir de maintenant, toute réduction de la durée du projet nécessite la réduction simultanée des deux chemins. La durée de l'activité «F», qui apparaît dans les deux chemins, est tout indiquée pour être réduite d'une journée au coût de 800 $. La durée de F est réduite de 2 jours à 1 journée: elle atteint son crash, car elle ne peut plus être réduite. La durée du projet passe à 17 jours et les coûts indirects à:

17 * 1000 $ + 800 $ (pour F) + 600 $ (pour E) + 300 $ (pour C) =

17 * 1000 $ + 1700 $ = 18 700 $

À ce stade, le réseau a la forme suivante:

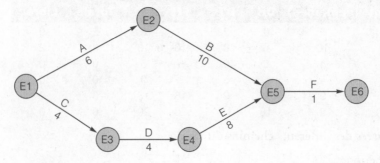

4e réduction

On réduit la durée de l'activité «B» d'une journée et celle de l'activité «E» d'une journée. Le projet coûtera:

16 * 1000 $ + 500 $ (pour B) + 600 $ (pour E) + 1700 $ (pour les réductions initiales) = 18 800 $

Nous voyons que cette réduction de jours se traduit par une augmentation des coûts indirects du projet. Habituellement, les coûts minimaux sont atteints quand tous les chemins possibles du réseau sont critiques; c'est ce qui s'est passé à la 3e réduction.

5ᵉ réduction

Le gestionnaire peut décider de continuer à réduire la durée du projet pour des considérations autres qu'économiques : service plus rapide au client pour battre la concurrence, situation critique où il doit organiser une campagne de secours pour des zones sinistrées ou autres. Dans notre situation, on aura une réduction simultanée pour «B» (de 9 à 8 jours) et pour «D» (de 4 à 3 jours). B a atteint son crash, et les coûts du projet sont :

15 * 1000 $ + 500 $ (pour B) + 700 $ (pour D) + 2800 $ (pour l'ensemble des réductions initiales) = 19 000 $

À partir de maintenant, toute autre réduction ne fera qu'augmenter nos dépenses sans diminuer la durée du projet. Nous avons atteint le crash du projet.

Le graphique ci-dessous résume les différentes options.

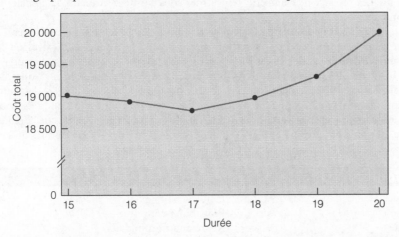

18.10 AVANTAGES ET DANGERS DU PERT/CPM

Pour le gestionnaire, les principaux avantages de la méthode du chemin critique sont les suivants :

1. Elle incite le gestionnaire à organiser, à quantifier et à identifier *a priori* les points où des informations supplémentaires sont nécessaires.

2. Elle illustre graphiquement les liens d'interdépendance entre les activités.

3. Elle identifie les activités qui ne peuvent se permettre d'être retardées et celles qui ont des marges.

4. Elle identifie les possibilités de réduction des durées.

5. Elle identifie les possibilités de transfert de ressources des activités ayant des marges, quitte à les rallonger, vers celles du chemin critique dont on veut réduire la durée.

Théoriquement, le projet bien équilibré est celui dont toutes les activités sont critiques. C'est un objectif à viser sans nécessairement vouloir l'atteindre aveuglément.

Les dangers qui guettent le gestionnaire de projets sont les suivants :

1. Omettre des activités.

2. Ne pas s'assurer du lien d'interdépendance entre les activités du projet et des activités préalables à chacune d'elles.

3. Ne pas s'assurer de la pertinence et de la justesse des durées.

4. Oublier de suivre rigoureusement l'évolution des activités pour être capable d'y apporter à temps les corrections.

18.11 Conclusion

Un projet est un ensemble d'activités interdépendantes nécessaires à l'atteinte d'un objectif ou à la réalisation d'un produit, dans un horizon de temps défini et limité. Les dimensions non récurrentes et d'unicité de la gestion de projets exigent du gestionnaire de projets des compétences spécifiques, différentes de celles qui sont requises pour la gestion de tâches répétitives ou cycliques. Cette différence se reflète dans la planification, l'organisation, la direction et le contrôle des activités humaines et matérielles qui s'y rattachent.

Bien que le graphique de Gantt et le « diagramme des précédences » soient toujours utilisés en raison de leur simplicité, les méthodes du chemin critique (PERT et CPM) sont les techniques les plus utilisées par les professionnels pour développer et suivre les projets. Elles ont l'avantage d'illustrer graphiquement l'interdépendance des activités, indépendamment de leur durée, des retards ou autres. Tout réseau est soutenu par un programme d'activités ou un calendrier d'opérations. Les réseaux peuvent être représentés sous forme vectorielle ou nodale, au choix du gestionnaire.

Les durées des activités sont fixées de manière déterministe quand le projet est relativement simple et limité dans le temps, et que les gestionnaires ont de l'expérience. Le calcul de ces durées est probabiliste dans le cas de projets jamais réalisés auparavant ou quand trop d'imprévus peuvent survenir. Quand les projets requièrent un nombre très élevé d'activités, on utilise des logiciels pour calculer les différents algorithmes nécessaires à l'estimation des durées et des coûts.

Dans certains cas, on peut réduire la durée des activités en y injectant des ressources humaines et matérielles moyennant certains coûts. L'équilibre entre les gains retirés de la réduction de la durée du projet et les coûts qui en découlent est une autre des responsabilités du gestionnaire du projet.

Terminologie

Activités critiques	PERT
Activités préalables	Probabilité conjointe
Chemin critique	Représentation nodale
CPM	Représentation vectorielle
Crash	Réseau nodal
« Diagramme des précédences »	Réseau vectoriel
Marge libre	Structure des activités segmentées (SAS)
Marge totale	Temps au plus tard (tardif)
Méthode du chemin critique	Temps au plus tôt (hâtif)
Ordonnancement amont, aval	

Problèmes résolus

Problème 1

Les activités nécessaires à la réalisation d'un projet apparaissent au tableau ci-dessous. On vous demande :

a) de tracer le réseau du projet ;

b) de calculer les différents chemins du projet ;

c) d'identifier le chemin critique.

ACTIVITÉ	SUIVIE PAR	DURÉE (JOURS)
a	c, b	5
c	d	8
d	i	2
b	i	7
e	f	3
f	m	6
i	m	10
m	Fin	8
g	h	1
h	k	2
k	Fin	17

Solution

a) Notez l'identification spécifique des activités de ce projet, ainsi que leur interdépendance. En traçant le réseau, nous vous suggérons :
  – d'utiliser un crayon au plomb en cas d'erreur ;
  – d'avoir un événement pour le début du projet et un autre pour la fin ;

- d'éviter l'entrecroisement des vecteurs représentant les activités;
- de numéroter les étapes ou événements de gauche à droite;
- de tracer les activités de gauche à droite.

Le réseau est donc:

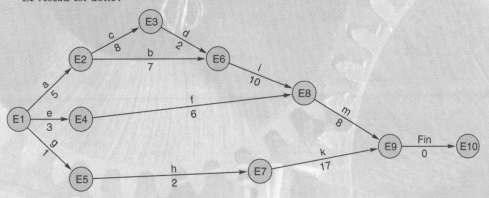

b) Les différents chemins du projet sont:

CHEMIN	DURÉE EN JOURS
a-c-d-i-m	5 + 8 + 2 + 10 + 8 = 33
a-b-i-m	5 + 7 + 10 + 8 = 30
e-f-m	3 + 6 + 8 = 17
g-h-k	1 + 2 + 17 = 20

c) Le chemin critique étant la suite des activités ayant la plus longue durée, A-C-D-I-M est le chemin critique avec une durée de 33 jours.

En utilisant les algorithmes appropriés, calculez le calendrier des activités du projet dont le réseau apparaît ci-dessous avec tous les temps pertinents. Les activités correspondent aux événements.   **Problème 2**

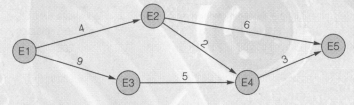

a) L'équilibrage du réseau nous donne: **Solution**

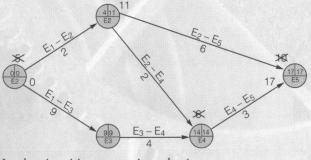

Le chemin critique apparaît sur le réseau.
Le calcul des durées apparaissant sur le réseau a été fait par l'algorithme exposé à la section 18.6.1.

b) En utilisant l'algorithme présenté à la section 18.6.2, nous pouvons établir le calendrier des activités ci-dessous.

ACTIVITÉ	DURÉE	DÉBUT		FIN		MARGE	
		DH	DT	FH	FT	Totale	Libre
E1 – E2	4	0	7	4	11	7	0
E1 – E3	9	0	0	9	9	0	0
E2 – E4	2	4	12	6	14	8	8
E3 – E4	5	9	9	14	14	0	0
E4 – E5	3	14	14	17	17	0	0
E2 – E5	6	4	11	10	17	7	7

Notez les marges libres des activités E1-E2. Le calcul est:

Marge libre de E1-E2 = marge totale de E1-E2 moins la plus petite des marges totales entre E2-E4 et E2-E5 = 7 − minimum (8 ou 7) = 7 − 7 = 0.

Problème 3

Les durées moyennes ainsi que les variances des activités nécessaires à un projet de R & D apparaissent sur le réseau PERT ci-dessous. Déterminez la probabilité que le projet se termine:

a) en moins de 50 semaines;

b) en plus de 50 semaines.

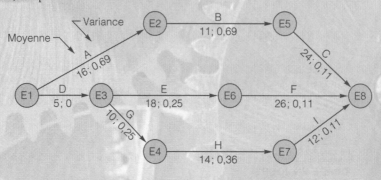

Solution

a) Calculez la moyenne et l'écart-type de chaque chemin.

Chemin	Durée moyenne espérée (semaines)	Écart-type σ (semaines)
A-B-C	16 + 11 + 24 = 51	$\sigma = \sqrt{(0{,}69 + 0{,}69 + 0{,}11)} = 1{,}22$
D-E-F	5 + 18 + 26 = 49	$\sigma = \sqrt{(0{,}00 + 0{,}25 + 0{,}11)} = 0{,}60$
D-G-H-I	5 + 10 + 14 + 12 = 41	$\sigma = \sqrt{(0 + 0{,}25 + 0{,}36 + 0{,}11)} = 0{,}85$

Calculez pour chaque chemin la valeur standardisée Z pour une durée de 50 semaines. Si $z \geq 2{,}50$, alors la probabilité est de près de 100 %. En appliquant la démarche expliquée au tableau 18.4 de la section 18.7.1, pour une durée de 50 semaines, on obtient:

TABLEAU 18.4

Chemin	$z = \dfrac{\text{Temps spécifié} - \text{Durée moyenne du chemin}}{\text{Écart-type du chemin}}$	Probabilité de fin Durée ≤ 50 semaines
A-B-C	$z = \dfrac{50 - 51}{1{,}22} = -0{,}82$	0,2061
D-E-F	$z = \dfrac{50 - 49}{0{,}60} = +1{,}67$	0,9525
D-G-H-I	$z = \dfrac{50 - 41}{0{,}85} = +10{,}59$	1,00 ou 100 %

Cela signifie que le chemin critique A-B-C a une probabilité 20,61 % de se terminer en moins de 50 semaines, tandis que les chemins D-E-F et D-G-H-I ont respectivement des probabilités de 95,25 % et 100 % de se terminer en moins de 50 semaines.

La probabilité conjointe des différents chemins pour ce projet est de:

(0,2061)(0,9525)(1,00) = 0,1963

Cela signifie que les probabilités que les trois chemins (conjointement) ne dépassent pas 51 semaines sont de 19,63 % et que les probabilités que le projet prenne plus de 50 semaines sont de 80,37 % (1 − 0,1963 = 0,8037).

Problème 4

Les coûts indirects d'un projet sont de 12 000 $ par semaine de travail. Le gestionnaire principal a compilé les coûts et les durées pour chacune des activités du projet, comme ci-dessous.

ACTIVITÉ	RÉDUCTION POTENTIELLE	COÛT PAR SEMAINE RÉDUITE
A	3	11 000 $
B	3	3000 $ 1re semaine, 4000 $ les autres
C	2	6000 $
D	1	1000 $
E	3	6000 $
F	1	2000 $

a) établissez un plan de réduction optimale;

b) illustrez les différentes solutions sur un graphique d'optimisation.

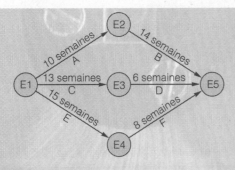

a) Calculez les différents chemins

Solution

A-B : durée 24 semaines (CC)

C-D : durée 19 semaines

E-F : durée 23 semaines

b) Procédez au crash des activités du CC en donnant la priorité à celles dont les coûts sont les plus faibles. Coût initial du projet : 24 semaines * 12 000 $ = 288 k $

1re réduction :

Réduisez l'activité « B » d'une semaine. Durée du projet = 23 semaines ;

Coût : 23 * 12 000 $ + 3000 $ (pour B) = 279 k $

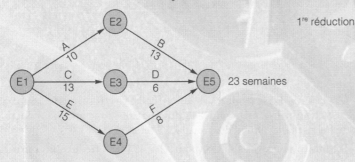

2e réduction

À ce stade, un deuxième CC apparaît avec les activités E-F. Toute réduction doit passer par la réduction des activités des deux chemins critiques.

Réduire les activités « B » et « F ». F est rendue à sa durée crash (minimum). Durée du projet = 22 semaines ;

Coût : 22 * 12 000 $ + 4000 $ (pour B) + 2000 $ (pour F) + 3000 $ (1re réduction) = 273 k $

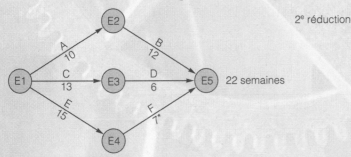

3e réduction

Réduisez les activités « B » et « E ». B est rendue à sa durée crash. Durée du projet = 21 semaines ;

Coût : 21 * 12 000 $ + 4000 $ (pour B) + 6000 $ (pour E) + 9000 $ (réductions initiales) = 271 k $

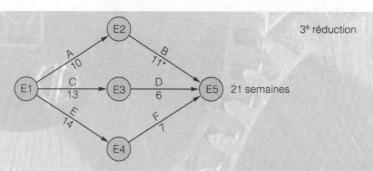

3ᵉ réduction

21 semaines

4ᵉ réduction

Réduisez les activités «A» et «E». Durée du projet = 20 semaines;

Coût : 20 * 12 000 $ + 11 000 $ (pour A) + 6000 $ (pour E) + 19 000 $ (réductions initiales) = 276 k $

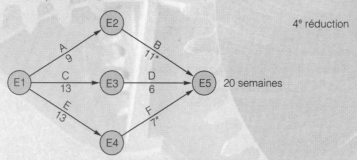

4ᵉ réduction

20 semaines

5ᵉ réduction

Réduisez les activités «A» et «E». E est rendue à sa durée crash. Un troisième CC apparaît avec les activités C-D. Le chemin E-F est rendu à sa durée crash, donc aucune réduction n'est possible à partir de maintenant. Durée du projet = 19 semaines;

Coût : 19 * 12 000 $ + 11 000 $ (pour A) + 6000 $ (pour E) + 36 000 $ (réductions initiales) = 281 k $

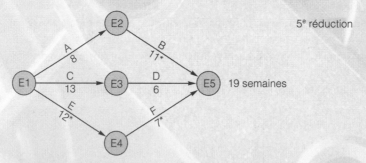

5ᵉ réduction

19 semaines

Le graphique et le tableau suivants résument les résultats.

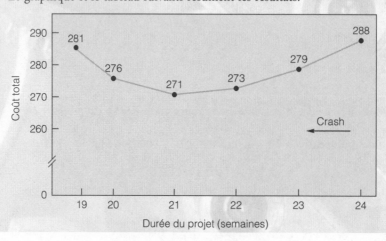

Durée du projet	Réduction (en semaines)	Coûts cumulatifs des réductions	Coûts indirects du projet (k $)	Coûts totaux du projet (k $)
24	0	0	24 * 12 = 288	288
23	1	3	23 * 12 = 276	279
22	2	3 + 6 = 9	22 * 12 = 264	273
21	3	9 + 10 = 19	21 * 12 = 252	271
20	4	19 + 17 = 36	20 * 12 = 240	276
19	5	36 + 17 = 53	19 * 12 = 228	281

Questions

1. Pourquoi est-il préférable de garder le même directeur de projet (gestionnaire principal) pendant toute la durée du projet?

2. Selon vous, quelles doivent être les qualités principales d'un gestionnaire de projets?

3. Pourquoi les projets demandent-ils des ressources humaines hétérogènes?

4. Identifiez et développez brièvement les étapes préliminaires de la gestion de projets.

5. Identifiez les tâches à exécuter au moment de la planification et de l'organisation du projet et celles que comportent la direction et le contrôle.

6. Quels sont les paramètres permettant de classer les activités par niveaux au moment de la construction de la structure des activités segmentées?

7. Identifiez les avantages et les inconvénients du graphique de Gantt et du « diagramme des précédences ».

8. Pourquoi les marges libres sont-elles toujours plus petites ou, à la limite, égales aux marges totales?

9. Que peut-on conclure si une marge totale est négative?

10. Expliquez les avantages et les inconvénients de la méthode du chemin critique (PERT/CPM).

11. Qu'est-ce qu'une activité fictive? À quoi sert-elle?

12. Pourquoi, en situation de projet probabiliste, est-il dangereux de se baser uniquement sur les moyennes et l'écart-type des activités du chemin critique?

13. Définir: temps optimiste, pessimiste, le plus probable, temps moyen ou espéré.

14. La méthode du chemin critique (PERT/CPM) peut-elle être utilisée ailleurs qu'en gestion de projets? Donnez-en un exemple.

15. Quels sont les avantages et les inconvénients pour votre équipe de travail de faire partie d'une activité du CC?

16. Identifiez les avantages et les inconvénients qu'il y a à faire partie d'équipes de travail fonctionnant par projets.

Problèmes

1. Pour chacun des réseaux ci-dessous, identifiez le CC et sa durée. Retracez ensuite ces réseaux sous forme nodale.

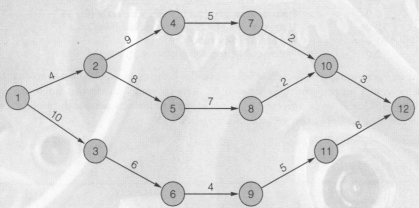

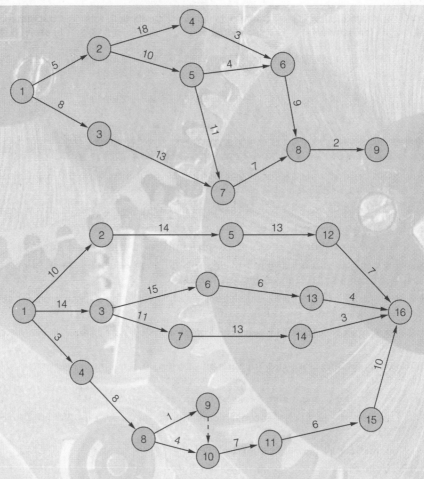

2. Ayant reçu pour son anniversaire un logiciel important et une bonne somme d'argent pour acheter un ordinateur, Christine compte faire son prochain travail sur le nouvel ordinateur. Ce travail est à remettre la semaine prochaine. Ayant identifié les tâches à accomplir ainsi que leur durée (voir tableau ci-dessous), elle vous demande de l'aider à :
   a) placer les activités par ordre séquentiel d'exécution en identifiant les activités préalables ;
   b) tracer le réseau de ce projet ;
   c) identifier le chemin critique et sa durée ;
   d) identifier quelles sont les situations de retard potentiel.

Durée estimée en heures	Tâches (abréviations)
0,8	Installer logiciel (Inst.)
0,4	Rédiger lignes directrices du travail (Rédaction)
0,2	Déposer le travail (Dépôt)
0,6	Choisir le sujet du travail (Choix)
0,5	Corriger la syntaxe (Corr.)
3,0	Rédiger le rapport sur traitement de texte (Écrit.)
2,0	Magasiner pour un nouvel ordinateur (Mag.)
1,0	Acquérir l'ordinateur (Acq.)
2,0	Recherche bibliographique sur sujet à traiter (Bibl.)

3. En tant que gestionnaire de projets, vous recevez les informations suivantes concernant un projet à exécuter au plus tôt. Quelles sont les activités que vous devriez suivre de près ? Identifiez-les. Quelle est la durée de ce projet et quelles sont les marges disponibles pour chaque activité ? Rédigez le programme des activités.

Activité	Activité suivante	Durée estimée en jours
A	B	15
B	C, D	12
C	E	6
D	Fin	5
E	Fin	3
F	G, H	8
G	I	8
H	J	9
I	Fin	7
J	K	14
K	Fin	6

4. Tracer le réseau sous forme nodale et sous forme vectorielle des deux projets suivants :

Activité projet I	Activité suivante	Activité projet II	Activité préalable
A	D	J	–
B	E, F	K	–
C	G	L	J
D	K	M	L
E	K	N	J
F	H, I	P	N
G	I	Q	–
H	Fin	R	K
I	Fin	S	Q
K	Fin	V	R, S, T
		T	Q
		W	T

5. Tracer à l'échelle le « diagramme des précédences » des projets suivants en ordonnancement aval et en ordonnancement amont : réseau du problème 1 a), 1 b) et projet du problème 3.

6. En se rapportant au réseau du problème 1 a), on note que 12 semaines après le début des travaux, les activités 1-2, 1-3 et 1-4 sont terminées, l'activité 2-5 est terminée à 75 % et l'activité 3-6 est complétée à 50 %. Estimez le temps final corrigé du projet.

7. Trois jeunes associés d'une agence de publicité ont identifié les activités d'une campagne publicitaire (voir tableau ci-dessous).

   a) tracez le réseau de la campagne publicitaire ;

   b) quelles sont les probabilités que la campagne se termine en 24 jours ou moins ? en 21 jours ou moins ?

   c) À la fin de la septième journée, les activités A et B sont complétées, tandis que l'activité D est terminée à 50 %. Les durées corrigées de D sont de : 5, 6 et 7 jours. Les activités C et H sont prêtes à commencer. À la lumière de ces nouvelles informations, déterminez les probabilités de terminer le projet à la journée 24 et à la journée 21.

Activité	Préalable	Durée		
		optimiste	plus probable	pessimiste
A	aucun	5	6	7
B	aucun	8	8	11
C	A	6	8	11
D	aucun	9	12	15
E	C	5	6	9
F	D	5	6	7
G	F	2	3	7
H	B	4	4	5
I	H	5	7	8

8. Le doyen d'une faculté aimerait modifier les activités de préparation de la remise des diplômes. À cette fin, un PERT a été développé avec cinq chemins différents (voir tableau ci-dessous). Sachant que nous sommes à 16 semaines de la date fatidique, quelles sont les probabilités :

   a) de terminer à temps les préparatifs ?

   b) de terminer les préparatifs à la semaine 15 ?

   c) de terminer les préparatifs à la semaine 13 ?

Chemin	Durée espérée (semaines)	Variance
A	10	1,21
B	8	2,0
C	12	1,0
D	15	2,89
E	14	1,44

9. Quelles sont les probabilités que le projet suivant prenne plus de 10 semaines, étant donné les informations ci-dessous?

Chemin	Durée espérée (semaines)	Variance
1-2	5	1,3
2-3	4	1,0
1-3	8	1,6

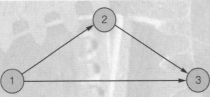

10. Le projet suivant a une durée prévue de 11 semaines. Les activités sont identifiées par leurs événements de début et de fin.
    a) Y-a-t-il lieu de se soucier de ne pas terminer à temps? Expliquez.
       Si une pénalité de 5000 $ est perçue par semaine de retard, quelles sont les probabilités d'être pénalisé d'au moins 5000 $?

Activité	Durée espérée (semaines)	Variance
E1 – E2	4	0,7
E2 – E4	6	0,9
E1 – E3	3	0,62
E3 – E4	9	1,9

11. Connaissant le réseau PERT suivant, déterminez:
    a) les probabilités que le projet prenne plus de 49 semaines pour être complété;
    b) les probabilités que le projet soit terminé en 46 semaines et moins.

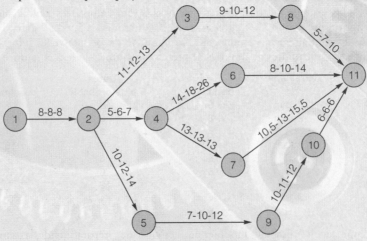

12. La liste des activités nécessaires à l'implantation d'un nouveau système d'information administratif apparaît ci-dessous. En raison de l'aspect innovateur de ce projet, les durées des activités ont été estimées à partir des connaissances de la gestionnaire responsable, chacune étant évaluée en termes de temps: optimiste, pessimiste et le plus probable. Si la responsable réussit l'implantation en 26 semaines ou moins, elle recevra une prime de 1000 $. Si elle termine l'implantation en plus de 27 semaines, la prime sera de 500 $. Calculez les probabilités d'octroi de chaque prime.

Activité	Préalable	Durée estimée en semaines (a-m-b)
A	aucun	2-4-6
B	aucun	2-2-3
C	aucun	5-8-12
D	A	6-8-10
E	D	7-9-12
F	A	3-4-8
G	F	5-7-9
H	E	2-3-5
I	B	2-3-6
J	I	3-4-5
K	J	4-5-8
M	C	1-1-1
N	M	6-7-11
O	N	8-9-13

13. Tracez le réseau nodal des projets des problèmes 3 et 12.

14. Un bureau de génie-conseil gère le projet de construction d'une clinique médicale. Les activités, leurs préalables, les durées normales (en semaines) et les coûts de réduction possibles sont représentés dans le tableau ci-dessous. On vous demande d'établir un calendrier des activités de construction qui permet de réduire de cinq semaines la durée des travaux, et ce, à un coût minimal.

Préalable	Activité	Durée normale	Coûts de réduction 1re semaine	2e semaine

Préalable	Activité	Durée normale	1re semaine	2e semaine
aucun	A	12	15 000 $	20 000 $
A	B	14	10 000 $	10 000 $
aucun	C	10	5000 $	5000 $
C	D	17	20 000 $	21 000 $
C	E	18	16 000 $	18 000 $
C	F	12	12 000 $	15 000 $
D	G	15	24 000 $	24 000 $
E	H	8	aucun	aucun
F	I	7	30 000 $	aucun
I	J	12	25 000 $	25 000 $
B	K	9	10 000 $	10 000 $
G	M	3	aucun	aucun
H	N	11	40 000 $	aucun
H, J	P	8	20 000 $	20 000 $

15. Le déménagement d'une usine requiert les activités décrites dans le réseau suivant. Les coûts de réduction par activité pour les trois premières semaines sont donnés ci-dessous :

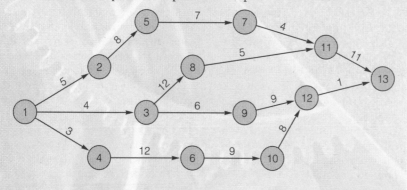

COÛTS DE RÉDUCTION (K $)			
Activité	1re sem.	2e sem.	3e sem.
1-2	18 $	22 $	– $
2-5	24	25	25
5-7	30	30	35
7-11	15	20	–
11-13	30	33	36
1-3	12	24	26
3-8	–	–	–
8-11	40	40	40
3-9	3	10	12
9-12	2	7	10
12-13	26	–	–
1-4	10	15	25
4-6	8	13	–
6-10	5	12	–
10-12	14	15	–

a) Déterminez le coût optimal pour terminer le projet de déménagement.

b) On vous demande de prendre tous les moyens pour compléter le déménagement au plus tôt. Tracez le graphique d'optimisation du projet et déterminez la date la plus optimiste et les coûts qui s'y rattachent.

16. Un chantier de construction navale doit livrer un petit bateau en 32 semaines, sinon une pénalité de 375 $ par semaine de retard est imposée à l'entreprise. Procédez à une étude complète de la situation (avec tous les coûts possibles en cas de retard ou de réduction pour rattrapage) en traçant le graphique d'optimisation des coûts du projet.

Activité	Activité suivante	Durée normale	Coûts de réduction 1re semaine	2e semaine
K	L, N	9	410 $	415 $
L	M	7	125 $	aucun
N	J	5	45 $	45 $
M	Q	4	300 $	350 $
J	Q	6	50 $	aucun
Q	P, Y	5	200 $	225 $
P	Z	8	aucun	aucun
Y	fin	7	85 $	90 $
Z	fin	6	90 $	aucun

CAS
LA COURTEPOINTE MEXICAINE EN PATCHWORK

« La mission du projet que vous allez diriger est de préparer notre nouvelle filiale mexicaine à recevoir une relève de directeurs mexicains. Vous devriez pouvoir accomplir cette mission en deux ans », explique Robert Linderman, président de la société Linderman Industries, Inc., à Carl Conway, nouveau directeur du projet Opération Mexico. Celui-ci a été embauché en raison de son expérience dans la gestion d'importants travaux de défense aérospatiale.

« Tout d'abord, je devrai monter une équipe de projet, affirme M. Conway. Je suppose que vous avez déjà une idée quant à mes futurs collaborateurs. »

« Oui, j'ai envoyé des notes aux directeurs de divisions pour les informer du fait que vous allez offrir à certains de leurs employés clés de travailler pour vous pour une période d'environ deux ans, répond M. Linderman. De plus, je leur ai demandé de se préparer à exécuter des commandes pour le projet Opération Mexico avec le personnel et le matériel de leurs organisations. Plus tard, au cours du projet, vous engagerez du personnel mexicain, des directeurs et des techniciens. Ces personnes auront des superviseurs mexicains, mais tout au long du projet, vous les superviserez aussi. Je dois admettre que vous aurez des relations d'autorité assez complexes, surtout parce que vous serez personnellement responsable devant le président de la filiale, Felix Delgado, et devant moi. »

M. Conway a donc commencé à dresser les plans pour l'équipe du projet. La bâtisse de l'usine de Mexico était libre et inoccupée, et il était important d'acheter et d'installer le matériel le plus tôt possible. Il fallait donc dresser un plan de l'usine, mais avant de pouvoir le faire, il fallait élaborer un plan de production. Par conséquent, M. Conway devait recruter un ingénieur industriel, un planificateur de production et un acheteur pour le matériel. Ces personnes, de leur côté, devraient embaucher leur propre personnel.

M. Conway a donc pris rendez-vous avec Sam Sargis, directeur du génie industriel. « J'ai suggéré à Bob Cates de se joindre au projet Opération Mexico, et il s'est montré très intéressé, raconte M. Conway. Allez-vous me le confier ? »

– Pourquoi ? Je forme M. Cates pour qu'il me remplace quand je prendrai ma retraite, répond M. Sargis. C'est mon bras droit. Laissez-moi vous suggérer quelqu'un d'autre, ou encore mieux, expliquez-moi le genre de travail de génie industriel dont vous avez besoin et je le ferai faire pour vous.

– Désolé, mais je veux M. Cates, réplique fermement M. Conway. De plus, vous n'êtes pas prêt à prendre votre retraite avant cinq ans. Ce sera une expérience enrichissante pour lui.

Pour la planification de la production, M. Conway avait en tête Bert Mill, un homme plus âgé possédant une grande expérience de la gestion des opérations, mais M. Mill a refusé son offre. « J'en ai parlé à mon épouse, explique-t-il, et nous avons conclu qu'à mon âge, je ne devais pas prendre le jet. risque de me retrouver sans travail à la fin du projet. »

M. Conway s'est ensuite tourné vers Emil Banowetz, l'assistant de Jim Burke (vice-président de la fabrication) et M. Banowetz a accepté de se joindre à l'équipe du projet. Cependant, M. Burke a dit à M. Conway que si on lui enlevait M. Banowetz, il donnerait sa démission à M. Linderman. M. Conway a donc décidé de revenir sur sa décision. Il a finalement accepté un homme recommandé par M. Burke.

Ça n'a pas été facile de trouver un acheteur pour le matériel. Le directeur de l'approvisionnement a téléphoné à M. Conway et lui a dit qu'un acheteur en chef, Humbero Guzman, avait demandé d'être affecté à cette tâche et qu'il le lui recommandait fortement. Pendant une dizaine d'années, M. Guzman avait été acheteur pour une importante société minière de Mexico.

En recrutant le personnel pour remplir les postes des secteurs de l'ingénierie, du contrôle de la qualité, des coûts, du marketing et de la publicité, M. Conway a vécu à peu de chose près les mêmes expériences qu'avec les trois premiers postes. En d'autres mots, il a eu le dernier mot lors de certains conflits avec les directeurs de divisions et en a perdu d'autres. Pour s'occuper du personnel, il a demandé au Dr Juan Perez, qui avait été nommé directeur du personnel de la filiale, de se joindre temporairement à l'équipe du projet.

Le premier problème qu'a éprouvé le projet Mexico dans son association avec une division s'est produit quand

Frank Fong, un ingénieur de M. Conway, l'a informé du fait que le vice-président de l'ingénierie, qui était son patron, a refusé d'accorder une priorité absolue à la conversion au système métrique des dimensions des plans de production. M. Conway a dû soumettre ce problème à M. Linderman, qui a tranché en sa faveur. Évidemment, le vice-président n'a pas apprécié cette décision.

L'incident suivant s'est produit quand M. Conway a manifesté le désir d'effectuer un essai à l'échelle semi-industrielle de produits fabriqués à partir de mesures métriques afin de les expédier à Mexico. Le but de cet exercice était d'analyser l'accueil des produits Linderman sur le marché. M. Burke a affirmé catégoriquement qu'il était hors de question que ses ouvriers de production travaillent avec des plans en mesures métriques. S'apercevant très vite qu'il ne gagnerait pas, M. Conway a demandé à son acheteur, M. Guzman, de travailler avec le tout nouveau directeur de production de la filiale pour effectuer un essai des produits sous-traités à Mexico.

Puis, Bob Cates quitta expressément Mexico pour soumettre un problème épineux à M. Conway. L'ingénieur industriel mexicain que M. Cates devait former avait ses propres idées au sujet de l'aménagement de l'usine. Quand ses suggestions ne concordaient pas avec celles de M. Cates, il avait tendance a se plaindre directement à Felix Delgado, le président de la filiale mexicaine. M. Delgado étant principalement un spécialiste en finances, il ne pouvait prendre de décision et mettait ces désaccords tout simplement de côté. M. Conway a cité des exemples de

ces désaccords à Sam Sargis, l'ancien patron de M. Cates, qui, chose surprenante, ne supportait pas les positions de M. Cates. M. Conway s'aperçut alors que M. Sargis entretenait des sentiments négatifs à l'égard de M. Cates du fait que celui-ci avait quitté son service, ce qui ne présageait rien de bon pour son retour. Cependant, pour résoudre le problème immédiat, M. Conway demanda au Dʳ Perez d'essayer d'arranger la situation à Mexico.

Malgré ces problèmes, et plusieurs autres de nature semblable, le projet Mexico a connu beaucoup de succès et la transition vers la gestion mexicaine s'est effectuée en un peu plus de deux ans. Grâce à l'intervention du Dʳ Perez, Felix Delgado a été très impressionné par le travail de Bob Cates et l'a convaincu d'accepter le poste de directeur du génie industriel pour la société mexicaine. Humberto Guzman est également resté à la tête des opérations d'approvisionnement.

D'autres membres de l'équipe n'ont pas été aussi chanceux. La société Linderman Industries a mis du personnel à pied à la fin du projet, et seul le responsable de la production du projet a pu se trouver, au sein de la société, un poste semblable à celui qu'il occupait avant le projet. Le spécialiste en coût de revient a décidé de quitter les industries Linderman, car, selon lui, le prestige du projet Mexico l'avait gâté et les travaux routiniers ne l'intéressaient plus.

Carl Conway a dû prendre une décision difficile. Robert Linderman, très satisfait de sa performance, l'a assuré qu'il allait bientôt décrocher un poste intéressant au sein de la compagnie. Entre-temps, on lui offrait un

poste conseil au sein de l'administration. Toutefois, M. Conway avait déjà vu assez de directeurs de projets dans l'industrie aérospatiale qui avaient, au propre comme au figuré, poireauté pendant des années dans des postes conseils une fois leurs projets complétés, et il trouvait la situation pour le moins inquiétante.

Questions

1. Est-ce que l'organisation du projet de la société Linderman Industries était appropriée pour mettre sur pied la filiale mexicaine?

2. Considérant le fait que Robert Linderman a informé les directeurs de divisions du fait que le directeur de projet allait recruter certains de leurs employés clés, pourquoi M. Conway a-t-il eu de la difficulté à obtenir les personnes qu'il voulait?

3. Vous attendriez-vous à ce que beaucoup de gens refusent de se joindre à un projet, comme l'a fait Bert Mill? Pourquoi?

4. Pourquoi M. Conway soumettrait-il le problème qu'il a eu avec le vice-président de l'ingénierie à M. Linderman pour qu'il le règle en sa faveur, pour reculer ensuite dans deux différends avec le vice-président de la fabrication?

5. Qu'est-ce que la société Linderman Industries aurait pu faire pour assurer de bons postes aux personnes qui avaient terminé le projet Opération Mexico, incluant Carl Conway, le directeur de projet?

Source: Management: The Key to Organizational Effectiveness, édition révisée par Clayton Reeser et Marvin Loper. Copyright © 1978 par Scott, Foreaman and Company. Reproduit avec autorisation.

CAS
FANTASY PRODUCTS

Historique de la société

La Fantasy Products Company est un fabricant de petits appareils électroménagers de grande qualité. Sa ligne actuelle comprend des fers à repasser, un petit aspirateur à main et quelques électroménagers

pour la cuisine comme des grille-pain, des mélangeurs, des gaufriers et des cafetières. La compagnie Fantasy Products possède un important service de recherche et de développement qui cherche continuellement des façons d'améliorer les produits existants et de développer de nouveaux produits.

Actuellement, le service de recherche et de développement travaille à l'élaboration d'un nouvel appareil qui refroidit rapidement les aliments, un peu à la façon dont les fours micro-ondes réchauffent les aliments, même si la technologie utilisée est très différente. Provisoirement appelé *The Big*

Chill, le produit se vendra d'abord 125 dollars environ et le marché ciblé sera constitué de personnes à revenus élevés. À ce prix, on s'attend à ce que le produit soit très rentable. Les ingénieurs du service de recherche et de développement ont élaboré un prototype fonctionnel et sont confiants que, grâce à la collaboration du personnel de la production et du marketing, le produit sera sur le marché pour la période de Noël. On a déterminé la date de lancement du produit, qui aura lieu dans 24 semaines.

Problème actuel

La vice-présidente du marketing de la compagnie Fantasy Products, Vera Sloan, a récemment appris de source sûre qu'un concurrent est, lui aussi, en train d'élaborer un produit semblable, mais plus petit, qui devrait être mis sur le marché à la même date. De plus, sa source indique que le prix du produit du concurrent sera de 99 dollars et qu'il sera destiné aux groupes à revenus moyens et élevés. Mme Sloan, avec l'aide de plusieurs de ses employés clés qui collaboreront à la mise en marché du *Big Chill*, a décidé que pour rester concurrentiel, le prix du *Big Chill* devra être réduit, à moins de 10 dollars environ du prix du concurrent. À ce prix, le *Big Chill* sera encore rentable, mais moins que ce qui était prévu.

Mme Sloan se demande s'il serait possible d'avancer la date de lance-ment du produit afin de devancer la concurrence. Elle aimerait avoir une avance de six semaines sur son concurrent. La date de lancement aurait ainsi lieu dans 18 semaines seulement. Durant cette période, la compagnie Fantasy Products pourrait vendre *The Big Chill* à 125 dollars, puis réduire le prix de vente à 109 dollars quand le produit du concurrent ferait son entrée sur le marché. Puisque les études de marché prévoient que les ventes durant ces six premières semaines seront d'environ 2000 unités par semaine, les chances de faire des profits supplémentaires sont considérables. De plus, il y a un certain prestige rattaché au fait d'être le premier à mettre un produit sur le marché, ce qui devrait aider le *Big Chill* durant la bataille prévue pour obtenir les parts du marché.

Collecte de données

Puisque la compagnie Fantasy Products a étudié le processus de lancement d'un produit à quelques reprises, le service de R & D a dressé une liste des tâches à accomplir et leur ordre de priorité. Les délais et les coûts varient selon le produit, et le processus de base ne change pas. La liste d'activités impliquées en ordre de priorité est présentée au tableau 1. Les estimations de temps et de coûts pour les activités liées au lancement du *Big Chill* sont présentées au tableau 2. Prenez note que certaines des activités peuvent être faites de façon accélérée, avec une augmentation proportionnelle du coût.

Questions

La compagnie Fantasy Products doit décider si elle mettra le *Big Chill* en marché dans 18 semaines, comme le recommande Mme Sloan. À titre de spécialiste en gestion de projets du service de recherche et de développement, on vous demande de répondre aux questions suivantes :

1. Quand le projet se terminerait-il si on se basait sur les délais normaux ?

2. Est-il possible d'achever le projet en 18 semaines ? Quels seraient les coûts additionnels engagés ? Quelles activités devraient être achevées de façon accélérée ?

3. Ces coûts additionnels sont-ils justifiés par rapport aux profits espérés ?

4. L'estimation de la demande est très incertaine. De combien ce chiffre peut-il varier sans changer vos recommandations ?

5. Y a-t-il un délai autre que celui de 18 semaines recommandé par Mme Sloan qui serait plus sensé en termes de profits ?

Source : Utilisé avec la permission de Robert J. Thieraus, Margaret Cunningham et Melanie Blackwell, Xavier University, Cincinnati, Ohio.

Activités	Description	Préalable
A	Sélectionner et commander le matériel	–
B	Recevoir le matériel du fournisseur	A
C	Installer le matériel	A
D	Finaliser les nomenclatures	B
E	Commander les pièces	C
F	Recevoir les pièces	E
G	Procéder au premier cycle de production	D, F
H	Finaliser le plan marketing	–
I	Produire les publicités pour les revues	H
J	Préparer un scénario pour les annonces télévisées	H
K	Réaliser les annonces télévisées	J
L	Entreprendre la campagne publicitaire	I, K
M	Livrer le produit au consommateur	G, L

TABLEAU 1

Liste des activités en ordre de priorité

Activités	Temps normaux	Coûts normaux	Temps les plus courts	Coûts des réductions
A	3	2000 $	2	4500 $
B	8	9000	6	12 000
C	4	2000	2	7000
D	2	1000	1	2000
E	2	2000	1	3000
F	5	0	5	0
G	6	12 000	3	24 000
H	4	3500	2	8000
I	4	5000	3	8000
J	3	8000	2	15 000
K	4	50 000	3	70 000
L	6	10 000	6	10 000
M	1	5000	1	5000

TABLEAU 2

Estimations de temps et de coûts

Bibliographie

BIERMAN, Harold, Jr., Charles P. BONINI et Warren H. HAUSMAN. *Quantitative Analysis for Business Decisions,* 8e édition, Burr Ridge, IL, Richard D. Irwin, 1991.

GENEST, Bernard-André et Tho Hau NGUYEN. *Principes et techniques de la gestion de projets,* Laval, les éditions SIGMA DELTA, 1995, 586 p.

KERZNER, Harold. *Project Management for Executives,* New York, Van Nostrand Reinhold, 1984.

LALONDE, Benoît et Armand ST-PIERRE. *Microsoft Project 2000,* Montréal, Éditions Vermette, 2000, 285 p.

LEVIN, Richard I., Charles A. KIRKPATRICK et David S. RUBIN. *Quantitative Approaches to Management,* 5e édition, New York, McGraw-Hill, 1982.

MEREDITH, Jack R. et Samuel MANTEL Jr. *Project Management: A Managerial Approach*, New York, John Wiley & Sons, 1985.

MODER, J. E., E. W. DAVIS et C. PHILLIPS. *Project Management with CPM and PERT*, New York, Van Nostrand Reinhold, 1983.

PETERSON, P. «Project Management Software Survey», *PMNETwork 8*, nº 5 (mai 1994), p. 33-41.

ROGERS, T. «Project Management Emerging as a Requisite for Success», *Industrial Engineering*, juin 1993, p. 42-43.

Après avoir terminé l'étude de ce chapitre, vous pourrez :

1. Expliquer pourquoi des files d'attente se forment dans des systèmes non congestionnés.

2. Identifier l'objectif de l'analyse des files d'attente.

3. Énoncer les mesures de performance utilisées dans le cadre des files d'attente.

4. Formuler les hypothèses des principaux modèles de base.

5. Résoudre des problèmes classiques.

Chapitre 19
LES FILES D'ATTENTE

Plan du chapitre

LECTURE

ATTENDRE... UN PASSE-TEMPS POPULAIRE : Mme BONNES MANIÈRES

(Judith Martin, adaptation de Hocine Bourenane)

Il y a plusieurs choses dans la vie pour lesquelles cela vaut la peine d'attendre, mais pas très longtemps. Mme Bonnes Manières limiterait, par exemple, le temps passé par les vendeurs à discuter avant de prendre une commande ou le temps pris par un mari qui a quitté sa femme pour se rendre compte de sa terrible erreur.

Quoi qu'il en soit, l'attente et le travail sont devenus des passe-temps populaires. Un spécialiste de l'analyse de l'attente a déterminé qu'une personne adulte passait au minimum le dixième de son temps à attendre. On attend les autobus, les ascenseurs, dans les banques, les magasins, les cinémas, les stations d'essence, les tribunaux, pour l'obtention du permis de conduire, chez le dentiste, etc.

On pourrait passer toute sa vie à subir ce genre d'attente classique. Cependant, il y a d'autres types d'attente : l'attente intermédiaire, comme attendre que la pluie cesse ou, encore, l'attente plus fébrile, comme attendre que votre bateau rentre à bon port. Il fut un temps où toute l'Amérique attendait d'être découverte dans un supermarché par un cinéaste et, aujourd'hui, chacun attend qu'une caméra de télévision arrive pour lui demander de donner son avis au monde entier. C'est l'attente classique, l'attente à court terme, qui intéresse Mme Bonnes Manières. Si vous voulez en savoir plus sur les autres types d'attente, vous n'avez qu'à... attendre !

Il est tout à fait correct, malgré le fait que très peu de gens le comprennent, de refuser d'attendre au téléphone. Quand on demande à Mme Bonnes Manières de patienter quelques minutes au téléphone, elle réplique souvent par la négative. Malheureusement, la personne au bout du fil l'a déjà mise automatiquement en attente, car elle n'a pas attendu la réponse de Mme Bonnes Manières.

On devrait toujours refuser d'attendre pour un service inefficace et qui prend un temps infini. Au restaurant, on devrait être capable de vous donner le temps d'attente et de ne pas vous laisser attendre, excepté pour servir les clients arrivés avant vous. En effet, c'est inconvenant de refuser d'attendre en annonçant que nos besoins ont une primauté sur ceux des autres. Mme Bonnes Manières ne peut concevoir aucune situation d'attente ordinaire où une personne pourrait légitimement passer avant les autres. « Laissez-moi passer, s'il vous plaît, je suis enceinte, j'ai des douleurs, je pense que je vais accoucher ! » Peut-être, mais que faites-vous donc dans un magasin au moment des soldes ?

La seule manière polie d'attendre est d'emporter avec soi du travail ou de quoi se divertir. Toute personne inoccupée dans une file d'attente est, par définition, un maniaque qui peut se déchaîner à tout moment. Un bon roman de Jane Austen a pu préserver l'esprit naturellement tranquille de Mme Bonnes Manières. Selon elle, même le fait d'engager la discussion pour passer le temps peut être dangereux. C'est tout simplement une honte de voir deux personnes qui attendent en train de discuter tranquillement. Par définition, ce sont des comploteurs potentiels.

Pour conclure et en attendant, relaxez-vous en écoutant de la musique ! Pourquoi pas Georges Moustaki ? « Passe, passe le temps, il n'y en a plus pour très longtemps. Pendant que j'attendais... »

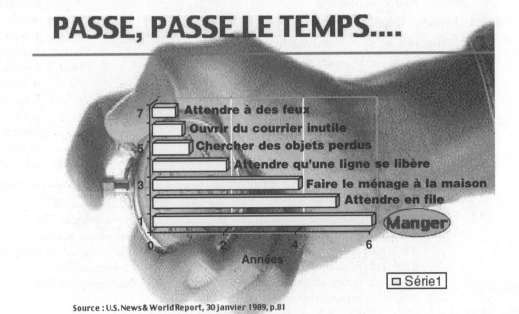

PASSE, PASSE LE TEMPS....

Source : U.S. News & World Report, 30 janvier 1989, p. 81

19.1 INTRODUCTION

L'article portant sur Mme Bonnes Manières parodie une des réalités de la vie : l'attente en file. Pour ceux qui attendent en file, la solution est très simple : ajouter des ressources ou bien agir, faire n'importe quoi pour accélérer le service. C'est l'évidence même. Cependant, ce n'est pas aussi simple, car il faut tenir compte de certaines subtilités. Premièrement, sur une longue période, la majorité des processus de service ont une capacité de traitement supérieure à celle qui est nécessaire. Par conséquent, le problème des files d'attente ne survient que pendant de courtes périodes. Deuxièmement, il ne faut pas perdre de vue le fait qu'à certains moments, le système est vide : les employés sont inoccupés et attendent que les clients se présentent. En augmentant la capacité, on ne fait qu'augmenter le temps d'inoccupation des employés. Donc, si on veut concevoir un système de service, il faut comparer le coût associé au niveau de service (capacité) mis en place et le coût associé à l'attente des clients. La planification et l'analyse de la capacité de service sont des thèmes traités par la théorie des files d'attente. Cette théorie est une approche mathématique permettant d'analyser les files d'attente. Elle est basée sur l'étude des équipements téléphoniques automatiques réalisée au début du XXe siècle par l'ingénieur danois en télécommunication, A. K. Erlang. L'application de cette théorie n'a été généralisée à divers types de problèmes qu'après la Seconde Guerre mondiale.

La théorie mathématique des files d'attente étant assez complexe, on ne s'attardera dans ce chapitre qu'aux concepts et aux hypothèses relatifs à la résolution des problèmes d'attente. On utilisera les formules et les tables disponibles.

Les files d'attentes se forment lorsque les clients arrivent de façon aléatoire pour se faire servir. Les exemples les plus courants de la vie de tous les jours sont les caisses des supermarchés, les établissements de restauration rapide, les billetteries des aéroports, les cinémas, les bureaux de poste, les banques. Toutefois, lorsqu'on parle d'attente, on pense souvent à des personnes. Or, les « clients » en attente sont aussi des commandes en attente de traitement, des camions en attente de chargement ou de déchargement, des machines en attente de réparation, des programmes d'ordinateur qui attendent d'être exécutés, des avions qui attendent l'autorisation de décoller, des bateaux qui attendent les remorqueurs pour accoster, les voitures aux panneaux d'arrêt, les patients dans les salles d'urgence, etc.

Généralement, les clients voient dans l'attente une activité sans valeur ajoutée et, s'ils attendent trop longtemps, ils associent cette perte de temps à une mauvaise qualité de service. De la même façon, au sein de l'entreprise, des employés inoccupés ou des équipements inutilisés représentent des activités sans valeur ajoutée. Pour éviter ces situations, la majorité des entreprises ont mis en place des processus d'amélioration continue dont le but ultime est l'élimination de toute forme de gaspillage, notamment l'attente. Tous ces exemples révèlent l'importance de l'analyse des files d'attente. Commençons par une question fondamentale : pourquoi y a-t-il de l'attente ?

théorie des files d'attente
Approche mathématique servant à l'analyse des files d'attente.

19.2 POURQUOI Y A-T-IL DE L'ATTENTE ?

Il est surprenant d'apprendre que des files d'attente se forment même dans les systèmes non congestionnés. Par exemple, un établissement de restauration rapide qui peut traiter en moyenne 200 commandes à l'heure voit malgré tout se former des files d'attente avec un nombre moyen de 150 commandes à l'heure. L'expression clé est « en moyenne ». Le problème vient du fait que les arrivées des clients ont lieu à intervalles aléatoires plutôt qu'à intervalles fixes. De plus, certaines commandes requièrent un temps de traitement plus long. En d'autres termes, les processus d'arrivée et de service ont un degré de variabilité élevé. Par conséquent, le système est soit temporairement congestionné, ce qui crée des files d'attente, soit vide, parce qu'aucun client ne se présente. Donc, si le système n'est pas congestionné d'un point de vue macro, il l'est d'un point de vue micro. Par ailleurs, en cas de variabilité minimale ou inexistante (arrivée selon les rendez-vous et temps de service constant), aucune file d'attente ne se forme.

19.3 L'OBJECTIF DE L'ANALYSE DES FILES D'ATTENTE

L'objectif de l'analyse des files d'attente est de minimiser le coût total, qui équivaut à la somme de deux coûts : le coût associé à la capacité de service mise en place (coût de service) et le coût associé à l'attente des clients (coût d'attente). Le coût de service est le coût résultant du maintien d'un certain niveau de service, par exemple le coût associé au nombre de caisses dans un supermarché, au nombre de réparateurs dans un centre de maintenance, au nombre de guichets dans une banque, au nombre de voies d'une autoroute, etc. En cas de ressources inoccupées, la capacité est une valeur perdue, car elle est non stockable. Les coûts d'attente sont constitués des salaires payés aux employés qui attendent pour effectuer leur travail (mécanicien qui attend un outil, chauffeur qui attend le déchargement du camion, etc.), du coût de l'espace disponible pour l'attente (grandeur de la salle d'attente dans une clinique, longueur d'un portique de lave-auto, kérosène consommé par les avions qui attendent pour atterrir) et, bien sûr, du coût associé à la perte de clients impatients qui vont chez les concurrents.

En pratique, lorsque le client est externe à l'entreprise, le coût d'attente est difficile à évaluer, car il s'agit d'un impact plutôt que d'un coût pouvant être comptabilisé. Cependant, on peut considérer les temps d'attente comme un critère de mesure du niveau de service. Le gestionnaire décide du temps d'attente acceptable, « tolérable », et il met en place la capacité susceptible de fournir ce niveau de service.

Lorsque le client est interne à l'entreprise — les clients sont les machines et les commis, l'équipe d'entretien —, on peut établir directement certains coûts se rapportant au temps d'attente des clients (machines). Par ailleurs, il ne faut pas conclure trop rapidement que pour l'entreprise, le coût du temps d'attente d'un employé qui attend est égal à son salaire durant le temps d'attente ; cela impliquerait que la baisse nette des gains de l'entreprise, du fait de l'inactivité d'un employé, est égale au salaire de ce dernier, ce qui, *a priori*, n'est pas évident. L'employé, qu'il travaille ou qu'il attende, reçoit le même salaire. Par contre, sa contribution aux gains de l'entreprise est réellement perdue, car la productivité baisse. Quand un opérateur de machine est inactif parce qu'il attend, sa force productive (qui peut comprendre, outre son salaire, une proportion des coûts fixes de l'entreprise) est perdue. En d'autres termes, il faut tenir compte non pas de la ressource physique en attente, mais plutôt de la valeur (coût) de toutes les ressources économiques inactives, et évaluer ensuite la perte de profit à partir de la perte de productivité.

L'objectif de l'analyse des files d'attente est de trouver un compromis entre le coût associé à la capacité de service et le coût d'attente des clients. La figure 19.1 illustre bien ce concept. Notez que lorsque la capacité de service augmente, le coût de service augmente. Par souci de simplicité, nous avons illustré un coût de service linéaire. Cela n'affecte en rien la démonstration. Lorsque la capacité de service augmente, le nombre de clients en attente et le temps d'attente tendent à diminuer, donc les coûts d'attente diminuent. Le coût total (la somme des coûts de service et d'attente) est représenté sur le graphique par une courbe en forme de U. Graphiquement, il suffit de déterminer le niveau de service se traduisant par le coût total minimum. (Contrairement au modèle de la quantité économique utilisé dans la gestion des stocks, le minimum n'est pas nécessairement atteint au point d'intersection de la droite et de la courbe.)

Dans le cas d'une clientèle externe à l'entreprise, les files d'attente donnent une image négative de la qualité du service offert. Dans cette situation, les entreprises auront tendance à augmenter la rapidité du service plutôt que d'augmenter le nombre d'employés. Le fait d'abaisser le coût d'attente aura pour effet de déplacer vers le bas la courbe en U, qui représente le coût total.

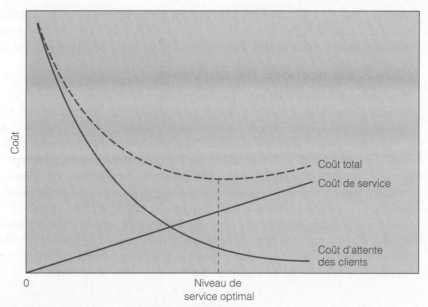

Figure 19.1

L'objectif de l'analyse des files d'attente est de minimiser la somme de deux coûts : le coût d'attente des clients et le coût de service.

19.4 LES CARACTÉRISTIQUES DU SYSTÈME DE FILES D'ATTENTE

Dans le cadre de la théorie des files d'attente, on a conçu plusieurs modèles d'analyse. Le succès de l'analyse des files d'attente repose surtout sur le choix du modèle approprié. Plusieurs caractéristiques sont à prendre en considération :

1. La population.

2. Le nombre de serveurs.

3. Les tendances quant à l'arrivée et au service.

4. L'ordre de traitement des clients.

La figure 19.2 illustre un système de file d'attente.

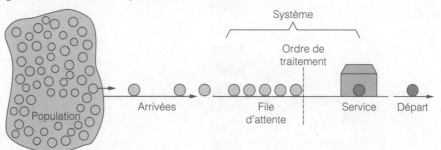

Figure 19.2

Système de file d'attente simple

19.4.1 La population

Dans la théorie des files d'attente, on appelle « population » la source de clients potentiels.

Il y a deux situations possibles. Dans le premier cas, la **population** est **infinie**, c'est-à-dire que le nombre potentiel de clients est infiniment grand en tout temps. C'est le cas des clients des supermarchés, des banques, des restaurants, des cinémas, des centres d'appels, etc. De plus, les clients proviennent de toutes les régions possibles. Dans la deuxième situation, la **population** est **finie**, ce qui signifie que le nombre de clients potentiels est limité.

Un bon exemple est le nombre de machines, d'avions, etc., en réparation dans le centre de maintenance d'une entreprise. L'entreprise en question possède un nombre fini de machines, d'avions, etc. Voici d'autres situations semblables : une infirmière

population infinie
Le nombre de clients qui arrivent est illimité.

population finie
Le nombre de clients qui arrivent est limité.

ayant la charge de 10 patients, un employé de banque chargé de remplir et de vider 4 guichets automatiques, une secrétaire qui s'occupe de 5 représentants, un contrôleur de la navigation aérienne qui dirige l'atterrissage ou le décollage de 5 avions, etc.

19.4.2 Le nombre de serveurs

serveur
Entité qui fournit le service.

La capacité de service dépend de la capacité de chaque serveur et du nombre de serveurs disponibles. Le terme « serveur » représente ici la ressource et, en général, on suppose qu'un serveur ne traite qu'un client à la fois.

Les systèmes de files d'attente fonctionnent avec serveur unique ou serveurs multiples (plusieurs serveurs travaillant en équipe constituent un serveur unique, par exemple une équipe chirurgicale). Les exemples de systèmes de files d'attente avec serveur unique sont nombreux : les petits magasins avec une seule caisse, tels que les dépanneurs, certains cinémas, certains lave-autos et établissements de restauration rapide avec guichet unique. Les systèmes à multiples serveurs sont les banques, les billetteries d'aéroports, les garages et les stations-service. La figure 19.3 illustre les systèmes de files d'attente les plus courants. Pour des raisons pratiques, ceux qui sont étudiés dans le cadre de ce chapitre comprennent une seule étape.

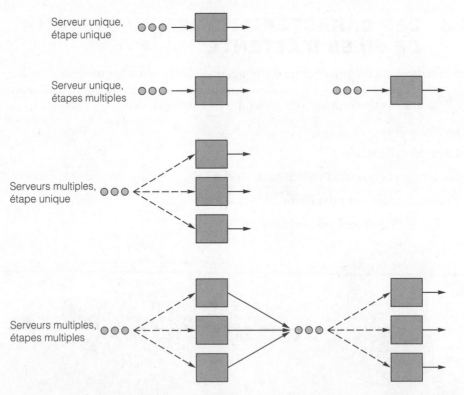

19.4.3 Les tendances quant à l'arrivée et au service

Les files d'attente résultent de la variabilité des tendances d'arrivée et de service. Elles se forment parce que le degré élevé de variation dans les intervalles entre les arrivées et dans les temps de service cause des congestions temporaires. Dans plusieurs cas, on peut représenter ces variations par des distributions théoriques de probabilités. Dans les principaux modèles utilisés, on suppose que le nombre d'arrivées dans un intervalle donné suit la loi de Poisson, alors que le temps de service suit une loi exponentielle. La figure 19.4 illustre ces deux distributions.

En général, la distribution de Poisson donne un assez bon aperçu du nombre de clients qui arrivent par unité de temps (par exemple le nombre de clients à l'heure). La figure 19.5 A illustre les arrivées distribuées selon la loi de Poisson (par exemple des accidents) pendant une période de trois jours. Durant certaines heures, on note de trois à quatre accidents ; à d'autres, un ou deux, et pour certaines, aucun.

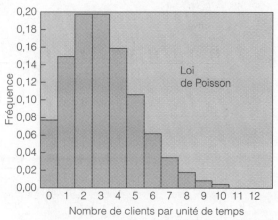

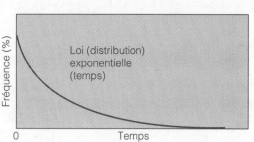

Figure 19.4

*Distributions de Poisson
et exponentielle*

La distribution exponentielle, quant à elle, donne une assez bonne approximation des temps de service (par exemple avant l'arrivée des premiers secours auprès des victimes d'accidents). La figure 19.5 B illustre le temps de service pour des clients qui arrivent selon le processus illustré à la figure 19.5 A. Remarquez que la plupart des temps de service sont très courts — certains sont proches de zéro — et quelques-uns, assez longs. C'est la caractéristique typique de la distribution exponentielle. Par exemple, les opérations traitées au guichet d'une banque prennent approximativement le même temps (assez court), alors qu'un nombre limité de clients requièrent un temps de traitement assez long.

Les files d'attente se forment plus souvent lorsque les arrivées se font en groupe ou que les temps de service sont particulièrement longs ; elles se créent presque à coup sûr si ces deux facteurs se manifestent. Par exemple, notez, à la figure 19.5 B, le temps de service particulièrement long pour le client n° 7 au jour 1. À la figure 19.5 A, le client n° 7 arrive à 10 heures et les 2 clients suivants arrivent juste après, ce qui crée alors une file d'attente. Une situation similaire s'est présentée le jour 3 avec les 3 derniers clients : le temps de service assez long pour le client n° 13 (figure 19.5 B) combiné au temps relativement court entre les deux arrivées suivantes (figure 19.5 A, jour 3) va certainement engendrer (ou augmenter) une file d'attente.

Remarquez qu'il existe une relation entre la distribution de Poisson et la distribution exponentielle. En d'autres termes, si le temps de service suit la loi exponentielle, le taux de service (nombre de clients servis par unité de temps) suit la loi de Poisson. De la même manière, si le taux d'arrivée suit la loi de Poisson, le **temps interarrivées** (temps entre deux arrivées successives) suit une loi exponentielle. Par exemple, si un centre de service a la capacité de traiter en moyenne 12 clients à l'heure (taux de service), le temps moyen de service est de cinq minutes. Si le taux moyen d'arrivée est de 10 clients à l'heure, le temps moyen entre 2 arrivées successives est de 6 minutes. Ainsi, les modèles de files d'attente décrits dans ce chapitre ont généralement comme processus d'arrivée un processus de Poisson ou, de façon équivalente, des temps interarrivées exponentiels et des temps de service distribués selon une loi exponentielle. En pratique, avant d'utiliser un modèle, il faut vérifier ces caractéristiques. Dans certains cas, on peut le faire en colligeant des données et en les représentant graphiquement. On ajuste ensuite la distribution observée à la distribution théorique.

temps interarrivées
Temps entre deux arrivées
successives.

Figure 19.5

Arrivées distribuées selon la loi de Poisson et temps de service distribués de façon exponentielle

A. Processus d'arrivée

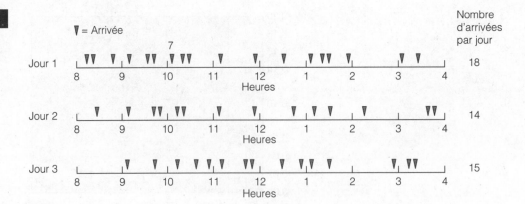

B. Temps de service

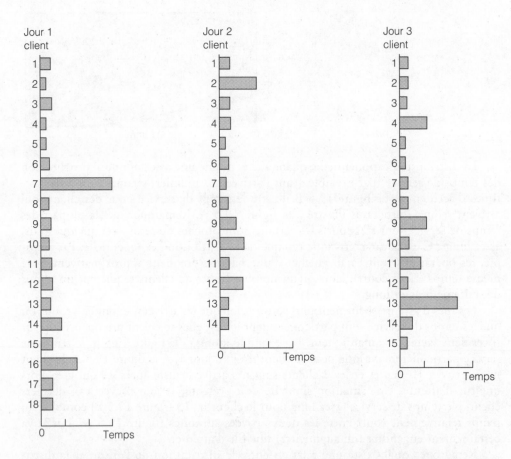

Il est toutefois préférable pour ce type de problème d'utiliser le test du chi-deux (χ_2) : ce sujet ne fait pas l'objet d'étude de ce chapitre et il est développé dans la majorité des ouvrages de statistique. Aujourd'hui, il existe des logiciels très puissants qui permettent d'ajuster très rapidement une série d'observations à une distribution théorique de probabilité. L'un des plus complets est ExpertFit, conçu par Averill Law et associés.

Par ailleurs, les recherches ont démontré que si ces hypothèses sont généralement appropriées pour le processus d'arrivée, elles le sont moins pour le processus de service. Dans ce cas, les solutions à considérer consistent à : 1) mettre au point un modèle plus approprié ; 2) utiliser un meilleur modèle (généralement plus complexe) ; 3) avoir recours à la simulation numérique. Ces solutions requièrent généralement plus d'efforts, de temps et d'argent que les modèles de files d'attente présentés dans ce chapitre.

19.4.4 **La discipline de la file d'attente**

La **discipline de la file d'attente** concerne l'ordre de traitement des clients. Dans tous les modèles décrits dans les pages suivantes, on suppose que la règle de priorité est : premier entré, premier servi (PEPS). C'est la règle la plus communément utilisée dans les entreprises de services ; elle procure aux clients un sentiment de justice, bien qu'elle pénalise les clients dont le temps de service est court. Elle est appliquée dans les banques, les magasins, les cinémas, les restaurants, les intersections avec arrêt obligatoire, les contrôles douaniers, etc. Certains systèmes ne s'en servent pas : les salles d'urgence des hôpitaux, en général, utilisent trois niveaux de priorité (les cas graves étant traités en priorité) ; les usines traitent les commandes urgentes et les ordinateurs centraux traitent les tâches par ordre d'importance. Certains clients devront donc attendre plus longtemps, même s'ils sont arrivés plus tôt. Prenons un exemple. Vous venez d'avoir un bébé et vous êtes une personne plutôt anxieuse. Si vous allez à l'urgence de l'hôpital Sainte-Justine de Montréal à la moindre petite fièvre de votre bébé, armez-vous de patience et priez pour qu'il n'y ait pas trop de cas graves ce jour-là. Les autres règles de priorité susceptibles d'être appliquées sont les temps d'opération les plus courts, les commandes ou les clients les plus importants, les urgences, les réservations en priorité, les délais de livraison les plus courts, etc.

discipline de la file d'attente

Ordre dans lequel les clients sont traités.

19.5 **LES MESURES DE PERFORMANCE**

Les gestionnaires ont à leur disposition cinq outils de mesure ou indices pour évaluer la performance d'un système de production de biens ou de services existant ou celle d'un système qu'ils veulent concevoir. Ces mesures sont :

1. Le nombre moyen de clients qui attendent en file ou dans le système[1].

2. Le temps moyen d'attente en file et dans le système.

3. Le taux d'utilisation du système, c'est-à-dire le pourcentage de la capacité utilisée.

4. Le coût associé au niveau de service (capacité) mis en place.

5. La probabilité qu'un client potentiel attende pour être servi.

Parmi ces cinq outils de mesure, le taux d'utilisation du système nécessite quelques éclaircissements. Il reflète l'étendue de l'occupation des serveurs plutôt que leur inactivité. Il est logique de penser qu'une bonne gestion des ressources implique un taux d'utilisation de 100 %. Cependant, comme le montre la figure 19.6, le fait d'augmenter le taux d'utilisation revient à augmenter à la fois le nombre de clients qui attendent et le temps moyen d'attente. En fait, ces deux mesures augmentent indéfiniment lorsque le taux d'utilisation approche de 100 %. Si tous les serveurs sont occupés, il est certain que les clients potentiels qui arrivent vont attendre. Cela implique que dans des conditions normales d'opération, un taux d'utilisation de 100 % est irréaliste. Le gestionnaire devrait plutôt essayer d'équilibrer le système de telle sorte que la somme des coûts de service et d'attente soit minimale, tel qu'illustré à la figure 19.11.

19.6 **LES PRINCIPAUX MODÈLES DE FILES D'ATTENTE**

19.6.1 **Modèles avec population infinie**

Plusieurs modèles de files d'attente sont à la disposition des gestionnaires pour leur permettre de concevoir des systèmes de production de biens ou de services ou de représenter un système réel afin d'en analyser la performance. Dans ce chapitre, nous

---

1. Voir la figure 19.2.

Figure 19.6

Le nombre moyen de clients qui attendent en file et le temps moyen d'attente des clients en file augmentent de façon exponentielle à mesure que le taux d'utilisation augmente.

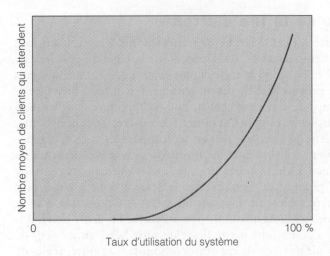

présentons les quatre modèles de base les plus utilisés. Le but n'est pas d'étudier de façon exhaustive les modèles, mais plutôt d'analyser un certain nombre d'entre eux. Tous ont pour hypothèse que le taux d'arrivée est distribué selon la loi de Poisson. On suppose aussi que le système étudié est en **régime permanent (stationnaire)**, c'est-à-dire que les taux d'arrivée et de service sont stables. Les quatre modèles présentés sont :

1. Serveur unique, temps de service exponentiel.

2. Serveur unique, temps de service constant.

3. Serveurs multiples, temps de service exponentiel.

4. Serveurs multiples, règles de priorité multiples, temps de service exponentiel.

Afin de faciliter l'utilisation des modèles, le tableau 19.1 présente les symboles et la terminologie utilisés pour les modèles avec population infinie.

TABLEAU 19.1

Symboles (modèles avec population infinie)

Symbole	Signification
λ	Taux d'arrivée des clients
μ	Taux de service
ρ	Taux d'utilisation du système
$\bar{n}_l$	Nombre moyen de clients qui attendent d'être servis
$\bar{n}_s$	Nombre moyen de clients dans le système (clients qui attendent et clients qui sont en train d'être servis)
$\frac{1}{\mu}$	Temps de service
$\bar{t}_l$	Temps moyen d'attente en file
$\bar{t}_s$	Temps moyen d'attente dans le système (temps d'attente en file, plus le temps de service)
P_0	Probabilité qu'il y ait zéro unité (client) dans le système
P_n	Probabilité qu'il y ait n unités (clients) dans le système
M	Nombre de serveurs

19.6.1.1 Les relations de base

Dans les modèles de files d'attente avec population infinie, il existe certaines relations de base (entre certains paramètres et les mesures de performance) qui permettent de déterminer les mesures de performance désirées grâce à quelques valeurs clés. Les principales relations sont présentées ci-dessous :

Remarque : les taux d'arrivée (λ) et de service (μ) doivent être exprimés dans la même unité de mesure (clients à l'heure, clients par minute, etc.).

Le taux d'utilisation du système : il représente le rapport entre la demande (mesurée grâce au taux d'arrivée, λ) et la capacité de service (produit du nombre de serveurs M par le taux de service, μ).

$$\rho = \frac{\lambda}{M\mu} \tag{19-1}$$

Le nombre moyen de clients en train d'être servis si M = 1 :

$$\rho = \frac{\lambda}{\mu} \tag{19-2}$$

Le nombre moyen de clients en file :

$\overline{n}_l$ est obtenu à partir d'une table ou de la formule appropriée, selon le modèle en question.

Le nombre de clients dans le système :

$$\overline{n}_s = \overline{n}_l + \rho \tag{19-3}$$

Le temps moyen d'attente en file :

$$\overline{t}_l = \frac{\overline{n}_l}{\lambda} \tag{19-4}$$

Le temps moyen d'attente dans le système :

$$\overline{t}_s = \overline{t}_l + \frac{1}{\mu} = \frac{\overline{n}_s}{\lambda} \tag{19-5}$$

Pour ces modèles, le taux d'utilisation du système doit être inférieur à 1 ($\lambda < M\mu$). D'autre part, ces modèles ne s'appliquent qu'à des systèmes non congestionnés. Il n'y a aucune utilité à analyser les systèmes dans lesquels $\lambda > M\mu$, car il est évident que dans de tels cas, ils sont congestionnés.

Le nombre moyen de clients qui attendent en file ($\overline{n}_l$) est l'élément clé qui sert à déterminer les autres mesures de performance du système, tels le nombre moyen de clients dans le système, le temps moyen passé en file et le temps moyen passé dans le système. Par conséquent, lorsqu'on veut résoudre des problèmes de files d'attente, la première mesure de performance à considérer est $\overline{n}_l$.

Les clients d'une boulangerie se présentent généralement en matinée (calcul effectué selon la loi de Poisson), à raison de 18 clients en moyenne à l'heure. On estime que chaque vendeur au comptoir peut servir un client (temps distribué selon une loi exponentielle) en moyenne en quatre minutes.

Exemple 1

a) Quels sont les taux d'arrivée et de service ? Calculez le nombre moyen de clients en train d'être servis (supposez que le taux d'utilisation du système est inférieur à 1).

b) En supposant que le nombre moyen de clients qui attendent en file est égal à 3,6, déterminez le nombre moyen de clients dans le système, le temps moyen passé en file et le temps moyen passé dans le système.

c) Déterminez le taux d'utilisation du système lorsque M = 2, 3, 4 serveurs.

Solution

a) Le taux d'arrivée est donné dans l'énoncé du problème : λ = 18 clients à l'heure. Il faut traduire le temps moyen de service en heures, puis déduire le taux sachant que pour une distribution exponentielle, la moyenne est égale à $1/\mu$. Donc, $1/\mu$ = 4 minutes par client / 60 minutes par heure = 1/15, ce qui donne un taux moyen de service μ = 15 clients à l'heure.

$$\rho = \frac{\lambda}{\mu} = \frac{18}{15} = 1,2 \text{ client}$$

b) Nombre moyen de clients dans le système :

$\bar{n}_s = \bar{n}_l + \rho = 3,6 + 1,2 = 4,8$ clients (puisque $\bar{n}_l$ est égal à 3,6)

Temps moyen d'attente en file :

$\bar{t}_l = \dfrac{\bar{n}_l}{\lambda} = \dfrac{3,6}{18} = 0,20$ heure par client, ou $0,20 \times 60$ minutes $= 12$ minutes

Temps moyen passé dans le système :

$\bar{t}_s = \bar{t}_l + \dfrac{1}{\mu} = \dfrac{n_l}{\lambda} + \dfrac{1}{\mu} = 0,20 + \dfrac{1}{15} = 0,267$ heure, soit environ 16 minutes

c) Taux d'utilisation du système $\rho = \lambda/M\mu$:

$M = 2, \qquad \rho = \dfrac{18}{2(15)} = 0,60$

$M = 3, \qquad \rho = \dfrac{18}{3(15)} = 0,40$

$M = 4, \qquad \rho = \dfrac{18}{4(15)} = 0,30$

Par conséquent, lorsque la capacité de service augmente, le taux d'utilisation du système diminue.

19.6.1.2 Modèle 1 : serveur unique, temps de service exponentiel

Le modèle classique (le plus simple) d'analyse des files d'attente concerne les systèmes comptant un seul serveur (ou une seule équipe). La règle de priorité est « premier entré, premier servi (PEPS) » ; on suppose que le processus d'arrivée suit une loi de Poisson et que le temps de service suit une loi exponentielle. Il n'y a aucune restriction quant à la longueur de la file proprement dite.

Le tableau 19.2 présente les formules servant à calculer les mesures de performance pour un modèle avec serveur unique. On les utilise conjointement avec les formules des tableaux 19.1 à 19.5.

TABLEAU 19.2

Formules pour le modèle de base (serveur unique, temps de service exponentiel)

Mesure de performance	Équation	
Nombre moyen de clients en file	$\bar{n}_l = \dfrac{\lambda^2}{\mu(\mu - \lambda)}$	(19–6)
Nombre moyen de clients dans le système	$\bar{n}_s = \dfrac{\lambda}{(\mu - \lambda)}$	
Temps moyen d'attente en ligne	$\bar{t}_l = \dfrac{\lambda}{\mu(\mu - \lambda)}$	
Temps moyen passé dans le système	$\bar{t}_s = \dfrac{1}{(\mu - \lambda)}$	
Probabilité qu'il y ait zéro unité dans le système	$P_0 = 1 - \left(\dfrac{\lambda}{\mu}\right)$	(19–7)
Probabilité qu'il y ait n unités dans le système	$P_n = P_0 \left(\dfrac{\lambda}{\mu}\right)^n$	(19–8a)
Probabilité qu'il y ait moins de n unités dans le système	$P_{<n} = 1 - \left(\dfrac{\lambda}{\mu}\right)^n$	(19–8b)

Exemple 2

Une compagnie aérienne envisage d'ouvrir un point de vente dans un nouveau centre commercial. Elle compte y faire travailler un agent qui sera responsable des réservations et de la vente de billets. On prévoit un achalandage de 15 clients à l'heure en moyenne ; on estime aussi que la distribution des arrivées peut être calculée selon la loi de Poisson et que le temps de service sera de 3 minutes en moyenne par client (distribution exponentielle). Déterminez les mesures de performance suivantes :

a) Taux d'utilisation du système.

b) Pourcentage d'inactivité de l'agent.

c) Nombre moyen de clients qui attendent pour être servis.

d) Temps moyen passé par un client dans le système.

e) Probabilité qu'il n'y ait aucun client dans le système et probabilité qu'il y ait quatre clients dans le système.

λ = 15 clients à l'heure et 3 minutes/client = temps de service = $\dfrac{1}{\mu}$

donc $\mu = (\dfrac{1}{3} \dfrac{\text{client}}{\text{minute}}) \times 60$ minutes par heure = 20 clients à l'heure

a) $\rho = \dfrac{\lambda}{M\mu} = \dfrac{15}{1(20)} = 0,75$

b) Pourcentage d'inactivité = $1 - \rho = 1 - 0,75 = 0,25$, c'est-à-dire 25 % du temps

c) $\bar{n}_l = \dfrac{\lambda^2}{\mu(\mu - \lambda)} = \dfrac{15^2}{20(20 - 15)} = 2,25$ clients

d) $\bar{t}_s = \dfrac{1}{(\mu - \lambda)} = \dfrac{1}{(20 - 15)} = 0,20$ heure ou 12 minutes

e) $P_0 = 1 - \dfrac{\lambda}{\mu} = 1 - \dfrac{15}{20} = 0,25$ et $P_4 = P_0\left(\dfrac{\lambda}{\mu}\right)^4 = 0,25 \left(\dfrac{15}{20}\right)^4 = 0,079$

19.6.1.3 Modèle 2 : serveur unique, temps de service constant

Comme nous l'avons signalé précédemment, les files d'attente sont la conséquence directe de phénomènes aléatoires et du degré élevé de variabilité des taux d'arrivée et de service. Si, dans un système donné, on arrive à diminuer ou à réduire les variations d'un taux ou des deux, on peut également raccourcir les files d'attente de façon significative. Toutefois, dans le cas où les temps de service sont constants, le nombre moyen de clients qui attendent en file diminue de moitié.

$$\bar{n}_l = \dfrac{\lambda^2}{2\,\mu(\mu - \lambda)} \tag{19-9}$$

Le temps d'attente en file est aussi réduit de moitié.

On retrouve ce modèle dans plusieurs situations, notamment lorsque le serveur est une machine automatique. Les lave-autos en sont un exemple.

Un lave-auto avec file unique a été programmé pour laver une automobile en cinq minutes. En fin de semaine, particulièrement le samedi, il arrive (selon un processus de Poisson) huit voitures à l'heure en moyenne. Déterminez :

a) Le nombre moyen de voitures dans la file d'attente.

b) Le temps moyen passé dans la file et le temps moyen passé dans le système.

μ = 1 toutes les 5 minutes ou encore 12 voitures à l'heure ; λ = 8 voitures à l'heure

a) $\bar{n}_l = \dfrac{\lambda^2}{2\mu(\mu - \lambda)} = \dfrac{8^2}{2(12)(12 - 8)} = 0,667$ voiture

b) $\bar{t}_l = \dfrac{\bar{n}_l}{\lambda} = \dfrac{0,667}{8} = 0,083$ heure ou 5 minutes

$\bar{t}_s = \bar{t}_l + \dfrac{1}{\mu} = \dfrac{\bar{n}_s}{\lambda} + \dfrac{1}{\mu} = \dfrac{0,667}{8} + \dfrac{1}{12} = 0,167$ heure ou 10 minutes

19.6.1.4 Modèle 3 : serveurs multiples, temps de service exponentiel

Un tel modèle existe lorsqu'il y a deux serveurs ou plus qui travaillent en parallèle, de façon indépendante. Il faut tout d'abord vérifier les hypothèses suivantes :

1. Le processus d'arrivée est distribué selon une loi de Poisson et le processus de service, selon une loi exponentielle.

2. Le taux de service moyen est identique pour tous les serveurs.

3. Les clients sont traités selon l'ordre d'arrivée : premier entré, premier servi (règle PEPS).

Dans le tableau 19.3, vous trouverez les formules permettant de calculer les mesures de performance de ce modèle. Vous constaterez qu'elles sont beaucoup plus complexes que celles du modèle 1, particulièrement celles qui déterminent $\bar{n}_l$ et P_0. Nous vous les présentons pour montrer leur complexité et compléter la description de ce modèle, mais on utilise plutôt le tableau 19.4, qui donne les valeurs de $\bar{n}_l$ et de P_0 pour différentes valeurs de λ/μ et de M.

Pour se servir du tableau 19.4, on commence par calculer la valeur de λ/μ (arrondie aux décimales près comme dans le tableau), puis on lit tout simplement les valeurs de $\bar{n}_l$ et de P_0 correspondant au nombre approprié de serveurs, M. Par exemple, si λ/μ = 0,50 et M = 2, on peut lire : $\bar{n}_l$ = 0,033 et P_0 = 0,600. On peut se servir de ces valeurs pour déterminer d'autres mesures de performance. Notez que les formules du tableau 19.3 et les valeurs du tableau 19.4 donnent des moyennes. On peut utiliser le tableau 19.4 pour le modèle 1 (serveur unique, temps de service exponentiel) en prenant M = 1.

TABLEAU 19.3	
Formules pour le modèle de files d'attente (serveurs multiples, temps de service exponentiel)	

Mesure de performance	Équation	
Nombre moyen de clients en file	$\bar{n}_l = \dfrac{\lambda\mu\left(\dfrac{\lambda}{\mu}\right)^M}{(M-1)!(M\mu-\lambda)^2}P_0$	(19–10)
Probabilité qu'il y ait zéro unité dans le système	$P_0 = \left[\displaystyle\sum_{n=0}^{M-1}\dfrac{\left(\dfrac{\lambda}{\mu}\right)^n}{n!} + \dfrac{\left(\dfrac{\lambda}{\mu}\right)^M}{M!\left(1-\dfrac{\lambda}{M\mu}\right)}\right]^{-1}$	(19–11)
Temps moyen d'attente pour un client potentiel non servi immédiatement	$\bar{t}_a = \dfrac{l}{M\mu-\lambda}$	(19–12)
Probabilité qu'un client potentiel attende avant d'être servi	$P_W = \dfrac{\bar{t}_l}{\bar{t}_a}$	(19–13)

TABLEAU 19.4	
Valeurs de $\bar{n}_l$ et de P_0 pour des valeurs de λ/μ et de M données	

λ/μ	M	$\bar{n}_l$	P_0	λ/μ	M	$\bar{n}_l$	P_0	λ/μ	M	$\bar{n}_l$	P_0
0,15	1	0,026	,850	1,3	3	0,130	,264	2,7	3	7,354	,025
	2	0,001	,860		4	0,023	,271		4	0,811	,057
0,20	1	0,050	,800		5	0,004	,272		5	0,198	,065
	2	0,002	,818	1,4	2	1,345	,176		6	0,053	,067
0,25	1	0,083	,750		3	0,177	,236		7	0,014	,067
	2	0,004	,778		4	0,032	,245	2,8	3	12,273	,016
0,30	1	0,129	,700		5	0,006	,246		4	1,000	,050
	2	0,007	,739	1,5	2	1,929	,143		5	0,241	,058
0,35	1	0,188	,650		3	0,237	,211		6	0,066	,060
	2	0,011	,702		4	0,045	,221		7	0,018	,061
0,40	1	0,267	,600		5	0,009	,223	2,9	3	27,193	,008
	2	0,017	,667	1,6	2	2,844	,111		4	1,234	,044
0,45	1	0,368	,550		3	0,313	,187		5	0,293	,052
	2	0,024	,633		4	0,060	,199		6	0,081	,054
	3	0,002	,637		5	0,012	,201		7	0,023	,055

TABLEAU 19.4

(suite)

λ/μ	M	$\bar{n}_l$	P_0	λ/μ	M	$\bar{n}_l$	P_0	λ/μ	M	$\bar{n}_l$	P_0
0,50	1	0,500	,500	1,7	2	4,426	,081	3,0	4	1,528	,038
	2	0,033	,600		3	0,409	,166		5	0,354	,047
	3	0,003	,606		4	0,080	,180		6	0,099	,049
0,55	1	0,672	,450		5	0,017	,182		7	0,028	,050
	2	0,045	,569	1,8	2	7,674	,053		8	0,008	,050
	3	0,004	,576		3	0,532	,146	3,1	4	1,902	,032
0,60	1	0,900	,400		4	0,105	,162		5	0,427	,042
	2	0,059	,538		5	0,023	,165		6	0,120	,044
	3	0,006	,548	1,9	2	17,587	,026		7	0,035	,045
0,65	1	1,207	,350		3	0,688	,128		8	0,010	,045
	2	0,077	,509		4	0,136	,145	3,2	4	2,386	,027
	3	0,008	,521		5	0,030	,149		5	0,513	,037
0,70	1	1,633	,300		6	0,007	,149		6	0,145	,040
	2	0,098	,481	2,0	3	0,889	,111		7	0,043	,040
	3	0,011	,495		4	0,174	,130		8	0,012	,041
0,75	1	2,250	,250		5	0,040	,134	3,3	4	3,027	,023
	2	0,123	,455		6	0,009	,135		5	0,615	,033
	3	0,015	,471	2,1	3	1,149	,096		6	0,174	,036
0,80	1	3,200	,200		4	0,220	,117		7	0,052	,037
	2	0,152	,429		5	0,052	,121		8	0,015	,037
	3	0,019	,447		6	0,012	,122	3,4	4	3,906	,019
0,85	1	4,817	,150	2,2	3	1,491	,081		5	0,737	,029
	2	0,187	,404		4	0,277	,105		6	0,209	,032
	3	0,024	,425		5	0,066	,109		7	0,063	,033
	4	0,003	,427		6	0,016	,111		8	0,019	,033
0,90	1	8,100	,100	2,3	3	1,951	,068	3,5	4	5,165	,015
	2	0,229	,379		4	0,346	,093		5	0,882	,026
	3	0,030	,403		5	0,084	,099		6	0,248	,029
	4	0,004	,406		6	0,021	,100		7	0,076	,030
0,95	1	18,050	,050	2,4	3	2,589	,056		8	0,023	,030
	2	0,277	,356		4	0,431	,083		9	0,007	,030
	3	0,037	,383		5	0,105	,089	3,6	4	7,090	,011
	4	0,005	,386		6	0,027	,090		5	1,055	,023
1,0	2	0,333	,333		7	0,007	,091		6	0,295	,026
	3	0,045	,364	2,5	3	3,511	,045		7	0,019	,027
	4	0,007	,367		4	0,533	,074		8	0,028	,027
1,1	2	0,477	,290		5	0,130	,080		9	0,008	,027
	3	0,066	,327		6	0,034	,082	3,7	4	10,347	,008
	4	0,011	,367		7	0,009	,082		5	1,265	,020
1,2	2	0,675	,250	2,6	3	4,933	,035		6	0,349	,023
	3	0,094	,294		4	0,658	,065		7	0,109	,024
	4	0,016	,300		5	0,161	,072		8	0,034	,025
	5	0,003	,301		6	0,043	,074		9	0,010	,025
1,3	2	0,951	,212		7	0,011	,074	3,8	4	16,937	,005
3,8	5	1,519	,017	4,6	5	9,289	,004	5,3	8	0,422	,005
	6	0,412	,021		6	1,487	,008		9	0,155	,005
	7	0,129	,022		7	0,453	,009		10	0,057	,005
	8	0,041	,022		8	0,156	,010		11	0,021	,005
	9	0,013	,022		9	0,054	,010		12	0,007	,005
3,9	4	36,859	,002		10	0,018	,010		12	0,007	,005
	5	1,830	,015	4,7	5	13,382	,003		7	1,444	,004
	6	0,485	,019		6	1,752	,007		8	0,483	,004
	7	0,153	,020		7	0,525	,008		9	0,178	,004
	8	0,050	,020		8	0,181	,008		10	0,066	,004
	9	0,016	,020		9	0,064	,009		11	0,024	,005

TABLEAU 19.4

(suite)

λ/μ	M	$\bar{n}_l$	P_0	λ/μ	M	$\bar{n}_l$	P_0	λ/μ	M	$\bar{n}_l$	P_0
4,0	5	2,216	,013		10	0,022	,009		12	0,009	,005
	6	0,570	,017	4,8	5	21,641	,002	5,5	6	8,590	,002
	7	0,180	,018		6	2,071	,006		7	1,674	,003
	8	0,059	,018		7	0,607	,008		8	0,553	,004
	9	0,019	,018		8	0,209	,008		9	0,204	,004
4.2	5	2,703	,011		9	0,074	,008		10	0,077	,004
	6	0,668	,015		10	0,026	,008		11	0,028	,004
	7	0,212	,016	4,9	5	46,566	,001		12	0,010	,004
	8	0,070	,016		6	2,459	,005	5,6	6	11,519	,001
	9	0,023	,017		7	0,702	,007		7	1,944	,003
4,2	5	3,327	,009		8	0,242	,007		8	0,631	,003
	6	0,784	,013		9	0,087	,007		9	0,233	,004
	7	0,248	,014		10	0,031	,007		10	0,088	,004
	8	0,083	,015		11	0,011	,077		11	0,033	,004
	9	0,027	,015	5,0	6	2,938	,005		12	0,012	,004
	10	0,009	,015		7	0,810	,006	5,7	6	16,446	,001
4,3	5	4,149	,008		8	0,279	,006		7	2,264	,002
	6	0,919	,012		9	0,101	,007		8	0,721	,003
	7	0,289	,130		10	0,036	,007		9	0,266	,003
	8	0,097	,013		11	0,013	,007		10	0,102	,003
	9	0,033	,014	5,1	6	3,536	,004		11	0,038	,003
	10	0,011	,014		7	0,936	,005		12	0,014	,003
4,4	5	5,268	,006		8	0,321	,006	5,8	6	26,373	,001
	6	1,078	,010		9	0,117	,006		7	2,648	,002
	7	0,337	,012		10	0,042	,006		8	0,823	,003
	8	0,114	,012		11	0,015	,006		9	0,303	,003
	9	0,039	,012	5,2	6	4,301	,003		10	0,116	,003
	10	0,013	,012		7	1,081	,005		11	0,044	,003
4,5	5	6,862	,005		8	0,368	,005		12	0,017	,003
	6	1,265	,009		9	0,135	,005	5,9	6	56,300	,000
	7	0,391	,010		10	0,049	,005		7	3,113	,002
	8	0,133	,011		11	0,017	,006		8	0,939	,002
	9	0,046	,011	5,3	6	5,303	,003		9	0,345	,003
	10	0,015	,011		7	1,249	,004		10	0,133	,003

Exemple 4

La compagnie Taxi-Air possède sept taxis stationnés à l'aéroport de Dorval. Les statistiques de la compagnie indiquent que durant les heures tardives des jours ouvrables de la semaine, les clients se présentent pour prendre un taxi (selon un processus de Poisson) à une cadence moyenne de 6,6 clients à l'heure. Le service, quant à lui, suit une distribution exponentielle de 50 minutes en moyenne. Le service consiste à prendre un client à l'aéroport, à le conduire à destination et à revenir à l'aéroport pour se placer en file, dans l'attente d'autres clients. Déterminez chacune des mesures de performance présentées dans le tableau 19.3, ainsi que le taux d'utilisation du système.

Solution

λ = 6,6 clients à l'heure et M = 7 voitures (serveurs)

$$\mu = \frac{1 \text{ client/voyage}}{(50 \text{ min/voyage} \div 60 \text{ min/h})} = 1,2 \text{ client à l'heure}$$

À partir du tableau 19.4: en considérant λ/μ = 5,5 et M = 7, on peut lire:

a) $\bar{n}_l$ = 1,674

b) P_0 = 0,003

c) $\bar{t}_a = \dfrac{1}{M\mu} - \lambda = \dfrac{1}{7}(1,2) - 6,6 = 0,556$ heure ou 33,36 minutes

d) $\bar{t}_l = \dfrac{\bar{n}_l}{\lambda} = \dfrac{1,674}{6,6} = 0,2536$ heure ou 15,22 minutes, donc :

$P_W = \dfrac{\bar{t}_l}{\bar{t}_a} = \dfrac{0,2536}{0,556} = 0,456$;   il y a 45,6 % de chances qu'un client potentiel attende avant d'être servi.

e) $\rho = \dfrac{\lambda}{M\mu} = \dfrac{6,6}{7}\,(1,2) = 0,786$; le système est utilisé à 78,6 % de sa capacité.

Avec Excel, la solution de l'exemple 4 apparaît comme suit :

	B	C	D
1	**T19-3 Modèle de files d'attente avec serveurs multiples**		
3	Taux moyen d'arrivée	lamda =	6,6
4	Nombre de serveurs	M =	7
5	Taux moyen de service	mu =	1,2
6	Nombre moyen de clients servis	r =	5,500
7	Nombre moyen en file	$\bar{n}_l$ =	1,674
8	Nombre moyen de clients dans le système	$\bar{n}_s$ =	7,174
9	Temps moyen d'attente en file	$\bar{t}_l$ =	0,254
10	Temps moyen dans le système	$\bar{t}_s$ =	1,087
11	Taux d'utilisation du système	rho =	0,786
12	P(zero unités dans le système)	P0 =	0,003
13	Temps moyen d'attente (client potentiel)	$\bar{t}_a$ =	0,556
14	P(d'attente d'un client potentiel)	Pw =	0,456

Le processus de résolution peut être inversé, c'est-à-dire que l'analyste peut déterminer la capacité requise pour satisfaire à des niveaux spécifiés de performance. L'exemple ci-dessous illustre cette approche.

Exemple 5

La compagnie Taxi-Air envisage de desservir une nouvelle gare. Le taux moyen d'arrivée des clients à la gare est de 4,8 clients à l'heure et le taux de service (aller-retour) est de 1,5 client à l'heure. Combien de taxis seront nécessaires pour obtenir un temps d'attente moyen tolérable de 20 minutes ou moins ?

Solution

$\lambda = 4,8$ clients à l'heure, $\mu = 1,5$ client à l'heure, M = ?

$\rho = \dfrac{\lambda}{\mu} = \dfrac{4,8}{1,5} = 3,2$

$\bar{t}_l = 20$ minutes ou 0,333 heure (attente moyenne désirée)

$\bar{n}_l = \lambda \times \bar{t}_l = 4,8 \times 0,333 = 1,6$ unité. Donc, le nombre moyen de clients qui attendent ne doit pas dépasser 1,6. À partir du tableau 19.4, avec $\lambda/\mu = 3,2$, $\bar{n}_l = 2,386$ pour $M = 4$ et $\bar{n}_l = 0,513$ pour $M = 5$.

Taxi-Air a besoin de 5 voitures pour obtenir 20 minutes comme temps d'attente moyen tolérable.

19.6.1.5 Optimisation des files d'attente

Pour concevoir un système, on calcule et on compare le coût associé au niveau de service (capacité de service) et le coût d'attente des clients (coût encouru par l'entreprise en raison de l'attente des clients dans le système). Par exemple, lorsqu'on conçoit un quai de chargement pour un entrepôt, on étudie le coût du quai plus le coût des équipes de chargement par rapport au coût associé à l'attente des camions (chargement et déchargement). Même chose pour le coût du mécanicien qui attend des outils devant un centre d'outillage : il doit être équilibré avec le coût du serveur du centre d'outillage. Dans le cas où les clients sont externes à l'entreprise (commerces de détail, par exemple), les coûts vont inclure les ventes perdues à cause du refus du client d'attendre, le coût associé à l'espace d'attente mis en place par l'entreprise et le coût associé à la congestion du système (perte de clients, vols à l'étalage, etc.). La capacité optimale de service (en général, le nombre de serveurs qui travaillent en parallèle) est celle qui permet de réduire le coût total de gestion de l'attente. Ce coût total est la somme du coût d'attente des clients et du coût de la capacité de service.

L'objectif est donc de minimiser le coût total.

Coût total (CT) = coût d'attente (C_a) + coût de service (C_s)

L'approche d'optimisation consiste à calculer le coût total du système en fonction de différentes valeurs correspondant au nombre de serveurs. Après un certain nombre d'itérations, on établit la capacité qui minimise le coût total. Comme la courbe représentant le coût total est en forme de U, le fait d'augmenter le nombre de serveurs va faire en sorte que le coût total va diminuer jusqu'à atteindre le minimum. À partir de là, le fait d'augmenter la capacité va plutôt engendrer une augmentation du coût total. C'est donc à ce point que se situe la capacité optimale.

Le coût d'attente se calcule en fonction du nombre moyen de clients dans le système. Cela n'est peut-être pas intuitivement évident et on serait plutôt tenté de considérer le temps moyen d'attente dans le système. Or, ce serait ne tenir compte que d'un seul client. Cela ne donnerait pas d'informations concernant le nombre de clients qui attendent pendant ce temps. Il est évident que le coût engendré par la présence de cinq clients en moyenne qui attendent va être moindre que celui d'en avoir neuf. Par conséquent, il est nécessaire de se concentrer sur le nombre de clients en attente. Par ailleurs, si on a en moyenne deux clients dans le système, cela équivaut à avoir exactement deux clients dans le système en tout temps, malgré le fait qu'en réalité, on aura à certains moments zéro, un, deux, trois clients ou plus dans le système.

Exemple 6

Les camions arrivent à un entrepôt durant les jours ouvrables de la semaine selon un processus de Poisson, à raison de 15 camions à l'heure. Les équipes de manutention déchargent 5 camions à l'heure ; le processus de service suit une distribution exponentielle. Le taux élevé de déchargement est dû au fait que le transport se fait par conteneurs, ce qui rend le processus plus facile. La mise en application de la dernière convention syndicale étant prévue pour très bientôt, le directeur de la logistique voudrait réexaminer son processus de chargement/déchargement, notamment le nombre de manutentionnaires requis au quai. Les nouveaux coûts sont le salaire d'un manutentionnaire, auquel s'ajoute le coût d'exploitation du quai, estimé à 100 dollars l'heure, alors que le coût d'attente d'un chauffeur et de son camion est estimé à 120 dollars l'heure.

À partir du tableau 19.4, on détermine $\bar{n}_l$ en utilisant : $\lambda / \mu = 15 / 5 = 3$.

Solution

Taille de l'équipe	Coût de service $C_s = 100\ \$ \times M$	Nombre moyen de clients dans le système $\bar{n}_s = \bar{n}_l + \dfrac{\lambda}{\mu}$	Coût d'attente $C_a = 120\ \$ \times \bar{n}_l$	Coût total (CT)
4	400	1,528 + 3 = 4,528	543,36	943,36
5	500	0,354 + 3 = 3,354	402,48	*902,48*
6	600	0,099 + 3 = 3,099	371,88	971,88
7	700	0,028 + 3 = 3,028	363,36	1063,36

La configuration optimale est une équipe de manutentionnaires composée de cinq personnes. Puisque le coût total va continuer d'augmenter une fois le minimum atteint, il n'est pas nécessaire de calculer les coûts totaux correspondant à des équipes de huit personnes ou plus. On voit bien que le coût total correspondant à la solution optimale est de 902,48 dollars et qu'il ne cesse d'augmenter. Après le coût total de 902,48 dollars, on entame la phase ascendante de la courbe en U.

Remarque : Soulignons que lorsqu'on fait de l'optimisation, les coûts d'attente et de service sont des estimations, donc la solution optimale obtenue peut ne pas être la vraie. Le fait de calculer le coût total au cent près ou même au dollar près semble indiquer un degré élevé de précision, ce qui n'est pas corroboré par les estimations des coûts. Cela est également compliqué par le fait que les approximations des taux d'arrivée et de service par les distributions de Poisson et exponentielle peuvent être fausses. Une autre solution serait d'estimer les coûts par intervalles (par exemple, le coût d'attente des clients serait compris entre 40 et 50 dollars l'heure). Dans ce cas, on devrait calculer le coût total pour chacune des limites afin de vérifier si la solution optimale est affectée. Si oui, le gestionnaire devra décider s'il est nécessaire de faire des efforts supplémentaires pour obtenir plus de précision dans les estimations des coûts ou tout simplement choisir une des deux solutions optimales obtenues. Le gestionnaire choisira probablement cette dernière approche si les variations dans le coût total pour différents niveaux de capacité sont minimes par rapport aux solutions optimales obtenues.

19.6.1.6 Capacité maximale de la file d'attente

Un autre point important est à considérer : la capacité maximale de la file d'attente proprement dite, c'est-à-dire la longueur maximale en termes d'espace disponible. Théoriquement, dans le cas d'une population infinie, la file d'attente peut devenir indéfiniment longue, et l'espace disponible peut être insuffisant pour accueillir tous les clients. Par exemple, les clients qui arrivent pour laver leur automobile dans une station libre-service proviennent d'une population infinie, et l'espace disponible est limité au nombre de voitures qui peuvent attendre en file sans perturber la circulation. Par contre, dans le cas des voitures qui arrivent de l'État de New York et qui se présentent au contrôle frontalier de Lacolle, au Québec, la longueur de la file correspond à toute l'autoroute 87.

D'un point de vue pratique, on peut toujours déterminer la longueur de la file d'attente qui ne sera pas dépassée pour un certain pourcentage de temps spécifié. Par exemple, un analyste pourrait déterminer la longueur de la file qui ne sera pas dépassée 98 % ou 99 % du temps.

Pour fixer la longueur de la file d'attente, on utilise les équations suivantes :

$$n = \frac{\log K}{\log \rho} \text{ ou } \frac{\ln K}{\ln \rho} \text{ où } K = \frac{1 - \text{pourcentage spécifié}}{\overline{n}_|(1 - \rho)} \qquad (19\text{-}14)$$

La valeur de n n'est généralement pas un nombre entier ; il faudra donc arrondir le nombre. Cependant, en pratique, si la valeur de n est inférieure à 0,10 au-dessus du nombre entier le plus petit, on arrondit vers le bas. Par exemple, si $n = 15,2$, alors $n = 16$; si $n = 15,06$, alors $n = 15$, n étant le nombre d'unités à servir.

Exemple 7

Déterminez la longueur maximale de la file permettant d'atteindre des niveaux de satisfaction de 95 % et de 98 %. Les caractéristiques du système sont :

Solution

$M = 2$, $\lambda = 8$ à l'heure, $\mu = 5$ à l'heure

$$\rho = \frac{\lambda}{\mu} = \frac{8}{5} = 1,6 \quad \text{et} \quad \rho = \frac{\lambda}{M\mu} = \frac{8}{2(5)} = 0,80$$

À partir du tableau 19.4, on obtient $\overline{n}_| = 2,844$ clients.

Si on utilise la formule 19-4, on obtient, pour 95 % :

$$K = \frac{1 - \text{pourcentage spécifié}}{\overline{n}_l(1 - \rho)} = \frac{1 - 0,95}{2,844\,(1 - 0,80)} = 0,088$$

$$n = \frac{\ln K}{\ln \rho} = \frac{\ln 0,088}{\ln 0,80} = \frac{-2,4304}{-0,2231} \approx 10,89 \approx 11$$

Pour 98 % :

$$K = \frac{1 - 0,98}{2,844(1 - 0,80)} \approx 0,035$$

$$n = \frac{\ln 0,035}{\ln 0,80} = \frac{-3,352}{-0,2231} = 15,02 \approx 15$$

19.6.1.7 Modèle 4 : serveurs multiples et règles de priorité

Dans la majorité des systèmes de files d'attente, particulièrement ceux des services, la règle de priorité pour le traitement des clients est la règle du premier entré, premier servi (PEPS). Cependant, dans plusieurs situations, cette règle est inapplicable, car le coût ou les conséquences qui en résultent ne sont pas les mêmes. Par exemple, dans les salles d'urgence des hôpitaux, où les clients sont malades ou accidentés, la rapidité de la prise en charge des patients dépend de la gravité de la situation. Certains patients peuvent être traités assez rapidement par l'infirmière, alors que d'autres, dont la vie est en danger, ont besoin de plusieurs intervenants. C'est pourquoi, dans les hôpitaux, il existe trois niveaux de priorité, qui vont de l'urgence (intervention immédiate) au cas le plus simple. Même chose pour le traitement des programmes à exécuter sur un ordinateur central, qui se fait selon la règle donnant la priorité au temps d'opération le plus court.

Ces exemples illustrent l'importance des modèles de files d'attente qui prennent en considération plusieurs règles de priorité.

modèle avec règles de priorité multiples
Les clients sont traités par ordre d'importance.

Dans ces systèmes, on attribue aux clients qui se présentent une des **règles de priorité**[2] disponibles. Par règle de priorité, on entend l'ordre de traitement des clients (dans une salle d'urgence, une personne inconsciente ou ayant une crise cardiaque aura la priorité la plus élevée, celle qui a subi une blessure mineure aura la priorité la plus faible, et les autres auront une priorité intermédiaire). Ainsi, les clients sont classés par catégories en fonction de la règle de priorité qui leur est attribuée. Dans chaque classe ou catégorie, le traitement se fait selon la règle du premier entré, premier servi (PEPS), puisque les clients d'une même catégorie ont la même importance. Lorsque les clients d'une classe ont tous été servis, on passe à la classe inférieure. Si un client de la classe supérieure se présente, deux situations sont possibles, selon qu'il y a préséance ou non. S'il n'y a pas priorité, son traitement ne commence que lorsque le client en traitement a fini de se faire servir ; dans le cas contraire, il est traité immédiatement.

Quant aux hypothèses, ce sont les mêmes que celles du modèle 3 (serveurs multiples avec temps de service exponentiel), excepté que ce modèle utilise des règles de priorité de traitement autres que la règle PEPS. On attribue aux clients qui arrivent une priorité (priorité 1 à n). Une file d'attente organisée selon des règles de priorité aurait l'allure de celle qui est représentée ci-dessous :

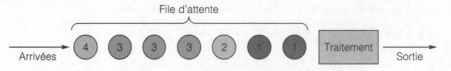

Chaque client est traité selon la règle PEPS dans chacune des catégories. On commence par servir le client n° 1 de la classe 1, puis le n° 2 de la classe 1, puis le n° 1 de

2. Pour plus de détails sur ce sujet, voir le chapitre 17.

la classe 2, et ainsi de suite. À ce point, si un client de la classe 1 ou 2 se présente, on le placera devant le premier client de la classe 3. Si un client de la classe 4 se présente, il sera placé à la fin de la file, juste après le seul client de la classe 4. Il est évident que les clients dont la priorité est la moins élevée pourraient attendre assez longtemps, ce qui serait intolérable. Dans ce cas, on leur attribue une priorité plus élevée. Le tableau 19.5 donne les formules permettant de calculer les principales mesures de performance de ce modèle.

TABLEAU 19.5

Formules pour le modèle avec règles de priorité multiples

Mesure de performance	Formule	Référence
Taux d'utilisation	$\rho = \dfrac{\lambda}{M\mu}$	(19-15)
Mesures intermédiaires ($\bar{n}_l$ à déterminer à partir du tableau 19.4)	$A = \dfrac{\lambda}{(1 - \rho)\bar{n}_l}$	(19-16)
	$B_k = 1 - \displaystyle\sum_{c=1}^{k} \dfrac{\lambda}{M\mu}$	(19-17)
	$(B_{0} = 1)$	
Temps moyen d'attente en file pour les clients de la classe k (priorité k)	$\bar{t}_k = \dfrac{1}{A * B_{k-1} * B_k}$	(19-18)
Temps moyen d'attente dans le système pour les clients de la classe k (priorité k)	$\bar{t}_s = \bar{t}_k + \dfrac{1}{\mu}$	(19-19)
Nombre moyen de clients de la classe k (priorité k) qui attendent en file	$\bar{n}_k = \lambda_k * t_k$	(19-20)

Exemple 8

Une entreprise dispose de son propre centre de maintenance, où sont réparés les équipements et les outils de l'entreprise. Chaque fois qu'un équipement ou qu'un outil arrive au centre, on y attribue une priorité en fonction de l'urgence du besoin. Le taux de demandes de réparations peut être établi avec une distribution de Poisson. Les taux d'arrivée sont : $\lambda_1 = 2$ à l'heure, $\lambda_2 = 2$ à l'heure, et $\lambda_3 = 1$ à l'heure. Le taux de service est de un équipement ou outil à l'heure par réparateur et il y a six réparateurs dans le centre de maintenance. Déterminez les mesures de performance suivantes :

a) Le taux d'utilisation du système.

Pour chaque catégorie de priorité, déterminez :

b) Le temps moyen d'attente pour la réparation.

c) Le temps moyen passé dans le système pour chaque équipement ou outil.

d) Le nombre moyen d'équipements ou d'outils en attente d'être réparés.

Solution

$\lambda = \sum\lambda_k = 2 + 2 + 1 = 5$ à l'heure

$M = 6$ serveurs

$\mu = 1$ client à l'heure

a) $\rho = \dfrac{\lambda}{M\mu} = \dfrac{5}{6(1)} = 0{,}833$

b) Valeurs intermédiaires pour $\dfrac{\lambda}{\mu} = \dfrac{5}{1} = 5$; à partir du tableau 19.4, $\bar{n}_l = 2{,}938$

$A = \dfrac{5}{(1 - 0{,}833)2{,}938} = 10{,}19$

$$B_0 = 1$$

$$B_1 = 1 - \frac{2}{6(1)} = \frac{2}{3} = 0,667$$

$$B_2 = 1 - \frac{2+2}{6(1)} = \frac{1}{3} = 0,333$$

$$B_3 = 1 - \frac{2+2+1}{6(1)} = \frac{1}{6} = 0,167$$

$$\bar{t}_1 = \frac{1}{A * B_0 * B_1} = \frac{1}{10,19(1)(0,667)} = 0,147 \text{ heure}$$

$$\bar{t}_2 = \frac{1}{A * B_1 * B_2} = \frac{1}{10,19(0,667)(0,333)} = 0,442 \text{ heure}$$

$$\bar{t}_3 = \frac{1}{A * B_2 * B_3} = \frac{1}{10,19(0,333)(0,167)} = 1,765 \text{ heure}$$

c)   Temps moyen dans le système = $\bar{t}_s = \bar{t}_k + \frac{1}{\mu}$; dans ce cas-ci, $\frac{1}{\mu} = \frac{1}{1} = 1$

Catégorie	$\bar{t}_s = \bar{t}_k + 1$
1	0,147 + 1 = 1,147
2	0,442 + 1 = 1,442
3	1,765 + 1 = 2,765

d)   Le nombre moyen d'unités qui attendent d'être réparées :

Catégorie	$\lambda_k \cdot \bar{t}_k = \bar{n}_k$
1	2(0,147) = 0,294
2	2(0,442) = 0,884
3	1(1,765) = 1,765

La solution de l'exemple 8 établie avec le tableur Excel est présentée ci-dessous :

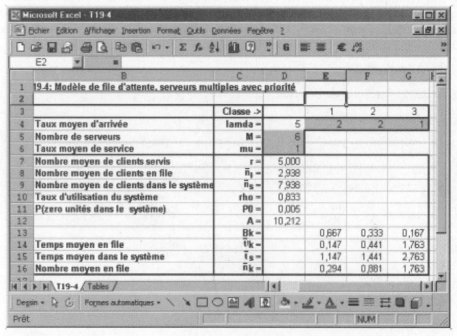

Si les gestionnaires jugent trop longs les temps d'attente calculés dans l'exemple 8 (par exemple le temps moyen d'attente de 0,147 heure, soit environ 9 minutes pour les équipements de priorité 1), ils peuvent choisir d'autres options. L'une d'elles serait d'augmenter le nombre de serveurs. Une autre option serait d'essayer d'augmenter le taux de service, par exemple en introduisant de nouvelles méthodes de travail. Si toutes ces tentatives s'avèrent infructueuses, ils devraient revoir l'attribution de l'ordre de priorité et ramener certaines demandes de réparation de la classe de priorité 1 à la classe inférieure. Cela aura pour effet de diminuer le temps moyen d'attente de la classe de priorité 1, tout simplement parce que le taux d'arrivée aura diminué.

L'exemple 9 illustre des résultats intéressants concernant cette approche. On constate que la réduction du taux d'arrivée de la classe supérieure — grâce à l'attribution d'une cote de priorité inférieure à certains clients — a pour conséquence de réduire le temps moyen d'attente de cette classe. On constate aussi que le temps moyen d'attente de la classe inférieure a diminué, même si on a augmenté le nombre de clients de cette classe. Notez que le temps total d'attente (quand toutes les arrivées sont prises en considération) restera inchangé. On peut le vérifier en comparant le nombre moyen de clients qui attendent (exemple 8d) : 0,294 + 0,884 + 1,765 = 2,943) avec le nombre d'unités en attente dans les trois classes, qui est (à partir des temps moyens d'attente de chaque classe de l'exemple 9) :

$$\sum_{k=1}^{3} \lambda_k * \bar{t}_k = 1,5(0,131) + 2,5(0,393) + 1,0 \,(1,765) = 2,944$$

Les totaux sont pratiquement identiques, à part une différence négligeable due aux nombres arrondis.

On peut faire une autre observation intéressante : le temps moyen d'attente des clients de la troisième classe n'a pas changé par rapport à l'exemple précédent. Par conséquent, les unités ayant priorité la plus faible vont toujours être en compétition avec le taux d'arrivée combiné de 4 des deux autres classes supérieures.

Après avoir analysé les besoins de ses clients internes, le directeur de la logistique voudrait maintenant réviser la liste des outils classés dans la catégorie ayant la priorité la plus élevée. Ce besoin se traduit par la révision des taux d'arrivée. Les nouveaux taux sont : $\lambda_1 = 1,5$; $\lambda_2 = 2,5$; λ_3 reste inchangé, égal à 1. Déterminez les mesures de performance suivantes :

Exemple 9

a) Le taux d'utilisation du système.

b) Le temps moyen d'attente pour chacune des classes.

Solution

$\lambda = \sum \lambda_k = 1,5 + 2,5 + 1 = 5$ à l'heure

$M = 6$ serveurs

$\mu = 1$ client à l'heure

Notez que ces valeurs sont les mêmes que celles de l'exemple précédent.

a) $\rho = \dfrac{\lambda}{M\mu} = \dfrac{5}{6(1)} = 0,833$, le même que dans l'exemple précédent.

b) La valeur de A est la même que dans l'exemple précédent, puisqu'elle dépend de M, λ et μ ; donc A = 10,19.

$B_0 = 1$ (toujours)

$B_1 = 1 - \dfrac{1,5}{6(1)} = 0,75$

$B_2 = 1 - 1,5 + \dfrac{2,5}{6(1)} = 0,333$

$B_3 = 1 - 1,5 + 2,5 + \dfrac{1,0}{6(1)} = 0,167$

Alors

$$\bar{t}_1 = \frac{1}{10,19(1)(0,75)} = 0,131 \text{ heure}$$

$$\bar{t}_2 = \frac{1}{10,19(0,75)(0,333)} = 0,393 \text{ heure}$$

$$\bar{t}_3 = \frac{1}{10,19(0,333)(0,167)} = 1,765 \text{ heure}$$

19.6.2 Modèle avec population finie

Ce modèle s'applique lorsque le nombre de clients potentiels est limité et relativement petit. Par exemple, dans l'industrie de l'aviation, les compagnies aériennes font inspecter leurs avions dans leur centre de maintenance. Ce centre n'inspecte que les avions appartenant à la compagnie aérienne. De la même manière, un employé peut avoir la charge d'un nombre limité de clients ; ceux qui lui sont attribués proviennent donc d'une population finie. Cependant, il peut y avoir plus d'un serveur. Si l'employé est débordé de travail, on affecte quelqu'un pour l'aider.

TABLEAU 19.6

Formules et notation pour le modèle de files d'attente avec population finie

Description	Formule	Référence	Notation
Facteur de service	$X = \dfrac{T}{(T+U)}$	(19-21)	D = Probabilité qu'un client potentiel attende en file
			F = Facteur d'efficience : 1 – pourcentage d'attente en file
Nombre moyen de clients en attente	$L = N(1-F)$	(19-22)	H = Nombre moyen de clients en train d'être servis
Temps moyen d'attente	$\bar{t} = \dfrac{L(T+U)}{(N-L)}$ $= \dfrac{T(1-F)}{XF}$	(19-23)	J = Nombre moyen de clients qui ne sont pas en file ou en train d'être servis
			L = Nombre moyen de clients qui attendent d'être servis
			M = Nombre de serveurs
Nombre moyen de clients servis ou qui n'attendent pas	$J = NF(1-X)$	(19-24)	N = Nombre de clients potentiels
			T = Temps moyen de service
Nombre moyen de clients servis	$H = FNX$	(19-25)	U = Temps moyen entre chaque demande de service
Taille de la population	$N = J + L + H$	(19-26)	$\bar{t}$ = Temps moyen d'attente en file
			X = Facteur de service

Cycle

Clients qui n'attendent pas ou qui ont été servis	Attente	En train d'être servis

Nombre moyen J L H

Temps moyen U $\bar{t}$ T

$$F = \frac{J+H}{J+L+H} \text{*}$$

*Le but de cette formule est de permettre de mieux comprendre F. Puisque la valeur de F est requise pour calculer J, L et H, les formules ne peuvent être utilisées pour calculer F. Les tableaux conçus pour les files d'attente avec population finie doivent être utilisés à cette fin.

Adapté de l'ouvrage de L. G. Peck et R. N. Hazelwood, *Finite Queuing Tables,* New York, John Wiley & Sons, 1958. Reproduit avec autorisation.

Comme dans le cas des modèles avec population infinie, les processus d'arrivée et de service doivent respectivement suivre une distribution de Poisson et une distribution exponentielle. Il existe toutefois une différence majeure. Dans le cas d'une population finie, le taux d'arrivée est affecté par le nombre de clients qui attendent en file. Il diminue à mesure que le nombre de clients en attente augmente, tout simplement parce que si le nombre de clients en file augmente, la proportion de clients susceptibles de se présenter va diminuer, la majorité des clients étant en train d'attendre. Lorsque tous les clients (toute la population) sont en train d'attendre, le taux d'arrivée est forcément nul.

Pour analyser les systèmes de files d'attente avec population finie, on utilise une liste de formules clés et de définitions (tableau 19.6). Le graphique représentant un cycle a été ajouté pour une meilleure compréhension du modèle. Le tableau 19.7 est un tableau non exhaustif que l'on utilise pour déterminer les valeurs de D et F (la plupart des formules nécessitent la connaissance de F). Pour s'en servir, suivre la procédure suivante :

1. Noter les valeurs de :

a) N, la taille de la population ;

b) M, le nombre de serveurs ;

c) T, le temps moyen de service ;

d) U, le temps moyen entre chaque service.

2. Calculer le facteur de service $X = \dfrac{T}{(T + U)}$.

3. Localiser N sur le tableau.

4. En utilisant la valeur de X comme point de repère, déterminer les valeurs de D et de F qui correspondent à M.

5. En utilisant les valeurs de N, M, X, D et F, déterminer les mesures de performance désirées.

TABLEAU 19.7

Modèle avec population finie (valeurs de X, M, N, D, F)

X	M	D	F	X	M	D	F	X	M	D	F	X	M	D	F
Population 5					1	0,229	0,984	0,085	2	0,040	0,998		1	0,473	0,920
0,012	1	0,048	0,999	0,060	2	0,020	0,999		1	0,332	0,965	0,130	2	0,089	0,933
0,019	1	0,076	0,998		1	0,237	0,983	0,090	2	0,044	0,998		1	0,489	0,914
00,25	1	0,100	0,997	0,062	2	0,022	0,999		1	0,350	0,960	0,135	2	0,095	0,933
00,30	1	0,120	0,996		1	0,245	0,982	0,095	2	0,049	0,997		1	0,505	0,907
00,34	1	0,135	0,995	0,064	2	0,023	0,999		1	0,368	0,955	0,140	2	0,102	0,992
00,36	1	0,143	0,994		1	0,253	0,981	0,100	2	0,054	0,997		1	0,521	0,900
00,40	1	0,159	0,993	0,066	2	0,024	0,999		1	0,386	0,950	0,145	3	0,011	0,999
0,042	1	0,167	0,992		1	0,260	0,979	0,105	2	0,059	0,997		2	0,109	0,991
0,044	1	0,175	0,991	0,068	2	0,026	0,999		1	0,404	0,945		1	0,537	0,892
0,046	1	0,183	0,990		1	0,268	0,978	0,110	2	0,065	0,996	0,150	3	0,012	0,999
0,050	1	0,198	0,989	0,070	2	0,027	0,999		1	0,421	0,939		2	0,115	0,990
0,052	1	0,206	0,988		1	0,275	0,977	0,115	2	0,017	0,995		1	0,553	0,885
0,054	1	0,214	0,987	0,075	2	0,031	0,999		1	0,439	0,933	0,155	3	0,013	0,999
0,056	2	0,018	0,999		1	0,294	0,973	0,120	2	0,076	0,995		2	0,123	0,989
	1	0,222	0,985	0,080	2	0,035	0,998		1	0,456	0,927		1	0,568	0,877
0,058	2	0,019	0,999		1	0,313	0,969	0,125	2	0,082	0,994	0,160	3	0,015	0,999

TABLEAU 19.7

(suite)

X	M	D	F	X	M	D	F	X	M	D	F	X	M	D	F
	2	0,130	0,988	0,290	4	0,007	0,999		3	0,238	0,960		2	0,950	0,568
	1	0,582	0,869		3	0,079	0,992		2	0,652	0,807		1	0,999	0,286
0,165	3	0,016	0,999		2	0,362	0,932		1	0,969	0,451	0,750	4	0,316	0,944
	2	0,137	0,987		1	0,856	0,644	0,460	4	0,045	0,995		3	0,763	0,777
	1	0,597	0,861	0,300	4	0,008	0,999		3	0,266	0,953		2	0,972	0,532
0,170	3	0,017	0,999		3	0,086	0,990		2	0,686	0,787	0,800	4	0,410	0,924
	2	0,145	0,985		2	0,382	0,926		1	0,975	0,432		3	0,841	0,739
	1	0,611	0,853		1	0,869	0,628	0,480	4	0,053	0,994		2	0,987	0,500
0,180	3	0,021	0,999	0,310	4	0,009	0,999		3	0,296	0,945	0,850	4	0,522	0,900
	2	0,161	0,983		3	0,094	0,989		2	0,719	0,767		3	0,907	0,702
	1	0,683	0,836		2	0,402	0,919		1	0,980	0,415		2	0,995	0,470
0,190	3	0,024	0,998		1	0,881	0,613	0,500	4	0,063	0,992	0,900	4	0,656	0,871
	2	0,117	0,980	0,320	4	0,010	0,999		3	0,327	0,936		3	0,957	0,666
	1	0,665	0,819		3	0,103	0,988		2	0,750	0,748		2	0,998	0,444
0,200	3	0,028	0,998		2	0,422	0,912		1	0,985	0,399	0,950	4	0,815	0,838
	2	0,194	0,976		1	0,892	0,597	0,520	4	0,073	0,991		3	0,989	0,631
	1	0,689	0,801	0,330	4	0,012	0,999		3	0,359	0,927	**Population 10**			
0,210	3	0,032	0,998		3	0,112	0,986		2	0,779	0,728	0,016	1	0,144	0,997
	2	0,211	0,973		2	0,442	0,904		1	0,988	0,384	0,019	1	0,170	0,996
	1	0,713	0,783		1	0,902	0,583	0,540	4	0,085	0,989	0,021	1	0,188	0,995
0,220	3	0,036	0,997	0,340	4	0,013	0,999		3	0,392	0,917	0,023	1	0,206	0,994
	2	0,229	0,969		3	0,121	0,985		2	0,806	0,708	0,025	1	0,224	0,993
	1	0,735	0,765		2	0,462	0,896		1	0,991	0,370	0,026	1	0,232	0,992
0,230	3	0,041	0,997		1	0,911	0,569	0,560	4	0,098	0,986	0,028	1	0,250	0,991
	2	0,247	0,965	0,360	4	0,017	0,998		3	0,426	0,906	0,030	1	0,268	0,990
	1	0,756	0,747		3	0,141	0,981		2	0,831	0,689	0,032	2	0,033	0,999
0,240	3	0,046	0,996		2	0,501	0,880		1	0,993	0,357		1	0,285	0,988
	2	0,265	0,960		1	0,927	0,542	0,580	4	0,113	0,984	0,034	2	0,037	0,999
	1	0,775	0,730	0,380	4	0,021	0,998		3	0,461	0,895		1	0,301	0,986
0,250	3	0,052	0,995		3	0,163	0,976		2	0,854	0,670	0,036	2	0,041	0,999
	2	0,284	0,955		2	0,540	0,863		1	0,994	0,345		1	0,320	0,984
	1	0,794	0,712		1	0,941	0,516	0,600	4	0,130	0,981	0,038	2	0,046	0,999
0,260	3	0,058	0,994	0,400	4	0,026	0,997		3	0,497	0,883		1	0,337	0,982
	2	0,303	0,950		3	0,186	0,972		2	0,875	0,652	0,040	2	0,050	0,999
	1	0,811	0,695		2	0,579	0,845		1	0,996	0,333		1	0,354	0,980
0,270	3	0,064	0,994		1	0,952	0,493	0,650	4	0,179	0,972	0,042	2	0,055	0,999
	2	0,323	0,944	0,420	4	0,031	0,997		3	0,588	0,850		1	0,371	0,978
	1	0,827	0,677		3	0,211	0,966		2	0,918	0,608	0,044	2	0,060	0,998
0,280	3	0,071	0,993		2	0,616	0,826		1	0,998	0,308		1	0,388	0,975
	2	0,342	0,938		1	0,961	0,471	0,700	4	0,240	0,960	0,046	2	0,065	0,998
	1	0,842	0,661	0,440	4	0,037	0,996		3	0,678	0,815		1	0,404	0,973

TABLEAU 19.7
(suite)

X	M	D	F	X	M	D	F	X	M	D	F	X	M	D	F
0,048	2	0,071	0,998	0,100	3	0,056	0,998		3	0,169	0,987		4	0,142	0,988
	1	0,421	0,970		2	0,258	0,981		2	0,505	0,928		3	0,400	0,947
0,050	2	0,076	0,998		1	0,776	0,832		1	0,947	0,627		2	0,791	0,794
	1	0,437	0,967	0,105	3	0,064	0,997	0,160	4	0,044	0,998		1	0,995	0,434
0,052	2	0,082	0,997		2	0,279	0,978		3	0,182	0,986	0,240	5	0,044	0,997
	1	0,454	0,963		1	0,800	0,814		2	0,528	0,921		4	0,162	0,986
0,054	2	0,088	0,997	0,110	3	0,072	0,997		1	0,954	0,610		3	0,434	0,938
	1	0,470	0,960		2	0,301	0,974	0,165	4	0,049	0,997		2	0,819	0,774
0,056	2	0,094	0,997		1	0,822	0,795		3	0,195	0,984		1	0,996	0,416
	1	0,486	0,956	0,115	3	0,081	0,996		2	0,550	0,914	0,250	6	0,010	0,999
0,058	2	0,100	0,996		2	0,324	0,971		1	0,961	0,594		5	0,052	0,997
	1	0,501	0,953		1	0,843	0,776	0,170	4	0,054	0,997		4	0,183	0,983
0,060	2	0,106	0,996	0,120	4	0,016	0,999		3	0,209	0,982		3	0,469	0,929
	1	0,517	0,949		3	0,090	0,995		2	0,571	0,906		2	0,844	0,753
0,062	2	0,113	0,996		2	0,346	0,967		1	0,966	0,579		1	0,997	0,400
	1	0,532	0,945		1	0,861	0,756	0,180	5	0,013	0,999	0,260	6	0,013	0,999
0,064	2	0,119	0,995	0,125	4	0,019	0,999		4	0,066	0,996		5	0,060	0,996
	1	0,547	0,940		3	0,100	0,994		3	0,238	0,978		4	0,205	0,980
0,066	2	0,126	0,995		2	0,369	0,962		2	0,614	0,890		3	0,503	0,919
	1	0,562	0,936		1	0,878	0,737		1	0,975	0,890		2	0,866	0,732
0,068	3	0,020	0,999	0,130	4	0,022	0,999	0,190	5	0,016	0,999		1	0,998	0,384
	2	0,133	0,994		3	0,110	0,994		4	0,078	0,995	0,270	6	0,015	0,999
	1	0,577	0,931		2	0,392	0,958		3	0,269	0,973		5	0,070	0,995
0,070	3	0,022	0,999		1	0,893	0,718		2	0,654	0,873		4	0,228	0,976
	2	0,140	0,994	0,135	4	0,025	0,999		1	0,982	0,522		3	0,537	0,908
	1	0,591	0,926		3	0,121	0,993	0,200	5	0,020	0,999		2	0,886	0,712
0,075	3	0,026	0,999		2	0,415	0,952		4	0,092	0,994		1	0,999	0,370
	2	0,158	0,992		1	0,907	0,699		3	0,300	0,968	0,280	6	0,018	0,999
	1	0,627	0,913	0,140	4	0,028	0,999		2	0,692	0,854		5	0,081	0,994
0,080	3	0,031	0,999		3	0,132	0,991		1	0,987	0,497		4	0,252	0,972
	2	0,177	0,990		2	0,437	0,947	0,210	5	0,025	0,999		3	0,571	0,896
	1	0,660	0,899		1	0,919	0,680		4	0,108	0,992		2	0,903	0,692
0,085	3	0,037	0,999	0,145	4	0,032	0,999		3	0,333	0,961		1	0,999	0,357
	2	0,196	0,988		3	0,144	0,990		2	0,728	0,835	0,290	6	0,022	0,999
	1	0,692	0,883		2	0,460	0,941		1	0,990	0,474		5	0,093	0,993
0,090	3	0,043	0,998		1	0,929	0,662	0,220	5	0,030	0,998		4	0,278	0,968
	2	0,216	0,986	0,150	4	0,036	0,998		4	0,124	0,990		3	0,603	0,884
	1	0,722	0,867		3	0,156	0,989		3	0,366	0,954		2	0,918	0,672
0,095	3	0,049	0,998		2	0,483	0,935		2	0,761	0,815		1	0,999	0,345
	2	0,237	0,984		1	0,939	0,644		1	0,993	0,453	0,300	6	0,026	0,998
	1	0,750	0,850	0,155	4	0,040	0,998	0,230	5	0,037	0,998		5	0,106	0,991

TABLEAU 19.7

(suite)

X	M	D	F	X	M	D	F	X	M	D	F	X	M	D	F
	4	0,304	0,963	0,400	7	0,026	0,998		3	0,972	0,598		6	0,651	0,878
	3	0,635	0,872		6	0,105	0,991		2	0,999	0,400		5	0,882	0,759
	2	0,932	0,653		5	0,292	0,963	0,520	8	0,026	0,998		4	0,980	0,614
	1	0,999	0,333		4	0,591	0,887		7	0,115	0,989		3	0,999	0,461
0,310	6	0,031	0,998		3	0,875	0,728		6	0,316	0,958	0,700	9	0,040	0,997
	5	0,120	0,990		2	0,991	0,499		5	0,606	0,884		8	0,200	0,979
	4	0,331	0,957	0,420	7	0,034	0,993		4	0,864	0,752		7	0,484	0,929
	3	0,666	0,858		6	0,130	0,987		3	0,980	0,575		6	0,772	0,836
	2	0,943	0,635		5	0,341	0,954		2	0,999	0,385		5	0,940	0,711
0,320	6	0,036	0,998		4	0,646	0,866	0,540	8	0,034	0,997		4	0,992	0,571
	5	0,135	0,988		3	0,905	0,700		7	0,141	0,986	0,750	9	0,075	0,994
	4	0,359	0,952		2	0,994	0,476		6	0,363	0,949		8	0,307	0,965
	3	0,695	0,845	0,440	7	0,045	0,997		5	0,658	0,867		7	0,626	0,897
	2	0,952	0,617		6	0,160	0,984		4	0,893	0,729		6	0,870	0,792
0,330	6	0,042	0,997		5	0,392	0,943		3	0,986	0,555		5	0,975	0,666
	5	0,151	0,986		4	0,698	0,845	0,560	8	0,044	0,996		4	0,998	0,533
	4	0,387	0,945		3	0,928	0,672		7	0,171	0,982	0,800	9	0,134	0,988
	3	0,723	0,831		2	0,996	0,454		6	0,413	0,939		8	0,446	0,944
	2	0,961	0,600	0,460	8	0,011	0,999		5	0,707	0,848		7	0,763	0,859
0,340	7	0,010	0,999		7	0,058	0,995		4	0,917	0,706		6	0,939	0,747
	6	0,049	0,997		6	0,193	0,979		3	0,991	0,535		5	0,991	0,625
	5	0,168	0,983		5	0,445	0,930	0,580	8	0,057	0,995		4	0,999	0,500
	4	0,416	0,938		4	0,747	0,822		7	0,204	0,977	0,850	9	0,232	0,979
	3	0,750	0,816		3	0,947	0,646		6	0,465	0,927		8	0,611	0,916
	2	0,968	0,584		2	0,998	0,435		5	0,753	0,829		7	0,879	0,818
0,360	7	0,014	0,999	0,480	8	0,015	0,999		4	0,937	0,684		6	0,978	0,705
	6	0,064	0,995		7	0,074	0,994		3	0,994	0,517		5	0,998	0,588
	5	0,205	0,978		6	0,230	0,973	0,600	9	0,010	0,999	0,900	9	0,387	0,963
	4	0,474	0,923		5	0,499	0,916		8	0,072	0,994		8	0,785	0,881
	3	0,798	0,787		4	0,791	0,799		7	0,242	0,972		7	0,956	0,777
	2	0,978	0,553		3	0,961	0,621		6	0,518	0,915		6	0,995	0,667
0,380	7	0,019	0,999		2	0,998	0,417		5	0,795	0,809	0,950	9	0,630	0,938
	6	0,083	0,993	0,500	8	0,020	0,999		4	0,953	0,663		8	0,934	0,841
	5	0,247	0,971		7	0,093	0,992		3	0,996	0,500		7	0,994	0,737
	4	0,533	0,906		6	0,271	0,966	0,650	9	0,021	0,999				
	3	0,840	0,758		5	0,553	0,901		8	0,123	0,988				
	2	0,986	0,525		4	0,830	0,775		7	0,353	0,954				

Source : L. G. Peck et R. N. Hazelwood, *Finite Queuing Tables*, New York, John Wiley & Sons, 1958. Reproduit avec autorisation.

Un opérateur est responsable du chargement et du déchargement de cinq machines. Le temps de service est distribué, selon une loi exponentielle, à raison de 10 minutes en moyenne par machine et par cycle (un cycle correspond à la période de fonctionnement de la machine + le temps d'attente pour le service + le temps de service). Les machines fonctionnent pendant 70 minutes en moyenne entre chaque chargement et déchargement; ce temps est aussi distribué selon une loi exponentielle. Déterminez:

a) Le nombre moyen de machines qui attendent l'opérateur.

b) Le nombre moyen de machines qui fonctionnent.

c) Le temps moyen d'arrêt des machines.

d) La probabilité qu'une machine n'attende pas pour le service.

$N = 5$

$T = 10$ minutes

$M = 1$

$U = 70$ minutes

$$X \quad \frac{T}{T + U} = \frac{10}{10 + 70} = 0,125$$

À partir du tableau 19.7, avec $N = 5$, $M = 1$, $X = 0,125$, $D = 0,473$ et $F = 0,920$:

a) Nombre moyen de machines en attente: $L = N(1 - F) = 5(1 - 0,920) = 0,40$ machine

b) Nombre moyen de machines en marche: $J = N F(1 - X) = 5(0,92)(1 - 0,125) = 4,025$ machines

c) Temps moyen d'arrêt: temps moyen d'attente + temps moyen de service

$$\bar{t} = \frac{L (T + U)}{N - L} = \frac{0,40(10 + 70)}{5 - 0,40} = 6,957 \text{ minutes}$$

Temps moyen d'arrêt = 6,957 minutes + 10 minutes = 16,957 minutes

d) Probabilité de ne pas attendre = 1 − probabilité d'attendre

$= 1 − D = 1 − 0,473 = 0,527$

Supposez maintenant que les opérateurs sont payés 10 $ l'heure et que 1 heure d'arrêt des machines coûte à l'entreprise 16 $ par machine. Est-ce qu'on devrait rajouter un opérateur, alors que l'objectif visé est la minimisation des coûts?

Comparez le coût total de la situation actuelle à celle qui est proposée.

M	Nombre moyen d'unités inoccupées $N - J$	Coût moyen d'inoccupation $(N - J) \times 16,00$ $	Coût horaire (opérateurs)	Coût total
1	0,975	15,60 $	10,00 $	25,60 $
2	0,651	10,42 $	20,00 $	30,42 $

Si le critère de choix est la minimisation du coût, il est préférable de garder le système actuel, car il est moins coûteux.

19.7 AUTRES APPROCHES D'ANALYSE

Dans ce chapitre, nous avons mis l'accent sur la conception de systèmes basée sur le coût de service et le coût d'attente des clients. Cela implique que le gestionnaire peut déterminer le niveau de service approprié (en termes de capacité). Mais dans certaines situations, cette approche n'est pas applicable, et ce, pour diverses raisons. L'une d'elles est que le système est déjà en activité et que les changements suggérés ne sont pas réalisables parce qu'ils sont trop coûteux ou que l'espace disponible est une contrainte majeure. La solution est d'avoir recours à une forme quelconque de distraction, de telle sorte que l'attente devienne plus tolérable pour les clients. Par exemple, des journaux et des magazines peuvent être mis à la disposition des clients, comme c'est le cas chez les médecins et les dentistes. Les garages ont installé des radios, des télévisions et des machines à café dans leurs salles d'attente ; les compagnies aériennes offrent des repas et des boissons pour rendre les vols plus agréables, et projettent aussi des films pour faire passer le temps plus vite .

D'autres mesures consistent à mettre des miroirs près des ascenseurs ou bien à demander aux clients de remplir des formulaires, ce qui rend l'attente plus agréable.

De plus, l'aménagement a aussi un effet sur la réaction face à l'attente. Prenons l'exemple de la Société de l'assurance automobile du Québec (SAAQ). Elle a décidé de ne pas avoir recours à de « vraies » files d'attente : les clients qui viennent pour obtenir divers services (renouvellement du permis de conduire, tests, etc.) sont tous assis. La SAAQ met à leur disposition des numéros qui correspondent à des services. Cela permet aux clients de constater que malgré le nombre élevé de personnes présentes, leur attente sera minime, puisque qu'elle dépend du numéro attribué.

Dans certaines situations, on peut tirer profit de l'attente. Les supermarchés installent tout près des caisses des articles qui sont généralement achetés de manière impulsive ; les banques affichent les taux d'intérêts et placent des brochures publicitaires à portée des clients ; les restaurants ont généralement des bars où les clients peuvent consommer en attendant d'être dirigés vers leur table.

En résumé, l'imagination et la créativité sont importantes pour quiconque veut concevoir un système et gérer l'attente de façon optimale. On ne devrait pas tenir compte uniquement des approches mathématiques.

Quelques recommandations pour gérer les files d'attente[3] :

- *Déterminer un temps d'attente tolérable pour les clients.* Combien de temps vos clients peuvent–ils attendre ? Fixez vos objectifs en fonction de ce qui est acceptable.

- *Essayer de divertir les clients pendant l'attente.* Musique, café, magazines, télévision sont autant de sources de distraction qui font patienter les clients.

- *Informer les clients de la durée de l'attente.* Ce point est particulièrement important lorsque l'attente risque d'être longue. Expliquez aux clients pourquoi l'attente est anormalement longue, et ce que vous êtes en train de faire pour y remédier.

- *Éloigner les employés visibles qui ne sont pas concernés par le service.* Il n'y a rien de plus frustrant pour une personne qui attend en file que de voir un employé occupé à faire autre chose que de venir répondre aux clients qui attendent.

- *Segmenter la clientèle.* Si un groupe de clients peut être servi rapidement, créez une file d'attente spéciale pour ne pas les faire attendre plus que nécessaire.

- *Former et sensibiliser le personnel à la gentillesse.* En plus du sourire quotidien et de l'accueil chaleureux, et même personnalisé, le personnel doit être capable d'affronter les situations difficiles et de réagir de manière à détendre l'atmosphère lorsque les clients s'impatientent.

- *Encourager les clients à venir durant les périodes mortes.* Informez les clients sur les périodes moins achalandées. Le directeur d'une succursale bancaire de ville Saint-Laurent a proposé à ses clients âgés de venir le mercredi, la journée la moins chargée, afin qu'il puisse leur consacrer plus de temps.

---

3. KATZ, K. L., B. M. LARSON et R. C. LARSON. « Prescriptions for the Waiting-in-Line Blues : Entertain, Enlighten and Engage », *Sloan Management Review*, vol. 32, n° 2, hiver 1991, p. 44-53.

- *Avoir une vision à long terme concernant la gestion de l'attente.* Mettez en place un processus d'amélioration continue concernant la réduction de l'attente. Réfléchissez sur les moyens d'accélérer le processus de traitement des clients. Automatisez lorsque cela est possible sans pour autant éliminer le contact personnalisé. On a toujours besoin d'un peu d'attention.

19.8 Conclusion

L'analyse des files d'attente peut être un aspect important de la conception des systèmes. Les files d'attente ont tendance à se former, bien que, d'un point de vue macro, les systèmes ne soient pas congestionnés. Les arrivées aléatoires des clients combinées à la variabilité des temps de service créent temporairement des congestions dans le système, d'où la création de files d'attente. Dans certains cas, il arrive également que les serveurs soient inactifs.

Pour analyser des files d'attente, il est important de définir si la population de clients potentiels est infinie ou bien si elle se limite à un nombre fini de clients. Il existe cinq modèles de base pour analyser les files d'attente; quatre pour une population infinie et un pour une population finie. En général, les hypothèses émises dans le cadre de ces modèles sont que les taux d'arrivée des clients sont distribués selon une loi de Poisson, alors que les temps de service suivent une loi exponentielle.

Terminologie

Discipline de la file d'attente	Serveur
Modèle avec règles de priorité	Temps inter-arrivées
Population finie	Théorie des files d'attente
Population infinie	

Problèmes résolus

Problème 1

Le directeur de la logistique voudrait déterminer le nombre de magasiniers à affecter au magasin nouvellement implanté dans l'usine qui fournit les ouvriers en outils et en pièces. Les magasiniers reçoivent un salaire de 9 $ l'heure (incluant les avantages sociaux). Une heure de travail d'un ouvrier (généralement des mécaniciens) est évaluée à 30 $, ce qui inclut les avantages sociaux ainsi que le temps perdu à attendre les outils ou les pièces. Par expérience, le directeur de la logistique estime que les demandes des ouvriers sont de l'ordre de 18 à l'heure, alors que la capacité de service est de 20 demandes à l'heure par magasinier. Combien de magasiniers devrait-on affecter au magasin, si on suppose que le taux d'arrivée et de service sont distribués selon une loi de Poisson? (Hypothèse: le nombre d'ouvriers qui se présentent au magasin est très élevé.)

λ = 18 à l'heure

μ = 20 à l'heure

Solution

On obtient la solution par essais et erreurs en calculant le coût total correspondant à une solution réalisable (c'est-à-dire avec un taux d'utilisation inférieur à 100 %) et en choisissant la solution comportant le coût total le plus faible. Notez que la courbe représentant le coût total est en forme de U; on augmente donc le nombre de serveurs jusqu'à ce que cette augmentation donne une augmentation du coût total par rapport à la solution précédente. La solution optimale sera la solution précédente.

Le tableau ci-dessous résume les calculs requis.

Nombre de serveurs (*M*)	$\bar{n}_l$*	Nombre moyen de clients dans le système $\bar{n}_s = \bar{n}_l + \dfrac{\lambda}{\mu}$	Coût de service $C_s = 9{,}00\ \$ \times M$	Coût d'attente $C_a = 30\ \$ \times \bar{n}_s$	Coût total (CT) par heure
1	8,1	8,1 + 0,9 = 9,00	9,00 $	270,00 $	279,00 $
2	0,229	0,229 + 0,9 = 1,129	18,00 $	33,87 $	52,00 $**
3	0,03	0,03 + 0,9 = 0,93	27,00 $	27,90 $	55,00 $**

*$\bar{n}_l$ est déterminé à partir du tableau 19.4, avec $\rho = \lambda / \mu = 18/20 = 0{,}90$.
** Valeurs arrondies.

D'après les calculs, il faudra deux magasiniers.

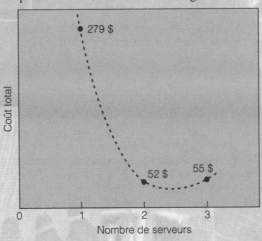

Problème 2

Le tableau ci-dessous présente les temps de service de trois opérations différentes :

Opération	Temps de service
A	8 minutes
B	1,2 heure
C	2 jours

a) Déterminez les taux de service de chaque opération.

b) Est-ce que les taux seraient différents si les temps de service étaient plutôt des temps inter-arrivées ?

Solution

a) $\mu_A = 1/8$ par minute $= 0,125$ par minute ou $0,125/\text{min} \times 60\ \text{min}/h = 7,5$ à l'heure
$\mu_B = 1/1,2$ à l'heure $= 0,833$ à l'heure
$\mu_C = 1/2$ par jour $= 0,50$ par jour

b) Non, car dans les deux cas, il y a une équivalence entre le taux de service et le temps de service (taux de service $= 1/$temps de service).

Problème 3

Un groupe de 10 machines est chargé et déchargé par 3 opérateurs. Les machines sont en marche 6 minutes en moyenne par cycle, alors que le temps moyen requis pour charger et décharger est de 9 minutes. Les temps suivent une distribution exponentielle. Lorsque les machines sont en marche, elles produisent à un taux de 16 unités à l'heure. Quel est le débit horaire moyen de chaque machine, quand l'attente et le service sont pris en considération ?

Solution

$T = 9$ minutes et $U = 6$ minutes, donc $X = \dfrac{T}{T+U} = \dfrac{9}{9+6} = 0,60$

$N = 10$ machines et $M = 3$ serveurs ; à partir du tableau 19.7, $F = 0,500$

• Le nombre moyen de machines en marche est :

$J = NF(1-X) = 10(0,500)(0,40) = 2$

• On détermine le pourcentage de machines en marche et on multiplie par le taux de production pour trouver le débit horaire de chaque machine.

$\dfrac{J}{N} \times (16\ \text{unités à l'heure}) = \dfrac{2}{10} \times (16\ \text{unités à l'heure}) = 3,2\ \text{unités à l'heure}$

Questions de discussion et de révision

1. Dans quelles situations l'analyse des files d'attente est-elle appropriée?

2. Expliquez pourquoi des files d'attente se forment même si le système n'est pas congestionné.

3. Énumérez les principales mesures de performance utilisées dans le cadre de l'analyse des files d'attente.

4. Quel est l'effet de la réduction de la variabilité dans les processus d'arrivée et de service sur la capacité effective d'un système?

5. Quelles sont les approches utilisées par les supermarchés pour contrecarrer les variations du trafic de la clientèle?

6. Expliquez la différence entre la population finie et la population infinie.

7. Est-ce que le fait de doubler le taux de service dans un système de files d'attente à serveur unique aura pour effet de réduire de moitié le temps moyen d'attente en file? Justifiez.

8. Expliquez la raison pour laquelle, dans les systèmes de files d'attente à serveurs multiples (par exemple dans les banques), on utilise une file d'attente unique plutôt que plusieurs files d'attente.

9. Dans un système de file d'attente à variabilité élevée, comment peut-on, du point de vue du nombre de clients qui attendent en file, atteindre un pourcentage élevé d'utilisation de la capacité?

10. En une dizaine de lignes au maximum, expliquez à votre directeur d'usine, Gaëtan Tremblay, les coûts et les bénéfices associés à deux options possibles concernant l'installation d'un magasin d'outillage dans l'usine. La première option consiste à installer un magasin central; la deuxième, à installer un magasin à chaque extrémité de l'usine[4].

11. Expliquez à votre responsable du service à la clientèle, M. Jean Dumalheur, pourquoi il serait préférable d'utiliser un modèle de files d'attente avec règles de priorité pour gérer les plaintes des clients[5].

Problèmes

1. Un service de maintenance de photocopieurs est sous la responsabilité d'un réparateur. Le temps de réparation, incluant le déplacement chez le client, est distribué selon une loi exponentielle et est de deux heures en moyenne. Les statistiques indiquent que les appels de demandes de service enregistrés sont au nombre de trois appels en moyenne par quart de travail de huit heures (selon une distribution de Poisson). Déterminez:

   a) Le nombre moyen de photocopieurs qui attendent d'être réparés.
   b) Le taux d'utilisation du système.
   c) Le temps pendant le quart de travail où le réparateur ne travaille pas.
   d) La probabilité qu'il y ait deux photocopieurs ou plus dans le système.

2. Le processus de préparation du café dans une machine automatique prend 30 secondes par tasse. Les clients se présentent devant la machine à un rythme de 80 à l'heure, selon un processus de Poisson.

   Déterminez:

   a) Le nombre moyen de clients en attente devant la machine.
   b) Le temps moyen que passent les clients dans le système.
   c) Le nombre moyen de clients dans le système.

3. Les guichets automatiques sont, de nos jours, de plus en plus utilisés par les clients, surtout depuis que les banques ont réduit leurs heures d'ouverture. En début de soirée, l'été, les clients se présentent au guichet automatique d'une des succursales de l'ouest de l'île de Montréal au taux moyen de un client toutes les deux minutes (selon la loi de Poisson). Les transactions durent en moyenne 90 secondes. Ce temps étant distribué selon une loi exponentielle, déterminez:

---

4. Voir la solution dans l'ouvrage de BOURENANE, H. et W. STEVENSON. *Guide de l'étudiant*, Montréal, Chenelière/McGraw-Hill, 2001.
5. *Ibid.*

a) Le temps moyen que passent les clients dans le système.

b) La probabilité qu'un client potentiel n'ait pas à attendre lorsqu'il se présente au guichet automatique.

c) Le temps moyen d'attente des clients devant le guichet automatique.

4. Le service ambulancier de la Cité de la Santé de Laval dispose de deux ambulances. Les demandes d'ambulances, pendant les fins de semaines, arrivent à un rythme moyen de 0,8 appel à l'heure et peuvent être prévues grâce à une distribution de Poisson. La durée moyenne des secours, incluant le déplacement, est d'environ une heure par appel. Le temps d'assistance et de déplacement étant distribué selon une loi exponentielle, déterminez :

a) Le taux d'utilisation du système.

b) Le nombre moyen de clients qui attendent.

c) Le temps moyen d'attente des clients pour l'ambulance.

d) La probabilité que les deux ambulances soient occupées lors d'un appel.

5. Les informations fournies dans le tableau ci-dessous concernent les appels téléphoniques adressés au standard d'un motel pendant la journée du mardi.

Période	Taux d'arrivée (appels/minute)	Taux de service (appels/minute/ téléphoniste)	Nombre de téléphonistes
Matin	1,8	1,5	2
Après-midi	2,2	1,0	3
Soir	1,4	0,7	3

Pour chacune des périodes :

a) Déterminez le temps moyen passé par les clients à attendre une réponse et la probabilité qu'un client potentiel attende.

b) Déterminez la longueur maximale de la file d'attente qui ne sera pas dépassée 96 % du temps.

6. Des camionneurs se présentent à un poste de pesée pour le contrôle de la charge totale, afin de vérifier s'ils respectent la réglementation en vigueur. Les camions arrivent entre 7 h et 21 h, selon un processus de Poisson, à un taux de 40 à l'heure. Deux inspecteurs s'occupent du contrôle de la charge, chacun ayant la capacité d'inspecter 25 camions à l'heure. Le taux d'inspection est présumé suivre un processus de Poisson.

a) Combien de camions peut-on s'attendre à voir en moyenne au poste de pesée, incluant ceux qui sont en train d'être inspectés ?

b) Si un camion vient juste d'arriver au poste de pesée, quel temps moyen devra-t-il passer au poste de pesée ?

c) Quelle est la probabilité que les inspecteurs soient tous deux occupés en même temps ?

d) Combien de minutes un camionneur devra-t-il attendre en moyenne avant d'être servi ?

e) Que se passerait-il s'il y avait un seul inspecteur ?

f) Quelle est la longueur maximale de la file d'attente, si la probabilité qu'elle ne soit pas dépassée est de 0,97 ?

7. La directrice d'un centre de distribution doit décider du nombre de quais de chargement à mettre en place dans une nouvelle installation. Son critère pour la prise de décision est de minimiser le coût total engendré par le coût d'attente des camions et le coût associé aux quais. Les coûts reliés au duo camion-chauffeur sont estimés à 300 $ par jour, alors que les coûts d'exploitation associés à chaque quai, incluant les manutentionnaires, sont estimés à 1100 $ par jour.

a) Combien de quais devrait-on installer si les camions arrivent, selon un processus de Poisson, au taux moyen de quatre camions par jour et que chaque quai a la capacité d'accueillir cinq camions par jour, selon une distribution de Poisson ?

b) Un employé a proposé d'ajouter un nouvel équipement qui permettrait d'augmenter le taux de chargement à 5,71 camions par jour. L'équipement coûterait 100 $ par quai pour chaque jour d'exploitation. Les responsables devraient-ils accepter la proposition ?

8. Le service des pièces d'un important concessionnaire automobile de la rive nord de Montréal a un comptoir réservé aux mécaniciens du service à la clientèle. Le temps écoulé entre chaque demande de pièces est distribué selon une loi exponentielle : il est, en moyenne, de 5 minutes. Le magasinier peut servir en moyenne 15 mécaniciens à l'heure ; le taux de service suit une loi de Poisson et on suppose qu'il y a deux magasiniers en service.

a) Combien trouve-t-on de mécaniciens en moyenne devant le comptoir, y compris ceux que l'on est en train de servir ?

b) Quelle est la probabilité qu'un mécanicien attende avant d'être servi ?

c) Quel est le temps moyen d'attente des mécaniciens ?

d) Quel est le pourcentage d'inactivité des magasiniers ?

e) Quel nombre optimal de magasiniers en service devrait-on avoir, pour minimiser le coût total, si un mécanicien revient à 30 $ l'heure, alors qu'un magasinier coûte 20 $ l'heure ?

9. Un représentant du service à la clientèle d'une petite entreprise d'informatique est responsable de cinq clients. Ceux-ci demandent de l'aide en moyenne tous les quatre jours ouvrables. On peut estimer que la demande suit une loi de Poisson. Le représentant peut répondre en moyenne à un appel par jour. Déterminez :

a) Le nombre moyen de clients qui attendent d'être servis.

b) Le temps d'attente des clients entre le moment où ils appellent pour le service et le moment où le service a été rendu.

c) Le pourcentage du temps où le représentant est inoccupé.

d) De combien la réponse obtenue en a) serait-elle réduite si on décidait d'engager deux représentants pour les mêmes clients ?

10. Deux opérateurs sont responsables du réglage de 10 machines. Le temps de réglage des machines est distribué selon une loi exponentielle : il est en moyenne de 14 minutes par machine. Les machines fonctionnent pendant en moyenne 86 minutes avant d'avoir besoin d'un réglage. Chaque machine en marche a la capacité de produire 50 pièces à l'heure. Déterminez :

a) La probabilité qu'une machine attende un réglage.

b) Le nombre moyen de machines qui attendent un réglage.

c) Le nombre moyen de machines qui sont en train d'être réglées.

d) La production moyenne de chaque machine en tenant compte du réglage.

e) Quel doit être le nombre optimal d'opérateurs, si le temps mort des machines coûte 70 $ l'heure par machine et que le coût d'un opérateur, incluant le salaire et les avantages sociaux, est de 15 $ l'heure ?

11. Un opérateur est responsable de la maintenance de cinq machines. Les temps de fonctionnement des machines et de maintenance suivent tous deux une distribution exponentielle. Les machines fonctionnent pendant 90 minutes avant de nécessiter une intervention de l'opérateur, et le temps d'intervention est, en moyenne, de 35 minutes. L'opérateur coûte 20 $ l'heure, incluant le salaire et les avantages sociaux, et le temps mort des machines coûte 70 $ l'heure par machine.

a) Si la production de chaque machine en marche est de 60 pièces à l'heure, déterminez la production horaire de chaque machine en tenant compte des attentes pour la maintenance et du temps passé à l'entretien.

b) Déterminez le nombre optimal d'opérateurs.

12. Un service de fraisage est constitué de 10 machines. Chaque machine fonctionne en moyenne huit heures avant d'avoir besoin d'un réglage. Celui-ci prend en moyenne deux heures. Les machines en marche ont la capacité de produire 40 pièces à l'heure chacune.

a) Quelle est la production horaire moyenne par machine, lorsqu'il y a un seul opérateur qui s'occupe du réglage au service de fraisage ?

b) Quelle est la configuration optimale des opérateurs affectés au réglage, si le coût horaire des temps morts est de 80 $, alors que le coût associé à l'opérateur en fonction est de 30 $ l'heure ?

13. Des camions arrivent au quai de chargement d'un grossiste en fruits et légumes à raison de 1,2 camion à l'heure. Une équipe de 2 employés s'occupe du chargement qui prend, en moyenne, 30 minutes. Le salaire des employés est de 10 $ l'heure, incluant les avantages sociaux, alors que le coût associé aux chauffeurs et aux camions en attente est estimé à 60 $ l'heure. Le responsable de la logistique envisage d'ajouter un employé à l'équipe. Le taux de service est estimé à 2,4 camions à l'heure. On suppose que les deux taux suivent approximativement la loi de Poisson.

a) Est-il économique d'ajouter un employé à l'équipe ?

b) Est-ce qu'un quatrième employé serait nécessaire, si le taux de service était de 2,6 camions à l'heure ?

14. Les clients qui arrivent à un centre de services sont classés selon trois catégories de priorité, la catégorie n° 1 étant la plus élevée. Les statistiques indiquent qu'il arrive en moyenne neuf clients à l'heure, dont un tiers est attribué à chacune des trois catégories. Il y a deux préposés au centre de services et chacun peut servir en moyenne cinq clients à l'heure. Les processus d'arrivée et de service sont distribués selon une loi de Poisson.

   a) Quel est le taux d'utilisation du système?
   b) Déterminez le temps moyen d'attente des clients de chacune des catégories.
   c) Déterminez le nombre moyen de clients qui attendent d'être servis dans chacune des catégories.

15. Le traitement des clients arrivant dans un centre de services se fait en fonction de leur appartenance à l'une des deux catégories. Celle qui a la priorité la plus élevée a un taux moyen d'arrivée de quatre clients à l'heure, alors que l'autre a un taux moyen de deux clients à l'heure. Les deux processus d'arrivée sont distribués selon une loi de Poisson. Le centre de services est constitué de deux serveurs ayant la capacité de traiter les clients en un temps moyen de six minutes. Les temps de service sont distribués selon une loi exponentielle.

   a) Quel est le taux d'utilisation du système?
   b) Déterminez le temps moyen d'attente des clients de chacune des classes.
   c) Déterminez le nombre moyen de clients qui attendent d'être servis dans chacune des catégories.

16. Un système de file d'attente utilise quatre catégories pour déterminer l'ordre de traitement des clients. Les taux moyens d'arrivée (selon un processus de Poisson) pour chacune des catégories sont donnés dans le tableau ci-dessous:

Catégories	1	2	3	4
Taux moyen	2	4	3	2

   Le service est assuré par cinq serveurs ayant chacun la capacité de traiter en moyenne trois clients à l'heure (selon une distribution exponentielle).

   a) Quel est le taux d'utilisation du système?
   b) Quel est le temps moyen d'attente pour le service dans chacune des catégories? Quel est le nombre moyen de clients en attente dans chacune des catégories?
   c) Si on réduisait le taux d'arrivée de la deuxième catégorie à trois clients en moyenne, en réorientant certains clients de la deuxième catégorie vers la troisième, quel serait l'effet sur le résultat de la question b)?

17. Répondez aux questions du problème n° 16 en prenant en considération le fait que chaque serveur peut traiter en moyenne quatre clients à l'heure plutôt que trois. Expliquez pourquoi l'impact de la réattribution des clients à la troisième catégorie est beaucoup moins important que dans le cas du problème n° 16.

18. Dans un centre d'appels, les appels des clients arrivent (selon un processus de Poisson) à raison de 40 à l'heure en moyenne. Les personnes auxquelles on ne peut répondre immédiatement sont mises en attente. Le système en place ne peut mettre en attente qu'un maximum de huit personnes. Lorsque ce nombre est atteint, les clients potentiels entendent une sonnerie indiquant que les agents du centre d'appels sont occupés. La communication avec les clients dure en moyenne trois minutes et il y a actuellement trois agents en fonction. La durée de la communication est distribuée selon une loi exponentielle.

   a) Quelle est la probabilité qu'un client potentiel tombe sur le signal « occupé »?
   b) Quelle est la probabilité qu'un client potentiel soit mis en attente?

Bibliographie

BUFFA, Elwood. *Operations Management*, 3ᵉ édition, New York, John Wiley & Sons, 1972.

FRITZSIMMONS, James A. et Mona J. FRITZSIMMONS. *Service management: Operations, Strategy and Information Technology*, 3ᵉ édition, New York, Irwin/McGraw-Hill, 2001.

GRIFFIN, W. *Queuing: Basic Theory and Applications*, Columbus, Ohio, Grid Publishing, 1978.

HILLIER, Frederick S., Mark S. HILLIER et Gerald J. LIEBERMAN. *Introduction to Management Science: A Modeling and Case Studies Approach with Spreadsheets*, New York, Irwin/McGraw-Hill, 2000.

KARTZ, K. L., B. M. LARSON et R. C. LARSON. «Prescriptions for the Waiting-in-Line Blues: Entertain, Enlighten, and Engage», *Sloan Management Review,* vol. 32, n° 2, hiver 1991, p. 44-53.

STEVENSON, William J. *Introduction to Management Science,* 2ᵉ édition, Burr Ridge, IL., Richard D. Irwin, 1992.

OBJECTIFS D'APPRENTISSAGE

Après avoir terminé l'étude de ce chapitre, vous pourrez :

1. Décrire l'importance de la maintenance.

2. Distinguer les trois types de pannes.

3. Distinguer les trois types de maintenance.

4. Calculer les coûts de maintenance.

5. Distinguer maintenance centralisée et maintenance décentralisée.

6. Énumérer les étapes de la gestion de la maintenance.

7. Mesurer l'impact de la fiabilité.

8. Expliquer la notion de fiabilité.

Chapitre 20
LA MAINTENANCE ET LA FIABILITÉ

Plan du chapitre

20.1 INTRODUCTION

Pour conclure la description de la gestion des opérations et de la production, nous abordons la plus importante fonction d'environnement de la gestion de la production : la maintenance. Distinguons d'abord maintenance et **entretien**.

Rappelons que les facteurs de production comprennent tous les moyens et ressources nécessaires à la création du bien ou du service offert par l'entreprise. La maintenance s'occupe donc de l'équipement et des machines, des bâtisses et des terrains, des systèmes électriques et électroniques, des systèmes de chauffage, de ventilation et de plomberie, etc.

La **maintenance** demeure la fonction la plus méconnue de la gestion de la production. On la considère soit comme un mal nécessaire lié à la piètre qualité des équipements et des installations, soit comme un luxe réservé aux grosses compagnies aériennes, aux hôpitaux et à l'armée. Heureusement, quelques entreprises ont compris l'importance et la nature de la maintenance, et elles ont réussi à l'utiliser pour accroître l'efficacité de leurs facteurs de production, contrôler leurs coûts d'exploitation et gérer adéquatement leurs activités de production.

En effet, aucune stratégie, aussi efficace soit-elle, ne peut réussir sans l'assurance que le système opérationnel de l'entreprise fonctionne sans défaillance. Tous les systèmes (J-À-T [juste-à-temps], GIQ [gestion intégrale de la qualité], PBM-MRP [planification des besoins matières]), motivation et engagement des employés, amélioration continue [*kaïzen*], TPS [Toyota Production System] et production épurée) sont basés sur la prémisse que les bâtisses et équipements sont en état de fonctionnement adéquat.

Nous analyserons, dans ce chapitre, quelques aspects de ce vaste et récent domaine d'activité qu'est la maintenance, et nous démythifierons cette notion. Nous en montrerons l'importance, dans notre monde moderne, pour la qualité du travail à accomplir, la santé et la sécurité des employés ainsi que les économies que l'on peut en retirer.

20.2 L'IMPORTANCE DE LA MAINTENANCE

Parce qu'elle est une fonction d'environnement, la maintenance a une influence sur toutes les activités de production ainsi que sur les objectifs en fait de qualité, de quantité, de coûts, de temps et de lieu[1].

Supposons qu'une entreprise prévoie produire 300 unités par jour, 250 jours par an (75 ku/an). Les coûts de production (fixes et variables : main-d'œuvre, équipements, matières premières, etc.) ont été établis à 20 \$/u.

À un certain moment, un équipement majeur cesse de fonctionner à cause d'une **panne**.

Si cet arrêt fait perdre 10 jours de production, quelles seront les conséquences ?

1) Il manquera 3 ku à la fin de l'année, ce qui entraînera des commandes en retard ou non satisfaisantes pour la clientèle.

2) Il faudra faire des heures supplémentaires pour récupérer le temps perdu ; donc, les coûts de production seront plus élevés.

3) Il faudra débourser des sommes non prévues pour faire les réparations.

4) En attendant la fin des réparations, le personnel régulier restera inactif, à moins qu'on ne l'affecte à d'autres tâches qui, habituellement, ne lui incombent pas.

5) Les programmes et charges de travail planifiés[2] devront être réajustés en conséquence, ce qui entraînera d'autres coûts.

Ce ne sont là que quelques-uns des inconvénients qui découlent d'une panne. Celle-ci entraîne automatiquement une augmentation substantielle des coûts de

---

1. Voir le chapitre 1.
2. Voir les chapitres 12 à 17.

---

entretien
Activité consistant à maintenir les facteurs de production en état de fonctionnement adéquat.

maintenance
Ensemble des moyens nécessaires pour remettre et maintenir les facteurs de production en bon état de fonctionnement. Elle comprend l'ensemble des mesures d'entretien et leur mise en œuvre.

panne
Arrêt imprévu d'un équipement, d'un de ses organes ou de tout autre facteur de production.

production ainsi qu'une diminution, ou tout simplement la disparition, de la marge bénéficiaire réalisée sur la vente du produit. Si, par contre, on avait tenu compte, au moment de la prévision et de la planification, des probabilités de pannes, on aurait établi une marge de sécurité en planifiant des moments d'arrêt de la production pour entretien avant que la panne survienne, en constituant des stocks de sécurité et en établissant en conséquence les coûts d'exploitation, par exemple. Une bonne maintenance de l'équipement et des installations assure la qualité des produits offerts ainsi que la sécurité du personnel.

On dit souvent : « Pour faire du bon travail, il faut de bons outils. » Il est difficile, voire impossible, de créer des produits d'une certaine qualité avec des outils et de l'équipement en mauvais état.

Par ailleurs, combien d'accidents sont dus au mauvais état de l'outillage et de l'équipement utilisés ? On n'a qu'à penser aux nombreux accidents de la circulation causés par des pannes des systèmes de freinage ou de direction, trop usés ou mal entretenus. Dans plusieurs cas, on ne peut pas négliger la maintenance ; par exemple, dans les salles d'opération d'un hôpital, on ne peut se permettre une panne de l'équipement utilisé (régulateur d'oxygène, etc.).

En outre, avec l'évolution de la technologie, on utilise de l'équipement de plus en plus raffiné, ce qui représente des investissements élevés ; on ne peut donc pas laisser cet équipement se détériorer et on doit en tirer le maximum d'efficacité pour justifier ces investissements. Il faut donc assurer le bon fonctionnement de l'équipement et prolonger sa durée de vie.

On voit que la maintenance dépasse le simple nettoyage des locaux, couloirs et escaliers, et qu'elle n'a pas comme seul objectif la réparation d'équipements en panne.

20.3 LES TYPES DE PANNES

On a vu que l'un des objectifs de la maintenance est de maintenir le matériel technique en état de fonctionnement. Une panne est un arrêt imprévu du fonctionnement d'un élément du matériel technique (facteur de production) ; elle n'implique pas nécessairement l'arrêt complet de l'équipement. Il peut s'ensuivre une baisse de l'efficacité (quantité plus faible, qualité déficiente, coûts plus élevés d'utilisation, accroissement de la consommation d'énergie ou de matière première) causée par le mauvais fonctionnement de l'équipement. Un pneu crevé, par exemple, ne signifie pas toujours l'arrêt complet de l'automobile ; on peut toujours rouler, mais moins vite, avec un confort et une tenue de route inadéquats. Cet exemple montre qu'il existe plusieurs types de pannes et, par le fait même, plusieurs types de maintenance.

Par exemple, au début de l'utilisation d'une nouvelle machine, la friction des pièces entre elles est très forte, car les pièces sont neuves ; cela cause une surchauffe des éléments, d'où une possibilité de panne ; ou encore, l'assemblage peut avoir un défaut et l'utilisateur, qui n'est pas habitué à l'équipement, commettra une erreur de manipulation. De même, dans le cas d'une auto neuve, les ajustements sont nombreux au début, jusqu'à ce qu'elle roule à la satisfaction du client. Un autre exemple ? L'être humain : durant ses premiers mois de vie, voire ses premières années, nombreuses sont ses maladies (« pannes ») et il est plutôt fragile. Les pannes qui surviennent avec du nouvel équipement sont dites **infantiles**.

Une fois terminée cette période initiale, appelée aussi période de **rodage**, le nombre de pannes diminue considérablement et on se trouve face à un autre type de pannes : les **pannes accidentelles**. Remarquons que les pannes infantiles peuvent être prévues. On peut donc prendre les mesures nécessaires pour y remédier ; par exemple, garder du personnel d'entretien tout près de l'équipement durant cette période, l'utiliser avec plus de discernement en respectant les modalités de la période de rodage suggérées par le manufacturier, etc. Les pannes infantiles surviennent aussi dans le cas de la remise à neuf d'un équipement, d'un procédé de production ou d'un processus administratif qui doit aussi subir un rodage.

pannes infantiles
Pannes qui surviennent au début de la mise en œuvre de l'équipement.

rodage
Période pendant laquelle l'équipement, le procédé ou le processus est mis progressivement en opération sous surveillance spéciale.

pannes accidentelles
Pannes qui surviennent d'une façon imprévisible et totalement aléatoire.

pannes de vieillissement
Pannes dues à l'âge et à la grande fréquence d'utilisation de l'équipement.

Par exemple, un équipement n'ayant bénéficié d'aucun entretien des tuyaux d'huile du système hydraulique depuis cinq ans et qui tombe soudainement en panne ne peut être considéré comme subissant une panne accidentelle. Cette panne est logiquement prévisible étant donné l'usure des éléments en question ; l'entretien aurait dû être prévu en conséquence.

Les pannes accidentelles entraînent des coûts d'arrêt très élevés car elles ne peuvent être prévues, contrairement aux pannes infantiles. Habituellement, les pannes accidentelles surviennent sur une période plus ou moins longue, selon l'utilisation de l'équipement. Nous étudierons plus en détail les pannes accidentelles dans une prochaine section (20.4.1).

Après une certaine période (plus ou moins longue) d'utilisation, l'équipement vieillit et s'use, et les possibilités qu'il tombe en panne augmentent considérablement. Il serait erroné de prétendre que les pannes que subit un équipement âgé surprennent ; ce type de pannes est plus que prévisible. Tout comme dans le cas des pannes infantiles, des mesures peuvent être prises pour les prévoir et y remédier avant qu'il soit trop tard, c'est-à-dire avant que la panne entraîne des coûts importants (voir « Maintenance préventive », section 20.4.2).

Le graphique 20.1 illustre les types de pannes et leur fréquence en fonction du temps.

Graphique 20.1

Fréquence des pannes

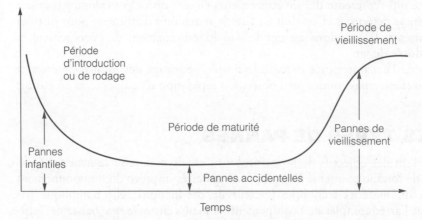

Au moment de l'installation d'un nouvel équipement ou de nouvelles pièces d'équipement, on peut s'attendre à ce que, durant une certaine période, le taux de pannes soit élevé, jusqu'à ce que la période de rodage soit terminée. Vient ensuite une période où le taux de pannes est plus faible, se limitant aux pannes accidentelles ; un entretien adéquat aide à prolonger cette période (voir « Maintenance préventive » et « Maintenance corrective », sections 20.4.2 et 20.4.3). Finalement, le vieillissement de l'équipement entraîne l'augmentation progressive du taux de pannes. On doit examiner à ce moment la possibilité d'acquérir un nouvel équipement et de se défaire de l'ancien.

Cette répartition des pannes en fonction du temps est une loi naturelle ; tous les équipements, installations, systèmes et politiques de fonctionnement, de même que les êtres vivants, y obéissent. Selon l'âge de l'équipement et le type de pannes auquel on fait face, on adoptera un type particulier de maintenance.

20.4 LES TYPES DE MAINTENANCE

On distingue trois types de maintenance[3] :

1. la maintenance palliative (ou curative) ;

2. la maintenance préventive ;

3. la maintenance corrective.

Voyons en quoi consiste chacun des types de maintenance.

---

3. Vous trouverez dans les ouvrages spécialisés la présentation d'autres types de maintenance. En ce qui nous concerne, nous nous limiterons à ces trois types.

20.4.1 Maintenance palliative

La **maintenance palliative**, appelée aussi «curative» ou «de catastrophe», a pour tâche de remettre en état de fonctionnement de l'équipement arrêté ou ne fonctionnant pas correctement pour cause de panne.

C'est le plus connu des types de maintenance et malheureusement, dans certains cas, le seul à être appliqué. Cette maintenance intervient *a posteriori*, toujours trop tard, lorsque la panne (infantile, accidentelle ou de vieillissement) survient, souvent avec des conséquences graves et toujours lorsqu'on s'y attend le moins. Les coûts de la maintenance palliative sont très élevés à cause des facteurs suivants :

maintenance palliative
Approche réactive qui consiste à intervenir une fois le problème survenu.

- pièces majeures brisées, entraînant souvent le bris d'autres pièces connexes ;

- matières premières et produits gaspillés à cause de l'équipement en mauvais état ;

- employés inactifs en attendant la fin des réparations ;

- plans et programmes de production à reformuler ; dans certains cas, l'arrêt d'un équipement touche à toutes les étapes et opérations successives ;

- délais de livraison non respectés, d'où une insatisfaction du client et même un risque de perdre ce client, qui ira voir un concurrent ;

- heures supplémentaires ou recours à des sous-traitants pour rattraper le temps perdu ;

- baisse de la qualité des produits affectés ;

- baisse de la sécurité sur les lieux de travail.

Pour pallier ces pannes, on a recours :

1. à de l'équipement de secours, c'est-à-dire de l'équipement en attente, prêt à mis instantanément en marche en cas de panne ;

2. à une importante équipe de personnel de soutien (appelé aussi «personnel volant») hautement compétent, bien équipé en outils, pièces de rechange, etc., pour remettre rapidement l'équipement en état de fonctionner.

Ces deux solutions sont souvent très coûteuses. On a intérêt à faire une étude de rentabilité pour savoir s'il est préférable de subir les inconvénients des pannes plutôt que de supporter les coûts qu'entraîneraient ces deux solutions. Dans certains cas, par exemple dans les édifices où la sécurité humaine est en jeu, ce sont des systèmes électrogènes en attente qu'on installera, prêts à mis en marche instantanément en cas de panne ; dans d'autres cas, on optera pour des équipes de soutien. Seule l'analyse de chaque cas précis et de toutes les conséquences qui en découlent (économiques, techniques et humaines) guidera le choix entre ces deux options.

La maintenance palliative traite les pannes qui, comme nous les avons définies, sont imprévisibles ; pour une meilleure classification, nous appellerons dorénavant «accidentelles» ce type de pannes, c'est-à-dire celles qui sont dues purement au hasard ou à un accident de parcours, par opposition aux pannes prévisibles.

Le problème, pour une entreprise, est de faire la différence entre ces deux types de pannes. Souvent, des pannes qualifiées d'accidentelles auraient pu être évitées par un entretien plus adéquat de l'équipement et des installations. Il est donc erroné de les qualifier ainsi, car elles sont prévisibles. En étant prévoyant et en procédant à un entretien approprié, on peut diminuer le taux de pannes, quel qu'il soit, et offrir un niveau de service maximal à la fonction production.

On a recours à d'autres types de maintenance pour éliminer tout type de panne non accidentelle.

maintenance préventive
Approche qui consiste à prendre les devants et à intervenir avant que le problème survienne.

20.4.2 Maintenance préventive

La **maintenance préventive** se divise en deux types :

1. maintenance *systématique* ;

2. maintenance *préventive* (proprement dite).

Voyons maintenant plus en détail chacun des types.

1. *Maintenance systématique*

Elle comporte les activités relatives à l'entretien de base et nécessaires au fonctionnement de l'équipement et des installations, telles que :

- le nettoyage ;

- la vidange d'huile, le graissage ;

- le remplacement, à intervalles réguliers, de certaines composantes secondaires ;

- les vérifications de routine.

La caractéristique principale de la maintenance systématique est sa périodicité, c'est-à-dire le fait qu'elle est exécutée à intervalles fixes, qui peuvent être définis en termes de durée (par exemple, changer les courroies tous les débuts de mois, nettoyer les néons tous les printemps) ou de temps d'utilisation (vidanger l'huile tous les 12 000 km). Ces intervalles sont déterminés par :

- l'expérience d'utilisation antérieure ;

- les caractéristiques de l'équipement ;

- les recommandations du fabricant ;

- les conditions d'utilisation, le taux d'utilisation, l'environnement physique, etc.

La maintenance systématique aide à diminuer le taux de pannes en cours d'utilisation, à les prévenir et à augmenter la durée de vie de l'équipement. (Cette dernière notion est très importante.) À cause de son caractère périodique, elle est facile à planifier et à mettre en œuvre. On peut du même coup planifier la production et établir les coûts d'exploitation en conséquence. Habituellement, on exécute la maintenance systématique hors des heures de production : à la pause café, au dîner ou à la fin de la journée. Elle est effectuée par l'équipe de maintenance préventive.

2. *Maintenance préventive* (proprement dite)

La maintenance préventive proprement dite consiste en :

- l'inspection périodique de l'équipement et des installations de l'entreprise pour déceler des situations pouvant mener à des pannes ;

- l'entretien de l'équipement pour mettre fin à ces situations avant qu'elles s'aggravent.

Comme la maintenance systématique, la maintenance préventive a un caractère périodique ; elle diminue considérablement le taux de pannes et augmente la longévité de l'équipement. Elle est facile à prévoir et à planifier, et est exécutée de préférence hors des heures de production. Il arrive souvent qu'on procède à ces deux types de maintenance au même moment d'arrêt. C'est pourquoi, d'ailleurs, on a parfois tendance à les confondre et à les regrouper sous le nom de « maintenance préventive ». Par contre, on préfère dans certains milieux appeler « maintenance systématique » les activités simples de maintenance, tandis que les activités visant à s'assurer du bon fonctionnement de l'équipement (essais, révisions générales, remplacements de pièces importantes après un temps préétabli d'utilisation, même si elles paraissent bonnes) sont regroupées sous l'expression « maintenance préventive ». Contrairement à la maintenance systématique, la maintenance préventive est établie en fonction de l'utilisation de l'équipement dans des conditions précises, selon chaque entreprise et selon l'environnement dans lequel celle-ci évolue.

La maintenance préventive apparaît de plus en plus indispensable dans le monde moderne. Par exemple, si la génératrice de courant de notre automobile tombe en panne au cours d'un voyage, nous nous ferons, au pire, remorquer jusqu'à la prochaine station-service pour la faire réparer. Les conséquences seront beaucoup plus graves si le même type de panne se produit dans un avion. Il est important de vérifier l'état de toutes les pièces clés de l'avion. Il en est de même dans le cas d'ordinateurs de grande capacité et d'autres équipements complexes. On préfère parfois installer des équipements de secours au cas où une panne surviendrait ; les investissements sont alors doublés (c'est le cas pour les génératrices de courant). L'étude et l'analyse des activités de maintenance palliative, systématique et préventive nous amènent à décrire un troisième type de maintenance : la maintenance corrective.

20.4.3 Maintenance corrective

Pour comprendre le lien entre les trois types de maintenance, considérons le cas de la courroie d'entraînement en toile d'une presse légère. Supposons qu'il y ait des pannes fréquentes de la presse dues à l'usure prématurée de la courroie. L'étude des travaux de maintenance palliative nous indique que la courroie se coupe en moyenne tous les 25 jours, ce qui entraîne souvent des retards inattendus. En instaurant une maintenance préventive (systématique), qui consiste à remplacer la courroie tous les 20 jours, nous minimisons les probabilités de besoin de travaux d'entretien palliatif et les coûts qui s'y rattachent.

Supposons maintenant que l'étude des courroies disponibles sur le marché nous révèle l'existence de courroies en néoprène (matériel synthétique) dont la durée de vie est trois fois plus longue que celle des courroies en toile, mais dont le prix est deux fois plus élevé. En améliorant notre équipement par l'installation de telles courroies (maintenance corrective), nous diminuons du tiers le coût de la maintenance préventive, en plus de diminuer le coût total des courroies (un remplacement de courroie au lieu de trois). Cet exemple illustre l'importance des considérations d'ordre économique touchant à la maintenance, discutées plus spécifiquement à la section 20.5.

La majorité des travaux de maintenance corrective se font durant les remises à neuf. Par exemple, dans le cas des navires, le produit sera mis en cale sèche et les travaux pourront durer aussi longtemps que 24 mois. Pour les avions commerciaux, on changera même les tapis et le rembourrage des sièges, sans compter les travaux d'envergure touchant à la carlingue et à tous les autres éléments mécaniques ou électriques de l'aéronef. Il en va de même pour les presses, les chariots élévateurs, les photocopieuses, les ordinateurs, etc.

La maintenance corrective permet d'améliorer la maintenabilité d'un équipement. Plusieurs fabricants améliorent la **maintenabilité** de leur produit en récoltant des informations directement chez le client, principal utilisateur du produit.

20.5 LES COÛTS DE LA MAINTENANCE

Nous avons vu à la section précédente quels sont les coûts rattachés aux pannes, à savoir :

- les coûts des pièces brisées ;
- le salaire des employés affectés à la réparation ;
- le temps improductif de l'équipement dû au délai de réparation ;
- le salaire des employés affectés à la production qui demeurent improductifs durant la réparation ;
- les coûts du réajustement des plans et programmes de production requis pour la reprise de la production perdue soit à cause des retards accumulés, soit à cause de la mauvaise qualité des produits fabriqués par un équipement en mauvais état ;

maintenance corrective
Amélioration de l'équipement et des installations en vue de rendre les pannes moins fréquentes et les coûts de maintenance moins élevés.

remise à neuf
Révision complète de tous les éléments d'un équipement exécutée après une période définie d'utilisation. C'est une tâche s'étendant sur une longue période.

maintenabilité
Caractéristique d'un équipement d'entretien facile : disponibilité des pièces de rechange, accès aux différents éléments n'exigeant pas de démontage complet, besoin d'entretien peu fréquent, etc.

- les coûts des produits gaspillés à cause de l'équipement en panne ;

- la baisse de la productivité des employés due au mauvais état de l'équipement ;

- les possibilités d'accidents de travail.

Ce ne sont là que quelques-uns des coûts qu'entraîne une panne accidentelle. Par ailleurs, une entreprise peut choisir d'adopter la maintenance préventive pour minimiser les coûts des pannes et ceux de la maintenance palliative qui en découlent, et pour augmenter la durée de son équipement et de ses investissements. Mais la maintenance préventive a elle aussi un prix, car il faut :

- prévoir, planifier et contrôler les travaux de maintenance préventive, donc gérer la maintenance ;

- supporter des coûts rattachés aux travaux de maintenance préventive : pièces à changer, disponibilité des pièces en magasin, gestion des stocks qui en découle, salaire des employés, arrêts de production, etc.

20.5.1 Maintenance préventive ou palliative ?

Connaissant les caractéristiques de ces deux pôles de la maintenance, les gestionnaires de la production doivent trouver le juste équilibre entre eux. Le graphique 20.2 illustre la situation.

Pour simplifier, nous avons pris comme exemple une évolution linéaire des coûts de la maintenance préventive. Ce graphique montre que plus on entretient l'équipement, plus les coûts dus à la maintenance palliative baissent ; par contre, les coûts rattachés à la maintenance préventive augmentent. Par ailleurs, si on n'effectue aucun entretien et si on n'intervient qu'en cas de panne, les coûts de la maintenance préventive sont à leur minimum, tandis que la maintenance palliative coûte très cher. L'équation suivante résume les coûts des travaux d'entretien :

Coûts de la maintenance totale

= coûts de la maintenance préventive + coûts de la maintenance palliative

Au point d'intersection de la droite des coûts de la maintenance préventive et de la courbe des coûts de la maintenance palliative (point P), on trouve le nombre d'interventions à effectuer pour minimiser les coûts totaux de maintenance (point H, avec

Graphique 20.2

Maintenance préventive et maintenance palliative

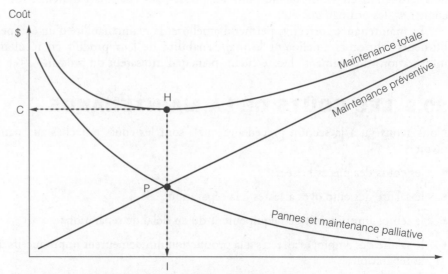

Source : Benedetti, Claudio, *Introduction à la gestion des opérations,* Laval, Études Vivantes, p. 461.

coûts de maintenance totale C). La courbe de la maintenance totale indique l'évolution des coûts totaux ; nous avons tenu compte uniquement de la maintenance palliative et de la maintenance préventive. Un nombre d'interventions inférieur ou supérieur à I (nombre d'interventions optimal) entraînerait un coût total plus élevé.

Les analyses des coûts des pannes, d'une part, et des coûts de maintenance, d'autre part, aident une entreprise à déterminer une politique de maintenance appropriée. Par **politique de maintenance**, nous entendons un ensemble de règles à suivre pour atteindre les buts en matière de maintenance.

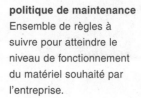

politique de maintenance
Ensemble de règles à suivre pour atteindre le niveau de fonctionnement du matériel souhaité par l'entreprise.

Cette politique pourrait, par exemple, être énoncée ainsi dans le cas d'une imprimerie :

- inspection préventive des tambours toutes les 40 heures de fonctionnement ;

et dans le cas d'un transporteur public :

- vidange d'huile tous les 4000 kilomètres ;
- vérification des freins tous les 8000 kilomètres ;
- remplacement des vis platinées et des bougies tous les 12 000 kilomètres ;
- etc.

20.5.2 Fréquence d'utilisation et maintenance

Plus une pièce d'équipement est utilisée, plus l'équipement vieillit, plus ses chances de tomber en panne augmentent et plus l'équipement a besoin d'être entretenu.

Des études ont démontré que la fréquence des pannes croît de façon à peu près exponentielle par rapport à l'utilisation qu'on fait de l'équipement (voir le graphique 20.3).

Si on décide d'utiliser un équipement de manière à en tirer la production maximale, on doit s'attendre à ce que le nombre de pannes soit plus élevé. Il faut alors se préparer à effectuer plus de maintenance palliative et, si l'on veut diminuer les coûts de ce type de maintenance, prévoir un plus grand nombre d'interventions pour prévenir les pannes (maintenance préventive). Il revient à l'entreprise de décider s'il vaut mieux :

1. accroître l'utilisation de l'équipement, en prenant le risque d'un plus grand nombre d'arrêts ; ou
2. diminuer l'utilisation de l'équipement (et la production du même coup) et prolonger la vie de l'équipement et des investissements.

Seule une étude de rentabilité peut aider à prendre une décision.

Supposons, par exemple, qu'une presse fonctionne à une vitesse de 100 tours/min et qu'elle produise une unité par tour (100 u/min). L'analyse des travaux de maintenance passés indique que la maintenance préventive est toujours exécutée hors des heures d'exploitation et correspond à 2 % du temps de production, tandis que la

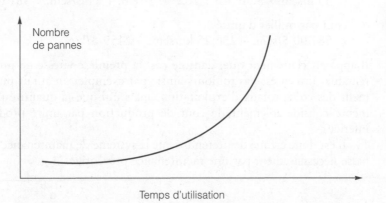

Graphique 20.3

Fréquence des pannes par rapport au temps d'utilisation

maintenance palliative correspond à 0,5 % du même temps de production. Depuis quelque temps, on a augmenté la vitesse à 150 tours/min et la production a donc connu le même accroissement. On a remarqué que les pannes, ainsi que la maintenance palliative correspondante, ont augmenté jusqu'à atteindre 25 % du temps de production. On n'a pas modifié la maintenance préventive. On travaille 35 h/sem., à un coût standard de 8,50 $/h-sem. (salaires des employés de production compris). Quelle serait votre décision, sachant que les travaux de maintenance coûtent 30 $/h et qu'on travaille 35 h/sem.?

Solution

1. À 100 tours/min

    temps de maintenance palliative
    35 h/sem. * 0,5 % = 0,18 h/sem.

    coût de maintenance palliative
    0,18 h/sem. * 30 $/h = 5,4 h/sem.

    coût de maintenance préventive
    35 h/sem. * 2 % * 30/$ h = 21 $/sem.

    nombre d'heures d'exploitation nette
    35 h/sem. − 0,18 h/sem. = 34,82 h/sem.

    nombre d'unités produites par semaine
    34,82 h/sem. * 60 min/h * 100 tours/min * 1 unité/tour = 208 920 unités/sem.

    coût total de production par semaine
    35 h/sem. * 8,50 $/h * + 5,4 $/sem. + 21 $/sem. = 323,90 $/sem.

    coût par millier d'unités
    323,90 $/sem. ÷ 208,92 ku/sem. = 1550 $/ku

2. À 150 tours/min

    temps de maintenance palliative
    35 h/sem. × 25 % = 8,75 h/sem.

    coût de maintenance palliative
    8,75 h/sem. × 30 $/h = 262,5 $/sem.

    coût de maintenance préventive
    35 h/sem. × 2 % × 30 $/h = 21 $/sem.

    nombre d'heures d'exploitation nette
    35 h/sem. − 8,75 h/sem. = 26,25 h/sem.

    nombre d'unités produites par semaine
    26,25 h/sem. × 60 min/h × 150 tours/min. × 1 unité/tour = 263 250 unités/sem.

    coût total de production par semaine
    35 h/sem. × 8,50 $/h + 262,50 $/sem. + 21 $/sem. = 581,00 $/sem.

    coût par millier d'unités
    581,00 $/sem. ÷ 236,25 ku/sem. = 2459 $/ku

Il apparaît clairement que, dans ce cas, la première vitesse de production est la plus rentable. Il n'en est pas toujours ainsi; par exemple, on aurait pu avoir un accroissement des coûts totaux d'exploitation, mais puisque la quantité produite aurait augmenté considérablement, le coût de production par unité produite aurait pu être inférieur.

Il est donc erroné de prétendre que le système de maintenance le plus économique passe nécessairement par une maintenance préventive.

20.6 L'ORGANISATION DU SERVICE DE MAINTENANCE

Une fois qu'elle a pris conscience de l'importance de la maintenance et des coûts qu'elle implique ainsi que de la raison d'être de cette fonction, l'entreprise ressent le besoin de confier les activités de maintenance à un groupe de personnes en particulier : elle crée le service de maintenance.

L'objectif global du service de maintenance est d'assurer la disponibilité des machines, des équipements et de l'installation (les facteurs de production) requis pour la production et les autres services, et ce, de façon à optimiser le rendement de l'ensemble des investissements. Il sert de soutien aux activités de tous les autres services de l'entreprise. Il doit être conçu comme un élément nécessaire au fonctionnement de l'ensemble ; pour cela, il doit coopérer avec les autres services plutôt que de fonctionner en vase clos. Soulignons donc combien il est important que les communications soient bonnes entre le service de la maintenance et les autres services.

20.6.1 Responsabilités du service de maintenance

Les responsabilités du service de maintenance varient d'une entreprise à l'autre, selon la taille de l'entreprise et le style des administrateurs. D'une façon générale, ce service se voit confier les tâches suivantes :

a) entretenir les équipements, bâtisses et terrains ;

b) assurer la fourniture d'énergie, d'air, d'eau, de chauffage et de climatisation, etc. ;

c) exécuter les modifications touchant aux équipements ;

d) effectuer les mises en route ;

e) installer les nouveaux équipements ;

f) gérer les magasins et les stocks ERO (entretien, réparation, opération)[4] ;

g) s'occuper de la conciergerie, de la sécurité, de la protection contre les incendies ;

h) ramasser, éliminer et recycler les rebuts et les déchets ;

i) mettre au point des plans d'évacuation en cas d'accident ou d'incendie ;

j) réduire la pollution et le bruit ;

k) superviser les travaux de grande envergure confiés en sous-traitance, tels l'agrandissement des locaux, l'ajout d'un nouvel entrepôt, etc.

20.6.2 Situation du service de maintenance

Habituellement, dans les grandes entreprises – où un service de maintenance structuré est implanté – ce service est au même échelon que le service de production, les deux relevant du vice-président rattaché à la production, de façon à maintenir un équilibre entre deux objectifs opposés :

1. avantager les impératifs de production en utilisant l'équipement au maximum de sa capacité et en omettant tout travail de maintenance ;

2. avantager les impératifs de maintenance en les faisant passer avant les travaux de production, quitte à retarder les commandes et les délais de livraison.

Un excès dans la poursuite de l'un ou l'autre de ces deux objectifs entraîne des coûts totaux de production plus élevés. De plus, parce que le service de maintenance se trouve face à des situations où une prise de décision rapide s'impose (bris soudain d'une machine importante pouvant causer soit des dégâts considérables, soit un retard

---

4. Voir le chapitre 13.

irréparable dans les délais de livraison), la structure hiérarchique doit favoriser des lignes de communication verticale très courtes. Il faut autant que possible éliminer les échelons intermédiaires, dont le seul rôle serait la réception et la retransmission de la commande d'un travail de maintenance.

La structure suivante est très utilisée (voir la figure 20.1).

Figure 20.1

Situation du service de maintenance

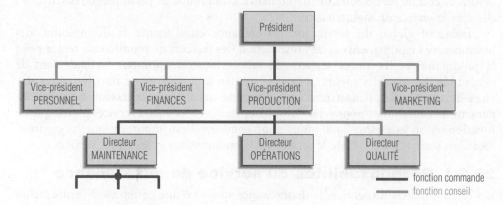

20.6.3 Maintenance centralisée

Deux raisons principales expliquent la tendance à centraliser la maintenance:

1. le service de maintenance répond aux besoins de tous les services de l'entreprise, qui ont des problèmes de différentes natures (équipements de type tantôt électrique, tantôt mécanique, etc.);

2. la maintenance s'occupe aussi de l'entretien des bâtisses et des terrains, ainsi que de la sécurité sur les lieux de travail; cela implique que les personnes travaillant dans ce service sont de formation et d'expérience très hétérogènes, chacune ayant sa spécialité. Ainsi, on trouve dans ce service des électriciens, des mécaniciens, des plombiers, des gardes de sécurité (employés directement par l'entreprise ou à l'emploi d'un sous-traitant), etc. On peut donc regrouper ces personnes par corps de métiers, comme on peut le voir à la figure 20.2).

Dans une telle structure, les plombiers, par exemple, exécutent tous les travaux de plomberie de l'entreprise. Il se pourrait qu'un plombier soit affecté en priorité aux travaux de plomberie du service qu'il connaît le mieux, mais cela n'est pas une règle.

Les avantages de la maintenance centralisée sont les suivants:

1. responsabilité des travaux de maintenance confiée à une seule personne;

2. meilleur contrôle des coûts inhérents aux travaux de maintenance;

Figure 20.2

Maintenance centralisée

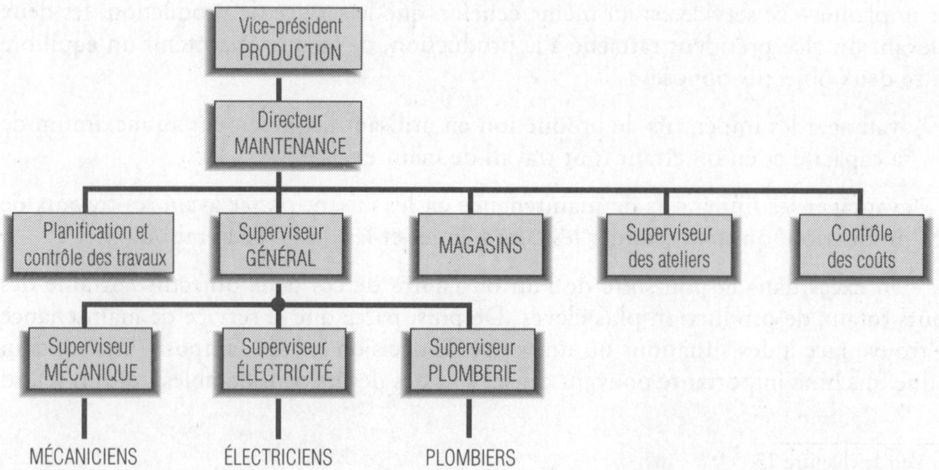

3. meilleure formation des équipes, les employés étant regroupés par corps de métiers ;

4. meilleure utilisation des spécialistes et des personnes de métier présents, le nombre de travaux à exécuter justifiant l'embauche à plein temps d'un employé spécialisé dans tel ou tel domaine ;

5. meilleure utilisation des équipements et outillages de maintenance disponibles, pour les mêmes raisons qu'en 4 ;

6. exécution rapide des travaux d'urgence dans des périodes où tout arrêt entraîne des coûts très élevés.

Cependant, le nombre élevé et la variété des personnes qui assurent la maintenance, ainsi que la diversité des travaux qu'elles doivent accomplir, entraînent les inconvénients suivants :

1. surveillance difficile du travail de maintenance à cause de l'éparpillement des employés aux quatre coins de l'entreprise ;

2. temps de déplacement assez longs pour les employés (vers les points nécessitant leurs interventions) ;

3. difficulté de planification et de contrôle des travaux (d'où la nécessité d'un planificateur) ;

4. priorités des travaux établies souvent par le service de la maintenance et non par celui de la production ;

5. insensibilité aux problèmes particuliers de certains services de production ;

6. tendance à avantager les impératifs de la maintenance.

Étant donné l'importance d'un service de maintenance centralisé, on sent souvent le besoin de faire une vraie **gestion de la maintenance**. Le service de maintenance effectuera la prévision, la planification et le contrôle des travaux d'entretien ; on installera un magasin de pièces de rechange, d'outils et d'autres fournitures nécessaires à l'entretien (d'où une gestion des stocks), un atelier de réparation (où on emmènera les équipements nécessitant des travaux de réparation importants qui ne peuvent être faits sur place), etc. (voir la figure 20.2). Tous les travaux de remise à neuf des équipements — étant donné l'importance de la durée nécessaire et des coûts s'y rattachant — devront être prévus, planifiés et budgétisés longtemps d'avance. Dans de telles situations, le service de maintenance devient presque une entreprise dans l'entreprise. Le service fonctionne habituellement selon le type production interrompue, en offrant des services standard (travaux de maintenance préventive réguliers et de routine) et des services sur commande (réparations en cas de pannes, nouvelles installations, modifications de l'équipement, mises en route, etc.).

gestion de la maintenance

20.6.4 Maintenance décentralisée

Certaines entreprises préfèrent opter pour la décentralisation des travaux de maintenance en confiant directement celle-ci à chaque superviseur de production. On a alors la structure de la figure 20.3.

Les avantages de ce type de structure sont :

1. une exécution plus rapide des travaux de maintenance palliative ;

2. une équipe d'entretien plus sensibilisée aux problèmes de production de chacun des services auxquels elle est rattachée ;

3. une meilleure connaissance de l'équipement ;

4. une meilleure surveillance des travaux ;

5. des coûts de gestion de la maintenance presque inexistants.

Figure 20.3

*Maintenance décentralisée
par services*

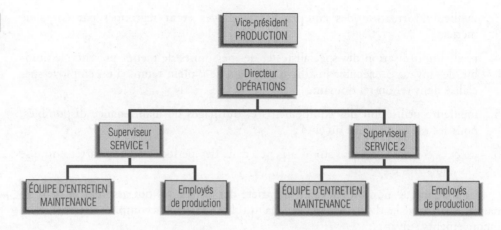

Les inconvénients sont:

1. la duplication de l'outillage, de l'équipement et du personnel de maintenance; donc, davantage de facteurs de production rattachés à la maintenance (facteurs de maintenance) et coûts plus élevés (chaque service de production a ses propres électriciens, mécaniciens, etc.);

2. une mauvaise ou faible utilisation des facteurs de maintenance: plusieurs services auront, par exemple, chacun un plombier, qu'ils n'occuperont pas adéquatement (certains fournissant du travail à leur plombier 10 h/jour et d'autres, seulement 4 h/jour);

3. une mauvaise planification des travaux de maintenance;

4. des superviseurs de production qui n'ont pas suffisamment de connaissances et de temps pour surveiller adéquatement les travaux de maintenance;

5. une tendance à avantager les impératifs de la production par rapport à la maintenance, ce qui peut causer des pannes sérieuses et coûteuses;

6. une responsabilité de la maintenance globale de l'entreprise difficile à cerner, car elle est partagée entre plusieurs individus;

7. la difficulté de contrôler les coûts et l'efficacité de la maintenance.

Après avoir analysé les avantages et les inconvénients des deux types de structures des services de maintenance, une entreprise peut se demander laquelle elle doit choisir. Certaines entreprises de grande envergure optent, par exemple, pour une structure dite par sections (voir la figure 20.4). On regroupe les services de maintenance en deux sections ou plus, chacune étant affectée à un groupe de services de production possédant le même type d'équipement ou fabriquant la même famille de produits.

Figure 20.4

Maintenance par sections

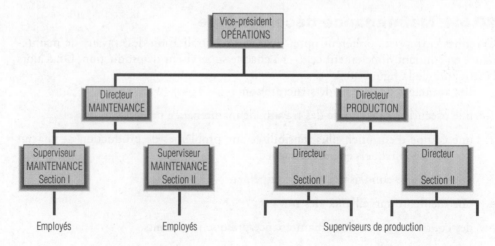

Quand elle connaît bien les caractéristiques des deux types de structures, une entreprise peut choisir celle qui lui convient le mieux ou s'en créer une. D'une façon générale, la répartition du tableau 20.1 donne de bons résultats.

TABLEAU 20.1

Structure	Situation
Maintenance centralisée	– petites entreprises ;
	– grandes entreprises fabriquant un seul produit ou une gamme restreinte de produits semblables.
Maintenance décentralisée	– grandes entreprises fabriquant des produits diversifiés ;
	– entreprises ayant des bâtisses séparées (localisation et aménagement différents).

Certaines entreprises ont trouvé un compromis très heureux entre ces deux situations extrêmes, soit :

1. centraliser les travaux de maintenance exigeant un personnel spécialisé ;

2. décentraliser les travaux de maintenance simples et routiniers. Parfois, ces travaux peuvent être confiés au personnel de production (par exemple, lubrifier l'équipement, changer des pièces secondaires, etc.).

20.7 LES ÉTAPES DE LA GESTION DE LA MAINTENANCE

Nous avons vu que toute entreprise, à un certain stade de son évolution et de sa maturité, ressent le besoin de gérer les activités de maintenance de ses investissements sous forme de matériel technique. Nous étudions maintenant dix étapes essentielles à la mise sur pied d'un service de maintenance et à sa gestion efficace[5].

1. Mettre sur pied une structure hiérarchique adaptée à l'entreprise.

   • Choisir une structure centralisée ou décentralisée ;

   • Déterminer une ligne d'autorité bien établie, les responsabilités et les procédures d'autorisation applicables pour l'arrêt de la production et l'exécution des travaux d'entretien, ainsi que les procédures d'urgence.

2. Concevoir un document « déclenchant » les travaux de maintenance.

Ce document, appelé **réquisition de travail de maintenance**, est de première importance si on veut gérer efficacement les travaux de maintenance. Aucun travail ne doit être exécuté sans qu'une réquisition ne soit émise. C'est le document de base de tout système de gestion de la maintenance. On y trouve les informations concernant les points suivants :

réquisition de travail de maintenance

• identification de l'équipement ;

• cause de l'arrêt et date ;

• moment où doit avoir lieu la maintenance ;

• type de maintenance désiré ;

• identité du requérant ;

• priorité du travail requis ;

• travaux effectués, pièces changées et leurs coûts ;

• temps d'exécution, nombre de personnes, coût de la main-d'œuvre.

---

5. Adapté de l'ouvrage de GAUTHIER, M., *La maintenance,* École polytechnique de Montréal, 1973.

La figure 20.5 donne un exemple de ce type de réquisition.

3. Concevoir et garder à jour des fiches sur l'équipement.

Pour chaque équipement, on doit avoir :

fiche technique

- une **fiche technique,** où figurent les informations pertinentes (mode d'emploi, pièces et composantes, constructeur, maintenabilité, etc.) ;

fiche historique

- une **fiche historique,** où figure le résumé de tous les travaux d'entretien effectués sur l'équipement.

Ces fiches fournissent des informations extrêmement utiles quant aux coûts de production ; elles servent aussi à établir une politique de maintenance préventive et corrective, et aident à faire un choix au moment de l'achat d'équipement.

4. Prévoir et planifier les travaux de maintenance.

À l'aide des fiches techniques et historiques ainsi que des prévisions sur les activités de production, on peut prévoir et planifier les travaux de maintenance préventive, évaluer les possibilités de pannes et, par conséquent, estimer les besoins en fait de maintenance palliative. On détermine alors :

- le nombre de pièces et de matériaux requis (pour ne pas en manquer) ;

- le nombre d'heures-personnes ;

- les types de travaux à effectuer (modifications, mises en route, prévention, réparation, etc.).

Figure 20.5

Réquisition type de travail de maintenance

RÉQUISITION DE TRAVAIL				Nº	
Équipement : Nº _____ Service : _____	Rédigé par : _____ Demandé par : _____	Nom du requérant : _____ Autorisé par : _____ Priorité : _____		Urgent ☐ Régulier ☐	
Raison du travail :					
Travaux à effectuer :					

Pièces				Activités			Heures	
Qté	Nº	Description	Coût	Nº		Description	Estimées	Réelles
Coût total					Coût total			
Effectué par : _____ Date : _____			Vérifié par : _____	Date : _____		Coût total : _____		

Un service bien organisé peut atteindre les objectifs suivants :

- 80 % des travaux effectués peuvent être prévus et planifiés, c'est-à-dire :

$$\frac{\text{heures de maintenance palliative}}{\text{heures de maintenance totale}} \leq 20\ \%$$

- de 85 % à 90 % des travaux planifiés sont effectivement exécutés ;

- le rapport $\dfrac{\text{heures de maintenance préventive}}{\text{heures de maintenance totale}}$ doit être :

approximativement de 42 %   pour l'industrie lourde ;

approximativement de 37 %   pour l'industrie mécanique et de transformation, de précision et de matériel complexe ;

approximativement de 10 %   pour l'industrie de fabrication générale.

5. Établir un contrôle des stocks de pièces.

On doit avoir, pour les pièces en magasin, les informations concernant :
- la quantité en réserve ;
- le stock maximal ;
- le stock minimal ;
- la quantité à commander ;
- le prix ;
- les fournisseurs ;
- les substituts possibles.

6. Déterminer les coûts dus aux pannes pour chaque équipement.

Cela permet d'établir les fréquences optimales de maintenance préventive.

7. Procéder à l'étude du travail.

On peut ainsi déterminer la meilleure méthode à utiliser pour les travaux de maintenance (étude des méthodes) et les temps d'exécution de ces travaux (mesure du travail).

8. Faire de la maintenance corrective.

À l'aide des fiches et des données sur les travaux effectués dans le passé, on fait de la maintenance corrective, soit pour améliorer l'équipement sujet à des pannes fréquentes, soit pour le modifier et simplifier les travaux de maintenance.

9. Assurer la formation continue et le recyclage du personnel de maintenance.

Dans notre monde industriel moderne, les équipements et les machines deviennent de plus en plus complexes : commandes automatiques contrôlées par cellules photoélectriques, rayons lasers, commandes par ordinateur, systèmes d'autolubrification, etc. Toutes les personnes ayant la responsabilité de garder ces équipements en état de fonctionner doivent continuellement être informées des dernières découvertes dans le domaine.

10. Analyser le rendement et le coût de la maintenance.

Le service de maintenance est considéré comme ayant un rendement valable s'il permet d'exécuter de 85 % à 90 % des travaux planifiés.

20.8 LA FIABILITÉ

Tout le long du présent chapitre, nous avons vu que l'entreprise a comme objectif de minimiser le nombre de pannes accidentelles à l'aide de la maintenance préventive et de la maintenance corrective. Par ailleurs, on sait qu'une politique de maintenance préventive très complexe, bien qu'elle contribue à diminuer le nombre de pannes, coûte assez cher. On a vu que l'entreprise peut décider de subir un nombre minimal de pannes pour optimiser les coûts totaux de son système, car une absence totale de pannes entraîne des coûts prohibitifs.

Or, dans certains cas, on ne peut choisir ce type de solution. Par exemple, dans les hôpitaux ou dans les avions, même les pannes accidentelles durant la période de maturité ne peuvent être admises, les conséquences étant trop graves. C'est alors qu'intervient la notion de **fiabilité**.

On veut être certain que durant une période définie, si on utilise l'équipement selon les règles, on risque peu de subir une panne. Comme la maintenance ne peut garantir à elle seule cette sécurité, on a recours à des systèmes ou à des équipements de secours et de sécurité. C'est le cas des génératrices électriques, des disjoncteurs et autres systèmes du genre, ou encore, du double circuit de freinage pour les automobiles.

fiabilité
Capacité, pour un matériel, un appareil, un système ou un ensemble, de fonctionner sans défaillance pendant une période déterminée et dans des conditions d'utilisation précises.

20.8.1 Mesure de la fiabilité

L'évaluation de la fiabilité est soumise à des phénomènes prédictifs et prévisibles et à des phénomènes aléatoires, plus difficiles à mesurer et à quantifier. Les phénomènes aléatoires, soumis à des lois probabilistes, se mesurent par les paramètres suivants :

1. la probabilité que le système fonctionne dès qu'il est sollicité ;

2. la probabilité que le système fonctionne sans défaillance durant une période déterminée.

Présentons le premier des deux paramètres.

La fiabilité d'un système est fonction du nombre d'éléments indépendants qui le composent. Par « éléments indépendants », on entend des éléments dont les fonctionnements ne sont pas interreliés. Trois lois régissent ces éléments :

LOI 1
Si le fonctionnement d'un système est fonction de la probabilité de fonctionnement des éléments indépendants qui le composent, la fiabilité du système est égale au produit des probabilités de fonctionnement des composants.
Fiabilité système = $F_s = F_1 F_2$
où : F_i = fiabilité ou probabilité de fonctionnement de l'élément i

Exemple 1

Si la fiabilité de l'éclairage d'un local dépend du fonctionnement des deux lampes qui s'y trouvent, le fonctionnement de chacune étant indépendant de l'autre, le succès de l'éclairage adéquat se mesure par :

Lampe 1 : fiabilité d'éclairage = 0,90 ;
Lampe 2 : fiabilité d'éclairage = 0,80 ;
Fiabilité d'éclairage = fiabilité 1 * fiabilité 2 = (0,90)(0,80) = 0,72

LOI 2
Si deux éléments indépendants sont en présence et que la fiabilité du système est fonction de la probabilité de fonctionnement d'un des éléments, la fiabilité du système se calcule par :

Fiabilité système = $F_s = F_1 + (1 - F_1)F_2$
où : F_i = fiabilité ou probabilité de fonctionnement de l'élément i

Exemple 2

Lampe 1 : fiabilité d'éclairage = 0,90 ;
Lampe 2 : fiabilité d'éclairage = 0,80 ;
Fiabilité système = $F_s = F_1 + (1 - F_1)F_2$
Fiabilité système = $F_s = 0,90 + (1 - 0,90)0,80 = 0,98$
Notons que le résultat est le même si nous inversons l'ordre des lampes :
Fiabilité système = $F_s = 0,80 + [(1 - 0,80)0,90] = 0,98$

LOI 3

Dans le cas où plus de deux éléments sont en présence et où la fiabilité du système dépend du fonctionnement d'au moins un élément, alors la fiabilité de l'ensemble se calcule par :

Fiabilité système =
$$F_S = F_1 + [(1 - F_1)F_2] + [(1 - F_1)(1 - F_2)F_3] + [(1 - F_1)(1 - F_2)(1 - F_3)F_4] + \ldots$$
$$+ [(1 - F_1) \ldots (1 - F_{n-1})F_n] ;$$

Exemple 3

Soit le système à trois lampes suivant :

Lampe 1 : fiabilité d'éclairage = 0,90 ;
Lampe 2 : fiabilité d'éclairage = 0,80 ;
Lampe 3 : fiabilité d'éclairage = 0,70 ;
Alors, la fiabilité du système se calcule par
$$F_S = F_1 + [(1 - F_1)F_2] + [(1 - F_1)(1 - F_2)F_3] =$$
$$0,90 + (1 - 0,90)0,80 + (1 - 0,90)(1 - 0,80)0,70 = 0,994$$

Exemple 4

Quelle est la fiabilité du système illustré ci-dessous ?

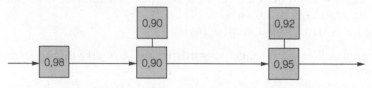

Solution

Le système se résume à une série de composants tels que :

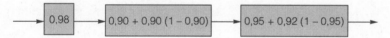

Étudions maintenant le second paramètre de la mesure de la fiabilité d'un système, à savoir la probabilité que le système fonctionne sans défaillance durant une période déterminée. Cette mesure est très utile pour évaluer les périodes de garantie des produits. Le taux de pannes ou de défaillances est fonction de l'âge de l'équipement, comme nous l'avons présenté au graphique 20.1 ; en raison de sa forme, ce graphique est souvent appelé le graphique en baignoire. Le temps moyen de défaillance (TMD), c'est-à-dire le temps écoulé entre deux pannes successives, dépend donc de l'âge ; les lois statistiques utilisées seront choisies en conséquence. Ainsi, le taux de pannes infantiles durant la période initiale suit une loi exponentielle, comme le montre la figure ci-dessous. Dans les autres circonstances, c'est loi normale qui est la plus utilisée.

Distribution exponentielle

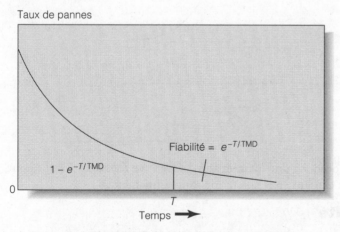

La probabilité P qu'une panne survienne avant le temps T se calcule par :

$$P(\text{panne avant } T) = 1 - e^{-T/TMD}$$

temps moyen de défaillance
Temps moyen écoulé entre deux pannes successives, qui représente, en termes de temps, la capacité d'un système de fonctionner sans pannes.

Exemple 5

Un fabricant de balayeuses électriques a déterminé que la durée de vie moyenne d'un de ses appareils est de 4 ans et ceci, en suivant une loi exponentielle de probabilité.

Il aimerait savoir quelles sont les probabilités qu'un appareil soit en panne :

a)   durant les 4 premières années ;

b)   après 4 ans ;

c)   pas avant les 6 premières années.

Solution

a)   durant les 4 premières années, donc avant 4 ans ;
$P(\text{panne avant } 4) = 1 - e^{-4/4} = 1 - 0{,}3679 = 0{,}6321 = 63{,}21\ \%$

b)   après 4 ans, $T = 4$;
$P(\text{après } 4) = e^{-4/4} = 0{,}3679 = 36{,}79\ \%$

c)   pas avant les 6 premières années ;
$T = 6$
$P(\text{après } 6) = e^{-T/TDM} = e^{-6/4} = e^{-1{,}5} = 0{,}2231 = 22{,}31\ \%$

Exemple 6

La durée de vie des cardans de roue d'un véhicule suit une loi normale avec une moyenne de 6 ans et un écart type de un an. Calculez :

a)   la probabilité que les cardans s'usent avant 7 ans ;

b)   après combien d'années il faudra changer les cardans pour être certain que 10 % d'entre eux ou moins sont usés.

Solution

a)   En calculant la valeur de la variable aléatoire z de la distribution normale, on aura :

$$z = \frac{x - \mu}{\sigma}$$

$$z = \frac{7 - 6}{1} = 1{,}00\ ;$$

dans la table normale A, à la fin du livre, on a 0,8413. C'est-à-dire qu'il y a 84,13 % de chances que les cardans s'usent avant 7 ans et $(1 - 0{,}8413)$ 0,1587 ou 15,87 % de chances qu'ils dépassent 7 ans.

b)   À une probabilité de 10 %, la variable aléatoire z est de −1,28 (voir table normale).

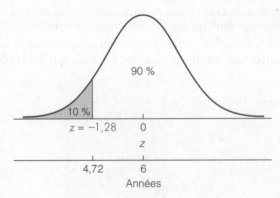

$$z = -1{,}28 = \frac{T - 6}{1}$$

$T = 4{,}72$, donc il faudra procéder à une maintenance préventive tous les 4,72 ans pour être certain à 90 % que les cardans sont en état de fonctionnement.

20.8.2 Disponibilité

Un autre outil de mesure de la performance du système de maintenance et de la fiabilité est la disponibilité. La **disponibilité** est la caractéristique d'un système faisant en sorte qu'il est prêt à être utilisé.

disponibilité

La disponibilité se calcule par

$$\text{Disponibilité} = \frac{\text{TMD}}{\text{TMD} + \text{TMR}}$$

où : TMD = temps moyen de défaillance ;
TMR = temps moyen de réparation.

Exemple 7

On s'attend à ce qu'une photocopieuse fonctionne pendant 200 heures sans aucune panne. Pour cela, une maintenance préventive est appliquée toutes les 200 heures. Le temps d'intervention est de 2 heures. Calculons la disponibilité de l'appareil.

Solution

TMD = 200 heures ; TMR = 2 heures ;
Disponibilité = 200 / (200 + 2) = 200 / 204 = 0,99.
L'appareil est disponible 99,00 % du temps.

20.9 Conclusion

Beaucoup d'entreprises continuent à croire que la maintenance coûte trop cher et que les avantages qui en découlent sont minimes, voire inexistants. Ces entreprises ne voient dans la notion de maintenance que la maintenance palliative, tandis que les deux autres types sont considérés comme un luxe qu'elles ne peuvent se payer. On a beaucoup de difficulté à voir la nécessité d'une bonne maintenance préventive et corrective, car les avantages qu'on en retire deviennent évidents à plus ou moins long terme, tandis que les coûts sont immédiats : arrêt de la production, coût de remplacement des pièces, etc.

De plus, surtout dans les petites et moyennes entreprises (PME), où l'on est toujours pressé à cause de délais de livraison trop courts, on a tendance à délaisser la maintenance de l'équipement au profit des priorités de production.

Or, comme nous l'avons vu, ce type de situation a comme résultat d'accroître les coûts d'exploitation. Des études menées par le Dominion Bureau of Statistics du Canada démontrent que durant les années 1970, les dépenses totales en réparation dans le secteur manufacturier ont augmenté de 9,5 % par année, alors que la production s'est accrue de 3,6 %. Ces statistiques se sont maintenues durant la décennie suivante. Le pourcentage des coûts de réparation par rapport à la valeur brute du produit passa de 3 % à 5 % durant la même période. Cela s'explique par le fait que, ayant mécanisé et automatisé leurs activités à l'aide d'équipements de plus en plus complexes, les entreprises ont oublié que ceux-ci ont besoin d'être maintenus en bon état pour offrir une efficacité optimale. Il est donc important de considérer la maintenance comme faisant partie intégrante du système de gestion de la production.

Finalement, la maintenance des équipements a une énorme importance pour la santé et la sécurité des personnes sur les lieux de travail. Malgré les cris d'alarme lancés par la SCGI[6] dans les années 1970 au sujet du danger des aires de travail fermées avec systèmes de ventilation intégrale (pas de fenêtres) et de l'importance d'assurer une plus grande maintenance préventive pour ces systèmes de ventilation, on se limite encore à des travaux d'entretien curatif : on répare quand ça brise ! Nous nous retrouvons, 30 ans plus tard, avec une prolifération de ce genre d'édifices où circule de l'air vicié. On a découvert que des maladies sont rattachées à ce problème, d'où un absentéisme accru, une baisse de la productivité et des coûts énormes de maintenance corrective, la maintenance préventive ne suffisant plus.

Terminologie

Entretien	Maintenance préventive
Fiabilité	Maintenance totale
Maintenabilité	Pannes accidentelles
Maintenance centralisée	Pannes de vieillissement
Maintenance corrective	Pannes infantiles
Maintenance décentralisée	Temps moyen de défaillance (TMD)
Maintenance palliative ou de catastrophe	Temps moyen de réparation (TMR)

---

6. Société canadienne de génie industriel, affiliée à l'International Institute of Industrial Engineers, Atlanta, Georgia.

Problèmes résolus

Problème 1

Une ingénieure doit décider s'il est justifié d'utiliser un composant en réserve (*stand-by*). Le coût d'une panne du système est de 20 000 $. Le système a un composant dont le taux de panne est de 2 %. L'interrupteur servant à démarrer le composant en réserve coûte 100 $ et son rôle est de transférer automatiquement le fonctionnement vers le système de réserve, lequel a une probabilité de panne de 2 %. On suppose que l'interrupteur a une fiabilité de 100 %. L'ingénieure devra-t-elle implanter le composant de réserve?

Solution

Coût probable de panne :
20 000 $(1 − 0,98) = 400 $;

Fiabilité avec système de réserve :
0,98 + (1 − 0,98)0,98 = 0,996 ;

Coût probable de la panne avec système de réserve :
100 $ + 20 000 $(1 − 0,996) = 108 $

Ce coût étant inférieur au coût encouru sans système de réserve, on choisira d'implanter le système de réserve.

Problème 2

Afin de pallier toute éventualité, une entreprise dispose de 2 machines en réserve. La machine actuellement utilisée possède un taux de fiabilité de 94 %, tandis que les machines en réserve ont un taux de fiabilité respectif de 90 % et 80 %. Calculez la fiabilité de l'entreprise.

Solution

Machine 1 : fiabilité = 0,94 ;

Machine 2 : fiabilité = 0,90 ;

Machine 3 : fiabilité = 0,80 ;

La fiabilité du système se calcule par
$F_s = F_1 + [(1 − F_1)F_2] + [(1 − F_1)(1 − F_2)F_3] =$
$0,94 + (1 − 0,94)0,90 + (1 − 0,94)(1 − 0,90)0,80 = 0,9988$

Problème 3

Un hôpital dispose de trois systèmes d'alarme d'urgence, chacun fonctionnant indépendamment des autres. Les taux de fiabilité respectifs sont de 95 %, 97 % et 99 %. Quelle est la fiabilité du système d'urgence de cet hôpital?

Solution

Probabilité de fonctionnement = 0,95 ∗ 0,97 ∗ 0,99 = 0,999 985 = 99,9985 % de fiabilité.

Problème 4

Un satellite de prévisions météorologiques possède une vie utile de 10 ans. Calculez la probabilité de fonctionnement sans défaillance du satellite pour les durées suivantes : 5 ans, 12 ans, 20 ans, 30 ans.

Solution

TMD = 10 ans.
En calculant le rapport T/TMD, on aura le tableau suivant :

T	TMD	T/TMD	$e^{-T/TMD}$
5	10	0,50	0,6065
12	10	1,20	0,3012
20	10	2,00	0,1353
30	10	3,00	0,0498

Problème 5

Calculez la probabilité que le satellite du problème n° 4 tombe en panne entre la 5e et la 12e année.

Solution

P(5 ans < panne < 12 ans) = P (panne après 5 ans) − P (panne après 12 ans) ;

En utilisant les valeurs du problème 4, on aura : 0,6065 − 0,3012 = 0,3053.

La figure ci-dessous illustre la situation.

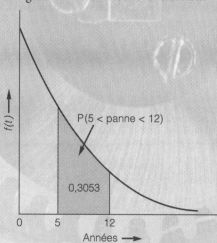

Un modèle de pneu haute performance possède une durée de vie moyenne de 25 000 km avec un écart type σ = 2000 km. Évaluez les situations suivantes :

Problème 6

a) le pourcentage de pneus qui s'useront entre ±1σ, c'est-à-dire entre ±2000 km (entre 23 000 et 27 000 km) ;

b) le pourcentage de pneus pouvant parcourir entre 26 000 et 29 000 km.

a) En utilisant la table normale, à ±1σ, on aura 0,6826 ou 68,26 % des pneus ;

Solution

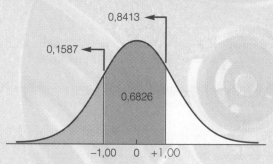

b) en standardisant les valeurs de 26 000 et 29 000 km, on aura :

$$z = \frac{x - \mu}{\sigma}$$

$$z_{29\,000} = \frac{26\,000 - 25\,000}{2000} = +2,00, \text{ soit une probabilité de 97,72 \% (voir table normale à la fin du livre)}$$

$$z_{26\,000} = \frac{26\,000 - 25\,000}{2000} = +0,50, \text{ soit une probabilité de 69,15 \% (voir table normale à la fin du livre)}$$

La différence nous donne 0,9772 − 0,6915 = 0,2857 ou 28,57 %.

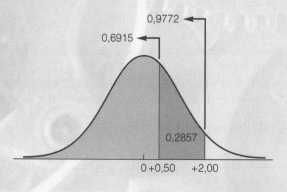

Questions de discussion et de révision

1. Quels dangers présente le fait d'avoir un service de maintenance trop complexe?

2. Pourquoi est-il important, en maintenance, de prendre rapidement des décisions?

3. Quels sont les avantages et les inconvénients d'un service de maintenance centralisé?

4. Quels sont les avantages et les inconvénients d'un service de maintenance décentralisé?

5. Quelle est habituellement la solution pour trouver l'équilibre entre les avantages et inconvénients mentionnés aux questions 3 et 4?

6. Selon vous, la maintenance décentralisée est-elle moins coûteuse que la maintenance centralisée? Justifiez votre réponse.

7. Quels sont les coûts rattachés aux pannes? Quels sont les coûts rattachés à la maintenance préventive? Faudrait-il toujours avoir une maintenance préventive à toute épreuve? Pourquoi?

8. Qu'est-ce que la maintenance corrective et à quoi sert-elle?

9. L'étude du travail peut-elle être utile à la maintenance? Comment?

10. Quelle technique de planification utiliseriez-vous pour planifier les travaux de maintenance?

11. Quelles relations existent entre le service des achats et celui de la maintenance?

12. Qu'est-ce que la maintenabilité et comment se distingue-t-elle de la fiabilité?

13. Donnez un exemple de réquisition de travail de maintenance.

14. Le nettoyage des ampoules électriques est-il une activité de maintenance importante? Comment affecte-t-il les autres fonctions et l'atteinte des objectifs de production? (max. 5 lignes)

15. Qu'est-ce que la maintenance systématique?

16. On doit installer une machine dans un nouveau local. Cette machine doit être ancrée dans le béton du plancher et exige des entrées spéciales de courant et d'air pressurisé. De plus, elle exige une ventilation adéquate pour éliminer la chaleur excessive qu'elle dégage. À quel service va-t-on confier la responsabilité de cette installation et de quel corps de métier aura-t-on besoin? Pour planifier les travaux de cette installation, quels types et techniques de planification seraient les plus adéquats?

17. Présentez l'importance de la maintenance pour les systèmes J-À-T.

18. Quels sont les liens entre une politique de maintenance et l'amélioration continue?

Problèmes

1. Nous disposons de 35 heures de travail par semaine et de 8 personnes au service de maintenance. Combien d'heures de maintenance palliative devons-nous prévoir?

2. Une entreprise fabriquant du matériel technique de haute précision dispose d'une capacité de travaux de maintenance de 490 heures-personnes. Selon vous, comment faudrait-il répartir cette capacité en maintenance palliative, préventive et autres travaux de maintenance?

3. Une entreprise moyenne de fabrication générale dispose de 175 heures-personnes de travail par semaine (35 h × 5). Les travaux de maintenance (sauf la maintenance palliative) nécessaires à l'entreprise pour une semaine ont été estimés à 160 heures. Que pensez-vous de cette estimation?

4. Si, au problème 2, on a enregistré 94 heures-personnes pour la maintenance palliative à la fin de la semaine, que déciderez-vous de faire?

5. Le tableau ci-dessous nous informe de la fréquence des besoins mensuels de calibrage de l'équipement médical d'un hôpital. Une entreprise spécialisée propose un contrat de calibrage de 600,00 $/mois, indépendamment du nombre d'interventions, ou un coût de 500 $ par intervention. Déterminez le plan de calibrage le plus économique.

Nombre d'interventions au niveau du calibrage	Fréquence mensuelle
0	0,15
1	0,25
2	0,30
3	0,20
4	0,10

6. La fréquence des pannes d'un terminal de loterie apparaît ci-dessous. Les coûts de réparation sont de 240 $. Une entreprise nous propose deux programmes de maintenance. Le premier, au coût de 500 $ par mois, couvre toutes les interventions faites par l'entreprise. Le second, au coût de 350 $, couvre toute intervention faite après une première réparation, que nous devrions payer. Laquelle devrions-nous choisir ?

Nombre d'interventions	Fréquence mensuelle
0	0,1
1	0,30
2	0,30
3	0,20
4	0,10

7. Déterminez le programme de maintenance préventive optimal pour chaque type d'équipement, si le taux de pannes suit une distribution normale.

Équipement	Temps moyen entre 2 pannes successives (en jours)	Écart type
A 201	20	2
B 400	30	3
C 850	40	4

Équipement	Coût de la maintenance préventive	Coût de la panne
A 201	300 $	2300 $
B 400	200 $	3500 $
C 850	530 $	4800 $

8. Soit le système suivant :

Déterminez la probabilité de fonctionnement de l'ensemble du système dans les conditions suivantes.

9. Un produit est composé de 4 modules électroniques. Le degré de fiabilité du produit dépend du fonctionnement de l'ensemble des modules. Deux modules ont une fiabilité de 96 % et les deux autres, de 99 %. Quelle est la fiabilité du produit ?

10. Le système de guidage électronique d'un navire est contrôlé par un ordinateur constitué de 3 modules, lesquels doivent être opérationnels pour assurer le bon fonctionnement de l'ordinateur. Deux des modules ont une fiabilité de 0,97 et le troisième, de 0,99.

   a) Quelle est la fiabilité de l'ordinateur ?
   b) Un ordinateur de réserve a été installé sur le navire en cas de panne de l'ordinateur principal. La mise en route de l'ordinateur de support est faite automatiquement. Déterminez la fiabilité du système de guidage du navire.
   c) Si le branchement de l'ordinateur de support est assuré par un interrupteur dont la fiabilité est de 0,98, quelle est la fiabilité du système ?

11. Un tambour de photocopieuse a une durée de vie de 30 mois suivant une distribution exponentielle. Calculez les valeurs suivantes :

    a) la probabilité qu'un tambour fonctionne adéquatement pendant : 39 mois, 48 mois et 60 mois ;

    b) la probabilité qu'un tambour tombe en panne avant : 33 mois, 15 mois et 6 mois.

    c) Après combien de temps 50 % des tambours seront-ils en panne ? 85 % ? 95 % et finalement, 99 % ?

12. Lumenolier fabrique des ampoules dont la durée de vie nominale est de 5000 heures. Quelle est la probabilité qu'une ampoule dure :

    a) au moins 6000 heures ?

    b) pas plus de 1000 heures ?

    c) entre 1000 et 6000 heures ?

13. Satellite communication a lancé un satellite pour desservir le Grand Nord. Selon les ingénieurs, il devrait avoir une durée de vie active de 6 ans (moyenne de vie). En supposant une distribution exponentielle, estimez la probabilité que le satellite fonctionne sans défaillance pour les durées suivantes :

    a) plus de 9 ans ;

    b) moins de 12 ans ;

    c) plus de 9 ans mais moins de 12 ans ;

    d) au moins 21 ans.

14. Un hôpital est informé que les scanners utilisés ont une durée de vie moyenne de 41 mois avec un écart type de 4 mois, distribué normalement. Quelle est la probabilité qu'un scanner tombe en panne :

    a) avant 38 mois d'utilisation ?

    b) entre 40 et 45 mois d'utilisation ?

    c) Après combien de mois d'utilisation faudra-t-il procéder à une maintenance pour être certain à 95 % que le scanner ne tombera pas en panne (95 % de fiabilité) ?

15. Calculez la disponibilité de l'équipement pour chacun des cas suivants :

    a) TMD = 40 jours ; TMR = 3 jours ;   TMR = temps moyen de réparation

    b) TMD = 3000 heures ; TMR = 6 heures.   TMD = temps moyen de la défaillance

16. Une presse peut fonctionner pendant 10 semaines avant de nécessiter une remise à neuf, laquelle prend 2 jours. La presse fonctionne 5 jours/semaine. Quelle est la disponibilité de la presse ?

17. La directrice d'un service de production doit choisir entre deux types de machines. La machine A fonctionne en moyenne pendant 142 heures avant de nécessiter une maintenance préventive qui dure 7 heures. La machine B fonctionne en moyenne pendant 65 heures avant de nécessiter une maintenance préventive de 2 heures. En vous basant sur la disponibilité, laquelle des 2 machines allez-vous choisir ?

18. Une designer estime qu'elle peut accroître de 5 % le temps moyen entre deux pannes successives d'une pièce au coût de 450 $, ou bien réduire le temps de réparation de ladite pièce de 10 % au coût de 200 $. Sachant qu'actuellement, le temps moyen de défaillance est de 100 heures, avec un temps moyen de réparation de 4 heures, quelle option est la plus économique ?

Bibliographie

ASSOCIATION AMÉRICAINE DES HÔPITAUX. *L'entretien de l'installation matérielle des bâtiments et de l'équipement hospitalier*, Chicago, 1967, 137 p.

BAZOVSKY, Igor. *Reliability Theory & Practice*, Englewood Cliffs, NJ, Prentice Hall, 1976, 185 p.

BENEDETTI, Claudio. *Introduction à la gestion des opérations*, Laval, Études Vivantes, 1991, chapitre 11, p. 450-479.

BLANCHARD, B. S., E. L. PETERSON et D. VERMA. *Maintainability*, New York, J. Wiley, 1995, 537 p.

BOLLIET, Thierry. *L'entretien, préparation du travail et planification*, Paris, Eyrolles, 1976, 185 p.

BUFFA, E. S. et R. K. SARIN. *Modern Production/Operations Management,* 3ᵉ édition, New York, J. Wiley & Sons, 1987, p. 378-388.

COLLABORATEURS de la revue *Entretien et travaux neufs. Le service entretien, méthodes actuelles de gestion,* 2ᵉ éd., Paris, E.M.E., 1969, 310 p.

GAUTHIER, Marcel. *La maintenance,* Montréal, École polytechnique, 1973.

HIGGINS, Lindley R. *Maintenance Engineering Handbook,* New York, McGraw-Hill, 4ᵉ éd., 1987, 1280 p.

MANN, Lawrence Jr. *Maintenance Management,* D. C. Heath Co., 1976, 286 p.

MAYNARD, Harold B. *Industrial Engineering Handbook,* section 8, chap. 6: «Reliability Engineering» par NARESKY, Joseph J., New York, McGraw-Hill, 1971, 3ᵉ éd.

PELLETIER, Jacques. «La gestion de l'entretien, pourquoi pas?», Commerce, Montréal, 1977.

PRIEL, Victor. *La maintenance, techniques modernes de gestion,* Paris, E.M.E., 1976, 340 p.

WAGGARD, W.N. *Total Productive Maintenance that Works,* TPM Press, 1992, 202 p.

SWARD, K. *L'entretien de l'équipement d'une entreprise,* Paris, Éditions d'organisation, 1968, 260 p.

TABLES

TABLE A *Table normale*

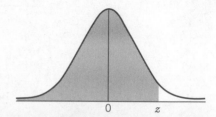

z	0,00	0,01	0,02	0,03	0,04	0,05	0,06	0,07	0,08	0,09
0,0...	0,5000	0,5040	0,5080	0,5120	0,5160	0,5199	0,5239	0,5279	0,5319	0,5359
0,1...	0,5398	0,5438	0,5478	0,5517	0,5557	0,5596	0,5636	0,5675	0,5714	0,5753
0,2...	0,5793	0,5832	0,5871	0,5910	0,5948	0,5987	0,6026	0,6064	0,6103	0,6141
0,3...	0,6179	0,6217	0,6255	0,6293	0,6331	0,6368	0,6406	0,6443	0,6480	0,6517
0,4...	0,6554	0,6591	0,6628	0,6664	0,6700	0,6736	0,6772	0,6808	0,6844	0,6879
0,5...	0,6915	0,6950	0,6985	0,7019	0,7054	0,7088	0,7123	0,7157	0,7190	0,7224
0,6...	0,7257	0,7291	0,7324	0,7357	0,7389	0,7422	0,7454	0,7486	0,7517	0,7549
0,7...	0,7580	0,7611	0,7642	0,7673	0,7703	0,7734	0,7764	0,7794	0,7823	0,7852
0,8...	0,7881	0,7910	0,7939	0,7967	0,7995	0,8023	0,8051	0,8078	0,8106	0,8133
0,9...	0,8159	0,8186	0,8212	0,8238	0,8264	0,8289	0,8315	0,8340	0,8365	0,8389
1,0...	0,8413	0,8438	0,8461	0,8485	0,8508	0,8531	0,8554	0,8577	0,8599	0,8621
1,1...	0,8643	0,8665	0,8686	0,8708	0,8729	0,8749	0,8770	0,8790	0,8810	0,8830
1,2...	0,8849	0,8869	0,8888	0,8907	0,8925	0,8944	0,8962	0,8980	0,8997	0,9015
1,3...	0,9032	0,9049	0,9066	0,9082	0,9099	0,9115	0,9131	0,9147	0,9162	0,9177
1,4...	0,9192	0,9207	0,9222	0,9236	0,9251	0,9265	0,9279	0,9292	0,9306	0,9319
1,5...	0,9332	0,9345	0,9357	0,9370	0,9382	0,9394	0,9406	0,9418	0,9429	0,9441
1,6...	0,9452	0,9463	0,9474	0,9484	0,9495	0,9505	0,9515	0,9525	0,9535	0,9545
1,7...	0,9554	0,9564	0,9573	0,9582	0,9591	0,9599	0,9608	0,9616	0,9625	0,9633
1,8...	0,9641	0,9649	0,9656	0,9664	0,9671	0,9678	0,9686	0,9693	0,9699	0,9706
1,9...	0,9713	0,9719	0,9726	0,9732	0,9738	0,9744	0,9750	0,9756	0,9761	0,9767
2,0...	0,9772	0,9778	0,9783	0,9788	0,9793	0,9798	0,9803	0,9808	0,9812	0,9817
2,1...	0,9821	0,9826	0,9830	0,9834	0,9838	0,9842	0,9846	0,9850	0,9854	0,9857
2,2...	0,9861	0,9864	0,9868	0,9871	0,9875	0,9878	0,9881	0,9884	0,9887	0,9890
2,3...	0,9893	0,9896	0,9898	0,9901	0,9904	0,9906	0,9909	0,9911	0,9913	0,9916
2,4...	0,9918	0,9920	0,9922	0,9925	0,9927	0,9929	0,9931	0,9932	0,9934	0,9936
2,5...	0,9938	0,9940	0,9941	0,9943	0,9945	0,9946	0,9948	0,9949	0,9951	0,9952
2,6...	0,9953	0,9955	0,9956	0,9957	0,9959	0,9960	0,9961	0,9962	0,9963	0,9964
2,7...	0,9965	0,9966	0,9967	0,9968	0,9969	0,9970	0,9971	0,9972	0,9973	0,9974
2,8...	0,9974	0,9975	0,9976	0,9977	0,9977	0,9978	0,9979	0,9979	0,9980	0,9981
2,9...	0,9981	0,9982	0,9982	0,9983	0,9984	0,9984	0,9985	0,9985	0,9986	0,9986
3,0...	0,9987	0,9987	0,9987	0,9988	0,9988	0,9989	0,9989	0,9989	0,9990	0,9990
3,1...	0,9990	0,9991	0,9991	0,9991	0,9991	0,9992	0,9992	0,9992	0,9993	0,9993
3,2...	0,9993	0,9993	0,9994	0,9994	0,9994	0,9994	0,9994	0,9995	0,9995	0,9995
3,3...	0,9995	0,9995	0,9995	0,9996	0,9996	0,9996	0,9996	0,9996	0,9996	0,9997
3,4...	0,9997	0,9997	0,9997	0,9997	0,9997	0,9997	0,9997	0,9997	0,9997	0,9998

TABLE B — *Facteurs des courbes d'apprentissage*

Fréquence de la tâche	70% F1 unit.	70% F2 cumul.	75% F1 unit.	75% F2 cumul.	80% F1 unit.	80% F2 cumul.	85% F1 unit.	85% F2 cumul.	90% F1 unit.	90% F2 cumul.	95% F1 unit.	95% F2 cumul.
1	1,00	1,00	1,00	1,00	1,00	1,00	1,00	1,00	1,00	1,00	1,00	1,00
2	0,7	1,7	0,75	1,75	0,8	1,8	0,85	1,85	0,9	1,9	0,95	1,95
3	0,568	2,268	0,634	2,384	0,702	2,502	0,773	2,623	0,846	2,746	0,922	2,872
4	0,49	2,758	0,562	2,946	0,64	3,142	0,723	3,345	0,81	3,556	0,903	3,774
5	0,437	3,195	0,513	3,459	0,596	3,738	0,686	4,031	0,783	4,339	0,888	4,662
6	0,398	3,593	0,475	3,934	0,562	4,299	0,657	4,688	0,762	5,101	0,876	5,538
7	0,367	3,96	0,446	4,38	0,534	4,834	0,634	5,322	0,744	5,845	0,866	6,404
8	0,343	4,303	0,422	4,802	0,512	5,346	0,614	5,936	0,729	6,574	0,857	7,261
9	0,323	4,626	0,402	5,204	0,493	5,839	0,597	6,533	0,716	7,29	0,850	8,111
10	0,306	4,932	0,385	5,589	0,477	6,315	0,583	7,116	0,705	7,994	0,843	8,955
12	0,278	5,501	0,357	6,315	0,449	7,227	0,558	8,244	0,685	9,374	0,832	10,62
14	0,257	6,026	0,334	6,994	0,428	8,092	0,539	9,331	0,67	10,721	0,823	12,27
15	0,248	6,274	0,325	7,319	0,418	8,511	0,53	9,861	0,663	11,384	0,818	13,088
16	0,24	6,514	0,316	7,635	0,41	8,92	0,522	10,383	0,656	12,04	0,815	13,903
17	0,233	6,747	0,309	7,944	0,402	9,322	0,515	10,989	0,65	12,69	0,811	14,714
18	0,226	6,973	0,301	8,245	0,394	9,716	0,508	11,405	0,644	13,334	0,807	15,521
19	0,22	7,192	0,295	8,54	0,388	10,104	0,501	11,907	0,639	13,974	0,804	16,325
20	0,214	7,407	0,288	8,828	0,381	10,485	0,495	12,402	0,634	14,608	0,801	17,126
22	0,204	7,819	0,277	9,388	0,37	11,23	0,484	13,376	0,625	15,862	0,796	18,72
24	0,195	8,213	0,267	9,928	0,359	11,954	0,475	14,331	0,617	17,1	0,79	20,303
25	0,191	8,404	0,263	10,191	0,355	12,309	0,47	14,801	0,613	17,713	0,788	21,091
26	0,187	8,591	0,259	10,449	0,35	12,659	0,466	15,267	0,609	18,323	0,786	21,877
28	0,18	8,954	0,251	10,955	0,342	13,347	0,458	16,186	0,603	19,531	0,781	23,442
30	0,174	9,305	0,244	11,446	0,335	14,02	0,45	17,091	0,596	20,727	0,778	25,00
32	0,168	9,644	0,237	11,924	0,328	14,679	0,444	17,981	0,59	21,911	0,774	26,55
34	0,163	9,972	0,231	12,389	0,321	15,324	0,437	18,859	0,585	23,084	0,77	28,09
36	0,158	10,291	0,226	12,844	0,315	15,958	0,432	19,725	0,58	24,246	0,767	29,626
38	0,154	10,601	0,221	13,288	0,31	16,581	0,426	20,58	0,575	25,399	0,764	31,156
40	0,15	10,902	0,216	13,723	0,305	17,193	0,421	21,425	0,571	26,543	0,761	32,68
50	0,134	12,307	0,197	15,776	0,284	20,122	0,4	25,513	0,552	32,142	0,749	40,22
60	0,122	13,574	0,183	17,666	0,268	22,868	0,383	29,414	0,537	37,574	0,739	47,65
70	0,112	14,74	0,172	19,43	0,255	25,47	0,369	33,17	0,524	42,87	0,73	54,99
80	0,105	15,82	0,162	21,09	0,244	27,96	0,358	36,8	0,514	48,05	0,723	62,25
90	0,099	16,83	0,154	22,67	0,235	30,35	0,348	40,32	0,505	53,14	0,717	69,45
100	0,093	17,79	0,148	24,18	0,227	32,65	0,34	43,75	0,497	58,14	0,711	76,59
200	0,065	25,48	0,111	36,8	0,182	52,72	0,289	74,79	0,447	105	0,676	145,7
300	0,053	31,34	0,094	46,94	0,159	69,66	0,262	102,2	0,42	148,2	0,656	212,2
400	0,046	36,26	0,083	55,75	0,145	84,85	0,245	127,00	0,402	189,3	0,642	277,00
500	0,041	40,58	0,076	63,68	0,135	98,85	0,233	151,5	0,389	228,8	0,631	340,6
600	0,037	44,47	0,07	70,97	0,127	112	0,223	174,2	0,378	267,1	0,623	403,3
700	0,034	48,04	0,066	77,77	0,121	124,4	0,215	196,1	0,369	304,5	0,616	465,3
800	0,032	51,36	0,062	84,18	0,116	136,3	0,209	217,3	0,362	341	0,61	526,5
900	0,03	54,46	0,059	90,26	0,112	147,7	0,203	237,9	0,356	376,9	0,604	587,2
1000	0,029	54,4	0,057	96,07	0,108	158,7	0,198	257,9	0,35	412,2	0,6	647,4

Source : C. BENEDETTI. *Introduction à la gestion des opérations*, Laval, Éditions Études Vivantes, 1991, p. 489.

TABLE C   *Facteurs des cartes de contrôle*

EN FONCTION des FABRICATIONS										
Échantillon		Limites pour les moyennes			Limites pour les étendues					
n	d_2	A_2 3σ	$A2b$ 2σ	$A2c$ 1σ	$D4$ 3σ	$D4b$ 2σ	$D4c$ 1σ	$D3c$ 1σ	$D3b$ 2σ	$D3$ 3σ
2	1,128	1,881	1,254	0,627	3,269	2,512	1,756	0,244		
3	1,693	1,023	0,682	0,341	2,574	2,049	1,525	0,475		
4	2,059	0,729	0,486	0,243	2,282	1,855	1,427	0,573	0,145	
5	2,326	0,577	0,385	0,192	2,114	1,743	1,371	0,629	0,257	
6	2,534	0,483	0,322	0,161	2,004	1,669	1,335	0,665	0,331	
7	2,704	0,419	0,280	0,140	1,924	1,616	1,308	0,692	0,384	0,076
8	2,847	0,373	0,248	0,124	1,864	1,576	1,288	0,712	0,424	0,136
9	2,970	0,337	0,224	0,112	1,816	1,544	1,272	0,728	0,456	0,184
10	3,078	0,308	0,205	0,103	1,777	1,518	1,259	0,741	0,482	0,223

EN FONCTION des SPÉCIFICATIONS										
Échantillon		Limites pour les moyennes			Limites pour les étendues					
n	d_2	A'_2 3σ	A'_{2b} 2σ	A'_{2c} 1σ	D'_4 3σ	D'_{4b} 2σ	D'_{4c} 1σ	D'_{3c} 1σ	D'_{3b} 2σ	D'_3 3σ
2	1,128	2,121	1,414	0,707	3,687	2,834	1,981	0,275		
3	1,693	1,732	1,155	0,577	4,357	3,469	2,581	0,805		
4	2,059	1,500	1,000	0,500	4,699	3,819	2,939	1,179	0,299	
5	2,326	1,342	0,894	0,447	4,918	4,054	3,190	1,462	0,598	
6	2,534	1,225	0,816	0,408	5,078	4,230	3,382	1,686	0,838	
7	2,704	1,134	0,756	0,378	5,203	4,370	3,537	1,871	1,038	0,205
8	2,847	1,061	0,707	0,354	5,307	4,487	3,667	2,027	1,207	0,387
9	2,970	1,000	0,667	0,333	5,394	4,586	3,778	2,162	1,354	0,546
10	3,078	0,949	0,632	0,316	5,469	4,672	3,875	2,281	1,484	0,687

* Tables établies par C. Benedetti, M. ing.

TABLE D standard *Lettre code — Taille de l'échantillon MIL-STD-105E*

Taille des lots N	Niveau de contrôle Usage spécial				Niveau de contrôle Usage général		
	S-1	S-2	S-3	S-4	I	II	III
2-8	A	A	A	A	A	A	B
9-15	A	A	A	A	A	B	C
16-25	A	A	B	B	B	C	D
26-50	A	B	B	C	C	D	E
51-90	B	B	C	C	C	E	F
91-150	B	B	C	D	D	F	G
151-280	B	C	D	E	E	G	H
281-500	B	C	D	E	F	H	J
501-1 200	C	C	E	F	G	J	K
1 201-3 200	C	D	E	G	H	K	L
3 201-10 000	C	D	F	G	J	L	M
10 001-35 000	C	D	F	H	K	M	N
35 001-150 000	D	E	G	J	L	N	P
150 001-500 000	D	E	G	J	M	P	Q
500 001 et plus	D	E	H	K	N	Q	R

TABLE D-1　　*Table Plan simple — Contrôle normal — MIL-STD-105E*

Niveau de qualité acceptable (N.Q.A.)

Dans chaque case, les deux nombres indiquent « Ac Re » (Ac = Nombre d'acceptation ; Re = Critère ou nombre de rejet). Les flèches ↓ (au-dessous) et ↑ (au-dessus) indiquent un renvoi vers un autre plan.

Lettre code	n	0,010	0,015	0,025	0,040	0,065	0,10	0,15	0,25	0,40	0,65	1,0	1,5	2,5	4,0	6,5	10	15	25	40	65	100	150	250	400	650	1000
A	2																↓	0 1	1 2	2 3	3 4	5 6	7 8	10 11	14 15	21 22	30 31
B	3															↓	0 1	1 2	2 3	3 4	5 6	7 8	10 11	14 15	21 22	30 31	44 45
C	5														↓	0 1	1 2	2 3	3 4	5 6	7 8	10 11	14 15	21 22	30 31	44 45	↑
D	8													↓	0 1	1 2	2 3	3 4	5 6	7 8	10 11	14 15	21 22	30 31	44 45	↑	
E	13												↓	0 1	1 2	2 3	3 4	5 6	7 8	10 11	14 15	21 22	30 31	44 45	↑		
F	20											↓	0 1	1 2	2 3	3 4	5 6	7 8	10 11	14 15	21 22	30 31	44 45	↑			
G	32										↓	0 1	1 2	2 3	3 4	5 6	7 8	10 11	14 15	21 22	30 31	44 45	↑				
H	50									↓	0 1	1 2	2 3	3 4	5 6	7 8	10 11	14 15	21 22	30 31	44 45	↑					
I	80								↓	0 1	1 2	2 3	3 4	5 6	7 8	10 11	14 15	21 22	30 31	44 45	↑						
K	125							↓	0 1	1 2	2 3	3 4	5 6	7 8	10 11	14 15	21 22	30 31	44 45	↑							
L	200						↓	0 1	1 2	2 3	3 4	5 6	7 8	10 11	14 15	21 22	30 31	44 45	↑								
M	315					↓	0 1	1 2	2 3	3 4	5 6	7 8	10 11	14 15	21 22	30 31	44 45	↑									
N	500				↓	0 1	1 2	2 3	3 4	5 6	7 8	10 11	14 15	21 22	30 31	44 45	↑										
P	800			↓	0 1	1 2	2 3	3 4	5 6	7 8	10 11	14 15	21 22	30 31	44 45	↑											
Q	1250		↓	0 1	1 2	2 3	3 4	5 6	7 8	10 11	14 15	21 22	30 31	44 45	↑												
R	2000	↓	0 1	1 2	2 3	3 4	5 6	7 8	10 11	14 15	21 22	30 31	44 45	↑													

↓ = Utiliser le premier plan au-dessous de la flèche. Si n > N, faire un contrôle à 100%

↑ = Utiliser le premier plan au-dessus de la flèche

Ac = Nombre d'acceptation

Re = Critère ou nombre de rejet

TABLE D-2   *Table Plan double — Contrôle normal — MIL-STD-105E*

Niveau de qualité acceptable (N.Q.A.) — chaque entrée est indiquée sous la forme « Ac Re ».

Lettre code	Échantillon	Taille n	Taille cumulée	0,010	0,015	0,025	0,040	0,065	0,10	0,15	0,25	0,40	0,65	1,0	1,5	2,5	4,0	6,5	10	15	25	40	65	100	150	250	400	650	1000
A				↓	↓	↓	↓	↓	↓	↓	↓	↓	↓	↓	↓	↓	↓	↓	↓	↓	↓	↓	↓	↓	↓	↓	↓	↓	*
B	1er prél.	2	2	↓	↓	↓	↓	↓	↓	↓	↓	↓	↓	↓	↓	↓	↓	↓	*	0 2	0 3	1 4	2 5	3 7	5 9	7 11	11 16	17 22	25 31
	2e prél.	2	4																	1 2	3 4	4 5	6 7	8 9	12 13	18 19	26 27	37 38	56 57
C	1er prél.	3	3	↓	↓	↓	↓	↓	↓	↓	↓	↓	↓	↓	↓	↓	↓	*	0 2	0 3	1 4	2 5	3 7	5 9	7 11	11 16	17 22	25 31	↑
	2e prél.	3	6																1 2	3 4	4 5	6 7	8 9	12 13	18 19	26 27	37 38	56 57	
D	1er prél.	5	5	↓	↓	↓	↓	↓	↓	↓	↓	↓	↓	↓	↓	↓	*	0 2	0 3	1 4	2 5	3 7	5 9	7 11	11 16	17 22	25 31	↑	↑
	2e prél.	5	10															1 2	3 4	4 5	6 7	8 9	12 13	18 19	26 27	37 38	56 57		
E	1er prél.	8	8	↓	↓	↓	↓	↓	↓	↓	↓	↓	↓	↓	↓	*	0 2	0 3	1 4	2 5	3 7	5 9	7 11	11 16	17 22	25 31	↑	↑	↑
	2e prél.	8	16														1 2	3 4	4 5	6 7	8 9	12 13	18 19	26 27	37 38	56 57			
F	1er prél.	13	13	↓	↓	↓	↓	↓	↓	↓	↓	↓	↓	↓	*	0 2	0 3	1 4	2 5	3 7	5 9	7 11	11 16	17 22	25 31	↑	↑	↑	↑
	2e prél.	13	26													1 2	3 4	4 5	6 7	8 9	12 13	18 19	26 27	37 38	56 57				
G	1er prél.	20	20	↓	↓	↓	↓	↓	↓	↓	↓	↓	↓	*	0 2	0 3	1 4	2 5	3 7	5 9	7 11	11 16	17 22	25 31	↑	↑	↑	↑	↑
	2e prél.	20	40												1 2	3 4	4 5	6 7	8 9	12 13	18 19	26 27	37 38	56 57					
H	1er prél.	32	32	↓	↓	↓	↓	↓	↓	↓	↓	↓	*	0 2	0 3	1 4	2 5	3 7	5 9	7 11	11 16	17 22	25 31	↑	↑	↑	↑	↑	↑
	2e prél.	32	64											1 2	3 4	4 5	6 7	8 9	12 13	18 19	26 27	37 38	56 57						
J	1er prél.	50	50	↓	↓	↓	↓	↓	↓	↓	↓	*	0 2	0 3	1 4	2 5	3 7	5 9	7 11	11 16	17 22	25 31	↑	↑	↑	↑	↑	↑	↑
	2e prél.	50	100										1 2	3 4	4 5	6 7	8 9	12 13	18 19	26 27	37 38	56 57							
K	1er prél.	80	80	↓	↓	↓	↓	↓	↓	↓	*	0 2	0 3	1 4	2 5	3 7	5 9	7 11	11 16	17 22	25 31	↑	↑	↑	↑	↑	↑	↑	↑
	2e prél.	80	160									1 2	3 4	4 5	6 7	8 9	12 13	18 19	26 27	37 38	56 57								
L	1er prél.	125	125	↓	↓	↓	↓	↓	↓	*	0 2	0 3	1 4	2 5	3 7	5 9	7 11	11 16	17 22	25 31	↑	↑	↑	↑	↑	↑	↑	↑	↑
	2e prél.	125	250								1 2	3 4	4 5	6 7	8 9	12 13	18 19	26 27	37 38	56 57									
M	1er prél.	200	200	↓	↓	↓	↓	↓	*	0 2	0 3	1 4	2 5	3 7	5 9	7 11	11 16	17 22	25 31	↑	↑	↑	↑	↑	↑	↑	↑	↑	↑
	2e prél.	200	400							1 2	3 4	4 5	6 7	8 9	12 13	18 19	26 27	37 38	56 57										
N	1er prél.	315	315	↓	↓	↓	↓	*	0 2	0 3	1 4	2 5	3 7	5 9	7 11	11 16	17 22	25 31	↑	↑	↑	↑	↑	↑	↑	↑	↑	↑	↑
	2e prél.	315	630						1 2	3 4	4 5	6 7	8 9	12 13	18 19	26 27	37 38	56 57											
P	1er prél.	500	500	↓	↓	↓	*	0 2	0 3	1 4	2 5	3 7	5 9	7 11	11 16	17 22	25 31	↑	↑	↑	↑	↑	↑	↑	↑	↑	↑	↑	↑
	2e prél.	500	1000					1 2	3 4	4 5	6 7	8 9	12 13	18 19	26 27	37 38	56 57												
Q	1er prél.	800	800	↓	↓	*	0 2	0 3	1 4	2 5	3 7	5 9	7 11	11 16	17 22	25 31	↑	↑	↑	↑	↑	↑	↑	↑	↑	↑	↑	↑	↑
	2e prél.	800	1600				1 2	3 4	4 5	6 7	8 9	12 13	18 19	26 27	37 38	56 57													
R	1er prél.	1250	1250	↓	*	0 2	0 3	1 4	2 5	3 7	5 9	7 11	11 16	17 22	25 31	↑	↑	↑	↑	↑	↑	↑	↑	↑	↑	↑	↑	↑	↑
	2e prél.	1250	2500			1 2	3 4	4 5	6 7	8 9	12 13	18 19	26 27	37 38	56 57														

↓ = Utiliser le premier plan au-dessous de la flèche. Si n > N, faire un contrôle à 100 %

↑ = Utiliser le premier plan au-dessus de la flèche

Ac = Nombre d'acceptation

Re = Critère ou nombre de rejet

* = Utiliser le plan simple correspondant ou le plan double suivant s'il est disponible

TABLE D-3   *Table Plan multiple — Contrôle normal — MIL-STD-105E*

Niveau de qualité acceptable (N.Q.A.)

Les colonnes de N.Q.A. du tableau sont : 0,010 · 0,015 · 0,025 · 0,040 · 0,065 · 0,10 · 0,15 · 0,25 · 0,40 · 0,65 · 1,0 · 1,5 · 2,5 · 4,0 · 6,5 · 10 · 15 · 25 · 40 · 65 · 100 · 150 · 250 · 400 · 650 · 1000. Chaque colonne comporte deux sous-colonnes : **Ac** et **Re**.

Les lettres code A, B et C ne comportent aucun plan d'échantillonnage (flèches et symboles « * # » seulement).

Lettre code D ($n = 2$ par prélèvement)

Échantillon	n	Taille cumulée	10 (Ac Re)	15 (Ac Re)	25 (Ac Re)	40 (Ac Re)	65 (Ac Re)	100 (Ac Re)	150 (Ac Re)	250 (Ac Re)	400 (Ac Re)
1er prél.	2	2	# 2	# 3	0 4	0 4	0 5	1 7	2 9	4 12	6 16
2e prél.	2	4	# 2	0 3	1 5	1 6	3 8	4 10	7 14	11 19	17 27
3e prél.	2	6	0 2	1 4	2 6	3 8	6 10	8 13	13 19	19 27	29 39
4e prél.	2	8	0 3	2 5	3 7	5 10	8 13	12 17	19 25	27 34	40 49
5e prél.	2	10	1 3	3 6	5 8	7 11	11 15	17 20	25 29	36 40	53 58
6e prél.	2	12	1 3	4 6	7 9	10 12	14 17	21 23	31 33	45 47	65 68
7e prél.	2	14	2 3	6 7	9 10	13 14	18 19	25 26	37 38	53 54	77 78

Lettre code E ($n = 3$ par prélèvement)

Échantillon	n	Taille cumulée	6,5 (Ac Re)	10 (Ac Re)	15 (Ac Re)	25 (Ac Re)	40 (Ac Re)	65 (Ac Re)	100 (Ac Re)	150 (Ac Re)	250 (Ac Re)
1er prél.	3	3	# 2	# 3	0 4	0 4	0 5	1 7	2 9	4 12	6 16
2e prél.	3	6	# 2	0 3	1 5	1 6	3 8	4 10	7 14	11 19	17 27
3e prél.	3	9	0 2	1 4	2 6	3 8	6 10	8 13	13 19	19 27	29 39
4e prél.	3	12	0 3	2 5	3 7	5 10	8 13	12 17	19 25	27 34	40 49
5e prél.	3	15	1 3	3 6	5 8	7 11	11 15	17 20	25 29	36 40	53 58
6e prél.	3	18	1 3	4 6	7 9	10 12	14 17	21 23	31 33	45 47	65 68
7e prél.	3	21	2 3	6 7	9 10	13 14	18 19	25 26	37 38	53 54	77 78

Lettre code F ($n = 5$ par prélèvement)

Échantillon	n	Taille cumulée	4,0 (Ac Re)	6,5 (Ac Re)	10 (Ac Re)	15 (Ac Re)	25 (Ac Re)	40 (Ac Re)	65 (Ac Re)	100 (Ac Re)	150 (Ac Re)
1er prél.	5	5	# 2	# 3	0 4	0 4	0 5	1 7	2 9	4 12	6 16
2e prél.	5	10	# 2	0 3	1 5	1 6	3 8	4 10	7 14	11 19	17 27
3e prél.	5	15	0 2	1 4	2 6	3 8	6 10	8 13	13 19	19 27	29 39
4e prél.	5	20	0 3	2 5	3 7	5 10	8 13	12 17	19 25	27 34	40 49
5e prél.	5	25	1 3	3 6	5 8	7 11	11 15	17 20	25 29	36 40	53 58
6e prél.	5	30	1 3	4 6	7 9	10 12	14 17	21 23	31 33	45 47	65 68
7e prél.	5	35	2 3	6 7	9 10	13 14	18 19	25 26	37 38	53 54	77 78

Lettre code G ($n = 8$ par prélèvement)

Échantillon	n	Taille cumulée	2,5 (Ac Re)	4,0 (Ac Re)	6,5 (Ac Re)	10 (Ac Re)	15 (Ac Re)	25 (Ac Re)	40 (Ac Re)	65 (Ac Re)	100 (Ac Re)
1er prél.	8	8	# 2	# 3	0 4	0 4	0 5	1 7	2 9	4 12	6 16
2e prél.	8	16	# 2	0 3	1 5	1 6	3 8	4 10	7 14	11 19	17 27
3e prél.	8	24	0 2	1 4	2 6	3 8	6 10	8 13	13 19	19 27	29 39
4e prél.	8	32	0 3	2 5	3 7	5 10	8 13	12 17	19 25	27 34	40 49
5e prél.	8	40	1 3	3 6	5 8	7 11	11 15	17 20	25 29	36 40	53 58
6e prél.	8	48	1 3	4 6	7 9	10 12	14 17	21 23	31 33	45 47	65 68
7e prél.	8	56	2 3	6 7	9 10	13 14	18 19	25 26	37 38	53 54	77 78

Lettre code H ($n = 13$ par prélèvement)

Échantillon	n	Taille cumulée	1,5 (Ac Re)	2,5 (Ac Re)	4,0 (Ac Re)	6,5 (Ac Re)	10 (Ac Re)	15 (Ac Re)	25 (Ac Re)	40 (Ac Re)	65 (Ac Re)
1er prél.	13	13	# 2	# 3	0 4	0 4	0 5	1 7	2 9	4 12	6 16
2e prél.	13	26	# 2	0 3	1 5	1 6	3 8	4 10	7 14	11 19	17 27
3e prél.	13	39	0 2	1 4	2 6	3 8	6 10	8 13	13 19	19 27	29 39
4e prél.	13	52	0 3	2 5	3 7	5 10	8 13	12 17	19 25	27 34	40 49
5e prél.	13	65	1 3	3 6	5 8	7 11	11 15	17 20	25 29	36 40	53 58
6e prél.	13	78	1 3	4 6	7 9	10 12	14 17	21 23	31 33	45 47	65 68
7e prél.	13	91	2 3	6 7	9 10	13 14	18 19	25 26	37 38	53 54	77 78

Lettre code J ($n = 20$ par prélèvement)

Échantillon	n	Taille cumulée	1,0 (Ac Re)	1,5 (Ac Re)	2,5 (Ac Re)	4,0 (Ac Re)	6,5 (Ac Re)	10 (Ac Re)	15 (Ac Re)	25 (Ac Re)	40 (Ac Re)
1er prél.	20	20	# 2	# 3	0 4	0 4	0 5	1 7	2 9	4 12	6 16
2e prél.	20	40	# 2	0 3	1 5	1 6	3 8	4 10	7 14	11 19	17 27
3e prél.	20	60	0 2	1 4	2 6	3 8	6 10	8 13	13 19	19 27	29 39
4e prél.	20	80	0 3	2 5	3 7	5 10	8 13	12 17	19 25	27 34	40 49
5e prél.	20	100	1 3	3 6	5 8	7 11	11 15	17 20	25 29	36 40	53 58
6e prél.	20	120	1 3	4 6	7 9	10 12	14 17	21 23	31 33	45 47	65 68
7e prél.	20	140	2 3	6 7	9 10	13 14	18 19	25 26	37 38	53 54	77 78

Pour les valeurs de N.Q.A. situées hors de la plage indiquée pour chaque lettre code, le tableau comporte des flèches directionnelles (↓ / ↑) et les symboles « * » et « # » selon la légende ci-dessous.

Légende :

↓ = Utiliser le premier plan au-dessous de la flèche. Si $n > N$, faire un contrôle à 100 %

↑ = Utiliser le premier plan au-dessus de la flèche

Ac = Nombre d'acceptation

Re = Critère ou nombre de rejet

* = Utiliser le plan double correspondant ou le plan multiple suivant s'il est disponible

\# = Acceptation non permise

TABLE D-3 — Table Plan multiple — Contrôle normal — MIL-STD-105E (suite)

Niveau de qualité acceptable (N.Q.A.) — chaque cellule indique « Ac Re » (Ac = Nombre d'acceptation ; Re = Critère ou nombre de rejet).

Lettre code	Échantillon	Taille n	Taille cumulée	0.010	0.015	0.025	0.040	0.065	0.10	0.15	0.25	0.40	0.65	1.0	1.5	2.5	4.0	6.5	10	15	25	40	65	100	150	250	400	650	1000
K	1er prél.	32	32	→	→	→	→	→	→	→	→	*	# 2	# 3	# 4	0 4	0 5	1 7	2 9	←	←	←	←	←	←	←	←	←	←
	2e prél.	32	64										# 2	0 3	0 5	1 6	3 8	4 10	7 14										
	3e prél.	32	96										0 2	0 4	1 6	3 8	6 10	8 13	13 19										
	4e prél.	32	128										0 3	1 5	2 7	5 10	8 13	12 17	19 25										
	5e prél.	32	160										1 3	2 6	3 8	7 11	11 15	17 20	25 29										
	6e prél.	32	192										1 3	3 6	5 9	10 12	14 17	21 23	31 33										
	7e prél.	32	224										2 3	4 7	7 10	13 14	18 19	25 26	37 38										
L	1er prél.	50	50	→	→	→	→	→	→	→	*	# 2	# 3	# 4	0 4	0 5	1 7	2 9	←	←	←	←	←	←	←	←	←	←	←
	2e prél.	50	100									# 2	0 3	0 5	1 6	3 8	4 10	7 14											
	3e prél.	50	150									0 2	0 4	1 6	3 8	6 10	8 13	13 19											
	4e prél.	50	200									0 3	1 5	2 7	5 10	8 13	12 17	19 25											
	5e prél.	50	250									1 3	2 6	3 8	7 11	11 15	17 20	25 29											
	6e prél.	50	300									1 3	3 6	5 9	10 12	14 17	21 23	31 33											
	7e prél.	50	350									2 3	4 7	7 10	13 14	18 19	25 26	37 38											
M	1er prél.	80	80	→	→	→	→	→	→	*	# 2	# 3	# 4	0 4	0 5	1 7	2 9	←	←	←	←	←	←	←	←	←	←	←	←
	2e prél.	80	160								# 2	0 3	0 5	1 6	3 8	4 10	7 14												
	3e prél.	80	240								0 2	0 4	1 6	3 8	6 10	8 13	13 19												
	4e prél.	80	320								0 3	1 5	2 7	5 10	8 13	12 17	19 25												
	5e prél.	80	400								1 3	2 6	3 8	7 11	11 15	17 20	25 29												
	6e prél.	80	480								1 3	3 6	5 9	10 12	14 17	21 23	31 33												
	7e prél.	80	560								2 3	4 7	7 10	13 14	18 19	25 26	37 38												
N	1er prél.	125	125	→	→	→	→	→	*	# 2	# 3	# 4	0 4	0 5	1 7	2 9	←	←	←	←	←	←	←	←	←	←	←	←	←
	2e prél.	125	250							# 2	0 3	0 5	1 6	3 8	4 10	7 14													
	3e prél.	125	375							0 2	0 4	1 6	3 8	6 10	8 13	13 19													
	4e prél.	125	500							0 3	1 5	2 7	5 10	8 13	12 17	19 25													
	5e prél.	125	625							1 3	2 6	3 8	7 11	11 15	17 20	25 29													
	6e prél.	125	750							1 3	3 6	5 9	10 12	14 17	21 23	31 33													
	7e prél.	125	875							2 3	4 7	7 10	13 14	18 19	25 26	37 38													
P	1er prél.	200	200	→	→	→	→	*	# 2	# 3	# 4	0 4	0 5	1 7	2 9	←	←	←	←	←	←	←	←	←	←	←	←	←	←
	2e prél.	200	400						# 2	0 3	0 5	1 6	3 8	4 10	7 14														
	3e prél.	200	600						0 2	0 4	1 6	3 8	6 10	8 13	13 19														
	4e prél.	200	800						0 3	1 5	2 7	5 10	8 13	12 17	19 25														
	5e prél.	200	1000						1 3	2 6	3 8	7 11	11 15	17 20	25 29														
	6e prél.	200	1200						1 3	3 6	5 9	10 12	14 17	21 23	31 33														
	7e prél.	200	1400						2 3	4 7	7 10	13 14	18 19	25 26	37 38														
Q	1er prél.	315	315	→	→	→	*	# 2	# 3	# 4	0 4	0 5	1 7	2 9	←	←	←	←	←	←	←	←	←	←	←	←	←	←	←
	2e prél.	315	630					# 2	0 3	0 5	1 6	3 8	4 10	7 14															
	3e prél.	315	945					0 2	0 4	1 6	3 8	6 10	8 13	13 19															
	4e prél.	315	1260					0 3	1 5	2 7	5 10	8 13	12 17	19 25															
	5e prél.	315	1575					1 3	2 6	3 8	7 11	11 15	17 20	25 29															
	6e prél.	315	1890					1 3	3 6	5 9	10 12	14 17	21 23	31 33															
	7e prél.	315	2205					2 3	4 7	7 10	13 14	18 19	25 26	37 38															
R	1er prél.	500	500	→	→	*	# 2	# 3	# 4	0 4	0 5	1 7	2 9	←	←	←	←	←	←	←	←	←	←	←	←	←	←	←	←
	2e prél.	500	1000				# 2	0 3	0 5	1 6	3 8	4 10	7 14																
	3e prél.	500	1500				0 2	0 4	1 6	3 8	6 10	8 13	13 19																
	4e prél.	500	2000				0 3	1 5	2 7	5 10	8 13	12 17	19 25																
	5e prél.	500	2500				1 3	2 6	3 8	7 11	11 15	17 20	25 29																
	6e prél.	500	3000				1 3	3 6	5 9	10 12	14 17	21 23	31 33																
	7e prél.	500	3500				2 3	4 7	7 10	13 14	18 19	25 26	37 38																

→ = Utiliser le premier plan au-dessous de la flèche. Si n > N, faire un contrôle à 100 %

← = Utiliser le premier plan au-dessus de la flèche

Ac = Nombre d'acceptation

Re = Critère ou nombre de rejet

* = Utiliser le plan double correspondant ou le plan multiple suivant s'il est disponible

= Acceptation non permise

TABLE E

Loi de Poisson
(distribution cumulative)

$$P(x \le c) = \sum_{x=0}^{x=c} \frac{\mu^x \cdot e^{-\mu}}{x!}$$

μ\x	0	1	2	3	4	5	6	7	8	9
0,05	0,951	0,999	1,000							
0,10	0,905	0,995	1,0000							
0,15	0,861	0,990	0,999	1,000						
0,20	0,819	0,982	0,999	1,000						
0,25	0,779	0,974	0,998	1,000						
0,30	0,741	0,963	0,996	1,000						
0,35	0,705	0,951	0,994	1,000						
0,45	0,670	0,938	0,992	0,999	1,000					
0,45	0,638	0,925	0,989	0,999	1,000					
0,50	0,607	0,910	0,986	0,998	1,000					
0,55	0,577	0,894	0,982	0,998	1,000					
0,60	0,549	0,878	0,977	0,997	1,000					
0,65	0,522	0,861	0,972	0,996	0,999	1,000				
0,70	0,497	0,844	0,966	0,994	0,999	1,000				
0,75	0,472	0,827	0,960	0,993	0,999	1,000				
0,80	0,449	0,809	0,953	0,991	0,999	1,000				
0,85	0,427	0,791	0,945	0,989	0,998	1,000				
0,90	0,407	0,772	0,937	0,987	0,998	1,000				
0,95	0,387	0,754	0,929	0,984	0,997	1,000				
1,0	0,368	0,736	0,920	0,981	0,996	0,999	1,000			
1,1	0,333	0,699	0,900	0,974	0,995	0,999	1,000			
1,2	0,301	0,663	0,880	0,966	0,992	0,998	1,000			
1,3	0,273	0,627	0,857	0,957	0,989	0,998	1,000			
1,4	0,247	0,592	0,833	0,946	0,986	0,997	0,999	1,000		
1,5	0,223	0,558	0,809	0,934	0,981	0,996	0,999	1,000		
1,6	0,202	0,525	0,783	0,921	0,976	0,994	0,999	1,000		
1,7	0,183	0,493	0,757	0,907	0,970	0,992	0,998	1,000		
1,8	0,165	0,463	0,731	0,891	0,964	0,990	0,997	0,999	1,000	
1,9	0,150	0,434	0,704	0,875	0,956	0,987	0,997	0,999	1,000	
2,0	0,135	0,406	0,677	0,857	0,947	0,983	0,995	0,999	1,000	
2,2	0,111	0,355	0,623	0,819	0,928	0,975	0,993	0,998	1,000	
2,4	0,091	0,308	0,570	0,779	0,904	0,964	0,988	0,997	0,999	1,000
2,6	0,074	0,267	0,518	0,736	0,877	0,951	0,983	0,995	0,999	1,000
2,8	0,061	0,231	0,470	0,692	0,848	0,935	0,976	0,992	0,998	0,999

μ\x	0	1	2	3	4	5	6	7	8	9	10	11	12	13	14	15	16	17	18	19	20
3,0	0,050	0,199	0,423	0,647	0,815	0,916	0,966	0,988	0,996	0,999	1,000										
3,2	0,041	0,171	0,380	0,603	0,781	0,895	0,955	0,983	0,994	0,998	1,000										
3,4	0,033	0,147	0,340	0,558	0,744	0,871	0,942	0,977	0,992	0,997	0,999	1,000									
3,6	0,027	0,126	0,303	0,515	0,706	0,844	0,927	0,969	0,988	0,996	0,999	1,000									
3,8	0,022	0,107	0,269	0,474	0,668	0,816	0,909	0,960	0,984	0,994	0,998	0,999	1,000								
4,0	0,018	0,092	0,238	0,433	0,629	0,785	0,889	0,949	0,979	0,992	0,997	0,999	1,000								
4,2	0,015	0,078	0,210	0,395	0,590	0,753	0,868	0,936	0,972	0,989	0,996	0,999	1,000								
4,4	0,012	0,066	0,185	0,359	0,551	0,720	0,844	0,921	0,964	0,985	0,994	0,998	0,999	1,000							
4,6	0,010	0,056	0,163	0,326	0,513	0,686	0,818	0,905	0,955	0,980	0,992	0,997	0,999	1,000							
4,8	0,008	0,048	0,143	0,294	0,476	0,651	0,791	0,887	0,944	0,975	0,990	0,996	0,999	1,000							
5,0	0,007	0,040	0,125	0,265	0,441	0,616	0,762	0,867	0,932	0,968	0,986	0,995	0,998	0,999	1,000						
5,2	0,006	0,034	0,109	0,238	0,406	0,581	0,732	0,845	0,918	0,960	0,982	0,993	0,997	0,999	1,000						
5,4	0,005	0,029	0,095	0,213	0,373	0,546	0,702	0,822	0,903	0,951	0,978	0,990	0,996	0,999		1,000					
5,6	0,004	0,024	0,082	0,191	0,342	0,512	0,670	0,797	0,886	0,941	0,972	0,988	0,995	0,998	0,999	1,000					
5,8	0,003	0,021	0,072	0,170	0,313	0,478	0,638	0,771	0,867	0,929	0,965	0,984	0,993	0,997	0,999	1,000					
6,0	0,003	0,017	0,062	0,151	0,285	0,446	0,606	0,744	0,847	0,916	0,957	0,980	0,991	0,996	0,999		1,000				
6,2	0,002	0,015	0,054	0,134	0,259	0,414	0,574	0,716	0,826	0,902	0,949	0,975	0,989	0,995	0,998		1,000				
6,4	0,002	0,012	0,046	0,119	0,235	0,384	0,542	0,687	0,803	0,886	0,939	0,969	0,986	0,994	0,997	0,999	1,000				
6,6	0,001	0,010	0,040	0,105	0,213	0,355	0,511	0,658	0,780	0,869	0,927	0,963	0,982	0,992	0,997	0,999		1,000			
6,8	0,001	0,007	0,030	0,082	0,173	0,301	0,450	0,599	0,729	0,830	0,915	0,955	0,978	0,990	0,996	0,998		1,000			
7,0	0,001	0,007	0,030	0,082	0,173	0,301	0,450	0,599	0,729	0,830	0,901	0,947	0,973	0,987	0,994	0,998	0,999	1,000			
7,2	0,001	0,006	0,025	0,072	0,156	0,276	0,420	0,569	0,703	0,810	0,887	0,937	0,967	0,984	0,993	0,997	0,999	0,999	1,000		
7,4	0,001	0,005	0,022	0,063	0,140	0,253	0,392	0,539	0,676	0,788	0,871	0,926	0,961	0,980	0,991	0,996	0,998	0,999	1,000		
7,6	0,001	0,004	0,019	0,055	0,125	0,231	0,365	0,510	0,648	0,765	0,854	0,915	0,954	0,976	0,989	0,995	0,998	0,999	1,000		
7,8	0,000	0,004	0,016	0,048	0,112	0,210	0,338	0,481	0,620	0,741	0,835	0,902	0,945	0,971	0,986	0,993	0,997	0,999	1,000		
8,0	0,000	0,003	0,014	0,042	0,100	0,191	0,313	0,453	0,593	0,717	0,816	0,888	0,936	0,966	0,983	0,992	0,996	0,998	0,999	1,000	
8,2	0,000	0,003	0,012	0,037	0,089	0,174	0,290	0,425	0,566	0,692	0,796	0,873	0,926	0,960	0,979	0,990	0,995	0,998	0,999	1,000	
8,4	0,000	0,002	0,010	0,032	0,079	0,157	0,267	0,400	0,537	0,666	0,774	0,857	0,915	0,952	0,975	0,987	0,994	0,997	0,999	1,000	
8,6	0,000	0,002	0,009	0,030	0,074	0,150	0,256	0,386	0,523	0,653	0,763	0,849	0,909	0,949	0,973	0,986	0,993	0,997	0,999	0,999	1,000
8,8	0,000	0,002	0,007	0,024	0,062	0,128	0,226	0,348	0,482	0,614	0,729	0,822	0,889	0,935	0,964	0,981	0,990	0,995	0,998	0,999	1,000
9,0	0,000	0,001	0,006	0,021	0,055	0,116	0,207	0,324	0,456	0,587	0,706	0,803	0,876	0,926	0,959	0,978	0,989	0,995	0,998	0,999	1,000
9,5	0,000	0,001	0,004	0,015	0,040	0,089	0,165	0,269	0,392	0,522	0,645	0,752	0,836	0,898	0,940	0,967	0,982	0,991	0,996	0,998	0,999

Chapitre 1

Craft production : Production artisanale
Flexibility : Flexibilité
Lean production : Production épurée
Mass production : Production (en série) continue
Operations management : Gestion des opérations
Production management : Gestion de la production

Chapitre 2

Competitiveness : Compétitivité
Orders qualifiers : Qualificateurs de commande
Orders winners : Gagnants de commande
Production rate : Cadence (vitesse) de production
Productivity : Productivité
Quality-based strategy : Stratégie qualité
Standard hour : Heure standard
Time-based strategy : Stratégie en temps réel ou stratégie délai

Chapitre 3

Associative models : Modèle associatif
Bias : Partialité
Control chart : Carte de contrôle
Delphi method : Méthode Delphi
Forecasting : Prévision
Irregular variation : Variation irrégulière
Judgement forecasting : Prévision appréciative
Least square line : Droite des moindres carrés
Linear regression : Régression linéaire
Linear trend equation : Équation de la tendance
Mean absolute deviation : Écart moyen absolu(É.M.A.)
Mean square error : Erreur quadratique moyenne (EQM)
Moving average : Moyenne mobile
Naive forecasting : Prévision naïve

Predictor variables : Variables dépendante et indépendante
Random variations : Variation aléatoire
Seasonal variation : Variation saisonnière
Seasonality : Saisonnalité
Simple exponential smoothing : Lissage exponentiel simple
Tendancy : Tendance
Time series : Série chronologique
Tracking signal : Signal de dérive ou indice de déviation
Trend adjusted exponential smoothing : Lissage exponentiel double
Weighted average : Moyenne pondérée

Chapitre 4

Compute-aided design : Conception assistée par ordinateur (CAO)
Concurrent engineering : Ingénierie simultanée
Design for assembly : Conception en vue d'assemblage (CVA)
Design for manufacturing : Conception en vue de la fabrication (CVF)
Design for operations : Conception en vue des opérations (CVO)
Design for recycling : Conception en vue du recyclage (CVR)
Desing for dis-assembly : Conception en vue du désassemblage (CVD)
failure : **Défaillance, panne**
House of quality : Maison de la qualité
Life cycle : Cycle de vie
Manufacturability : Manufacturabilité
Modular design : Conception modulaire
Normal operating conditions : État normal de fonctionnement
Parameter design : Conception paramétrique
Product liability : Responsabilité du fait du produit
Product life cycle : Cycle de vie du produit
Products : Biens tangibles : Produits

Quality function deployment :
Déploiement de la fonction qualité
(DFQ)
Reliability : Fiabilité
Remanufacturing : Refabrication
Research and Development : Recherche
et développement (R.-D.)
Reverse engineering : Ingénierie inverse
ou Rétroconception
Robust design : Conception robuste
Service blueprint : Plan de service
Services : Biens intangibles : Services
Standardization : Normalisation
Standardization : Standardisation
Taguchi's approach : Approche Taguchi
Uniform commercial code : Code
commercial uniforme

Chapitre 5

Automation : Automatisation
Batch processing : Production ou
Traitement par lots
Break-even point : Point mort
Cash flow : Flux de trésorerie
**Computer assited manufacturing
(CAM) :** Fabrication assistée par
ordinateur (FAO)
**Computer integrated manufacturing
(CIM) :** Fabrication intégrée par
ordinateur (FIO)
Continuous manufacturing :
Production ou Traitement continu
Design capacity : Capacité de
conception
EFFICIENCY : Efficacité
Flexible manufacturing system :
Système de fabrication flexible (SFF)
Indifference volume : Niveau
d'indifférence
Intermittent processing : Production ou
traitement interrompu
Job shop : Atelier multigamme
**Numerically controlled (N/C)
machines :** Machines-outils à
commande numérique (MCN)
Make or buy : Achat-fabrication
Manufacturing cell : Cellule de
fabrication
Outsourcing : Impartition
Present value : Valeur actualisée
Production capacity : Capacité de
production
Profit margin : Marge de profit
Project processing : Production ou
Traitement par projet

Real capacity : Capacité réelle
Utilization : Taux d'utilisation

SUPPLÉMENT au 5

Linear programming : Programmation
linéaire
Simplex method : Algorithme du
simplex

Chapitre 6

Assembly line : Chaîne d'assemblage
Cellular manufacturing : Fabrication
cellulaire
Cycle time : Cycle d'opérations
Fixed-position layout : Aménagement
en position stationnaire
Group technology : Technologie de
groupe
Line balancing : Équilibrage de chaîne
Muther grid : Grille relationnelle
Precedence diagram : Diagramme
d'antécédence ou des précédences
Process layout : Aménagement processus
ou implantation fonctionnelle
Product layout : Aménagement produit
Work transport : Travail en transport

Chapitre 7

Allowance factor : Majoration
Compensation : Rémunération
Flow chart : graphique d'analyse de
processus
Flow process chart : Graphique de
déroulement
Job design : Conception des tâches
Job enlargement : Élargissement des
tâches
Job enrichment : Enrichissement des
tâches
Job rotation : Rotation des postes de
travail
Knowledge-based pay : Rémunération
fondée sur le savoir
Methods analysis : Étude des méthodes
Micromotion study : Étude des
micromouvements
Motion study : Étude des mouvements
Output-based system : Prime au
rendement
Predetermined time standards :
Méthode des temps prédéterminés
Self-directed teams : Équipes autogérées
Simultaneous motion chart :
Graphique des mouvements simultanés

Statistical process control: Maîtrise statistique des procédés
Zero defects: zéro-défaut

Chapitre 11

5W2H approach: Méthodes des 7 questions fondamentales
Benchmark: Référence optimale ou balise
Benchmarking: Analyse comparative ou balisage
Brainstorming: Remue-méninge
Cause and effect diagram: Diagramme cause-effet
Check sheet: Feuille de relevé ou de vérification
Continuous improvement: Kaïzen : Amélioration continue
Control chart: Carte de contrôle
Deming cycle: Spirale de Deming
Empowerment: Autonomisation ou habilitation
Fish bone diagram: Diagramme arêtes de poisson
Flow chart: Ordinogramme
Histogram: Histogramme
Ishikawa diagram: Diagramme d'Ishikawa
Pareto analysis: Loi de Pareto
Plan-do-study-act cycle: Cycle penser/démarrer/contrôler/agir (PDCA)
Problem solving: Résolution des problèmes
Process improvement: Amélioration continue des processus
Quality at the source: Qualité à la source
Quality circle: Cercle de qualité
Management reengineering process: Réingénierie du processus administratif
Run chart: Graphique chronologique
Scatter diagram: Diagramme de dispersion
Shewhart cycle: Cycle de Shewhart
Total quality: Qualité totale
Total quality management: Gestion intégrale de qualité (GIQ)

Chapitre 12

Aggregate planning: Plan global de production ou Programme integré de production
Available-to-promise inventory: Stock disponible à la vente

Backorder: Commande en souffrance
Chase strategy: Planification synchrone
Customer orders: Commandes client
Level strategy: Planification nivelée
llinear decision rule: Règles de décision linéaire
Master plan schedule: Plan directeur de production
Projected available balance: Stock disponible projeté
Projected on hand: Stock projeté ou planifié
Rough-cut capacity planning: Planification sommaire des capacités
Shortage costs: Coûts de pénurie

Chapitre 13

Annual service level: Niveau de service annuel
Backorder: Commande en souffrance
Carrying cost: Coûts de possession ou d'entreposage
Cycle stock: Stock actif
Economic order quantity: Quantité économique à commander
Fixed-order-interval model: Modèle d'intervalle d'approvisionnement fixe (IAF) ou Date d'approvisionnement fixe (DAF)
Holding cost: Coût d'entreposage ou de possession
Inventory: Stock
Inventory management: Gestion des stocks
Lead time: Délai d'approvisionnement ou de livraison
Lead time service level: Niveau de service cyclique ou par période
Maitenance repair operations MRO: Entretien réparation opération (ERO)
Order interval: Intervalles de commande
Order point: Point de commande
Ordering cost: Coûts de commande
Perpetual inventory system: Système d'inventaire permanent
Protection interval: Intervalle de commande
Quantity discount: Remise quantitative
Safety stock: Stock de sécurité ou de réserve
Shortage cost: Coûts de pénurie
Single-period model: Modèle pour vente unique
Stock ledger or record card: Fiche de stock

Stockout: Rupture de stock
Two-bin system: Méthode à 2 casiers
Universal product code: Code universel des produits

Chapitre 14

Bill of material: Nomenclature
Capacity requirements planning: Planification des besoins de capacité (PBC)
Cumulative lead time: Délai cumulatif
Security lead time: Délai de sécurité
Dependent demand: Demande dépendante
End item: Produit fini
Enterprise resource planning (ERP): Planification ressource entreprise (PRE)
Gross requirement: Besoins bruts
Independent demand: Demande indépendante
Load report: Rapport de charge de travail
Lot sizing: Détermination de la taille des lots: Technique de lotissement
Lot-for-lot: Lot pour lot
Low-level code: Code de plus bas niveau
Material requirement planning: Planification des besoins matières
MRP II: Planification des ressources de production (PRP)
Net-change: Variations nettes
Net requirements: Besoins nets
Part period model: Lotissement par période ou à couverture glissante
Pegging: Identification d'origine des besoins
Economic part period (EPP): Pièces économiques par périodes (PEP)
Planned order: Ordre planifié
Planned-order receipts: Réceptions planifiées
Planned-order releases: Lancements planifiés, besoins ou lancements décalés
Product structure: Structure de produit
Projected on hand: Stock en main disponible ou projeté
Regenerative system: Variations régénératives
Rough cut capacity planning: Planification sommaire des capacités (calcul des charges globales)
Scheduled receipts: Réceptions programmées
Time fences: Limites de période

Chapitre 15

ABC costing: Comptabilisation par activité
Autonomation: Automation
Delayed differentiation: Différenciation retardée
Cross training: Formation croisée
Preventive maintenance: Maintenance préventive
Pull system: Flux tiré ou tendu.
Push system: Flux poussé

Chapitre 16

B 2 B (business to business): Industrie à industrie
B 2 C (business to customer): Industrie au client
Bar coding: Code à barres
Blanket order: Contrat cadre
CRIQ: Centre de recherche industrielle du Québec
Distribution requirement planning: Planification des besoins de distribution (PBD-DRP)
Electronic Data Interchange: Échange de données informatiques (ÉDI)
Incremental Holding Cost: Coût d'entreposage incrémentiel
Logistics: Logistique
Materials management: Gestion des matières
Outsourcing: Impartition
Physical distribution: Distribution matérielle ou physique
Procurement: Approvisionnement
Purchasing: Achat
Quick response: Réponse rapide
Thomas Register: Répertoire Thomas
Traffic management: Gestion de transport
Value analysis: Analyse de la valeur

Chapitre 17

Critical Ratio (CR): Ratio critique (RC)
Due Date (DD): Délai promis (DP)
Dynamic sequence: Séquence dynamique
Finite loading: Capacité illimitée ou infinie
First Come First Serve (FCFS): Premier entré premier servi (PEPS)
Forward scheduling: Ordonnancement aval

Hungarian method : Algorithme d'affectation

Infinite loading : Capacité limitée ou finie

Job scheduling : Programme (calendrier) de production

Job Shop : Atelier multigamme

Johnson's Rule : Algorithme de Johnson

Loading chart : Charge (calendrier) de travail

Priority rules : Règles de priorité

Roy's Rule : Algorithme de Roy

Rush or preferred customer : Par ordre de priorité (PODP)

Scheduling : Ordonnancement ou programmation

Sequencing : Jalonnement

Shortest processing time : Temps d'opération le plus court (TOC)

Static sequence : Séquence statique

Upstream scheduling : Ordonnancement amont

Chapitre 18

Activity on arrows (A O A) : représentation vectorielle

Activity on nodes (A O N) : Représentation nodale

Crash : Crash

Critical activity : Activité critique

Critical path : Chemin critique

Critical path method (CPM) : Méthode du chemin critique

Earliest time : Temps au plus tôt (hâtif)

Event : Étape

Free slack : Marge libre

Joint probability : Probabilité conjointe

Latest time : Temps au plus tard (tardif)

Most likely time : Temps le plus probable

Optimistic time : Temps optimiste

Pessimistic time : Temps pessimiste

Precedence diagram : Diagramme des précédences

Prerequisite activity : Activités préalables

Program evaluation and review technique : PERT

Total slack : Marge totale

Work breakdown structure : Structure des activités segmentées (SAS)

Chapitre 19

Queuing theory : Théorie des files d'attente

Waiting lines : Files d'attente

Chapitre 20

Accidental failures : Pannes accidentelles

Availability : Disponibilité (maintenance)

Breakdown maintenance : Maintenance palliative

Breaking-in : Rodage

Centralized maintenance : Maintenance centralisée

Corrective maintenance : Maintenance corrective

Decentralized maintenance : Maintenance décentralisée

Historical record : Fiche historique

Maintainability : Maintenabilité

Mean time between failures : Temps moyen de défaillance (TMD)

Mean time to repair (MTR) : Temps moyen de réparation (maintenance) (TMR)

Overhaul : Remise à neuf

Preventive maintenance : Maintenance préventive

Redundancy : Redondance

Reliability : Fiabilité

System reliability : Fiabilité système

Systematic maintenance : Maintenance systématique

Technical data : Fiche technique

Ware failures : Pannes de vieillissement

Value added : Production à valeur ajoutée (PVA)

Management process reengineering : Réingénierie du processus administratif